OUVRAGES DE ROLAND GAUCHER

Aux Éditions Albin Michel

Romans

LA TÊTE SOUS LE BRAS
(traduit en espagnol)

LES COMPLICES D'IMPERIA
(traduit en espagnol)

Histoire

LES TERRORISTES
(traduit en anglais, allemand, japonais et espagnol)

1917. LE ROMAN VRAI DE LA RÉVOLUTION RUSSE
(traduit en italien)

L'OPPOSITION EN U.R.S.S. (1917-1967)
(traduit en américain et en espagnol)

Roland Gaucher

HISTOIRE SECRÈTE
du
PARTI COMMUNISTE FRANÇAIS

(1920-1974)

AM

Albin Michel

A Pierre Dutilleul
en souvenir de Maurice Déglise

ISBN 2-226-00103-4

Table

TROISIÈME PARTIE
DES INSURRECTIONS AVORTÉES A « L'ENTRISME »

Introduction

CE LIVRE EST UNE TENTATIVE FAITE POUR EXPLORER LA FACE CACHÉE DU parti communiste. Elle part de cette constatation que derrière les activités visibles et avouées du parti communiste, derrière une certaine façade, existe tout un *underground* et qu'il n'y a pas de connaissance réelle de cette formation, si on ne tient pas compte de cet univers souterrain.

Tout parti, il est vrai, ou plus généralement toute collectivité humaine, recèle une certaine dose de secrets, petits ou grands, futiles ou graves. Ce qui donne au parti communiste, croyons-nous, son originalité, son style, c'est que la part du secret non seulement y est fort importante, mais qu'elle lui fournit, pour une large part, son armature, qu'elle lui est essentielle pour mener à bien ses entreprises.

Il s'agit donc ici de découvrir, sous les apparences de l'histoire officielle, la trame d'une autre histoire, et faire ainsi émerger les structures propres et les ressorts cachés de cette organisation : un mot reviendra souvent au cours de ce récit, celui d'*appareil*, qui vient de l'allemand *der Apparat*. Et, en effet, les thèmes principaux abordés dans *L'Histoire secrète du Parti communiste français* tournent autour d'un certain nombre d'appareils : appareil illégal, appareil anti-militariste, appareil financier, liaisons avec le Komintern... A quoi il faut ajouter l'âpre lutte entre les hommes et les groupes pour la conquête du pouvoir à l'intérieur du parti.

Considérée sous cet angle, l'histoire du parti entraîne deux conséquences essentielles. D'une part, les hommes que nous voyons évoluer dans ce récit ne sont pas nécessairement des hommes de premier plan. Au contraire, des secteurs très importants se trouvent placés entre les mains de personnages que la publicité dessert. Et les vedettes du parti elles-mêmes sont parfois impliquées dans des activités occultes ou entrent en rapport avec les secteurs du parti qui s'en préoccupent. De ce point de vue, il est évident que

Duclos clandestin retiendra beaucoup plus notre attention que Duclos parlementaire. Et de même, bien sûr, pour les autres dirigeants.

En second lieu, il est évident que si le parti entretient tout au long de son histoire des structures secrètes, celles-ci interviennent de façon plus ou moins active, selon la conjoncture historique. Même quand le parti est légal, il entretient un appareil illégal, mais celui-ci prend une importance capitale dans une période dramatique comme celle de 1939-1945. Alors, la vie du parti est suspendue au fonctionnement de cet appareil.

Nous verrons donc ses structures évoluer et se transformer avec le temps.

La nature même d'histoire secrète est contestée par les dirigeants communistes. Si on leur posait la question, ils feraient la réponse stéréotypée : « Notre maison est une maison de verre », réponse valable seulement pour l'immeuble du parti, place du Colonel-Fabien, dont la belle façade est en effet de verre, à vrai dire blindé.

Pour la thèse officielle, tout est donc limpide. Toute l'activité des communistes tient dans leurs communiqués, leurs réunions publiques, les déclarations de leurs chefs, leurs activités multiples déployées au grand jour.

Cependant, ces mêmes dirigeants disent que le parti communiste n'est pas un parti comme les autres. Il ne l'est pas, en particulier, parce qu'il fonctionne comme une machine de guerre, ce qui implique des secrets, comme ceux de la Défense nationale.

Il y a d'autres moyens de vérifier que toute une part des activités communistes relève bien d'un domaine occulte. D'abord, les vingt et une conditions qui ont constitué en quelque sorte la charte des partis ayant adhéré à l'Internationale font la part belle à ces modes d'organisation. Il y est dit qu'un parti communiste se doit de mettre sur pied des formations illégales, qu'il faut user de tous les moyens pour renverser l'ordre bourgeois, que les députés communistes au Parlement doivent songer avant tout à servir leur organisation, ce qui suppose la transmission de renseignements.

On sait, d'autre part, — les communistes n'en font point mystère — qu'il existe à Moscou des archives concernant les activités de l'Internationale communiste.

Ces archives, non rendues publiques, contiennent sans aucun doute un nombre considérable d'informations sur les partis communistes du monde entier, données qu'on ne juge pas bon au Kremlin de faire connaître, du moins pour l'instant.

Même quand le gouvernement soviétique se décide à communiquer certaines pièces, celles-ci parfois comportent des blancs. C'est le cas, par exemple, pour les procès-verbaux des réunions tenues en 1917 et 1918 par le Bureau politique du parti bolchevik.

Au cours de ces dernières années, il est arrivé toutefois que les communistes en viennent à faire quelques révélations, très limitées, sur un passé lointain. Dans les ouvrages du communiste Ceretti (Allard) : *A l'ombre des deux T.*, et *La Résistance (1930-1950)* du journaliste communiste Alain Guérin, un coin du voile est soulevé. On y évoque des épisodes comme le fonctionnement de **France-Navigation**, cette compagnie maritime qui servait à ravitailler l'Espagne républicaine, ou la présence auprès de Thorez d'un conseiller occulte, le Hongrois Fried, dit Clément. Les communistes avaient négligé de donner toute information sur ces sujets. En les évoquant aujourd'hui, même très partiellement, ils confirment la réalité de l'*underground*, héritage de la clandestinité bolchevique.

Une autre source est fournie par des documents qui ont échappé au contrôle du parti, par les révélations de ses adversaires politiques, ou des policiers dont la fonction est de surveiller ces agissements, ou encore par les témoignages d'anciens communistes qui ont quitté ses rangs ou en ont été chassés.

Les renseignements donnés par ces derniers constituent un apport particulièrement riche pour une connaissance des secrets communistes. « Entrons donc dans ce monde assez secret du parti... », écrit Charles Tillon dans son livre *Un « procès de Moscou » à Paris.* Certes, vis-à-vis de ces témoignages, la direction du parti a une attitude invariable. Elle les rejette en bloc : mensonges, ragots, odieuses calomnies forgées par l'ennemi de classe.

Tout témoin, certes, n'échappe pas à la critique. Rompant avec une organisation dont il attendait beaucoup, le transfuge communiste a le cœur rempli d'amertume. Il règle ses comptes. Il peut être enclin à noircir le rôle de ses anciens camarades, devenus maintenant des ennemis, à dorer le sien, à travestir les faits, voire à donner dans l'affabulation. L'Union soviétique et le communisme ont été ainsi prétexte à un certain nombre d'ouvrages qui ne sont que grossières forgeries [1].

On ne saurait confondre ces affabulations dictées en général par l'appétit de lucre avec les révélations faites par des hommes comme Souvarine, Frossard, Rosmer, Loriot, Treint, Barbé, Celor, Doriot, Dutilleul, Vassart, Clamamus, Chaintron, Marty, Tillon, Lecœur, Pierre Hervé, Garaudy... Non pas qu'ils échappent à la critique. Mais ces hommes ont quitté le parti à des dates différentes, pour des motifs contradictoires. Souvent ils ne s'aiment pas. D'où vient pourtant que leurs témoignages, en bien des cas, se recoupent, qu'il y a entre eux une sorte de fond commun, qu'ils nous dévoilent un aspect ou un autre de ce *communisme du souterrain ?*

Il reste que, dans ce domaine, la recherche demeure très malaisée. Après avoir consacré à cette enquête cinq ans de travail, nous reconnaissons volontiers que bien des zones restent à découvrir.

Pour cette exploration, les difficultés sont multiples. D'abord, toute une part du secret échappe à l'écrit, parce que l'écrit est dangereux pour une organisation qui connaît les règles de la clandestinité. C'est pourquoi les imposteurs ont recours à des faux, dont on peut déceler assez rapidement la nature, parce que justement ils veulent trop prouver.

Il se trouve en outre que quantité de documents (journaux, tracts, brochures, rapports confidentiels, correspondance, photos...) ont été détruits. Les phases principales de cette destruction se situent à l'époque de la « drôle

---

1. Par exemple, *Mon Oncle Staline*, soi-disant écrit par un mythique Budu Svanidzé, *Les Généraux soviétiques vous parlent*, le faux *Journal* de Litvinov, les documents Sisson, etc.

de guerre », après la dissolution du parti communiste, pendant l'occupation, à la Libération, et enfin pendant la période de la guerre d'Algérie et de la lutte contre l'O.A.S. Quantité d'archives privées ont ainsi été anéanties, et les cheminées ont reçu des rations supplémentaires de papier. La cause de ce saccage est aisée à deviner : la peur. Peur de la police de Daladier, de la police de Vichy, de la police allemande, de la police du général de Gaulle...

Du côté des témoins, je me suis parfois heurté à des refus de parler, ou à des déclarations très réticentes. L'approche s'est révélée souvent fort délicate, bien que j'aie pu disposer, en particulier dans le milieu des anciens communistes, d'un réseau assez fourni de relations. Dans quelques cas, les témoins n'ont consenti à parler que sur la promesse formelle que je ne donnerais pas leur nom, l'anonymat étant la condition stricte mise à toute déclaration. Engagement que j'ai naturellement respecté. Ceci ne concerne cependant qu'un petit nombre de cas, car j'ai spontanément renoncé à certaines révélations dont je ne pouvais donner les sources.

En définitive, dans cette chasse aux documents inédits et aux témoins, j'ai acquis, ce qui était mon objectif, des éclaircissements sur les activités communistes, mais aussi quelques lumières sur l'état des esprits en France, dans les années 1970. La peur qui avait provoqué, à certaines époques périlleuses de notre histoire, la destruction de papiers dont j'ai parlé plus haut, persiste. A quoi tient-elle ? Assurément à la crainte de subir des représailles si le parti communiste demain vient au pouvoir. Les hommes qui ont vécu l'occupation et la Libération, en particulier, en sont restés marqués. Mais cette peur tient peut-être avant tout au désir d'éviter dès maintenant d'être repéré, menacé ou inquiété, dans le milieu professionnel ou dans l'aire d'habitation, et à la crainte que l'entourage familial, qui dans le passé a pu connaître certaines épreuves, n'en subisse les conséquences.

La source de cette inquiétude ne fait à mes yeux aucun doute : c'est la présence et la puissance du parti communiste.

Dans cette quête, souvent difficile, j'ai conscience d'avoir été servi, avant même d'avoir conçu le projet de ce livre, par une certaine familiarité avec plusieurs acteurs de cette histoire, soit qu'ils aient appartenu au parti communiste, soit qu'ils en aient été très proches. Les circonstances m'ont ainsi permis d'avoir de très fréquents entretiens avec des anciens communistes comme Henri Barbé, Émile Bougère, Lucien Laurat, Pierre Dutilleul, Fernand Hamard, Maurice Déglise et Georges Tainon ; d'autres, moins fréquents, mais toujours pleins d'anecdotes et d'enseignements, avec Pierre Celor, Jules Teulade ; d'autres encore avec des militants syndicalistes comme Duverney, Patat, ou avec un spécialiste de ces problèmes comme le mystérieux Ceyrat, passé lui-même par les écoles du communisme et du socialisme, et revenu de tout cela.

A cette époque, dans les années 50, j'eus le tort de ne pas prendre de notes. Mais je retirai de ces conversations souvent colorées — Barbé, Teulade, Duverney, Ceyrat étaient en particulier de merveilleux conteurs — une connaissance vivante du milieu communiste que les textes ne donnent pas toujours. Je leur dois énormément. Ils m'ont donné accès à un monde d'initiés.

C'est souvent grâce à eux ou grâce à leur nom qui ouvrait des portes que j'ai pu rassembler un assez grand nombre de témoignages nouveaux ou peu connus, ou découvrir des pièces entièrement inédites. Il s'agit par exemple d'interrogatoires, de dépositions et de mémoires concernant le rôle de Marty dans la mutinerie de la mer Noire, dont quelques-uns seulement étaient connus; de la correspondance révélatrice d'un de ses co-inculpés, Badina; de lettres provenant de membres de l'opposition communiste en 1924 et que je dois à l'obligeance de M. Jacques Richard, d'un manuscrit inédit d'Émile Bougère sur l'espionnage communiste, des souvenirs d'Henri Barbé et de Jules Teulade; d'une correspondance de Guy Jerram, ancien responsable communiste dans le Nord, au moment de la crise Doriot; de documents concernant l'affaire Péri, de l'extraordinaire explosion de colère de Louis Prot, qui faillit rompre avec son parti après la Libération; de renseignements concernant les entreprises commerciales du P. C. ou l'affaire Marchais, etc.

J'espère avoir pu ainsi éclaircir un certain nombre de questions, ou permettre à d'autres de poursuivre des recherches sur les points que je n'ai pu élucider.

Un dernier mot, qui concerne cette fois l'historien devant un sujet aussi explosif que celui du parti communiste. Il sera peut-être possible d'aborder ce thème avec le même détachement que l'étude d'un protozoaire. Ce moment n'est pas venu. Le parti communiste est notre contemporain. Il fait notre histoire. Nous nous déterminons, année après année, par rapport à lui

Dans ces conditions, l'historien peut-il être parfaitement neutre? Au moment même où il affecte une impartialité rigoureuse, il vote. Pour ou contre. Même quand il traite d'un sujet aussi lointain que l'occupation de la Ruhr, peut-il ne pas ressentir les effets des batailles politiques qui se déroulent aujourd'hui? Et s'il ne les ressent pas, s'il reste indifférent à l'égard de ces problèmes, que peut-il bien comprendre à un phénomène passionnel comme le parti communiste?

Tous ceux qui ont abordé jusqu'ici un pareil sujet (compromettant), sont politiquement engagés. Le premier, auteur d'une histoire du Parti communiste français, André Ferrat, était encore membre de cette organisation quand il rédigea cet ouvrage. Depuis, les services du parti ont publié leur propre histoire du P.C.F., tandis que les dissidents communistes du groupe *Unir* concevaient de leur côté une histoire en trois volumes sensiblement différente. Gérard Walter, Jacques Fauvet (avec la collaboration d'Alain Duhamel), auteurs de deux autres histoires du P.C.F., prennent ou ont pris des positions politiques.

Ces précédents ne sont certes pas des hasards. Je ne puis davantage prétendre à une neutralité qui ne serait qu'un trompe-l'œil. Mais sans être neutre, tout auteur est tenu de s'efforcer à l'objectivité, qui est d'ailleurs une condition essentielle pour porter sur les hommes et les événements un jugement lucide. C'est à quoi je me suis efforcé d'atteindre tout au long de cet ouvrage.

LEVER DE RIDEAU

I.

Commando pour des mutineries

Quinze décembre 1918... En compagnie du croiseur *Ernest Renan*, du torpilleur *Cimeterre*, escortant comme eux un convoi de cargos chargés de troupes, le *Protet*, 850 tonneaux, 26 nœuds, un des meilleurs torpilleurs de l'escadre, trace péniblement sa route vers Odessa.

Gros temps, ciel lugubre. Les lames puissantes de la mer Noire balaient les ponts et secouent durement les navires. Le *Protet* est une cage d'acier bouclée sur le mal de mer et l'ennui. A son bord, un officier mécanicien, mâchoires contractées, remâche de vieilles colères.

C'est un grand diable, rudement bâti, avec un visage osseux barré d'une petite moustache, enlaidi par une expression de hargne. Ses yeux globuleux, à la fois arrogants et hagards, consultent souvent le manomètre : il indique toujours l'orage.

Le 17 enfin, à deux heures de l'après-midi, les eaux s'apaisent, le *Protet* s'immobilise dans le port d'Odessa. L'homme grimpe sur le pont, s'accoude au bastingage en même temps que les autres marins. Sur les cargos, les soldats se bousculent. A bord, on joue des marches militaires, *Sambre et Meuse*, *La Madelon*... Le corps expéditionnaire, venu sur les ordres du général Berthelot et de l'amiral d'Anselme contenir l'avance des bolcheviks, salue la ville avec le cuivre de ses fanfares.

Odessa oppose à ce fracas militaire ses fenêtres closes, ses persiennes baissées, ses quais déserts, son silence massif. Seuls, les soldats en armes des cuirassés *Jules-Michelet* et *Justice*, venus en avant-garde pour débarquer les premières troupes, arpentent les docks. Les notes vulgaires et joyeuses de *La Madelon* tintent dans le vide immense d'un port, livré par la guerre civile à la peur.

A bord, les hommes se taisent. Ils regardent. Ils sont vaguement anxieux, l'officier mécanicien André Marty comme les autres. Mais pour la première fois, sans doute, depuis le début de cette traversée, il savoure en secret une sombre joie. Son cœur bat pour cette révolution qu'on l'envoie combattre. Cette ville déserte lui semble incarner un refus.

C'est peut-être que ses habitants ignorent encore l'arrivée de l'escadre. Car, quelques heures plus tard, le boulevard Nicolas est envahi par une foule qui acclame les Français. « Des bourgeois », pense Marty [1]. Leur présence et leurs cris ne changeront rien à sa résolution d'aider les révolutionnaires.

Au même moment, sur ce territoire immense qui ne s'appelle pas encore l'Union soviétique, tandis que le corps expéditionnaire commence à débarquer, un petit groupe d'hommes, Français et Russes, tous acquis aux bolcheviks, a pris le train à Moscou. Destination : Odessa. Mission : détruire *de l'intérieur* le corps expéditionnaire et la flotte d'invasion. Armes : articles, tracts, brochures, affiches-slogans, dialogues...

Les hommes de ce groupe ignorent tout de Marty. Ils n'auront jamais avec lui aucun contact. Ils participeront toutefois, avec leurs moyens propres, à la bataille d'agitation qui influe sur la célèbre mutinerie de la mer Noire, et provoque l'échec de la tentative d'intervention des Alliés.

L'envoi de ce corps expéditionnaire dans le dessein de contenir la menace bolchevique sur l'Europe a été conçu à la fin de la guerre. En France, le partisan le plus résolu de cette opération est Clemenceau. Avant même la signature de l'armistice, dès le 27 octobre 1918, il demande à Franchet d'Esperey, alors commandant en chef des armées d'Orient, d'étudier de concert avec le général Berthelot les conditions d'une « action éventuelle en Russie méridionale [2] ».

Franchet d'Esperey n'est pas très chaud. Il préférerait, pour servir sa gloire, lancer une grande offensive en direction des empires centraux et frapper l'Allemagne au cœur. Dans son télégramme de réponse, il explique que les troupes qu'il peut affecter à cette tâche lui permettront tout juste de tenir Odessa. Il ajoute qu'il craint chez ses soldats des « incidents pénibles [3] ».

Il est clairvoyant, mais discipliné : on ne discute pas des ordres. L'opération est engagée. Dès le 22 novembre, des navires de guerre alliés (français, italiens, grecs) débarquent à Sébastopol. Le 3 décembre 1918, les cuirassés *Mirabeau* et *Justice*, ainsi que le croiseur *Jules-Michelet* mouillent en rade d'Odessa. Les marins français y font leur jonction avec des troupiers serbes et des légionnaires polonais venus par terre. Quinze jours plus tard, le convoi de Marty amène les hommes des 175e et 176e R. I. et du 1er R.M.A.

L'état-major français s'installe à l'Hôtel de Londres; le contre-espionnage, 7, place Catherine, dans la maison Mas et Brodsky. Des marins anglais arrivent à leur tour. Des troupes grecques sont débarquées. L'entente scellée

---

1. André Marty, *La Révolte de la mer Noire,* 1re partie, p. 65.
2. Lettre du président du Conseil, ministre de la Guerre, à M. le général commandant en chef des armées alliées d'Orient, reproduite par André Marty, *op. cit.,* 1re partie, pp. 143-144.
3. *Op. cit.,* p. 38.

contre l'Allemagne, à présent vaincue, semble se prolonger contre les bolcheviks.

Au début, l'idée d'une occupation, sinon d'une expédition, en terre ukrainienne n'a pas été trop mal accueillie par la troupe. Celle-ci a été rudement éprouvée sur le front de Macédoine. Par comparaison, le maintien de l'ordre à Odessa n'est qu'une simple promenade.

L'armistice fait la vie brève à ces dispositions d'esprit. L'ordre se révèle moins facile à maintenir qu'on ne croyait. L'hiver arrive, brutal. Les hommes sont mal vêtus. Les légionnaires polonais arborent des uniformes rutilants, fournis par l'Intendance française. Le ravitaillement est médiocre, les permissions rares. Les soldats comparent leur sort à celui de leurs camarades pour qui les combats ont pris fin. Odessa, en proie au chômage et à la famine, glisse à un chaos sans merci. Partisans rouges de l'ataman Grigoriev, allié aux bolcheviks, nationalistes ukrainiens de Petlioura, volontaires russes de Denikine, mencheviks, socialistes-révolutionnaires, anarchistes, se disputent le pouvoir et s'entre-tuent. Quatorze polices patrouillent la ville. Pour passer d'un quartier à un autre il faut montrer passeports et visas...

Le troupier ne comprend rien à cette mêlée. Il grogne : qu'est-il venu faire là ? Il commence à dire et à répéter qu'il serait mieux chez lui. Ni le gouvernement ni le commandement français ne l'éclaireront beaucoup. Ils n'ont pas une idée très nette de l'action à mener. Ils appuient les volontaires russes de Denikine, qui sont quelques milliers, très isolés dans cette population ukrainienne. Le corps expéditionnaire aurait besoin d'être étayé par une conception politique, mûrement réfléchie. Il n'y en a pas.

Au début, l'état d'esprit des unités à terre est plus revendicatif que révolutionnaire. La coloration politique est déjà plus sensible chez les marins. La claustration à bord d'un navire facilite l'échange des idées. Le cuirassé moderne est une usine. Il a donc besoin de techniciens qui se recrutent souvent chez des ouvriers qualifiés, et certains d'entre eux possèdent une certaine formation politique. Dans ses soutes, le navire véhicule et préserve une conscience de classe, qui va s'éparpiller dans les régiments. Cela a été bien vu par Marty [1].

Les conditions de la guerre ont semé le trouble dans la flotte. Après la désastreuse expédition des Dardanelles, elle a été concentrée à Corfou, réduite à des missions subalternes mais périlleuses d'escorte de convois. Elle est à la fois passive et exposée sans cesse aux mines et aux torpillages des sous-marins allemands, surgis des Bouches de Cattaro [2]. Le moral des marins s'use à ces va-et-vient où les navires français sont presque toujours gibier. S'y ajoutent les traditionnelles histoires, vraies ou fausses, de discipline trop dure, de nourriture immangeable et surtout de permissions supprimées.

Après l'armistice, les mécontentements s'aigrissent. Les idées révolutionnaires ont déjà commencé à tomber sur cette ébullition latente. Elles sont

1. *Op. cit.*, 2e partie, pp. 58-63.
2. Aujourd'hui Kotor.

apportées par *La Vague*, la feuille de Brizon, parue depuis la fin de 1917 et qui alimente un antimilitarisme violent. Fort lue au front et dans la flotte, elle publie de nombreuses lettres de soldats et marins, pleines de doléances, qui font son succès.

Le contact avec une Italie en révolte contre la guerre ouvre d'autres brèches dans la discipline. Au retour d'une permission en France, Tillon (qui est marin à bord du *Guichen*) et ses camarades contemplent, stupéfaits, à la Spezia, les soldats italiens qui, le visage farouche, mettent la crosse en l'air [1]. Appel à la révolte qui sidère les Français, mais chemine aussi dans quelques cerveaux. Plus tard, au cours des escales, une Italie en proie aux troubles révolutionnaires communiquera un peu de sa fièvre aux marins français. A des dates différentes, les flottes de la mer Noire et de la Méditerranée seront gagnées par une même contagion.

Sans que les gouvernements en aient nettement conscience, le temps des mutineries approche à grands pas. Victorieuse, l'armée française, à cette époque, est la plus puissante du monde. Mais son corps expéditionnaire n'est qu'une mince phalange sans âme, aventurée aux confins d'une immense Russie, exposée aux péripéties des affrontements révolutionnaires. Et sur les arrières de cette troupe se lèvent déjà les vagues puissantes des grèves, en Italie, en Espagne et en France, des émeutes spartakistes à Berlin, de la terreur en Bavière, du pouvoir rouge de Bela Kun en Hongrie.

Les Français de Moscou passent à l'action

Ce corps expéditionnaire, les bolcheviks vont moins l'affronter à coups de mitrailleuses et d'obus, qu'à coups d'idées. Ils lui opposent la technique de « l'Agit-Prop ». La mer Noire et ses rivages, Odessa, Kherson, Nicolaïev et Sébastopol, Galatz en Roumanie, seront des lieux où se développera la première action antimilitariste concertée, menée au sein de l'armée et de la flotte françaises par l'appareil des bolcheviks russes et français.

Une poignée d'hommes. Leur groupe a été constitué le 21 août 1918, à Moscou. Ce jour-là, au 20 de la Vozdvijenka, c'est une femme, une Française, qui présente le rapport historique de la fondation du minuscule groupe franco-anglais [2], qui n'est lui-même qu'une section de la *Fédération des groupes étrangers de Moscou*.

Elle s'appelle Jeanne Labourbe. Elle est fille d'un combattant de la Commune. Les images, médiocres, qui subsistent d'elle, montrent une jeune femme au visage rond sous des cheveux courts et bouclés, avec un nez et des yeux insolents de titi.

Elle a derrière elle un long passé de militante. Avec Inessa Armand, l'amie de Lénine, qui participe aussi à la création du groupe franco-anglais, elle est déjà, après une existence d'aventure, une vraie bolchevik. Repasseuse

1. Charles Tillon, *La Révolte vient de loin*, p. 225.
2. Pierre Pascal, *Bulletin communiste*, 1920, n° 3. 1er avril 1920.

à 17 ans, près de Vichy, elle est partie, au vu d'une annonce, enseigner le français à des jeunes filles polonaises. On ne sait trop ce que pouvaient être ces leçons. Elle fut d'ailleurs surtout employée comme servante. Après un bref séjour en France, elle repart en Pologne en 1903 et commence à participer aux activités illégales des révolutionnaires. Elle assure à la frontière russo-polonaise le passage du courrier, puis des militants. C'est dans ces conditions, à vrai dire enveloppées de mystère, qu'elle prend contact avec les bolcheviks et milite pour eux désormais, tantôt en Russie, tantôt en France.

Quand le groupe est fondé, c'est parce que Jeanne Labourbe est intervenue personnellement auprès de Lénine, puis auprès du commissariat aux Affaires étrangères qui procure papiers et moyens d'impression. On lui fait naturellement confiance. Elle appartient à l'appareil. Elle a derrière elle quinze années d'activité illégale. Inessa Armand a de son côté participé aux mêmes missions, celles que Lénine lui confiait personnellement. Entre autres, en 1915, elle est venue en France prendre contact avec les milieux de la gauche minoritaire, pour y répandre les thèses défaitistes de Lénine.

Auprès de ces deux femmes, les quelques Français membres de ce petit noyau font figure de néophytes. Le 31 août, ils sont quatre : deux officiers : le capitaine Georges Sadoul, qui appartenait à la mission militaire française en Russie et qui a rallié les bolcheviks; le lieutenant Pierre Pascal, et deux soldats : Robert Petit, Marcel Body. Un peu plus tard, les rejoindra l'envoyé spécial du *Figaro*, René Marchand. Marié à une Russe, il a pris lui aussi parti pour les bolcheviks et il s'empresse de publier des révélations sur les « complots » que trament l'ambassadeur de France Noulens et le 2e Bureau.

Ce petit monde s'agite beaucoup. Il se donne de l'importance et se chamaille ferme. Sa première manifestation a lieu le 7 novembre 1918, anniversaire de la Révolution. Ce jour-là, les membres du groupe français et du groupe allemand défilent sous une même banderole, dont le texte a été rédigé moitié en français, moitié en allemand [1]. Sadoul, pour sa part, a vigoureusement insisté pour que les membres de la mission militaire endossent l'uniforme français [2].

Même avec l'expérience de Jeanne Labourbe, les entreprises de ce groupuscule d'émigrés se réduiraient à rien si elles n'étaient étayées par l'armature bolchevique. Prennent part aux réunions du groupe, en effet, des Russes comme Manouilski, Losovski et Niourine. Les deux premiers ont été en France, avant et pendant la guerre, étroitement mêlés aux activités des milieux socialistes et « anar » français. Ils ont en particulier mené une action défaitiste au sein du *Comité pour la reprise des Relations internationales*. Ils seront appelés, à cause de leurs connaissances et de leurs relations, à jouer un rôle important dans les activités communistes en France.

Quant à Niourine, c'est l'homme qui procure au groupe des émigrés ses moyens. C'est grâce à lui que paraît l'organe des communistes français en

1. *Bulletin communiste*, 1920, n° 3.
2. Marcel Body, in *Contributions à l'Histoire du Comintern*, p. 43.

Russie, *La IIIe Internationale*. Il est publié sur du papier d'emballage dont la couleur change à chaque numéro.

Dans les plans des dirigeants bolcheviks, les groupes étrangers sont destinés à remplir une double mission : d'abord servir sur place la révolution bolchevique, dans la mesure de leurs moyens; en second lieu, utiliser plus tard l'expérience acquise en Russie pour agir dans leur propre patrie.

Pour les Français, l'occasion se présente bientôt d'aider les bolcheviks *concrètement*. Dès que l'escadre française apparaît devant Odessa, ils sont jetés dans la bataille. En décembre 1918, un premier échelon de propagandistes se met en route pour l'Ukraine. Il comprend le groupe de la mission militaire française et divers militants bolcheviks. Les uns et les autres décident de faire paraître en janvier 1919, à Odessa, une feuille en français intitulée *Le Communiste*. On y reprend en général les articles et proclamations publiés dans *La IIIe Internationale*. S'y ajoutent tracts, affiches et feuilles volantes qui dénoncent l'intervention des Alliés, et de minces brochures : *Vers la Révolution, La Politique du Tigre, L'Entente et le Problème russe*, etc.

« Cette propagande — écrira plus tard Sadoul, qui se vante pourtant de l'avoir dirigée — fut médiocre. Pressés par le temps, peu expérimentés encore, nous manquions en outre de bons agitateurs anglo-français et surtout de bonne littérature. Nous sommes infiniment mieux armés aujourd'hui. »

Étrange naissance de l'Internationale

C'est à cette entreprise antimilitariste que Georges Sadoul doit peut-être de participer à la fondation d'un organisme qui, dans le monde entier, va répandre les ferments de la révolution : la IIIe Internationale.

Dans la liste des délégués à ce premier congrès (mars 1919), Sadoul figure avec le numéro 24. Il représente le « groupe communiste français » mais seulement avec voix consultative. La préférence de Lénine va à Guilbeaux, pacifiste français, réfugié en Suisse, ami de Romain Rolland et subventionné, dit-on, par les services allemands. Pendant la guerre, Guilbeaux a rendu à Lénine de multiples services et celui-ci témoigne au Français une apparente estime. Il sait en tout cas qu'il peut compter sur lui et c'est l'essentiel à ses yeux.

Avec le numéro 19, Guilbeaux est donc considéré comme le représentant de la « gauche française de Zimmerwald » (en souvenir de la réunion pacifiste tenue dans ce village bernois) et détient de ce fait cinq voix [1]. Lénine tient tellement à sa présence que Guilbeaux se trouvant à Minsk, il lui a dépêché une locomotive spéciale pour lui permettre de gagner Moscou et a retardé l'ouverture du congrès.

Sadoul, comme Guilbeaux n'a aucune attache avec le mouvement ouvrier français. Ils ne représentent guère qu'eux-mêmes. Il en est de

---

1. Cf. *L'Internationale communiste*, p. 192.

même des 32 autres délégués [1]. Un seul représente vraiment une organisation étrangère d'une importance réelle : l'Allemand Eberlein, membre du groupe Spartacus que dirigent Karl Liebknecht et Rosa Luxemburg. Circonstance fâcheuse pour les desseins de Lénine : l'Allemand arrive avec un mandat impératif de son organisation contre la création d'une nouvelle Internationale. Seconde malchance : Eberlein a la réputation d'être têtu comme une mule.

Cette réunion, voulue avec obstination par Lénine pour faire pièce à la IIe Internationale social-démocrate, est le lever de rideau d'une entreprise colossale. Il s'agit d'une caricature de congrès dont les acteurs sont presque tous des pions manœuvrés par les bolcheviks.

Sur la naissance de cette Internationale balbutiante existe un témoignage coloré, assez peu connu, celui du mystérieux « camarade Thomas ».

C'est un bolchevik de la vieille garde léniniste, familier de Lénine en Suisse, mêlé dès cette époque aux secrets de l'appareil bolchevik. Sur le passé de cet homme, membre avant la guerre du Parti social-démocrate polonais, et ami de Radek, on ne sait presque rien. C'est un représentant typique du « souterrain » bolchevik. Nous en verrons beaucoup au cours de ce récit.

Thomas est un pseudonyme. Le vrai nom du personnage qui, jusqu'en 1934, a joué un rôle très important dans les coulisses du Komintern, bien que son nom n'apparaisse jamais dans les communiqués, est Reich. Il est mort aux États-Unis il y a une dizaine d'années, après avoir rompu avec Staline, sans doute au moment des procès de Moscou, pour des raisons non éclaircies.

En 1935 à Prague, dans l'immeuble du Parti social-démocrate allemand en exil, à Prag-Karlin Palackeho trida 24, le camarade Thomas contacte le menchevik russe Boris Nikolaïevski [2] à qui il a un service à demander.

Il est en danger. Jusqu'ici il a pu vivre clandestinement à Berlin, où il a accumulé des archives d'une extraordinaire importance sur l'histoire de l'Internationale communiste. Il a réussi à préserver ce dépôt et à assurer sa propre sécurité grâce à des protections importantes et difficilement soupçonnables. Ces protections viennent de tomber.

« Voilà la raison de ma démarche, dit Thomas. Je sais que par une opération audacieuse vous avez réussi à faire sortir d'Allemagne les archives des socialistes. Ne pouvez-vous pas renouveler cette tentative pour nos propres documents qui ne peuvent manquer de vous intéresser ? »

Nikolaïevski secoue la tête.

---

1. Le congrès rassemble du 2 au 6 mars 1919, 34 délégués dont 18 avec voix consultative.
2. Boris Nikolaïevski, membre avant la guerre de 1914 de l'aile menchevik du Parti social-démocrate russe. Détenu par les bolcheviks à la prison Butirki de Moscou, il est libéré en 1922 et constitue à New York avec les mencheviks Dan, David Dallin et Salomon Schwartz, la petite équipe du *Courrier socialiste (Sotsialistitcheskí Vestnik)* qui, du 1er février 1921 à décembre 1963, date de sa disparition, constituera le meilleur poste d'observation sur les événements en U.R.S.S. Tous les spécialistes le savent, Nikolaïevski fut un des plus remarquables « kremlinologues ».

« Deux ans ont passé, répond-il. Malheureusement, nous ne disposons plus des mêmes moyens. »

Dans le récit que longtemps plus tard il donnera de cet entretien [1], Nikolaïevski ne s'étend pas sur la déception que le « camarade Thomas » ne put manquer d'éprouver. Elle n'a pas empêché cependant celui-ci de faire à Boris certaines révélations (ce qui peut laisser supposer qu'il y eut une autre monnaie d'échange).

Et pendant plusieurs heures, dans cette nuit du 20 mai, puis au cours d'une seconde rencontre, tandis que son interlocuteur accumule fiévreusement les notes, gonfle ses dossiers de secrets, l'homme du Komintern parle. Comme le temps manque, il est convenu de part et d'autre que son récit se limitera à des souvenirs sur Lénine et sur les commencements de l'Internationale bolchevique.

Ce sont ces débuts qui nous intéressent. Le premier Congrès de l'Internationale communiste fut la matrice des activités communistes dans le monde entier, et donc dans notre pays. Thomas en éclaire des aspects surprenants.

Thomas raconte que les débats ont été totalement dénués d'intérêt. Rédigées par Lénine, les thèses ne sont même pas l'objet d'une discussion préalable. Tout est réglé d'avance. Il n'y a vraiment qu'un problème : Eberlein.

Pour emporter le ralliement du Teuton, les bolcheviks machinent en coulisses un coup de théâtre, digne du Châtelet.

« Camarades — annonce soudain le président de séance — un de nos délégués, retardé par les difficultés de communications, vient seulement d'arriver à Moscou. Je vous propose de l'entendre, car il a une communication d'une importance extrême à vous faire... »

Au même moment, la porte principale qui donne accès à la salle du Palais de Justice, au Kremlin, où siège l'assemblée, est violemment poussée. Paraît un soldat, visage farouche, barbe hirsute, vêtu d'un haillon d'uniforme autrichien. Devant les délégués, très émus, le spectre de la terrible guerre mondiale vient de surgir.

Sans un mot, l'homme sort un couteau, taillade un morceau de sa capote déchirée pour extraire le message qui mandate le camarade autrichien Gruber-Steinhardt à cette réunion. Dans un silence oppressé, il prend alors, enfin, la parole.

Il dit les épreuves subies, les obstacles surmontés pour traverser les différents fronts d'une Ukraine submergée par la guerre civile. Il s'exprime d'une voix pathétique. Et voici maintenant que le ton change. Avec fougue, avec lyrisme, le rescapé en lambeaux brosse un avenir exaltant : partout en Europe occidentale, assure-t-il, les prolétaires rallient le bolchevisme.

---

1. *Les premières années de l'Internationale communiste.* D'après le récit du « camarade Thomas » recueilli, introduit et annoté par Boris Nikolaïevski, in *Contributions à l'Histoire du Comintern.*

Les masses sont prêtes à se soulever. L'explosion révolutionnaire n'attend plus qu'une étincelle.

A défaut des masses, la salle, bouleversée par cette harangue, est prête à s'enflammer. Quelqu'un en profite pour souffler à l'oreille du « délégué » autrichien :

« Crie : " Vive le Congrès de l'Internationale communiste! " »

— Vive le Congrès de l'Internationale communiste! hurle docilement Gruber. »

Congrès! Pour la première fois, le mot clé de cette réunion vient d'être prononcé.

Lénine et Zinoviev proposent aussitôt de considérer cette conférence comme le premier congrès de la IIIᵉ Internationale. Une partie des délégués, à qui on a donné le mot, se dressent et crient à tue-tête : « Vive l'Internationale communiste! » Dans l'instant, tout le monde est debout. Tout le monde entonne *L'Internationale*. Tout le monde lève la main pour approuver le projet « historique » des camarades Lénine et Zinoviev.

Tout le monde? Dans cette atmosphère électrisée, Thomas assure que l'obstiné camarade Eberlein sent fondre sa résistance et lève la main à son tour.

On ne lui en demande pas plus. Le président de séance constate aussitôt que la proposition a été adoptée à l'unanimité.

Ainsi, par la volonté de Lénine, d'une petite réunion dont les acteurs sont pour la plupart des figurants manipulés par les bolcheviks, naît ce qui ne s'appelle pas encore le Komintern. Aussitôt après, on forme le bureau et Thomas part pour Petrograd afin de faire imprimer le premier numéro de *L'Internationale communiste*. Sous le pseudonyme de James Gordon, il y rédige un article sur la situation en Allemagne, tandis que Zinoviev, dans un éditorial apocalyptique, assure que d'ici à un an, seuls l'Amérique et les pays exotiques ne seront pas encore communistes. Au rendez-vous que le lieutenant de Lénine lui assigne, l'Histoire pose un « lapin ».

Un technicien de l'appareil « anti » : Diegott

Revenons aux activités du commando antimilitariste.

Du côté français, Jeanne Labourbe exceptée, l'inexpérience était certes totale. Mais Sadoul passe sous silence l'encadrement russe qui comprenait des agitateurs chevronnés comme Iéline, Chilikvert, Vinnitjsky, Lastotchkine, et, plus tard, le plus doué de tous : Diegott.

La plupart de ces hommes avaient vécu en France.

Peu de militants communistes connaissent aujourd'hui le nom de Diegott. Il a cependant mené dans notre pays diverses missions et a joué le rôle de conseiller occulte auprès des divers dirigeants du P.C.F.

Avant-guerre, après les journées révolutionnaires d'Odessa, en 1905, il s'est réfugié en France où il a travaillé comme typographe, puis comme ouvrier relieur. Il faisait déjà partie du noyau de militants bolcheviks rassemblés dans la capitale française, et il a été un des élèves de la fameuse école de Longjumeau organisée par Lénine pour faire pièce à celle de Bogdanov et de Gorki, à Capri.

En 1909, le bolchevik Diegott regagne illégalement Odessa pour y organiser une imprimerie bolchevique. Cette activité lui vaut l'arrestation et la déportation. Il s'évade. Le voici de nouveau à Paris où il séjournera comme membre de la section bolchevique jusqu'en 1917. Lesté de sa double expérience révolutionnaire d'Odessa et de Paris, Vladimir Diegott est assurément qualifié pour diriger, sous le pseudonyme de A. Joseph, l'appareil « anti » (antimilitariste) à l'usage du corps expéditionnaire.

Body, qui a travaillé avec lui à Odessa, le décrit comme le type même du conspirateur bolchevik :

« Au collège étranger d'Odessa — écrit-il — il était le maître. C'est lui qui, en dernier ressort, décidait d'envoyer tel propagandiste à l'étranger. Il avait le flair pour déceler l'aventurier sous le travesti bolchevik, et la somme d'argent, grosse ou petite, qu'on devait lui remettre [1]. »

Sous l'impulsion de Diegott, tracts et brochures sortent de l'imprimerie clandestine, à l'usage des marins et des soldats. Voici, par exemple, des extraits d'un tract distribué aux soldats du 7e Génie :

« Prolétaires de tous les pays, réunissez-vous aux soldats et matelots français !

DÉCLARATION

« Camarades,

« Un fait, surprenant nous est porté à la connaissance. En dépit des dires hypocrites des gouvernans [2] de votre pays que les troupes françaises en Russie n'auraient qu'un rôle de spectatrices.

« Malgré leur assurance qu'on ne veut que bloquer la république socialiste des soviettes, c'est-à-dire de tuer le peuple russe par la famine.

« En dépit des vœux des ouvriers et de l'opinion publique alarmée qui, en France, en Angleterre, en Italie, en Amérique, etc. demande le retrait des forces de l'Entente de la Russie. En dépit de vos promesses que vous ne combattrez jamais contre les travailleurs russes puisque vous êtes aussi des travailleurs, et de notre espérance de trouver en vous des alliés. Quelques détachements des vôtres ont obéi au commandement de nous faire la guerre.

« Ils sont parti contre les forces des soviettes.

« Par ce geste, vos camarades ont trahi le prolétariat de la France qui proclame de nouveau la lutte de classe et le prolétariat russe qui a forgé par des efforts inouïs et par des sacrifices immenses la révolution prolé-

---

1. *Op. cit.*, p. 57.
2. Nous avons respecté l'orthographe.

taire [...] Nous exprimons ici toute notre révolte contre vos camarades qui ont tiré l'épée.

« Nous déclarons que nous les considérons comme nos ennemis, comme les pires contre-révolutionnaires — vu qu'ils sont des travailleurs et que nous ne les ménagerons point, comme nous n'épargnerons non plus les autres ennemis de notre révolution.

« Ils ont couvert de honte l'armée française [...] etc. [1]. »

Sous une forme maladroite et trop agressive à l'égard de ceux que l'on veut rallier, on trouve déjà dans ce texte les thèmes classiques de « l'Agit-Prop » antimilitariste : la solidarité entre les travailleurs opposée à la discipline militaire, le soutien de l'opinion publique, les promesses non tenues par les chefs, la tentative d'isoler au sein des unités tel ou tel détachement promis à la vindicte du peuple...

Un autre texte — il s'agit d'une mince brochure de quatre pages — signé du groupe communiste français et distribué aux marins du *Chayla*, en février 1919, constitue une âpre critique de la politique de l'Entente. Texte un peu trop « intellectuel ». La conclusion d'une autre brochure conçue par le même groupe et distribuée à Odessa contient des appels plus directs, qui préconisent carrément la révolte :

« Refusez de combattre le peuple révolutionnaire !

« Partout où vous vous trouverez, soutenez au contraire vos frères ouvriers et paysans dans la lutte pour la liberté !

« Formez des soviets !

« Exigez votre rapatriement immédiat !

« Et si vos chefs ne consentent pas à vous renvoyer au foyer, rapatriez-vous vous-mêmes !

« Vivent les Soviets des Soldats et Marins !

« Vive la République Fédérative des Soviets [2] ! »

A côté de la propagande écrite, une autre arme, neuve à cette époque, entre en action : la radio.

Les bolcheviks, Trotski en tête, ont été prompts à en comprendre la portée. Quand il s'agit de signer la paix de Brest-Litovsk et que l'état-major russe renâcle, c'est par radio que les dirigeants bolcheviks alertent les troupes et les mobilisent contre la *Stanka* (G.Q.G. russe).

Et c'est encore par radio que Trotski comptait faire diffuser les principales phases d'un grand procès public organisé contre le tsar, où lui-même se voyait dans le rôle du procureur. Le massacre de la famille impériale, ordonné par Lénine, ne lui permit pas de mettre à exécution ce projet. Mais il eut largement recours à la radio pour attaquer avec violence Clemenceau et les autres dirigeants de l'Entente.

1. Cf. Marty, *op. cit.*, 1re partie, pp. 155-156.
2. *Ibid.*, p. 166.

On peut être sceptique sur la portée réelle de cette forme de propagande. A cette époque, les transistors n'existent pas. Seuls, sans doute, les états-majors et commandants de navires sont équipés de postes récepteurs. Mais c'est sous-estimer la puissance de diffusion du bouche-à-oreille.

« ... Les radio-télégraphistes recevaient en mer Noire, tous les matins à trois heures, de très longs radio-télégrammes émis de Moscou, en français, en allemand et en anglais, qui comportaient des pages entières. Quelquefois, il était interdit de les capter. Ils tombaient souvent, même dans ce cas, entre les mains de l'équipage qui les commentait longuement et avec satisfaction. Les marins y lisaient les dernières nouvelles du mouvement révolutionnaire mondial, des attaques violentes contre les gouvernants, le conseil de se démobiliser eux-mêmes et enfin de fraterniser avec les ouvriers et les paysans de Russie. Quoique la signification exacte du mot " bolchevik " échappât souvent, une ardente sympathie se développe rapidement parmi les marins pour les hommes qui exprimaient si bien leurs sentiments dans les tracts ou les radios. »

Voilà ce que signale Marty[1], avec sans doute quelque exagération sur l'effet de ces appels. C'est par la radio aussi que Tillon et ses camarades, à bord du *Guichen*, en Méditerranée, apprennent successivement la révolte des marins allemands à Kiel et l'armistice. C'est par un marin rencontré à Salonique, qui tient la nouvelle d'un « radio », que le même Tillon entend pour la première fois parler, en juin 1919, des mutineries de la mer Noire[2].

La propagande écrite des bolcheviks n'est pas restée cantonnée dans le secteur d'Odessa et de Sébastopol. A l'aide des contrebandiers, elle franchit la frontière et se répand parmi les troupes de Roumanie. Trompant la vigilance des marins, ces hommes, montés à bord de frêles embarcations, transportent l'agitateur et son colis de « matériel » jusqu'au delta du Danube. On le débarque dans de vastes marécages couverts de roseaux, peuplés de canards et d'oies sauvages. Ici encore, le rôle de Diegott est décisif. C'est lui qui reçoit les contrebandiers et les sélectionne. « Il les " palpait ", si l'on peut dire — écrit Body —, leur parlait le rude langage du conspirateur qui ne pardonne pas la trahison, et, quand il était sûr d'eux, les faisait accompagner, à la nuit tombée, dans des endroits secrets de la côte entre Odessa et la frontière roumaine, d'où ils reprenaient la mer[3]. »

En d'autres circonstances, les agitateurs du groupe français s'efforcent d'endoctriner les soldats par des entretiens directs. C'est le cas de Sadoul, qui entreprend de gagner à la cause bolchevique une centaine de ses compatriotes faits prisonniers[4]. Ce travail de décomposition a été mis au point pendant la guerre par Lénine en personne qui a utilisé à cet usage, entre autres, Malinovski, agent provocateur de l'Okhrana.

Tracts, journaux, affiches, brochures, sont imprimés hors de la ville.

1. *Op. cit.*, 2e partie, pp. 81-82.
2. Charles Tillon, *op. cit.*, p. 262.
3. *Contributions à l'histoire du Comintern, op. cit.*, p. 57.
4. Body, *op. cit.*, p. 56.

Ensuite, cette littérature est apportée dans les quartiers d'Odessa par des convoyeurs dont plus d'un sera arrêté. Mais comment aborder les soldats français sans être repéré par les gradés et le contre-espionnage français ? Les bolcheviks connaissent le moyen hérité de la période clandestine d'avant-guerre, pendant laquelle tous les modes d'action ont été expérimentés. Ils utilisent les enfants. Sous couleur de vendre cigarettes et journaux dans les cours des casernes ou les cantonnements, les gamins distribuent la littérature illégale.

En outre, quelques soldats et marins réussissent assez tôt à prendre contact avec le groupe des agitateurs qu'on appelle « le collège étranger ».

Celui-ci, pour assurer la sécurité du « travail », applique les règles, longuement expérimentées, du cloisonnement systématique. Les groupes de base, limités à quatre ou cinq personnes, s'ignorent entre eux. Un seul membre de chaque groupe assure la liaison avec un membre de l'échelon supérieur et ainsi de suite.

La mort de Jeanne Labourbe

Aucune règle de sécurité n'est toutefois une garantie absolue contre les coups durs. C'est d'un de ces « accrocs » qu'est victime Jeanne Labourbe. Le 1er mars 1919, dans la soirée, elle est arrêtée, en même temps qu'une dizaine de camarades, chez une certaine Leifmann, rue Pouchkinskaïa, par un groupe de volontaires russes escortés, diront les témoins, d'officiers du contre-espionnage français. On trouve sur elle un numéro du journal *Le Communiste*. On l'emmène, avec Iéline, Chilikvert, Vinnitsky et quelques autres, dans une maison où on les interroge sur-le-champ. Selon le récit du seul survivant de cette rafle, ils sont tous violemment frappés. Aux côtés des officiers volontaires qui mènent les interrogatoires évolue une jolie femme rousse, pistolet au côté : elle est plus enragée que tous les autres contre les bolcheviks. Finalement, un peu après minuit, on embarque tout le monde à bord de voitures et l'on roule vers le cimetière israélite.

Selon le récit du rescapé, le Serbe Radkov, au moment où le convoi arrive au cimetière, un officier dit aux chauffeurs qu'ils se sont trompés de chemin et leur ordonne de faire demi-tour. Les chauffeurs obéissent. Puis l'officier demande aux prisonniers s'ils ont des armes. Sur leur réponse négative, il commande qu'on éteigne les lumières.

« Alors — dit Radkov — je compris que c'était la mort [1]. »

Vigoureux, il étend d'un coup de poing le soldat placé à côté de lui, saute hors du véhicule, réussit à s'enfuir.

Son témoignage reste suspect. Quel besoin l'officier avait-il de demander à des prisonniers, qui avaient dû être soigneusement fouillés, s'ils avaient encore des armes sur eux ? Body rapporte que les circonstances de cette

1. Cité par André Marty, *op. cit.*, 1re partie, p. 106.

évasion parurent étranges et qu'elles inspirèrent plus d'un soupçon. Marty, tout en faisant état de la même suspicion, ajoute que le comité du parti réussit par la suite à établir que le dénonciateur du groupe n'avait pas été le Serbe mais un nommé Henri Mann, ancien officier de l'armée allemande en Ukraine, qui aurait par la suite été en liaison avec l'état-major français.

La version des autorités françaises rejette toute la responsabilité de cette affaire sur la police russe d'Odessa.

La mort de Jeanne Labourbe et de ses compagnons sème un moment le désarroi dans le travail illégal. Elle survient au moment où le « collège étranger » prépare une réunion de ses hommes de confiance à bord des navires ou dans les principales unités. Effrayés, ceux-ci rompent le contact avec les bolcheviks. Le travail de décomposition antimilitariste en est incontestablement ralenti.

Pour cette première grande bataille « anti » menée par les bolcheviks auprès des troupes françaises, la situation se présente très différemment selon les unités. Avec les marins, les contacts sont rapidement noués mais intermittents, en raison des mouvements de navires.

A terre, il en est autrement. Ainsi, selon Marty lui-même, les zouaves et les chasseurs d'Afrique refusent tout net le dialogue avec les agitateurs.

« ... ce ne fut, écrit-il, qu'à l'arrivée des unités métropolitaines que l'action communiste commença à pénétrer les soldats. Elle marcha ensuite très rapidement, dans certains régiments, comme on le verra, et gagna même des officiers subalternes de l'armée [1]. »

Le premier régiment touché est le 58e d'Infanterie. Il est venu en Ukraine par étapes à travers la Serbie, la Bulgarie et la Roumanie. Pas de ravitaillement. On vit sur l'habitant. Les conditions matérielles sont détestables. La lassitude, la hargne grandissent de jour en jour. En fin de compte, les hommes commettent une série d'actes d'indiscipline, puis refusent de marcher. Le 2 février 1919, le régiment doit être évacué sur Galatz, puis désarmé à la mi-février. Plus tard, les meneurs seront dirigés sur Meknès. Ils iront casser des cailloux sur les routes.

L'exemple du 58e est contagieux. Début mars, deux compagnies du 176e régiment d'Infanterie refusent de marcher contre les Russes : « On n'a pas déclaré la guerre à la Russie. » Suivent les premiers revers. A Kherson, à Nicolaïev, les soldats de l'Entente doivent évacuer les positions. Ce sont les premiers échecs du corps expéditionnaire, échecs infligés par des groupes de partisans.

La démoralisation des troupes françaises, celle des autres alliés du corps expéditionnaire (Grecs en particulier), l'effondrement des volontaires russes de Denikine, isolés sur cette terre ukrainienne, ont pour conséquence, à la fin de mars, l'encerclement d'Odessa par les troupes de partisans que commande un soudard, allié aux bolcheviks, l'ataman Grigoriev. La ville, en proie à la famine, à la panique, aux règlements de comptes,

---

1. *Op. cit.*, 1re partie, p. 90.

glisse au chaos. Bientôt, il reste deux jours de farine pour nourrir la population. L'amiral d'Anselme, qui commande le corps expéditionnaire, se résigne à une humiliante négociation, puis à l'évacuation.

C'est la débâcle. Fuyant les représailles bolcheviques, des milliers de malheureux se disputent pour monter à bord de quelques navires susceptibles de les évacuer. Les troupes font sauter le dépôt de munitions. En ville, on pille et on tue. C'est dans ce climat de panique que certains soldats, abandonnant leur poste, se replient en toute hâte. Le 15 février, le 7e Génie se révolte.

Dans le plus grand désordre, certaines unités battent en retraite le long de la côte. Des hommes sont portés manquants. Ils rallieront huit ou dix jours plus tard. D'autres demeurent avec les bolcheviks. Quelques-uns défileront en ville, mêlés à une manifestation de la IIIe Internationale.

Le 12 avril 1919, les troupes françaises ont entièrement évacué l'Ukraine.

L' « Agit-Prop » bolchevique vient de remporter sa première victoire sur les troupes françaises.

La flotte, à son tour, entre en mutinerie.

C'est cette révolte, davantage que l'insubordination dans les unités de terre, qui a marqué les mémoires. Elle fait partie de la mythologie révolutionnaire. Elle est pourtant postérieure aux mouvements qui se sont dessinés chez les soldats. Mais la mutinerie d'une flotte a quelque chose de spectaculaire et de romantique qui frappe les esprits. Devenir maître à bord est une conquête, qui exige d'ailleurs le maintien d'un minimum de discipline. La crosse en l'air des troupiers est au contraire le signe d'un ordre qui se défait, et d'une chienlit qui s'étale.

Et c'est l'imagerie révolutionnaire, jointe à une campagne électorale puissamment orchestrée par le parti communiste autour de la personne d'André Marty, alors détenu à Clairvaux, qui a fait de ce dernier, plus tard, le chef et le héros de la révolte.

La réalité, toutefois, n'atteint pas, et de loin, la fiction.

2.

Marty ou l'imposteur de la mer Noire

CATALAN D'ORIGINE, NÉ A PERPIGNAN, LE 6 NOVEMBRE 1886, ANDRÉ Marty est le fils aîné d'un communard de Narbonne, condamné à mort par contumace. Toute son enfance est marquée par l'évocation des combats révolutionnaires. Le jeune André, élève studieux, bûcheur et acharné, fait de bonnes études secondaires. Très tôt, il a la vocation de la mer. Il échoue malheureusement de quelques points au difficile concours d'entrée à Navale. La limite d'âge lui interdit un nouvel essai. Voilà ouverte une plaie qui ne se cicatrise pas.

Quittant le lycée, il entre à l'école professionnelle Rouvière. « Il abandonnait l'enseignement capitaliste pour l'enseignement cégétiste [1]. » Il n'a pas renoncé à la mer. Il est reçu dans les premiers, en 1914, à l'école des élèves-officiers mécaniciens. Ses chefs reconnaissent son extrême compétence. C'est lui qui, après d'autres prouesses techniques, donne au *Protet* sa vitesse maximum.

L'Indochine, le Levant, le Maroc, puis les campagnes de guerre : Méditerranée, Adriatique, mer Noire. Les horizons changent. Marty reste un homme solitaire. Aux escales, il ne quitte pas le navire, ne participe jamais aux bordées à terre, ce qui lui vaut sans doute quelques brocards. Sorti de son travail, il n'a d'autre attachement qu'un amour farouche et lointain qui le relie à sa famille. A bord, point d'amis. Bien qu'il s'en défende, plusieurs témoins l'accusent d'être dur et insolent avec les hommes [2].

1. *Dossier Marty.* Témoignages de sympathie. Lettre de M. Gimelli, mécanicien en chef en retraite de la Marine, officier de la Légion d'honneur. (Doc. inédit.)
2. Cf. témoignage du capitaine de corvette Welfelé, à bord du *Protet* (20 avril 1919) et dépositions des marins à bord du *Protet* (17 avril 1919) : Lécuyer, Molinier et Morisset. (Doc. inédit.)

Il hait les officiers du pont. Ceux-ci lui offrent chaque jour l'image d'une réussite qui faillit être la sienne. Jour après jour, l'antagonisme de classe s'exacerbe ainsi dans cette cage de fer qu'est le torpilleur. Au snobisme des officiers, Marty répond par des propos agressifs ou par des défis : il vient prendre ses repas au carré, vêtu du bleu de chauffe des mécaniciens.

Les idées révolutionnaires, découvertes dans le milieu familial, aiguillonnent cet homme de ressentiment. De bonne heure, il a adhéré à une loge maçonnique, mais la philosophie des loges ne saurait lui suffire. Son tempérament individualiste et violent s'accommode mieux de l'anarcho-syndicalisme. Il écrira plus tard qu'il appartenait, pendant la guerre, à un cercle clandestin d'officiers mécaniciens révolutionnaires [1]. Affirmation sujette à caution, car le personnage n'est pas exempt, nous le verrons, de mythomanie [2].

Tel est, à 33 ans, l'officier mécanicien André Marty, après douze années d'amères navigations, quand le *Protet* débouche en mer Noire. Il nourrit une haine permanente pour une caste qui incarne à ses yeux l'ordre social et la guerre.

« Une autre caractéristique de M. Marty — écrit le commandant du *Protet*, Welfelé — c'est la haine. M. Marty déteste tous ceux qui sont au-dessus de lui, comme rang social, comme intelligence ou comme éducation, et sa haine est irréductible. Très discipliné dans ses relations extérieures avec ses chefs, il passe son temps à collectionner des petits papiers et à constituer des dossiers contre eux [3]. »

On peut penser que le commandant est un témoin partial. Mais écoutons Marty. Le 11 mars de la même année, il décrit en ces termes son état d'esprit, dans une lettre adressée de Galatz (Roumanie) à l'un de ses frères : « Tout sourit autour de moi; tout le monde rit et chante. Les officiers qui n'ont rien fait, mais absolument rien depuis l'armistice, se réjouissent à l'idée d'un retour possible en France tandis que nous trimons pour les balader. *Je voudrais les écraser tous* [4]. »

C'est Marty qui l'écrit : les officiers souhaitent à cette date regagner la métropole. Marty a été dès le début violemment hostile à l'intervention en mer Noire et ne l'a pas caché dans ses propos au carré. Il pourrait enregistrer comme un fait positif l'état d'esprit de ces hommes. Mais non. La haine qu'il leur témoigne en cet instant n'est pas dictée par des mobiles politiques. Elle est viscérale.

Sans doute faut-il tenir compte d'un événement qui l'a bouleversé. Coup sur coup, il a perdu son père et sa grand-mère qu'il adore. Capable du dévouement le plus entier pour les siens — il consacre une partie de

---

1. Cf. *L'Affaire Marty*, p. 66. (L'ouvrage a paru en 1955, après l'exclusion de Marty du P. C. F.)

2. Il n'y a aucune preuve qu'il ait participé à des groupes secrets qui existaient en effet dans la flotte. Welfelé affirme toutefois qu'il était un « monomane des sociétés secrètes ».

3. Rapport Welfelé (20 avril 1919).

4. Souligné par nous.

sa solde à faire vivre ses frères — il puise dans le malheur qui l'atteint un surcroît de haine pour son entourage (ceux « qui rient et qui chantent »).

Les raisons politiques qu'il a de s'opposer à l'intervention s'alimentent à cette affectivité, remuée par un drame personnel. Au carré, il grommelle que l'intervention est illégale, contraire à la Constitution. Il proteste un jour, à haute voix, parce que la flotte a bombardé Kherson, tuant, dit-il, deux cents civils, qui ne sont d'ailleurs pas des bolcheviks mais des partisans de Petlioura.

Badina

Sa protestation, mal accueillie sans doute par les autres officiers, demeure toutefois purement verbale. Rien n'indique qu'il ait, dès ce moment, des contacts pour une action politique avec des hommes du *Protet*, hormis qu'il racontera plus tard avoir mis à profit un cours technique, destiné aux marins du torpilleur, pour mêler à ses leçons quelques mots de propagande.

Les choses changent, le jour où il entre en relations suivies avec Badina.

Le quartier-maître mécanicien Badina est un Pied-Noir de Tunisie. Il s'est engagé en 1917. Il a vingt-deux ans, au moment des faits. C'est un beau garçon, brun, athlétique, impulsif et hardi, toujours prêt à faire le coup de poing pour venger ce qui lui paraît une injustice. Il a reçu une excellente formation primaire — dont témoignent ses lettres à ses avocats. Comme Marty, il montre à bord de grandes qualités professionnelles et, comme lui, incline aux idées révolutionnaires. Mais à la différence toutefois du premier, lui seul possède sur le *Protet* des complicités réelles.

« Ce fut mon ennemi le plus acharné à bord », écrira de Marty Badina, dans une lettre adressée à l'un de ses avocats, maître André Berthon [1]. Badina exagère peut-être, mais il est difficile de croire, après cette lettre, qu'une sympathie naturelle rapproche les deux hommes. Comment, dès lors, sont-ils entrés en contact pour fomenter une révolte ?

La réponse figure dans la même lettre. Badina explique que, suspect en raison de ses opinions politiques — sans doute figurait-il sur le Carnet B — il faillit être débarqué et ne dut son maintien à bord qu'à la décision du capitaine Welfelé [2].

« Une dépêche de l'amiral — écrit Badina — qui date de douze jours avant mon arrestation et qui signalait de débarquer tous les individus suspects d'hostilité à l'intervention ; quand il fut question à ce moment-là

---

1. Lettre du 9 janvier 1921. (Doc. inédit.)
2. Dans *La Révolte de la mer Noire*, Marty affirme (2ᵉ partie, p. 145) qu'il avait frisé le conseil de guerre, en 1916, et qu'il avait été débarqué pour raison disciplinaire en 1917. Dans son *Mémoire*, rédigé le 12 août 1919 à la maison d'arrêt de Toulon, Marty toutefois ne souffle mot de ces sanctions.

de mon débarquement, l'officier en 3ᵉ a insisté auprès du commandant et, vu que mon livret était blanc, ce dernier a refusé; mais l'officier en 3ᵉ, pour réponse à la confiance du commandant envers moi, prononça ces mots : " Badina est un homme qui plie sous la discipline, mais son sourire prouve nettement que dès qu'il nous tiendra, nous serons bien tenus. " Ces faits et le renseignement que Marty eut par son mouchard, Dallemagne [1], dont il fit mention sur les documents saisis [2], ont poussé Marty à s'ouvrir à moi sous un jour humanitaire [3]. »

Voici donc comment s'enclenche le mécanisme du complot. Marty voit dans le quartier-maître l'instrument d'une révolte à bord. Renseigné sur l'état d'esprit de Badina, très vraisemblablement par des propos entendus au carré des officiers, et peut-être par le commandant Welfelé en personne, il s'ouvre à lui de ses projets : s'emparer du navire par un hardi coup de main, réduire à merci qui (officiers, sous-officiers et marins) résistera et rallier Odessa, à présent occupée par les bolcheviks.

Ce contact, qui intervient *une dizaine de jours avant l'arrestation des conjurés*, montre le côté hâtif et improvisé de l'entreprise.

Mais si l'on en vient si vite à ces desseins téméraires, alors qu'on se connaît à peine, n'est-ce pas parce qu'une autre opération a échoué? Quelques indices permettent au moins de se poser la question.

Dans deux lettres écrites à la prison de Toulon, Badina affirme en effet que le commandant du *Protet*, Welfelé, est, tout comme Marty, franc-maçon : « Welfelé et Marty sont franc-maçons, qu'ont-ils fait? Des points obscurs sautent aux yeux du commissaire-rapporteur [4]. » Et plus tard : « Ce franc-maçon catholique (*sic*) de Welfelé... [5] » Dans une troisième lettre, il attribue en outre à Welfelé une mission diplomatique secrète : « Welfelé, homme très malin, mandaté spécial par le gouvernement français auprès de Sa Majesté le roi de Roumanie, lors de son rétablissement sur le trône... [6] »

De qui un garçon de vingt-deux ans comme Badina peut-il tenir ces renseignements — vrais ou faux — sur le compte du commandant, sinon de Marty, lui-même franc-maçon?

Marty, effectivement, confirmera dans son livre que Welfelé appartenait à une loge. Il devient alors tout à fait douteux que celui-ci ait pu ignorer l'affiliation de son officier mécanicien. Leurs relations à bord prennent ainsi un aspect nouveau, qui n'apparaît jamais dans les pièces du procès.

C'est sous cet éclairage qu'il convient de considérer l'épisode de la

1. Un des marins du *Protet*.
2. Il s'agit de diverses notes adressées par Marty à son frère, Michel Marty, et saisies à Montpellier au cours d'une perquisition chez ce dernier.
3. Badina, lettre du 9 janvier 1921 adressée de la prison maritime de Toulon à maître André Berthon.
4. Lettre à maître Paz, datée du 8 janvier 1920, en réalité du 8 janvier 1921. (Doc. inédit.)
5. Lettre à maître Paz, 2 février 1921. (Doc. inédit.)
6. Lettre à maître Paz, 14 janvier 1921. (Doc. inédit.)

démarche manquée, quelques jours avant la tentative de mutinerie. Dans son *Mémoire*, du 12 août 1919, rédigé à la maison d'arrêt de Toulon, Marty raconte qu'au début d'avril, deux députés, Paul-Meunier et de Kerguezec, arrivèrent à Galatz à bord du *D'Iberville*. Ces deux parlementaires étaient hostiles à l'intervention en Russie. « Badina, écrit Marty, devait aller les trouver avec moi pour leur exposer ce qui se passait à bord. Le commandant, sans doute prévenu, fit appareiller le *Protet* pour s'approvisionner en combustible à quinze kilomètres de Galatz [1]. »

Résumons la situation : le commandant du *Protet*, franc-maçon, a protégé, peut-être à la demande du « frère Marty », ou par esprit libéral, le suspect Badina, cela contre l'opinion de l'amirauté. Peut-être est-ce Marty en personne qui l'a averti de l'arrivée des deux députés pacifistes. En tout cas, craignant de s'être trop avancé, il lève l'ancre.

Pour Marty et Badina, c'est une immense déception. Peut-être Welfelé avait-il d'ailleurs donné à son officier mécanicien quelques assurances. Pour un violent comme Marty, il est logique qu'il considère le « frère » Welfelé comme un traître et qu'il n'envisage plus que la mutinerie.

« Julot », « Charlot » et « Bébert » veulent s'emparer du Protet

En tout cas, le 12 avril, Marty et Badina se concertent et décident d'agir.

Le quartier-maître prend contact avec le canonnier Durand, forte tête qui collectionne les punitions. Cette démarche est vraisemblablement inspirée par Marty. Dans son *Mémoire*, Marty écrit à son sujet qu'il a une « moralité ignoble » et que « l'ayant protégé sur le *Mirabeau* au début de la guerre, puis sur le *Protet*, je le pensais dévoué ».

La suite montrera que ce choix n'est pas très heureux.

Les trois hommes se retrouvent, le soir, dans un petit café de Galatz, place du Marché. Pour éviter d'être reconnu, Marty a revêtu une capote d'infanterie bleu horizon et coiffé un béret de marin sans ruban que lui a sans doute donné Badina. Autour d'un verre, tous trois mettent au point un plan qui vise à les rendre maîtres du *Protet*, au prochain appareillage. L'opération réussie, on conduira le torpilleur dans un port bolchevik, sans doute Odessa. Et, déjà, on trace les grandes lignes du complot.

Durand : « Deux hommes seront chargés de la passerelle de navigation... Deux autres hommes seront chargés de maintenir (?) les sous-officiers... Deux autres hommes pour exterminer les officiers, mais, cette affaire finie, ils armeront les mitrailleuses de l'arrière. Au cas où le reste de l'équipage serait réveillé par quelque bruit, ces hommes auraient pour consigne de faucher tous les rebelles à la révolte... Voilà pour le pont. Pour la machine un homme devait se trouver à chaque panneau, un revolver à la main.

---

1. Marty, *Mémoire*, note p. 5. (Doc. inédit.)

Une fois le bateau en notre pouvoir, moi à la barre et Grois (?) pour la route, nous devions mener le bateau dans un port bolchevik et nous rendre [1]. »

Avant de se séparer, les trois hommes se donnent des pseudonymes : Marty, c'est *Julot*, Badina : *Charlot*, et Durand : *Bébert*. Ils forment l'état-major de l'opération. Il s'agit maintenant pour eux de recruter rapidement des complices.

Dès le lendemain, Durand enrôle le matelot Bourrouilh et le cuisinier Fillâtre.

Le 14, dans la matinée, Badina, tout fier, montre à Marty une carte de membre du Parti social-démocrate roumain. Il est allé en effet se faire inscrire au siège de ce parti à Galatz, pour la somme de cinq francs, et il est le seul, semble-t-il, qui ait eu des contacts suivis avec ses dirigeants, peut-être par l'intermédiaire de sa maîtresse, une Roumaine. Plusieurs marins témoigneront par la suite qu'ils l'ont vu à plusieurs reprises au café *Splendid* en compagnie d'un civil coiffé d'une casquette de jockey, qui s'exprime dans notre langue, et qui est sans doute un agent bolchevik.

Marty est furieux. Il juge avec raison que cette inscription est une grosse imprudence. Le soir même il se rend avec Badina à une réunion du parti social-démocrate dans le dessein de faire rayer le quartier-maître de la liste d'inscription. Mais il ne réussit pas, dit-il, à se faire comprendre et prend rendez-vous avec un des responsables du parti pour le lendemain [2].

C'est ce jour-là, le 15 avril, que se déroule la principale réunion des conjurés. Auparavant, Marty et Badina se sont rendus au domicile du responsable social-démocrate, où ils assureront n'avoir trouvé personne. Durand donne une autre version : dans la soirée, resté seul avec lui, Marty lui a confié qu'il a rencontré au cours de l'après-midi des responsables bolcheviks et que le centre de Galatz est prêt à soutenir leur tentative [3].

Ce même jour, le matelot Kérinec, de service sur le pont, est un peu surpris de voir l'officier mécanicien Marty inspecter la mitrailleuse Bd AR et la pointer dans la direction de l'avant. Le lendemain, Marty reviendra inspecter les revolvers et les fusils que le matelot est en train de nettoyer [4].

Le soir du 15 avril, Badina est, comme d'habitude, au *Splendid* en compagnie de plusieurs marins. Vers huit heures et demie, il se lève, et quitte le café après avoir échangé un coup d'œil discret avec le matelot Gaborit qui le rejoint dans la rue. Plusieurs marins observent ce manège et suivent avec attention la sortie des deux hommes.

Le quartier-maître et Gaborit gagnent aussitôt, en compagnie d'un autre marin, Cendrier, la taverne du Vieux Marché. Ils y retrouvent Durand, qui a amené avec lui Bourrouilh et Fillâtre. C'est devant ce petit auditoire que Marty développe son plan d'action.

1. Journal rédigé par Durand, 13 avril 1919. (Doc. inédit.)
2. Marty, *Mémoire, op. cit.*, pp. 10, 11-12.
3. Durand, *Journal*, 15 avril.
4. Enquête de police judiciaire. Déposition de Kérinec, 17 avril 1919. (Doc. inédit.)

« L'action, assure-t-il, est commandée par Paris. Tous les soirs, des manifestations ont lieu dans la capitale. L'intervention contre la Russie est illégale, elle est contraire à la Constitution, car il n'y a pas eu de déclaration de guerre. C'est pourquoi nul ne peut vous reprocher d'être restés fidèles à la loi. Lorsque la Constitution est violée, l'insurrection est un droit.

— Et si nous échouons? interroge un des hommes.

— Nous n'échouerons pas. Mais sachez qu'en tant qu'officier, c'est moi qui prendrai la responsabilité de tout [1]. »

On discute ensuite de l'exécution. Pour la bonne marche du complot et en particulier pour assurer la liaison avec les bolcheviks, il est nécessaire de s'assurer le concours d'un radio. Le choix se porte sur le marin Delon. Et s'il ne veut pas marcher? Eh bien! on le menacera de mort.

Que faire des officiers?

« Jetons-les par-dessus bord, conseille Durand.

— J'ai un meilleur moyen, assure le cuisinier Fillâtre. Il faut s'en débarrasser avec un bouillon de onze heures; je m'en charge [2]. »

Marty et Badina ne protestent pas [3].

Au cours de la discussion, Marty touche le bras du matelot Gaborit. Il s'aperçoit que celui-ci tremble de tous ses membres. Fâcheux comportement pour un conjuré. L'officier mécanicien tire alors de sa poche un couteau à cran d'arrêt et le plante avec violence dans la table :

« Prenez garde! Le premier d'entre vous qui moucharde, il prendra ce couteau entre les deux épaules. J'ai aussi, sachez-le, un revolver. Mais je préfère le couteau, cela fait moins de bruit. »

A neuf heures et demie, on se sépare. Dans la rue, Gaborit balbutie qu'il n'a nulle envie de participer à la mutinerie, que « ce ne sont pas ses idées ». Marty le menace de nouveau, puis il hèle Durand, et les deux hommes disparaissent dans la nuit [4].

Avant de quitter le canonnier Durand, Marty lui remet une note sur laquelle figurent l'adresse de la Grande Loge de France, 8, rue Puteaux, celle de la C.G.T., et celle de la Ligue des Droits de l'Homme.

« Si je suis pris, murmure-t-il, il faudra t'adresser à eux pour réclamer vengeance. »

La journée du 16 se déroule d'abord sans grandes péripéties, hormis la visite que dans le courant de l'après-midi Marty et Badina rendent au responsable du Parti social-démocrate roumain, qui promet de rayer le quartier-maître de ses listes.

1. *Mémoire* de Marty, *op. cit.*, p. 13 et déposition de Bourrouilh, 17 avril 1919. (Doc. inédit.)

2. *Mémoire* de Marty, *op. cit.*, p. 13. Selon lui, ce serait Durand qui aurait soufflé à Fillâtre cette proposition.

3. *Mémoire* de Marty, *op. cit.*, p. 10. « Nous avons laissé dire. » Selon Durand, Marty approuva le projet d'empoisonnement et s'offrit même à procurer le poison par l'intermédiaire du centre bolchevik de Galatz (Cf. déposition de Durand, du 17 avril 1919).

4. Déposition de Gaborit, 17 avril 1919. (Doc. inédit.)

Il est onze heures du soir quand Marty regagne son bord.

A peine a-t-il mis le pied sur le pont que, derrière lui, résonne la voix du commandant Welfelé :

« Monsieur Marty, descendez immédiatement vous mettre aux arrêts dans votre chambre. »

Marty se retourne. Deux officiers braquent sur lui leurs revolvers. Silence. Puis l'officier mécanicien Marty fait de nouveau demi-tour et, lentement, commence à descendre les marches qui mènent à sa cabine.

A bord du *Protet*, la tentative de mutinerie est terminée.

Marty : « *Nous voulions livrer le* Protet *aux bolcheviks!* »

Badina a déjà été arrêté. Interrogé, il refuse de répondre. Le commandant décide d'isoler cette « forte tête » et de faire conduire l'homme à la base de Galatz, où, faute de prison, on l'enferme au premier étage. Pas pour long-temps. L'unique fenêtre de la pièce donne sur une corniche longeant le bâtiment. A un endroit, les branches d'un arbre jouxtent cette corniche. Le soir même, ou au plus tard dans la matinée du lendemain, le détenu Badina emprunte ce trajet pour s'éclipser. On ne le reverra pas de sitôt.

Enfermé dans sa cabine où aucune perquisition n'a été faite, Marty commence par se débarrasser du compromettant bonnet de marin qu'il coiffait pour ses contacts, et sans doute de divers papiers. Interrogé dès le lendemain, il nie systématiquement tout projet de mutinerie.

Attitude intenable. L'enquête menée par l'enseigne de vaisseau Derrien, qui fait fonction d'officier de police judiciaire, rassemble rapidement les dépositions de *dix-huit marins* [1]. Toutes, à des titres divers, accablent Marty et Badina. L'ensemble de leurs déclarations constitue un faisceau écrasant.

Ce n'est pas tout. Depuis le début de la conjuration, le canonnier Durand et le cuisinier Bourrouilh ont tenu, chaque jour, chacun de son côté, un journal de leurs activités. C'est une initiative prise à l'instigation de Durand. Marty l'avait choisi en raison de ses multiples condamnations, parce qu'il comptait trouver en lui un homme de main. Mais Durand a tout de suite calculé que son interlocuteur lui offrait là l'occasion rêvée de faire passer l'éponge sur son cas. Il n'est entré dans le complot et n'y a entraîné Bour-rouilh que dans l'intention de le dénoncer, le journal devant faire foi auprès du commandant. Celui-ci n'a-t-il pas inspiré lui-même cette " provo-cation "? On peut se poser la question. Selon les pièces de l'enquête, ce serait cependant un autre marin, Le Goff, qui a alerté Welfelé dans la journée du 16, vers 17 heures.

L'enquête menée aussitôt à bord du *Protet* par l'enseigne Derrien per-met de mettre la main sur trois notes manuscrites « présumées apparte-

---

1. Durand, Delon, Buttault, Le Goff, Chouat, Guilcher, Fillâtre, Bourrouilh, Cendrier, Lécuyer, Gaborit, Molinier, Moutard, Morisset, Kérinec, Seiler, Beaujour, Bougueu.

nir » à Marty. La première contient les trois adresses que Marty, nous l'avons dit, a communiquées à Durand.

La seconde, très brève, est ainsi conçue : « Bébert [1]. Un tous les jours, jusqu'à épuisement des volontaires, si nombre insuffisant (10?) forte action sur les hésitants; leur parlerai moi-même. L'action est commandée par Paris. Insistez là-dessus — Jules. »

La troisième note, adressée également à Bébert, l'invite à se renseigner sur l'emplacement des munitions, fusils, revolvers et mitrailleuses, et aussi sur les armes que peuvent posséder les seconds et l'équipage. On y lit encore : « Je dis à Charles [2] de *tâter* D. : sinon, nous combinerons la force. Il doit *tâter* Bre. et S. Je lui demande d'étudier Mori et Aufona. Le Goff et le T.S.F. Castor (?) se faisaient ce matin des confidences, je pense à mon sujet. Jules [3]. »

Que répond Marty? La première note, dit-il, a bien été écrite de sa main. Pour la seconde et la troisième, il admet qu'elles sont de son écriture, mais, ajoute-t-il aussitôt : « Je ne les ai pas écrites (*sic*) [4]. » Réflexion stupide, qui indique assez son désarroi.

Avalanche de témoignages, journaux de Durand et de Bourrouilh, notes de sa main... Marty va pourtant ajouter de sa propre initiative une nouvelle pièce à charge, singulièrement compromettante. Après l'évasion de Badina, il est à son tour, par mesure de sécurité, emprisonné le 18 avril à la base navale. Là, il réussit par l'intermédiaire d'un soldat à faire transmettre un mot au quartier-maître mécanicien Brédillard. Marty a pleine confiance en cet homme, dont il a favorisé l'avancement. « Originaire de Saint-Denis, écrit-il, je le considérais comme socialement éduqué [5]. »

Décidément, Marty manque de flair. Le premier réflexe du Dionysien-socialement-éduqué est en effet d'aller porter ce message au commandant Welfelé. Celui-ci sait donc aussitôt que Marty demande à Brédillard : 1º de retarder par tous les moyens possibles le départ du *Protet*, 2º de recourir à des opérations de sabotage dont il dresse la liste.

Voici d'ailleurs la teneur de cette note :

« Brédillard, ouvrier mécanicien. J'ai tout nié. Je compte sur toi, Louis, Dri (?) cuis. off. Misti, aie confiance dans le porteur du billet. Retardez le plus poss. le départ, vous pouvez foutre un coup soleil aux ch^{res} 3 et 4, en bouchant avec amiante et terre communication inférieure du niveau, puis vider ch^{re} par extractions. Coincez (2) sect. de mazout ch^{re} AR et 1 ch^{re} A. Coincez avant allumage prise vapeur turbine. Le cipier est nul, comme le patron. Il a le mal de mer. A la mer, videz carters Vs chauffe, desserrez écrou réglage tiroir ppl d'alimen., pour enfoncer plateau. Videz

---

1. Surnom de Durand. La note est vraisemblablement une directive adressée au canonnier pour le recrutement de volontaires.
2. Surnom de Badina.
3. Les mots soulignés ici figurent ainsi sur la copie de l'officier de police judiciaire et sont indiqués en note comme « mots douteux ». (Doc. inédit.)
4. Interrogatoire de Marty, le 17 avril 1919. (Doc. inédit.)
5. Marty, *La Révolte de la mer Noire*, 2e partie, p. 171.

un carter circulat., augmentez avance allumage dynamo, encrassez rapidement bouilleurs. Fais-moi savoir ceux incriminés. Jure-moi de ne plus boire : c'est pour le peuple. Le bateau est surveillé par la police et par les nôtres, plus forts que Mistibûche (?) autos de la base ou d'ici. Nous avons été vendus par Durand : pourquoi ? Le Goff et le castor T.S.F. nous ont épiés la veille du jour où je t'ai vu — sans doute aussi le Me Lion (ou Levis ?), Kérinec — Préparez-vous et tenez-vous prêts à tout : Je te préviendrai. Je crois pouvoir compter sur Molinier qui est des nôtres. Je lui ai chanté hier la confiance. Il faut dire que les couyes (*sic*) de Durand sont à prix : 5 000 F, soviet de l'Ukraine : débrouille-toi pour que ça ne vienne pas de toi. Le Goff, le T.S.F. et M. Lion : 4 000 pour assassinat seul. Courage. Écrou tuyau boîte étanche. A turbine bâbord. Perce à la mignonnette trois trous de dix dans évac. équilibrage turbine T^d. On mettra ces incidents sur inexpérience patron. Déchire ce billet et jette au Danube sitôt lu. Donne de huile olive au copain qui fait la commission [1]. »

Dès que le commandant Welfelé a connaissance de ce billet, il fait immédiatement ramener à bord, sous bonne escorte, le mutin Marty. Et celui-ci sera l'objet d'une surveillance incessante, tant sur le *Protet* que sur le *Waldeck-Rousseau* où il sera transféré plus tard.

Il est difficile à Marty, interrogé sur-le-champ, de nier être l'auteur de cette note. Elle lui a, prétend-il, été dictée sous la menace d'un couteau par un homme qui, en dépit des sentinelles, a fait irruption dans sa cellule. Mais comment le mystérieux inconnu aurait-il pu lui donner des consignes pratiques concernant le sabotage ? A cette objection du bon sens, Marty ne sait trop quoi répondre : « Il me dicta — assure-t-il — toute la partie non technique. » Mais pourquoi n'avoir pas averti ensuite le chef du poste ? Réponse : « Pour lui éviter une punition. »

La version de Marty ne tient pas debout. Il lui est à présent bien difficile de se maintenir dans son attitude de dénégation absolue. Il ne l'a, en fait, adoptée que pour gagner du temps : il espère encore — sa note à Brédillard le prouve — que le *Protet* pourra tomber aux mains des mutins avec l'aide d'un concours extérieur.

Le 22 avril, alors que le *Protet* a pris la mer et rallie le *Waldeck-Rousseau*, Marty comprend que tout espoir de voir le torpilleur passer aux mains des mutins s'est évanoui. Il fait appeler Welfelé et, en présence de l'enseigne de vaisseau Mouchet, commence à parler.

« C'est vrai — avoue-t-il — j'ai bien fomenté avec Badina un complot; nous voulions livrer le *Protet* aux bolcheviks d'Odessa.

— Dans quel but ?

1. Copie d'une note écrite de la main de Marty et remise dans la journée du 21 avril par un soldat français au matelot Brédillard (Doc. inédit.). Au procès Badina (mars 1921) Brédillard confirmera l'authenticité de ce message. Marty lui-même, des années plus tard, exprimant sa fureur contre la « lâcheté » de Brédillard, ne nie pas que cette note soit de sa main, s'il n'ose pas la reproduire dans son livre. Cf. *op. cit.*, pp. 171 à 174.

— Pour me procurer de l'argent, afin de venir en aide à ma famille et aussi pour mettre fin à la campagne contre les Russes. »

Il reconnaît encore qu'au cours des entretiens entre les conjurés, l'assassinat de tous ceux qui voudraient résister fut décidé, mais affirme qu'il ne voulait à aucun prix qu'on fît du mal aux officiers [1].

Welfelé tient ces aveux pour insuffisants et l'invite à y réfléchir.

Le 7 mai, alors qu'il est emprisonné à Constantinople, Marty, au cours du premier interrogatoire d'instruction, s'il rejette l'accusation d'intelligences avec l'ennemi, confirme avoir fomenté un complot et voulu livrer le bâtiment aux bolcheviks. Le mobile ? « Gagner de l'argent que je voulais envoyer à ma famille. » Au cours du même interrogatoire, il rejette sur Durand le projet d'avoir voulu livrer le *Protet* aux bolcheviks. « C'est Durand qui fit cette proposition... » Il attribue de même à Fillâtre le dessein d'empoisonner les officiers. Lui, personnellement, ne leur voulait aucun mal. Il ajoute toutefois : « Rien ne fut décidé ; on préféra attendre. » Il nie par ailleurs que la conjuration ait été commandée par Paris et qu'il ait agi en liaison avec un mouvement politique [2].

Mais c'est au cours de son dernier interrogatoire (le cinquième) qu'il consentira cette déclaration, souvent citée :

« Je reconnais — écrit-il — m'être rendu coupable des faits qui me sont reprochés, sauf ceux d'intelligences avec l'ennemi. Je vous jure qu'à aucun moment je n'ai eu de relations avec des groupes révolutionnaires, soit en France soit en Russie. Cette chose épouvantable que j'ai imaginée a été causée par un surmenage cérébral intense. Ce n'est que le mercredi 16 avril que je me suis rendu compte de l'horreur de l'acte que je m'apprêtais à commettre. J'ai reçu de mon père, qui était ouvrier, une éducation patriotique et pendant la guerre tous les miens ont fait leur devoir [3]. »

Lecœur : « Pourquoi ne répond-il pas mieux ? » Duclos : « Comment le ferait-il ? »

C'est vrai, l'ensemble de ces déclarations ne constitue certainement pas un modèle de défense révolutionnaire. Elles semblent dictées par un seul souci : obtenir des circonstances atténuantes, en minimisant la responsabilité de l'accusé, en attribuant à sa tentative un mobile intéressé et une origine provoquée par une défaillance psychasthénique (surmenage cérébral).

La dernière déclaration de Marty sera, à diverses reprises, utilisée contre lui par ses adversaires politiques. Ceux-ci trouvent là l'occasion d'écorner la réputation du « héros de la mer Noire ». C'est ce que fera en particulier le socialiste Max Lejeune, sous-secrétaire d'État à la Guerre, au cours

1. Rapport de Welfelé rédigé à bord du *Protet* le 23 avril.
2. Interrogatoires de Marty, les 7, 10 et 27 mai.
3. Interrogatoire du 31 mai.

d'une séance houleuse à l'Assemblée nationale, en décembre 1950. Marty, furieux, tend le poing et ne répond que par des injures [1].

Son camarade de parti, Auguste Lecœur, s'étonne de cette défense, qu'il juge insuffisante.

« Pourquoi ne répond-il pas mieux? murmure-t-il à Jacques Duclos.

— Comment le ferait-il? grogne celui-ci. C'est vrai [2]. »

Dans *L'affaire Marty*, écrit peu avant sa mort, l'intéressé donne toutefois les raisons qu'il n'a pas cru bon de développer à la tribune. Au cours de son transfert à Constantinople, « deux mouchards », affirme-t-il, avaient résolu de l'assassiner. A la fois pour préserver sa vie et pour éviter l'étouffement d'un procès à huis-clos, il résolut de ruser à l'instruction et de masquer l'attitude qu'il comptait prendre au Conseil de guerre [3].

Une version antérieure, donnée en 1927 dans *La Révolte de la mer Noire*, est légèrement différente. A aucun moment il n'y indique avoir éprouvé des craintes pour sa vie.

Troisième version, la plus proche des événements : celle qui figure dans son *Mémoire*, rédigé le 12 août 1919 à la maison d'arrêt de Toulon. Marty écrit ceci : « Pendant l'instruction, j'ai simplement parlé de la fuite en Russie [4] car, ayant appris par expérience à me méfier de tout, et pour éviter que des témoins à charge (accusateurs) arrangent leur déposition, je n'ai dévoilé mes projets qu'au Conseil [5]. »

Notons qu'à cette date il ne prétend pas avoir voulu éviter un jugement à huis-clos, mais seulement une possible concertation des témoins à charge. Il n'affirme pas qu'il a voulu volontairement mentir à l'instruction, mais seulement qu'il a gardé par devers lui ce qu'il voulait dire en audience publique.

Ces variations compromettent le crédit que l'on peut accorder aux explications de Marty. Mais surtout, celui-ci a contre lui ses premiers aveux à bord du *Protet*, dans la journée du 22 avril. A cette date, il n'est pas vraisemblable qu'il ait pu méditer sur la tactique à suivre en vue du Conseil de guerre. S'il parle, c'est qu'il baisse les bras, c'est qu'il est vaincu, c'est peut-être qu'il craint, à tort sans doute, pour sa vie. Rédigé dès le 23, le témoignage de Welfelé démolit toutes les affirmations ultérieures de Marty. Comment, à cette date, celui-ci aurait-il pu deviner ce que Marty allait confier à partir du 7 mai au juge d'instruction [6]?

1. Cf. *J. O.* 13 décembre 1950.

2. Lecœur, *L'Autocritique attendue*, pp. 7-8.

3. *L'affaire Marty*, p. 59.

4. Inexact. Dans le même *Mémoire*, Marty affirme que l'accusation selon laquelle il voulait vendre le *Protet* aux bolcheviks avait été répandue par des officiers (*Mémoire*, p. 9). Or c'est ce qu'il a avoué lui-même à l'instruction.

5. *Op. cit.*, p. 9.

6. Dans *La Révolte de la mer Noire*, p. 175, Marty affirme avoir été l'objet de menaces à bord du *Protet* de la part de marins et d'un officier. C'est pour s'en plaindre qu'il aurait demandé à Welfelé de venir, tout en refusant, assure-t-il, de répondre à son interrogatoire. Sur ce dernier point, le témoignage de Welfelé prouve évidemment le contraire.

Faut-il croire que Marty, comparaissant en audience publique devant le Conseil de guerre le 11 juin à bord du *Paris*, puis, les 4 et 5 juillet, à bord du *Condorcet*, ait jeté le masque et prononcé un véritable plaidoyer politique ? C'est ce qu'il soutient. Nous ne possédons pas la sténographie de ces débats, ce qui donne un assez large champ aux imaginations. Les quelques éléments sûrs dont nous disposons légitiment toutefois le doute.

Avant l'audience, les autorités maritimes donnent à l'inculpé un défenseur d'office, le capitaine de Lavalette. Ce défenseur n'a assurément pas l'intention de prononcer une plaidoirie politique. Il cherche seulement à obtenir pour son client les circonstances atténuantes. On peut penser que c'est à sa suggestion que Marty a fait état de son « surmenage cérébral ». Ce n'est pas l'auxiliaire rêvé pour la défense politique que Marty prétend avoir assumée. Or, voici qu'on lui propose un autre défenseur.

Le 7 juin, le commandant Le Roch, commissaire rapporteur, et maître Lavalette viennent trouver le détenu dans sa cellule. Le Roch lui présente un télégramme dont l'expéditeur est sans doute le député Dalbiez. Celui-ci lui propose comme avocat maître Lafont, député, connu pour ses idées pacifistes.

« Vous pouvez encore changer de défenseur, dit le commandant Le Roch. Je ne vous cache pas que maître Lafont est député. »

Marty secoue la tête :

« Maître Lavalette a accepté de me défendre. Je serai heureux qu'il reste.

— Cela vaudra mieux, dit Le Roch vivement. Oui, cela vaudra mieux [1]. »

C'est Marty lui-même qui rapporte ce dialogue. Il justifie son refus en affirmant qu'il était certain, en prenant pour défenseur un parlementaire, d'être condamné à mort. Supposition qui n'est pas sans fondement. Mais, après cela, quand Marty raconte qu'à la fin d'une longue déposition devant le Conseil de guerre, le 11 juin, il a invité le tribunal à le condamner à mort, nous jugeons ce défi, à supposer qu'il ait été lancé, tout à fait théâtral.

Et surtout, la possibilité lui en ayant été offerte, le refus de prendre Lafont comme défenseur équivaut à renoncer à faire un procès politique.

Une autre circonstance doit éveiller notre attention. Le Conseil de guerre, s'il retient les chefs d'intelligences avec l'ennemi et de complot, ne souffle mot de sabotage. Pourquoi, alors que la note de Marty à Brédillard constitue une charge accablante ? Ici, nous sommes réduits aux hypothèses. Peut-être l'abandon du chef de sabotage a-t-il été négocié, dans le secret de l'instruction, contre une humiliante capitulation de l'accusé. Peut-être les autorités maritimes préféraient-elles jeter un voile sur le comportement désastreux d'un officier...

Ces préliminaires n'incitent pas à croire que la déposition de Marty devant le Conseil de guerre ait été aussi percutante qu'il le prétendra ensuite. Le compte rendu indique seulement que maître Lavalette, devant

1. *Mémoire*, p. 21.

les propos « incohérents » de son client, demande qu'il soit examiné du point de vue mental. Le Commissaire du gouvernement en tombe aussitôt d'accord [1]. Si l'on ajoute que le président du Conseil de guerre, le commandant Glorieux, est bien ennuyé d'avoir à juger cette affaire et qu'un lieutenant de vaisseau incline à la bienveillance [2] on comprend que l'expertise psychiatrique constitue pour le tribunal une porte de sortie.

Elle est négative et Marty est reconnu responsable de ses actes.

Il n'y a guère de leçons à tirer (comme on a cherché parfois à le faire) de cet examen. Il est effectué en effet par le médecin-chef d'un hôpital militaire et par le directeur d'un laboratoire de bactériologie. Aucun d'eux ne semble compétent pour un examen mental approfondi. Les experts font état de deux suicides dans la famille du sujet, mais les faits sont rapportés au conditionnel. Pour Marty lui-même, ils lui reconnaissent une constitution vigoureuse, exempte de troubles physiologiques. Hormis une affectivité parfois excessive, ils ne décèlent pas chez lui de troubles de la personnalité.

Les affabulations de Marty

L'expertise nous renseigne davantage sur l'attitude de l'accusé devant le tribunal. Les médecins notent que la mort de son père et de sa grand-mère « auraient » provoqué chez l'accusé une grave dépression. « Poussé aussi par son orgueil, il aurait voulu jouer un rôle primordial dans la démobilisation de toute la flotte de la mer Noire. »

De qui les experts tiennent-ils ces explications? Vraisemblablement du sujet examiné. Ils ajoutent que « celui-ci peut être de bonne foi quand il dit n'avoir reconnu la gravité de sa faute que devant les faits accomplis ».

Cet examen se déroule le 24 juin. Le 27 mai, à l'instruction, Marty faisait état de son « crime épouvantable ». Le 24 juin, après l'audience suspendue du Conseil de guerre, il parle toujours de la « gravité de sa faute ». Croire qu'entre-temps, à l'audience publique, il a, risquant sa tête, renversé son attitude, n'est pas d'une évidence criante.

La vérité est que Marty ne se prive pas de fabuler. Dans son *Mémoire* (1919), il se plaint à plusieurs reprises d'avoir été mal défendu par maître Lavalette. Or, dans une lettre adressée par lui de Constantinople au député Dalbiez, le 25 juin, Marty écrit pour se justifier de n'avoir pas choisi Lafont : « M. le capitaine d'infanterie Lavalette, avocat à la Cour de Paris, s'était déjà mis à ma disposition pour me défendre. Son bon cœur est trop connu parmi les soldats pour que je n'aie pas cru lui demander de laisser sa place à maître Lafont. Il est réputé comme excellent avocat et

1. « Plaise au Conseil de guerre, attendu qu'il résulte de l'interrogatoire de l'accusé Marty, qu'il résulte de ses incohérences de langage et des difficultés d'associations d'idées dont il a fait preuve, qu'il ne paraît pas jouir complètement de ses facultés mentales, etc. »
2. Selon Marty lui-même, cf. *Mémoire*, p. 22.

je pense être par lui bien défendu. » (Devant le second Conseil de guerre.)
Il ajoute « *J'ai tout avoué.* » Du temps où, déjà arrêté, il croyait encore que
la mutinerie pouvait l'emporter, qu'écrivait-il à Brédillard? : « *J'ai tout
nié.* » Toute la différence du comportement de Marty tient dans ces deux
phrases.

Il ne semble pas qu'il ait une attitude beaucoup plus énergique à son
second Conseil de guerre (4-5 juillet 1919), à bord du *Condorcet*. Il se plaindra par la suite d'avoir été interrompu à plusieurs reprises par le président.
Mal soutenu, dit-il, par son avocat, fatigué, démoralisé par les interruptions, il conclut rapidement [1].

Nous possédons en revanche le texte de sa déposition au procès Badina
(1921). A ce moment, il a déjà été condamné à vingt ans de travaux forcés,
le Conseil de guerre du *Condorcet* ayant écarté le chef d'intelligences avec
l'ennemi, et retenu celui de complot avec circonstances atténuantes. Le
témoignage de Marty est un long monologue, assez confus, plein de redites.
Il s'y étend sur le mauvais moral des marins, l'insuffisance du ravitaillement, le manque de courrier, etc. Il rapporte le bombardement d'Odessa,
puis de Kherson par la flotte, qui provoquèrent son indignation. Il ne
cache pas son hostilité à l'intervention. Voilà en somme ce qu'il revendique
et qu'il a peut-être exprimé dès le Conseil de guerre du *Paris*. Mais à
aucun moment, s'il décrit en détail le mécanisme de la mutinerie et s'il en
prend toute la responsabilité, *il ne la justifie*. A cette date, il parle encore de
« sa faute [2] ».

Bref, quand on examine dans le détail son comportement, il y a une
certaine distance entre l'attitude héroïque qu'il s'attribue et la réalité
moins exaltante.

Un plan « enfantin »

Reste à déterminer quelles furent les intentions exactes des conjurés.

Une fois de plus, les déclarations de Marty, selon les circonstances, sont
contradictoires. A l'instruction, il affirme avoir eu l'intention de livrer
contre argent le *Protet* aux bolcheviks. Dans son *Mémoire*, il trace le plan
suivant :

« Marty et Badina décidèrent, au cours d'une conversation, de faire
quelque chose pour arrêter l'intervention en Russie et hâter leur retour
en France. S'étant donné rendez-vous en ville [...] ils décidèrent le plan
suivant : à la première sortie de nuit, enfermer les officiers et sous-officiers
chez eux ...

« [...] (Note de Marty) : Un homme suffisait pour cela... tenir l'équipage
dans le poste, s'emparer de l'officier de quart et du personnel de la passerelle et, tenant les mécaniciens sous la menace des revolvers, s'enfuir dans

1. *Mémoire*, p. 27.
2. Lettre au député Dalbiez, 25 juin.

un port occupé par les bolcheviks : Odessa ou Sébastopol, s'il était évacué...
Là, avec l'aide de la Garde Rouge, les matelots indésirables, tous les sous-officiers sauf deux et un officier étaient embarqués sur un cargo avec la caisse du bord, les papiers secrets et le rôle de l'équipage... et laissés libres de partir avec une lettre pour l'amiral et le chef du gouvernement. Pendant ce temps, nous nous complétions avec des déserteurs, envoyions en France par une voie détournée un émissaire... et appareillions, sous drapeau rouge et organisation bolchevique, officier et commandant, deux sous-officiers, comme otages à bord. Après un défilé devant les cuirassés français d'Odessa et de Sébastopol, nous prenions la route de Marseille, *où nous serions sûrement arrivés*. Là, nous aurions discuté et obtenu l'amnistie, retour des soldats et des marins et aussi quelques améliorations importantes dans la vie du matelot...

(Note de Marty) : « C'est presque mot pour mot ma déposition. Il n'est nullement question de vendre le bateau, et cette accusation stupide, répandue à profusion, *me touche plus que ma condamnation*. M. Bonnecarrère, originaire de Collioure, enseigne de vaisseau de 1re classe du *Waldeck-Rousseau*, a répandu le bruit, après le jugement des révoltés de ce bâtiment, que je voulais vendre le *Protet* aux bolcheviks pour 200 000 F[1]. »

Dans un autre document, une lettre adressée aux « Camarades du parti socialiste », et datée du 22 juillet 1919, Marty expose à peu près la même thèse.

Il n'y a pas non plus de divergences notables avec le récit qui figure dans *La Révolte de la mer Noire* (1927). A cette remarque près que Marty ajoute une phase supplémentaire à son plan, lorsque le *Protet* aurait rallié Odessa : « Il nous eût été facile dès lors — écrit-il — de faire des démonstrations de propagande devant la flotte mouillée à Sébastopol, en rade d'Odessa ou ailleurs en mer Noire. Si d'autres bâtiments suivent notre exemple, alors, organisés en équipes révolutionnaires, nous pourrons tenter le retour en France, ce qui serait d'une portée formidable[2]. »

Dans son rapport, le commissaire Le Roch qualifie le plan visant à ramener le *Protet* à Marseille « d'enfantin ».

C'est l'épithète adéquate. Comment le torpilleur, privé de ses officiers et de ses sous-officiers, et d'une partie de son équipage, aurait-il pu franchir les détroits et rallier Marseille ? Comment croire que son entrée au port, drapeau rouge au mât, aurait suffi à faire capituler le gouvernement, émanation de la Chambre de droite « bleu horizon » ? La démonstration aurait certes paru plus impressionnante si une partie de l'escadre avait suivi le *Protet*. Mais il est significatif que ni dans son *Mémoire* ni dans sa *Lettre aux camarades socialistes*, qui sont des pièces secrètes rédigées en juillet 1919, Marty n'envisage cette perspective. C'est une version qui a été forgée des années plus tard.

Il est clair, en revanche, qu'il a bien voulu livrer le navire aux bolcheviks

1. *Mémoire*, pp. 7, 8 et 9. Les mots soulignés l'ont été dans le texte.
2. *Op. cit.*, 2e partie, pp. 154-155.

et, du même coup, déserter. Pour les conjurés, le seul plan praticable, c'est le passage dans les rangs des troupes adverses. Marty allègue que les bolcheviks n'auraient su que faire du *Protet*, puisqu'ils avaient proposé à l'amiral Exelmans de lui céder quatre navires contre l'évacuation de Nikolaïev par les troupes françaises. L'argument ne tient pas. Même si les révolutionnaires n'avaient pas besoin d'une flotte de guerre dont ils n'avaient pas l'usage immédiat, *le ralliement d'un navire du corps d'intervention, battant pavillon rouge, aurait été pour eux un formidable succès de propagande*. Dans le type de bataille qu'ils livraient, et que nous avons décrit au début de ce récit, le renfort d'un *Potemkine* français était pour eux un atout inespéré.

Marty, de par sa formation révolutionnaire, ne pouvait ignorer cet aspect de la situation.

Mais il est probablement sincère quand il nie, avec indignation, avoir voulu conduire le *Protet* dans un port bolchevik *pour en tirer de l'argent*. Il ment quand il rejette cette « calomnie » sur le compte d'un officier de marine. C'est lui-même, sous la pression sans doute de son avocat, qui l'a dit à l'instruction. Déclaration qui semble forgée pour dépouiller ses actes de leur vrai mobile : *politique*. Elle ne correspond guère à la nature du personnage, qui n'est certes pas intéressé.

A-t-il voulu massacrer les officiers en s'emparant du navire ? Pas davantage que la tentative de sabotage, le jugement n'a retenu ce chef d'accusation. Les témoins qui l'accusent sur ce point (Durand, Fillâtre, Bourrouilh) sont formels, mais peut-être suspects : dans le complot Marty il y a une part vraisemblable de provocation. Mais Marty et Badina n'ont pas fait grand-chose pour l'éviter. La haine intense que Marty ne dissimulait guère pour la caste des officiers peut faire croire qu'il n'aurait pas reculé devant de tels actes.

La conjuration à bord du *Protet* avait-elle des ramifications extérieures ? Et lesquelles ? La phrase de Marty aux marins réunis par lui au café : « L'ordre vient de Paris », ne prouve rien. Il y a du mythomane chez lui. Et il a bien besoin de bluffer pour rallier une maigre équipe de complices. Il faut se rappeler ici Netchaïev inventant, pour impressionner les étudiants révolutionnaires de Moscou, un mystérieux « comité central à l'étranger », dont il aurait été le délégué.

Les complicités locales à Galatz, en revanche, furent vraisemblablement plus étendues que Marty et Badina ne voulurent l'avouer à leurs procès respectifs. Elles concernèrent deux milieux différents : celui des bolcheviks roumains et celui des soldats français de la base, déjà contaminés par la propagande bolchevik. Pour ces derniers, rappelons-nous que c'est *par un soldat* que Marty a fait transmettre sa note sur le sabotage au matelot Brédillard. Et s'il espère ainsi retarder le départ du torpilleur, n'est-ce pas qu'il compte sur une intervention extérieure ? Dans un de ses textes [1],

---

1. « Lettre écrite au crayon par Marty, Constantinople le 28 juin 1918 *(sic)* » et adressée à « Monsieur le Député ». (Doc. inédit.)

il dit d'ailleurs qu'il comptait faire envahir le navire par des hommes à terre.

Ce concours extérieur pouvait-il se faire sans l'appui des bolcheviks locaux? Marty comme Badina, dans leurs dépositions, affirment qu'ils limitèrent leurs contacts avec le parti social-démocrate de Galatz à l'inscription du quartier-maître sur les listes de cette organisation, puis à la démarche de Marty pour obtenir qu'il soit rayé. Dans *La Révolte de la mer Noire*, Marty n'hésite plus à dire qu'il y eut, entre le responsable bolchevik local et lui, des conversations plus étendues, portant notamment sur le projet de mutinerie à bord du *Protet*.

D'autre part, dans sa note à Brédillard, il est question des nommés « Dri » et « Misti », personnages non identifiés. S'agirait-il de militants bolcheviks, de ces chargés de mission que l'habile Diegott, comme nous l'avons rapporté, faisait passer en Roumanie? Rien n'a permis de l'établir. De toute façon, en raison des déplacements du *Protet*, la liaison fut sans doute fragile.

Lâches avec des soldats démoralisés et avec les bolcheviks locaux, les liens avec les autres équipages qui, quelques jours après la désastreuse tentative de mutinerie de Marty, provoquèrent le *véritable mouvement de masse de la mer Noire*, semblent avoir été quasi inexistants. C'est là un phénomène étonnant.

Certes, il n'était pas de l'intérêt de Marty de faire état de ces contacts à ses procès. Mais il n'en souffle mot ni dans son *Mémoire* ni dans sa lettre aux « Camarades socialistes ». Dans *La Révolte de la mer Noire*, il n'est guère éloquent sur ce chapitre. Or, plus rien ne le gênait pour faire des révélations.

Voilà ce qu'on peut établir aujourd'hui, sans passion (qui n'aurait plus d'objet) sur le cas Marty.

Une étrange histoire

Reste un épisode énigmatique, celui de la « seconde évasion » de Badina, dont Marty, à plusieurs reprises, affirme la réalité.

Dans les documents de Marty saisis par les autorités maritimes et remises au parquet du tribunal correctionnel de Montpellier, dans le cadre d'une instruction contre son frère Michel, il est question d'une seconde arrestation de Badina qui aurait eu lieu le 21 avril 1919. « Badina aurait été incarcéré, ce jour-là, vers 14 heures, dans un local voisin de celui qu'occupait Marty, dans un bâtiment situé hors de la ville, et servant de casernement à une compagnie de dépôt du régiment colonial. Marty et Badina auraient réussi à correspondre par un moyen particulier et Badina se serait évadé de nouveau la nuit suivante. Cette seconde arrestation n'ayant été portée à la connaissance ni du commandant Welfelé ni de l'enseigne Pirot, nous sommes convaincus qu'elle n'a pas eu lieu [1]. »

1. Rapport sur l'affaire Badina. (Doc. inédit.)

Marty a soutenu le contraire à plusieurs reprises. Notamment, dans les pièces A. 48, 49, A. 50 saisies à Montpellier le 24 novembre 1920, où il affirme que Badina a tenté de le faire évader. Dans son *Mémoire*, il donne ces précisions : « Badina, repris le 21, fut amené dans l'après-midi dans une cellule voisine. *Il fut frappé à coups de crosse* (souligné dans le texte)... Dans la nuit, Badina parvint encore à s'enfuir... (Note.) Il m'a fallu à ce moment beaucoup d'énergie pour ne pas le suivre [1]. »

Mais, plus tard, réinterrogé sur cet épisode dans le cadre de l'instruction de l'affaire Badina, Marty ne montre plus la même assurance. Il n'affirme plus avoir vu ou entendu Badina dans une cellule voisine. Il a seulement recueilli des bruits qui lui ont été rapportés par des soldats. Il n'est plus question de cette seconde évasion dans *La Révolte de la mer Noire*.

Cependant, la péripétie de la seconde évasion a, entre-temps, réapparu dans la déposition faite par Marty au procès Badina (1921). Voici ce qu'il raconte :

« Le vendredi, en arrivant au dépôt du 4e Colonial, il y avait à côté de ma chambre d'autres détenus... Le lundi soir, toujours par la conversation facile de soldats voisins, j'ai compris que Badina était rentré. Ils l'ont ficelé et je ne puis pas vous affirmer où on l'avait emporté. Néanmoins, les soldats ont réussi à me porter une lettre. " Nous avons appris ce que vous avez fait, disait-elle, nous vous félicitons. " Ils m'ont proposé l'idée de m'aider à m'évader.

« Le lendemain, j'ai entendu parler par un télégraphiste que Badina s'était évadé de nouveau... Badina a certainement vu la façon dont j'étais traité... Qu'est-ce qu'il a fait ? Il s'est évadé.

« Moi, j'ai eu quatre occasions de m'évader, mais il m'a fallu une sacrée force pour résister à cette tentation [2]. »

Comment démêler cet étrange imbroglio ?

Naturellement, les affirmations de Marty ont provoqué une enquête des autorités militaires. Une commission rogatoire recueille les dépositions de Welfelé et de l'enseigne Pirot, commandant la base de Galatz. Tous deux nient énergiquement la réalité d'une seconde tentative.

Badina : « *Cet idiot de Marty !...* »

Mais le plus indigné en la circonstance, c'est Badina, interné à la maison d'arrêt de Toulon, après s'être constitué prisonnier. Dans ses lettres à ses avocats (maîtres Paz et Berthon), il se déchaîne contre « cet idiot de Marty [3] ». Et celui-ci ayant prétendu que le quartier-maître est venu clandestinement à Paris, envoyé en mission par un « Comité de Moscou », il rejette avec énergie ce qui, dans l'attente de son procès (il a déjà été

1. *Op. cit.*, p. 16. Même version dans sa lettre aux « camarades socialistes ».
2. Déposition au procès Badina, p. 19.
3. Lettre à maître Paz, datée du 8 janvier 1920. En réalité du 8 janvier 1921.'

condamné une première fois par contumace) constitue une charge supplémentaire contre lui.

Dès ses premières lettres à ses défenseurs, il se déchaîne contre son complice : Marty n'est qu'un « agent provocateur [1] ». Dans ses lettres suivantes sa colère est toujours vive. « Cet homme ambitieux à l'excès, écrit-il à maître Berthon, connaissait l'état d'esprit de beaucoup de marins, il a vu toute la gloire qu'il pouvait en tirer [2]... » Le lendemain, il revient à la charge auprès de maître Paz. Il explique que Welfelé a vu en lui un ennemi dangereux et l'a expédié à terre tandis qu'il gardait Marty à bord du *Protet*. « C'est à ce moment que Marty eut ce remords d'infâmie. Qu'a-t-il fait avec Welfelé ? Je suppose que pour avoir promis à Marty le prix du sang (Welfelé a promis à son officier mécanicien qu'il ne serait pas exécuté) ce dernier a fait cette ignoble déclaration [3]. »

En d'autres circonstances, le bouillant quartier-maître qualifie Marty de « monstre », de « fou » et de « traître de la mer Noire ».

La cellule du captif est une volière à soupçons. Il faut se rappeler qu'à bord du *Protet*, Badina et Marty ne nourrissaient l'un pour l'autre aucune sympathie. Leur complicité n'a duré que quelques jours. Leur mutinerie, ce fut une passade. Puis, ils ont été traités différemment et leur destin n'a pas été le même. Chacun a peur de ce que l'autre peut dire. Apprenant que Badina a été arrêté, Marty, dans une lettre à son frère, se dit « atterré ». Réaction généreuse, dira-t-on. Ce n'est pas tout à fait cela. Marty ne pense pas au sort de son quartier-maître, mais à lui-même. « La première conséquence (de cette arrestation), écrit-il, en est que toute commutation de peine va m'être absolument écartée jusqu'après son procès, car le gouvernement ne va pas laisser échapper cette belle occasion de se documenter à mon sujet. » Il poursuit : « Je crains beaucoup à son sujet (Badina). En effet, quoiqu'il soit " à poigne ", il se laissait facilement entraîner aux mauvaises actions et cela seulement depuis les premiers mois de 1919. Je me demande donc quel rôle il jouait à Paris et c'est pour cela qu'il me paraît utile de témoigner, pour être à même de réfuter éventuellement les accusations dont je pourrais être l'objet. J'ai eu en effet tant de preuves de la lâcheté humaine que, s'il a mal tourné, il n'y aurait rien d'étonnant qu'il me charge pour se décharger [4]. »

Tel est le climat, rien moins qu'amical.

Ces lettres mettent à nu l'état d'esprit des deux détenus. Nous sommes loin de la fraternité de façade, forgée par la légende.

En fin de compte, tout s'arrange. Badina finira par admettre qu'au fond

1. Lettre à maître Paz, 15 décembre 1920. (Doc. inédit.)
2. Lettre du 9 janvier 1921.
3. Lettre du 10 janvier 1921. Dans ce passage, Badina veut sans doute dire que Marty a fait son « ignoble déclaration » (celle où il regrettait sa faute), contre promesse de ne pas être exécuté, et en chargeant le quartier-maître.
4. Pièce n° 19 saisie le 24 novembre 1920 chez Michel Marty, et vraisemblablement adressée à celui-ci. Dans cette lettre Marty semble croire que Badina, après son évasion, a séjourné clandestinement à Paris.

Marty est « un très brave type », après que celui-ci, répondant à une commission rogatoire, eut attribué à de simples rumeurs qui lui seraient venues aux oreilles la seconde évasion de Badina. Il viendra, en effet, comme témoin à décharge au procès du quartier-maître, et, cette fois, il prendra publiquement toute la responsabilité de la mutinerie, faisant ressortir l'influence qu'il a exercée sur un subordonné.

Entre-temps, sans doute, les avocats sont intervenus pour recoller les morceaux d'une « amitié » très compromise.

En niant dans ses lettres la réalité d'une seconde évasion, Badina, caractère simple, violent et impulsif, semble plus digne de crédit que cet esprit tortueux et torturé de Marty. Mais pourquoi celui-ci aurait-il inventé cette histoire? La clé de cette attitude doit être recherchée, à notre avis, dans les affirmations répétées de Marty, mettant en évidence que lui-même, contrairement à Badina, a refusé de déserter, qu'il a eu, dit-il, quatre fois l'occasion de s'évader et qu'il les a repoussées. Ce sont des arguments qui comptent pour cette commutation de peine qu'il évoque dans la pièce saisie en novembre chez son frère.

N'oublions pas aussi que Marty est un homme de ressentiment. Il en veut à mort à Welfelé, franc-maçon comme lui, qu'il a voué à la vindicte de la Loge. Or Welfelé, 1° avant la mutinerie, a conservé sur le *Protet* Badina, qui lui était signalé comme suspect, première faute; 2° est tout de même partiellement responsable, faute de surveillance suffisante, de son évasion de la base de Galatz. Si on accréditait l'idée d'une seconde évasion, les autorités maritimes trouveraient peut-être que le capitaine de corvette, franc-maçon comme le mutin Marty, a décidément beaucoup à se faire pardonner. Quand on voit l'importance que la commission rogatoire accorde à cette histoire, les longues réponses de Welfelé et de Pirot, on est confirmé dans cette impression. La « seconde évasion » sert la cause de Marty et dessert ceux qu'il déteste.

Ne croyons donc pas trop à cette histoire.

Mais qu'est devenu Badina après sa désertion? Il affirme que, ayant aussitôt quitté Galatz, il a travaillé dans une raffinerie de pétrole à Ploesti jusqu'en juillet 1919, puis au battage du blé dans une ferme. Il a été ensuite vacher à Varna, jusqu'en juillet de l'année suivante, a gagné Constantinople, puis l'Italie. En septembre, il est allé faire sa soumission au consul de Gênes, qui lui a conseillé de se présenter au commissariat de Vintimille. Ce qu'il a fait le 22 septembre 1920.

Pourquoi ne s'est-il pas rendu plus tôt? Il craignait, dit-il, de comparaître devant un Conseil de guerre et aspirait à être jugé en France [1].

Sa disparition s'est tout de même prolongée pendant dix-huit mois et, durant tout ce temps, on ne sait trop ce qu'il a fait.

Devant le Conseil de guerre, Badina conteste la plupart des charges qui pèsent sur lui. Au contraire de Marty, volontiers emphatique et disert,

---

1. Badina, interrogatoire du 14 octobre 1920.

ses réponses sont nettes et brèves. La plupart du temps, il dit qu'il ne sait rien, ce qui n'est pas toujours très convaincant. Comme Marty, il affirme qu'il a voulu protester contre le viol de la Constitution. C'est la principale ligne de défense des inculpés.

Il est condamné en mars 1921 à quinze ans de travaux forcés.

Aucun des autres marins mêlés à cette affaire n'a été poursuivi.

La vraie mutinerie

« L'affaire du *Protet*, une des plus significatives du grand drame de la mer Noire... » Ainsi s'exprime à l'époque maître Paz. Non, il s'en faut, par rapport à l'ensemble de la mutinerie de l'escadre, elle n'est pas significative. Elle forme un épisode bien à part.

La véritable mutinerie débute, quelques jours après la tentative avortée du *Protet et sans lien aucun avec celle-ci*, à bord du cuirassé *France*, mouillé en face de Sébastopol.

Sur ce navire, comme au sein de sa compagnie de débarquement, comme sur les autres bâtiments qui constituent l'escadre de la mer Noire, l'état d'esprit depuis plusieurs semaines ne cesse de se détériorer. Les causes (mauvais ravitaillement, manque de permissions, lassitude, etc., mêlés à la propagande bolchevique...) nous les avons déjà exposées au début de ce chapitre. Elles existaient, identiques, à bord du *Protet*, mais les événements sur le *France*, le *Jean-Bart* et les autres navires prirent un tour différent parce que les meneurs n'avaient pas les mêmes objectifs.

C'est une mesure disciplinaire maladroite qui va déclencher la révolte. Sur le *France*, le commandant Robez-Pagillon décide de supprimer les deux jours de repos, accordés habituellement aux hommes, pour Pâques. Ces jours-là, on fera la corvée de charbon.

Pour l'équipage, c'est l'étincelle qui allume la flamme. Après le branle-bas, dans la soirée du samedi 19 avril, de nombreux matelots se réunissent sur la plage arrière et manifestent. *L'Internationale* s'élève. Des heurts se produisent avec le capitaine d'armes. Le commandant en second, le capitaine Lefèvre, est accueilli par les cris « A mort! » Le tumulte gagne. Les hommes foncent vers la plage arrière, puis délivrent trois meneurs enfermés dans des cellules, dont le mécanicien Virgile Vuillemin, âgé de 22 ans. Quelques instants plus tard, aux accents de *L'Internationale*, il est élu délégué des mutins, en même temps que deux autres marins, Notta et Doublier.

Au même moment, on apprend par un canonnier revenu sur le *France* que la compagnie de débarquement a manifesté à Sébastopol. Vuillemin décide aussitôt d'aller à terre. On s'embarque sur un petit vapeur pour faire le tour des bâtiments et rallier les équipages à la révolte.

« Que voulez-vous? » crie-t-on à ceux du *Jean-Bart*. « A Toulon! » est la réponse. A bord du *De Chayla*, l'agitation s'installe aussi.

En quelques heures, la situation est devenue grave. Assez pour que le vice-amiral Amet vienne à bord du *France* haranguer les mutins et discuter avec leurs délégués, au milieu des cris hostiles et des huées.

Voilà comment le mouvement débute. Il faut souligner qu'il prend tout de suite une grande ampleur, et qu'à bord du *France* s'est constitué ce que les hommes n'appelleront jamais ainsi, mais ce qui est déjà un petit « soviet ». Ce n'est peut-être pas tout à fait un hasard. L'agitation a pris naissance sur un bâtiment où existait depuis plusieurs années un noyau révolutionnaire.

Peu avant la guerre, des marins provenant des jeunesses syndicalistes de Nantes, Saint-Nazaire, Brest et Paris accueillirent Poincaré à Dunkerque, en juin 1914, au chant de *L'Internationale*.

En 1915, un groupe libertaire, comprenant une cinquantaine d'hommes, était en correspondance avec Sébastien Faure, lui-même adhérent à la franc-maçonnerie. La plupart d'entre eux avaient déjà été débarqués avant l'expédition de la mer Noire, mais Vuillemin et un de ses camarades, Ricras, les avaient connus [1].

Il n'est donc pas surprenant que les mutins aient été assez vite encadrés à bord du *France* et qu'ils aient pu présenter au vice-amiral Amet, *dès le 19 avril*, un véritable cahier de revendications.

Les points qu'ils soumettent au commandant, par l'intermédiaire de Notta, reflètent bien l'état de leurs préoccupations du moment :

1. Ne pas faire le charbon les 20 et 21.
2. Cessation immédiate de l'intervention en Russie et retour immédiat en France, car le *France*, disent les marins, est le seul cuirassé à ne pas avoir touché un port français depuis son départ de Toulon, le 9 octobre 1916.
3. Envoi en permission des hommes de l'équipage qui se plaignent de ne pas en avoir eu depuis dix-neuf mois.
4. Adoucissement de la discipline.
5. Amélioration de la nourriture.
6. Courrier plus fréquent.
7. Exécution des ordres de Paris pour la démobilisation.
8. Retour à l'effectif réglementaire de 1 100 hommes au lieu de 700.
9. Meilleur régime.

A ces points, Notta ajoute quelques considérations sur le bolchevisme et le respect de la Constitution [2]. On peut le noter : *l'aspect proprement idéologique de la mutinerie est extrêmement faible*. Les revendications sont d'ordre pratique, la principale, celle qui correspond au désir profond de ces hommes, étant le retour en France, suivi d'une démobilisation rapide. La fin de l'intervention en Russie est évidemment la condition nécessaire de ce retour au pays. Le vrai, le seul mot d'ordre de ces mutins, c'est, au fond : « la quille ».

---

1. Cf. avant-propos d'Albert Carré, ancien animateur du Comité des Marins, in *Contre-Courant*, 23 mars 1953.
2. Cf. compte rendu du matelot-chauffeur breveté Huret, et du matelot sans spécialité Ricras, du *France*.

Une flamme rouge au mât de beaupré

Les jours suivants, les désordres se poursuivent sur plusieurs bâtiments. Le jour de Pâques, sur le *Jean-Bart* et le *France*, tandis que les pavillons tricolores flottent à l'arrière, c'est une flamme rouge qui jaillit au mât de beaupré, pendant que les mutins entonnent *L'Internationale*.

Les discussions, semées d'incidents, se poursuivent avec le commandant. Plusieurs officiers pleurent et supplient les marins de revenir à la discipline, d'ailleurs sans grand succès. Mais les hommes eux-mêmes sont assez divisés sur le parti à prendre.

C'est en de telles circonstances que le jeune Vuillemin s'impose. Agitateur doué, excellent orateur, il veille à éviter les gestes extrêmes de ses camarades, les violences et les sabotages. En même temps, il engage des discussions serrées avec le commandant du navire et l'amiral Amet.

La situation risque cependant de devenir catastrophique le 20 avril. Ce jour-là, des marins prennent part avec des civils bolcheviks à une manifestation dans Sébastopol. Une section de la compagnie de débarquement du *Jean-Bart* se heurte au cortège et l'officier qui la commande ouvre le feu. La foule s'enfuit. Il y a des morts et des blessés parmi les marins.

L'officier qui avait ordonné la fusillade se serait suicidé par la suite. Le bruit des coups de feu a été entendu sur les navires et les nouvelles affluent rapidement [1]. La colère monte. Il est remarquable toutefois que, dans un climat aussi tendu, elle ne débouche pas sur de nouveaux drames. On le doit sans doute au sang-froid de Vuillemin. Tout en exigeant une enquête et des sanctions, il prêche le calme aux marins. Il est finalement décidé que deux lettres seront envoyées à l'amiral : une du commandant, et une de Vuillemin, au nom de l'équipage.

Pendant ce temps, d'autres manifestations se déroulent à bord de l'*Algol*, du *Justice*, du *Vergniaud*, du *Waldeck-Rousseau*, où Marty fut conduit un moment et que certains marins, apprenant qu'il s'était « mutiné », envisagèrent de délivrer.

L'amiral Amet est conscient de cette contagion. L'Armée Rouge est aux portes de la ville. Si la situation se prolonge, on court à une fraternisation entre l'escadre et les bolcheviks. La prudence commande d'appareiller ou, mieux, de négocier le départ du *France*, qui est le navire-meneur. Sur les différents bâtiments les mutins sont d'ailleurs divisés sur le parti à prendre. Finalement, après de longues discussions, les hommes décident d'appareiller.

Le 23 avril, le *France* quitte Sébastopol. Quelques jours plus tard, il est à Bizerte. L'équipage conserve son encadrement de délégués jusqu'au 11 mai. On avait promis aux mutins qu'ils ne seraient l'objet d'aucune sanction. Mais finalement plusieurs marins du *France* comme des autres bâtiments de la mer Noire sont arrêtés et passent en justice.

1. Marty, *La Révolte de la mer Noire*, 2e partie, p. 227.

Entre-temps, d'autres révoltes ont éclaté en Méditerranée, à bord du *Guichen*, près de Toulon, à bord du *Provence*, à Brest, à Cherbourg. Toute la flotte est atteinte.

Un putsch et une grève

On peut à présent comparer l'épisode du *Protet* aux événements dont le *Jean-Bart*, le *Waldeck-Rousseau* et autres furent le théâtre.

Sur le *Protet*, l'officier mécanicien Marty a voulu exécuter une tentative de *putsch*. Entreprise minable. L'affaire a été hâtivement et mal montée. Les quelques hommes, prévus pour ce coup de main, furent en partie recrutés dans ce que Marty lui-même a appelé « la racaille ». Et encore, sans Badina, Marty aurait été incapable d'organiser un embryon de complot. Il n'avait aucun lien avec les autres équipages engagés dans les mutineries qui suivirent. Il est tombé dans les pièges de la provocation, montée par Durand, et ne s'est pas montré plus psychologue avec Brédillard.

Le *Protet* est une aventure, vouée à l'échec, dès sa conception.

Les révoltes qui s'allument quelques jours plus tard sur les autres navires sont au contraire *des mouvements de masse*. La conjuration à bord du *Protet* ne recherchait que des moyens *techniques* pour s'emparer du navire. La date de la tentative n'était pas liée à l'état d'esprit de l'équipage, mais à des circonstances propices. Sur le *France*, au contraire, tout commence par la protestation des hommes contre une consigne du commandant. Vuillemin est le meneur d'une vaste grève dont l'objectif essentiel est le retour au pays. *En voulant mener le torpilleur dans un port bolchevik, Marty va directement contre ces aspirations.* Il était donc contraint de ruser, de dissimuler ses intentions véritables, de faire prisonnier une partie de l'équipage et de s'en débarrasser, Odessa atteint. Les moyens qu'il envisagea tels que le sabotage, et vraisemblablement l'assassinat des officiers, ont été au contraire constamment écartés par Vuillemin.

Vuillemin, le vrai mutin de la mer Noire

En fait, l'homme de la mer Noire, c'est lui. Il est le vrai chef des mutins, ayant eu, à la différence de Marty, leur confiance. Condamné à cinq ans de prison, il retourne ensuite à l'anonymat... Il adhérera plus tard au parti communiste. Mais il en démissionnera en 1952, indigné par l'exclusion d'André Marty que ses camarades traitent alors de policier.

« Les procédés pour le discréditer, écrit-il à la secrétaire d'une cellule de Maisons-Alfort, sont monstrueux... Une propagande effrénée en avait fait le chef (!) des marins de la mer Noire. Cela n'est pas exact.

« Une autre propagande cherche à en faire un policier.

« Il n'est ni l'un ni l'autre [1]. »

---

1. Lettre datée du 31 décembre 1952 et publiée par Marty dans son livre *L'affaire Marty*, pp. 280-281.

En dépit d'une légitime amertume, Vuillemin se refuse à rallier la meute lâchée contre l'homme vieilli dont la légende a éclipsé son propre rôle. Éclipsé aussi, Badina, qui eut certainement davantage de contacts avec l'équipage et avec les bolcheviks et qui montra, en s'évadant, plus d'énergie que Marty.

D'où vient alors qu'André Marty soit devenu, par la suite, un symbole, que son nom ait été systématiquement accolé aux événements de la mer Noire ?

Il le doit sans doute à sa qualité d'officier, le seul impliqué dans cette mutinerie ; à un procès lointain et mystérieux sur lequel il est aisé de broder ; à la lourde peine qui le frappe, et, davantage, à quelques années presque silencieuses, qui permettront ensuite de mieux ciseler les traits menteurs du « héros de la mer Noire ».

Car c'est d'abord le silence, un silence gêné, qui accueille, dans les rangs de la gauche, les mutins.

C'est un fait, soigneusement escamoté : alors que les mutineries datent d'avril 1919, alors qu'elles ont été racontées à la Chambre sans grandes précisions, il est vrai, ni au Congrès de Strasbourg (25-29 février 1920), ni à celui de Tours (25-30 décembre 1920), on n'évoque le geste des marins. Seul, Frossard, à l'ouverture du Congrès de Tours y fait une fugitive allusion [1]. A cette seule exception, *les 574 pages du compte rendu sténographique ne soufflent mot de cet événement.*

Clara Zetkine, à Tours, est muette sur ce chapitre. Lefèbvre, à Strasbourg, en dépit de ses tirades enflammées contre la défense nationale, n'en parle pas davantage. Tout se passe comme s'il s'agissait d'un sujet tabou.

C'est certainement un sujet tabou. Ce qui le confirme, c'est que nul délégué n'ose faire l'apologie des mutins de 1917. Au retour du front, les soldats ont élu la Chambre bleu horizon. Même les délégués socialistes les plus avancés, s'ils sont en théorie hostiles au patriotisme, à la défense nationale, n'osent pas, en pratique, recommander le refus d'obéir, l'agitation antimilitariste et la fraternisation avec les bolcheviks.

Quand Tillon et ses camarades comparaîtront à Brest devant le Conseil de guerre, les avocats, qui sont pourtant socialistes, se borneront à plaider les circonstances atténuantes [2]. Marty lui-même, lorsqu'il vient après sa condamnation déposer au procès Badina, ne justifie à aucun moment sa tentative de mutinerie. Il prend la responsabilité des actes commis, il fait grief au commandant des bombardements des populations civiles, il proteste parce que la Constitution n'a pas été respectée... *Mais il n'ose pas faire l'apologie de la désobéissance.*

La presse de l'époque est le reflet fidèle de cet état d'esprit général. *L'Humanité* se garde de prendre fait et cause pour Marty et Badina. La cause des mutins de la mer Noire n'est guère défendue que par un comité

1. Parti socialiste, XVIIIe Congrès national tenu à Tours, compte rendu sténographique, p. 3.
2. Cf. Tillon, *Op. cit.*, pp. 382-385.

d'inspiration libertaire, et par les journaux anarchistes. Seules *La Vie ouvrière* et *Avant-Garde* (organe des Jeunesses communistes) acceptent de s'engager en faveur de Marty et de Badina. On relève, de-ci de-là, quelques articles de Paz (défenseur de Badina), Victor Méric, Louise Bodin. Sorti de là, c'est le désert.

Les choses changent à partir de 1923. *L'Humanité* mène campagne pour l'amnistie, thème traditionnel de la gauche. Il faut lui donner du punch. Ce n'est possible qu'en fournissant à l'opinion un martyr. Excellent propagandiste, L.-O. Frossard pense alors à l'officier mécanicien Marty, qui purge sa peine à Clairvaux.

A cette époque, on peut poser des candidatures multiples. Marty sera donc candidat dans toute la France... ou presque. Il sera élu 42 fois comme conseiller municipal, conseiller général, conseiller d'arrondissement.

Son nom devient célèbre. Peu de temps après, il est libéré. Son entrée ostentatoire à la Chambre, où il arrive, avec en guise de lacets des bouts de ficelle à ses souliers, fait sensation.

La légende de Marty est née. Sa carrière politique commence. Il la doit à « l'opportuniste » Frossard qui, peu après, quitte le parti communiste.

Le nom de Badina a été, lui aussi, utilisé par les communistes sur une échelle beaucoup plus modeste. Il sera élu conseiller municipal. Mais Badina, garçon violent et simple, ne saurait longtemps s'accommoder d'un parti où la discipline se fait de plus en plus pesante. Le milieu anarchiste convenait mieux à ses goûts. Il y retourne. Il ne tarde pas à mener la vie aventureuse d'un mauvais garçon. Il périra à Marseille, au cours d'un règlement de comptes.

Vuillemin, lui, est rendu, dès sa libération, à son obscurité. Toute sa vie il sera frustré au bénéfice de Marty de l'auréole antimilitariste qui s'attache à l'équipée de la mer Noire.

Il lui aura manqué d'être l'élu de « l'Agit-Prop » communiste.

PREMIÈRE PARTIE

L'ÉCOLE BOLCHEVIQUE

I.

A Tours, 21 conditions adaptées

« QUE LES TROUPES D'ATTAQUE SOIENT TOUJOURS LA, BIEN EN MAIN, prêtes à obéir au premier signal, chaque unité transmettant au-dessous d'elle l'ordre reçu d'en haut (Interruptions) [1]. »

Une armée... telle est l'image que Léon Blum, lucidement, donne du futur parti communiste qui va naître en cette fin d'année 1920, à ce tumultueux congrès de Tours. Blum y a pris la parole dans la journée du 27 décembre. Face à une salle houleuse, en majorité hostile, où crépite le tir serré des interruptions, il a prétexté, dès ses premières paroles, et sa voix « naturellement très faible » et sa grande fatigue [2]. Coquetterie d'orateur dont il usera souvent, au cours de sa carrière, pour gagner le silence. Cela dit, l'analyse qu'il brosse du futur parti communiste va droit à l'essentiel. Cinquante ans plus tard, elle n'a pas pris une ride.

Le parti qui se prépare à Tours sera un parti neuf, un parti entièrement différent dans ses principes, ses structures et son fonctionnement du vieux parti socialiste. C'est ce qui découle, note Blum, des statuts de l'Internationale communiste.

D'abord, la centralisation imposera l'autorité du comité directeur sur les organismes qui lui seront subordonnés. Dans le parti socialiste l'autorité procédait de bas en haut. Elle descendra désormais, du sommet aux sections, formant « une sorte de commandement militaire [3] ».

En outre, aux organes publics du parti, hiérarchiquement subordonnés les uns aux autres, se superposeront les organes clandestins. Les textes et statuts, souligne Blum, l'exigent expressément et « le Comité exécutif de

1. Parti socialiste, XVIIIe Congrès national tenu à Tours, compte rendu sténo, p. 262.
2. *Op. cit.*, p. 243.
3. *Op. cit.*, p. 250.

la IIIᵉ Internationale se réserve même le droit de vous imposer directement cette création si vous montriez quelque faiblesse ou quelque lenteur à vous prêter à cette exigence [1] ». Quand il y a juxtaposition d'organes publics et d'organes clandestins où donc réside l'autorité réelle ? « Par la force des choses dans l'organisme clandestin [2]. »

Blum : « Un comité occulte... »

Il y aura donc à côté du Comité directeur (on ne dit pas encore Bureau politique) un comité occulte qui aura barre sur le premier. Qui le désignera ? Un vote du Congrès ? Impossible : « Il faudra que sa constitution vous soit apportée du dehors. Ceci revient à dire que dans le parti qu'on veut nous faire, le pouvoir central appartiendra finalement à un comité occulte désigné — il n'y a pas d'autre hypothèse possible — sous le contrôle du Comité exécutif de l'Internationale elle-même. Les actes les plus graves de la vie du parti, ses décisions seront prises par qui ? par des hommes que vous ne connaîtrez pas. » (Exclamations. Bruit. Mouvements [3].)

Que veut-on faire ? interroge Blum : un parti absolument homogène, où la doctrine est fixée une fois pour toutes et *où sont prévues des épurations périodiques*. Le pouvoir de fait y appartiendra au Comité exécutif de la IIIᵉ Internationale qui, dans chaque pays, aura un bureau à lui.

Toutes ces structures qui constituent un parti cohérent, mobile, soumis à une stricte discipline militaire, véritable troupe d'assaut, n'ont de sens que si l'on croit à une crise révolutionnaire imminente et à la prise rapide du pouvoir.

Voilà comment Blum dissèque l'anatomie du futur parti communiste qui va naître dans quelques dizaines d'heures, et le scalpel est manié de main de maître. Un peu plus tôt, Paul Faure dans une analyse moins fouillée, mais avec son mordant habituel, avait déjà dénoncé la subordination de l'organisation légale à l'organisation illégale et rappelé que les 9 conditions d'adhésion primitives à l'Internationale communiste, rapportées par Cachin et Frossard de leur voyage à Moscou, s'étaient muées en 21 conditions, et même en 22 [4]. Ces mises en garde ne peuvent rien contre le courant qui se dessine, contre la fascination qu'exerce la révolution d'Octobre. La motion Cachin-Frossard d'adhésion à la IIIᵉ Internationale l'emporte par 3 208 mandats contre 1 022 à la motion Longuet et quelques divers.

---

1. *Op. cit.*, p. 251.
2. *Op. cit.*, p. 251.
3. *Op. cit.*, p. 252.
4. Cette vingt-deuxième condition concernait l'incompatibilité entre l'adhésion au parti et l'inscription à la franc-maçonnerie. Elle n'interviendra qu'ultérieurement.

Un bulletin de naissance truqué

La motion dite Cachin-Frossard, c'est le bulletin de naissance de la S.F.I.C. (Section française de l'Internationale communiste), futur parti communiste. C'est déjà un acte truqué.

« Il y a cinquante ans, le 29 décembre, à Tours, le XVIIIe Congrès du Parti socialiste se prononçait par 3 208 mandats contre 1 082, à l'appel de Marcel Cachin et de Paul Vaillant-Couturier, pour l'adhésion à la IIIe Internationale léniniste. »

Telle est la première phrase d'une déclaration adoptée par le Comité central du parti communiste, le 17 octobre 1970, pour le cinquantième anniversaire du fameux congrès. C'est là un premier mensonge. Par omission. Le nom de Ludovic-Oscar Frossard, premier secrétaire général du parti communiste français, a tout bonnement été gommé. Et Vaillant-Couturier qui lui a été substitué n'a joué aucun rôle dans cette affaire.

Mais l'expression « motion Cachin-Frossard », adoptée en général, ne rend pas exactement compte de la réalité.

Au moment où les débats du congrès de Tours s'engagent dans la fièvre, transportons-nous au quartier politique de la Santé. Il y a là trois hommes enfermés depuis la grande grève des cheminots (mai 1920). Ils se nomment Loriot, Monatte et Souvarine.

Fernand Loriot a été le premier socialiste français à se rallier à Lénine qu'il a rencontré en Suisse au début de 1917. Il a été avec Guilbeaux un des deux Français qui ont approuvé le retour de Lénine en Russie à travers l'Allemagne, par le fameux wagon, dit « plombé ».

Pierre Monatte est un des principaux dirigeants syndicalistes de la tendance pacifiste.

Quant au jeune Boris Souvarine, il est entré pendant la guerre en correspondance avec Lénine, et il se remue beaucoup pour la fondation du nouveau parti.

A eux trois, ils ont constitué un Comité de la IIIe Internationale. Ce comité, augmenté de quelques militants, forme, selon l'expression même de Souvarine, « une petite phalange de propagandistes [1] »; il s'applique à traduire et faire connaître en France les œuvres des bolcheviks : *La Maladie infantile du communisme* de Lénine, *Le Terrorisme* de Trotski, *Les Alliés et la Russie* de Kerjenzev, *Le Programme du parti communiste* de Boukharine. En même temps paraît *Le Bulletin communiste*, dont Souvarine est le principal rédacteur.

L'emprisonnement n'interrompt pas ces activités. La prison « bourgeoise » est très libérale. La cellule de Souvarine où affluent librement lettres, journaux et visiteurs se transforme en laboratoire. La plume à la main, le jeune Boris accomplit un important travail : adapter à la mentalité socialiste française les fameuses 21 conditions qui font figure d'épouvantail,

---

1. Fragment d'un rapport sur la scission de Tours, rédigé par Souvarine en janvier 1921, document inachevé publié dans *Est et Ouest*, 16 décembre 1970.

présenter aux congressistes une version atténuée, édulcorée de ces règles qui, offertes dans leur brutalité originelle, risquent de rebuter et d'offusquer.

Tel est le travail d'accommodement accompli par Souvarine à la Santé, avec la collaboration, pour la partie syndicale, de Paul Louis et d'Amédée Dunois [1].

C'est cette résolution des 21 conditions revues et corrigées par Souvarine qui sera finalement soumise au vote des congressistes. Ceux-ci finalement se sont prononcés sur un document *condensé*.

L'éclosion même du parti communiste est ainsi déjà marquée par des préparatifs secrets.

Quelques années plus tard, Souvarine, puis Monatte et Loriot seront exclus du parti communiste. Dès lors il n'est plus question que la brigade des historiens du parti leur reconnaisse le moindre rôle dans ce qui s'est passé à Tours, et parle d'eux autrement que pour les vilipender [2].

Qu'est-ce qui incite la majorité des congressistes à former un nouveau parti et à tourner leurs regards vers Moscou ? Pour le comprendre, le congrès de Strasbourg qui s'est tenu en juillet 1920 nous éclaire mieux sans doute que celui de Tours où, de part et d'autre, les positions apparaissent déjà figées. Une lame de fond soulève une grande part des délégués contre les dirigeants socialistes qui n'ont pas su d'abord empêcher la guerre et ensuite l'abréger. L'horreur d'un massacre de quatre ans traîne à travers les pages refroidies des débats. Elle trouve son plus éloquent interprète dans un jeune homme maigre, à profil barrésien. Il s'appelle Raymond Lefebvre. Cet écrivain, venu de la droite, a ruminé la haine de la guerre dans les petits cercles pacifistes de *La Vie ouvrière*, où, dit-il, « nous n'étions plus que quelques-uns à tisonner les cendres refroidies de l'Internationale ».

Lefebvre : « La révolution ou la mort »

Apre et tendu, tourné vers Renaudel qui a justifié la politique de défense nationale pendant la guerre, il l'apostrophe :

« Vous êtes trop bien portant pour comprendre la France mutilée [3]... »

1. Cf. son témoignage in *Est et Ouest, op. cit.*
2. La sténographie du XVIIIᵉ congrès national du parti socialiste comporte le texte de la « Résolution présentée par le Comité de la IIIᵉ Internationale et par la fraction Cachin-Frossard », résolution qui s'achève ainsi : « Pour le Comité de la IIIᵉ Internationale : les secrétaires emprisonnés : Loriot, Boris Souvarine. Les secrétaires par intérim : Jean Ribaut, René Reynaud, etc.
....
« Pour les membres démissionnaires du Comité pour la Reconstruction de l'Internationale :
« Cachin, L.-O. Frossard, Bonnaud, etc. » pp. 563-578.
3. Parti socialiste, XVIIᵉ congrès national tenu à Strasbourg (25-29 février 1920), compte rendu sténographique, p. 256.

Et dans le concert discordant des acclamations et des huées, il poursuit :
« Vous entendez ce que je veux dire : que pour beaucoup d'entre vous autres, hommes plus âgés que nous, la France est restée cette terre où on vivait bien, ce pays robuste et léger, mais qui n'a plus rien de commun qu'un squelette avec ce qui émerge aujourd'hui de la guerre, et qu'elle ne pourra reprendre la vie que par une révolution. Et c'est mon amour de la race française qui me le fait dire : oui, la révolution ou la mort [1]. »

Le reste se poursuit dans le tumulte.

Dès Strasbourg, on voit à telles interventions, aux remous et aux vives ripostes qu'elles déclenchent, qu'il y a déjà au sein du vieux parti socialiste deux camps irréductibles : celui qui accepte et celui qui rejette la défense nationale. Et qu'aux yeux de ce dernier, les dirigeants compromis, englués dans la politique d'union sacrée, ont perdu aussi la flamme révolutionnaire, celle qui leur aurait permis de transformer les grandes grèves de 1920 en incendie.

Cette flamme, d'autres l'ont allumée à Moscou. Voilà ce que pensent ceux qui aspirent au changement.

Il ne faut guère de temps, un an ou dix-huit mois après Tours, pour que bon nombre d'illusions tombent... Et beaucoup de militants ne se sentent pas très à l'aise dans ce jeune parti communiste. De Moscou on les regarde de travers.

D'autres n'y sont venus que par calcul, à contre-cœur, comme le notait déjà Blum dans son intervention [2]. Ils ont été parfois guidés par des considérations électorales. Parmi eux Laval. Il n'a jamais eu l'intention de rester.

Le Congrès de Paris (15-19 octobre 1922) rend compte de cette crise. De vieux militants regimbent contre le joug de la discipline. A Moscou, au contraire, on juge que le nouveau parti, dont Frossard a été élu secrétaire général, s'enlise dans l'opportunisme. Il est pratiquement coupé en trois tendances : le centre, conduit par Frossard et Cachin; une gauche dont les vedettes sont Souvarine, le capitaine Treint, Amédée Dunois, Ker et Loriot; la droite opportuniste et pacifiste où se rencontrent les pacifistes Fabre, Brizon, Verfeuil, l'avocat millionnaire Henry Torrès, le journaliste Victor Méric, le poète Georges Pioch, Mayoux, etc. [3]. La droite, violemment hostile à la tutelle de Moscou, est en révolte permanente contre les 21 conditions. Le centre et la gauche, qui la combattent, ne parviennent pas à s'entendre entre eux.

Le parti subit le contre-coup de ces déchirements internes. A Tours, les « jeunes » avaient accusé les « bonzes » de n'avoir pas su exploiter la situation révolutionnaire créée par la grande grève des cheminots. Le nouveau parti n'a pas su davantage saisir l'occasion de la grève du Havre. Les effectifs fondent. Au lendemain de la scission, le parti groupait 130 000

---

1. *Op. cit.*, p. 256.
2. *Op. cit.*, p. 273.
3. Henri Fabre rédige *Le Journal du Peuple* (quotidien), Brizon *La Vague* (hebdomadaire), célèbre pendant la guerre par ses campagnes pacifistes.

à 140 000 adhérents, contre environ 30 000 restés fidèles au parti socialiste. Le 1er octobre 1921 le nombre des cartes prises n'est déjà plus que de 109 391 ; ce chiffre tombe à 70 828 au 31 juillet 1922.

Du Congrès de Paris et de ses débats fiévreux, Louise Bodin, qui appartient à la gauche du parti, a laissé un tableau coloré à défaut d'être objectif [1]. « Désarroi, impuissance, confusion, scandale, désordre, tels sont les mots — écrit-elle — par lesquels Frossard lui-même a jugé le congrès... après coup [2]... »

Le congrès, hargneux, houleux, aggrave des querelles déjà grosses de scissions. Frossard, secrétaire général, prend prétexte d'une phrase d'un jeune congressiste qui égratigne Jaurès pour « courir à la tribune en bousculant des bancs, comme s'il fuyait un incendie » et pour y hurler : « Vous venez d'insulter Jaurès. Je ne resterai pas une minute de plus ici ; je refuse de collaborer avec des insulteurs de Jaurès [3]. » Il quitte la salle. Le congrès s'achève dans les confusions du vacarme.

Le centre l'emporte sur la gauche. La droite est virtuellement exclue. Mais dès le 20 octobre, le nouveau Comité directeur constate tristement que « le congrès de Paris n'a pas dénoué la crise redoutable que traverse le parti... ». Une semaine après, le 28 octobre 1922, Mussolini arrive au pouvoir.

Le 1er janvier 1923 Frossard démissionne de son poste de secrétaire général.

C'est déjà la fin d'une période. Celle du parti communiste d'avant la bolchevisation. Et le parti ne se bolchevisera que sous la pression de ces organismes occultes dont Blum décrivait les mécanismes ; qu'avec l'aide, les conseils, les directives, le contrôle, la surveillance et l'argent de Moscou.

---

1. *Le Drame politique du congrès de Paris* (15-19 octobre 1922).
2. *Bulletin Communiste*, 19 octobre 1922.
3. *Le Drame politique du congrès de Paris, op. cit.*, p. 49.

2.

Deutsche connexion

L'ARGENT, LES SECRETS D'ARGENT, QUESTIONS DÉLICATES. QUESTIONS qui traversent toute l'histoire du parti communiste français, qui jouent un rôle considérable dans les origines du bolchevisme.

D'où vient l'argent? Qui paie? Cette question que les marxistes ne dédaignent pas de poser à leurs adversaires leur paraît soudain affreusement vulgaire quand on la leur retourne. Aujourd'hui comme hier la réponse est toujours la même : les prolétaires cotisent. Version qui relève de la mythologie révolutionnaire.

Il n'en a jamais été ainsi, dès les débuts du bolchevisme. Les cotisations des militants n'auraient jamais suffi à alimenter l'appareil clandestin qui dévore toujours beaucoup d'argent. Les fonds les plus importants viennent des libéraux soviétiques ou étrangers, des Morozov, des Schmitt, de l'écrivain Maxime Gorki, des Juifs fortunés qui veulent se protéger contre les pogroms [1], des collectes effectuées en Amérique. Ils proviennent encore des attaques menées contre les banques de l'État tsariste par les *Boieviki*, ces groupes de combat bolcheviks. Au Caucase avec Kamo, ils procèdent à une « ex » (expropriation) qui rapporte quelque 200 000 roubles. Celle de la banque pour le Crédit commercial à Moscou en mars 1906 fournit beaucoup plus : 875 000 roubles.

Ce mode de financement par l'État et la bourgeoisie tsaristes, sans leur accord, divise âprement mencheviks et bolcheviks. C'est un aspect souvent négligé de leurs querelles [2].

---

1. Cf. Trotski, *La Seule Voie*, p. 11.
2. Sur ce sujet, cf. Bertram Wolfe : *Lénine et Trotski* et *Lénine, Trotski, Staline*. Voir aussi *Lénine* par David Schub.

Lénine homme d'argent

Négligée aussi, sous cet angle, la personnalité de Lénine. On parle de lui comme du disciple de Marx, du théoricien de l'impérialisme, de l'État révolutionnaire. Des quantités d'ouvrages ont été consacrés à Lénine philosophe, Lénine organisateur du parti du prolétariat, à l'économiste, au stratège. Lénine homme d'argent, quel sujet tabou!

Entendons-nous. Il a mené une existence modeste. La conquête de l'argent comme moyen de satisfaire ses besoins personnels n'a jamais figuré parmi ses objectifs. Mais pour faire fonctionner son parti, il a toujours accordé la plus vigilante attention aux questions financières.

La conception même du parti de Lénine est étroitement liée à la maîtrise de ce problème. Dans *Que faire?* Lénine définit le parti comme un noyau de révolutionnaires professionnels, c'est-à-dire de permanents appointés. Ils ne seront pas très nombreux, ils se contenteront d'une rémunération extrêmement faible. Mais un parti illégal doit assurer la subsistance d'un état-major, installé la plupart du temps à l'étranger, organiser un réseau de liaisons et de transmissions, assurer l'impression et la diffusion du matériel de propagande, venir en aide aux emprisonnés, etc.

Faible, un mouvement clandestin doit déjà faire face à de grosses dépenses; s'il se développe, elles croissent vertigineusement. Il suffit de se reporter à l'histoire des mouvements de résistance sous l'occupation.

La guerre de 1914 va justement poser à Lénine un grave problème financier. La façon dont il l'a résolu est généralement laissée — en France du moins — dans une ombre pudique. Or, elle n'a pas seulement un intérêt historique. Elle est essentielle pour comprendre le fonctionnement d'un appareil, éclairer certaines mentalités totalement étrangères aux traditions du socialisme français, expliquer, au moins en partie, l'histoire du P.C.F.

La guerre de 1914, on le sait, surprend Lénine en Galicie à Poronimo, faubourg de Zakopane où il est installé depuis juin 1912. Au début des hostilités, il n'a nullement l'intention de quitter ce pays, c'est-à-dire qu'il s'accommode fort bien de rester en territoire *ennemi*, puisque la Galicie est soumise à l'autorité de la monarchie austro-hongroise.

Ce sont les habitants qui ne s'accommodent pas de lui. Ils prennent ce Russe pour un espion. Emprisonné le 7 août 1914, puis libéré dès le 19, grâce à l'intervention du député social-démocrate Victor-Adler, Lénine se réfugie en Suisse.

Apparemment, sa situation financière est fort précaire. Les liaisons sont rompues avec la Russie : il ne faut pas compter recevoir d'argent de ce côté avant longtemps. Le mouvement révolutionnaire dans son ensemble, fortement affecté par le conflit, est divisé entre « défensistes », c'est-à-dire partisans de la défense nationale, et défaitistes. De ce côté aussi, même venant d'Amérique, les rentrées seront difficiles.

Selon la femme de Lénine, Kroupskaïa, les Oulianov, à leur arrivée dans la capitale fédérale helvétique, disposent seulement de 2 000 roubles, reste d'un héritage qui leur est parvenu de Russie en Autriche. Kroupskaïa assure que pour l'essentiel, ils vécurent sur cet argent, chichement, jusqu'à leur retour à Petrograd en 1917, et même qu'il leur restait encore quelques subsides. Mais le « vilain » historien américain Possony [1] a calculé que 2 000 roubles divisés par 920 journées en Suisse, font en moyenne 23 kopecks par personne et par jour, soit encore 12 cents. Et il néglige dans ce calcul le coût de la belle-mère de Lénine, qui partageait l'existence du couple, les frais médicaux nécessités par la maladie de Basedow dont souffrait Kroupskaïa. Si spartiate que fut Lénine, c'est vraiment très peu.

Si nous citons cet exemple, c'est que les pauvres 2 000 roubles de Kroupskaïa font partie d'une mythologie acceptée les yeux fermés. Ce ne sont pas toutefois, les ressources personnelles de Lénine qui nous intéressent, mais celles de son organisation. Au début de la guerre, elles sont assurément au plus bas. Comment Lénine va-t-il s'y prendre pour faire tourner cette mécanique ?

Parvus entre en scène

Tandis que Lénine se trouve réduit à de petits moyens, un homme vit dans l'opulence. Il s'appelle Helphand, dit Parvus. C'est un Juif russe, au lourd visage de « bouledogue charnu » qui militait à l'extrême gauche de la puissante social-démocratie allemande.

Il a été le maître à penser de Trotski. En 1915, celui-ci reconnaissait encore que « nul n'avait fait davantage pour sa formation intellectuelle et le développement de sa pensée ».

C'est en commun que Trotski et lui élaborent, à partir de 1904, les célèbres thèses de la *Révolution permanente*.

Ce révolutionnaire imaginatif a un tempérament de *businessman*. Il se tourne vers les spéculations, fait des affaires, trafique pendant la guerre des Balkans, mène l'existence d'un nabab, au grand scandale des mencheviks et des bolcheviks qui subsistent pauvrement.

La guerre ouvre à cet aventurier de formidables perspectives d'affaires et de subversion, assemblage chimique qui convient à sa nature.

Au même moment, les services des Affaires étrangères allemands et autrichiens ainsi que les services de renseignements de ces pays forment un appareil disposant *sur le plan matériel* (argent, liaisons, faux papiers, etc.) d'une puissance bien plus considérable que celle des faibles réseaux constitués par les révolutionnaires émigrés. Dès avant la guerre, ils ont implanté en Russie, en Ukraine, au Caucase, une chaîne d'agents à leur service [2].

L'idée de financer sur le territoire ennemi, non plus seulement des espions, mais les membres de l'opposition, et d'en faire ce qu'on appellera

1. Stephan Possony, *Lénine The Compulsive Revolutionary*.
2. Sur ce sujet cf. Stephan Possony, *op. cit.*, et Alan Moorehead, *The Rise of the Bolsheviks*, traduit en français sous le titre *Naissance de la Révolution Russe*.

plus tard une *cinquième colonne*, c'est-à-dire une sorte d'armée occulte opérant sur les arrières, est devenue une entreprise banale.

En 1914, chez les Allemands comme chez les Autrichiens, c'est une conception relativement neuve, élaborée au cours de multiples tâtonnements. Pendant les hostilités, ces puissances oscillent entre l'appui aux mouvements séparatistes (Baltes, Ukrainiens...) et l'aide aux mouvements révolutionnaires qui ambitionnent de renverser le régime [1].

Dans ces opérations Parvus tient une place essentielle. Dans son analyse marxiste, l'Allemagne représente la nation industrielle la plus avancée. Il n'a donc aucun scrupule à utiliser ses moyens contre le tsarisme rétrograde. Proposant aux services allemands un plan d'insurrection qui reprend les grandes lignes de la révolution de 1905, il exige en 1915 *et obtient* un million de marks, soit la moitié du budget allemand prévu cette année-là pour la subversion.

Avec cette somme il crée un *Institut pour l'étude des conséquences de la guerre*, installé à Copenhague, et destiné à camoufler ses occupations véritables, ainsi qu'un journal, *Die Glocke* (la Cloche). Il y défend l'idée que l'état-major allemand sert objectivement la cause de la révolution.

Si l'on compare les thèses de Lénine à celles de Parvus, on constate qu'elles sont sensiblement différentes. Aux yeux du théoricien bolchevik la social-démocratie allemande a trahi, en votant les crédits de guerre. Tous les impérialistes doivent être également combattus, et il invite en conséquence le prolétariat de chaque nation — donc aussi le prolétariat allemand — à transformer sa guerre impérialiste en guerre civile.

Voilà la théorie. La *praxis* montre toutefois qu'il est difficile de transformer partout, *au même moment*, la guerre impérialiste en guerre civile. Il faut faire céder le maillon le plus faible. Lénine pense que ce maillon est le maillon impérialiste russe.

Sur le papier, les conceptions de Parvus et de Lénine s'opposent, mais davantage peut-être en théorie qu'en pratique [2]. Lénine tient Parvus pour un aventurier et à la fin de 1915, dans son journal *Le Social-Démocrate*, il le critique violemment [3].

Entre les deux hommes, il y a eu pendant la guerre une seule rencontre, en mai 1915 à Berne. Parvus accoste Lénine dans un restaurant de la ville où celui-ci est en train de déjeuner en compagnie d'un certain Ziefeldt. Lénine emmène aussitôt Parvus chez lui. Mais quand Ziefeldt, sans doute

1. Divers ouvrages récents ont abordé les relations occultes des puissances centrales avec les révolutionnaires russes pendant la guerre, notamment : *Northern Underground*, de Michaël Futrell (London, 1963), *Lenin, the Compulsive Revolutionary*, de Stephan Possony (Stanford University, 1964), *Naissance de la Révolution russe*, de Moorehead (Paris, 1958), *The Merchant of Révolution, the Life of Alexander Israël Helphand*, de Zeman et Scharlau, *Germany and the Revolution in Russia*, de Zeman, et *Carl Vital Moor*, de Leonard Haas.

2. Il y a au moins entre Lénine, Parvus et le gouvernement autrichien un point commun : tous encouragent les mouvements séparatistes.

3. Boukharine, installé en Suède, a été « contacté » par Parvus. Lénine lui déconseille vivement d'accepter.

piqué par la curiosité, rejoint les deux hommes, Parvus n'est déjà plus là.
« Je l'ai mis à la porte, explique Lénine. Je ne veux pas avoir de rapports avec un personnage aussi discrédité. »

Mais pourquoi donc l'a-t-il conduit chez lui ?

Ce Ziefeldt mérite quelque attention. Vivant en Suisse dans l'entourage de Lénine, ce bolchevik estonien est aussi en contact étroit avec un de ses compatriotes émigré, Keskuela. Ce dernier, Balte au regard froid, au visage massif, qui déteste les Russes, a appartenu vers 1905-1907, aux *boïeviki* d'Estonie, c'est-à-dire aux groupes de combats des bolcheviks. Il est parti ensuite en Allemagne, et il y dispose au moment de la guerre de fonds importants, fournis par les Affaires étrangères du Reich. Dès octobre 1914, il gagne la Suisse qui sera, avec la Suède, sa grande base d'opérations.

Keskuela

Keskuela réussit à s'infiltrer dans le groupe bolchevik de Scandinavie, très important, car il constitue le « souterrain du Nord », c'est-à-dire le réseau clandestin qui achemine la propagande en Russie. Il parvient à soudoyer le trésorier du groupe bolchevik, Bogrowsky. En même temps, il transmet à Ziefeldt des subsides et celui-ci les fait parvenir à l'organisation de Lénine en Suisse par des versements très modestes (quelques francs) lors des souscriptions organisées par le parti. Précaution nécessaire pour éviter d'attirer l'attention de Lénine sur la munificence suspecte d'un pauvre émigré [1].

Cette histoire laisse rêveur. Ou bien en effet les dons de Ziefeldt sont vraiment insignifiants et le soutien financier des Allemands perd toute raison d'être. Ou les versements ont une certaine consistance. Et ce vieux renard de Lénine ne se serait douté de rien ?

Non moins surprenante, la destinée de Ziefeldt. On retrouvera son nom dans les archives allemandes. Mais cet agent des services germaniques choisira, après la guerre, l'Union soviétique et mourra au Caucase dans les années 20.

Par Ziefeldt et Keskuela il existe donc un lien, à vrai dire ténu, entre Lénine et les services allemands. Deux autres hommes apparaissent toutefois comme des intermédiaires beaucoup plus importants.

Le premier s'appelle Jacob Fürstenberg, dit Ganetski. Cet homme au visage glabre, doué pour le négoce, est un produit de la social-démocratie polonaise. Il appartient à un petit cercle fermé auquel Lénine fait appel pour des missions de confiance. C'est ainsi qu'il fait partie, à la demande

---

1. Sur les agissements de Keskuela, cf. le livre de Futrell, *op. cit.* Keskuela est mort en Espagne en 1963 à l'âge de quatre-vingt-un ans. Chose extraordinaire, cet homme fort intelligent, patriote estonien fanatique, certainement possédé par le virus politique, est entré à la fin du premier conflit mondial dans une ombre dont il n'est plus sorti. Or, il n'avait guère plus de quarante ans.

de Lénine, de la petite commission d'enquête chargée d'examiner le cas Malinovski [1]. C'est encore lui que Lénine alerte quand il est arrêté en Galicie au début de la guerre. Il possède en effet beaucoup de relations.

Fürstenberg a suivi Lénine en Suisse, mais il n'y reste pas. Il se rend au Danemark, dès 1915, pour y gagner sa vie. Avec qui ? Avec Parvus.

En 1917, Lénine revenu en Russie, accusé d'être un agent allemand, sommé de justifier ses relations avec Fürstenberg, expliquera que celui-ci a été en effet *l'employé* de Parvus au Danemark, car il lui fallait bien gagner un peu d'argent pour faire vivre sa famille.

Ce n'est pas tout à fait cela. Au même moment d'ailleurs, à Stockholm, Fürstenberg donne une autre version : « Je dirigeais, dit-il, une société commerciale. » Ce Lénine, qui ignore les activités réelles de Fürstenberg, l'origine des dons de Ziefeldt, et l'appartenance policière de Malinovski, semble vraiment mal renseigné. Ce qui ne concorde pas avec l'idée que nous nous faisons de lui.

Contraceptifs pour la révolution

La société que dirige Fürstenberg est une société d'import-export, *la Compagnie de commerce et d'exportation Ltd.*, sise à Copenhague. Son objet : importer d'Allemagne et réexpédier en Russie, en dépit de la guerre, les marchandises dont celle-ci a besoin, entre autres des matières premières : charbon, cuivre, zinc, etc., ainsi que des médicaments, des produits pharmaceutiques, tels que seringues, sondes, thermomètres, et des produits contraceptifs.

Commerce fructueux qui se prête à une contrebande organisée sur une vaste échelle. En particulier, le caoutchouc qui entre dans la composition des contraceptifs permet, pour le minimum de poids, d'obtenir le maximum de bénéfices.

Un document, retrouvé dans les archives allemandes, établit que le capital (argent et matériel) de la société a été fourni moitié par Parvus et par un certain Sklarz [2] et moitié par Fürstenberg.

L'import-export pratiqué par la Compagnie Fürstenberg-Sklarz-Parvus sert en réalité d'infrastructure économique à la subversion.

La mise sur pied de ce réseau commercial est une idée ingénieuse qui répond à plusieurs besoins. Aux entreprises de renseignements et de subversion, le commerce offre une excellente « couverture ». Pour financer ces

1. Dirigeant du groupe bolchevik à la *Douma* tsariste et l'un des principaux lieutenants de Lénine dans les années de l'immédiate avant-guerre. Accusé par les mencheviks d'être un agent de l'*Okhrana* (police tsariste) il fut défendu avec vigueur par Lénine. Après la révolution de février 1917, les archives de la police, ouvertes par le gouvernement provisoire, révélèrent que les accusations portées contre Malinovski étaient fondées. Malinovski n'en regagna pas moins la Russie. Après procès, il y fut exécuté par les bolcheviks.
2. Georges Sklarz, agent allemand au Danemark, étroitement associé à Parvus dans le trafic du charbon.

activités en Russie, les Allemands d'autre part ont quelques difficultés à se procurer des roubles. Les bénéfices résultant de la vente de marchandises sur le territoire russe permettent au contraire de résoudre ce problème, en laissant sur place une partie de l'argent. Enfin, l'opération est économique : non seulement elle diminue la part des fonds secrets, non seulement le réseau s'autofinance, mais il fonctionne avec l'argent ennemi. *La Russie alimente en roubles la subversion qui fomente sa défaite.*

C'est en appliquant des principes identiques que, pendant la seconde guerre mondiale, le réseau d'espionnage soviétique « l'Orchestre Rouge », du fameux Trepper, assurera sa trésorerie. « L'Orchestre Rouge » puisait en effet une partie de ses fonds dans la Simex, société commerciale sise avenue des Champs-Elysées, qui revendait fort cher à la Todt quantité de produits achetés au « marché noir ». Trepper, contrairement à tout ce qu'on a pu écrire, n'a rien inventé.

Pendant le premier conflit mondial, des industriels, des financiers allemands comme Hugo Stinnes ou von Schwabach, participent à ces trafics. Ce que nous voyons se développer à l'ombre du gros Parvus, c'est un plan de guerre moderne : il mêle le commerce, le renseignement, la corruption, l'espionnage. Diplomates, banquiers, trafiquants, contrebandiers, agents de renseignements, personnalités politiques s'y coudoient. La Russie reste leur objectif principal [1]. En 1916, elle importe d'Allemagne pour onze millions de roubles.

Ce jeu comporte des risques. Fürstenberg le constate. En 1917, il est arrêté et jugé à Copenhague pour avoir exporté des produits pharmaceutiques sans une licence indispensable en temps de guerre.

L'historien britannique Michaël Futrell a pu à Copenhague consulter toutes les archives du procès, et examiner la comptabilité de la maison Fürstenberg [2]. Nous ne pouvons le suivre ici dans le détail d'une affaire qui dévoile l'*underground* politico-financier de l'équipe Parvus.

Il faut seulement en retenir quelques points essentiels.

Futrell estime que Fürstenberg a dû exporter en fraude en Russie des marchandises pour 200 000 kroners (soit 10 000 livres) mais dont la valeur en Russie devait être beaucoup plus grande. Dans ce trafic, les produits pharmaceutiques étaient livrés à une dame Eugénie Sumenson qui travaillait dans la firme Fabian Klingsland, filiale de la maison suisse Nestlé.

En 1917, après l'échec des émeutes de juillet, alors que Lénine se cache en Finlande et que les locaux de son parti ont été perquisitionnés à Petrograd, de graves accusations sont portées contre lui. Le ministre de la Justice Perevertzev, le député Alexinsky, ancien bolchevik, personnage discuté, et la presse de droite accusent Lénine d'être un espion à la solde de l'Allemagne.

Il faut dire que l'accusation est fort mal étayée, que le témoin-choc est

1. Cf. Moorehead, *op. cit.*, p. 122.
2. *Op. cit.*, pp. 170-196.

un agent double qui a travaillé à la fois pour les services allemands et pour l'Okhrana et qu'il est difficile d'accorder crédit à ces affirmations [1].

29 télégrammes « commerciaux »

D'accusations, amplifiées par la passion politique et tournées en dérision par la propagande bolchevique, subsistent tout de même 29 télégrammes de correspondance « commerciale » entre Fürstenberg, alors établi en Suède, et Eugénie Sumenson à Petrograd, ainsi que les aveux de celle-ci.

Ces télégrammes ont été saisis par le 2e Bureau français et transmis à ses collègues russes. On y trouve des messages comme ceux-ci :

« De Sumenson à Fürstenberg : Reçu votre 123 — Confirme mes télégrammes 84-85 Répond ce jour, de nouveau 20 000 (roubles ?) total : 70 000. »

De la même au même : « Fonds très bas — Ne peux rien. Si vraiment important donnez 500 dernier paiement. Grave perte sur les crayons. Dites Nya Bank de câbler pour 100 000. »

Ce langage chiffré ne permet pas de percer le secret de cette correspondance. Pour Trotski, dans son Histoire de la Révolution russe, elle n'est rien d'autre qu'une correspondance commerciale codée. Malheureusement on y voit apparaître les noms de Zinoviev et de Lénine, qui n'ont jamais montré un intérêt très vif pour le commerce des contraceptifs et des crayons [2].

Arrêtée, Mme Sumenson avoue que le réseau commercial n'est qu'une « couverture ». L'enquête établit que sur les 750 000 roubles qu'elle a retirés de son compte, la plupart sont allés à l'avocat Koslovski.

Celui-ci est un vieil ami de Fürstenberg. Pendant la guerre, il circule entre Happarenda, Stockholm, Copenhague et Petrograd, et il opère probablement pour le « souterrain » bolchevik du Nord, que dirige Chliappnikov.

Il est accouru à Copenhague dès qu'il a appris que ce pauvre Fürstenberg

1. Il faut de même écarter un document «sensationnel» paru en 1918 à Washington : The German-bolchevik Conspiracy. Il s'agit, rassemblés par un diplomate en mission en Russie, Edgar Sisson, de « 70 documents sur les relations des chefs bolcheviks avec l'armée, la grosse industrie et la finance allemandes, publiés par le Comité d'Information publique des États-Unis » (une version française a paru en 1920 aux Éditions Brossard). Une réfutation, paraît-il exemplaire, du rapport Sisson a été faite par George Kennan dans The Journal Of Modern History (1956) et celui-ci attribue la paternité de la plupart de ces faux à un certain Ossendowski.

A titre d'exemple, un des documents clés est une « instruction donnée par la Banque d'Empire le 2 mars 1917, n° 2754 (les chiffres font sérieux) avertissant que dans « les agences des maisons privées allemandes de Suède, Norvège et Suisse », des demandes de fonds émaneront de Lénine, Zinoviev, Kamenev, Trotski, etc. On jugera de la discrétion du procédé qui consiste à avertir par circulaire les banques allemandes de la démarche prochaine à leurs guichets des principaux chefs bolcheviks!

2. Les 29 télégrammes ont été publiés dans un ouvrage du colonel Nikitine, chef du contre-espionnage russe (The Fatal Years, London, 1938). L'historien russe Melgounov traite également de cette question dans un ouvrage paru à Paris en 1940, La Clé d'or allemande aux mains de bolcheviks, cf. David Schub, op. cit., p. 195.

avait des ennuis avec la justice danoise et c'est grâce à la transaction qu'il prépare, que celui-ci est libéré et se réfugie à Stockholm, où il retrouve Radek et Vorovsky.

Après la révolution de février 1917, le conseiller juridique de la contrebande des contraceptifs deviendra vice-président du Soviet de Petrograd, où il est fort lié avec Sokolov, très favorable aux bolcheviks. Quand on l'arrête en juillet 1917, il est en possession de deux millions de roubles. D'où vient cet argent? De la contrebande, répond l'honnête vice-président.

Le banquier rouge

L'acte d'accusation affirme toutefois que les fonds transmis à Sumenson et Koslovski proviennent originellement d'une banque allemande, de la Diskonto Gesellschaft de Berlin, par le relais d'une banque suédoise, la Nya Bank.

A la tête de cette dernière opère un personnage que nous allons retrouver mêlé à diverses opérations financières soviétiques ou communistes. C'est le célèbre Olaf Aschberg, dit le « banquier rouge ».

Né à Stockholm, mais d'origine russe, il a fondé la Nya Bank dans des conditions obscures. Pendant la guerre il a traité de nombreuses affaires avec les Allemands. Mais il a aussi négocié un emprunt aux États-Unis pour le gouvernement tsariste. Il entretient en outre d'excellentes relations avec Krassine, organisateur technique du laboratoire de bombes à l'usage des *boïeviki*, mais qui s'est séparé de Lénine avant la guerre.

Au cours de l'année 1917, Aschberg est en contact constant avec l'antenne bolchevique de Stockholm, où il se livre à un certain nombre d'opérations financières pour le compte de Fürstenberg, Radek, Vorovsky, et sans doute aussi pour celui de Parvus.

Réfugié en Finlande, Lénine traite toutes les accusations sur la collusion germano-bolchevique de ragots. « Non seulement, écrit-il, nous n'avons jamais traité d'affaires avec Ganetski (Fürstenberg) et Koslovski, mais nous n'avons jamais reçu d'eux un centime ni pour moi ni pour le Parti. »

« Cependant, — écrit à ce propos David Schub — on relève dans la correspondance de Lénine publiée par le Soviet quelques contradictions, notamment :

» N'épargnez aucune dépense pour maintenir le contact entre Petrograd » et Stockholm (lettre à Ganetski, 12 juin 1917).

» Jusqu'ici je n'ai encore reçu de vous ni lettre ni colis ni argent (lettre » à Ganetski, 12 juin 1917).

» Reçu argent (2 000) de Koslovski » (juin 1917 [1]). »

En outre, quand Lénine a décidé de revenir à Petrograd dans le fameux wagon « plombé » qui traversera le territoire allemand, à qui câble-t-il

---

1. *Op. cit.*, p. 197.

aussitôt? A Fürstenberg avec qui il est censé avoir perdu tout contact depuis 1915. Et il obtient aussitôt de ce dernier 3 000 kroners.

Il faut encore signaler que la personnalité de Fürstenberg, ses relations suspectes avec Parvus et avec les milieux d'affaires germaniques, sont âprement controversées, y compris dans les rangs du parti bolchevik [1].

Dans les relations suspectes entre Lénine et les milieux allemands un autre personnage tient comme intermédiaire une place fort importante. C'est encore un de ces hommes qui opèrent dans les coulisses de l'Histoire, aux points de connexion entre les services de renseignements et les réseaux politiques.

La revue *Politische Studien* a dans son numéro 91 de 1957 (pp. 232 à 234) publié un rapport de l'ambassade d'Autriche à Copenhague. On y relève que Fürstenberg et Parvus ont utilisé leurs bénéfices commerciaux pour la propagande bolchevique (cela pour la période de 1917) et on y précise en outre que, pour l'année 1916, le « contact » entre le tandem Parvus-Fürstenberg et Lénine était un « Suisse d'origine germano-juive ».

Le nom de cet homme n'est pas indiqué mais son signalement ethnique correspond tout à fait à celui d'un Suisse nommé Karl Moor.

Karl Moor, spécimen de l'underground

Moor, encore un prototype peu banal de cette faune souterraine. Il est l'enfant naturel d'un aristocrate allemand et d'une Suissesse d'origine juive. Dans les années 70, il a commencé à militer à l'extrême gauche des socialistes suisses. Il devient en 1894, président de l'*Arbeiter Union*.

Là-dessus, on l'arrête, pour viol d'une mineure (plusieurs plaintes pour des histoires de mœurs ont déjà été déposées contre lui, puis retirées). L'affaire n'a pas de suites. Mais il est en outre accusé de trahison et de détournement de fonds. Ces péripéties lui valent d'être exclu en 1897 du parti socialiste, où il sera réintégré plus tard.

Au demeurant, c'est un polyglotte brillant, un homme d'esprit, un journaliste fort actif aux multiples relations. On lui en prête avec les services allemands et autrichiens.

C'est ce Moor qui est intervenu en faveur de Lénine, quand celui-ci est entré en Suisse, pour lui servir de garant.

Au demeurant les archives ne laissent aucun doute sur la nature des liens entre Moor et les Allemands. Il y apparaît que Moor, sous le pseudonyme de Baïer, est en relations avec Nasse [2], l'attaché militaire allemand à Berne, et avec l'ambassadeur Romberg.

---

1. Cette affaire Fürstenberg reste encore *top-secret* en U.R.S.S. Les Soviétiques ont publié les procès-verbaux des délibérations du Comité central du parti bolchevik en 1917 et 1918. Les points examinés à chaque réunion sont numérotés 1, 2, 3, 4, 5 etc. Or, *à huit reprises*, des numéros manquent dans certains procès-verbaux. Les Soviétiques ont brièvement indiqué que les passages manquants concernaient Fürstenberg, cf. Bonnin *in Revue historique*, janv. 1965.

2. Cf. Haas, *op. cit.*, pp. 157, 169, 176, etc.

Pendant les hostilités, Baïer-Moor se rend à plusieurs reprises en Italie où les services de renseignements français et italiens ne le perdent pas de vue[1].

Voyons Moor dans une de ses activités. Le 9 mai 1917, Nasse adresse à l'ambassadeur allemand en Suisse Romberg, un rapport de Herr Baïer daté du 4 mai et posté à Chiasso (Suisse), Moor y formule, pour aider les partisans de la paix en Russie, de très captivantes suggestions.

« J'ai eu l'occasion à Zürich — écrit-il — de m'entretenir avec plusieurs groupes différents d'émigrés russes. Ce que j'ai vu et entendu à cette occasion n'a fait que confirmer les rapports que j'ai faits récemment après mes discussions avec le docteur Shklovsky [2] et P. Axelrod [3] et à compléter mes informations. Lorsque j'ai procédé à mes sondages très étudiés auprès d'un certain nombre de représentants importants de différents groupes à l'intérieur du mouvement socialiste pacifiste, ces gens m'ont dit qu'il était extrêmement souhaitable qu'une agitation systématique intensive et efficace soit soutenue par un certain nombre de camarades connus et neutres. Après qu'ils m'eurent témoigné une évidente et, je pourrais dire, presque joyeuse disposition à accepter un soutien financier dans le dessein spécifique de travailler pour la paix, je leur ai dit qu'en ce qui me concernait je serais heureux de mettre à leur disposition des sommes importantes pour un projet aussi noble...

« En outre... un certain nombre de personnes de ma connaissance seraient trop heureuses de sacrifier elles aussi de larges sommes au soutien de la révolution russe, en aidant à mener à bonne fin la paix immédiate. Ces offres ont toutes été acceptées avec un grand plaisir...

« ... En ce qui concerne la paix, tous ceux à qui j'en ai parlé étaient moins intéressés par la perspective d'une paix générale... qu'à une paix immédiate " à tout prix " [4] ».

Baïer poursuit en rapportant les suggestions formulées par ses interlocuteurs : il faut que la personnalité du donateur interdise de penser qu'on a affaire à une source suspecte, il faudrait qu'il puisse franchir la frontière russe avec les fonds ; pour « l'argent destiné à subvenir aux besoins immédiats il faudrait prévoir une " petite caisse " alimentée en numéraire », des « pièces suisses » de préférence.

« Tous — conclut Moor — ont confirmé qu'ils étaient disposés à accepter un soutien pour le but précis en question [5]... »

Quel sens peut bien avoir cette lettre adressée à un *attaché militaire*, sinon de transmettre une demande de fonds ? Si Moor voulait jouer les mécènes de son propre chef, il n'avait nul besoin d'écrire de façon aussi détaillée à Nasse.

Nous savons en tout cas, selon les documents soviétiques, que Moor a

1. Cf. Leonard Haas, *Carl Vital Moor*, pp. 146-147.
2. Bolchevik.
3. Menchevik.
4. En Français dans le texte.
5. Cf. Zeman, *Germany and the Revolution in Russia*, pp. 54, 55, 56.

bien proposé de l'argent aux bolcheviks, *mais que cette proposition a été repoussée, l'origine des fonds apparaissant suspecte* [1].

Proposition repoussée, par conséquent, selon le P. V. officiel. Mais Radek dans ses souvenirs donne une autre version. Il connaissait très bien Moor depuis 1904. Il affirme que celui-ci a eu de ses parents un héritage considérable et qu'avec ces fonds « il nous aida financièrement, nous les bolcheviks et les spartakistes, et immédiatement après la révolution, il se rendit en toute hâte en Russie ».

Le « camarade Thomas » de son côté, dans son entretien avec Nikolaïevski, évoque la présence de Moor à Moscou, au moment de la fondation de la IIIe Internationale. Il était là, dit-il « pour se faire rembourser les prêts consentis par lui aux émigrés [2] ».

A ce dossier qui certes comporte des « trous », et des péripéties non élucidées, il faut ajouter d'autres documents provenant des archives de la Wilhelmstrasse.

Le télégramme nº 1925

La pièce la plus importante est un rapport, sous forme de télégramme adressé le 3 décembre 1917 par le secrétaire d'État Kühlmann au G.Q.G. allemand, à charge pour celui-ci de le transmettre au Kaiser. Nous donnons ci-dessous le début de ce message :

« Du secrétaire d'État à l'officier de liaison du ministère des Affaires étrangères au Q. G.

« Télégramme nº 1925

« Berlin, le 3.12.1917

« L'éclatement de l'Entente et la création subséquente de combinaisons politiques qui nous conviennent ont constitué le but de guerre le plus important de notre diplomatie. La Russie s'est avérée être le maillon le plus faible de la chaîne. Il ne s'agissait donc que de l'user progressivement pour, au moment où cela deviendrait possible, le faire sauter. Tel était l'objectif de l'activité subversive qui, sur notre initiative, fut menée en Russie, der-

---

1. P.V. des délibérations du Comité central du 7 octobre 1917 (24 septembre selon le calendrier occidental) *in* « Les bolcheviks et la révolution d'octobre », procès-verbaux du Comité central du parti bolchevik, août 1917-février 1918. Une note des éditeurs indique que les données recueillies plus tard par l'Institut d'Histoire du parti, ont permis d'établir que les fonds offerts par K. M. provenaient d'un héritage inattendu qu'il avait fait.

2. *Op. cit.*, p. 6. Les souvenirs de Radek attribuent, on l'a vu, l'origine des fonds avancés par Moor à un héritage. Outre que cette version ne cadre guère avec la lettre de Baïer à Nasse, l'ouvrage de Haas qui examine minutieusement la question de l'héritage, intervenu en 1908, ne laisse guère de place à cette hypothèse. Celui-ci se monte à 70 000 marks, somme très vraisemblablement dépensée à la guerre. L'examen minutieux des sommes versées par Moor au fisc helvétique fait apparaître, alors que ses ressources étaient en diminution, un enrichissement subit à partir de 1917, qui lui permet notamment d'acquérir le 20 août 1917 une villa pour 125 000 francs suisses.

rière le front : favoriser d'abord les tendances séparatistes et appuyer les bolcheviks. *Tant qu'ils n'ont pas reçu de nous un afflux constant de fonds par des canaux divers et sous des étiquettes variées, les bolcheviks n'ont pas été en mesure de lancer leur organe essentiel,* La Pravda, *de mener une propagande énergique, ni d'élargir d'une façon considérable la base, à l'origine étroite, de leur parti* [1]. »

« Les bolcheviks ont maintenant pris le pouvoir. Combien de temps pourront-ils le garder? Nul ne peut le prévoir encore. Ils ont besoin de la paix pour affermir leur propre position... La conclusion d'une paix séparée signifierait la réalisation du but de guerre désiré... »

Ce télégramme révélateur a été découvert par Georges Katkov et publié par ses soins, dès 1956, dans *International Affairs* [2].

Imaginons un instant ceci : dans les archives de la Wilhelmstrasse, un historien découvre après la seconde guerre mondiale un rapport de von Ribbentrop, ministre des Affaires étrangères au chancelier Hitler. Dans ce document, Ribbentrop, non sans une satisfaction évidente, révèle que si Pétain, Laval et consorts ont réussi à prendre le pouvoir à Vichy, ils le doivent aux subsides du IIIᵉ Reich.

Ce texte, on s'en doute, n'existe pas. A peine découvert, il aurait été affiché sur les murs de nos villes, publié et republié des milliers de fois.

Certes, le comportement des bolcheviks pendant la guerre de 1914 nous touche sensiblement moins que celui de nos hommes d'État pendant le dernier conflit. Mais enfin puisqu'on ne cesse de nous répéter que la puissante personnalité de Lénine a marqué notre siècle, on ne peut qu'admirer ce merveilleux silence qui, à de rares exceptions près, a entouré et englouti en France une découverte vieille maintenant de dix-huit ans [3].

5, 2, 15 millions de marks

Les archives allemandes révèlent en outre qu'après la révolution de février des sommes importantes ont été consacrées à l'activité subversive en Russie : entre février et octobre 1917, cinq millions de marks, versés en

1. Souligné par nous.
2. Vol. 32, n° 2, avril 1956, pp. 181-189. Ce télégramme est également reproduit par Zeman, *op. cit.*, pp. 94-95.
3. La valeur du télégramme Kühlmann a été discutée par M. Bonnin (*op. cit.*) qui affirme que le secrétaire d'État allemand est « un menteur d'habitude » et que Katkov n'a pas vu que ce texte a été rédigé par Bergen, fonctionnaire de l'Auswärtiges Amt, chargé de suivre les rapports avec les bolcheviks. Mais si Bergen est le véritable auteur du texte, peu nous chaut que Kühlmann soit un menteur. D'autres documents montrent d'ailleurs que Bergen est particulièrement au fait de l'appui accordé à la subversion. Le 8 novembre 1917, Lucius, ambassadeur d'Allemagne à Stockholm, adresse à Bergen le télégramme 1797 ainsi conçu : « Pour Bergen : veuillez faire suivre deux millions de l'emprunt de guerre pour ce qui est convenu, Riezler — signé : Lucius. »
Ce télégramme indique bien que Bergen a l'habitude de manier les fonds secrets. Le 8 novembre est le lendemain de la prise du pouvoir par les bolcheviks.

une fois, le 3 avril 1917. Le 8 novembre, deux millions (voir note précédente). Le 9, Kühlmann réclame quinze millions qu'il obtient dès le lendemain.

Dans ce domaine, on ne trouve jamais de preuve absolument décisive, tel qu'un reçu signé de la main de Lénine accompagné de ses vifs remerciements au Kaiser, document qui ne pourrait être qu'un faux. L'ensemble des éléments que nous avons résumés ici [1], en ne retenant que les faits et les acteurs essentiels, constitue du moins un faisceau de présomptions extrêmement troublant. Un des moyens d'écarter ce sujet gênant consiste à dire qu'il est parfaitement absurde de croire que Lénine a conquis le pouvoir parce qu'il disposait de l'or allemand, ou de le considérer comme un agent allemand. Certes, Lénine n'est ni un espion ni un stipendié des puissances centrales. Mais pour atteindre un objectif précis, abattre le tsarisme, rien dans ses conceptions ne lui interdit de faire un bout de chemin avec l'impérialisme allemand. Certes, l'argent ne fait pas le pouvoir, mais il y contribue. Et puis ce sont deux problèmes entièrement distincts, de savoir si l'argent fut versé par les services allemands aux bolcheviks et de déterminer si cet argent fut efficace pour un objectif donné.

Deux univers différents

La question de l'or allemand a perdu aujourd'hui de sa violence passionnelle. Elle présente, en revanche, un tout autre intérêt : les contacts discrets, les manipulations monétaires, les trafics, l'intervention des diplomates, des spécialistes du renseignement, d'industriels et de financiers, d'agents doubles, d'aventuriers et de militants, les ramifications tortueuses entre les uns et les autres, révèlent l'importance du « souterrain » bolchevik et ses mécanismes complexes, *dans une phase capitale de l'entreprise,* celle qui précède la prise du pouvoir. *Les personnages que nous avons côtoyés, forment l'appareil secret de Lénine, donnant à ce parti son armature invisible, son originalité, son style qui n'est comparable, à cette époque, à celui d'aucune autre formation politique.*

Les hommes que nous avons vus intervenir à un moment ou à un autre dans le réseau financier de Lénine (Fürstenberg, l'avocat Koslovski, ce Ziefeldt, ces Moor, Aschberg, Parvus) sont tout de même d'une autre espèce que les socialistes français, qu'il s'agisse de Blum, de Renaudel, de Longuet, ou même d'hommes comme Cachin, Frossard, Brizon, ou Verfeuil; ou même comme les syndicalistes révolutionnaires Monatte, Loriot, Rosmer, voire Marty.

Les uns et les autres n'ont pas vécu les mêmes expériences. Les bolcheviks sortent de l'univers ténébreux de la clandestinité. Les socialistes français du parlementarisme.

Ce sera la source d'âpres malentendus.

1. Sous le titre « Lénine et l'or allemand », nous avons examiné en détail cette question dans trois numéros de la revue *Itinéraires* (avril, mai et juin 1970).

3.

Délégués et financiers

QUELQUES SEMAINES APRÈS LE PREMIER CONGRÈS DE LA IIIᵉ INTERNAtionale, Lénine convoque le camarade Thomas.

« Il faut absolument, dit-il, que vous alliez en Allemagne. C'est là que nous organiserons vraiment l'Internationale communiste. Nous avons besoin sur place de militants comme vous qui avez l'expérience du travail clandestin... vous aurez tout l'argent nécessaire. »

Et Lénine de rédiger sur-le-champ deux notes, l'une destinée à Djerjinski, l'organisateur de la Tchéka, l'autre au responsable de la « caisse noire » du parti.

Ce responsable n'est autre que l'ancien « employé » de Parvus, le camarade Fürstenberg.

« Je connaissais Ganetski (Fürstenberg) depuis des années — raconte Thomas dans le récit recueilli par Nikolaïevski [1] — et il m'accueillit comme un vieux camarade... puis il me conduisit dans la chambre forte où se trouve la caisse secrète. »

Et Fürstenberg, éclairant sa route d'une lanterne, entraîne son camarade vers les souterrains du Palais de Justice. Après avoir erré dans les couloirs, il pousse une lourde porte, sa main tâtonnante fait jaillir la faible lumière d'une ampoule électrique.

La cave du Kremlin

Thomas se trouve sur le seuil d'un local dépourvu d'ouverture. Ses yeux clignotants ne distinguent d'abord que des casiers accrochés aux murs,

1. *Op. cit.*, p. 12.

83

pleins d'une multitude de petits objets. A terre s'accumulent d'autres caisses et une quantité de valises de toutes tailles, la plupart béantes, remplies elles aussi d'objets en vrac, que la pauvre lumière de cette salle suffit pourtant à faire étinceler.

Et Thomas, stupéfait, comprend soudain qu'il est dans la cave au trésor. Casiers, caisses, valises sont bourrés d'or, de bijoux brillants, de pierres précieuses chatoyantes. Il y a des lingots et des pièces de monnaie. Ailleurs s'entassent pêle-mêle topazes, émeraudes, perles, rubis et diamants. Tout près de la porte, une caisse est remplie de bagues, d'autres regorgent de montures dont on a retiré les pierres. Des bijoux sont éparpillés à même le sol.

Fürstenberg, un petit sourire au coin des lèvres, contemple la mine ébahie de son camarade. Il ne dit qu'un mot :

— Choisis!

— D'où viennent les bijoux? demande Thomas.

— Ils ont été saisis chez des particuliers par des commissions de la Tchéka. C'est Lénine lui-même qui a ordonné de les saisir. On a rassemblé toutes les pierres qui avaient été collectées, puis Djerjinski les a fait déposer dans cette cave pour les besoins secrets du parti. Cela te surprend? Dis-toi que toutes les richesses accumulées ici ont été acquises par les capitalistes en détroussant le peuple pendant des générations. Et maintenant tout cet or, tous ces bijoux vont servir à exproprier les expropriateurs.

C'est avec une faible partie de ces bijoux, de cet or, prélevés un peu au hasard et entassés dans une vieille valise de cuir, que le camarade Thomas regagne son appartement. Fürstenberg lui a remis en outre un certain nombre de devises. Ainsi lesté, six à huit semaines plus tard, Thomas quitte Moscou en proie à la panique, car Denikine approche et le pouvoir bolchevik semble sur le point de s'écrouler [1].

Thomas gagne Berlin. On peut supposer que les bijoux servirent d'abord à subventionner les activités communistes dans une Allemagne ravagée par les émeutes et les combats. Mais Thomas fut aussi le principal bailleur de fonds pour l'ensemble des communistes d'Occident.

1. Indirectement, un récit de Steinberg permet de recouper celui de Thomas, dont le côté romanesque a de quoi surprendre. Socialiste révolutionnaire de gauche, Steinberg avait accepté de faire partie, comme commissaire du peuple à la Justice, du premier gouvernement des Soviets. Il se heurta bientôt à l'hostilité des bolcheviks. Dans un chapitre de son livre *Les Souvenirs d'un commissaire du Peuple* écrits après sa fuite à l'étranger, il raconte que la commission d'enquête du Soviet de Petrograd « opérant dans un arbitraire absolu » avait provoqué des plaintes multiples. Cette commission *dérobe des objets précieux* au cours des perquisitions, et extorque de l'argent aux familles qui veulent faire libérer les prisonniers.

Qui dirige cette commission? Deux avocats bolcheviks. Le premier s'appelle Krassikov. *Le second n'est autre que Koslovski.*

Steinberg s'imagine que ces hommes obéissent à des mobiles de lucre. Il n'a pas compris la fonction de cette commission. Elle « exproprie les expropriateurs », et le produit de ces opérations est évidemment destiné à la « caisse noire » du parti dans les caves du Kremlin. C'est en vain que Steinberg tente d'obtenir la fin de ces pratiques. Lénine, après avoir simulé la surprise, ne lui donnera jamais gain de cause.

L'écoulement des pierres précieuses n'a pas pu passer entièrement inaperçu. On en retrouve les traces, assez floues, dans les journaux de l'époque [1].

Au même moment les émigrés « blancs » vendent leurs bijoux pour vivre, ce qui facilite les opérations soviétiques mais aussi fait baisser les cours.

Il est assurément hors de question d'évaluer les sommes qui furent ainsi recueillies par les émissaires de l'I.C. pour le fonctionnement de leur organisme. Selon un article publié dans la *Revue mondiale* [2] par un diamantaire connu, Léonard Rosenthal, les émigrés auraient vendu pour 600 à 800 millions de roubles et les Soviétiques pour 300 à 400 millions, ce qui aurait fortement perturbé le marché. Rosenthal, lui aussi, évoque le pillage des bijoux et autres vols effectués en Russie par les bolcheviks.

L'agréable petite musique émise par les bijoux en tintant sur les tables des diamantaires et des recéleurs accompagne les démarches des missionnaires de l'Internationale. Ceux-ci apportent les consignes secrètes ou les fonds.

C'est le cas d'hommes comme Losovski (Dridzo), Diegott, que nous avons déjà vu à l'œuvre à Odessa, de Vanini, de l'Autrichien Richard Schuller, des frères serbes Vouiovitch, de Zalewski, alias Abramovitch. La plupart d'entre eux ont vécu en France avant ou pendant la guerre. L'exécutif de l'Internationale communiste ne les utilise pas seulement parce qu'ils connaissent la langue du pays où ils opèrent mais parce qu'ils ont vécu dans des milieux ouvriers et participé à des activités syndicales ou politiques. Ils connaissent la géographie politique et la psychologie du milieu où ils ont à agir, et les amitiés qu'ils ont pu y nouer antérieurement leur sont précieuses. Un homme comme Losovski, par exemple, a vécu à Paris de 1909 à 1917. Il a été secrétaire du syndicat des casquetiers parisiens. Il y a diffusé pendant la guerre les mots d'ordre zimmerwaldiens. Pour tout ce qui touche au mouvement syndical, l'Internationale trouvera en lui un auxiliaire précieux.

L'envoyé de l'Internationale qui, en ce temps-là, attire sur lui l'attention de la presse bourgeoise, c'est Zalewski.

Fin décembre 1920, il apporte l'argent de Moscou. En janvier, il se fait prendre. Pour la première fois se découvre le lien financier occulte entre les bolcheviks et le P.C.F. L'or de Moscou fait « la une » des journaux.

Il faut distinguer à cette époque deux modes de financement. Le premier, qui constitue une assistance permanente, est, selon Souvarine, très modeste.

Quand l'Humanité *publiait ses comptes*

« Un comité pour la IIIe Internationale existait depuis environ un an, raconte Souvarine, quand j'ai dit à Loriot : Nous n'avons même pas de quoi

1. Cf. en particulier *La Liberté* des 22 février et 5 mars 1921 sur le trafic des pierres précieuses démontées, notamment en Hollande.
2. 15 avril 1922.

publier un bout de journal. Je connaissais l'existence d'un bulletin aux États-Unis, et je voulais faire quelque chose de semblable. L'argent pour le *Bulletin* est venu par Loriot, qui l'a obtenu de Lénine. Celui-ci ne voulait avoir affaire qu'à un seul homme : en Allemagne, Liebknecht, en Angleterre Mac Lean; en France, c'était Loriot. Ce que nous avons obtenu, c'était vraiment très peu de chose. D'autre part, il y avait un compte spécial à *L'Humanité* pour la bibliothèque que nous avions fondée. C'était tout. »

Cette citation est extraite d'un texte dactylographié, daté de décembre 1927, signé B.S. (Boris Souvarine) et adressé vraisemblablement aux lecteurs du *Bulletin communiste* qu'il continue à faire paraître [1].

« Avant notre éviction de la direction, écrit Souvarine, précédant notre exclusion, nous recevions de Moscou une contribution strictement limitée et facilement contrôlable couvrant exclusivement les dépenses pour nos délégations européennes et celles de la « Bibliothèque communiste », c'est-à-dire les frais imposés par l'organisme central. Le parti, *L'Humanité*, la librairie, vivaient par leurs propres moyens; nos petits journaux étaient à la charge de *L'Humanité*. Seules, les Jeunesses recevaient une aide matérielle, d'ailleurs modeste et, certes, inconditionnelle... »

Cette remarque de Souvarine porte ici sur les premières années du parti : dans la phase antérieure à 1924. Au moment du congrès de Paris on communique aux délégués un « Rapport des Délégués du parti au Conseil d'administration et de direction de *L'Humanité* ». Signé des rapporteurs Ernest Lafont et René Reynaud, il débute par cette phrase : « Camarades, ce rapport est, depuis le congrès de Tours, le premier qui embrasse une année complète et normale de la nouvelle gestion » et comporte 16 pages avec un bilan détaillé, pour 1921, de *L'Humanité*, du quotidien du soir *L'Internationale*, de *La Vie paysanne*, du *Bulletin communiste*, de *L'Avant-Garde*, de *La Vie ouvrière*. Il en ressort que *L'Humanité*, avec un bénéfice de 908 010 francs, couvre les pertes d'exploitation des autres organes, celles du *Bulletin* de Souvarine étant de 29 434,55 francs.

Inutile d'ajouter que depuis longtemps aucun congrès communiste n'a à examiner de rapports semblables.

Mais, à côté de cette assistance financière, il y a aussi les crédits exceptionnels apportés par des envoyés spéciaux de Moscou. Ceux-ci disposent, pratiquement sans contrôle, de grosses sommes, voyagent en sleeping, descendent souvent dans des palaces pour détourner les soupçons. Leur contribution correspond à des demandes qui sortent de l'ordinaire.

Ainsi, avant Tours, 30 000 francs auraient été transmis à *La Vie ouvrière* [2]. Une lettre du Suédois Ström au Hollandais Rutgers [3], en date du 6 avril 1920, fait allusion à l'envoi de fonds en France sous la forme suivante : « & 8. Avez-vous un chemin sûr pour l'envoi de choses précieuses en

---

1. Nous devons ce document à l'obligeance de M. Jacques Richard. Il porte au crayon la mention suivante : « texte authentique de la lettre déformée dans la presse ».
2. Cf. Annie Kriegel. *Aux origines du Communisme français*, t. II, p. 572.
3. Ingénieur, un des premiers organisateurs du communisme en Hollande.

France ? » Les « choses précieuses » ont été évoquées au paragraphe précédent : « & 7. La question d'argent est aussi très difficile pour nous : 1. parce que Litvinoff a besoin de beaucoup d'argent [1]; 2. parce que la réalisation à bon prix est très difficile. Nous vous adressons le premier envoi de choses précieuses pour une valeur de 50 000 couronnes ». Ces « choses précieuses », qu'il est difficile de négocier à bon prix, ce sont vraisemblablement les bijoux accumulés dans les caves du palais de Justice à Moscou sous la garde vigilante de Fürstenberg. Il est donc possible que certaines de ces pierres aient été négociées en France [2].

Si, dans les faits que nous venons de citer rien n'est établi avec une certitude absolue, il n'en va plus de même dans le cas de Zalewski.

Ce dernier arrive de Moscou à la fin de l'année 1920, via l'Allemagne, la Suisse, et l'Italie.

Se faisant passer pour médecin, il a élu domicile 5 rue Lapeyrère à Paris. Il ne tarde pas à se rendre compte qu'il est filé. Quittant son appartement parisien, il est arrêté quelques jours plus tard (le 30 janvier 1921) dans un hôtel de la promenade des Anglais, à Nice, en même temps qu'une femme, Zelma Bertin, originaire de Vienne.

L'enquête menée par Dumas, chef des R.G., et par le juge d'instruction Jousselin entraîne une série de perquisitions à Paris, en banlieue et en province, et de nombreuses arrestations, notamment celles de Ker, l'un des secrétaires du P.C.F., et d'Amédée Dunois. Les policiers ont, en particulier, perquisitionné chez un certain Goldenberg (Marcel Ollivier), chez un étudiant serbe à Antony, Vougenitch (probablement Vouïovitch), et chez un certain Lebedev, qui a déjà pris la fuite et ne sera pas rejoint.

Ce Lebedev a parfois pour identité Stepanov. Il est venu en France sous ce nom pendant la guerre, envoyé en mission par Lénine, en compagnie d'Inessa Armand. Il lui arrive aussi d'adopter le pseudonyme bien français de Chavaroche, ou, très méditerranéen, de Lorenzo Vanini. Il s'appelle en réalité Minev. Il est Bulgare, il a été étudiant en médecine, il a appartenu en Suisse au petit noyau de l'*underground* léniniste et il est devenu tout naturellement un des plus importants agents de l'Internationale communiste.

1. Litvinoff, futur délégué des Soviets à la Société des Nations et ministre des Affaires étrangères, était installé à ce moment à Copenhague. Il avait joué et jouait encore un rôle important dans l'appareil financier international.

2. La lettre de Ström à Rutgers est extraite du *rapport Darru*, document de 121 pages dactylographiées qui rassemble les résultats d'une enquête, menée en particulier en Suisse et en Hollande, sur commission rogatoire du 25 juin 1920, dans le cadre du « complot » où étaient impliqués Souvarine et ses camarades. Ce rapport figure au dossier de l'instruction. Il a été, toutefois, contesté par les accusés et la lettre de Ström a été qualifiée de faux par Monatte à l'instruction. Cette lettre recoupe cependant des témoignages que nous avons déjà cités.

Zalewski, c'est aussi un « pseudo »

« De votre vrai nom, lui disent les policiers, vous vous appelez Abramovitch. » Il nie. Les inspecteurs sortent alors de leurs cartons une photo transmise par la police suisse, avec sa fiche signalétique : celle d'un certain Abramovitch, expulsé du territoire helvétique en 1918. Aucun doute : c'est bien le même homme. Point plus important : l'enquête n'a aucun mal à établir que Zalewski est venu en France comme bailleur de fonds du parti communiste.

Le mécanisme financier de cette aide est encore rudimentaire. Par les soins du représentant de l'Internationale communiste à Berlin, Victor Kapp (et peut-être par ceux, ignorés à l'époque, du camarade Thomas), des fonds ont été transférés de la banque Markovitz à la succursale de l'Américan Express, située près de la gare Saint-Lazare, au compte courant de Zalewski. En moins de deux mois 500 000 à 600 000 francs ont été virés, dont 200 000 en décembre 1920 [1].

Zalewski dispose de carnets de chèques, sur lesquels dates et noms ont été laissés en blanc. Il y répartit la somme qui figure à son compte par fractions qui, à l'exception d'un chèque de 45 000 francs, ne dépassent pas 10 000 à 15 000 francs. Les bénéficiaires n'ont plus qu'à combler les blancs et à se présenter à l'Americain Express. Les noms qui figurent sur les talons sont souvent des pseudonymes. L'enquête permet toutefois de retrouver la plupart de ceux qui ont touché ces chèques, Ker, Amédée Dunois et Griffuelhes.

L'affaire provoque en France un gros scandale, largement exploité par la presse adverse. Dès leurs premiers pas, les dirigeants du tout neuf parti communiste sont convaincus d'avoir touché l'or de Moscou [2].

Naissance de la B.C.E.N.

Avant même que l'affaire Zalewski éclate, Moscou met déjà au point l'organe technique qui permettra un mode de transfusion financière moins risqué. Les Soviétiques achètent en effet un petit établissement bancaire, le Comptoir parisien de Banque et de Change.

---

1. Cf. *La Liberté*, notamment les numéros des 4 et 7 février 1921. Voir aussi *L'Action Française* et *Le Matin*.

2. L'affaire provoque aussi une enquête du côté soviétique. Transféré à la Santé, Zalewski est en effet soupçonné par ses camarades d'avoir fait des confidences imprudentes au député Paul-Meunier, interné en même temps que lui, et accusé d'avoir touché en Suisse, pendant la guerre, de l'argent allemand pour son journal pacifiste *La Vérité*. Pour tenter d'arranger son cas, Meunier se serait empressé de communiquer à la police les confidences de Zalewski. On les aurait reprochées à celui-ci dans les milieux de l'Internationale communiste, et le Bulgare Minev (Stepanov) l'aurait accusé de certaines malversations. En outre, l'affaire Zalewski a donné lieu à une communication de Boris Souvarine à Moscou (12 décembre 1921).

Le 21 janvier 1921 cet établissement troque son nom contre celui qui va devenir célèbre de Banque commerciale pour l'Europe du Nord. Le siège est alors situé 5 boulevard des Italiens. Le capital est de un million (dont un quart versé), réparti comme suit :

1. Alfred Chayet, 30, avenue Henri-Martin : 30 000 francs.
2. Théodore Wissotzky, industriel, 8, rue Édouard-Fournier : 30 000 francs.
3. Isaac Imbert, 12, rue Keppler : 200 000 francs.
4. Iechil Grouber, de la Banque internationale de Petrograd (siège à Kiev), 6, rue Blaise Desgoffes : 150 000 francs.
5. Georges Imbert, 7, rue du Boccador : 100 000 francs.
6. Marcel Claret, 25, rue Boissière : 30 000 francs.
7. Antoine Po...? (nom illisible — s'agit-il de Posner?), 6, square Frédéric Vallors : 25 000 francs.
8. Jacques Imbert, 7, rue du Boccador : 25 000 francs.

On retrouve les mêmes noms parmi les administrateurs, exception faite de Claret et de Po... Le commissaire aux comptes est Jacques Imbert.

Ces noms changeront souvent. Retenons seulement celui du docteur Georges Gregory Imbert, promu chevalier de la Légion d'honneur le 16 juin, médecin aide-major de première classe au gouvernement militaire de Paris, qui est vraisemblablement le frère des deux autres Imbert, Isaac et Jacques, tous deux administrateurs de la nouvelle banque.

Nous aurons l'occasion de reparler du docteur Imbert.

Peu de temps après, arrive en France un personnage mêlé déjà à des histoires complexes qui ont l'argent pour dénominateur commun. C'est le « Banquier rouge », le fameux Olaf Aschberg. Son séjour à Paris est bref : du 19 mars au 3 avril 1921. On croit qu'il est venu vendre de l'or soviétique. A partir de 1925 il s'installe dans notre pays. Possédant un hôtel particulier 21, rue Casimir-Perier et plusieurs châteaux, il partage jusqu'à la guerre ses activités entre la France et la Suède [1].

C'est peut-être sur les conseils d'Aschberg que la Banque commerciale pour l'Europe du Nord a été créée. Au cours de la même année, les Soviétiques achètent à Berlin une petite banque, la Garantie und Kreditbank für den Osten, réplique teutonne de la B. C. E. N. Des employés de la légation soviétique de Berlin y sont inscrits comme actionnaires fictifs. Les administrateurs sont composés de communistes sûrs, qui ont à leur tête un certain Levine.

A l'écoulement aventureux et onéreux des bijoux et de l'or, au système D. des chèques Zalewski, se substitue ainsi l'embryon d'une infrastructure financière.

Dans ce système, la B.C.E.N. est appelée à un grand avenir : elle sera le poste de commande financier du P.C.F.

Quelques années après Tours, les subsides alloués par Moscou tiennent

---

1. Cf. Jacques de Launay, « Mes Dossiers », 27 octobre 1954.

une place essentielle dans les finances du parti. Elles en transforment les mœurs.

Plus de vingt-cinq millions engloutis

Reportons-nous à la note de Souvarine que nous avons citée plus haut, et écoutons ses amères critiques :

« Au cours de ces quatre années [1], écrit-il, plus de vingt-cinq millions ont été engloutis par l' " appareil " pseudo-communiste, aux camouflages multiples. Or, les cotisations n'en représentent pas la vingtième partie. La disproportion entre les ressources propres du parti et l'aide extérieure est monstrueuse... Plus le parti reçoit d'argent, moins il a de membres. Plus il est riche, plus sa pensée est pauvre.

« Le parti ne vit plus que des ballons d'oxygène de l'État soviétique... »

Au passage, Souvarine révèle deux choses. D'abord qu'à la fin de 1923 une caisse spéciale avait été constituée :

« En octobre 1923, en prévision d'événements révolutionnaires en Allemagne, un budget spécial fut établi d'un commun accord pour renforcer éventuellement notre action de soutien. Les événements attendus ne s'étant pas présentés, je proposai et fis décider par le Bureau politique de ne pas toucher à ces fonds, défalcation faite des dépenses engagées pour l'installation d'un poste de T.S.F. et le lancement de *L'Internationale*, le journal du soir dirigé par Vaillant-Couturier.

« Quelques semaines plus tard, nous étions en pleine crise. Rosmer et moi fûmes mis à l'écart. Après quoi la direction dévora le dépôt de « la révolution allemande » pour reconstituer un appareil « et demanda de nouveaux fonds à Moscou pour les élections imminentes [2] ».

La seconde révélation « dégonfle » le bluff des souscriptions de lecteurs publiées dans la presse communiste. « En partant pour Moscou en avril 1924, poursuit Souvarine, je savais par l'administrateur de *L'Humanité*, Justinart, que sur les quelque trois cent mille francs de souscriptions publiées dans le journal, il n'y avait qu'une trentaine de mille francs réellement reçus [3]. »

Souvarine n'est pas hostile à une assistance des partis frères. Il s'oppose seulement à ce que cette aide qui, selon lui, aurait dû rester modeste et exceptionnelle, se transforme en *système*, dont le tort principal est, à ses yeux, de corrompre les hommes et de les asservir.

« ... Des places et des sinécures, écrit-il, furent créées pour faire pièce à l'opposition; on désarma des résistances en offrant des fonctions rétribuées, on constitua des équipes salariées à tout faire; le parti était engagé dans la

1. La note date de décembre 1927. Les quatre années vont donc du début 1924 à fin 1927.
2. *Op. cit.*, pp. 3-4.
3. *Op. cit.*, p. 4.

voie fatale... Il n'est pas besoin de corrompre un individu, de lui offrir de l'argent. Il suffit de créer, grâce à cet argent, une situation où l'homme se trouve asservi. Tel qui ne chiperait pas une cuiller chez ses hôtes se ravalera aux pires infamies pour rester député, rédacteur à *L'Humanité*, ou secrétaire de " rayon " [1]. »

Le lien financier, primitivement ténu, est devenu une chaîne. Parallèlement, les liaisons politiques entre Moscou et Paris suivent le même processus. Elles ont débuté, avant le congrès de Tours, d'une façon très empirique, tantôt ouvertement, tantôt clandestinement. Ouvertement par des messages-radio ou des télégrammes expédiés de Moscou; clandestinement par l'envoi de messages écrits en clair ou en langage codé, et confiés à des émissaires secrets. Enfin, quelques rares militants français ont pu faire le voyage de Moscou (Cachin, Frossard, Guilbeaux, Rosmer, Lefebvre, etc.), soit dans des conditions légales, soit en franchissant à leurs risques et périls des frontières très surveillées.

Le blocus exercé par l'Entente, les troupes en Allemagne ou en Hongrie, les précautions prises par les États limitrophes de la Russie contre un voisin qui ne cache pas sa volonté d'exporter la révolution, autant d'obstacles.

Il en résulte que la communication directe entre Moscou et les capitales européennes est souvent interrompue. D'où la nécessité d'établir des postes-relais et de confier des pouvoirs étendus à certains délégués de l'Internationale.

Les relais de l'Internationale

Chronologiquement le premier de ces relais est Stockholm. C'est une plaque tournante, reliée aisément à Amsterdam, Copenhague, Hambourg et Berlin, et par Vardö (Norvège) à la Russie. Elle est connue de longue date par les révolutionnaires qui ont emprunté le « souterrain du Nord ».

A Stockholm opère Ström, un des hommes de confiance de *l'appareil* illégal bolchevik pendant la guerre.

L'importance de Stockholm va être toutefois éclipsée par Amsterdam et Berlin, qui ne seront pas seulement des villes-étapes, mais des centres d'impulsion. A Amsterdam s'établit en effet le Bureau auxiliaire, à Berlin le secrétariat de l'Internationale communiste pour l'Europe occidentale.

Dans la première ville les principaux animateurs sont Henriette Roland-Holst, David Winjkoop, Hermann Gorter, et l'ingénieur Rutgers qui, en mars 1919, a représenté le P.C. hollandais au congrès du P.C. russe.

A Berlin s'installent Victor Kapp et le mystérieux camarade Thomas. En

---

1. *Op. cit.*, p. 4. Dans le même document Souvarine accuse nommément deux membres de la direction dont l'un devait d'ailleurs être chassé du parti, d'intercepter à leur profit des fonds destinés au parti et à l'A.R.A.C. Il ne nous a pas semblé possible de reproduire ici ce passage, celui qui ne fut pas exclu ayant été fusillé sous l'occupation allemande.

principe, Amsterdam regarde vers l'Angleterre et l'Amérique, tandis que Berlin englobe dans sa sphère les pays d'Europe centrale. On constate toutefois que les militants français ont été en contact avec ces deux centres, entre lesquels une certaine rivalité a dû s'établir.

De son côté, la Suisse, qui a été longtemps le pays refuge des émigrés politiques, reste un centre de liaison encore très actif. C'est souvent par la Suisse que les émissaires clandestins gagnent la France et l'Italie.

Annie Kriegel qui a consacré dans son livre [1] un chapitre à cette question, note que les communications sont rares et incertaines. Elle ajoute : « Il n'est pas sûr, pour autant que ce ne fut pas une quatrième ville, Copenhague, où résidait Litvinov, qui joua le véritable rôle de tête de pont bolchevique [2]... » C'est fort possible en effet, si l'on se souvient que Litvinov, vieux routier de l'appareil illégal, s'est toujours intéressé de fort près à la question des fonds.

Ce côté difficile et précaire des liaisons a contribué assurément à ralentir la bolchevisation du P.C. français. La décision des hommes de Moscou de procéder à ce modelage était toutefois bien arrêtée dans leur esprit, et les discours ou écrits de Trotski et de Zinoviev ne laissent aucun doute sur ce point.

Il n'est que de se reporter à cet égard au compte rendu des séances du Comité exécutif de l'Internationale communiste en mai 1921(?). A la séance du 19, Trotski, toujours prompt aux sarcasmes, s'y déchaîne contre les opportunistes et les droitiers : les Fabre, Verfeuil, Daniel Renoult, Victor Méric. Il gourmande Rappoport et crible de ses flèches le doux poète Georges Pioch [3].

Il assure toutefois avoir agi avec mesure et prudence, par exemple à l'égard du centre que dirige Frossard : « Envers le centre, nous avons toujours agi très prudemment. Si je pouvais réciter toutes les lettres que l'Exécutif a écrites, les lettres demi-privées de camarades isolés, les résolutions que nous avons prises, si je rappelais notre attitude, toujours d'expectative, avec l'espoir d'aboutir au résultat le meilleur pour l'Internationale comme pour le mouvement français, si je pouvais citer tout cela, je crois que je rafraîchirais dans votre mémoire les efforts vraiment fraternels et aussi ceux que nous avons faits pour ne froisser personne et pour aboutir au résultat par les méthodes les plus atténuées [4]. »

Il faut tout de même retenir de ces tergiversations et de cette « prudence » que le P. C. français se voit assigner un double objectif qui pour Trotski semble aller de soi : l'exclusion des opportunistes de droite, et la direction du parti confiée à une coalition du centre et de la gauche. La tolérance de Trotski n'a jamais concerné que les moyens pour obtenir un résultat hors de question. De toute façon, pour lui, le temps des remontrances ami-

---

1. *Op. cit.*, t. II, pp. 555-574.
2. *Op. cit.*, p. 564.
3. Cf. Trotski, *La Crise du Parti communiste français*, 1922.
4. *Op. cit.*, p. 21.

cales est révolu. « Il faut que l'abcès crève... Maintenant, il faut des méthodes plus énergiques, plus décisives [1]... »

Ces méthodes énergiques, elles apparaissent dans le message en date du 22 octobre 1922 que, de Moscou, Zinoviev adresse au congrès de Paris :

« Le Comité exécutif de l'Internationale communiste demande au congrès de Paris de se prononcer par un vote spécial, où chaque votant donnera son nom, sur les 21 points approuvés par le IIe congrès mondial de l'Internationale communiste. »

Il est précisé toutefois que le congrès aura licence de demander telle ou telle modification aux 21 conditions et que le IVe congrès de l'Internationale communiste examinera ces amendements avec le plus grand soin. Mais n'est-ce pas là pure clause de style ?

On peut le croire quand on poursuit la lecture de la lettre. Quelques lignes plus loin, Zinoviev assène ce coup de matraque :

« ... Le Comité exécutif se voit obligé de déclarer au congrès de Paris qu'il ne considère plus comme membres de l'Internationale communiste Raoul Verfeuil et ceux qui ont signé avec lui l'adresse au parti [2]... »

Que le congrès de Paris ne s'avise pas de regimber ! On lui a bien dit qu'il aurait le droit d'adopter des amendements. Qu'il sache toutefois que si, dans le cas de Verfeuil, il ne s'aligne pas automatiquement sur le point de vue de l'Exécutif « la question sera décidée définitivement par le IVe congrès de l'Internationale communiste [3]. »

Peut-on être plus net ? Ce message de Zinoviev a le ton de l'ultimatum. Hitler ne tenait pas un autre langage à Schuschnigg et à Hacha. Il n'a toutefois jamais considéré ces hommes d'État, l'Autrichien et le Tchèque, comme des *Parteigenossen*.

Au cas d'ailleurs où ces instructions auraient été mal entendues, quelqu'un se charge de les rappeler de vive voix.

Un homme brun, vêtu de gros velours

Au congrès de Paris, Louise Bodin signale la présence, l'après-midi du 17, dans la pénombre de la salle, d'un homme brun, aux yeux perçants, aux larges épaules, vêtu de gros velours comme certains ouvriers de l'époque. Assis entre deux délégués de province, silencieux, massif, il tire de tranquilles bouffées d'une grosse pipe.

A 17 heures l'obscurité se fait dans la salle. Une minute. Quand la lumière revient, l'homme tranquille occupe la tribune. Et le président, au milieu des acclamations, donne la parole au délégué de l'Internationale, au camarade Dimitri Manouilski.

---

1. *Op. cit.*, p. 22.
2. Lettre du 6 octobre 1922, citée dans *L'Œil de Moscou à Paris*, pp. 152-153.
3. *Op. cit.*, p. 153.

C'est le fils d'un pope... Avant et pendant la guerre, il a vécu de longues années à Paris en exil. Il a fréquenté les petits cercles pacifistes, collaboré au *Nache Slovo* de Trotski, avant de rallier les bolcheviks en 1917 et de devenir un de leurs représentants au Comité exécutif de l'Internationale communiste. Il séjourne en France en situation illégale. Il a franchi la frontière clandestinement, est entré au congrès sans attirer l'attention de la police qui le cherche, en sortira de même après qu'on eut éteint les lumières.

Il n'est pas venu pour prononcer de vagues paroles de sympathie ou d'encouragement. A la tribune, il se livre à un réquisitoire contre les communistes français si opportunistes et si petits-bourgeois. L'index pointé, il s'en prend tour à tour à Daniel Renoult, à Ker, à Cachin, à Frossard...

Justement, pendant ce discours, Frossard n'est pas là. Ce n'est pas un hasard. Le secrétaire général n'a pas voulu écouter le délégué de l'Internationale communiste.

« La crise des effectifs existe — conclut Manouilski —, mais il y a plus grave. C'est la crise de conscience des membres du parti. *Les camarades français à la Conférence de l'exécutif élargi ont pris des engagements qu'ils n'ont pas tenus*[1]. »

Voilà le fond de l'affaire.

Ce n'est pas la première fois que les Soviétiques interviennent dans les affaires intérieures du P. C. français, soit sous forme de documents, de consignes, soit par la présence effective en France de leurs représentants. A Tours, déjà, Clara Zetkin, vieille militante de la social-démocratie allemande, ralliée aux bolcheviks, est apparue sur la tribune avec la même soudaineté magique que Manouilski en 1922, entre deux obscurités propices. Le discours terminé, comme lui, elle a disparu. Cette technique Fantomas sera souvent utilisée par les membres illégaux, français ou étrangers, du communisme.

Moscou ne peut toutefois se contenter de transmettre des directives ou d'expédier des *mentors* intermittents. Il faut à Paris (et dans d'autres capitales), un homme qui renseigne l'Internationale communiste, s'entretienne avec les dirigeants français, les influence, tâche d'obtenir d'eux les décisions souhaitables et en contrôle l'exécution. Bref, quelqu'un qui soit « l'œil de Moscou à Paris ».

C'est ce rôle que tiendra pendant plusieurs années un ancien pasteur suisse, rallié au bolchevisme, Jules Humbert-Droz.

C'est le fils, né en 1893, d'ouvriers horlogers du Jura, milieu déjà sensibilisé aux doctrines socialistes. Après de bonnes études secondaires, il entre à la Faculté de théologie protestante de Neuchâtel, puis à celle de Paris et poursuit sa formation à Berlin. Un peu avant guerre, il est consacré pasteur, ce qui prête à confusion sur son cas. On explique en effet, d'ordinaire, qu'il est passé, d'une foi chrétienne à tendance pacifiste, au bolchevisme. La vérité est que le jeune Humbert-Droz a toujours été agnostique.

1. Louise Bodin, *op. cit.*, pp. 31-35. Passage souligné par nous.

Un pasteur pacifiste

C'est ce qu'il expose lui-même dans ses *Mémoires* [1].

La guerre trouve Humbert-Droz farouchement pacifiste. Il refuse de faire son service militaire et se voit condamné à six mois de prison. Dès cette époque, il dirige le quotidien socialiste de la Chaux-de-Fonds, *La Sentinelle*. On conçoit que la transition de l'apostolat au bolchevisme en ait été facilitée. Elle s'effectue par le biais de la lutte contre la guerre et les contacts noués dans les rencontres de Zimmerwald et de Kienthal [2]. Membre de la gauche du Parti socialiste suisse, il appartient à la faible majorité qui préconise l'adhésion à la IIIe Internationale en 1919.

Par l'intermédiaire d'une jeune émissaire de Bela Kun, il obtient quelques subsides qui lui permettent de fonder un journal, *Le Phare*, destiné dans son esprit à prendre la suite du *Demain* de Guilbeaux, qui se trouve alors à Moscou. Dès ses premiers numéros, *Le Phare* bénéficie de la collaboration de tous ceux qui souhaitent fonder une nouvelle Internationale : Souvarine en France, Henriette Roland-Holst à Amsterdam, Serrati en Italie. Autre collaborateur, déjà fort engagé dans l'*underground* bolchevik : le Bulgare Minev [3].

Humbert-Droz commence à remplir quelques missions pour le compte de l'Internationale communiste, notamment en Italie, alors vivement travaillée par la fermentation révolutionnaire. Il lui faut apprendre à passer clandestinement les frontières. La technique est encore bien sommaire, ainsi qu'en fait foi ce récit.

« La frontière était gardée du côté suisse par la police et l'armée postée tous les cinquante mètres. Elle patrouillait sur le chemin qui longeait la frontière. Passé ce chemin, la futaie qui le bordait était déjà en territoire allemand. L'essentiel était d'atteindre le chemin sans être aperçu et de faire un saut très rapide jusque dans les arbustes [4]... »

Le saut n'aura pas lieu. Alors qu'ils rampent la nuit dans un champ de pommes de terre, Humbert-Droz et deux camarades sont interceptés par les policiers suisses, à dix mètres du chemin. *Fatalitas!* Ce n'est pas grave. Le passage aura lieu le lendemain. En route pour Moscou!

Ce n'est pas à ses aptitudes pour la reptation que le pasteur a dû de devenir pendant des années un des principaux représentants de l'Internationale communiste. Ses articles, son attitude pendant la guerre l'ont déjà fait remarquer. Mais il attire surtout l'attention des dirigeants bolcheviks en servant de traducteur, en compagnie de Balabanova, au IIe congrès de l'Internationale communiste. On n'a pas tellement de polyglottes sous la main...

1. « Mon évolution du tolstoïsme au communisme. »
2. Sur la différence de conception entre Humbert-Droz et un de ses amis chrétiens, voir la lettre de celui-ci dans les *Mémoires* de Humbert-Droz, pp. 254-255.
3. Un des adhérents de la gauche socialiste suisse est le futur acteur Michel Simon. Il figure aux côtés d'Humbert-Droz sur une photo du groupe.
4. *Op. cit.*, p. 356.

Humbert-Droz devient ainsi l'agent de l'Internationale pour les pays latins d'Europe occidentale. En mai 1922, il arrive en France. Mission : dénouer la crise intérieure du P. C. français, ce qui n'est pas une mince affaire. Dans son premier rapport (30 mai), il passe en revue — et il n'en manque pas — les problèmes épineux du parti français : front unique, cas de l'exclusion de Fabre, différentes tendances à l'intérieur du parti, etc. Il exprime son scepticisme concernant la maturité de la gauche du parti, sur laquelle l'Exécutif comptait primitivement s'appuyer. Et il préconise le bloc du centre et de la gauche [1].

Les rapports entre Humbert-Droz et la gauche, essentiellement avec Souvarine et le capitaine Treint, ne tardent pas d'ailleurs à s'envenimer.

Aux divergences idéologiques ou tactiques se superposent les humeurs et les antipathies personnelles, qui tiennent une place considérable dans les structures clandestines ou semi-clandestines, où la sélection s'opère par cooptation [2].

A Moscou, Zinoviev est d'un autre avis. Dans une lettre à Humbert-Droz (4 juillet 1922), il lui rappelle que la question française est pour le moment la plus importante, et que son devoir est de soutenir la gauche, quoi qu'il pense des hommes qui la dirigent [3]. Il insiste sur la nécessité des exclusions. Sous sa plume, on voit s'esquisser cette thèse, qui réapparaîtra bien des fois dans l'histoire du bolchevisme, savoir que le parti se renforce en s'épurant. « Qu'on ne nous réponde pas, écrit Zinoviev, qu'en réclamant l'exclusion de Verfeuil, l'Internationale communiste aggrave la situation et affaiblit le Parti communiste français... Y a-t-il encore quelqu'un qui ose prétendre que le Parti communiste allemand fut affaibli parce qu'il avait chassé non seulement Paul Lévi, mais encore Geyer, Friesland, et toute cette canaille? Au contraire, le Parti communiste allemand n'en est devenu que plus fort [4]. »

Humbert-Droz est partout

Une autre lettre montre que le représentant de l'Internationale communiste participe étroitement au fonctionnement du parti français. « Depuis

1. *L'Œil de Moscou*, pp. 69-70.
2. Près de cinquante ans plus tard, alors qu'Humbert-Droz à son tour est sorti du monde communiste, ces antipathies subsistent. Humbert-Droz garde une dent à Souvarine. Dans ses *Mémoires*, il rapporte que celui-ci, venu en U.R.S.S. pour le IIIe congrès de l'Internationale communiste, exigea de savoir quelles étaient les conditions d'internement des anarchistes emprisonnés et que, entendant pour la première fois Lénine, il s'exclama, méprisant : « C'est ça Lénine? » Commentaire d'Humbert-Droz sur un ton pincé : « Oui, c'était ça Souvarine. » Anecdote qui prouve seulement que Souvarine, fervent bolchevik à l'époque, n'était pas ébloui comme tant d'autres par le culte de la personnalité, et qu'il montrait pour les hommes en prison un souci qui, cinquante ans plus tard, effare encore l'ex-pasteur à tirades humanitaires.
3. *Op. cit.*, pp. 102-103.
4. *Op. cit.*, pp. 102-103.

quatre mois, écrit le 17 septembre Humbert-Droz à Zinoviev, *j'ai pris part à toutes les réunions du Comité directeur* [souligné par nous] de la gauche, du centre, à de nombreuses réunions de sections de Paris et de la banlieue, aux congrès et aux comités fédéraux de la Seine, ma présence s'est fatalement ébruitée et, depuis quelques jours, je suis suivi [1]. »

Si l'on y réfléchit, le Suisse Humbert-Droz est plus complètement informé, à cette époque, sur l'état du P. C. français que n'importe quel dirigeant français, puisqu'il a seul le privilège d'assister à la fois aux réunions de la fraction du centre et à celles de la gauche. L'importance de cette participation occulte n'échappe pas à Zinoviev. Le 20 septembre, celui-ci, dans une lettre destinée à la fois à Humbert-Droz et à Manouilski, souligne qu'il n'est peut-être pas essentiel pour ce dernier d'intervenir publiquement au congrès de Paris (Manouilski pense le contraire) et de s'exposer ainsi aux coups de la police, car, ajoute aussitôt Zinoviev, cela ne l'empêchera pas « *d'être présent pendant toute la durée du congrès et de participer à toutes les conversations privées qui seront décisives* [2] ».

Les efforts d'Humbert-Droz et de Manouilski pour aboutir, conformément aux vœux de Moscou, à une coopération entre la gauche et le centre échouent cependant. Les rivalités entre les hommes sont trop fortes.

Durant cette période, l'activité illégale d'Humbert-Droz ne s'est pas déroulée sans péripéties. Nous avons vu qu'après quelques mois il a été pris en filature par la police. Il a dû se réfugier en Suisse. Sa technique du franchissement des frontières s'est bien améliorée depuis sa malheureuse première expérience. Il utilise de préférence de petits postes-frontière. A plusieurs reprises il emprunte le bateau des touristes entre Evian et Ouchy: on n'y vérifie pas les identités des passagers qui présentent un passeport suisse. Il lui arrive tout de même d'être arrêté, alors qu'en décembre il traverse le Doubs gelé. Conduit au poste de police de Morteau, il est expulsé : contretemps sans grande importance.

Pour éviter d'être reconnu, Jules rase sa barbe, et se procure un faux passeport. Pour échapper aux contrôles, les cheminots — aussi précieux que les marins dans les transits secrets — interviennent opportunément. Humbert-Droz passe pour être un inspecteur de la Compagnie.

A Paris, Ker, un des secrétaires du parti, lui a trouvé un logis. Mais Ker, franc-maçon, ne tarde pas, après le congrès de Paris, à se trouver en difficulté avec l'Internationale. Humbert-Droz se méfie de lui, de Frossard, et des autres exclus qui peuvent connaître son gîte. Il ne tarde pas d'ailleurs à bénéficier d'une « planque » beaucoup plus sûre. « Avec l'aide de Marguerite Rosmer et de Jeanne Frontier, raconte-t-il, je réussis enfin à louer un petit pavillon meublé à Neuilly, appartenant à Madame Bréval, de l'Opéra. J'y fis venir ma compagne et mes deux enfants. Le maire du Boucau me

1. *Op. cit.*, p. 124.
2. *Op. cit.*, p. 137. Souligné dans le texte.

fournit des papiers français, au nom d'Imbert, ingénieur [1]. Ainsi pourvu, je ne fus pas inquiété et pus remplir ma mission pendant l'année 1923. Le pavillon de Neuilly servit de refuge à d'autres représentants de Moscou. Rakosi, secrétaire de l'Internationale, et Voïa Vouiovitch, président de l'Internationale communiste des Jeunes, y logèrent pendant leur séjour à Paris [2]. »

A partir de décembre 1923, Humbert-Droz reçoit un autre champ d'action : l'Italie. Manouilski le remplace en France. C'était l'époque où la maladie de Lénine ouvrait déjà la querelle de la succession. Par suite, l'influence que Trotski exerçait sur les affaires françaises fut éclipsée au bénéfice de Zinoviev, qui plus tard devait, à son tour, s'effacer à la tête de l'Internationale devant Boukharine, chef de file de la droite bolchevique, et alors allié de Staline.

L'orientation du P. C. français, et même le choix des hommes qui dirigeront le parti subiront le contre-coup de ces mutations de personnel à la tête de l'Exécutif.

Dehors, les francs-maçons!

Entre-temps, et à l'époque où Humbert-Droz contrôle encore les affaires françaises, le P. C. français subit une pression forcenée de l'Exécutif pour régler un grave problème : celui de l'incompatibilité entre l'appartenance à la maçonnerie et celle au parti communiste. Nombre de dirigeants du P. C. français, venus du parti socialiste ou des milieux syndicalistes, sont en effet inscrits en loge. C'est le cas de Ker, de Frossard, de Maurice Paz, de Morizet, sans doute de Cachin et de bien d'autres.

Le parti socialiste a réglé cette question avant guerre, en 1912, au congrès de Lyon. A une forte majorité, une motion réunissant 1 505 voix contre trois autres qui en totalisaient respectivement 900, 103 et 5, a reconnu à chaque militant le droit d'adhérer en même temps à la maçonnerie, si tel est son désir.

Cette double appartenance tolérante peut difficilement se concilier avec les rigoureuses conceptions bolcheviques en matière d'organisation.

Déjà à Tours, Paul Faure a mis en garde contre une mystérieuse 22e condition de l'Internationale communiste, prohibant l'appartenance aux loges. Le problème n'est cependant soulevé, brutalement, qu'au IVe congrès de l'Internationale communiste. Trotski mène l'offensive antimaçonnique avec un acharnement qui n'a jamais été bien expliqué. On raconte qu'en Sibérie, profitant de ses longues journées d'exil, il s'est livré à une analyse serrée des principes maçonniques, et qu'il en a conclu à l'incompatibilité

---

1. Les municipalités communistes servent souvent de point d'appui aux illégaux. Clamamus, à Bobigny, cachera un délégué de l'Internationale communiste suisse. Cf. aussi plus loin, le cas Ceretti.

2. *Op. cit.*, p. 201.

profonde entre l'action révolutionnaire et les principes des Loges. En tout cas, la condamnation est formelle : « La franc-maçonnerie, écrit Trotski, est une plaie sur le corps du communisme français. Il faut la cautériser au fer rouge [1]. »

Contre ceux qui refuseraient de se soumettre, les mesures d'exclusion ne sauraient tarder. Une lettre d'Humbert-Droz à Zinoviev (30 décembre 1922) les annonce : « Les francs-maçons, s'ils n'ont pas quitté la loge avant le 1er janvier 1923, seront exclus. »

Ceci conformément à la 22e condition adoptée en novembre 1922 au IVe congrès de l'Internationale communiste, et dont les termes, à l'époque, sont restés rigoureusement secrets. Détachons quelques passages caractéristiques :

« Le fait, qui s'est révélé de façon inattendue [2] au IVe congrès de l'Internationale communiste, de l'appartenance d'un nombre considérable de communistes français aux loges maçonniques est, aux yeux de l'Internationale communiste le témoignage le plus manifeste et en même temps le plus pitoyable que notre *(sic)* parti français a conservé non seulement l'héritage psychologique de l'époque du réformisme, du parlementarisme et du patriotisme, mais aussi des liaisons tout à fait concrètes, extrêmement compromettantes pour la tête du parti, avec les institutions secrètes, politiques et carriéristes de la bourgeoisie radicale.

« ... L'Internationale considère comme indispensable de mettre fin, une fois pour toutes, à des liaisons compromettantes et démoralisantes de la tête du parti communiste avec les organisations politiques de la bourgeoisie. L'honneur du prolétariat de France exige qu'il épure toutes les organisations de classe des éléments qui veulent à la fois appartenir aux deux camps en lutte [3]. »

Agent de l'ennemi !

La résolution recommande ces mesures pratiques particulièrement sévères :

« Celui qui, avant le premier janvier (1923) n'aura pas déclaré ouvertement à son organisation et rendue publique par la presse du parti sa rupture complète avec la franc-maçonnerie est, par là même automatiquement exclu du Parti communiste, sans droit d'y jamais adhérer à nouveau, à quelque moment que ce soit. *La dissimulation pour quiconque de son appartenance à la franc-maçonnerie sera considérée comme pénétration dans le parti d'un agent*

---

1. *Correspondance internationale*, 9 décembre 1922.
2. Était-ce vraiment inattendu ? Ou bien les dirigeants de l'Internationale communiste ont-ils eu, à cette époque, connaissance de listes de maçons communistes ?
3. *Manifestes, thèmes, résolutions des quatre premiers congrès mondiaux de l'Internationale communiste*, 1919-1923, Paris, pp. 197-198.

de l'ennemi et flétrira l'individu en cause d'une tache d'ignominie devant tout le pro-
létariat [1]. »

Cette dernière phrase est d'une sévérité étonnante. Le ton et le choix des
termes assimilent en effet, rigoureusement, le militant communiste demeuré
secrètement maçon à un *provocateur policier.*

Quant à ceux qui démissionneront publiquement de la maçonnerie,
le même texte les voue au purgatoire : pendant deux ans, ils ne pourront
occuper aucun poste important dans le parti.

La Ligue des Droits de l'Homme est frappée du même interdit.

Nous assistons là au violent conflit entre deux organismes secrets. Les
structures occultes bolcheviques évoquées par Blum sont assurément incon-
ciliables avec celles des loges. Une double direction secrète est impossible.
A qui Frossard et Ker obéiront-ils ? A Zinoviev ou au 33e degré ?

Certaines circonstances ont pu précipiter la décision de Moscou. Au
moment où « la question française » se pose, et se pose essentiellement sous
cet éclairage, Mussolini a pris le pouvoir. Or, un certain nombre de ses
partisans, anciens socialistes, sont aussi d'anciens maçons. C'est avec le
consentement de la maçonnerie italienne qu'ils sont restés membres du
Fascio. C'est seulement plus tard que les relations entre la maçonnerie
et Mussolini se dégraderont, au point que le Duce procédera à l'interdiction
de celle-ci.

Mais en 1922, le jeu de la maçonnerie ne peut qu'aviver les soupçons
de Moscou [2].

Nous voyons déjà se profiler les enquêtes minutieuses du futur *appareil*

---

1. Souligné par nous.
2. La question des rapports avec la maçonnerie se posera à différentes étapes du P.C
français, en particulier en 1936 (relations avec les radicaux du Front populaire), à la
Libération, et au moment de l'exclusion de Marty (1952).
La méfiance, voire l'hostilité que les bolcheviks ont montrée pour les maçons n'ont
pas toujours empêché les contacts. L'avocat Sokolov, membre de la première assemblée
de février 1917, et très proche des bolcheviks, était maçon. Il est possible qu'en 1914,
alors que Lénine résidait à Poronino (Galicie), des contacts aient été pris par l'intermédiaire de Iakovlev (futur co-fondateur avec Djerjinski de la Tcheka), avec des libéraux
russes sans doute francs-maçons. Ceux-ci proposaient une action commune et des subsides
(cf. sur la maçonnerie russe les deux articles de Grégoire Aronson : « Les francs-maçons
et la Révolution russe », in *Le Contrat social* (sept.-oct. et nov.-déc. 1963). Mais Lénine
ne pouvait que se méfier de la maçonnerie (dont les objectifs différaient certainement
des siens), à laquelle appartenaient des hommes comme Kerenski ou Tchkeidzé qu'il
détestait. Et, surtout, quand deux organisations secrètes sont amenées à s'associer, la
question capitale devient vite : « Qui noyaute l'autre ? » Dans une lettre adressée par
Catherine Kooskova (membre de la maçonnerie russe qui admettait les femmes) à
A. N. Volski (15 novembre 1955) on trouve ces lignes révélatrices : « La question de la
franc-maçonnerie est la plus difficile de toutes. Notre silence a été *absolu* » (in texte). Et
plus loin : « Je connais deux bolcheviks *des plus en vue (idem)* qui ont appartenu au mouvement. Quand la révolution d'Octobre échoua (?) nous avons cru, Serge Nicolaïevitch
(l'économiste Procopovicz) et moi que tout allait être découvert, le parti ne tolérant pas
de secret de la part de ses adhérents. Or, il n'y a rien eu. Je suis sûre que ces bolcheviks
éminents ont gardé le secret, sans doute par crainte de voir la répression s'abattre sur eux. »
Cf. *Le Contrat social*, nov.-déc. 1963.

policier. Mais, dans ces années du début, les services de la Tcheka sont encore trop neufs pour pouvoir faire sentir tout le poids de leur autorité à l'étranger.

Il n'en est pas de même pour les visiteurs qui viennent en Russie saluer la république des Soviets. Comme ils sont rares, la surveillance est aisée, et dans ces temps de blocus, de guerre civile, de « complots » impérialistes, tout Occidental prête à une certaine suspicion. On le sent très bien dans les souvenirs de Rosmer [1]. Humbert-Droz lui-même raconte qu'à Petrograd, alors qu'il séjourne dans un appartement ami, la Tcheka fait irruption. Un voisin trop zélé a signalé la présence d'étrangers, espions à coup sûr.

L'espionnage, à vrai dire, n'est pas très facile. Le visiteur ignore en général le russe. Il a donc besoin d'un interprète qui l'escorte en toute occasion, et lui épargne rencontres et scènes qui pourraient donner mauvaise idée du paradis rouge. C'est ce rôle qu'a tenu auprès de Cachin et de Frossard Kemerer (Taratouta), un des plus louches et des plus cyniques personnages de l'*underground* personnel de Lénine.

Portés disparus !

C'est dans ce contexte que s'est déroulé en Russie, entre les congrès de Strasbourg et de Tours, un drame qui garde encore aujourd'hui son mystère. Y trouvèrent la mort trois hommes que le Comité pour la IIIe Internationale en France a désignés afin de le représenter au IIe Congrès de l'Internationale communiste à Moscou : Lefebvre, dont nous avons rappelé l'intervention passionnée au congrès de Strasbourg, le métallurgiste Vergeat, et le syndicaliste anarchiste du bâtiment Bertho, dit Lepetit. En juillet 1920, ils quittent Paris pour gagner la Russie illégalement. Fin septembre, à leur voyage de retour, ils sont portés disparus, tout au nord de la Russie, dans la mer de Barents, entre Voïdo-Goubo et Vardö (Norvège).

Version officielle soviétique, reproduite par *L'Humanité* [2] : impatients de regagner leur pays afin d'assister au congrès de la C. G. T. et à celui de Tours, les trois Français ont frété à Voïdo-Goubo un mauvais voilier. Après leur départ a éclaté un terrible orage. Ils ont sûrement péri en mer.

Cette version suscite des doutes immédiats, même chez les bolcheviks, dont certains pensent que le bateau a pu, sur son parcours, être mitraillé au large de la Finlande par un garde-côte de ce pays dont le gouvernement est farouchement anticommuniste [3]. Mais c'est surtout la presse de droite en France et les Russes blancs émigrés qui s'emparent de cette affaire et proposent une tout autre explication. Dans *La Liberté*, *Le Matin*, *L'Action française*, *Démocratie nouvelle*, et pour l'agence de presse que dirige l'émigré

1. *Moscou sous Lénine*, p. 21.
2. 1er décembre 1920.
3. Cf. à ce sujet le témoignage du Tchèque Vojtaner in *L'Humanité*, 17 décembre 1920.

Bourtzev [1], les trois Français revenaient très déçus de leur voyage et leur témoignage pouvait peser lourdement contre le ralliement à la IIIe Internationale. C'est pourquoi ils ont été froidement liquidés par les Soviets.

Bien entendu, *L'Humanité* et les bolcheviks hurlent à la calomnie.

Cinquante ans plus tard, le mystère reste aussi épais. Dans son livre *Aux origines du communisme français 1914-1920*, Annie Kriegel s'est de nouveau penchée sur cette énigme [2] sans parvenir à la dénouer.

Nous ne pouvons la suivre dans son enquête minutieuse qui rassemble les données principales du problème. Contentons-nous d'en dégager les lignes essentielles. Parmi les témoins, ne croient pas à la version de l'assassinat des hommes comme Victor Serge et Rosmer qui ont pourtant, par la suite, rompu avec Moscou et n'ignorent rien de ses méthodes. Expriment à des titres divers l'opinion inverse : l'anarchiste russe Voline, l'anarchiste français Mauricius, Maurice Laporte (un des principaux dirigeants des J.C. à leur naissance, exclu ensuite du parti), Mayoux, Leval, l'anarchiste italien Borghi.

Les documents — pour l'essentiel des lettres adressées de Russie en France par Lepetit — donnent matière à des interprétations ambiguës. Elles contiennent des critiques de fond contre le régime bolchevik, sans constituer une condamnation formelle. Les dernières sont datées du 6 août et du 1er septembre 1920. On ne peut en tirer d'arguments décisifs.

A l'appui de la thèse soviétique, Annie Kriegel verse une pièce importante :

« L'état du temps établi par l'Institut météorologique du Nord. La station de Kirkenes a enregistré une *strong gale* (violente tempête) à la date du 29 septembre 1920.

« Celle de Vardö une *strong gale* à la date du 30. Les conditions climatiques étaient donc bien celles qu'avait signalées, à l'époque, le bolchevik suédois Ström dans un rapport rédigé par lui.

« Mais il n'est pas sûr que les trois Français aient pris la mer à cette date. Ont-ils d'ailleurs jamais embarqué? En faveur de la thèse de leur suppression par les services soviétiques, il y a d'abord le témoignage de Borghi : « Lorsque je suis parti de Moscou, raconte-t-il, on m'a dit : « Borghi, vous allez partir, avec ces papiers vous pourrez justifier votre faux nom; vous vous appelez pour le territoire de Russie Lepetit. » Revenu avec les papiers de Lepetit, Borghi restera convaincu que celui-ci a disparu en Russie.

« On s'explique mal aussi que les trois aient eu besoin d'emprunter la voie maritime du Grand Nord, plutôt que la route classique d'Estonie par Reval. La réponse est qu'entrés en Russie sans passeports ils n'avaient pas de papiers pour le retour, donc qu'ils ne pouvaient affronter le contrôle

1. Socialiste révolutionnaire qui démasqua avant la guerre nombre d'agents provocateurs, dont le célèbre Azev, introduit par l'Okhrana — la police politique des tsars — dans les rangs des révolutionnaires. A partir de février 1917, Bourtzev combattit énergiquement les bolcheviks.

2. *Op. cit.*, t. II, pp. 768-787.

de Reval. Mais étaient-ils dépourvus de papiers ? Le témoignage de Borghi semble contredire cette version. Et de toute façon, les services soviétiques ne pouvaient-ils leur établir de faux passeports ? »

Sur ce point, Annie Kriegel n'a pu faire état du témoignage postérieur d'Humbert-Droz. Dans ses *Mémoires* [1], celui-ci révèle d'abord que la délégation italienne, les trois Français et lui-même ont quitté Moscou pour Odessa, dans l'espoir d'être rapatriés à bord d'un bateau italien.

Après un voyage long et périlleux, en pleine guerre civile, le train parvient enfin au terme de l'expédition, « ... mais de bateau italien, bernique ! Il n'avait jamais existé [2] ».

Revenu à Moscou, puis à Petrograd, Humbert-Droz exprime le désir de quitter la Russie, avec la délégation italienne qui voyage légalement. En conséquence, on lui prépare un passeport avec une série de faux visas.

Peu avant d'arriver à Reval, le guide soviétique qui accompagne le petit groupe examine les papiers. Devant les faux documents d'H.-D., il prend une mine navrée : « Vous ne passerez pas la frontière avec un tel passeport. Tout y est falsifié. Cela se voit. »

Mais les Français ? Eh bien, ils ont déjà été expédiés vers le nord. Et le guide conseille à H.-D. de les rejoindre. Il s'absente un moment. Quand il revient, il a complètement changé d'avis. On tâchera de se débrouiller au contrôle de Reval. Effectivement, le futur « œil de Moscou à Paris » passe la frontière sans difficultés [3].

On voit bien les questions que soulève ce dernier témoignage. Pourquoi les trois ont-ils été séparés du groupe de Reval ? Pourquoi n'a-t-on pu leur procurer comme à H.-D. de faux passeports, même de médiocre qualité ? Pourquoi le guide soviétique, après avoir d'abord conseillé à H.-D. de rejoindre les *trois*, changea-t-il d'avis ? N'est-ce pas qu'il a appris d'un supérieur qu'il était moins dangereux d'affronter le contrôle de Reval, que de partager le sort d'hommes voués à la liquidation ?

Hypothèses extrêmement fragiles qui ne permettent pas de conclure.

Ainsi l'énigme et la mort accompagnent les premières démarches des partisans français du bolchevisme.

---

1. *Mon évolution du tolstoïsme au communisme*, 1891-1921.
2. *Op. cit.*, p. 373.
3. *Op. cit.*, pp. 374-375.

4.

Fronts rouges : la Ruhr et le Rif

« IMPORTANTE SOCIÉTÉ RUSSE POSSÉDANT FILIALES DANS LE MONDE ENTIER
cherche pour la France collaborateurs dynamiques et expérimentés
aux conditions suivantes : ni réformistes, ni opportunistes (2), ils
seront aptes à combiner activités légales et illégales (3); observant les
règles du centralisme démocratique, ils devront se plier à une discipline
de fer (12); ils n'hésiteront pas à effectuer de temps en temps des épurations
à l'intérieur de leur organisation (13); ils devront constituer des cellules
dans les syndicats et les conseils ouvriers (9); à l'armée, ils mèneront une
propagande vigoureuse et systématique, au besoin illégalement (4); ils
appuieront, non seulement en paroles, mais par des actes, la lutte des mouvements anticoloniaux (8); élus députés, ils se souviendront que leur devoir
consiste, avant tout, à utiliser la tribune du Parlement pour les besoins de
l'agitation, et n'hésiteront pas, le cas échéant, à user de leur immunité
pour « couvrir » des opérations illégales (11); ils dénonceront vigoureusement la malhonnêteté du social-pacifisme (6); rompant sans plus tarder
avec les réformistes (7), ils appliqueront fidèlement les décisions prises par
l'exécutif de l'Internationale (16); ils viendront enfin en aide aux répu-
bliques soviétiques par tous les moyens (14). »

Aucune annonce de ce genre n'a bien entendu été publiée dans la presse
communiste. Si nous nous sommes permis de fabriquer ce texte, en retenant
plusieurs des célèbres 21 conditions adoptées par l'exécutif de l'Internationale communiste [1], c'est qu'il permet de brosser à grands traits le portrait
du militant étranger idéal, tel que le souhaitaient les bolcheviks de l'époque.
Et tel, d'ailleurs, qu'ils l'imaginent toujours, à quelques retouches près!

Quand les 21 conditions sont posées, et elles le sont avant le congrès de

---

1. Les chiffres qui figurent entre parenthèses correspondent à chaque condition citée.

Tours, il y a peut-être beaucoup de candidats aux postes dirigeants du nouveau parti... Bien peu possèdent — et le chapitre précédent le montre assez — les aptitudes requises pour faire un vrai bolchevik.

Le parti bolchevik dont nous avons esquissé les traits principaux n'a rien de commun avec la tradition du socialisme français. Celui-ci s'est formé au grand jour, dans des congrès qui étaient des batailles parlementaires, au cours de campagnes électorales et en liaison étroite avec le développement des coopératives ouvrières et des syndicats.

Ce sont là des écoles radicalement différentes. Ces moules fabriquent des hommes qui ne parlent pas la même langue, qui n'ont pas les mêmes réactions.

On n'imagine pas Jaurès ou Guesde expédiant comme Lénine un Kamo tenter une « ex » contre une banque. L'extrémisme révolutionnaire français d'avant la guerre est lui-même fort différent des entreprises menées par les révolutionnaires russes. L'anarchisme terroriste des années 1890 n'a été qu'une flambée sans lendemain. Les doctes considérations sur le sabotage dans les usines sont demeurées, la plupart du temps, purement théoriques. On peut en dire autant des essais de Georges Sorel, que Lénine tenait pour un esprit « brouillon » : ce sont là travaux de laboratoire. « L'hervéisme [1] » s'est enlisé dans la déclamation (« Le drapeau dans le fumier! », etc.)

On trouve certes en France une tradition antimilitariste. Elle s'est exprimée avant la guerre par des grèves violentes que réprimait l'armée; quelques noyaux, en général anarcho-syndicalistes, se sont formés à bord de certains navires, avant et pendant la guerre. La propagande pacifiste et défaitiste a joué pendant le conflit un rôle non négligeable (*Le Bonnet rouge, La Vague...*). En définitive, il n'est pas étonnant que les militants venus de l'anarcho-syndicalisme ou du pacifisme (Loriot, Monatte, Monmousseau, Pioch, Verfeuil, Fabre, etc.) aient été attirés un moment par Moscou, et qu'une bonne part d'entre eux aient rallié la nouvelle organisation syndicale (C.G.T.U.).

Comme école de violence, comme volonté affirmée de rompre avec l'ordre bourgeois, le bolchevisme pouvait séduire ces hommes. Mais leur tempérament supportait mal le joug de la discipline bolchevique. Eux aussi appartiennent à un autre temps.

Les premières années du parti communiste voient défiler des chefs qui ne font pas l'affaire : Frossard, Ker, Monatte, Dunois, Sellier, plus tard Souvarine, plus tard encore le capitaine Treint et des charrettes d'exclus : Pioch, Fabre, Verfeuil, Loriot, Bernard Lecache, etc. Cachin, qui est de la vieille école du socialisme, surnage. On l'appellera plus tard « le monument historique ». En fin de compte, il traversera toutes les crises.

Sur qui peut vraiment compter Moscou dans ces premières années 20? Qui applique sans trop broncher les 21 conditions? Quelle catégorie de

---

1. Jusqu'à la guerre de 1914, la tendance représentée dans le socialisme français par Gustave Hervé et Miguel Almereyda constitue le courant le plus extrémiste et se manifeste par un antimilitarisme verbal très violent.

militants est à même d'engendrer les futurs cadres révolutionnaires? Ceux qui n'ont pas encore subi d'empreinte profonde : les jeunes loups des Jeunesses communistes.

« Vous recevrez une invitation... »

12 septembre 1920, 103 rue Jean-Jaurès à Puteaux. C'est le domicile de Maurice Laporte, jeune militant socialiste, petit, vif, et mince. La plume facile. Partisan des thèses de Zimmerwald et de Kienthal, il a déjà collaboré à *La Vérité* de Paul-Meunier, à *La Vague* de Brizon, et à la *Vie Ouvrière*. Son courrier lui apporte un petit mot discret :

« Vous recevrez ces jours-ci une invitation de camarades sûrs, actuellement à Paris; nous serions très heureux si vous pouviez vous entretenir avec eux de vos affaires. Ils ont plein pouvoir au C.C. [1]. »

Le billet est signé Siegfried Bamatter. Ce communiste suisse, membre du Comité exécutif de l'Internationale des Jeunes à Bâle, Laporte l'a rencontré pendant la guerre. Il a connu aussi le véritable animateur de cette Internationale des Jeunes, Willy Münzenberg. Ces contacts désignent Laporte pour « casser » les Jeunesses socialistes, rallier le maximum de jeunes à la cause du bolchevisme.

Quelques jours passent. Puis Laporte reçoit un pneumatique :

« Nos amis de Genève ou ceux de Berlin ont dû vous prévenir que quelqu'un désirait vous voir à Paris. Il s'agit de moi. Voulez-vous passer me voir le plus rapidement possible? J'ai du reste des commissions pour vous. »

Cette fois le signataire s'appelle Vouiovitch et il loge, en compagnie de son frère, à l'Hôtel de Nice, boulevard du Montparnasse.

Serbes, les frères Vouiovitch vivent depuis quelques mois à Paris. Ils y poursuivent en principe leurs études. Leur véritable travail d'envoyés de l'Internationale consiste à superviser les activités de la gauche des Jeunesses socialistes, celle qui doit former la future section française de l'I.C. des Jeunes. C'est ce qu'explique l'aîné des Vouiovitch à Maurice Laporte, autour d'un samovar.

Ce Vouiovitch est un grand garçon, déjà voûté, aux traits fins, aux tempes dégarnies. Il est en somme dans le secteur des jeunes l'homologue d'Humbert-Droz et, comme lui, un remarquable polyglotte. Il est déjà venu en France pendant la guerre. Favori de Zinoviev, il ne tardera pas à devenir grâce à cette protection le secrétaire du Comité exécutif de l'I.C. Il le suivra dans sa disgrâce. Déporté une première fois à Arkhangelsk, il sera arrêté de nouveau en 1935 pour mourir en fin de compte dans un camp de concentration.

En cet automne 1920, ni les frères Vouiovitch, ni Maurice Laporte ne prévoient les ravages que l'appareil bolchevik, dominé par Staline, presque inconnu alors en Europe occidentale, exercera parmi les pionniers de la

---

1. Cf. Maurice Laporte, *Les Mystères du Kremlin*, p. 22.

révolution. Ils forment avec fièvre des projets d'avenir, en fumant des cigarettes et en buvant du thé. A plusieurs reprises, Laporte reverra ces frères Vouiovitch qui franchissent maintes fois la frontière suisse. Au cours d'un de ces voyages, l'un d'eux lui remet de « beaux et bons dollars-papier d'un si sympathique vert foncé [1] ».

Laporte n'est pas le seul à être en contact avec les deux frères. Il y a aussi Vaillant-Couturier, qui en 1920 participe aux côtés de Barbusse à la création de la revue *Clarté*, et qui à plusieurs reprises transporte des fonds.

A l'origine des Jeunesses communistes, tout comme à celle du parti, on trouve donc les missionnaires de Moscou. On trouve aussi leur or.

Cela dit, ce serait une grossière erreur que d'attribuer l'évolution des jeunes socialistes à l'influence magique d'envoyés spéciaux ou à la distribution de subsides. La crise est plus profonde. Nombre de jeunes ouvriers sont à l'époque en état de divorce moral avec le parti socialiste. Ils tournent leurs regards impatients vers la grande lueur qui naît à l'est.

Ces jeunes révolutionnaires, voyons-les à l'œuvre à Saint-Denis tels que les a décrits l'ancien communiste Henri Barbé dans ses *Souvenirs* [2].

Ce fief socialiste compte, en 1917, environ 200 petites, moyennes et grosses entreprises, dont bon nombre travaillent alors pour la guerre. Du coup la population de cette grande cité ouvrière est passée de 50 000 âmes, avant la guerre, à 70 000.

Cependant, la plupart des militants adultes, socialistes et syndicalistes sont au front. Saint-Denis 1917 est peuplé de femmes, de vieillards et d'adolescents. Si les effectifs du parti sont devenus squelettiques, la jeunesse socialiste compte environ 700 adhérents, chiffre énorme pour l'époque. Diverses activités occupent ces jeunes gens : entreprises de solidarité (colis aux combattants, groupe théâtral, club sportif, cercles de formation politique, etc.)

Ils sont la seule vraie force de cette ville, vidée de ses adultes par la guerre. Ils sont choyés par la population féminine, sevrée de mâles et ils ont naturellement tendance à se prendre pour des caïds, dans ce désert viril. Chez les plus politisés d'entre eux, les syndicalistes révolutionnaires font pénétrer leurs idées pacifistes (brochures, bulletins, conversations). La révolution russe achève d'exciter les ardeurs.

Le 1er mai 1918, les jeunes ouvriers de Saint-Denis participent à un violent mouvement de grève. On y acclame les Soviets. Riposte immédiate du gouvernement : Saint-Denis est occupé par les dragons. Durant ces jours, la J. S. se tient en liaison étroite avec le comité de grève.

Les grandes vagues de grèves de 1919 et 1920 les jettent à nouveau sur le pavé. Bagarres sanglantes avec la police locale. En 1919, les grévistes sortent de Saint-Denis, marchent sur la gare du Nord qu'ils investissent quelques heures. L'année suivante, l'occupation dure plus d'une journée.

Pour ces jeunes gens, le vieux monde capitaliste est près de crouler.

1. *Op. cit.*, p. 27.
2. « Souvenirs de militant et de dirigeant communiste », ouvrage inédit, pp. 3-8.

L'Allemagne, la Hongrie, l'Italie, sont entrées en ébullition. L'Europe va basculer avec violence dans la société collectiviste. Aux adultes du parti socialiste, aux réformistes, on ne pardonne pas de laisser passer les occasions.

Pour les plus hardis, les réactions rejoignent, dès la fin de la guerre, celles de l'Internationale des Jeunes. Il semble bien cependant que les contacts aient été quasi inexistants et qu'un des premiers à en avoir établi fut, précisément, Laporte.

A la fin de la guerre, un courant se dessine dans les rangs de la Jeunesse socialiste pour le ralliement à la IIIe Internationale. Dès la fin de 1920 (31 octobre et 1er novembre) une conférence nationale des Jeunesses socialistes se prononce pour le ralliement à l'I.C. des Jeunes, par 5 443 mandats contre 1 958. Il y a 250 abstentions.

Parmi les membres du Comité national, on relève les noms de Laporte, secrétaire national, Camille Fégy, secrétaire administratif, Auclair, William, Pontillon... et au nombre des suppléants, Doriot.

Dès cette époque, pour les dirigeants de l'I.C. des Jeunes, la défense de l'Union soviétique doit passer au premier plan. C'est le sens de la lettre adressée par le Comité exécutif de l'I.C. au premier congrès international des étudiants communistes. On y lit, au point VII : « L'appui prêté à la Russie des Soviets forme le point de départ de la politique mondiale du prolétariat... » Et un peu plus loin : « La défense active de la Russie des Soviets par les masses prolétaires de tous les pays représente un devoir qui doit être rempli sans égard aux sacrifices que la lutte exigera [1]. »

Ces thèses éveillent bien davantage d'échos chez les jeunes que chez les adultes. Les premiers acceptent même, selon les conseils de Münzenberg, de réclamer leur autonomie au sein du parti socialiste, puis d'abdiquer celle-ci dès qu'ils auront rejoint le parti communiste. Ce qui est bon en dehors du parti cesse de l'être quand on rallie ses rangs. C'est le prélude à bien des soumissions.

« Les vieux ont trahi... »

Les vieux ont trahi! Voilà la note dominante. Elle décide de presque tout. Dès le premier numéro de l'Avant-Garde, un éditorial signé Vorine (Vouiovitch?) exploite à fond ces sentiments :

« Les vieux ont trahi, écrit Vorine, c'est en vous que nous mettons notre foi [2]... »

Dans le même numéro, un article de Münzenberg rappelle les grandes étapes de la Jeunesse communiste internationale et souligne que Die Internationale Jugend Correspondenz fut pendant la guerre un des rares, sinon le seul journal allemand, à la disposition de Liebknecht, Lénine et Radek.

En feuilletant la collection de l'Avant-Garde des premières années, on

1. *Bulletin communiste*, 1920, n° 2.
2. 25 septembre 1920.

voit apparaître des noms qui deviendront célèbres dans l'histoire du parti.

Celui de Jacques Doriot, orthographié par erreur Dériot, figure dès le n° 5 (27 nov. 1920). Il a été élu suppléant au Comité national du 12 novembre. Gabriel Péri, pour sa part, collabore au premier numéro de ce journal.

Le nom de Thorez surgit un peu plus tard. Dans un compte rendu du congrès des J. C. de Villeurbanne (20-21 mai 1923), il est question de l'intervention nette et précise de Thorez qui « impressionne vivement le Congrès »[1]. Dans le numéro suivant, on donne en exemple aux militants la lettre d'un jeune de Roanne. Il s'appelle François Billoux, et il explique comment il faut transformer la section en cellule.

D'autres noms moins connus, ceux de personnages appelés à jouer un rôle aux postes illégaux, figurent dans ces numéros. Ce sont ceux de Provost et de Lozeray arrêtés le même jour, le premier à Houilles, le second dans le 17e arrondissement[2], de Joubert[3], et d'un jeune étudiant d'Alger, Camille Larribère.

Et parmi les avocats qui sous la direction de Villard (Willard?) forment le collectif chargé de défendre les jeunes militants devant les tribunaux (ils seront souvent poursuivis), on trouve les noms d'Alfred Fournier, de Vaillant-Couturier, de Maurice Paz, d'André Berthon et de Foissin (qui sera mêlé en 1940 à l'affaire de la reparution de *L'Humanité* sous l'occupation).

L'imprimeur, c'est déjà Dangon.

Dans ces jeunesses en formation, dont le rôle à l'intérieur du futur parti sera, avec l'appui des Russes, considérable, un garçon émerge très vite et impose sa personnalité puissante, il s'appelle Jacques Doriot.

Doriot émerge

Parmi les jeunes de Saint-Denis, c'est leur secrétaire administratif, Henri Lozeray, qui serait qualifié pour prendre la tête des J.C. qui se constituent. Il est vrai qu'il a sur Maurice Laporte le handicap de ne pas entretenir comme lui, de contacts internationaux. Peut-être, d'ailleurs, ce garçon prudent, avisé et calculateur, a-t-il déjà de secrètes préférences pour le rôle d'éminence grise. Quoi qu'il en soit, au congrès constitutif des J.C. Lozeray, dont la santé est fragile, tombe malade. Il désigne, pour le remplacer, un grand gars athlétique d'un mètre quatre-vingts qui dirige à Saint-Denis le club de boxe des Jeunesses socialistes : Jacques Doriot.

Le grand Jacques doit sans doute à la défaillance de Lozeray d'être élu suppléant au Comité directeur des Jeunesses. Il a tout de même quelques atouts pour mériter cette promotion.

1. N° 47, 6 juin 1923.
2. *Op. cit.*, 1er juillet 1921.
3. *Op. cit.*, 6 juin 1923.

Il a vingt ans. Dans ses veines se mêlent les sangs flamand, italien et breton. Mobilisé en 1917, il a participé aux derniers combats de la guerre, assisté à la brève tentative de Bela Kun en Hongrie, puis, dit-on, au raid de d'Annunzio sur Fiume, épisodes qui ont dû enflammer l'imagination de ce tempérament aventureux. De retour à Saint-Denis, le voici métallo. Il semble qu'il ne travaille guère. Certains chuchoteront même plus tard qu'il était une sorte de chômeur professionnel.

En ce temps-là, il est maigre, sec, d'une vigueur qui va exploser dans des dizaines de bagarres. Il ne boit ni ne fume, et mène une vie ascétique. Certains de ses amis assurent même qu'il est parfaitement chaste. Il changera beaucoup.

A toutes les réunions du Comité des J.C. il est là, toujours avant l'heure, avec sous le bras un méchant roman populaire à trente-cinq sous, type Gustave Aimard, qu'il a dû lire pendant le trajet. Il est très sage. Il observe et se tait.

Il n'y a pas de témoins qui expliquent comment il s'impose. Laporte, qui le déteste et le traite de « gentilhomme d'aventure » (ce qui n'est pas entièrement faux) assure qu'après avoir dû sa nomination à l'absence de Lozeray, il doit à la sienne son avancement. Il se trouve en effet que Laporte et d'autres membres du Comité directeur ayant été arrêtés, c'est Doriot qui assure l'intérim. A sa sortie, le premier récupère son poste, au vif mécontentement, paraît-il, du « Grand Jacques ». Laporte affirme qu'il l'expédia alors en province, puis le proposa comme délégué à l'Éxécutif des Jeunes à Moscou, à seule fin de s'en débarrasser [1].

Laporte, nous le verrons, est loin d'être un témoin sûr. Sa version sur la promotion accidentelle de Doriot doit être accueillie avec prudence.

Si l'on se reporte en effet au compte rendu du premier congrès des Jeunesses communistes à Paris (15 et 16 mai 1921), publié dans l'organe de l'Internationale des Jeunes, *Internationale Jugend Correspondenz* [2], on constate que Doriot y prend la parole, le second jour, entre Bamatter, envoyé de l'Exécutif, et Gabriel Péri : « *Als zweiter Redner sprach Doriot...* » (le second orateur fut Doriot). Suit un extrait de son discours qui porte sur la situation financière et dans lequel il critique vivement la passivité du parti socialiste français pendant la mobilisation.

On voit donc que, dès ce moment, Doriot qui ne se contentait pas, sans doute, de lire Gustave Aimard, avait su capter assez l'attention, pour être cité dans le bulletin de l'Internationale des Jeunes. Il est douteux qu'il l'ait dû au seul hasard, à la maladie, ou à l'arrestation d'un rival.

Il est probable, au contraire, que les observateurs de Moscou ont dû remarquer assez vite les qualités de ce jeune, doué à la fois pour les discours et l'agitation. Rien de surprenant donc à ce qu'il figure, en juillet 1921, aux côtés de son rival Laporte et du Bordelais Roland Simon, dans une délégation envoyée en U.R.S.S.

1. Cf. Laporte, *Les Mystères du Kremlin*, pp. 54-58.
2. 10 juin 1921.

L'attitude du jeune Doriot sur une question capitale aux yeux des bolcheviks peut expliquer en outre que sa cote soit montée en flèche. Selon Barbé, en effet, c'est Doriot qui, au sein du Comité directeur des J.C., combat âprement les tendances anarchisantes de la jeune direction. Le contingent ayant été appelé dans la Ruhr pour les tâches de l'occupation, *L'Avant-Garde* et *Le Conscrit* (organe spécialisé dans la lutte antimilitariste) paraissent avec des titres flamboyants : « Ne partez pas! » Doriot se rappelait sans doute qu'il avait été soldat et qu'un antimilitarisme aussi simpliste n'avait pas beaucoup de chances d'être entendu de la troupe. Les Soviétiques ne pouvaient qu'apprécier sa maturité d'esprit.

Comme l'appareil « anti » (antimilitariste) va jouer un rôle important dans toute l'histoire du P.C.F., il convient de rappeler comment les bolcheviks ont mis au point leur technique de lutte à l'intérieur de l'armée et quels en sont les principes essentiels.

Au début des années 20, dans tous les pays, les bolcheviks misent sur les jeunes à la fois pour arracher les adultes à leur opportunisme et pour s'engager vigoureusement dans la voie des tâches illégales, au premier rang desquelles figure l'action antimilitariste.

Au premier congrès des jeunesses socialistes-communistes, on donne lecture des thèses présentées par la fédération des jeunesses russes. Au point 4, il est rappelé que « pendant la guerre, les organisations révolutionnaires de jeunesse se sont complètement séparées du parti », et, au point 8, que les nécessités du combat exigent « leur rangement *(sic)* dans le système centralisé de toutes les forces communistes, nationalement aussi bien qu'internationalement, sous la seule direction du parti communiste et de l'Internationale communiste [1]. »

De leur côté, les différentes thèses, adoptées par la majorité du Comité national, insistent à plusieurs reprises sur la nécessité de la lutte antimilitariste [2].

Les « thèses directrices » invoquées par le Comité exécutif de l'Internationale communiste des Jeunes, au premier Congrès international des étudiants communistes, sont encore plus nettes. Elles insistent, tout particulièrement, sur le devoir de solidarité avec la Russie soviétique. Au point 8, il est précisé que « *l'appui prêté à la Russie des Soviets forme le point de départ de la politique mondiale du prolétariat* [3] ». Plus loin, on peut lire : « La défense active de la Russie des Soviets par les masses prolétariennes de tous les pays représente un devoir qui doit être rempli sans égard aux sacrifices que la lutte exigera [4] ».

C'est un langage quasi militaire. Aussi bien, ce qu'on attend des Jeunesses c'est que leurs organisations mènent des opérations de type militaire. Celles-ci peuvent être des missions de retardement, dans la mesure

---

1. Rapports et thèses présentés au Congrès national.
2. *Idem*, cf. points 2, 4, 5, 6, 7 et 8.
3. *Bulletin communiste*, 1920, n° 2. Souligné dans le texte.
4. *Idem*.

où la Russie, soumise au blocus et redoutant les entreprises de l'Entente, a intérêt à provoquer des soulèvements sur les arrières de l' « ennemi » impérialiste. Mais l'engagement actif et offensif des Jeunesses communistes n'est pas moins indispensable, puisque les dirigeants de l'Internationale s'imaginent que la flamme révolutionnaire va embraser toute l'Europe. (Offensive de l'Armée Rouge contre la Pologne, Commune hongroise de Bela Kun, agitation en Italie, tentatives insurrectionnelles qui se prolongeront en Allemagne jusqu'en 1924). Dans cette perspective, qui est principalement celle de Zinoviev, le P. C. français et singulièrement ses Jeunesses, sont appelés à jouer un rôle de premier plan. L'objectif numéro un des Jeunesses communistes est d'attaquer l'ennemi impérialiste au point où il est le plus concentré, c'est-à-dire de *désagréger l'armée*.

Principes de l'appareil « anti »

L'occasion de mettre ces projets à exécution se présente sans tarder avec l'occupation de la Ruhr par les troupes françaises et belges. Encore faut-il que l'appareil « anti » (antimilitariste) fonctionne du côté français d'une façon correcte.

Sur ce plan, les bolcheviks, déjà, ont acquis une vaste expérience.

Les principes de l'Agit-Prop « anti » ont été élaborés, sur le plan théorique, dans différents congrès internationaux des Jeunesses socialistes, d'abord à Stuttgart (1907), puis à Copenhague (1910), enfin à Berne (1915) où l'influence de Lénine fut primordiale. Sur le plan pratique, l'action « anti » se développe dès avant guerre dans les rangs de l'armée russe. Elle consiste, pour l'essentiel, à créer, à l'intérieur des casernes et au sein des unités des noyaux d'agitateurs illégaux. Ceux-ci — et c'est un aspect essentiel de la technique bolchevique — doivent s'efforcer d'opérer *en liaison étroite avec la cellule du parti, qui leur sert de point d'appui*.

Les premiers résultats sont modestes. Mais cette technique clandestine, poursuivie, interrompue, reprise, permet de mettre au point un certain nombre de recettes. Au cours des journées révolutionnaires de 1905, on expérimente les méthodes de *fraternisation*, c'est-à-dire de neutralisation de la troupe, voire de son ralliement aux émeutiers, tentatives menées par des civils, où souvent les femmes sont en majorité. Après l'échec de la révolution de 1905, Lénine fait la critique des opérations et souligne, en particulier, que les tentatives des groupes de combat révolutionnaires dans la rue n'ont pas été appuyées par un travail de démoralisation à l'intérieur de l'armée tsariste suffisamment efficace pour inciter certaines de ses unités à basculer du côté des insurgés.

Pendant la guerre, l'action « anti » fait des progrès foudroyants. Avant la révolution de février 1917, des agitateurs bolcheviks mènent, avec la complicité des Allemands, une intense activité de propagande dans les camps des prisonniers russes détenus en Allemagne et en Autriche [1]. Après

---

1. Parmi les agitateurs, le fameux Malinovski.

la révolution de février, d'autres propagandistes, par l'intermédiaire des soviets de soldats, sont envoyés en mission dans les unités, déjà ébranlées par la rigueur de la guerre et les revers successifs. Ils y prêchent le défaitisme.

Quand le général Kornilov tente son putsch en août 1917 et fait marcher ses cosaques sur Petrograd, les bolcheviks, alliés momentanément à Kerenski, livrent et gagnent leur première grande bataille antimilitariste, contre une unité d'élite, considérée pourtant comme sûre. Trois sortes d'hommes et de moyens entrent en jeu pour bloquer le raid de Kornilov :

1. Les cheminots paralysent le trafic ferroviaire, et le transport des troupes cosaques s'en trouve considérablement ralenti.

2. Aux troupes figées sur place dans des gares, des agitateurs civils sont dépêchés pour des tentatives de fraternisation. Ceux-ci ont été parfois choisis dans les contrées caucasiennes d'où les cosaques sont originaires. C'est la tactique qui consiste à « travailler » un milieu social donné, par des gens originaires de ce milieu.

3. Enfin, quelques bolcheviks ont pu s'infiltrer discrètement dans les rouages fragiles de la machine militaire, c'est-à-dire aux postes de transmission : télégraphistes, plantons, chauffeurs, secrétaires d'état-major, etc. Installés secrètement dans la place, ils sont appelés par divers moyens (ordres erronés, retardés, renseignements transmis aux révolutionnaires, etc.) à détraquer la mécanique du coup de force.

L'échec du putsch, qui est plutôt enrayé, que brisé au cours d'une bataille rangée, *est un modèle d'opération « anti »*. Il témoigne déjà d'une technique très élaborée.

Au lendemain de la guerre, la mécanique « anti » des bolcheviks est donc bien rodée. Et dans les thèses adoptées en France, par la majorité, au premier congrès des Jeunesses socialistes communistes, l'influence des délégués étrangers apparaît.

On apprend successivement que l'ancienne social-démocratie a toujours sous-estimé l'importance du militarisme (point 2); que dans les États menacés par la révolution se constituent des armées bourgeoises de volontaires, telles que le *Baltikum* ou l'armée Heller en Pologne (point 4); que la tactique doit être diversifiée selon la forme même de l'armée : s'agit-il de troupes à service obligatoire? On doit y faire pénétrer les thèses communistes et y créer des groupes d'hommes de confiance ou des soviets; si l'on affronte au contraire des armées de volontaires, alors la propagande doit être appropriée à ces conditions spéciales et l'on s'efforcera de démontrer aux éléments ouvriers de ces corps qu'ils jouent un rôle contre-révolutionnaire. On découvre au passage — ce qui ne manque pas de saveur — que c'est au sein de la jeunesse ouvrière que « se trouve le plus fort contingent de recrues pour la garde blanche [1] ». Si la persuasion ne réussit pas, alors le recours à la lutte armée deviendra inévitable.

---

1. Premier Congrès, *op. cit.*, point 5 des méthodes d'agitation.

Contre les organisations militaires purement bourgeoises, point de problèmes. Seule la violence s'impose [1].

De ce qui précède, une évidence se dégage : *la lutte « anti » n'a rien de commun avec le pacifisme, ou l'anarchisme, qui obéissent plus ou moins à des réflexes sentimentaux entraînant un comportement imprécis.* Le bolchevisme est autre chose : son objectif réel est d'engendrer au sein des armées impérialistes une *contre-armée.* L'entreprise suppose des règles, un code de l'action, une discipline rigoureuse. Elle ne s'accommode pas de l'amateurisme. « Le pacifisme bourgeois, lit-on au point 7 des thèses, avec ses mots d'ordre : milice, désarmement, n'est pas un moyen approprié pour combattre le militarisme bourgeois. »

Humbert-Droz est un bon exemple de cette mutation. Tolstoïen, il a commencé par être un pacifiste intégral et hostile à toute forme de violence. Il est d'ailleurs poursuivi en Suisse pour avoir incité un jeune homme à la désertion, mais obtient le 29 juin 1917 une ordonnance de non-lieu. Ses articles imprégnés d'esprit religieux approuvent en général l'objection de conscience [2].

A la même époque, Willy Münzenberg, disciple de Lénine, loin d'encourager les désertions ou les refus d'obéissance, invite au contraire les jeunes à entrer dans l'armée pour y faire de la propagande antimilitariste et pour la gagner au socialisme révolutionnaire. Humbert-Droz ne tardera pas à abjurer son pacifisme « bêlant ». Contre ce penchant, il met en garde les jeunes communistes français dès le n° 4 de *L'Avant-Garde.*

Il confesse qu'il fut adversaire de toute armée. Reste qu'à présent il fait l'éloge de l'Armée Rouge. Dans l'intérêt même de la révolution, en même temps qu'on travaille à désintégrer l'armée bourgeoise, il convient de renforcer sans cesse l'armée des travailleurs.

Quand les Jeunesses communistes se constituent en France, elles héritent d'une tradition antimilitariste, plus riche en imprécations — le drapeau dans le fumier de l'« hervéisme » — que de modes d'emploi. Cette tradition anarchiste, pacifiste ou chrétienne, prêche l'objection de conscience, le refus d'obéissance, la désertion, ou envisage vaguement de grands desseins utopiques : la grève générale opposée à la mobilisation. Cet état d'esprit alimente assurément les entreprises de l'appareil « anti », mais en même temps il les gêne. Encore une fois, la technique et les objectifs sont autres. Le pacifisme, en temps de guerre, ne poursuit que l'arrêt des combats. Le défaitisme révolutionnaire, selon Lénine, entend transformer la guerre impérialiste en guerre civile, c'est-à-dire substituer une forme de guerre à une autre. La guerre va-t-elle éclater ? Le pacifisme recommande la désertion ou le refus d'obéir. « Erreur, — répondent les bolcheviks —, geste individualiste qui ne peut être adopté que par une poignée d'individus. » Le soldat bolchevik, lui, obéit à tout ordre de mobilisation, afin de

---

1. *Op. cit.,* point 5.
2. Cf. *Mémoires* de Jules Humbert-Droz. *Mon évolution du tolstoïsme au communisme (1891-1921),* pp. 220-269.

ne pas se couper des masses. Au sein de son unité, il travaille patiemment à faire basculer celle-ci dans le camp de la révolution. Avec ses armes. Conséquence logique : il faut apprendre à se servir de celles-ci, donc entrer dans les écoles de sous-officiers et d'officiers.

Demain, la nouvelle armée révolutionnaire qui n'est jamais faite que des débris de l'ancienne, aura besoin de cadres.

Toutes ces recommandations sont encore mal assimilées par les néophytes des Jeunesses communistes. Le mot d'ordre « Ne partez pas! » reflète la vieille mentalité antimilitariste [1].

On doit noter ici un article de Doriot intitulé : « Transformons nos méthodes d'agitation. » Il explique qu'il faut faire autre chose que des meetings et des discours incendiaires. Il critique aussi la passivité et la pusillanimité des adultes. Le parti n'a rien fait. Mais s'il n'a rien fait, c'est qu'il n'a pas les masses avec lui [2].

C'est assez clair : Doriot se pose déjà en champion des jeunes. Ceux-ci, après avoir âprement critiqué les vieux réformistes du parti socialiste, s'attaquent à présent aux aînés du nouveau parti. Il importe peu de savoir si Doriot a écrit cet article spontanément, ou sous la dictée d'un Stepanov ou d'un Vouiovitch. Dans la première hypothèse il ne peut que plaire à Moscou. Dans la seconde, Moscou l'a déjà choisi.

Batailles dans la Ruhr

En tout cas, on le tient pour un sujet intéressant. Délégué des Jeunesses communistes auprès de l'Exécutif de l'Internationale des Jeunes, il séjourne en Russie de juin à septembre 1921, époque à laquelle il revient à Paris, pour un bref séjour, passe en Allemagne, puis retourne à Moscou de mars 1922 à la fin de l'année.

Ceux qui le rencontrent en Russie [3] le décrivent comme un garçon modeste et studieux. Laporte lui-même, tout en notant que le Grand Jacques lorgne les Moscovites « aux hanches professionnelles [4] », est bien obligé de convenir qu'il bûche aussi Marx, Lénine ou Engels.

Sans tarder, Doriot va passer de la théorie à la pratique. L'occupation de la Ruhr offre aux communistes français l'occasion de livrer la première grande bataille « anti ». Les Jeunesses en seront le fer de lance.

L'occupation de la Ruhr par les troupes françaises et belges a été décidée à la fin de l'année 1922 sur l'insistance de Barthou, contre l'avis de Clemenceau, de Briand et même de Foch, fort réticent.

Le 11 janvier 1923, sous le prétexte que l'Allemagne n'a pas livré, au titre des réparations, la quantité de poteaux télégraphiques prévue (65 000 m³ au lieu de 200 000 m³), les troupes franco-belges sous les ordres du géné-

---

1. Sur cette période, cf. *L'Avant-Garde* des 25 avril, 15 mai et 15 juin 1921.
2. *L'Avant-Garde*, 1er juillet 1921.
3. Cf. à ce sujet Rosmer, Victor Serge, Silone...
4. *Op. cit.*, p. 58.

ral Degoutte occupent Oberhausen, Essen et une partie du bassin de la Ruhr.

La riposte immédiate du gouvernement allemand, que dirige le chancelier Cuno, se définit par la résistance passive : les paiements au titre des réparations cessent; les trains ne roulent plus; les administrations civiles, douanes et postes, entrent en grève; dans les mines, sur les voies ferrées, sur les canaux, dans les usines, les postes de sécurité ne sont plus occupés.

Cette résistance passive est bientôt suivie de la résistance active des groupes nationalistes allemands : guérillas contre les troupes d'occupation et sabotages. Des sentinelles sont égorgées, des ponts sautent, des trains déraillent [1]. En conséquence, l'occupation se durcit et s'étend. La Rhénanie et la Ruhr deviennent des zones pratiquement isolées du reste de l'Allemagne.

Pour les bolcheviks, la situation ainsi créée est objectivement révolutionnaire. De 1919 à 1921 l'occasion de faire basculer l'Allemagne dans le camp de la révolution a été manquée à plusieurs reprises. L'occupation de la Ruhr donne peut-être une nouvelle chance à la IIIe Internationale. La lutte contre l'occupant doit permettre de déclencher de vastes mouvements de grèves, des manifestations de masse, toute une agitation qui peut déboucher sur la lutte armée. Communistes allemands et groupes nationalistes (organisation *Consul, Baltikum, Helfferich Organisation*, etc.) se trouvent engagés dans la même épreuve de force. A la tête de l'Internationale, Radek est l'homme qui préconise une alliance effective avec des jeunes nationalistes allemands à la Ernst von Salomon, rendus enragés par la défaite. L'Allemagne redevient un vaste champ de manœuvre révolutionnaire.

Quel sera le rôle des communistes français dans cette stratégie? Très important. Leur mission révolutionnaire est d'attaquer l'armée française occupante à revers : en France, par des manifestations et des grèves dirigées contre la politique de Poincaré-Barthou; dans la Ruhr, par la fraternisation avec les travailleurs allemands, mais surtout par des opérations d' « Agit-Prop » et de noyautage au sein des unités pour tenter de les désagréger.

Ces dernières opérations concernent essentiellement les membres des Jeunesses communistes. A eux revient la tâche la plus délicate et le poste le plus dangereux.

Il y a loin de la théorie à la pratique. A Essen, en janvier 1922, les communistes de différents pays tiennent congrès. Radek, commentant cette réunion, commence par constater avec amertume que, le 13 janvier, les soldats français ont occupé le bassin de la Ruhr « dans le silence complet du prolétariat international [2] ». Un peu plus tard, il accuse la social-démocratie de trahir son devoir révolutionnaire. Il souligne que la résistance passive ne suffit pas. En France même, le prolétariat français est sorti très

---

1. En mars 1923, on compte 86 attentats. Cf. à ce sujet Paul Tirard : *La France sur le Rhin.*
2. *L'Internationale communiste*, n° 24.

affaibli de la guerre et n'a pas réagi. « Seul, dit Radek, le P.C. français a *tenté* de mobiliser les masses contre Poincaré [1]. »

L'allure peu optimiste de l'article indique assez que la tentative n'a pas été couronnée d'un énorme succès.

C'est ce que confirmera plus tard Humbert-Droz. Il cite [2] une lettre de Radek estimant insuffisante l'activité du parti dans la Ruhr. Humbert-Droz juge de son côté les liaisons des communistes français avec le P.C. allemand, défectueuses.

L'action du P.C. français, c'est certain, manque de vigueur et de chaleur. Il n'est pas facile, en 1923, d'appeler le peuple à la fraternisation avec l'ennemi de la veille. L'anti-germanisme demeure ancré au cœur de nombreux Français. Le gouvernement réagit sans ménagement contre toute propagande défaitiste. Il multiplie les perquisitions, les saisies de documents et les arrestations. Il inculpe plusieurs dirigeants de complot. Au nombre des inculpés, Cachin se défend avec habileté devant la Chambre. Le procureur général accuse les dirigeants du P.C. français et de la C.G.T.U. d'avoir formé à leur retour de Moscou un Comité d'action contre la guerre, appliquant ainsi les décisions prises par Boukharine. « Non, dit Cachin, Boukharine, jusqu'à maintenant, n'a fait que des propositions. » Il objecte que les Russes à Essen n'étaient pas présents (ils l'étaient en coulisse!). Les ouvriers allemands sont de braves gens. Ils n'ont nullement l'intention de déclencher une grève générale. Il n'est pas question d'attaquer l'armée française, etc. [3].

Cette défense élastique embarrasse peut-être le gouvernement. Mais toutes ces dérobades, ces faux-fuyants ne correspondent guère à l'image d'un chef révolutionnaire bolchevik. Et les propos de Cachin apparaissent même nettement en retrait sur ce qu'écrit de son côté le capitaine Albert Treint, une des principales figures de la gauche du P.C.

De toute façon, la plupart des adultes du nouveau parti ne sont pas mûrs pour une dure bataille dans la Ruhr, telle qu'on la conçoit à Moscou.

Mais les Jeunesses?

Les coulisses de la conférence d'Essen

Ici, le troisième congrès de l'Internationale des Jeunes témoigne d'une volonté autrement combative [4]. Doriot y représente la jeunesse française. A la conférence de Francfort, un autre jeune délégué qu'on ne connaît que par son « pseudo », *Marius*, est longuement acclamé. Nous aurons l'occasion de reparler de lui.

Dans *Les Mystères du Kremlin*, Laporte assure qu'en marge de la confé-

1. *Op. cit.*, n° 25.
2. *L'Œil de Moscou à Paris*, lettre d'Humbert-Droz à Zinoviev, pp. 191-192.
3. Cf. Marcel Cachin, *Le Complot devant la Chambre*, 1923, brochure extraite du *J.O.*, 2e séance de la Chambre, 18 janvier 1923.
4. Cf. article de Chatskin in *Le Bulletin communiste*, n° 13, 29 mars 1923.

rence d'Essen (6 et 7 janvier 1923) qui réunissait *officiellement* les délégués de plusieurs partis communistes d'Europe, — mais non de Russie —, se tint un second congrès occulte dont Vouiovitch et Harry (un des agitateurs de l'I.C.) tirèrent les ficelles. On y aurait pris un certain nombre de décisions telles que repérage de régiments, fiches tenues à jour sur les officiers, relations avec les hommes, création de centres de renseignement sous l'étiquette « Foyers du Soldat », foyers allemands recevant avec assiduité un, deux, ou trois hommes, servant même parfois de centres de réunions, impression de tracts et de brochures, recto français, verso allemand, répartition et distribution de ces imprimés par les soins du personnel du « travail illégal », assisté de jeunes communistes allemands.

Laporte ajoute que le « comité occulte » incita les soldats à la désertion individuelle, initiative contre laquelle il aurait vigoureusement réagi, d'abord au Comité national des Jeunesses, le 6 mars 1923, puis par un article de *L'Avant-Garde* du 15 mars intitulé de façon explicite : « Ne désertez pas [1]! »

Le témoignage de Laporte, nous l'avons déjà montré, est sujet à caution. Aussi bien, dans ce qui précède, faut-il tenter de trier le vrai et le faux. La réunion du « comité occulte » dont parle Laporte est sans doute celle au cours de laquelle intervint, au nom des Français, le camarade *Marius*. Le compte rendu du *Bulletin* n'en livre en effet que la partie qui puisse être révélée. Les actions qui y furent décidées furent en partie légales, en partie illégales. Entre dans la première catégorie tout ce qui relève de la propagande, en particulier une brochure de Vouiovitch, aujourd'hui introuvable, des tracts rédigés souvent en trois langues (français, allemand, et arabe, car une partie des troupes d'occupation est originaire d'Afrique du Nord), des affiches, etc.

Les liaisons, les « planques », les boîtes aux lettres, le repérage des officiers, les renseignements sur les mouvements des troupes, l'agitation parmi les comités, appartiennent au domaine de l'activité secrète. Aucun doute sur la réalité de ces activités, comme nous allons le voir.

Voilà ce qu'il y a sans doute d'exact dans le témoignage de Laporte. Il est en revanche tout à fait douteux que l'auteur ait eu à protester contre le mot d'ordre de désertion. Ce mot d'ordre qu'il attribue au « comité occulte », issu de l'Internationale communiste des Jeunes, est invraisemblable. Il contredit toute la théorie et la pratique « anti » des bolcheviks. Enfin, il est inexplicable que la révolte de Laporte n'ait pas été sanctionnée. Or, il ne quittera le parti qu'en 1926.

Il est plus logique de croire qu'il fut évincé à ce moment du travail « anti », en raison de ses écarts par rapport à la « juste » ligne.

De cette « ligne », les principaux responsables chez les Jeunesses communistes sont alors, outre Doriot, qui signe ses articles de *L'Avant-Garde* Jacques Guilleau, *Marius* (déjà cité) et Pierre Provost, représentant des Jeunesses communistes au Comité directeur du parti. Ce dernier joue dans toutes les

---

1. Laporte, *op. cit.*, cf. pp. 125 et 134.

opérations de l'appareil illégal un rôle capital. Il est sans doute, dès cette époque, l'homme de confiance des services soviétiques. Lui aussi, nous allons le voir réapparaître, à différentes phases de cette histoire secrète.

L'action « anti » se heurte vite à des obstacles sérieux. La répression, dirigée en territoire occupé par le général Degoutte, tant contre les Allemands que contre les Français, est sévère. Elle va jusqu'à la prise d'otages [1].

C'est dans cette période troublée que le nom d'Hitler commence à émerger pour la première fois dans la presse française. De lui, on apprend seulement qu'il est d'origine hongroise et qu'il ne sait ni lire ni écrire [2]!

Contre les antimilitaristes français, la réaction est aussi dure. Témoin le procès de Mayence où l'on condamnera à des peines allant jusqu'à dix ans de prison des agitateurs communistes. Pour la plupart, ceux-ci, une fois leur peine écoulée, ne réintégreront pas les rangs du parti. Ils vont rejoindre l'immense cohorte des hommes qui ont cru, mais qui ont perdu toute confiance...

Sur les coulisses de l'occupation, ni du côté français, ni du côté allemand, les témoignages ne sont très nombreux. Chez les Allemands, on sait à présent qu'un des agitateurs fut le jeune Sorge [3] qui sera plus tard au Japon un des plus célèbres espions de Staline. Mais on ne connaît pas le détail de ses entreprises. Ce n'était encore qu'un jeune militant, comme tant d'autres, sans doute plein de zèle. Mais il travaille déjà au Comité militaire du P.C. allemand, en même temps que Ludwig (Ignace Reiss.)

A l'échelon supérieur, Willy Münzenberg seconde Vouiovitch.

Du côté français, les révélations les plus intéressantes figurent dans les souvenirs, encore inédits, d'Henri Barbé. Avec lui, nous suivons l'itinéraire d'un jeune bolchevik doublement mobilisé : par l'armée française pour participer à l'occupation; par l'appareil « anti » pour saper ce travail.

Dès le début de l'occupation, le jeune Barbé qui est alors métallo à Villeurbane, est rappelé au 150e d'Infanterie en Moselle. Il observe les consignes du parti : il commence à se faire inscrire au peloton de formation des caporaux.

Apparemment, c'est un soldat modèle. Bientôt, le montage et le démontage de la mitrailleuse n'ont plus de secrets pour lui.

Le caporal Barbé fraternise

Ce souci de la discipline ne trompe pas ses supérieurs. En raison de ses activités politiques dans le civil, Barbé est déjà noté et fiché. Il n'en est pas moins nommé sergent et affecté à l'armurerie.

Au cours d'une permission, il rencontre Doriot qu'il a connu aux Jeunesses socialistes de Saint-Denis. Doriot revient de Moscou. *Il sait.*

1. *La Liberté*, 13 juin 1923.
2. *La Liberté*, 30 janvier 1923.
3. Cf. Elisabeth K. Poretski (Mme Ignace Reiss), *Les Nôtres*, p. 121. Ignace Reiss sera plus tard exécuté en Suisse par une équipe du N.K.V.D.

« De graves événements vont se dérouler dans la Ruhr, dit-il à son cama-rade. La population va passer à l'action. Nous devons la soutenir. Il faut organiser la fraternisation sur ces mots d'ordre : Les Allemands sont chez eux. Les soldats français doivent évacuer leur territoire. Nous comptons sur toi. »

Peu après cette rencontre, le sergent Barbé est affecté comme chef de section à Andernach pour contrôler la ligne de chemin de fer. On lui confie ensuite la garde d'un passage à niveau près de la rivière Lippe, poste-frontière limitrophe de la zone libre en Allemagne. La consigne donnée à Barbé est simple dans son principe : il doit surveiller les trains et empêcher les civils allemands de pénétrer en zone libre, exception faite pour ceux qui sont munis d'un laissez-passer. Au cas où un train ne stop-perait pas, des sabots de déraillement doivent aussitôt être placés sur la voie. Enfin, on remet au sergent Barbé un jeu de photos : celles de personnes recherchées. Parmi celles-ci, les Allemands Maslov et Clara Zetkin et.. le Français Jacques Doriot. A arrêter sur-le-champ !

Le sergent Barbé contemple la photo de son camarade avec un certain sourire. Si jamais le Grand Jacques se présente au milieu des voyageurs, il a peu de chances d'être reconnu.

Et un jour, en effet, Doriot arrive. Il s'enferme dans le poste avec son ami. Les deux jeunes gens confèrent tranquillement pendant plusieurs heures. L'appareil « anti » est au travail.

Après cet entretien, le contact est pris entre Barbé et un responsable de l'appareil clandestin du P.C. allemand. A la suite de quoi, un va-et-vient de communistes allemands est assuré de façon permanente entre les deux zones.

« Quelques mois plus tard, note Barbé avec ironie, mon passage à niveau est devenu une véritable gare. »

Un jour, on annonce qu'une manifestation de la population est prévue devant le poste. La consigne donnée par les supérieurs de Barbé est stricte : avec ses hommes il devra s'opposer à tout cortège, au besoin par les armes. Ce n'est pas nouveau. A plusieurs reprises, la troupe, en particulier les Marocains et les Sénégalais, a ouvert le feu sur la foule.

Cruel embarras pour le sergent Barbé. Il décide de réunir sa section, composée de Parisiens, de Bretons et de « Chtimis », et tente de la rallier au mot d'ordre de fraternisation. Cela ne va pas tout seul. La section se trouve nettement partagée en deux. La plupart des Bretons et des Parisiens penchent du côté de Barbé. Mais les « Chtimis » sont farouchement contre. Il se souviennent de l'occupation de leurs départements. Il n'est pas ques-tion de fraterniser avec des hommes qui pour eux restent des « Boches ».

La manifestation est prévue pour un dimanche. L'aube se lève. Barbé place aux mitrailleuses et aux F.M. des hommes sûrs. Il fait transporter les caisses de grenades dans sa chambre. Ceci pour éviter l'effusion de sang. Mais il a eu soin aussi — et c'est sa décision la plus efficace — de faire alerter ses amis allemands. Au dernier moment, ceux-ci décommandent la manifestation. La bataille de la rivière Lippe n'aura pas lieu.

Et tout s'achève en beuverie.

On voit bien la leçon à tirer de cet épisode. La fraternisation ouverte est difficile. En revanche, les collusions secrètes entre le communiste français Barbé et les militants d'outre-Rhin se sont affirmées.

A la longue, Barbé n'échappe pas à la surveillance militaire. Il est pincé alors qu'il laisse passer des Allemands en zone libre. Il s'en tirera. A plusieurs reprises, en effet, des officiers français ont, pour diverses raisons, permis à des civils de franchir la frontière de la zone, en dépit des interdictions. Ils ont adressé leurs protégés au chef de poste, avec un mot de recommandation. Esprit avisé, en dépit de son jeune âge, Barbé a conservé soigneusement toutes ces pièces, fort compromettantes pour leurs auteurs. Il fait comprendre aux autorités militaires que si on lui cherche noise il n'hésitera pas à s'en servir. L'affaire n'a pas de suite [1].

Sur quelle échelle des activités identiques ont-elles pu se développer ? Évidemment, il n'existe pas de statistiques. D'après Barbé, en mai 1923, près de 200 cellules fonctionnaient en territoire occupé. En liaison avec les points d'appui du P.C. allemand ces cellules diffusèrent par centaines de milliers tracts, affiches, papillons, journaux. Plusieurs cas de fraternisation déclarée furent enregistrés, notamment à Bochum, Essen, Herne, etc.

La Ruhr est le banc d'essai de l'action « anti » pour les Jeunesses communistes. Elle constitue une phase essentielle de leur formation. Les militants apprennent à la fois une certaine technique d'agitation et de noyautage, et affirment par leurs actes leur rupture avec les valeurs nationales. Pour la première fois, ils mettent en pratique ce principe de l'Internationale : *l'ennemi des travailleurs est dans leur propre pays.*

Sur un autre plan, cette action est encore importante. A Moscou, on a pu mettre en parallèle les hésitations des adultes et le dynamisme révolutionnaire des jeunes.

C'est cette leçon que dégage, un peu plus tard, Zinoviev dans son rapport à l'exécutif de l'Internationale :

« L'Internationale des Jeunes — déclare-t-il — est notre fierté et notre espoir. Dans son sein mûrissent les véritables générations communistes et les véritables chefs communistes... Dans la Ruhr, notre jeunesse a été *au-dessus de tout éloge* [souligné par nous]. L'Internationale des Jeunes est la main droite de l'Internationale Communiste [2]. »

La bataille de la Ruhr n'en est pas moins perdue pour l'Internationale. L'Europe occidentale n'est pas mûre pour la révolution.

La guerre du Rif

A peine cette lutte a-t-elle pris fin, qu'un autre front est ouvert. Abd el-Krim, le chef des rebelles rifains au Maroc, après avoir infligé de durs revers

1. Sur l'agitation dans la Ruhr cf. *Souvenirs* de Barbé, pp. 16-25.
2. *Ve Congrès de l'Internationale communiste. Rapport sur les travaux du Comité exécutif de l'Internationale communiste* par G. Zinoviev (19 juin 1924). Édition du Bureau de presse de l'Internationale communiste, Moscou, 1924.

aux troupes espagnoles, menace la présence française. Pour le P.C. français voilà l'occasion d'unir dans un même combat, conformément aux principes de l'Internationale communiste, la lutte anti-colonialiste et la lutte anti-militariste.

Jacques Doriot va en être le champion.

Dans l'histoire officielle du parti, pour tout ce qui concerne cette période, le nom du « renégat » est soigneusement gommé. C'est celui de Thorez qui est mis en avant. Il fut certes secrétaire du Comité d'action contre la guerre du Maroc, en France, poste qui n'était pas négligeable. Mais, arrivé depuis peu à Paris où il fut, croyons-nous, appelé sur l'initiative de Doriot, il était trop jeune et trop neuf pour tenir dans l'appareil une place de premier plan.

Plus récemment, l'auteur trotskisant d'un ouvrage sur la politique coloniale du P.C. français [1] a cru découvrir le véritable « héros anti-impérialiste » de cette période. Il reproduit un long article d'André Marty dans *Les Cahiers du bolchevisme* (1er juillet 1925) intitulé « Le Parti français dans la guerre ». Marty y procède à une critique sévère des lacunes antimilitaristes du parti.

Cette prise de position du « mutin de la mer Noire » ne signifie pas qu'il ait joué dans l'affaire du Rif un rôle très actif. Il y avait trop peu de temps qu'il était sorti de prison. N'oublions pas, d'autre part, qu'il avait appartenu à la maçonnerie. Moscou devait se méfier de ce passé.

Naturellement, dans le livre de Moneta, Doriot est à peine cité. Du même coup, la version trotskiste se révèle aussi fausse que la version communiste orthodoxe.

Doriot lui-même a contribué à brouiller les cartes. Après sa rupture avec les communistes, il en viendra vite à minimiser sa propre action en faveur d'Abd el-Krim. Devenu un chef nationaliste, il veut, à tout prix, faire oublier son passé défaitiste, que ses concurrents de droite (La Rocque, la Cagoule, etc.), ne se privent pas de lui rappeler.

Et pourtant lui seul a été le « héros » authentique de la lutte contre la guerre du Rif. Cette phase correspond à une ascension foudroyante de sa popularité.

Aux yeux des dirigeants de l'Internationale communiste, son engagement dans la bataille de la Ruhr a confirmé sa valeur. Et il est devenu en même temps l'idole de la jeunesse communiste, où il éclipse sans peine Laporte.

Cachin : « Doriot à la Chambre ? Vous n'y pensez pas ! »

Les vieux se méfient de lui : ils voudraient bien écarter ou du moins ralentir cette jeune ambition. Une circonstance déjoue leurs manœuvres. Arrêté le 25 décembre 1923, Doriot a été envoyé à la Santé sous divers chefs d'inculpation.

1. Jacob Moneta, *Le P.C. français et la question coloniale (1920-1965)*, pp. 54-71.

Excellente situation pour donner du relief à une candidature électorale. Tel est l'argument qu'utilisent aussitôt les militants de Saint-Denis, Barbé, Pierre Dutilleul, Roland Simon, et les principaux responsables des Jeunesses communistes, Chasseigne (futur ministre de Vichy), Ferrat, François Billoux.

Cachin renâcle devant cette candidature juvénile. « Doriot à la Chambre! Vous n'y pensez pas! » jette-t-il à Jules Teulade, militant C.G.T.U. du Bâtiment et président de la Commission chargée de choisir le candidat du 4e secteur, qui vient de lancer ce nom. « A son âge, on n'est pas assez mûr pour une pareille responsabilité. »

« Pour nous, raconte Teulade, il était en prison. Cette raison me suffisait à moi et aux militants des Jeunesses. Cachin lutta longtemps contre nous. Toute sa science de la dialectique s'émoussa contre notre volonté [1]. »

Doriot finit par être candidat en seconde position, derrière Vaillant-Couturier, sur une liste du 4e secteur de la Seine (celui de Saint-Denis). Le 11 mai 1924, 105 000 électeurs choisissent Doriot pour les représenter à la Chambre.

Quelques mois lui suffisent pour devenir l'orateur de choc des communistes, et la bête noire des hommes de droite. *La Liberté* de Camille Aymard, *L'Action française*, *Le Matin*, *L'Écho de Paris* de Kérillis, le prennent chaque jour à partie. Sennep croque férocement ce grand diable de bolchevik à rude tignasse et lunettes de fer.

Il ne fait rien pour se faire oublier. Celui que la presse communiste surnomme alors le « Karl Liebknecht français », en souvenir des campagnes antimilitaristes menées par le compagnon de Rosa Luxemburg, ne manque pas une occasion de faire scandale. Cachin ou Frossard étaient des orateurs d'ancien style, éloquents, brillants, habiles et courtois. De purs produits parlementaires. Le tribun Doriot procède d'une autre école : il alterne les discours-fleuves, fortement charpentés, qui durent deux heures, avec les interpellations violentes qui font lever chaque fois des clameurs sur les bancs adverses.

Télégramme aux Rifains

Avec lui, la tribune de la Chambre devient une rampe de lancement pour mots d'ordre-projectiles.

Le conflit entre Abd el-Krim et la France en est encore au stade embryonnaire quand, le 11 septembre 1924, Doriot signe conjointement avec Pierre Sémard un télégramme provocant. En voici le texte :

« Groupe parlementaire, Comité directeur du Parti communiste et Comité national des Jeunesses communistes saluent la brillante victoire du peuple marocain sur les impérialistes espagnols. Félicitent son vaillant chef Abd el-Krim. Espère qu'après la victoire définitive sur l'impérialisme

1. Cf. Jules Teulade, *Mémoires inédits*, p. 60.

espagnol, il continuera en liaison avec les prolétariats français et européen, la lutte contre tous les impérialistes, français y compris, jusqu'à la libération complète du sol marocain. Vive l'indépendance du Maroc! Vive la lutte internationale des peuples coloniaux et du prolétariat mondial! »

Ce texte est une exacte application de la condition n° 8 des statuts de l'Internationale communiste. Telle est la « ligne » que le P.C. français, tantôt avec rigueur, tantôt avec des accommodements, adoptera après la seconde guerre mondiale. Dans sa virulence, ce fameux télégramme rend déjà un son très gauchiste [1].

C'est cette prise de position que Doriot réaffirme à la Chambre : « Je déclare, s'écria-t-il, au nom du parti communiste tout entier, que les peuples ont le droit de conquérir leur indépendance, et qu'ils ont le droit de conquérir leur indépendance, les armes à la main [2]. »

Dans L'Humanité, il publie un grand article intitulé : « Le Maroc aux Marocains! »

Un an plus tard, alors que les hostilités sont engagées entre troupes françaises et rebelles, il lance un nouveau défi. Si les troupes françaises n'évacuent pas le Maroc, les soldats « tendront une main fraternelle à ceux que l'on considère comme des ennemis ». L'Assemblée est secouée par l'indignation. Les huées montent de partout. Le président Herriot s'écrie que « les paroles de M. Doriot ne peuvent que provoquer l'horreur ».

L'horreur et la peur. Ce sont bien les sentiments qu'inspire le jeune agitateur à la presse patriote de l'époque.

En cette année 1925, cinq ans après Tours, Doriot incarne vraiment le personnage du chef bolchevik conforme aux canons de l'Internationale communiste. Il a fait déjà plusieurs stages à Moscou, où il a acquis la formation nécessaire. Les délégués de l'Internationale, en particulier Guralski, « œil » de Zinoviev, lui accordent leur confiance. Dans la Ruhr, il a démontré qu'il possédait l'étoffe nécessaire pour mener une grande bataille illégale.

En dépit de son jeune âge, il dispose d'un prestige considérable auprès des masses. Enfin, au Parlement bourgeois, il accomplit brillamment son devoir de député « Agit-Prop ».

Il n'est plus possible que les anciens lui refusent une place au Bureau politique. Il y entre, à la fois comme représentant du groupe parlementaire et des Jeunesses communistes.

Le devoir d'un député communiste est de savoir combiner le travail légal et le travail illégal. Doriot s'y conforme, une première fois, en utilisant la documentation confidentielle que le parti lui fait parvenir sur un certain Vatin-Pérignon.

1. Les amis de Doriot affirmeront par la suite que le texte du télégramme fut apporté tout préparé aux Français par un des envoyés de l'Internationale communiste, Guralski. Dieter Wolf, dans sa biographie de Doriot, critique cette explication. De toute façon, même rédigé par un autre, ce télégramme s'adaptait parfaitement à la sensibilité du Doriot 1924. La suite de son comportement pendant la guerre du Rif le prouve.
2. Discours à la Chambre, 24 août 1924.

Vatin-Pérignon, chef du cabinet civil de Lyautey, a adressé le 25 mai 1925, à Pierre Lyautey, neveu du résident général, une lettre dont la divulgation ne peut être que fâcheuse. Vatin-Pérignon écrit en effet que la guerre avec Abd el-Krim est inévitable et que ni Poincaré, ni Herriot ne s'y opposent. De là à croire qu'au besoin on provoquera un conflit avec les Rifains, il n'y a qu'un pas, que Doriot franchit allègrement. Le 9 juin 1925, dans le tumulte, il lit à la tribune le texte explosif de cette lettre.

La section coloniale du P.C. a organisé cette « fuite ». Comment s'est-elle procuré ce télégramme confidentiel ? C'est la question que pose naturellement le juge d'instruction à Doriot, et à laquelle celui-ci refuse, non moins naturellement, de répondre. A notre connaissance, ni lui ni son entourage n'ont été plus bavards par la suite. Cette phase de la guerre du Rif est devenue entre-temps, nous l'avons dit, la période honteuse du chef « fasciste ».

La guerre du Rif s'engage, et Abd el-Krim, par sa mobilité, pose un difficile problème aux troupes françaises, si bien qu'il faudra faire appel au maréchal Pétain. La lutte « anti » du parti se développe parallèlement, non sans difficultés.

Elle ne saurait se limiter à des interventions à la tribune ou à des campagnes de presse. En métropole, le comité d'action que Thorez dirige, au moins officiellement, tente de créer un front commun avec les socialistes, multiplie les meetings, organise des grèves, en particulier celle d'octobre. Le résultat est médiocre. La plupart des travailleurs se montrent rétifs aux mots d'ordre de grève politique. Ainsi, en octobre, la grève des transports ne touche guère plus de 4 000 personnes sur 33 000 employés.

« Je veux bien faire grève quand il s'agit de défendre mon bifteck, explique un machiniste, mais aujourd'hui ce n'est pas la même chose [1]. »

L'action auprès des troupes, les tentatives faites pour provoquer des fraternisations (qui sont ici des ralliements aux Rifains), notamment auprès des légionnaires, des Sénégalais ou des troupes indigènes, ne sont pas sans effet. Ces cas demeurent toutefois très limités.

Mission secrète en Algérie

Restent les tentatives de contacts avec les rebelles. Doriot a-t-il rencontré Abd el-Krim ou, du moins, des émissaires du chef rifain ? La question reste aujourd'hui encore controversée.

Doriot le niera toujours. Un de ses lieutenants au P.P.F., Maurice Ivan Sicard, s'emploiera avec beaucoup de zèle à blanchir son chef de ces accusations.

Deux anciens membres de l'appareil international du Komintern (Johan et Julian Gumperz) qui, sous le pseudonyme d'*Ypsilon*, ont fait paraître un livre intitulé *Pattern of a World Revolution* (traduit en français sous le

1. *La Liberté*, 12 octobre 1925.

titre de *Stalintern* [1] affirment le contraire. Dans un de leurs chapitres, ils montrent Doriot, embarquant sur un bateau de pêche à destination du Maroc, avec une importante somme d'argent qu'il fera parvenir à Abd el-Krim.

Dans le livre qu'il a consacré à Doriot, l'Allemand Dieter Wolf s'applique à réfuter cette thèse [2]. Il souligne, entre autres, qu'à la date indiquée par les auteurs de *Stalintern* pour le voyage de Doriot, celui-ci se trouvait en réalité à Moscou.

Le seul voyage, affirme Wolf, effectué par Doriot en Afrique du Nord pendant la guerre du Rif, a eu lieu en effet non pas au Maroc, mais en Algérie. Doriot et Barbé représentaient le parti communiste au sein d'une délégation « unitaire » de cinq personnes. La délégation s'est embarquée à Marseille fin août (1925).

Selon Wolf, Barbé lui aurait fait de cette mission le récit suivant :

« Notre activité [...] ne fut pas considérable. Elle se borna surtout à mystifier la police en quelques occasions. Doriot partit à Alger et revint seul en France... S'il avait essayé de passer au Maroc — ce n'était pas son intention — pour y parler de " paix immédiate ", il n'est pas douteux qu'il eût été immédiatement passé par les armes. »

Wolf ne semble pas avoir eu connaissance des Souvenirs (toujours inédits) de Barbé. Ceux-ci donnent une relation détaillée du voyage en Algérie et mettent fin, à mon sens, à la controverse.

L'aventure débute par un stratagème. A Marseille, au cours d'une manifestation, Doriot et Marty se sont heurtés durement à la police. Le lendemain, la photo du Grand Jacques est en première page de *L'Humanité*. Elle montre un visage tuméfié. Doriot, apprend-on, a été tellement meurtri qu'il a dû être hospitalisé.

Lorsque ce numéro paraît, Doriot et ses compagnons voguent vers l'Algérie, non à bord d'un bateau de pêche, mais sur le paquebot *Lamoricière*. L'histoire du « passage à tabac » a été inventée de toutes pièces, afin d'amener la police à relâcher une surveillance très étroite. Les hématomes sur le visage du tribun communiste doivent tout à l'usage des fards.

La ruse ne tarde pas à être découverte. Les cinq ont à peine débarqué en Algérie qu'ils sont reconnus, signalés, et soumis à la surveillance la plus étroite. Chaque délégué se voit pris en chasse par cinq « fileurs ».

« Tous les matins, raconte Barbé, quand nous quittions notre hôtel, nous avions 25 policiers à nos trousses sur le boulevard... [3] »

Le but principal de cette mission est bien, affirme Barbé, de prendre contact avec Abd el-Krim. Pas un membre de la direction n'a voulu courir ce risque. Puisque les jeunes sont à la pointe de la lutte anticolonialiste, cet honneur leur échoit. Plusieurs dirigeants du parti espèrent sans doute dans le secret de leur cœur que l'ambitieux de Saint-Denis s'y cassera les reins.

1. Les auteurs ont bénéficié également de certaines confidences d'Humbert-Droz.
2. Dieter Wolf, *Doriot, du Communisme à la Collaboration*, pp. 49-50.
3. *Op. cit.*, p. 61.

Le projet de Doriot et de Barbé est de gagner le Maroc par la route d'Oujda. Ils comptent y parvenir, avec l'aide des membres clandestins de l'*appareil* en Algérie. Mais les policiers ne les quittent pas.

Les délégués tiennent dans leur hôtel, à Oran, un véritable conseil de guerre et se partagent le travail. Le délégué socialiste et le délégué syndical, qui sont en réalité deux « compagnons de route » ainsi que Lucienne Marrane, qui est « l'œil » du parti, doivent multiplier les sorties afin de capter la surveillance policière. Barbé, de son côté, prendra contact avec les délégués clandestins de l'appareil colonial en Algérie, Paul Valière, Pierre Celor, Joubert, l'étudiant en médecine Larribère et le commerçant Lemont. Tâche délicate : en principe ces hommes ne sont pas connus de la police. Il faut donc éviter à tout prix qu'ils soient repérés.

Pendant ce temps, Doriot tentera, par la route d'Oujda, de gagner le Maroc.

Il y a à Oran un quartier indigène qu'on appelle « le village nègre ». Barbé et Doriot s'y rendent. Les policiers n'osent pas s'y aventurer. C'est là, en toute sécurité, qu'ils s'entretiennent avec les délégués clandestins du parti.

Au retour les choses se gâtent. Les hommes du commissaire Colombini, furieux d'avoir perdu la trace de leur gibier, ameutent la population pied-noir. Dès que Doriot et Barbé quittent le « village nègre » pour regagner le quartier européen, la foule commence à les lapider. Les communistes ripostent à coups de cailloux, puis ont juste le temps de se réfugier dans une boutique où ils se barricadent. Dès lors, c'est l'émeute. La foule grossit sans cesse et dans les clameurs s'apprête à donner l'assaut, quand les gendarmes et une escouade de cavalerie apparaissent et dégagent juste à temps les délégués en mauvaise posture [1].

Doriot est furieux. Il accuse Colombini d'avoir monté cette « provocation ». Provocation ou pas, ce début d'émeute montre les sentiments de la population pied-noir pour ceux qui entendent fraterniser.

Où Doriot rencontre l'émissaire d'Abd el-Krim

Mais bien qu'il ait couru le risque d'être lynché, Doriot ne renonce pas. Après diverses sorties, la délégation fait courir le bruit que le député de Saint-Denis va tenir une réunion importante. Pendant qu'on l'attend, il quitte l'hôtel, habillé en Arabe, et gagne d'abord Alger. De là, des guides l'emmènent à Oujda.

C'est là, en territoire marocain, qu'il rencontre secrètement un colon français, Bourmancé-Say. C'est l'émissaire d'Abd el-Krim.

Pendant ce temps, Barbé, après avoir faussé compagnie à ses suiveurs dans l'immeuble à double issue où opère un dentiste (il sera plus tard un

---

1. On trouve une relation de cet incident dans *La Liberté* (5 septembre 1925), sans qu'il soit fait, bien entendu, allusion au rôle que la police, selon Barbé, aurait joué.

grand pratiquant des maisons à double issue), rejoint Pierre Celor, déguisé lui aussi en Arabe, sur la colline de Santa-Cruz, voisine d'Oran [1].

Ainsi Doriot s'est bien rendu au Maroc et s'il n'a pas pris directement contact avec Abd el-Krim, il a pu joindre un intermédiaire. Lui a-t-il également transmis des fonds, comme le soutenaient les auteurs de *Stalintern*, dont la version est un écho déformé de la réalité? Sur ce point, Barbé est muet. Son témoignage révèle en tout cas que la fraternisation avec les Rifains fut indirecte, terriblement difficile et épisodique. En ce temps-là, la surveillance de l'appareil policier et militaire fonctionne à plein. Les complicités dont peuvent bénéficier les communistes sont sans commune mesure avec celles qu'ils obtiendront au moment des conflits d'Indochine et d'Algérie.

Mais que penser de la contradiction entre le témoignage écrit de Barbé et les déclarations qu'il aurait faites à Wolf et qui, elles, niaient tout contact avec les rebelles? Elle s'explique fort bien, à mon sens, par la psychologie de Barbé. Ancien secrétaire général du Parti populaire français, il avait, bien qu'il eût rompu avec Doriot en 1940, conservé, comme la plupart des militants P.P.F., un attachement sentimental à la personne du « Grand Jacques ». Ses Souvenirs, rédigés peu après 1950 n'étaient pas destinés à être publiés sur-le-champ. Il pensait sans doute que le jour où ils paraîtraient les passions seraient apaisées. Mais, fort méfiant de nature, il fut sans doute peu enclin à aller jusqu'au bout de ses confidences avec un jeune historien allemand, inconnu de lui.

Lorsque les délégués reviennent d'Algérie, ils ne sont pas accueillis comme des héros par les membres du Bureau politique. Au meeting organisé au Tivoli Vauxhall, dans le 17e, pour rendre compte de ce voyage, huit mille personnes sont accourues. Mais le seul représentant du parti est Renaud Jean. Les autres font grise mine. Le retour de ce Doriot préfigure, semble-t-il, leur propre mort.

A la tête du parti, il y a alors le capitaine Treint, l'homme à qui l'on attribue la célèbre formule : « Il faut plumer la volaille socialiste. » Il est flanqué de Suzanne Girault, de son vrai nom Depollier. Fille d'un Français qui aurait connu Lénine pendant la guerre en Suisse, elle s'est rendue en Russie dans les premiers temps de la révolution. Elle a participé aux activités et aux intrigues du noyau français rallié aux bolcheviks. Cette personne hommasse que Dunois définira comme une « Catherine II de bas étage » y gagne la confiance des tchékistes. A son retour en France, c'est elle qui assume au Bureau politique les liaisons avec les services soviétiques. Elle n'aime pas Doriot. Quand elle apprend son retour, elle murmure entre ses dents : « Si seulement il avait pu disparaître au Maroc [2]... »

Si ces propos viennent aux oreilles de Doriot il n'en a cure. Sa popularité est à son zénith. Les « noyaux » des Jeunesses communistes dont il est l'étoile forment la phalange sacrée du bolchevisme en France. L'impor-

1. Cf. Barbé, *op. cit.*, pp. 62-64.
2. Cf. Barbé, *op. cit.*, p. 64.

tance de ces jeunes gens, ambitieux, insolents et hardis ne cesse de grandir. Leur état-major comprend à cette époque Henri Lozeray (finances et cadres), véritable éminence grise qui conseille souvent Doriot; l'étudiant Morel, dit Ferrat, issu de la bourgeoisie lyonnaise (propagande), Gaillard (organisation), François Billoux (propagande en province), Barbé venu du fief de Saint-Denis (action économique et sociale). A ces noms il faudra ajouter bientôt ceux du blond Chasseigne, dit « Fritz », et de Raymond Guyot.

Tous ces garçons font bloc autour du « Grand Jacques », dont la base rouge est Saint-Denis. Tous ceux qui se sont succédé à la tête du parti, Frossard, Rosmer, Souvarine, Loriot, Dunois, Ker, sont partis ou sont en disgrâce. Cachin surnage. Le nouveau tandem Treint-Girault est très discuté.

La transformation de la section en cellule afin d'assurer la bolchevisation à tous les échelons du parti doit logiquement bouleverser la direction qui, aux yeux des Soviétiques, a échoué dans sa tâche. Tout indique que Doriot est appelé à prendre en France la tête d'un communisme rénové. Pour lui, l'heure H approche.

Le destin et Moscou vont en décider autrement.

5.

Guerre aux G.D.V.

L A BATAILLE DE LA RUHR, PUIS LA GUERRE DU RIF PERMETTENT AU
parti communiste de roder son *appareil* « anti ». De mettre au point les
techniques et les hommes qui seront utilisés pour cette activité de
pointe.

Nous avons vu que Doriot a joué un rôle important dans ces opérations.
Mais il occupe sur la scène politique une place trop grande, il est trop un
point de mire, pour se permettre d'être le véritable technicien de cet
appareil. Ce rôle revient d'abord à *Marius*.

Marius est le pseudonyme adopté par un dirigeant des J.C. pour les
tâches clandestines. Ce prénom méridional donnera à croire à certains
journalistes, notamment à ceux de *La Liberté*, — qui le désignent toujours
comme « le sombre *Marius* » ou « le mystérieux *Marius* » — qu'il est natif
de Marseille. Les services de police, de leur côté, soupçonneront un moment
un ancien marin, un certain Jany, qui est né en effet dans la grande cité
phocéenne.

Marius, en réalité, est Girondin. C'est aujourd'hui un retraité grisonnant,
qui limite ses activités, après bien des avatars, à des tâches syndicales.
Il est de ceux que la politique a profondément meurtris, et ne tient pas à
ce que sa véritable identité soit dévoilée.

Je le rencontre un jour d'hiver, en 1971, dans un café du 19e.

« C'est Vouiovitch qui m'a remarqué à Berlin, où j'étais venu avec une
délégation des J.C., raconte *Marius*. Mais j'avais été remarqué aussi par
la police et le 2e Bureau. A mon retour, je fais mon service militaire. J'ai
dû changer six fois de régiment, précaution des autorités militaires, ce qui
m'a en effet empêché de créer des noyaux solides, dans des secteurs où je
ne faisais que passer. »

Nous sommes en 1923. La bataille de la Ruhr se déroule. Le patron de *l'appareil* « anti » est alors Marcel Rouffiange. Mais celui-ci est arrêté et passe en jugement pour son action antimilitariste. Il est lourdement condamné. Quand *Marius* a terminé son service, c'est lui qui est choisi pour le remplacer.

A cette époque l'appareil illégal fonctionne, de haut en bas de l'échelle, sur la base de la *troïka*. Celle-ci comprend, en général, un secrétaire politique, un responsable militaire, et un représentant des Jeunesses.

C'est cet orchestre que *Marius* va diriger de 1924 à 1926. Il dispose d'un bureau à *L'Humanité* où il est censé avoir d'autres activités. Il est secondé dans sa tâche par François Chasseigne, dit « Fritz », par Léo Marchand qui s'occupe des marins et des ports militaires, par Jean Cassiot qui rédige la page des soldats dans *L'Huma*, par Georges Berme et Rossignol qui contrôlent les distributions de journaux et de tracts dans les casernes, et par Raoul Courtois.

Déjà rédacteur à *L'Avant-Garde*, celui-ci supervise aussi *La Caserne* et *Le Conscrit*, feuilles qui avec *Jean le Gouin* (mensuel pour les marins) diffusent une propagande antimilitariste très virulente.

La Caserne est l'outil principal. Elle est déjà imprimée chez Dangon. Les numéros sont pliés et expédiés discrètement à leurs destinataires dans deux dépôts secrets du 20e et du 12e arrondissement. Mais pour les conscrits qui se trouvent dans la Ruhr, le dépôt se situe à Mannheim. Là, c'est l'appareil allemand qui prend ces numéros en charge et qui s'occupe de leur diffusion auprès des troupes d'occupation.

Pour assurer les liaisons, on utilise un mot de passe tiré de romans populaires du type *Pardaillan* ou *Fantômas*.

Par-dessus les murs

Pour *Marius*, dès qu'il entre en fonction à *L'Humanité*, il est plus particulièrement chargé de la diffusion dans les casernes de la région parisienne :

« J'étais bien embarrassé — explique-t-il — j'étais à l'époque un petit provincial qui ne connaissait pas la région parisienne. Je me suis fait apporter un plan, et j'y ai coché — au crayon rouge — l'emplacement des différentes casernes. Puis, sur ce même plan j'ai dressé l'itinéraire de mes équipes de jeunes distributeurs. Ceux-ci s'embarquaient, à deux ou à trois, dans des taxis pilotés par des chauffeurs communistes, avec des numéros de *La Caserne* empaquetés dans des colis, à dessein mal ficelés. Arrivés devant un casernement, le chauffeur stoppait son moteur, un des gars descendait, observait les lieux, attendant un moment favorable. Et puis on balançait en vitesse par-dessus les murs, les colis dont les journaux ou les tracts se dispersaient en tombant dans la cour... Et on repartait pour une nouvelle distribution. »

Technique, on le voit, rudimentaire. Beaucoup de ces numéros ont dû être saisis, avant d'atteindre le moindre troupier.

Doriot, qui possède une fausse carte d'identité au nom de Jacques Guilleau, Ferrat et Lozeray ont participé à ces équipées nocturnes.

Après Vouiovitch, c'est, du reste, le « Grand Jacques » qui a insisté auprès de *Marius* pour qu'il accepte ce travail : « Tu es fait pour cela! » *Marius* en effet n'a rien du méridional bavard. Trente ans après, il reste peu communicatif.

La tâche de *Marius* ne se limite évidemment pas au secteur parisien. Comme il succède à Rouffiange, il a aussi la délicate mission d'aller sur place en Allemagne, et d'y sauver les noyaux de l'appareil « anti » qui n'ont pas encore été démantelés. Sa base principale est Francfort, mais il se souvient aussi d'être allé à Aix-la-Chapelle et à Berlin.

En dépit de « pépins » nombreux l'appareil « anti » se perfectionne rapidement et s'étoffe. Au siège même de *L'Humanité*, fonctionne un petit cours de technique antimilitariste avec comme professeurs Marion, Chasseigne et *Marius*.

Dans ces années 1924-1925 la section antimilitariste compte, selon *Marius*, environ un millier de personnes, essentiellement des membres des J.C. Sur le papier, ce secteur est entièrement distinct de l'appareil d'espionnage, mais certains sujets passeront assez aisément du premier au second. Les contacts avec l'ambassade soviétique ont lieu le plus souvent par l'intermédiaire du très effacé Henri Lozeray ou de Georges Berme. *Marius* se souvient d'avoir lui-même assuré certains contacts avec un représentant de l'ambassade, à la longue figure, qu'on désigne pour ce motif sous le sobriquet de « gueule de cheval »!

Deux missionnaires de l'Internationale des Jeunes se sont sans doute occupés, épisodiquement, de l'activité antimilitariste en France. Le premier est un Autrichien, Richard Schuller, membre depuis 1921 du Comité exécutif de l'I.C.J. Jusqu'en 1928 il ne va pas cesser de faire la navette entre Moscou et les divers pays européens, en particulier la France, et il assistera avec Humbert-Droz au congrès du parti à Lille en juin 1926. Il remplit naturellement un certain nombre de tâches secrètes, en particulier dans le domaine financier et il sera « planqué » pendant environ un mois par Clamamus, maire de Bobigny [1].

A Schuller a sans doute succédé, à partir de 1923, un autre délégué de l'I.C.J., Harry, mais son rôle demeure mal connu.

Tel est l'état-major « anti » qui commande aux *troïkas* organisées par région, par rayons, puis par régiments. A ce dernier niveau les liaisons fonctionnent verticalement, c'est-à-dire que le responsable de la *troïka* régimentaire a un contact avec le responsable de la section, mais uniquement avec lui.

Le travail chez les marins constitue, lui, une branche distincte et il est,

---

[1]. Clamamus nous a confirmé, au cours d'un entretien, cet épisode, en précisant que l'Autrichien avait été logé par lui chez un militant de la commune, et non comme l'assure Laporte, in *Espions Rouges*, à la mairie même, ce qui eût été fort imprudent. (Sur Schuller, cf. sa biographie résumée par Branko Lazitch in *Est et Ouest*, 16-30 novembre 1968, p. 14).

à vrai dire, mal connu. Or, ce secteur a une grande importance. L'état d'esprit révolutionnaire, la mutinerie de la mer Noire l'a montré, est très développé. Les ports militaires sont à la fois des bases industrielles, des foyers d'agitation, et des centres de contacts internationaux. Enfin le milieu maritime est, par excellence, le milieu conducteur des idées révolutionnaires à l'échelle internationale.

Malheureusement, il n'existe en France aucun témoignage correspondant au très coloré *Sans Patrie ni Frontières* de Jean Valtin [1].

A Léo Marchand, ancien de la mer Noire, qui dirige aux côtés de *Marius* l'appareil maritime, viendront bientôt s'ajouter Jany et André Marty qui collabore à *Jean le Gouin*.

La technique antimilitariste est déjà plus perfectionnée quand, vers 1925, Fernand Hamard [2], jeune militant de la Quatrième Entente des J.C., effectue son service militaire.

Fernand est déjà un vieux militant. Il a fait ses premières armes à quinze ans, aux Jeunesses socialistes de la rue de Bretagne, vécu les heures fiévreuses de la grande grève des cheminots en 1920, découvert *L'État et la Révolution* de Lénine.

Il est, évidemment, de la première vague qui adhère aux J.C. Il participe aux expéditions antimilitaristes autour des casernes.

Une troïka à l'action

Sans qu'il s'en doute, il est fiché. Il avait demandé pour son service le Génie. On l'affecte à un régiment disciplinaire, le 3e de cavalerie, dirigé par un commandant de Vienne, monarchiste intégral. Naturellement on l'a à l'œil, et ses supérieurs guettent la moindre faute.

« Mon premier soin — se rappelle Fernand — a été de recruter deux camarades. Le premier était un nommé Dullin, de Saint-Denis. J'ai oublié le nom du second. La *troïka* était faite et nous avons commencé le boulot. Au bout de trois mois, nous assurions une distribution mensuelle de *La Caserne*, dans le régiment du 3e Dragons et dans cette feuille paraissaient des articles sur la vie de notre régiment, grâce aux informations que nous avions communiquées. Quand je suis parti, chaque escadron avait sa cellule. »

1. Jean Valtin, pseudonyme de l'Allemand Krebs, aujourd'hui décédé, un des principaux agitateurs de l'appareil illégal du P.C. allemand chez les marins. Passé aux États-Unis et ayant rompu avec le Komintern, Krebs a raconté dans *Sans Patrie ni Frontières* sa vie d'agitateur. « *Rewrité* » pour être rendu plus vivant, ce témoignage comporte malheureusement des inexactitudes, des exagérations, voire des épisodes inventés pour être plus commercial. En particulier le passage concernant la France donna l'occasion à Cance, maire communiste du Havre, de faire condamner l'auteur pour une scène « sexy » manifestement fabriquée : avant de mourir, Krebs aurait raconté, au cours d'une conversation, comment son manuscrit primitif fut remanié, contre sa volonté. L'enregistrement de cette conversation sur bande magnétique est, croyons-nous, en France.

2. Récemment décédé.

Fernand a assimilé les leçons du bolchevisme. Il sait que pour être efficace la *troïka* à l'intérieur des unités doit s'appuyer sur une organisation extérieure. Aussi s'est-il rapidement abouché avec les cheminots du parti qui reçoivent *La Caserne* au dépôt. C'est chez eux que Fernand et Dullin vont prendre les exemplaires. Ils les introduisent dans la caserne, dissimulés sous leur ample manteau de cavalerie.

Ils ont soin toutefois de n'opérer que les jours où la garde est assurée par un officier du contingent, car ils ont constaté qu'avec lui la surveillance était moins sévère.

Nos deux agitateurs se gardent bien de distribuer les journaux aussitôt. De même, aucun membre de la *troïka* ne commettra jamais la faute grossière qui consisterait à dissimuler les numéros dans son paquetage. Ce matériel est confié à un sympathisant cuisinier qui le « planque » dans des fourneaux désaffectés. Et la distribution ne commence qu'une semaine après la parution de *La Caserne*.

Évidemment, certains exemplaires tombent entre les mains des officiers, ce qui ne peut manquer de provoquer une enquête. Aussi, pour détourner les soupçons, Fernand s'est-il entendu avec les camarades cheminots. Régulièrement, ceux-ci viennent projeter quelques exemplaires par-dessus les murs. C'est l'opération « diversion ».

Les autorités militaires donnent dans le panneau. Elles pensent que la diffusion est organisée de l'extérieur. Fernand lui-même a beau être surveillé de près, ses paquetages régulièrement fouillés, on ne trouve jamais de preuves contre lui !

Mais quelle est l'efficacité de ce travail ?

« Incontestable, assure Fernand. De Vienne n'osera plus compter sur le régiment pour réprimer des manifestations à Paris. »

Quand Fernand achève son service, *Marius* n'est plus à la tête de l'appareil « anti ». Il a été remplacé par Chasseigne. Il était temps pour lui de se retirer. Il a frôlé l'arrestation.

Plusieurs incidents avec des militaires à Toulon, à Brest, à Toulouse ont en effet attiré l'attention de la police et provoqué une campagne de la presse nationale. Ceci en 1925.

La police relève la trace d'un certain Marius Le Marchand, à Brest, où de grandes quantités de tracts antimilitaristes ont été découverts. *Marius* possède un domicile dans ce port. On y organise une souricière. En vain, *Marius* ne reparaît pas.

La Liberté[1] s'empare de l'affaire et y voit le prélude à de graves mutineries qui devaient se produire quand l'escadre de la Méditerranée ferait escale à Brest, avant de gagner Cherbourg.

Il faut se souvenir qu'au même moment l'armée rifaine d'Abd el-Krim menace Taza. Il est logique de penser que *l'appareil* anticolonial en Afrique du Nord et *l'appareil* antimilitariste en métropole opèrent de concert.

---

1. N° du 18 juillet 1925.

Au P.C. du « sombre Marius »

On reparle du « sombre *Marius* » dans le quotidien de Camille Aymard à propos de mystérieuses réunions qui se déroulent rue de Belzunce.

Là, juste derrière Saint-Vincent de Paul, se trouve un estaminet. Près de la caisse au rez-de-chaussée, un escalier en colimaçon mène à une autre pièce, au plafond bas, « d'aspect sinistre », éclairée médiocrement par un « œil de bœuf », qui est peut-être celui de Moscou.

Selon *La Liberté*, c'est le P.C. de *Marius*, le Q.G. de l'action antimilitariste à Paris. Le siège du P.C.F. rue Lafayette est tout proche.

Deux ou trois fois par semaine, *Marius* se réunit dans la petite salle de l'estaminet, en compagnie de quelques camarades, dont Doriot, Ferrat, Lozeray. *La Liberté* y signale aussi la présence d'agents russes et d'émissaires rifains [1].

Cependant l'enquête de la police, la campagne de *La Liberté* constituent pour *Marius* des signaux d'alarme. Il est « grillé ». Il abandonne la direction de l'appareil « anti » où Chasseigne prend sa place. Celui-ci sera remplacé plus tard par Raymond Guyot.

Au cours de ces années, les méthodes d'approche des conscrits s'affinent. Aux campagnes passionnées qui, dans les premiers temps, invitaient les jeunes recues à la révolte succède une multitude de patients petits efforts.

Dans *La Caserne*, une page est réservée au courrier des soldats. C'est un moyen de liaison important. Cette page est le répertoire des doléances : nourriture, habillement, chauffage, brutalité des gradés, conditions de logement, permissions supprimées, tout y passe...

« Au 31e dragons à Lunéville, nourriture abjecte (il faut bien que les chefs " rabiotent "), discipline stupide, hygiène au-dessous de tout [2]. »

On apprend encore que tel café a été consigné à la troupe à Besançon. « Il était tenu par la mère de notre camarade Tréaud [3], secrétaire de la 8e Entente, arrêté pour avoir collé des papillons l'an dernier et condamné à dix mois de prison [4]. »

Le ton général de cette propagande est parfaitement exprimé par le texte de cette chanson qui paraît dans *L'Humanité* :

> *G.D.V. (air :* Monte là-dessus*)*
> *En français, cela veut dire gueules de vaches*
> *C'est bien approprié*
> *Avec la gueule de nos officiers*

1. Cf. nos du 12 août 1925 et du 29 mars 1926. *Marius* nous confirmera qu'il a bien participé à des réunions « anti » rue de Belzunce, mais nie la présence d'étrangers, effectivement douteuse.
2. *La Caserne*, no 14, 20 novembre 1924.
3. S'agit-il en réalité de Maurice Tréand ?
4. *La Caserne, idem.*

> G.D.V.
> *L'capiston*
> *Le Colon*
> *L'Général avec son beau panache*
> *Et tous les lieutenants*
> *et les adjudants*
> *C'est des gueules de vaches* [1].

Cette propagande va se prolonger jusque vers 1935, avec une légère atténuation la dernière année. En dépit de ses aspects souvent brutaux et sommaires dans l'expression, il s'agit là d'une technique très élaborée qui, après les tâtonnements du début, mêle à l'offensive de destruction de l'armée bourgeoise, les petites revendications concrètes.

On trouve déjà ces thèmes dans une brochure de Doriot intitulée *Une Jeunesse communiste* qui date, sans doute, de 1925 [2].

Dans le passage consacré au militarisme, Doriot, certes, dénonce l'occupation de la Ruhr, la guerre du Rif, l'utilisation de l'armée pour briser la classe ouvrière, mais il insiste aussi sur les malheurs — poussés au noir — du jeune conscrit : faim, brimades, brutalités, épidémies dans les guerres coloniales, syphilis [3]...

Dans les années suivantes les brochures de « l'Agit-Prop » déploient tout un attirail d'arguments qui ne laisse rien dans l'ombre : conseils aux agitateurs dans les réunions familières qui précèdent les départs des jeunes recrues; schémas pour des discours dans les meetings; attaques contre la loi Paul-Boncour, dénonciation de l'armée de métier, violentes critiques contre les chefs socialistes, justification du défaitisme, défense de l'U.R.S.S., etc. [4].

Inutile de dire que ces activités entraînent de sévères ripostes. Une statistique publiée par les communistes en 1928, fait état de 114 marins et de 118 soldats détenus au cours de l'année précédente. On énumère en outre un certain nombre de cas qui, évoqués au cours d'une réunion publique, sont censés soulever la colère ou l'émotion des assistants [5].

Une offensive enrayée

Toute cette agitation peut à première vue sembler sans grande portée. Et, certes, les débuts de l'appareil « anti » ont été modestes. A sa tête on

1. Nº du 22 octobre 1927.
2. Conférence faite à la première école nationale du propagandiste de la Jeunesse sur le but, le rôle de la Jeunesse.
3. Cf. pp. 10-14.
4. Cf. *Mémento de l'Agitateur communiste*, publié à l'occasion des élections de 1928 par le parti communiste, pp. 23-33, et « Contre les Projets militaires de Paul-Boncour et de l'État-Major » (1927). Cf. aussi *Cahiers du Militant*.
5. *Op. cit.*, pp. 72-77.

trouve des jeunes gens fougueux, mais sans grande expérience. Sur le difficile terrain de la Ruhr, où la fraternisation avec les Allemands se heurte aux souvenirs tout frais de la guerre mondiale, ils n'en font pas moins, chaperonnés par les moniteurs de l'I.C.J., des progrès rapides.

La Ruhr est un banc d'essai : elle permet d'opérer des jonctions (entre les J.C. françaises, les militants allemands, et les techniciens soviétiques), et d'expérimenter des techniques : distribution de propagande déjà élaborée en plusieurs langues, aux troupes françaises et aux troupes coloniales, refus d'obéissance et amorce de mutineries (par exemple à Neustadt avec le 28e tirailleurs composé de coloniaux), fraternisation avec les civils.

Ces opérations seront sanctionnées par le procès de Mayence (juin 1924) qui distribue cent trente trois années de prison à une quinzaine d'inculpés, Français et Allemands, le plus lourdement frappé étant Robert Lozeray avec dix ans de prison [1].

La première grande opération anticoloniale, celle du Rif, qui est aussi une action antimilitariste, s'achève de même sur un incontestable échec. C'est qu'elle se développe dans un milieu ethnique peu favorable — celui des Pieds-Noirs —, que la classe ouvrière française en métropole s'intéresse davantage à ses propres revendications, et que l'entreprise se heurte à une répression sévère.

Après ces deux grandes batailles, l'appareil « anti » semble piétiner. L'assaut contre l'« armée bourgeoise » reste pourtant jusqu'au début des années 30 un des grands axes du parti. Mais l'armée semble assez bien supporter ces tentatives. Les valeurs du patriotisme demeurent apparemment solides. L'opinion dans son ensemble désavoue l'antimilitarisme. Le système de répression ne présente guère de failles. Chefs de l'armée, magistrats civils ou militaires ne sont pas encore débilités par des troubles de conscience. Et pour défendre les accusés, le soutien logistique des intellectuels est encore ténu.

En définitive, l'offensive antimilitariste aboutit à un échec. Certes, sa technique s'est beaucoup perfectionnée. Mais, paradoxe, son rendement n'est guère supérieur à celui de l'antimilitarisme sentimental et volontiers déclamatoire de l'avant-guerre.

Ce sont les conditions objectives qui sont défavorables.

D'abord chez nous. Avant la guerre, l'armée intervenait pour réprimer les manifestations de rue, briser les grèves, garder les usines. Elle était étroitement mêlée aux batailles intérieures du pays. Or, il est plus facile de toucher le cœur des conscrits, engagés dans des opérations contre les grévistes, que d'ébranler des hommes de métier.

Après la seconde guerre mondiale, l'armée, pour les tâches du maintien de l'ordre, ne tardera pas à être relevée par des forces spéciales de l'intérieur, composées de professionnels. L'appareil « anti » ne peut pas grand-chose contre ces unités spécialisées. Il n'a plus guère de prise sur l'armée, dans

---

1. Cf. *Le Procès de Mayence* par André Marty. Cette brochure fait partie des *Cahiers du Militant*, n° 2, juin 1924.

la mesure où elle n'opère plus ni sur le front intérieur, ni sur les théâtres extérieurs.

Le repli

Enfin la conjoncture internationale est défavorable.

Les dirigeants de l'I.C. ont vécu sur l'espoir que de grandes batailles, prenant une tournure insurrectionnelle, allaient assurer promptement la victoire du communisme en Europe. Dans cette perspective, l'action antimilitariste constitue l'ultime phase du processus de lutte, celle qui permet de décomposer l'armée impérialiste. Mais ce communisme résolument offensif, qui mise sur une grande insurrection en Allemagne, et dont l'incarnation est Zinoviev, ne survit guère à la chute de celui-ci. L'échec de la révolution chinoise est un autre glas.

A partir de 1927-1928 s'ouvre une autre phase, *résolument défensive*. Il s'agit pour les communistes européens de préserver la patrie socialiste contre les éventuelles agressions des puissances capitalistes. Dans ce schéma, l'appareil « anti » conserve une grande importance, puisqu'il doit freiner ou paralyser les troupes de l'intervention. Mais cette mission ne soulève déjà plus, chez les jeunes révolutionnaires, les mêmes enthousiasmes que la perspective de faire triompher dans leur propre pays la République des Soviets. En outre, « l'agression impérialiste » n'aura jamais lieu. L'appareil « anti » tourne à vide.

L'action au sein de l'armée incline à la routine et semble s'enliser. La campagne contre les G.D.V. par ses excès manque souvent son but. Cependant, une continuité s'établit. Un appareil, dont Raymond Guyot prendra la tête, fonctionne. Il applique des recettes. Il perfectionne ses liaisons. Agissant sur les conscrits avant leur départ, implanté dans les casernes, opérant en liaison avec la C.G.T.U., les cellules du parti et les municipalités communistes, diffusant tracts, brochures, journaux et mots d'ordre, exploitant les petits incidents quotidiens, introduisant avec patience ses hommes dans les états-majors, les bureaux, les postes de transmission, il s'installe dans le système défensif de l'ennemi de classe. Observé avec une crainte excessive, si l'on considère son efficience immédiate, ou au contraire tenu, avec légèreté, pour négligeable, il exerce année après année, son travail de sape, cultive dans la troupe un état d'esprit antimilitariste, maintient à l'intérieur de l'armée un embryon de contre-armée qui ne peut être détruit. Dans l'immense majorité des cas, l'enrôlé de 1930 qui subit cette propagande, ne songe nullement à mettre la crosse en l'air et à montrer que ses balles sont pour ses propres généraux. Mais l'enrôlé de 1930, c'est le futur soldat de 1940.

6.

L'armée secrète du « général » Muraille

REVENONS EN ARRIÈRE : A CET INSTANT OÙ, AU CONGRÈS DE PARIS (1922), Manouilski descend de la tribune, et, toutes lumières éteintes, se perd dans la foule afin d'échapper à la police. Celle-ci est persuadée qu'il a quitté la salle, mêlé au flot des congressistes. Il n'en est rien.

Descente dans les égouts

Manouilski a gagné une petite pièce de la Maison des syndicats, rue de la Grange-aux-Belles. Il y attend, paisible, que le congrès s'achève. Au cœur de la nuit, quand la salle est évacuée et rendue au silence, il sort dans la cour. Il y a là une bouche d'égout. La plaque qui l'obture est déjà tirée. A la suite d'un camarade français qui lui sert de guide et de garde du corps, le délégué du Komintern descend dans cet étroit boyau, le long d'une échelle de fer, et s'enfonce dans les profondeurs du ventre de Paris.

A diverses reprises, d'autres illégaux, français ou étrangers, viendront prendre la parole dans l'immeuble de la Grange-aux-Belles. Ils partiront par la même voie.

Si les uns et les autres échappent, en la circonstance, aux investigations policières, ils le doivent à cette fraction de l'appareil illégal, qui s'adonne à l'espionnage.

Le réseau souterrain de la capitale (métropolitain, égouts, catacombes) est un ensemble extrêmement complexe. Bien avant la guerre, le plan de ce réseau était entre les mains des dirigeants révolutionnaires du syndicat des égoutiers. Au début des années 20, ces derniers furent « contactés » par un militant communiste qui appartenait à l'appareil mis en place par un extra-ordinaire agent des Soviets, Paul, alias Muraille.

Les dirigeants du syndicat des égoutiers connaissaient bien le camarade qui vint les solliciter. Émile Bougère, responsable à l'époque de la 3e Entente des J.C., qui rapporte cette démarche dans un manuscrit inachevé [1], ne donne pas le nom de ce militant.

Les égoutiers font la grimace. Ils ne sont pas très tentés de livrer des documents confidentiels. « Il fallut — écrit Bougère — de longues discus-sions pour les convaincre que leur devoir de militants révolutionnaires conséquents exigeait qu'ils prêtent ces plans qui, jusqu'alors, étaient considérés comme secrets, pour que des copies soient faites et adressées à Moscou, par le canal des courriers clandestins de l'appareil soviétique [2]. »

La police finit par apprendre que les communistes possédaient ces plans qui tombèrent, aussi, plus tard, aux mains de la Cagoule. On fit, dit-on, murer les accès souterrains autour de la Préfecture de police.

En 1944, c'est dans les catacombes, à Denfert-Rochereau, que le colonel Rol-Tanguy, chef des F.F.I. pour la région parisienne, installera son P.C. souterrain. Et un certain nombre d'armes de poing, utilisées par l'appareil militaire communiste dans la capitale, auront été récupérées dans les précieux égouts.

La possession des plans de ce réseau souterrain est un des multiples exploits des noyaux d'espionnage constitués par les communistes français et opérant pour le compte des services soviétiques. L'histoire de ces acti-vités qui vont de la fondation du P.C.F. au milieu des années 30 est riche en épisodes saisissants.

Tout commence avec la Tchéka

L'organisation et le développement de l'espionnage soviétique à l'étran-ger sont des conséquences logiques de la création de la Tchéka, dirigée par Djerjinski. Destinée d'abord à briser la contre-révolution, la Tchéka est amenée très vite à intervenir dans les domaines les plus divers : indus-tries, approvisionnements, transports, écoles, consulats, Armée Rouge, etc. Ces tâches sont effectuées, à l'origine, en Russie. Mais, comme il s'agit de lutter contre les interventions des régimes « bourgeois », il est nécessaire de porter la lutte sur le territoire même de ces puissances. D'où l'essor des services de renseignement à l'étranger, dont, bien entendu, les activités ne cesseront pas quand les gouvernements de l'Entente auront abandonné tout projet d'intervention.

Ni Lénine, ni Zinoviev, ni Trotski ne sont hommes à se cantonner très longtemps dans la défensive. Ils pensent que l'Europe est mûre, qu'il faut

---

1. *L'Espionnage soviétique*, manuscrit inédit d'Émile Bougère, IIe partie, France jusqu'en 1940, pp. 4-5.
2. *Op. cit.*, pp. 4-5.

pousser hardiment l'assaut contre un monde croulant. Dans cette phase offensive, alors que l'Armée Rouge est destinée, pense-t-on au Kremlin, à appuyer les tentatives insurrectionnelles en Europe occidentale, le renseignement prend une importance accrue.

Le Komintern, avec sa cohorte d'envoyés spéciaux, éparpillés en Europe, est un des facteurs de cette stratégie politique et militaire. Ses émissaires doivent faire des partis communistes étrangers de solides outils de combat.

Mais à côté de cet instrument politique, d'autres appareils entrent en action. Ceux-ci sont adaptés aux tâches proprement dites du renseignement. L'un d'eux dépend directement de la Tchéka et constitue sa section étrangère. C'est l'I.N.U. [1].

L'I.N.U. est créé en 1921, soit à la fin de la guerre civile, au moment où est posée la question de l'offensive révolutionnaire en Europe. Son équivalent, dans l'appareil du Komintern est l'O.M.S. (Otaiel Mejdovnarodnoï Sviazi : section de liaison internationale). De son côté, l'Armée Rouge possède son propre réseau de renseignement : c'est le quatrième Bureau ou *Rasvedoupr*. Ce dernier est placé sous les ordres d'un général d'origine lettone qui a joué un rôle très actif pendant la révolution d'Octobre, Ian Berzine.

Les hommes de l'I.N.U. ou du *Rasvedoupr* opèrent, en principe, indépendamment des partis communistes étrangers et du Komintern. Cependant, cette autonomie n'est pas toujours respectée. En outre, la masse de manœuvre de l'espionnage soviétique est fournie, pour l'essentiel, par les militants communistes et les sympathisants.

La première tentative d'espionnage s'est faite, semble-t-il, à la rédaction de *L'Humanité* avec un certain Pelletier qui, plus tard, sera impliqué dans la fusillade de la rue Damrémont. Elle est sans lendemain. Boris Souvarine, qui est alors un des principaux rédacteurs du quodtien communiste, ne tarde pas à être averti de cette initiative. Il a un caractère entier. Certains disent même : un mauvais caractère. Il proteste avec violence : ce sera lui ou Pelletier. Ce dernier quitte *L'Humanité*. Sa femme et lui-même en garderont longtemps rancune à Souvarine.

L'affaire Pelletier est un minuscule accident de parcours. Au même moment, un autre réseau s'implante en France.

« Toto »

A sa tête, Tommasi, dit « Toto ». C'est un ancien ouvrier métallurgiste, volontiers gouailleur, qui a appartenu au milieu des syndicalistes révolutionnaires et au *Comité pour la reprise des relations internationales*, pendant la guerre. Au congrès de Strasbourg (février 1920), il est cependant apparu pour le moins réservé sur l'opportunité d'adhérer à la IIIe Internationale [2]. En revanche, à Tours, il intervient pour interpeller Paul Faure [3].

1. *Inostrannoye-Upravlèniye* ou administration étrangère.
2. Cf. XVIIe Congrès national, compte rendu sténo, pp. 393-394.
3. Cf. XVIIIe Congrès national, compte rendu sténo, pp. 219-223.

Pourquoi ce vieux militant syndicaliste accepte-t-il de s'engager dans le douteux travail du renseignement ? Les raisons de ce choix ne sont pas connues. Mais on voit très bien pourquoi les Soviétiques se sont intéressés à lui. Membre du Comité central, il est aussi le dirigeant du syndicat de la voiture-aviation. Par là même, il est en contact avec les ouvriers de la production aéronautique. Un homme précieux.

L'aviation, industrie neuve, arme en pleine extension, intéresse assurément, au plus haut point, le S.R. de l'Armée Rouge.

Le réseau Tommasi fonctionne pendant environ deux ans en 1921-1922. Selon certaines rumeurs, « Toto » aurait été en contact avec Stepanov, alias Chavaroche, un des missionnaires du Komintern. Mais c'est certainement un spécialiste de l'Armée Rouge qui le « manipule ».

Au bout de deux ans, les activités de Tommasi sont découvertes. « Brûlé » Toto s'enfuit en U.R.S.S. où il est employé dans les services du *Rasvedoupr*. Il meurt dans des circonstances étranges quelques années plus tard. Il a noué entre-temps des contacts avec l'opposition trotskiste, et il a pour maîtresse Helena Bronstein, parente de la première femme de Trotski. Aucune oraison funèbre n'est prononcée sur sa tombe. Barbé [1], Doriot, Laporte tiennent sa mort pour suspecte.

L'aviation intéresse décidément Moscou. Parallèlement au réseau Tommasi fonctionne un autre groupe qui opère dans les mêmes milieux. Il est dirigé par le communiste Henri Coudon et sa maîtresse Marthe Morissonaud. Ceux-ci n'ont pas le temps de franchir la frontière. Ils sont « cueillis » alors qu'ils ont entre les mains un rapport sur des questions techniques. Leurs « contacts » soviétiques sont arrêtés en même temps qu'eux pour usage de faux passeports. Ils se nomment, si tant est que ce soient leurs vrais noms : Oustimitchouk et Vladimir Kroupinik.

Quelques années plus tard, en 1926, on juge l'affaire, aujourd'hui bien oubliée, de la rue Damrémont. A coups de revolver, dissimulés dans l'ombre, des communistes ont ouvert le feu sur des membres du mouvement de Pierre Taittinger, les Jeunesses patriotes, qui se rendaient à un meeting du 18e arrondissement. Ils ont tué ou blessé plusieurs jeunes gens. Cette embuscade préméditée émeut l'opinion. Elle apparaît comme une sorte de prélude à la guerre civile.

« *Renseignements provenant de l'adjudant-chef...* »

Au cours du procès où l'on juge plusieurs militants communistes accusés d'être les auteurs de cet attentat, un avocat de la partie civile, maître Reibel, fait sensation en lisant un document saisi au cours d'une perquisition chez un communiste, Léon Ilbert.

Voici ce texte :

---

1. *Souvenirs*, p. 75. Treint porte le même jugement.

« Scellé n° 1 — document saisi chez Ilbert, 1, rue Victor-Letalle.

« Renseignements pris sur le camp d'aviation du Bourget, situé 6, rue de Paris.

« Moyens de communication : tramways Bourse-Opéra; train : gare du Nord (3ᵉ station).

« Le 10 avril 1924 : Unités composant le champ d'aviation du Bourget : 1 500 hommes (aviateurs, mécaniciens compris), plus 300 hommes occupant les ateliers de réparation, dont 60 civils venant tous les jours de Paris et de la banlieue.

« (Je continue discrètement l'enquête pour savoir si, parmi les civils, il y a des membres du parti ou des Jeunesses). 200 hommes faisant partie du 1ᵉʳ E.S.A. sont partis dernièrement à Villacoublay. Le champ d'aviation — entrepôt spécial d'aéronautique — peut se diviser en deux parties.

« 1. Côté Bourget : escadrilles combat toutes fournies et prêtes à entrer en action. Côté Blanmesnil *(sic)* : aviation civile, arrivée des avions voyageurs. Gare aérienne.

« 2. Côté Dugny : école pilote, ateliers de réparation, réglage, hangars à avions de chasse et bombardements.

« D'après le plan, on se rend compte que le côté droit de la route Dugny-Bourget ne comprend aucun avion, mais est occupé par des matériaux de bois, carrières (?) de toutes sortes, destinés à la fabrication et à la réparation. [...]

« Il existe au Bourget en plus du 4ᵉ régiment et du 1ᵉʳ E.S.A., une commission d'essai du ministère de la Guerre, plus une commission d'essai civile.

« Sur les 1 500 hommes signalés au 34ᵉ d'aviation, il y a 100 aviateurs, sous-officiers et caporaux, 50 officiers de grade de sous-lieutenant à commandant.

« Il y a environ 1 200 avions en réserve dans les hangars situés sur la route de Dugny [...]

« Au 34ᵉ, je n'ai pu savoir exactement le nombre d'avions en activité, mais il y a plusieurs escadrilles de bombardement. La chasse est représentée par une escadrille de 50 avions Niewport et Goudin, à la disposition des jeunes et de la commission d'essai.

« Au 1ᵉʳ E.S.A. côté Dugny, c'est là qu'il y a la presque totalité des avions de réserve, notamment deux gros avions de bombardement (système Goliath) plus quatre avions de chasse situés plus haut, quatre avions école militaire système Henriot, le reste serait en avions de réglage.

« *Renseignements provenant de l'adjudant-chef de l'atelier de réparations* [1].

« *En cas d'agitation peut, avec le concours de quelques camarades sérieux et décidés immobiliser le 34ᵉ et le 1ᵉʳ E.S.A. par les moyens de destruction* [2].

« Longueur du champ (environ) : 600 mètres.

1. Souligné dans le texte.
2. *Idem.*

« Largeur du champ (environ) : 2 000 mètres.

« *Suis encore peu fixé sur l'emplacement des explosifs mais ils doivent se trouver dans le hangar à matériel, situé sur le bord de la route menant à Dugny* [1]. »

Il y a plusieurs leçons à tirer de ce document.

On peut constater qu'à la date où il a été rédigé (avril 1924), les communistes s'intéressent toujours à l'aviation. Sans doute, une bonne partie des indications relevées par Ilbert n'ont pas un caractère à proprement parler secret, et peuvent être assez aisément récoltées. C'est oublier, toutefois, que l'espionnage moderne est fait d'un grand nombre de renseignements identiques, collectés par diverses personnes, puis rapprochés, coordonnés et analysés. Dans ce système d'investigations, rien n'est négligeable.

Mais pour quel objectif ces renseignements ont-ils été glanés? Pour nourrir les archives du général Berzine, ou bien pour préparer une insurrection du Parti communiste français? La personnalité d'Ilbert peut ici éclairer notre jugement. A son arrestation, le bruit (inexact) a couru qu'il était le chef des groupes de combat communistes. On a en effet découvert chez lui une circulaire destinée cette fois aux « chefs de groupe », contenant des consignes comme celles-ci :

« Recenser les armes possédées par les hommes, signaler les manquements aux rendez-vous... envisager les moyens propres à armer ceux qui ne le sont pas, mais autant que possible les engager à s'armer eux-mêmes... »

Ilbert invite encore les militants de chaque localité à recenser les sièges des sections locales de l'A.F. (Action française) et des ligues patriotiques, des forces de police, gendarmes, à noter leurs effectifs, les adresses des commissaires de police, des adhérents de l'A.F. et des ligues, des gardiens de la paix, officiers de paix, armuriers, à repérer les usines fabriquant camions et autocars, les fabriques d'armes et les dépôts d'explosifs, de munitions, etc.

« Deuxième centurie, feu! »

Ce sont là des consignes pour les préparatifs d'une guerre civile. Et, en effet, l'attentat de la rue Damrémont (avril 1925) a été un épisode d'une guerre civile avortée. Depuis quelque temps, les communistes ont constitué des groupes de combat munis d'armes légères. Prétexte : il faut résister aux raids des groupes nationalistes, camelots du Roi, faisceaux de Georges Valois, groupements divers d'anciens combattants, et Jeunesses patriotes de Pierre Taittinger. Ces derniers apparaissent dans cette phase comme les plus agressifs. Ils ont commencé à organiser des réunions et à vendre des journaux dans des quartiers ouvriers considérés comme des fiefs rouges.

L'« offensive fasciste » doit être brisée. L'attentat de la rue Damrémont est monté pour être un coup d'arrêt. Alors que les J.P. sont bloquées dans

---

1. *Idem.* Ce rapport a été publié dans *La Liberté*, 1er mai 1926.

une salle de cette rue par les manifestants communistes, une colonne de
secours venue du Cirque de Paris (où se tient une autre réunion) essuie
la fusillade des groupes d'auto-défense du P.C.F.

Dans la nuit, les commandements retentissent : « En tirailleurs, feu!
Première centurie, feu! Deuxième centurie, feu! » Les 7,65 crépitent. Des
hommes tombent. C'est un massacre. Chez les J.P. on relèvera quatre morts.

Il existe en effet des groupes de défense qui s'intitulent antifascistes.
Le 29 mai 1926 cent hommes environ de ces groupes de défense seront
présentés au cours d'un meeting, au gymnase Huyghens. Ils portent la
chemise kaki, des culottes de cheval et des bandes molletières (l'uniforme,
on l'a oublié, n'est pas, en ce temps-là, le monopole des ligues « fascistes »).
Une bonne partie d'entre eux ont été recrutés dans les rangs des anciens
combattants de l'A.R.A.C. dont l'écrivain Henri Barbusse est le principal
animateur.

Les hommes de ces groupes d'auto-défense seraient environ 500 à 600
dans la région parisienne, sous les ordres de Francis Desphelippon. [1]

La lutte contre le « danger fasciste » a été assurément un thème permettant de mobiliser des hommes. Mais on ne doit pas perdre de vue que la
perspective d'une proche insurrection révolutionnaire demeure encore
ancrée dans bien des esprits. Chez les jeunes, en particulier, on a commencé
à s'armer au moment de la Ruhr. On croit au triomphe rapide de la
révolution en Allemagne. L'insurrection suivra en France aussitôt.

Les renseignements collectés au Bourget entrent-ils dans la préparation
d'une action révolutionnaire, ou bien sont-ils destinés à Moscou? Cette
distinction est spécieuse. Comment des opérations pourraient-elles être
engagées sur le théâtre français sans que le Komintern ne soit exactement
renseigné sur le degré des préparatifs? Et ce qui grossit les archives du
Komintern peut aller nourrir aussi les dossiers de Ian Berzine et du S.R.
de l'Armée Rouge.

De même, un militant comme Ilbert est-il exposé à passer, sans toujours
s'en rendre compte, du moins au début, du champ de l'activisme à celui
de l'espionnage proprement dit.

Un garçon blond, assez effacé

La remarque n'est pas moins valable pour les membres de l'appareil
« anti » et de l'appareil anticolonial. En théorie ces structures sont distinctes
des réseaux spécialisés dans l'espionnage. Mais l'action « anti » ne se limite
pas forcément à un travail de noyautage ou d'agitation dans les rangs
des appelés. Elle implique aussi la collecte d'un certain nombre de renseignements : emplacement des unités, effectifs, mise en fiches des officiers

---

1. Sur les ligues fascistes à cette époque, vues par les communistes, cf. *Le Fascisme en
France*, par François Berry, 1926. Sur les groupes antifascistes, cf. *Le Militant Rouge*, n° 8,
juin 1926.

et des sous-officiers, observations sur leurs tendances politiques, etc. A partir de là, le glissement aux tâches d'espionnage proprement dit est aisé. Au reste, la démarcation entre un renseignement d'ordre politique et un secret de la défense nationale n'est pas toujours commode à établir.

Les plus hardis des J.C., en raison de leur goût de l'activisme, donc de l'aventure, et les ouvriers travaillant dans des secteurs exposés : industries pour la défense nationale, poudreries, dépôts de matériel, chantiers navals, docks, etc. fournissent les plus forts contingents de recrues.

Les élèves des premières écoles d'espionnage fonctionnant en U.R.S.S. viennent de l'appareil « anti » [1]. Parmi eux, un garçon blond à petite moustache, en apparence assez effacé : Pierre Provost.

Provost a été un des principaux dirigeants de l'action antimilitariste dans la Ruhr. Membre du Comité directeur des Jeunesses, c'est lui qui, à cette époque, assure la liaison avec le bureau politique. Il est, typiquement, un homme de confiance des Soviétiques. Laporte le montre, visitant différentes villes de France pour y recruter des agents, et collectant des documents secrets, des documents dont certains, non sans imprudence, parviennent au siège du parti [2].

Il sera impliqué dans une affaire d'espionnage et condamné en 1927.

Il appartient au réseau qui succède à celui de Tommasi, et dont le responsable, du côté français, est Crémet, flanqué de son amie Louise Clarac. Crémet est un petit homme fluet, comme l'était aussi en ce temps-là le jeune Duclos, dont il a le format. Il est conseiller municipal du 14e arrondissement. En 1925, la direction du Komintern exige qu'il fasse partie du bureau politique. Décision qui surprend, car Crémet passe pour un personnage falot.

Au bureau politique on ne le voit guère. Barbé finira par s'étonner du manque d'activité du camarade Crémet et de son effacement, abusif pour un dirigeant. On lui répond que Crémet est malade. Il faut bien se contenter de cette explication [3].

Le réseau Crémet

Pour un homme souffrant, Crémet abat dans son secteur une rude besogne. Son réseau fonctionne pendant trois ans. Outre Louise Clarac et Provost, on y trouve des gens comme Georges Ménetrier, secrétaire général des syndicats des établissements de guerre, Depouilly et Sergent, conseillers municipaux de Saint-Cyr-l'École. Des hommes ayant une certaine importance dans le parti, tels Cadot, secrétaire-adjoint de la région parisienne, et Octave Rabaté, important responsable syndical, verront leurs noms incidemment mêlés à l'affaire Crémet.

1. Cf. manuscrit de Bougère, p. 5.
2. *Les Mystères du Kremlin*, pp. 117-123 ; Bougère et Barbé confirment le rôle de Provost.
3. *Souvenirs* de Barbé, p. 77.

L'activité du réseau débute sans doute en 1924. Elle s'oriente vers Nantes.

En octobre, Crémet se rend dans cette ville où il a rendez-vous avec un employé des chemins de fer de l'État. Mais celui-ci s'est fait représenter par un camarade, un certain Le Dorze.

« Tâche — dit Crémet à ce dernier — de me trouver aux chantiers de Penhoët un informateur sûr, qui puisse me procurer les plans de l'hydravion en construction. Il me faudrait aussi un homme aux Forges et Aciéries de Trignac pour y noter les expériences de laboratoire et me renseigner sur les plaques de blindage. »

Au cours de l'entretien, Crémet ajoute qu'il compte obtenir par ailleurs des informations dans les arsenaux sur les nouveaux modèles de sous-marins.

Le Dorze est interloqué par ces propos. C'est du moins ce qu'il soutiendra plus tard à l'instruction. Il demande à réfléchir. Crémet le conduit alors dans un café près du Jardin des Plantes. Ils y retrouvent deux femmes. L'une d'elles est Louise Clarac.

Au début de l'année suivante, Crémet a un nouveau contact avec Le Dorze. Mais celui-ci se dérobe. Il n'a pas pu, déclare-t-il à son camarade, trouver les informations qu'il réclamait. Il soutiendra, chez le juge d'instruction, qu'en réalité il n'a rien tenté en ce sens.

Louise n'a pas été plus heureuse à Marseille que son amant à Nantes.

Le 13 juillet 1924, elle est venue y trouver sur la recommandation d'Octave Rabaté, alors secrétaire de la Fédération unitaire des métaux, un ancien quartier-maître, nommé Rousset, établi dans cette ville comme commerçant. Elle lui remet un questionnaire, qui selon les services du ministère de la Guerre aurait été traduit du russe. On y sollicite des réponses qui portent sur des questions d'armement, sur la composition des formations des tanks, le camouflage, la défense contre les gaz.

Rousset feint d'accepter, mais s'empresse de prévenir le commissaire spécial Borelli.

Le 25 août, Louise écrit à Rousset pour lui rappeler sa promesse. Et l'ancien quartier-maître se dit prêt à fournir les réponses demandées.

Du 28 septembre 1924 au début janvier 1925, la maîtresse de Crémet effectue plusieurs voyages à Marseille, emportant chaque fois les précieux renseignements collectés par Rousset... sous le contrôle de Borelli. Elle finit par donner deux adresses où l'on peut lui adresser la correspondance à Paris.

Le 28 juin, elle écrit à Rousset qu'elle a été malade en Suisse, et annonce l'arrivée prochaine de Crémet « qui prendra la collection et réglera la commande ». Mais le lendemain nouvelle lettre, de Crémet cette fois. Il est désolé. Il ne pourra venir. Il charge Rousset de remettre « le petit paquet à Arrighi qui n'a pas besoin d'en connaître le contenu ».

Arrighi est le nom d'un militant communiste que nous allons voir apparaître un peu plus tard, mais faute de preuves, comme cet Arrighi communiste prénommé Victor a plusieurs frères et qu'en outre ce nom corse est assez répandu, rien ne prouve qu'il s'agisse de Victor, futur administrateur de la Banque ouvrière et paysanne, qui deviendra plus tard conseiller politique de la Banque Worms.

Les contacts dont nous venons de faire état sont directement extraits du jugement rendu par la 11e Chambre correctionnelle le 25 juillet 1927 [1]. Ce récit n'est pas sans obscurité. Nous nous demandons, par exemple, pourquoi la police n'a pas réussi à mettre la main sur Crémet et sa maîtresse. A-t-elle ignoré leur identité véritable, ou bien a-t-elle laissé l'affaire se développer, afin de mieux pouvoir remonter des filières? Les intéressés ont-ils, au moment où Crémet remet son voyage à Marseille, flairé quelque chose de louche?

Une revue syndicale bien curieuse

Nous retrouvons les membres du réseau en action à partir d'octobre 1925. Cette fois, ses opérations se développent sous le couvert d'une revue syndicale de documentation économique. Provost va s'y faire engager en février 1926. Entre-temps, grâce à l'obligeance de Dadot, secrétaire général C.G.T.U. du personnel civil des établissements militaires, il s'est fait présenter à un certain Singre, chef d'équipe du parc d'artillerie et secrétaire du syndicat de la place de Versailles.

Provost a une excellente raison d'avoir un entretien avec Singre : il mène une enquête pour sa revue. Quoi de plus naturel? Les questions qu'il pose n'ont toutefois pas grand rapport ni avec l'économie ni avec le syndicalisme. Il voudrait connaître l'emplacement exact et l'importance des dépôts de projectiles dans le parc d'artillerie de Versailles, localiser les poudreries, etc.

A partir de ce moment, les choses suivent le même cours qu'à Marseille. Singre fait semblant d'accepter mais avertit un supérieur, et le jeu recommence : succession de rendez-vous dans divers cafés, aux Invalides, à La Chope de l'Est, à la porte Maillot, et chaque fois communication à Provost, parfois contre de faibles sommes, de documents soigneusement triés par les autorités militaires.

Provost est naturellement pris en filature. Cette surveillance permet d'établir qu'il a rendez-vous avec une femme de la cartoucherie nationale, auprès de qui il tente d'obtenir les plans du masque à gaz A.R.S.

Arrêté, Provost nie avec aplomb.

Aux accusations précises de Singre, il oppose des dénégations systématiques. Il se plaint d'être la victime d'une machination gouvernementale.

Parallèlement, toujours sous la haute autorité de Crémet, un autre centre d'espionnage s'est implanté à Saint-Cyr, à l'Institut aérotechnique. On y poursuit, dans le domaine de l'aviation, des recherches et des expériences d'une grande importance pour la défense nationale.

1. Cf. Roger Mennevée, *L'Espionnage international en temps de paix*, t. II, Affaire des espions communistes Grodnicki, Provost, etc., pp. 251-535.

La façon dont certains documents vont être dérobés préfigure assez bien la fameuse affaire des « fuites » vingt-sept ans plus tard. A l'Institut, chaque expérience fait l'objet de procès-verbaux, tirés en plusieurs exemplaires, déposés les uns chez le directeur du Centre, les autres chez l'ingénieur qui les laisse parfois traîner sur sa table, ou dans des placards non fermés.

Ce dernier est sans méfiance à l'égard du gardien Sergent, adjoint communiste du maire de Saint-Cyr.

Un autre communiste, chef de « noyau » et responsable de l'appareil « anti » dans la région de Versailles, un certain Depouilly, travaille également à l'Institut, en qualité de mécanicien.

C'est lui qui, dès l'automne 1925, entreprend d'amadouer Sergent.

« Est-ce que tu consentirais à nous procurer les travaux de l'Institut, ceci afin de permettre aux camarades d'étudier à fond les organisations bourgeoises les plus secrètes? »

Ce langage n'évoque pas expressément la transmission des documents à une puissance étrangère. C'est le militant, dévoué avant tout à son parti, qu'on s'efforce d'entraîner. Sergent finit par accepter.

Un peu plus tard, Depouilly le présente à la station du pont Mirabeau à une certaine Olga qui parle avec un fort accent étranger, et à son amie Louise, qui n'est autre, évidemment, que Louise Clarac.

C'est le début d'une « chaîne » qui va fonctionner quelque temps. Sergent communique, en particulier, à ses camarades, des documents sur la maquette d'un appareil d'observation Eiffel et sur la soufflerie d'Issy-les-Moulineaux.

Tout irait bien si le camarade Singre n'était un jour remplacé à la tête du syndicat de la place par un nommé Cochelin. Celui-ci ne tarde pas à être pressenti par Ménetrier, fraiseur de métier et agent de maîtrise de l'arsenal de Puteaux. Ce dernier ne se présente que comme sympathisant communiste, ce qui est faux.

Ménetrier montre un très vif intérêt pour les travaux accomplis au centre des chars d'assaut et au laboratoire des poudres. Mais Cochelin va jouer le même rôle que Rousset à Marseille.

Par une lettre datée du 10 décembre 1926, il avertit le secrétaire général du ministère de la Guerre des propositions qui lui sont faites. Et ce dernier alerte à son tour la Sûreté.

Se déroule alors le cycle habituel des rendez-vous et des filatures, d'abord à Versailles, puis à Puteaux, chez Ménetrier. Là Cochelin reçoit de son hôte un questionnaire sur les poudres et les explosifs. Il se fait payer. Il livre ensuite divers documents à Ménetrier, avec le visa invisible de la Sûreté nationale.

C'est la faute à Voltaire !

Ici entrent en scène deux personnages qui, au-dessus de Crémet, coiffent le réseau. L'un s'appelle Grodnicki, et l'autre Bernstein. Le premier est un grand et élégant jeune homme d'origine lituanienne. Il est venu à Paris, au cours du premier trimestre 1926, pour apprendre notre langue. Il a fait de rapides progrès puisque — comme le constate avec humour le compte rendu du procès — il cite dix-sept mois plus tard avec assurance Balzac et Voltaire « ce qui le dispense de répondre à des questions capitales [1] ».

Grodnicki, défendu par maître Louis Noguères, a pris la précaution de s'inscrire au secrétariat des Hautes Études sociales. On ne l'y voit jamais. Il habite en banlieue dans une confortable pension de famille, d'où il s'éclipse pour chaque week-end.

Les filatures de la Sûreté permettent toutefois d'établir que dans les cafés à Montmartre, rue de Rivoli, place du Châtelet, il s'est rencontré avec Ménetrier, Cochelin et Bernstein « peintre douteux, mais Russe authentique [2] ». Fixé à Paris depuis plus de vingt ans, celui-ci est l'époux d'une Russe qui travaille tantôt à l'ambassade soviétique, tantôt à la représentation commerciale de ce pays.

C'est Ménetrier qui a présenté Cochelin à Grodnicki. Contre argent, Cochelin remet à plusieurs reprises au Lituanien des documents enveloppés dans des rouleaux de papier. Ceux-ci parviennent ensuite à l'ambassade par le canal de Bernstein.

L'issue approche. Le 8 avril 1927, dans la soirée, les agents de la Sûreté nationale arrêtent près de la Madeleine Grodnicki pris en flagrant délit, sous une porte cochère, alors qu'il est en train de confier des rouleaux à Bernstein.

On ne tirera rien de lui, ni, au début, de Bernstein arrêté en même temps que son complice. Mais on interroge la femme du peintre. Elle avoue. Ces aveux entraînent ceux de son mari. Il se rétractera par la suite; vieille technique.

Avec cette double prise, le réseau de Versailles est démantelé. La victoire de la Sûreté est toutefois incomplète. Crémet et sa maîtresse ont réussi à passer à travers les mailles du filet policier. Ils ont franchi à temps la frontière et trouvé refuge en Union soviétique.

Selon Bougère, dont les souvenirs à l'époque où il rédigea son manuscrit (vers 1964) n'étaient peut-être plus très fidèles, une centaine de personnes auraient été initialement arrêtées dans cette affaire. Ce qui semble étonnant, car l'instruction est très vite menée, puisque les espions comparaissent devant la 11e chambre correctionnelle le 25 juillet 1927. Dans ses attendus, le tribunal se montre particulièrement sévère :

« Attendu que depuis 1924, tout au moins, il s'est établi en France un système d'espionnage sous les directives et au profit d'un organisme étranger dont le siège est à Moscou...

« Attendu [...] qu'il ne peut être mis en doute en effet qu'un gouvernement étranger envoie chez nous pour des fins politiques et ses hommes

---

1. Cf. compte rendu du procès, 25 juillet 1927, *op. cit.*
2. *Idem.*

et son argent afin d'obtenir des ouvriers mêmes de l'État les données les plus complètes et parfois les plus secrètes sur la fabrication et le maniement des engins nécessaires à la défense nationale.

« Attendu qu'il n'est pas douteux davantage que sur le sol même de la patrie ruinée et trahie, des groupements légaux de travailleurs prétextant des craintes imaginaires pour la sécurité ouvrière et revendiquant leurs droits d'un avenir meilleur, se sont abandonnés corps et âme à un gouvernement, qu'ils oublient tout au moins ce qu'ils doivent à la France, etc. »

A l'issue des débats, Grodnicki est condamné à cinq ans de prison, Bernstein à trois ans, Ménetrier, Provost et Sergent, respectivement à trois ans, deux ans et seize mois.

Dadot est relaxé.

Par défaut, Crémet et Louise Clarac récoltent chacun cinq ans [1].

Crémet, désormais, est confiné à l'hôtel Lux de Moscou, moitié asile, moitié prison. Puis les services soviétiques (sans doute le *Rasvedoupr*) décident de l'utiliser dans un secteur où il ne soit pas « brûlé ». C'est alors qu'il est en transit, à Bruxelles, en compagnie de la fidèle Louise, que Crémet se trouve nez à nez dans la rue avec Henri Barbé. L'ancien conseiller municipal du 14e arrondissement semble très gêné par cette rencontre imprévue.

« Que fais-tu là ? interroge Barbé.

— Je vais m'embarquer à Anvers, finit par raconter Crémet, pour une mission qui doit me mener en Chine et en Indochine. Mais promets-moi de n'en rien dire à personne [2]. »

On ne reverra plus Crémet. C'est à Moscou que parviennent un jour les dernières nouvelles à son sujet. Il était à bord d'un bateau le long des côtes de Chine, près de l'île de Macao, quand il est passé par-dessus bord. Version soviétique : accident. Le suicide ou la liquidation sont des hypothèses tout aussi plausibles. La fin de Crémet reste aussi enveloppée de mystère que celle de Tommasi.

Louise Clarac, semble-t-il, a plus de chance, si son destin ultérieur reste énigmatique. En 1934, elle aurait obtenu des autorités soviétiques l'autorisation de quitter la Russie. Revenue en France clandestinement sous une fausse identité, elle y aurait vécu longtemps cachée [3].

Muraille, alias Paul, alias Albaret, alias...

Le réseau Crémet, tel que nous l'avons vu fonctionner, semble aboutir aux deux Russes que nous avons cités plus haut, eux-mêmes d'ailleurs n'étant que les agents d'un autre soviétique, Maslennikov. Mais ils n'ont pu opérer en France qu'à partir de la reconnaissance du gouvernement

1. Compte rendu du jugement.
2. *Souvenirs*, *op. cit.*, p. 80.
3. Sur la fin de Crémet et le destin de Louise Clarac cf. Bougère, *op. cit.*, p. 10. Barbé pour sa part semble considérer que la mort de Crémet fut accidentelle, *op. cit.*, p. 80.

soviétique, c'est-à-dire de 1925. L'espionnage soviétique chez nous est antérieur à cette date et de toute façon derrière tous ces hommes, Français ou Russes, et les manipulant, se tient un extraordinaire personnage, véritable patron des réseaux pour la durée des années 20. Il est temps de parler de lui.

Boris Nikolaïevski prétendait ignorer la véritable identité du camarade Thomas. Nous avons vu, toutefois, que ce dernier s'appelait en réalité Reich. Mais l'identité véritable du « général » commandant en chef les espions opérant chez nous pour le compte des Soviets demeure, en 1973, incertaine.

Cet homme, on l'a appelé Paul Muraille, alias « Paul », alias « Général Muraille », alias « Henri », alias « Albaret », alias « Paul Boissonnas », alias... Tous des « pseudos ».

Celui qu'un des meilleurs reporters criminels de l'époque, Henri Danjou, appelle « l'homme sans nom » ou encore « Monsieur Mystère » est un gaillard solide d'une quarantaine d'années, au large visage couleur brique, aux lèvres minces. Une photo difficilement trouvable aujourd'hui [1], nous le montre en compagnie de son avocat, maître Louis Noguères, futur président de la Haute Cour après la Libération. Tant par la carrure que par les traits, l'espion évoque un peu la silhouette d'un Goering maigre, ou du boxeur allemand Max Schmelling. Entre le ressaut des arcades et les dures pommettes saillantes, le regard des yeux bleus bridés exprime l'assurance et la ruse.

On ignore à peu près tout de ses origines. Bougère affirme que, pendant la guerre 1914-1918, Muraille vivait en Suisse dans un sanatorium situé dans la petite ville de Leysin. Avant la Guerre, il serait venu en France et aurait fréquenté les milieux syndicalistes et pacifistes. Il aurait appartenu également à l'entourage secret de Lénine. Tous ces points sont vraisemblables.

En revanche, il ne semble pas exact, comme Bougère l'affirme, que Muraille ait accompagné Lénine dans le fameux wagon « plombé » à travers l'Allemagne; tous les participants de ce voyage étant aujourd'hui connus.

Toujours selon la même source, a-t-il servi, habillé en soldat de l'Armée Rouge d'interprète à Frossard et à Cachin en Russie, car il parlait notre langue avec un remarquable accent du terroir [2]? Les deux voyageurs n'auraient-ils pas remarqué ce Russe, si doué pour s'exprimer en français? Or, Frossard ne parle jamais de lui. On sait en revanche que l'interprète des deux hommes fut Taratouta, alias Kemmerer.

Bougère, qui a parfaitement connu Muraille, a-t-il été abusé par lui? Ou bien dans son manuscrit rédigé en 1964, cherche-t-il encore, pour des raisons mal discernables, à brouiller les pistes?

Il est en revanche très vraisemblable que Muraille ait été parmi les

---

1. Parue dans un numéro de *Détective* du 15 octobre 1931, qui manque à la collection de la Bibliothèque nationale, elle nous a été gracieusement communiquée par le directeur de ce magazine, M. André Beyler.

2. Bougère, *op. cit.*, pp. 11-12.

fondateurs de la Tchéka et, sans aucun doute, étant donné l'étendue de ses missions, un des adjoints de Berzine.

Pendant dix ans, dix années coupées de retour en U.R.S.S., cet homme sans nom va sillonner la France et d'autres pays d'Europe occidentale, multiplier les contacts, recruter les réseaux, lever une armée d'espions, *forte peut-être de quelques milliers d'hommes.*

Muraille vient certainement en France au début des années 20 à plusieurs reprises. C'est lui qui supervise les réseaux Tommasi et Crémet. Il semble qu'il s'installe dans notre pays dans les années 1924-1925. C'est alors qu'il finance *Le Militant rouge.*

Un centre de contact : Le Militant rouge

Le Militant rouge est, pour ainsi dire, la revue du marxisme activiste. Organe théorique et historique des insurrections, il se présente sous la forme d'une plaquette à la couverture vermillon, sur laquelle se détache un combattant brandissant un drapeau.

La revue a pour directeur le vieux Camélinat, rescapé de la Commune. Sa présence n'a d'autre but que d'offrir une caution respectable. Il n'y a pas lieu, non plus, d'accorder d'importance au gérant Jollivet, vraisemblablement homme de paille.

Le Militant rouge paraît de novembre 1925 à février 1927, en deux séries, après une certaine interruption [1].

On y trouve des textes choisis de Marx, d'Engels *(La Guerre des paysans),* de Blanqui, qui ont trait aux phénomènes insurrectionnels du passé. Cette évocation a un caractère historique qui en justifie, aux yeux des autorités, la publication. Mais elle comporte déjà des conseils précis pour former des colonnes d'assaut (exemple : « conseils pour une prise d'armes », de Blanqui) ou pour édifier une barricade.

Le récit sur la grève des vignerons champenois en 1911 n'omet pas de signaler que certains manifestants, armés de sarbacanes, allumaient des incendies, en expédiant des fléchettes munies d'une pointe de phosphore qui s'enflammaient au contact de l'air [2]. Bien utile à savoir pour de futurs guérilleros (terme qui, à l'époque, ne figure pas dans le vocabulaire communiste).

Au moment où paraît *Le Militant rouge,* la guerre du Rif est engagée. Aussi la revue consacre-t-elle de nombreux articles aux opérations du Maroc, à celles de Syrie, et à la Chine, théâtre en pleine effervescence. Les chroniques qui concernent le Rif et la Chine sont en général signées Labairou, pseudonyme qui dissimule assez mal le docteur Camille Larri-

---

1. Cette revue est aujourd'hui pratiquement introuvable. Trois numéros seulement figurent à la Bibliothèque de Documentation internationale contemporaine. Nous avons pu en consulter une dizaine d'autres grâce à l'obligeance de M. Branko Lazitch.

2. 2e série, nº 1, janvier 1927.

bère que nous avons vu au moment de la mission Doriot en Algérie [1]. Celui-ci n'est pas seulement un spécialiste de l'action anticoloniale. Venu faire ses études de médecine à Paris, il y est un des principaux responsables des groupes de défense du parti dans la région parisienne. Il a joué un rôle important dans l'embuscade de la rue Damrémont. Ce toubib est avant tout un homme de guerre civile [2].

Parmi les autres collaborateurs français du *Militant rouge*, on relève les noms de Nogué (qui est peut-être l'abréviation du patronyme d'un avocat) qui traite du fascisme en France (J.P., camelots du Roi, faisceaux); d'André Raymond, dont nous allons reparler, et de Jacques Duclos qui publie un article sur le fascisme allemand [3]. Peu perspicace, il y passe sous silence le parti nazi.

Au nombre des collaborateurs étrangers figurent Manouilsky, Iaroslavsky, Clara Zetkin, Kuusinen, Goussev, Neumann, etc., toujours sur des thèmes qui touchent à l'insurrection et à la guerre civile.

Ajoutons que chaque numéro comporte un croquis détachable qui décrit une situation militaire d'actualité : par exemple, les forces en présence dans les provinces chinoises ou dans les montagnes du Rif.

Bref, le total de ces minces opuscules forme un traité (inachevé) d'éducation : c'est le manuel de formation militaire du petit volontaire rouge. Par son inspiration et, eu égard aux buts qu'il poursuit, on peut le rapprocher de la célèbre *Insurrection armée* de Neuberg, la publication du *Militant rouge* précédant toutefois cet ouvrage de quelques années. L'un et l'autre développent les thèmes de la révolution imminente, de l'offensive à outrance, et reflètent le culte de l'Armée Rouge et de la Tchéka.

Un passage d'un article du *Militant rouge*, signé Jean Valdier (certainement un pseudonyme, qui peut être un de ceux de Muraille), mérite d'être cité, car il reflète des conceptions stratégiques qu'on pourrait qualifier d'«anti-Mao». Il s'intitule « Les enseignements de l'insurrection bulgare de 1923 ». Jean Valdier écrit :

« Le plan de l'insurrection prévoyait d'abord la prise du pouvoir dans les villages, puis la marche sur les villes. L'idée même reflète une sous-estimation de l'importance des villes. Bien que la Bulgarie soit un pays agricole, il n'en reste pas moins que les villes sont seules le centre économique, politique et militaire essentiel. Là se concentre tout l'appareil gouvernemental. Elles sont une base vitale pour la bourgeoisie.

« En commençant par la prise du pouvoir dans les villages, les insurgés opéraient suivant la ligne des résistances *minima*. Ainsi, ils avertissaient les forces principales de l'ennemi, réunies dans les villes, ce qui lui permettait non seulement de préparer sa défense, mais encore de passer à l'offensive et d'abord contre les couches et les groupes de citadins favorables à l'insur-

---

1. Cf. chapitre *Fronts rouges*.
2. Décédé récemment, Larribère a laissé une autobiographie, dont un condensé a paru dans les *Cahiers de l'Institut Maurice Thorez* (n° 22, 2e trimestre 1971).
3. *Op. cit.*, n° 5.

rection. De la sorte, celle-ci perdait ses alliés des villes, dont la prise devenait doublement difficile [1]. »

On voit combien pour les spécialistes militaires bolcheviks de cette époque, l'action armée est conçue comme un phénomène urbain qui doit répéter le modèle bolchevik de 1917. L'article de Valdier constitue une réfutation anticipée de la stratégie que Mao imposera plus tard en Chine, en commençant par contrôler les campagnes pour isoler les villes.

Il est bien certain que *Le Militant rouge* n'est pas seulement une école. *C'est aussi un centre de ralliement et de contact.* Les gens qui s'intéressent à ce genre de lecture appartiennent à un certain type d'hommes tournés vers l'activisme, la conspiration, le complot, et leurs entreprises de passion, de violences et de sang. Ils écrivent au secrétariat de la revue. Ils entrent en relations. Ils deviennent parfois des correspondants. Correctement jaugés, ils peuvent servir à d'autres besognes [2].

Par une note destinée aux lecteurs de la revue (n° 10) on apprend que « trop peu de lecteurs collaborent à notre revue... La collaboration peut se réaliser par l'envoi d'études sur l'histoire des insurrections locales, sur les grèves, *sur le mouvement fasciste régional, par l'envoi de documents, de renseignements*, qui nous permettent d'améliorer le contenu de notre revue » (souligné par nous).

S'agit-il vraiment d'améliorer la tenue de la revue? L'appel à des documents et à des renseignements, à des informations sur des mouvements fascistes régionaux qui comprendront inévitablement les noms d'adversaires politiques, peut être le prétexte à rencontrer des agents. Dans l'entourage de Muraille, on n'aura pas de peine à détecter les sujets intéressants et à les inciter peu à peu à entrer dans l'appareil d'espionnage proprement dit.

Financier et conseiller du *Militant rouge*, l'infatigable Muraille ne cesse de ruminer des projets et de placer ses hommes.

Poisson frais, arrivage direct

C'est lui, par exemple, qui surveille le réseau Monnereau. Ouvrier métallurgiste, Louis Monnereau est allé suivre en U.R.S.S. les cours de l'école léniniste de Moscou, avant de perfectionner ses connaissances dans un centre où l'on acquiert les techniques du renseignement. Revenu en France, il monte une affaire de poissonnerie, dont l'enseigne porte cette mention : « arrivages directs ».

Dans cette boutique ce ne sont pas seulement le cabillaud, le merlan ou la sole qui arrivent « en direct », mais les renseignements. Le commerce du poisson est une excellente « couverture » pour justifier des déplacements dans les ports (y compris les ports militaires) et les relations qu'on y noue.

1. *Op. cit.*, n° 10, sept.-oct. 1926, p. 197.
2. Parmi les souscripteurs de la revue — dont le vrai financement est assuré par d'autres moyens — on relève les noms de Barbé, Lozeray, Provost, Duclos, Marrane, Crémet, Michel Marty (frère d'André), Galopin, Herclet, Marguerite Faussecave.

Pendant plusieurs années, Monnereau recueille documents et confidences, transmis au « général » Muraille.

En 1928, Monnereau est pris. On trouve sur lui des plans et des dessins concernant la construction de navires de guerre et de sous-marins, ainsi que des documents sur l'artillerie navale. Son cas est grave. Monnereau récolte dix ans de travaux forcés.

Muraille a pris le large.

L'année même où Monnereau est arrêté, la XIe chambre correctionnelle juge le 14 février 1928 un autre réseau, celui des « imprimeurs ».

L'idée de base en est simple. Un certain nombre de documents secrets intéressant l'aéronautique et le ministère de la Guerre sont imprimés. Étant donné qu'à l'imprimerie travaillent des soldats ou d'anciens soldats qui, professionnellement sont des « typos », que parmi eux figure automatiquement un certain pourcentage de communistes, il suffit d'établir dans cette imprimerie rue de Grenelle une filière qui doit se révéler particulièrement fructueuse.

Dans une entreprise de cette nature, le travail de contact est très délicat. Muraille le confie à un certain Rougeayres, originaire de Cahors, surnuméraire des contributions indirectes, mobilisé jusqu'en avril 1925 comme secrétaire d'état-major au cabinet du ministre de la Guerre. A un pareil poste, on peut « travailler ».

Rougeayres ne chôme pas. « Il exploite la bonne foi d'un de ses camarades... qui travaille à l'imprimerie du 2e Bureau [1]. » Puis, par l'intermédiaire d'un compatriote de Cahors, il fait la connaissance d'un autre soldat, compositeur à la même imprimerie. Celui-ci, dans un café proche de l'École militaire, accepte de remettre à Rougeayres quatre ou cinq bulletins mensuels, considérés comme confidentiels.

Peu après c'est « la quille » pour Rougeayres. Mais celui-ci garde le contact avec différents soldats imprimeurs. Moyennant quelques billets de cent francs, tantôt lui, tantôt la bonne Louise sont alimentés en exemplaires du fameux bulletin.

Ceci se passe en 1926. En dépit des démobilisations successives, Rougeayres recrute toujours. Entre le mois d'août 1926 et novembre 1927, il trouve encore le moyen de circonvenir quatre soldats. Jusqu'à ce qu'il tombe sur un certain Deccaux qui refuse tout net.

Le réseau des imprimeurs

Entre-temps, Rougeayres qui, initialement, appartenait au réseau Crémet-Clarac, est passé sous le contrôle direct de Muraille. Sur les indications de ce dernier qu'il appelle tantôt « le patron », tantôt « Paul », il s'abouche avec un imprimeur civil du troisième groupe des ouvriers de l'aéronautique. Ce dernier est chargé du tirage des cours et des conférences

1. Roger Mennevée, *L'Espionnage international en temps de paix*, t. II, p. 539.

destinés aux élèves de l'École d'application de l'aéronautique de Versailles. Pour des sommes variant de cent à trois cents francs, il livre des dizaines de cours.

Un autre agent, un certain Pillot, compositeur-typographe du Centre d'études de l'infanterie de Versailles, a été recruté à la fin de 1926. Il livre des études sur l'infanterie allemande, sur l'attaque d'une position organisée, sur les chars d'assaut, sur le « cycle des lieutenants d'instruction », etc. Pour rétribution, il reçoit cent cinquante francs.

Mais, vers Pâques 1927, Louise Clarac, comme nous l'avons vu plus haut, disparaît. Il en résulte une certaine désorganisation du réseau.

Pillot est alors soigné à l'hôpital militaire de Versailles. C'est là qu'un jour de juillet un homme vient lui rendre visite. Il prononce deux noms : « Louise » et « François ». C'est le mot de passe.

L'homme est Rougeayres.

« Il faut que tu reprennes le travail, dit-il à Pillot. Tu peux gagner 500 à 600 francs par mois. »

Pillot se laisse convaincre. Il va même recruter d'autres camarades. Les fuites se poursuivent.

Le 24 novembre, Rougeayres a rendez-vous avec un de ses correspondants dans un café de l'avenue Bosquet. Celui-ci lui remet deux documents : un fascicule rouge, « Le cycle des généraux et des colonels », daté d'octobre 1927, et un fascicule vert, le « Résumé d'emploi de l'aéronautique ».

Rougeayres feuillette ces deux publications, s'en dit satisfait, les met dans sa poche, règle les consommations et s'en va. Il reprend seul le métro et descend à la station Concorde.

« *J'avais rendez-vous avec le patron* »

C'est là qu'on l'arrête. On trouve sur lui les deux documents. Ses activités d'espion ont duré près de quatre ans.

Les inspecteurs sont un peu surpris de constater que Rougeayres se met très vite « à table ».

« J'avais rendez-vous, dit-il, avec le patron.

— Où cela ?

— Au métro République. »

On y emmène aussitôt Rougeayres. On guette en vain l'apparition du « général » Muraille. Rougeayres a tout bonnement indiqué ce lieu de rendez-vous pour gagner du temps et permettre au Soviétique de prendre le large.

L'acte d'accusation le dépeint comme étant d'une « dissimulation sans pareille [1] ». Exception faite de Pillot qui a été arrêté de son côté, Rougeayres ne dévoile d'ailleurs le nom d'aucun de ses agents. Les policiers découvrent toutefois une liste des membres du réseau dans une cassette

---

1. *Op. cit.*, p. 543.

déposée au domicile d'un postier, ami de Rougeayres. Il s'agit, à vrai dire d'une liste codée dont l'intéressé se refuse à donner la clé, et que seul un expert parvient à déchiffrer.

On fait encore une autre découverte : la liste des sommes que « Paul » a remises à son lieutenant et l'utilisation qu'il en a faite pour lui-même et pour des sous-ordres.

L'enquête établit notamment qu'il a adressé 6 500 francs à son frère à Cahors, somme assez importante pour un jeune surnuméraire des finances, et dont il ne peut justifier la provenance.

L'arrestation de Rougeayres et de Pillot en entraîne une série d'autres. Seul, semble-t-il, parmi les membres du réseau, un certain Descharles, alerté par Octave Rabaté, membre du Comité central, réussit à s'enfuir en Belgique. Par la suite, Rabaté fera parvenir un secours financier à la compagne de Descharles [1].

A l'issue du procès qui se déroule le 14 février 1928, Rougeayres récolte cinq ans de prison et 3 000 francs d'amende. Par défaut, Louise Clarac et Descharles sont frappés de la même peine. Les autres peines, une dizaine, s'échelonnent entre 4 ans et 6 mois.

On n'entendra plus parler de Rougeayres. Il est assez curieux de constater que dans le manuscrit inédit de Bougère [2] l'affaire des imprimeurs, pourtant si caractéristique, est expédiée en quelques lignes. Le nom de Rougeayres n'y est jamais cité : même discrétion dans l'article sur l'espionnage communiste publié par la revue B.E.I.P.I. [3], ainsi que dans les fiches de documentation sur le communisme publiées en 1951 [4] par le même centre. L'article et la fiche ayant été rédigés, sinon par Bougère en personne, en tout cas sur ses indications.

Par ailleurs, aucun des anciens militants communistes que nous avons interrogés sur ce sujet ne se souvient de Rougeayres.

Il est probable que c'est lui qui a permis à son « patron » Muraille, avec qui il avait sans doute rendez-vous, mais dans un autre lieu, d'échapper à l'arrestation [5]. Il appartient à cette espèce d'hommes sortis, à la lueur d'un procès, d'un anonymat plein de secrets, et qui disparaissent sans laisser de traces.

Parallèlement au « réseau des imprimeurs », le « général » Muraille a entrepris de monter un autre système de renseignements : les rabcors.

---

1. Op. cit., p. 544.
2. Op. cit., pp. 545-546.
3. Plus tard Est et Ouest, n° 113, 1er juillet 1954.
4. « Comment le parti communiste transforme les militants en espions », fiche n° 71.
5. Les contacts de l'illégalité communiste sont régis par des règles strictes. Le rendez-vous doit avoir lieu à l'heure exactement fixée, un délai d'environ cinq minutes étant toléré. Un rendez-vous de repêchage est alors prévu, en général une heure plus tard, au même endroit ou dans un autre lieu. Si un des agents manque les deux rendez-vous, son absence est considérée comme un signal d'alarme.

Les rabcors

Rabcors est la contraction de deux mots russes : *Rabnotniki correspondenti*, qui signifient correspondants ouvriers. On désignait par là les correspondants d'usine qui, sous le tsarisme, adressaient régulièrement des relations sur la vie de leur entreprise à la *Pravda* clandestine, puis après la prise du pouvoir, à ce même quotidien devenu légal et au *Troud*, organe des syndicats.

Au temps de l'illégalité en Russie, les correspondants clandestins exposaient dans leurs messages leurs revendications, et leurs difficiles conditions de travail. Mais, sous le couvert de l'anonymat, ils pouvaient aussi glisser dans leurs lettres des informations touchant au domaine politique, policier ou militaire.

Le projet d'implanter ce système en Occident, à des fins d'espionnage, se révélera comme une grande idée du *Rasvedoupr* de Berzine.

A partir de novembre 1927, *L'Humanité* ouvre chaque semaine ses colonnes aux correspondants ouvriers et un double appareil se met à fonctionner.

L'appareil visible, composé de quelques rédacteurs, centralise les papiers que, de toutes les régions de France, lui adressent les *rabcors* des diverses entreprises. Les papiers les plus vivants, ceux qui relatent le mécontentement des travailleurs, le déroulement d'une grève, ou un *lock-out* patronal, sont en général insérés dans le quotidien communiste.

Certaines informations ne paraissent jamais. Elles sont du ressort de *l'appareil* secret. Étroitement imbriqué dans le premier, celui-ci effectue un tri, conserve les renseignements susceptibles d'intéresser le *Rasvedoupr*, détecte les correspondants qui accepteront peut-être de s'engager davantage, les « contacte » selon le cas, les enrôle, ou se borne à les encourager à communiquer d'autres informations, sans qu'ils aient pleinement conscience de participer à une entreprise d'espionnage.

La création du service des *rabcors* se pare de justifications idéologiques qui sont autant de prétextes.

Les *rabcors*, explique-t-on, joueront le même rôle que *L'Ami du Peuple* de Marat. Et ne faut-il pas que, dans le quotidien de la classe ouvrière, d'authentiques prolétaires soient à même de s'expliquer, plutôt que d'abandonner ce soin à des rédacteurs d'origine bourgeoise ?

« ... Parce que mon patron le hait »

Le 8 novembre 1927 paraît la première page des *rabcors*. L'éditorial traite de la Révolution française. Suit une lettre d'un *rabcor* qui débute par cette phrase :

« J'aime Lénine, parce que mon patron le hait... »

L'homme qui dirige cette page n'a toutefois rien d'un métallo ni d'un mineur. C'est un garçon de vingt-cinq ans, à la fois farceur et lunaire, issu d'une excellente famille bourgeoise, qui trimbale toujours au fond de ses poches des boîtes pleines d'insectes. Il se nomme André Raymond et deviendra plus tard un excellent entomologiste. Signe particulier : il est le petit-fils du préfet de police, Louis Lépine. Aragon, fils naturel d'un autre préfet de police, Andrieu, n'est pas encore entré au parti.

C'est Vaillant-Couturier qui est revenu un jour de Moscou avec cette idée de la page hebdomadaire des *rabcors*, que lui ont soufflée les Russes. Sait-il ce qu'elle cache ? C'est très possible. Le plus remarquable journaliste du parti a déjà rempli plusieurs missions pour le compte de l'appareil, notamment en transportant des fonds.

Vaillant-Couturier recrute Raymond qui travaille alors à « L'Agit-Prop ». Chapitré, ce dernier n'y voit pas malice. Il est même enthousiaste. Il s'installe à *L'Huma*, où il est assez mal accueilli par les autres rédacteurs, en particulier par Camille Fégy, ancien secrétaire administratif des J.C.

« Tout nouveau venu, raconte Raymond, était fort mal reçu par Camille. Il avait toujours l'impression qu'on venait lui croquer sa part de gâteau [1]. »

Le travail commence. Les lettres des correspondants affluent au rythme de cinq à dix par jour. Pour aider Raymond, on lui colle un assistant, un certain *Alexandre*, jeune juif né dans une famille commerçante, excellent camarade et fort discret. C'est le bras droit de Raymond. On ne tarde pas à lui présenter son bras gauche. « Il travaillera avec toi. » Il a le même âge que Raymond. Il vient lui aussi des J.C. Il s'appelle Émile Bougère.

Bougère entre en piste

« Étant donné le climat hostile de *L'Huma*, je me méfiais un peu de lui, dit Raymond. Je lui ai dit : Qu'est-ce que tu comptes faire ?

— Tout ce que je te demande, c'est de pouvoir un peu tripoter tes dossiers.

— Ne me fais pas d'entourloupettes !

— Aucune envie. »

En évoquant le souvenir de Bougère, Raymond a deux mots pour le définir : « mobile et discret [2] ». Deux épithètes qui lui conviennent encore parfaitement quand je fais sa connaissance, bien plus tard, au début des années 50.

J'ai travaillé pendant quatre ou cinq ans dans la même agence de presse, assis en face de lui, dans le même bureau, puis je l'ai revu par intermittence jusqu'à sa mort survenue en 1964. C'était alors un petit homme grisonnant, un peu replet, type employé de bureau, avec des traits fins dans un visage rond. Mégot au coin de la lèvre, il marmonnait en écrivant et, quand il parlait, ses deux mains potelées s'agitaient à la hauteur de sa ceinture, comme deux nageoires ventrales. C'étaient là les deux seuls traits

1. Témoignage d'André Raymond.
2. *Idem.*

notables d'un être parfaitement effacé, d'une gentillesse distraite, et tout à fait remarquable.

Cela dit, il farfouillait toujours dans des paperasses; explorait méthodiquement les budgets des municipalités communistes, se retrouvait comme pas un dans ces labyrinthes et en émergeait avec une tonne de révélations; s'infiltrait partout sans attirer l'attention et glanait partout une masse de renseignements; truquait les votes à un congrès radical, partait pour l'Afrique y combattre un communisme qu'il avait servi dans sa jeunesse, et revenait « en catastrophe », échappant de justesse à une révolution de palais.

Dans son domaine, qui mêlait l'art du renseignement et celui de l' « Agit-Prop », ce petit bonhomme sans relief était un combattant hors pair.

En 1927, s'il a le même âge que Raymond, il est beaucoup plus rusé que lui. Il a, pour les choses pratiques, la supériorité naturelle du jeune prolétaire contraint à se débrouiller de bonne heure sur le fils de famille encore duveteux. Adolescent, il a organisé dans son pays d'origine, la Touraine, des coopératives de ramassage des fruits, avant de travailler dans l'appareil « anti » à Nancy.

A la fin de son service, il s'occupe des chômeurs, pour le compte du parti. Végétarien, il a peu de besoins. Avec son allocation de chômage, il s'achète une caisse de légumes.

Dans les années 1925-1926, on le retrouve à l'école de cadres des J.C. C'est l'époque de la guerre du Rif. Il récolte trois mois de prison pour provocation de militaires à la désobéissance. A sa sortie, on lui propose de travailler aux *rabcors*.

« C'est un ancien secrétaire de Vaillant-Couturier qui m'a coopté », raconte Bougère.

C'est ce secrétaire qui le met en rapport avec un Russe [1].

Le travail commence. Bougère voit tout le courrier. Il sélectionne les lettres qui l'intéressent, puis prend contact avec leurs auteurs. Dans cette tâche, il ne tarde pas à être, à son tour, secondé par un certain *Philippe*, originaire de Saint-Étienne, qui travaille chez Citroën.

Philippe, de son vrai nom, s'appelle Liogier. Il est l'auteur d'un roman populiste, *L'Acier*.

« Il avait un long visage glabre, avec un long nez et de petits yeux chassieux, se souvient Raymond. Physiquement, il ressemblait un peu à Alexandre, mais tout ce qui dans la physionomie d'Alex était net et ouvert semblait visqueux chez Philippe. »

Pour l'appareil, Philippe est assurément au sein du parti communiste, l'homme de confiance. C'est lui qui assiste au congrès international des *rabcors* à Moscou car, bien entendu, la France n'a pas le privilège de ce réseau.

Combien y a-t-il de *rabcors* dans notre pays? En 1964, Bougère estimait leur nombre à environ trois mille. Raymond assure qu'ils ne dépassaient

1. Témoignage personnel de Bougère, recueilli peu avant sa mort.

pas le millier. Même si l'on ne retient que ce chiffre, cela donne un bon contingent de personnes dont les informations peuvent être recueillies, classées, coordonnées.

Selon Bougère, chaque *rabcor* recevait un numéro et ne signait plus autrement sa correspondance. Certaines circonstances facilitaient le passage insensible du militarisme à l'espionnage. Ainsi, en 1929, la propagande soviétique lança l'idée d'une journée internationale contre la guerre qui menaçait l'Union soviétique. L'orchestration de cette « Journée mondiale du 1er août » fut préparée par le service des *rabcors*. On demanda aux correspondants de dénoncer les préparatifs de guerre de l'impérialisme français (fabrication d'armes, inventions nouvelles, transport d'armes, de troupes, etc.).

Au fond, les Soviétiques pratiquent déjà, sur une grande échelle, un espionnage de masse qui est aussi un *espionnage industriel*, activité qui a aujourd'hui une importance extrême.

A *L'Humanité*, cependant, les pages des *rabcors* soulèvent des tollés de protestations. Nombre de collaborateurs du journal jugent cette entreprise, considérée sous l'angle purement rédactionnel, comme un non-sens. Il en résulte des incidents. Fégy, un des détracteurs les plus acerbes de cette page, reçoit un beau jour en pleine figure une « bombe à encre » expédiée par « Alex ». Éclaboussé et furieux, il va se plaindre chez Cachin, directeur de *L'Humanité*.

Mais celui-ci, et surtout Vaillant-Couturier, « couvrent » l'entreprise. De temps en temps, ce dernier invite Raymond dans sa maison de l'Ariège. « Viens me voir, *Rabcor!* » et l'encourage à sa façon :

« Ne t'imagine pas, *Rabcor*, qu'on t'a choisi à cause de ton génie particulier. Simplement, avec toi on peut travailler, avec un autre nous irions à la catastrophe. »

Deux autres personnages apparaissent épisodiquement, qui semblent s'intéresser à cette rubrique. Le premier, bien oublié aujourd'hui, s'appelle Dollet. C'est un garçon modeste et effacé. Mais il est, à cette époque, à la fois secrétaire adjoint à l'organisation et secrétaire particulier de Thorez. Double fonction qui indique qu'il est un homme de confiance.

Duclos : « On te fait confiance »

Le second convoque un jour Raymond dans un café entre la rue La Fayette et *L'Humanité*, et lui tient des propos sibyllins.

« On te fait confiance. Ton travail est très important. Si tu as un jour des difficultés, fais-le moi savoir. »

L'homme est très petit, mince à l'époque. Il a, sous le nez, une petite moustache à la Charlot. C'est Jacques Duclos.

Raymond se rend-il compte alors du genre de travail qui s'effectue dans son dos? C'est un garçon fantasque, au tempérament assez insouciant. Un beau jour, après un violent incident avec *Marius*, l'ancien responsable de *l'appareil* « anti » qui lui reproche de n'avoir pas fait paraître un papier qu'il jugeait essentiel, Raymond perd son poste.

Quelque temps plus tard, le réseau des *rabcors* est découvert. Cette circonstance vaudra à Raymond d'être interrogé en 1929 par un juge d'instruction. Il finit par s'en tirer avec un non-lieu. Ni la justice ni la police ne tiennent à voir comparaître sur les bancs de la correctionnelle et au milieu d'une brochette d'espions le petit-fils du préfet Lépine.

Entre-temps, le réseau des *rabcors* est devenu si important que deux services soviétiques se le disputent. Initialement, il a été constitué par le *Rasvedoupr*, sous le contrôle de Muraille que Bougère rencontre parfois dans une chambre, à proximité des Buttes-Chaumont. L'I.N.U., qui est la branche extérieure du Guépéou, s'en mêle à son tour et constitue un réseau parallèle.

« La section I.N.O. de la Vetcheka [1], écrit Bougère, se pencha également sur la question et créa aussi, grâce à un de ses agents, avec l'aide de la direction du P.C., un second réseau. Une commission de six membres fut désignée à l'échelon du secrétariat du P.C. sous les ordres de Jacques Duclos pour recueillir toutes les lettres reçues à *L'Humanité* qui traitaient des problèmes de défense nationale et de production de guerre. Le service des *rabcors* reçut l'ordre du secrétariat de remettre également avec ces lettres les adresses des correspondants auteurs de ces lettres... Duclos désigna cette commission qui comprenait Riquier, Maurice Grandcoin, André Coitou, Gaston Venet et Claude Liogier [2]... »

Le vrai patron de ce réseau pour le compte de l'I.N.U. est un Polonais d'origine juive Isaïa Bir, polyglotte, connaissant sur le bout du doigt l'appareil du P.C. et l'ensemble de ses cadres centraux et fédéraux.

Fantômas

Bir porte un « pseudo » évocateur : *Fantômas*.

Il a pour adjoint direct le Polonais Haelter Ström, et peut-être un autre Polonais d'origine juive qui, après un détour en Palestine, a débarqué en France à la fin des années 20.

Ce personnage deviendra mondialement célèbre. Il se nomme Trepper, alias *Gilbert*. C'est le futur chef du réseau de la *Rote Kapelle* (Orchestre rouge) en France et en Belgique.

Dans le livre de Gilles Perrault qui lui est très favorable, Trepper est présenté comme un des adjoints de Bir (Fantômas).

Le chef de la *Rote Kapelle* conteste pourtant avoir jamais appartenu à ce réseau. Je n'ai personnellement pas le souvenir que Bougère ou Barbé aient prononcé son nom, et le premier ne le cite pas dans son manuscrit, à propos de l'affaire Fantômas, alors qu'il donne Ström pour adjoint de

1. Tchéka ou Vetcheka.
2. Manuscrit inédit, *op. cit.*, pp. 14-15.

Bir. Trepper affirme n'être venu en France que pour enquêter, en 1935, sur les origines des dénonciations ayant abouti à la liquidation du réseau Fantômas. On ne doit cependant pas perdre de vue qu'il peut avoir intérêt à nier toute activité d'espionnage en France avant la guerre.

Au début de l'année 1932, les membres de la commission sont arrêtés, y compris Bir. C'est l'affaire *Fantômas*. Elle met en cause une centaine de personnes, dont la plupart toutefois ne sont pas inculpées, Une dizaine d'entre elles comparaissent le 5 décembre 1932 devant la XIIIᵉ chambre correctionnelle. Le plus lourdement condamné avec Bir est Liogier. La Xᵉ chambre confirme en appel, le 2 février 1933, les condamnations.

Les attendus du jugement de la XIIIᵉ chambre disent ceci :

« Attendu qu'il centralisait les rapports envoyés par les correspondants ouvriers travaillant dans les usines de guerre, véritables agents d'un service international d'informations ouvrières, désignés sous le nom de *rabcors*.

« Attendu que les documents saisis chez Bir et ses complices révèlent l'existence d'un véritable réseau d'espionnage industriel et militaire, fonctionnant en divers lieux sous l'inspiration des organisations communistes d'origine étrangère... »

Mais *quid* de Jacques Duclos dont nous avons vu apparaître le nom dans cette affaire *Fantômas* ?

Il a été inculpé en même temps que Bir et les autres par le juge Peloux. Mais, coïncidence ou précaution, il se trouve à ce moment en Allemagne. Il ne semble pas pressé d'en revenir.

Nous avons vu que le manuscrit de Bougère lui attribue une responsabilité dans le fonctionnement du réseau des *rabcors*. Antérieurement, un ancien communiste, membre de cette commission des six, Gaston Venet, avait accusé Duclos, les 20 octobre et 17 novembre 1934, dans *L'Étincelle* de Saint-Denis.

Duclos ne répondit pas.

Il ne répondit pas davantage à Rossi, de son vrai nom Tasca, ancien communiste italien, réfugié en France en raison de ses activités antifascistes...

En 1951 Rossi, qui a rompu depuis une quinzaine d'années avec le Komintern, et qui est un prodigieux chasseur de documents, publie au prix de grandes difficultés *Les Communistes français pendant la drôle de guerre*, ouvrage bourré de tracts, d'extraits de la presse clandestine, de photocopies accablantes pour les thèses « patriotiques » des communistes au lendemain de la Libération [1].

Plusieurs passages de ce livre évoquent l'activité de Duclos. L'un d'eux concerne la période *Fantômas* :

« ... Il apparut aussi, écrit Rossi, que ce *Fantômas* était en liaison directe avec Jacques Duclos.

« En voyant son jeu découvert, Jacques Duclos prit la fuite et se rendit en Allemagne où il resta plusieurs mois [2]... »

---

1. Sur cet ouvrage, voir plus loin, 2ᵉ partie, chap. 1ᵉʳ.
2. Rossi, *op. cit.*, p. 96.

Dans la suite de ce passage, Rossi explique que Duclos finit par bénéficier d'un non-lieu, malgré les constatations de l'instruction, grâce à des complicités maçonniques qui sont d'ailleurs contestées par certains.

A ces accusations, Duclos ne répond pas davantage qu'à celles de Venet [1]. Il reste toutefois que le non-lieu rendu en sa faveur a l'autorité de la chose jugée.

Avant Bir, Muraille a fini par être pris.

Pendant longtemps il a circulé sans cesse en Europe, échappant à tous les pièges. Par certains de ses agents, il s'est procuré à Lyon des plans qui concernent les secrets de notre aviation. Une autre de ses cellules fonctionne à Marseille. Elle a à sa tête le communiste Vedovini.

Celui-ci est en relation avec des techniciens de l'arsenal. Grâce à eux, il fournit des renseignements sur la production chimique, sur la fabrication des torpilles, sur le nouvel équipement des sous-marins.

Qu'arrive-t-il à Vedovini? Probablement l'accident classique dans les services de renseignements : il est pris et « retourné ». En tout cas, il remet à la police un questionnaire rédigé par Muraille en personne.

Muraille, Paul, Albaret, Boissonnas... Il y a longtemps que les services de police et le 2e Bureau ont inscrit ce personnage-Protée sur leurs tablettes. Enfin, on va le « coincer ». Enfin, on va lui mettre la main au collet.

Pas au rendez-vous !

Vedovini a rendez-vous avec lui. Au dernier moment, mystérieusement alerté, ou servi par son flair, le « général » ne vient pas. Il a passé la frontière.

C'est une routine pour lui. Ses activités ne se limitent pas à la France. De même qu'il existe en Allemagne et en Italie des revues semblables au *Militant rouge*, de même des réseaux d'espionnage soviétiques que, sans doute, Muraille supervise, sont en action en Allemagne, Autriche, Belgique et Hollande.

Pour l'Allemagne, par exemple, un procès se déroule le 25 avril 1932, devant la première chambre du tribunal de première instance de Frankenthal, qui révèle des activités d'espionnage industriel au détriment des usines de la société I.G. Farben-Industrie à Ludwigshafen. Dans le compte rendu de ce procès, la *Bayerische Staatszeitung* affirme que de 1926 à 1930 on découvrit dans une seule grande entreprise allemande *134 cas graves d'espionnage industriel*.

La même année, un procès est intenté à des travailleurs de l'I.G. Farben à Bitterfeld. Le principal accusé est condamné à trois ans de travaux forcés.

1. Dans le livre qu'il a consacré au célèbre espion Philby, le Britannique Cookridge reprend les mêmes accusations et explique que Philby vint en France vers 1930 pour y rencontrer Muraille et Jacques Duclos.

L'I.G. Farben est, assurément, un objectif de choix pour les services soviétiques. Et pas seulement pour eux.

Bougère raconte, en effet, qu'à la faveur de l'occupation, en 1923, les services français mirent la main sur d'importants dossiers de cette grande firme allemande et qu'on expédia ceux-ci en France. Ils furent remis, pour étude, à l'École de physique et chimie de la Ville de Paris.

Déjà l'espionnage industriel...

L'équipe Muraille va encore intervenir.

A l'école travaille en effet un jeune assistant du professeur Langevin. Il appartient au réseau Muraille. Il s'empresse de photocopier tous les documents qu'on lui communique et avant de les restituer à l'école, fait passer ces épreuves au réseau qui les transmet à Moscou.

Selon Bougère, ce jeune professeur s'appelle Jean A... Celui-ci aurait enseigné plus tard à Nancy puis, de 1930 à 1936, aurait collaboré comme rédacteur au journal communiste syndical *La Vie ouvrière*, en compagnie de Jules Raveau qui aurait connu, lui aussi, Muraille.

Décrivant les activités d'A..., Bougère dit ceci :

« Il s'intéressa au réseau des correspondants ouvriers *(rabcors)* dès leur création et particulièrement aux *rabcors* traitant de la défense nationale. Il organisa des cellules de noyautage au 61e R.A.D. et au 41e R.A.P., à l'occasion des périodes de réserve de novembre 1928, en liaison avec un autre agent soviétique, Cassiot, dirigeant de l'appareil « anti », rédacteur de *La Caserne*, organe clandestin, et ancien élève d'une école d'espionnage militaire en U.R.S.S. (réseau Berzine). Il organisa ensuite, par l'intermédiaire d'un sien cousin, une chaîne de sabotage des avions militaires à l'usine Potez à Arras (Pas-de-Calais). Cette chaîne fut démantelée en 1936 par un officier du 2e Bureau. Pendant la guerre, il était dans l'appareil clandestin du P.C. et après la guerre de l'Allemagne contre l'U.R.S.S., il participa à l'action des maquis F.T.P. [1] »

Bougère ajoute qu'A... aurait été tué, au moment de la Libération, en donnant l'assaut à la mairie d'une ville du centre.

Le nom indiqué par Bougère dans son manuscrit — nous n'en donnons que l'initiale —, ne correspond à aucun communiste connu. Il est possible que Bougère, mort brutalement d'un arrêt du cœur au café *Le Laborde*, n'ait pas eu le temps de relire et de corriger son manuscrit dactylographié, qu'il ait dicté celui-ci et que le nom qui y figure ait été mal entendu et mal transcrit. Ou bien s'agit-il d'une déformation volontaire ?

Dans l'ouvrage, bourré de souvenirs, *Révolutionnaires sans Révolution* de de l'ancien communiste et surréaliste André Thirion, apparaît à un certain moment un personnage qui offre quelques traits communs avec le jeune savant décrit par Bougère. C'est le « communiste le plus singulier de toute

1. *Op. cit.*, p. 6.

la Lorraine » qui possède « de solides amitiés au Komintern. Mais à l'exception sans doute de quelques tâches discrètes [...] détaché de toutes les responsabilités qui lui avaient été confiées dans l'appareil [...] naturellement porté vers le secret et la conspiration [1] », et qui tombe en effet les armes à la main à la fin de l'occupation.

Mais le personnage de Thirion s'appelle Hainchelin, se prénomme Charles (et non Jean), est professeur non pas de physique ou de chimie, mais de français dans un collège technique. Ces différences suffisent, à notre avis, pour qu'on ne puisse sans abus identifier Hainchelin à l'homme décrit par Bougère.

Quoi qu'il en soit de l'identité exacte de Jean A..., son histoire montre la diversité des réseaux Muraille.

Que devient celui-ci après l'alerte Vedovini ? Pour autant qu'on le sache il a regagné Moscou. Il est évident qu'il est désormais « grillé » en France. Selon les confidences faites à l'un de ses « contacts », il écrit pour se délasser une pièce en français. Sujet : la grève.

Muraille a déjà rédigé deux actes sur quatre quand il est convoqué par Berzine. Il doit revenir en France y recruter quatre agents. Ceux-ci iront à Moscou suivre un stage de six mois dans une école spéciale d'espionnage. Si les résultats sont bons, ils deviendront des agents internationaux.

« Laissez-moi terminer ma pièce, implore Muraille, sait-on jamais, il pourrait m'arriver un pépin.

— Sois sans crainte, lui répond-on. On la fera terminer par un autre.

— Ils n'ont pas l'air de croire à ma vocation littéraire, confie Muraille à un ami, dès son arrivée en France. »

Chute de Muraille

La fin approche pour l'insaisissable Muraille. En avril 1931, après une course-poursuite mouvementée dans les couloirs des wagons sur la ligne Paris-Lyon, il est pris.

Il y a trop de monde à ses trousses. La police sait qu'en 1929 il est revenu en France en compagnie d'une certaine Thérèse Muller qui n'a pas tardé à repartir. L'année suivante, elle repère son passage rue Saint-Honoré, puis rue Francœur. Elle le suit à la trace à Brest, Nantes, Marseille, Lyon, Saint-Raphaël. Mais elle ne réussit pas à le prendre sur le fait, car il multiplie les précautions avec ses « contacts ».

En avril 1931, Muraille est pris en chasse à Marseille. La poursuite va durer cinq jours et six nuits.

Les inspecteurs tiennent à connaître le maximum de gens dans son réseau. Alors ils n'interviennent pas trop vite. Muraille emmène son escorte à Lyon. Là, il fait semblant de traverser le pont de l'Université, puis profitant du

---

1. Cf. Thirion, pp. 106-107.

passage d'un tramway qui le dérobe à la vue des « fileurs » repasse le pont au pas de course, et va à son rendez-vous. Mais un policier y guette son « contact »...

Muraille, « nous le perdîmes à Paris, confie pendant le procès un policier à Henri Danjou, mais enfin nous le retrouvâmes le 23 avril 1931 au métro Sèvres. Là encore, il avait pris toutes ses précautions : il nous guettait au portillon. Nous savions de lui tout ce que nous voulions savoir, nous l'arrêtâmes [1]. »

Cinq mois plus tard il est jugé. Il nie tout, en bloc. Vedovini ? Il ne connaît pas. Il se dit Suisse, et ni l'instruction ni le procès ne permettent de percer son identité véritable. Lui un espion ? Quelle plaisanterie ! Il est écrivain. S'il est venu en France, c'est qu'il est amoureux, et naturellement d'une femme mariée, dont, non moins naturellement, en galant homme, il ne peut révéler l'identité. Et puis, en sa qualité d'auteur, il recueillait des matériaux pour son œuvre littéraire.

L'histoire sentimentale qu'il raconte est un « truc » classique des agents soviétiques. Elle donne toujours de bons effets d'audience.

En définitive, exception faite du témoignage de Vedovini, l'accusation n'a guère de preuves contre Muraille. Il s'en tire avec trois ans de prison qu'il purge à Poissy.

La police n'arrête sa maîtresse qui lui servait d'agent de liaison, Louise Duval, qu'en 1934.

C'est sans doute cette même année que Muraille, ayant terminé sa peine, est expulsé de France et regagne la Russie [2].

On perd sa trace. Muraille ne reparaît plus en France. Certains racontent qu'il serait devenu fou au moment de la grande purge en 1936. Mais, à vrai dire, on ignore tout de son sort.

Après sa disparition, l'espionnage soviétique ne cesse pas, pour autant, ses activités, mais il semble qu'une ère s'achève. Celle qui consiste à faire surtout appel à des militants pour effectuer des besognes de renseignement. Au reste, avec l'avènement du Front populaire, le parti communiste, s'il n'est pas au pouvoir, en fréquente les avenues. Il est moins surveillé. Il dispose aussi d'autres moyens pour collecter les informations précieuses.

Lydia Stahl et Cie

Pourtant, en 1933, on arrête à Paris une espionne soviétique, Lydia Stahl, qui opère en liaison avec un certain Robert Gordon Switz, arrivé des États-Unis où il était connu sous le nom de Duryea.

Switz est venu chez nous prendre la tête d'un réseau mis en place par Muraille et commandé par un nommé Rechevsky. Mais le *Rasvedoupr* a le sentiment que Rechevsky est « grillé ». C'est pourquoi on fait appel à Gordon pour prendre la suite.

1. *Op. cit.*, 15 oct. 1931.
2. Bougère, *op. cit.*, pp. 21-22.

Le réseau s'intéresse aux fortifications dont il se procure des photos. Il est également en liaison avec un officier de valeur, le colonel Dumoulin. Ce dernier a le sentiment que sa carrière dans l'armée a été freinée, à cause de ses opinions de gauche. Sous le pseudonyme de Charret, il dirige d'ailleurs une revue, *Armée et Démocratie*, où l'on critique vivement les conceptions de notre état-major.

Comment Dumoulin passe-t-il sous la coupe du réseau ? Sans doute, parce qu'il a de gros besoins d'argent. Contre une rétribution mensuelle de 50 000 F, il livre aux Soviétiques les rapports sur les sessions secrètes de l'École supérieure de guerre.

Le 14 décembre 1933, Lydia Stahl est arrêtée en même temps que 22 autres suspects dont Robert Gordon Switz et son épouse.

Lydia Stahl sera finalement condamnée comme Dumoulin à cinq ans de prison.

Les Gordon Switz, qui ont dénoncé tout le réseau, bénéficient d'une clause favorable qui leur vaut l'acquittement. Aussitôt après leur relaxe ils disparaissent, craignant sans doute des règlements de compte.

Pour les années qui précèdent la guerre, aucune affaire d'importance n'est découverte. Il y a pourtant au moins un réseau, fondé au début des années 20, qui continue à fonctionner.

Un brave petit industriel

Son chef porte le pseudonyme de *Stone*, son nom véritable évoquant par sa consonance celui d'un des plus célèbres prophètes d'Israël.

Né en 1882 en Russie, *Stone* est en France un résident de longue date. Venant de New York, il est en effet arrivé chez nous dès 1911. Avec sa maîtresse, il a fondé rue des Lyonnais une petite entreprise qui construit des moteurs électriques et des aspirateurs. L'affaire marche assez bien.

Stone pourrait s'en contenter. Mais il a de curieuses fréquentations qui, à première vue, n'ont rien à voir avec les affaires. Il est lié ainsi à Coudon, condamné en 1922, nous l'avons vu, pour espionnage et avec Boris Rechevsky, le responsable du réseau dont les Switz prendront la tête.

Un jour de mai 1933, on a aperçu en effet *Stone* en compagnie de Rechevsky dans un café de la place Denfert-Rochereau. Cette fréquentation lui vaut d'être interpellé par la police. Il nie. On le relâche.

Dans les années 20 *Stone* a été associé à un nommé Poliakoff. Il se trouve qu'en 1925 Poliakoff a recommandé à une dame Azoulnick pour qu'elle lui donne asile une autre dame, Mary Schul. Quel mal à cela ?

Rien, si ce n'est que Mary Schul, alias Mary Martin, est une espionne soviétique appartenant à un réseau finlandais qui sera démantelé en octobre 1933. Et, au cours de la perquisition effectuée le 23 octobre à Helsinki chez Mrs. Martin — qui sera condamnée à 8 ans de travaux forcés — on découvre une carte signée Lydia Stahl.

C'est cette découverte qui permet de détecter le réseau français, Gordon Switz-Lydia Stahl.

Tout ceci ne prouve rien, ni contre Poliakoff ni contre *Stone* qui ont peut-être été imprudents. C'est sans doute aussi une coïncidence si la sœur de Mrs. Martin, Selma Deutsch, interrogée par la police d'Estonie, déclare qu'elle devait adresser sa correspondance chez *Stone*, rue des Lyonnais.

La police garde évidemment l'œil sur *Stone* (Poliakoff, lui, est décédé depuis plusieurs années). Elle ne pourra jamais rien prouver.

Stone ne sera arrêté que le 2 septembre 1939, au moment de la guerre, comme suspect, à la demande des autorités militaires. Il est écroué à Fresnes, puis transféré au camp du Vernet (Ariège), d'où il est libéré dans des conditions qu'on ignore, en janvier 1942.

Il est probable qu'il se réfugie alors dans le Midi. Il ne reparaît à Paris qu'à la Libération. Il rouvre son atelier. Les affaires reprennent peu à peu. Lui-même mène une petite vie tranquille.

C'est ainsi que les bons espions regagnent leur base. Sans histoires, sans faire parler d'eux, sans interviews, sans tambour ni trompette.

7.

Écoles et prisons

UNE LONGUE BÂTISSE QUI BORDE LA RUE SUR UNE QUINZAINE DE MÈTRES. Lénine descend de bicyclette, pousse la grande porte en bois qui donne accès à la cour intérieure, découvre du regard une écurie, des boxes pour chevaux et une grande pièce carrée qui a servi d'atelier de menuiserie.

Le menuisier n'a pas dû avoir assez de clients. Un beau jour, il est parti. L'atelier est resté vide. Il est à louer.

« Cela conviendra tout à fait », dit Lénine à Kroupskaïa qui l'accompagne.

Longjumeau

Ainsi naît la première école bolchevique à Longjumeau, en 1911 [1].

L'idée même de former des cadres dans des stages spéciaux est en relation étroite avec la conception du révolutionnaire professionnel. Elle n'appartient pas, cependant, en propre à Lénine. La social-démocratie allemande, avec l'esprit méthodique des Germains, avait déjà créé ses propres écoles. Exemple qu'Oulianov brûlait d'imiter. Mais les émigrés russes ne disposaient évidemment pas des mêmes ressources financières ni de la même organisation que les socialistes allemands.

Ce n'est pas Lénine, toutefois, qui inaugure les cours de formation pour révolutionnaires russes en exil. En 1909, Gorki, agissant en coopération avec Bogdanov — qui vient de rompre avec Lénine — fonde l'école de Capri, puis l'année suivante celle de Bologne. Raison suffisante pour stimu-

---

1. Cf. Jean Fréville, *Lénine à Paris*, pp. 190-200.

ler le chef de la fraction bolchevique et l'inciter à choisir cette bourgade paisible de Longjumeau, à une vingtaine de kilomètres de la capitale.

L'entreprise est tout à fait modeste. Elle ne rassemble guère pour les premiers cours que dix-huit élèves, ouvriers pour la plupart, venus de différentes villes de Russie. Parmi eux, l'inévitable espion de l'Okhrana. Il se nomme Malinovski, sans avoir aucun lien de parenté avec le lieutenant de Lénine, — agent lui aussi, mais à un autre échelon, de la police tsariste.

De cette première promotion un seul participant laissera vraiment son nom : Sergo Ordjonikidzé, compagnon de Staline. On peut y ajouter aussi Diegott. Les professeurs, en revanche, venus de Paris, sont plus connus. A leurs élèves, assis sur de grossiers bancs de bois, Zinoviev et Kamenev retracent l'histoire du parti social-démocrate de Russie; Inessa Armand, celle du mouvement ouvrier en Belgique, tandis que Rappoport traite du même sujet, mais pour la France, et Riazanov pour l'Europe. Lounatcharski, lui, parle de droit et de littérature. Aucun de ces professeurs n'est un esprit médiocre.

Pour des gens habitués aux vicissitudes de la clandestinité, la vie est bien calme à Longjumeau. La petite colonie bolchevique doit effarer les autochtones. Mais elle n'a guère de rapports avec eux. Les sorties se limitent l'été, à des promenades dans la campagne, que Lénine sillonne à bicyclette, et à des baignades dans l'Yvette.

Longjumeau est une expérience longtemps sans lendemain. Un jour, Lénine quitte la France pour la Galicie et il n'a pas la possibilité d'installer là-bas une autre école de cadres. Il n'en reste pas moins convaincu que cette formation est d'une nécessité vitale pour le parti. Aussi, venu au pouvoir, il crée dès 1918 les premières écoles, ouvertes d'abord aux seuls bolcheviks russes. L'exemple sera bientôt étendu aux autres sections de l'Internationale. L'une après l'autre, dans leur pays respectif, elles organisent leur propre école centrale léniniste.

Cela ne suffit pas. Moscou ne tarde pas à exiger que les éléments les plus capables, sélectionnés par chaque parti, viennent compléter leur éducation bolchevique au cœur même du système, dans la capitale soviétique.

Ainsi se crée, à travers le monde, avec les moyens financiers correspondants, tout un réseau d'écoles politiques, coordonné par le Komintern, et dont le stage supérieur se déroule sous le contrôle direct du parti bolchevik. Système de formation, de modelage politique, sans précédent et sans équivalent à l'échelle mondiale.

Ce système, qui a fonctionné sans interruption pendant une quinzaine d'années, n'a pas eu seulement pour objet de donner aux élèves une identique imprégnation idéologique, mais aussi d'assurer leur éducation sur un plan pratique, de leur enseigner un certain nombre de recettes pour le succès des activités militantes quotidiennes, ou pour des objectifs plus ambitieux, tels que la conquête du pouvoir.

Encore secret

L'histoire de ces apprentissages est encore aujourd'hui incomplète et appartient, pour une large part, au secteur secret des partis communistes : les écoliers qui venaient compléter leurs connaissances à Moscou arrivaient en effet en Union soviétique avec de faux passeports. Mais ce secret s'est prolongé alors que les motifs semblaient en avoir disparu. « L'histoire des écoles du parti n'avait pas été établie jusque-là », avoue en 1958 le Soviétique M. P. Filytchenko [1]. Et, comme le souligne de son côté Branko Lazitch : « L'école léniniste — le plus important des établissements de ce genre — n'est mentionnée ni dans la grande Encyclopédie soviétique actuelle, ni dans les deux éditions de la petite Encyclopédie d'avant-guerre. Le gros volume (700 pages) de l'*Activité de l'Internationale communiste du Ve au VIe Congrès*, publié en 1928, omet également l'école léniniste. Seul l'organe officiel du Komintern, *L'Internationale communiste*, lui a consacré — à l'occasion du premier anniversaire, le 1er octobre 1927 — un article, mais depuis lors — comme s'il s'agissait d'une erreur due au « manque de vigilance révolutionnaire » — le silence fut de rigueur, de même que dans l'autre organe, *La Correspondance internationale* [2]. »

La création d'une école internationale léniniste à Moscou et celle d'une école centrale fonctionnant en principe pour chaque parti dans son propre pays, sont des opérations à peu près simultanées. C'est ce que précise la résolution du Ve Congrès du Komintern qui annonce en 1924 la création de l'école internationale : « L'école centrale doit réunir pour un temps plus ou moins long, selon les ressources du parti (ou d'un groupe de partis de même langue), des militants déjà informés des principes fondamentaux du marxisme-léninisme. Le but est la systématisation, l'extension et l'approfondissement des connaissances déjà possédées par les auditeurs et par là même, la formation de militants qualifiés, et particulièrement, dans les premiers temps, d'un nouveau cadre de propagandistes [3]. »

L'année suivante, la directive est en cours d'exécution dans cinq pays : Allemagne, Angleterre, Italie, Tchécoslovaquie, États-Unis.

Le Parti communiste français, pour sa part, a déjà donné l'exemple.

C'est en 1924, en effet, que s'ouvre la fameuse école de Bobigny, dont le maire n'est autre que Clamamus.

Il est un des rares maires de la région parisienne qui, en ce temps-là, soit resté fidèle au parti. La plupart des autres sont partis en dissidence avec le P.U.P. (Parti d'unité prolétarienne).

Clamamus a donné d'autres gages à son organisation. A diverses reprises, il a logé des envoyés du Komintern.

« J'ai caché à Bobigny, raconte-t-il, les premiers agents venus de Russie,

---

1. « De l'histoire des écoles du parti », in *Questions de l'Histoire du Parti communiste de l'Union soviétique*, 1958, no 1, p. 108.
2. *Les écoles de cadres du Komintern* in *Contribution à l'histoire du Komintern*, p. 233.
3. Le Ve Congrès, p. 410.

Diegott par exemple, venu en même temps que Richard Schuller, pour préparer l'arrivée de Clara Zetkin. C'étaient des amis... D'autres sont venus ensuite. Je ne leur demandais jamais leurs noms. Je les apercevais parfois dans des réunions du Comité central [1]. »

Il arrivera plus tard à Clamamus, qui a marié à Bobigny, entre autres, Doriot et Vaillant-Couturier, de « planquer » aussi Thorez recherché par la police.

Clamamus se comporte ainsi en élu communiste, fidèle aux exigences des statuts de l'Internationale, c'est-à-dire capable de combiner les tâches légales et illégales.

Il n'est donc pas très surprenant qu'on fasse appel à lui pour installer une école de cadres sur le territoire de sa commune. Pas très surprenant non plus que la personne qui le charge de cette besogne soit Suzanne Girault. Elle a opéré en Ukraine, à Kiev, pendant la guerre civile, mêlée au petit noyau des propagandistes français. Quand elle revient en France, après le congrès de Tours, elle a la confiance de la Tchéka.

Flanquée d'un favori du nom de Sauvage qui parade dans les réunions du Komintern, elle s'occupe des besognes plus ou moins secrètes.

A Bobigny

Un jour, donc, elle appelle Clamamus au téléphone :
« Je t'envoie Louis Sellier. Il t'expliquera. »
Sellier est un de ses adjoints au Bureau politique.
« Nous devons créer une école marxiste-léniniste, explique Sellier. C'est l'ordre de Moscou. Tu es le seul maire digne de confiance qui nous reste. C'est pourquoi nous avons pensé à Bobigny. Je viens te voir pour examiner avec toi la question des installations matérielles.

— L'ennui, répond Clamamus, c'est que je n'ai pas de grands locaux disponibles. Il n'y a guère que des baraques Adrian toutes proches de la mairie. On y logeait des soldats. A la rigueur, cela pourrait faire l'affaire. On y a déjà fait des réunions du parti. Mais, pour y loger des gens, c'est une autre paire de manches. Il n'y a ni eau ni gaz.

— Examine cela. On doit pouvoir s'arranger. Nous t'aiderons, bien sûr, sur le plan financier [2]. »

Ainsi commence à fonctionner l'école de Bobigny, dans des conditions matérielles encore moins brillantes que celles de Longjumeau. On y donne des cours, dans un premier stage qui dure de la mi-novembre 1924 à janvier 1925, à une soixantaine d'élèves. Elle a à sa tête un brillant sujet de l'école primaire supérieure : Paul Marion. Il passera plus tard chez Doriot, avant de devenir ministre à Vichy.

A ce premier stage, les cours sont assurés par Treint, Suzanne Girault,

1. Entretien avec Clamamus.
2. *Idem.*

Cachin, Pierre Sémard... Des envoyés de l'Internationale participent aussi à cet endoctrinement. C'est le cas, par exemple, de Kurella, futur membre suppléant du Bureau politique de la S.E.D. en Allemagne orientale, de Paul Frölich et de Guralski, auteur présumé du fameux télégramme de Doriot et Sémard aux Rifains.

Parmi les élèves de cette promotion qui sont appelés à faire parler d'eux : Duclos, Fernand Grenier, et l'ouvrier métallurgiste Albert Vassart.

Ce premier essai ne va pas sans anicroches. Une dizaine d'élus sont, en effet, des étrangers qui vivent en France clandestinement et sont recherchés par la police.

Un jour, Clamamus reçoit un coup de téléphone. C'est encore Suzanne Girault. Elle sonne l'alarme.

« Écoute, je suis informée qu'Herriot vient d'ordonner une descente de police à l'école, pour rafler les camarades étrangers qui sont sans papiers. Elle aura lieu cet après-midi. Veux-tu en avertir Paul ? » (Marion).

Mais, selon Clamamus, Marion, insouciant, ne se presse guère de prendre des mesures de sécurité [1]. Dans l'après-midi, comme annoncée, la perquisition se déroule. Huit élèves, belges et italiens sont arrêtés et expulsés [2].

Une idée de Souvarine

Avant même l'ouverture de l'école de Bobigny, l'idée d'envoyer un certain nombre de militants, particulièrement doués, se perfectionner dans la capitale soviétique, a déjà pris corps en France. On la trouve exprimée, pour la première fois semble-t-il, dans une lettre de Souvarine, adressée le 30 mai 1923 au Bureau politique du P. C. français. Souvarine est alors membre du Comité exécutif du Komintern où il représente son parti.

« La section d'éducation, signale-t-il au Bureau politique, vous a écrit vers le milieu d'avril pour vous faire part d'une décision qui doit vous intéresser au plus haut point : il s'agit de créer à Moscou une école marxiste pour les militants français... La section d'éducation m'a prié d'intervenir personnellement à propos de son projet. Celui-ci a reçu l'agrément principal de Zinoviev et de Trotski... C'est un projet dont la réalisation rendrait au parti français un inestimable service. On trouvera ici d'excellents professeurs qui inculqueront aux élèves les notions nécessaires de marxisme, d'économie politique, d'histoire révolutionnaire, de tactique et d'organisation... En un mot, on ne néglige rien pour les préparer à devenir des militants de premier ordre du parti. De temps en temps, ils auront même une leçon de Trotski, de Zinoviev, de Riazanov, etc. Selon les résultats de l'expérience des six mois, on tirera des plans pour l'avenir. Si tout va bien, on vous demandera peut-être d'envoyer vingt autres élèves tandis qu'on vous renverra les vingt premiers... *A mon avis l'élève type d'une telle école serait,*

1. Entretien avec Clamamus.
2. Cf. *L'Internationale communiste*, n° 3, 1er novembre 1926.

par exemple, Thorez, du Pas-de-Calais ; il ne s'agit que d'en trouver d'autres [1]. »

Ce projet n'aboutit pas immédiatement. Selon Lazitch, il subira diverses modifications. C'est seulement en mai 1926 que l'école de Moscou est officiellement ouverte, en octobre de la même année qu'elle fonctionne normalement.

Autres temps, autres professeurs, autres cours, autre style. Lénine est mort, Trotski écarté du pouvoir, Zinoviev en disgrâce, et en France, Souvarine évincé.

Staline règne, flanqué de Boukharine qui contrôle à l'époque le Komintern. Pour consolider leur pouvoir l'un comme l'autre envisagent s'appuyer, à la place des vieux militants suspects et dotés de trop de mémoire, sur la cohorte des jeunes loups ambitieux.

Les écoles vont donc leur servir à fabriquer les cadres neufs dont ils ont besoin. Et du même coup, l'esprit de l'enseignement va changer. On va s'appliquer à forger des gens « dans la ligne ».

Bien que les témoins ne soient pas toujours d'accord sur la durée des stages, il est certain que ceux-ci durent longtemps... Deux ans, selon Barbé [2], durée ramenée par la suite à un an ; un an et trois ans, selon les catégories des étudiants, d'après le Britannique J. F. Murphy, dont le témoignage semble recoupé par celui de Losovski [3].

Les élèves ont été recrutés selon des critères imprécis. Une première sélection est faite par les organes dirigeants de chaque parti, puis la direction du Komintern est amenée, semble-t-il, à entériner ou à infirmer ce choix. La tendance, sous Staline, est d'accorder la préférence à des ouvriers. Il se méfie des étudiants et des intellectuels, suspects d'être plus aisément accessibles à « l'hérésie trotskiste ».

L'école de Moscou

En général, les étudiants de l'école léniniste de Moscou sont venus clandestinement et vivent sous un nom de guerre. Mesure justifiable pour les pays où les communistes sont réduits à l'illégalité, mais qui est étendue systématiquement à toutes les sections du Komintern. Elle ne peut manquer de provoquer l'ironie de certains élèves français, volontiers frondeurs. Vassart qui, après être passé par l'école de Bobigny comme élève, fut professeur à celle de Moscou en 1934-1935 relève un jour, sur la liste de ses élèves, un certain camarade Tartempion.

Au reste, à peine arrivé, le futur enseigné est prié de remettre tous ses papiers au directeur de l'école, lequel s'empresse de les transmettre au Guépéou (appelé plus tard N.K.V.D.). En échange, il reçoit une carte

---

1. Cité par B. Lazitch, *op. cit.*, pp. 237-238. Passage souligné par nous.
2. *Souvenirs inédits*, p. 149.
3. Cf. Lazitch, *op. cit.*, pp. 245-246.

spéciale d'identité qui lui sert à se déplacer à l'intérieur de l'Union soviétique [1].

C'est bien entendu le Komintern qui assure les frais des études, de transport, de déplacement, etc. Plus précisément c'est sa section financière, l'O.M.S., qui a à sa tête Piatniski et, peut-être, le mystérieux camarade Thomas.

Qu'enseigne-t-on aux futurs cadres du communisme? Les divers témoignages recueillis se recoupent à peu près : l'économie politique, l'histoire du mouvement ouvrier au XIXe siècle, celle du parti bolchevik jusqu'à la révolution, l'organisation des partis communistes (cellules, « agit-prop »). Toute une série de cours est consacrée aux problèmes de l'insurrection, à l'action légale et illégale, au travail dans les syndicats et autres organisations de masse. S'ajoute naturellement à ce vaste programme l'étude de la langue russe.

Il est remarquable qu'il n'existe pas de manuels, ni même de cours polycopiés : seule exception, selon Lazitch [2], une brochure de Losovski sur la stratégie des grèves. *On mesure là le sens du secret.*

A côté de cette école supérieure léniniste et de différents autres instituts du Komintern (l'Université communiste des travailleurs de l'Orient l'Université communiste des minorités nationales d'Occident, l'Université chinoise Sun Yat-sen), on trouve encore des écoles proprement « techniques ». Celle de Kountsevo, en particulier, aux environs de Moscou. « Les communistes américains et européens, révèle Walter Krivitski y apprennent le métier du contre-espionnage, y compris la télégraphie sans fil, le maniement des postes clandestins de radio, la falsification des passeports, etc. [3]. »

André Ferrat, représentant du P. C. au Komintern en 1930-1931, a eu l'occasion de donner deux cours dans cette école « technique » à un groupe d'une dizaine d'élèves francophones (Français, Belges et Suisses). Parmi les Français, était alors en stage Maurice Tréand, futur responsable de la section des cadres du P. C. français, *apparatchik* clandestin typique, devenu par la suite célèbre avec l'affaire de la reparution de *L'Humanité*, au début de l'occupation [4].

1. Benjamin Gitlow, *The Whole of Their Lives*, p. 242. Cité par Lazitch, *op. cit.*, p. 244.
2. *Op. cit.*, p. 247.
3. W. G. Krivitski, *Agent de Staline*, p. 80. Le « général » Krivitski — titre qui semble abusif — dirigea de nombreuses opérations en Europe occidentale. Il était très lié avec un agent du Komintern, Ignace Reiss qui rompit brutalement avec Staline, en 1936, au moment de la « grande purge » et fut liquidé par les « tchékistes » en Suisse. Peu après, Krivitski rompit à son tour et écrivit son livre qui, publié en France à la veille de la débâcle de 1940, est pratiquement introuvable. La Bibliothèque nationale n'en possède aucun exemplaire, ce qui semble tout de même surprenant. Quelque temps plus tard, Krivitski devait succomber aux États-Unis de façon mystérieuse. Suicide, selon la version officielle.
4. Voir plus loin, 2e partie, chap. II.

Cent élèves français

De même que la durée des stages est imprécise, de même est-il difficile de chiffrer le nombre d'élèves venus de France et qui se sont succédé de 1926 à 1935, soit pendant une quinzaine d'années. Barbé pense que de 1927 à 1933, cinq à six fournées ont dû donner, au total, une centaine d'élèves, à quoi on peut peut-être ajouter une trentaine de sujets pour les deux années suivantes.

Transplantés en Russie, entièrement soumis au contrôle du Komintern, les Français ne se sont jamais sentis très à l'aise. Ils supportent mal la tutelle russe. Les Soviétiques à leur tour font grief à nos compatriotes de leur légèreté et de leur anarchie.

« Tous les matins, se souvient Oscar Mériaux [1] — qui a été d'une des dernières fournées —, c'était moi qui faisais lever les camarades au sifflet, car je leur faisais faire la culture physique. Ils grognaient. Les cours aussi étaient durs. Beaucoup ne pouvaient pas suivre quand on leur parlait de la rente foncière. En compensation, nous avions souvent des fêtes, des bals, un ou deux fois par semaine. J'ai dansé avec la femme et la fille de Blücher [2]. »

Pour un métallo de Renault, c'est là une anecdote flatteuse qui épatera les copains, une fois de retour au pays. Il y a des souvenirs moins agréables : tous les effets rangés dans les placards des dortoirs : cravates, chemises, ceintures, boutons de manchettes, disparaissent. Explication embarrassée des officiels :

« Il y a toujours, partout, des voyous. »

Il y a vraiment trop de voyous en U.R.S.S. Voilà ce que ne tardent pas à penser les Français. A force qu'on leur chipe quelque chose, ils finissent par se résigner à endosser un costume de fabrication russe que personne, cette fois, ne se soucie de leur voler.

« C'était vraiment immettable », soupire Mériaux.

Les choses s'enveniment quand on passe aux travaux pratiques.

Les contacts avec la vie quotidienne soviétique se révèlent assez désastreux. Il y a une distance considérable entre l'idée que ces militants se faisaient du Paradis rouge et la réalité qu'ils découvrent.

Or, la réalité à la fin des années 20, c'est celle de la collectivisation, avec la famine en Ukraine et la raréfaction des denrées essentielles dans les grandes villes, situation qui se prolonge en 1930-1931 et 1932. Après quoi apparaîtront, si la situation matérielle s'améliore, les premiers signes de la « grande purge », dans un climat de plus en plus étouffant.

De nombreux élèves sont des ouvriers spécialisés. Ils peuvent aisément comparer les conditions de travail de l'ouvrier russe et de son camarade français, le niveau technique des industries respectives, le coût des objets,

---

1. Membre du P.C.F. passé ensuite au P.P.F. de Jacques Doriot, aujourd'hui décédé.
2. Le maréchal Blücher qui commandait les troupes soviétiques en Extrême-Orient a été liquidé par Staline au moment de la « grande purge ». Il figure dans le roman de Malraux *Les Conquérants* sous le nom de Galen.

des aliments et des marchandises, les aspects de la vie quotidienne. Des Français ne gardent pas longtemps ce genre de remarques pour eux.

« Tout allait très bien, écrit Barbé, jusqu'au moment où les mêmes étudiants allaient dans une usine... pour faire leur stage pratique à l'usine ; là nos étudiants prirent le contact direct avec la gestion concrète et réelle d'une usine " socialiste " et, en même temps, ils connurent aussi la vie sociale authentique des ouvriers et des familles russes. Au retour, à l'école, une discussion violente et passionnée commença au sein du groupe français, non plus sur les différences entre le régime capitaliste et celui de l'U.R.S.S., mais bien sur la différence entre les cours théoriques concernant le caractère socialiste de la production en U.R.S.S., et la réalité vécue à l'usine d'où les étudiants venaient. La majorité des élèves exprimait sa déception [1]. »

Un élève modèle : Waldeck Rochet

Les élèves appartiennent au stage de 1930. Selon Barbé, un seul d'entre eux reste inébranlablement fidèle, réplique sans broncher aux objections de ses camarades, et va jusqu'à nier les faits les plus aveuglants.

C'est un ancien membre des Jeunesses communistes de Saône-et-Loire qui roule les *r* en parlant. Au stage de 1930, il est le responsable du groupe français qui comprend vingt-quatre membres.

Un jour, tout de même, dans un moment de faiblesse, il avoue à un camarade breton :

« Si nous racontions ce que nous voyons ici aux ouvriers français, ils nous lanceraient des pommes cuites. Mais nous sommes dans le coup et obligés d'y rester. »

Cet apprenti plein de zèle se nomme Waldeck Rochet [2].

Pierre Celor (qui n'a jamais été élève de l'école mais a représenté comme Barbé son parti à Moscou), montre un aveuglement identique : celui qui consiste à transformer en admiration une carence du régime.

Circulant dans les rues de la capitale, il croit bon d'attirer l'attention de sa femme qui l'accompagne sur les files de Soviétiques qui, aux portes des boulangeries, attendent leur tour sans mot dire.

« Regarde-moi cet ordre, ce silence, cette discipline des Russes. Ah ! ce n'est pas chez nous qu'on verrait cela.

— En France — fait observer Louisette Celor avec bon sens, — personne ne fait la queue pour avoir du pain. »

Il vaut mieux exprimer ce genre de réflexions sceptiques en famille. Ainsi, Mériaux se laisse aller à dire un jour qu'il gagnait 18 francs de l'heure chez Hotchkiss et qu'il pouvait s'acheter en France un costume avec le salaire de quinze jours de travail, ce qui ne serait pas possible ici. Cette comparaison déplacée lui vaut de comparaître devant le tribunal de la cellule de l'école léniniste et d'y faire naturellement son auto-critique.

1. *Op. cit.*, pp. 148-149.
2. Fiche n° 93 de documentation sur le communisme, *op. cit.*

En principe, des militants qui sont passés par l'école léniniste de Moscou, qui ont suivi les cours des meilleurs professeurs bolcheviks, qui ont été imprégnés par ses méthodes de formation, devraient devenir des cadres éprouvés. La réalité est très différente et le déchet considérable.

Sur le groupe de vingt-quatre élèves dont faisait partie Waldeck Rochet, Barbé assure que seuls cinq d'entre eux restent, au début des années 50, membres du parti. Les dix-neuf autres ont fait défection. Il estime que sur la centaine d'étudiants ès-marxisme qui sont passés par Moscou, une dizaine au plus appartiennent encore au parti [1].

Les résultats obtenus par l'école de Bobigny ne sont pas plus encourageants. D'après Vassart, sur la cinquantaine d'élèves de la première fournée, trente ont déjà quitté le parti cinq ans plus tard, huit autres suivent le même chemin au cours des années 30. Un cinquième reste fidèle.

En définitive, il n'est sorti de ces écoles que deux dirigeants communistes d'envergure : Raymond Guyot et Waldeck Rochet qui succédera au poste suprême à Maurice Thorez — lequel n'a jamais été élève ni de l'école de Bobigny ni de celle de Moscou [2].

Une école pour Thorez : la prison

L'école de Thorez, c'est l'apprentissage sur le tas, dans le feu des actions politiques. C'est aussi, comme pour nombre de militants communistes, la prison de Nancy. Thorez y étudie Marx et apprend, en élève studieux, le russe et l'allemand.

La formation donnée dans des écoles de cadres, soit à Moscou, soit à Bobigny, correspond à une volonté évidente de faire surgir les futurs dirigeants du même moule. Elle coïncide en France, à peu près, avec ce qui a été appelé la bolchevisation du parti.

Cette bolchevisation, nous l'avons vue s'exprimer d'abord par le renouvellement du personnel dirigeant. Tour à tour et à quelques exceptions près, dont celle, notable, de Cachin, ont été éliminés les hommes restés fidèles à l'esprit de la vieille social-démocratie; les individualistes « bourgeois » les pacifistes; les anarcho-syndicalistes; les adeptes de la maçonnerie. Cette épuration ne s'est pas effectuée sans compromis mijotés par « l'œil de Moscou »; Humbert-Droz. Il faut bien que le Komintern patiente : la relève par les jeunes n'est pas encore prête.

Le renouvellement de l'équipe dirigeante a donc été assuré par une entente entre la gauche et le centre, formule préconisée par Humbert-

1. *Op. cit.*, pp. 150-152.
2. Il convient d'ajouter toutefois à cette liste Maurice Tréand qui jouera un rôle important dans *l'appareil* secret. Les résultats semblent, d'autre part, avoir été différents dans d'autres pays, et l'école léniniste a formé de nombreux dirigeants des P.C. étrangers : Zachariadès pour le P.C. grec; Tuominen, secrétaire général du P.C. finlandais; Jesus Hernandez (P.C. espagnol); Kardelj (P.C. yougoslave), etc. Une exception très remarquable : Mao ne fut jamais élève à l'école léniniste. Trepper assure que Tito était en 1931 à l'école Lénine. Il était en tout cas professeur à Moscou en 1935.

Droz. Mais un facteur nouveau intervient bientôt : la mort de Lénine en 1924. Elle ouvre une crise entre les successeurs. La troïka Staline-Kamenev-Zinoviev évince Trotski. La gauche du parti français en subit le contre-coup. Les partisans de Trotski, comme Souvarine, Rosmer, Loriot, sont refoulés dans l'opposition. La disgrâce de Zinoviev à Moscou écarte aussi des postes de direction du P. C. français d'autres dirigeants ou candidats dirigeants.

En 1924, au moment où se crée l'école de Bobigny, la direction est entre les mains de Treint et de Suzanne Girault.

Treint était un des chefs de file de la gauche. Dans une lettre adressée à Antoine Richard, militant communiste des Basses-Pyrénées, il se plaint de la censure qu'exerce la direction.

« Ni dans *L'Humanité*, écrit-il, ni dans *Le Bulletin*, nos rectifications n'ont été enregistrées.

« Tant qu'elles ne le seront pas, il sera impossible à la gauche de collaborer... Elle ne peut accepter la censure du centre [1]. »

Dès qu'il a le pouvoir, le même Treint s'empresse d'exercer la censure contre la gauche « trotskisante » à laquelle il appartenait. Celle-ci à son tour, exprime son amertume contre ces brimades.

« Ce n'est pas sans surprise, écrivent au Comité directeur dont ils sont membres, Monatte, Rosmer et Delagarde, que nous avons vu s'abattre sur nous à la dernière conférence des secrétaires fédéraux, une pluie de calomnies et de menaces, menaces appuyées et enregistrées par deux résolutions... Sémard a osé déclarer que nous avions provoqué une " explosion de trotskisme " et Cadeau que nous étions d'ores et déjà " presque en dehors du parti ". Dans ses comptes rendus, *L'Humanité* a faussé, quand elle ne les a pas étouffées, les interventions de l'un de nous [2]. »

Quelques mois plus tôt, Amédée Dunois avait écrit à Antoine Richard :

« Je ne sais plus même si, à la suite de l'avènement au pouvoir de Treint-Suzanne Girault et Cie, et l'exclusion de Souvarine, je suis encore directeur des éditions du parti et de l'Internationale [3]. »

Contre la nouvelle direction du parti, l'opposition de gauche se plaint à l'Internationale, vainement d'ailleurs, mais aussi elle s'en méfie. Témoin ce passage d'une lettre de Marthe Bigot, adressée à une « chère camarade » qui est probablement Marcelle Richard.

Loriot a peur du voyage

« Loriot avait été invité à aller en R. [4], il a fait répondre qu'il ne consentirait à y aller qu'avec un ou deux camarades, mais il n'y a rien d'écrit et

1. Lettre d'A. Treint à Antoine Richard, 17 novembre 1922. (Doc. inédit.)
2. Lettre au Comité directeur, 5 octobre 1924. Cf. aussi « Lettres aux membres du parti communiste. I. Avant le congrès de janvier, quelques documents », 1924.
3. Lettre du 17 juillet 1924. (Doc. inédit.)
4. R. : certainement la Russie.

on se réserve la possibilité de démentir si la chose était publiée[1]. »

Comme on le voit, la confiance ne règne pas, et manifestement Loriot ne tient pas à aller seul en U.R.S.S., de crainte de ne pas revenir.

La « caporalisation » du parti accompagne le bouleversement de ses structures. Jusqu'ici le parti a été organisé conformément au modèle socialiste, c'est-à-dire en sections. Ce sont des assemblées où l'on discute ferme, de petits parlements de poche. Nouvelles consignes Treint-Girault : le parti doit s'organiser sur la base des cellules, cellules d'usines et cellules de rues, les premières étant considérées, du point de vue bolchevik, comme les plus importantes.

Qu'est-ce qu'une cellule ? C'est la réunion de quelques personnes appartenant à la même unité de travail. Elles se retrouvent à la sortie de l'usine, soit dans un café voisin, soit au domicile d'un adhérent. Les grandes considérations sur la politique française, la révolution mondiale, voire sur les démêlés internes du parti, se trouvent bannies de ces petites réunions qui groupent, en principe, des éléments purement prolétariens. Le travail des membres de la cellule est orienté vers des tâches pratiques pour lesquelles chacun doit recevoir des attributions précises : secrétariat, trésorerie, activités féminines, activités des jeunes, action à l'intérieur des syndicats, distribution de tracts, etc.

L'ordre du jour est très simplifié. Il comporte en général une question d'actualité politique, une question pratique.

En dehors de leurs activités spécifiques, les membres de la cellule forment la *fraction* communiste à l'intérieur d'une organisation de « sans-parti », par exemple dans un syndicat. Avant toute assemblée de cette organisation, la fraction a tenu une réunion à part, à laquelle tous les membres de la cellule sont tenus de se soumettre. Ainsi, la fraction dont la tâche est définie dans les 21 conditions, constitue un noyau solide, qui est à même d'orienter les décisions d'une assemblée sans grande cohésion ou incertaine. Le parti y joue son rôle de minorité active. Et secrète, car, bien entendu, la fraction n'opère pas ouvertement[2].

Cette transformation ne va pas sans heurts. Décidée au Ve Congrès, elle doit théoriquement être achevée au 1er janvier 1925[3].

Il s'en faut que les choses aillent aussi vite et aussi bien. La création des cellules heurte des habitudes, provoque des difficultés considérables. Elle est souvent mal accueillie par les cadres du parti. A la base, nombreux

1. Document inédit daté du « samedi 30-5 », sans doute d'après le contexte qui évoque la guerre du Rif en 1925.

2. Sur l'organisation de la cellule, cf. M. Victorine : *Comment doit travailler la cellule communiste*, 1925. Victorine définit ainsi le fonctionnement de la fraction : « Les fractions doivent travailler sous le contrôle et la direction des organisations du Parti (cellules comités de rayons, etc.). »

3. « A partir du 1er janvier 1925, les anciennes sections auront disparu. Le parti sera constitué sur la base des cellules d'entreprises. Son organisation sera à trois échelles : 1. la cellule ; 2. le noyau ; 3. la fédération », in *Cahiers du Bolchevisme*, 28 novembre 1924, 1re année, no 2, p. 125.

sont les militants qui redoutent d'être repérés sur leur lieu de travail. Le patronat de l'époque ne badine pas : en pareil cas, c'est la porte. Or, pour recruter des adhérents nouveaux, il faut prendre des risques, et d'abord celui d'être mouchardé.

Il ne manque pas, d'autre part, de militants qui considèrent que la structure de la cellule correspondait à la situation russe, mais est difficilement transposable à la situation française.

Des cellules squelettiques

L'entrée en vigueur de ces mesures s'accompagne, en dépit des communiqués optimistes de la direction, d'une chute brutale des adhésions. « C'est un cri général que les cellules sont squelettiques, manquent d'initiative et de vie et se montrent incapables de remplir les tâches du parti. »

Voilà ce qu'on peut lire dans un texte de l'opposition [1]. Un rapport de Richard sur l'activité du rayon de Dax jusqu'au 1er juin 1925 constate qu'il n'a pas été possible dans une région où le parti recrute surtout parmi les artisans et les paysans, de constituer des cellules d'entreprises, « faute de disposer dans chaque établissement de camarades assez sûrs » [2]. Richard, il est vrai, appartient à l'opposition et on pourrait le soupçonner de noircir la situation.

Mais l'appréciation se révèle aussi pessimiste dans les rangs des orthodoxes.

Près d'un an plus tard, le bilan est toujours aussi décevant. Sous le titre : « La situation de notre parti », Pierre Sémard, venu du syndicat des cheminots, et, depuis peu, secrétaire général, écrit :

« En janvier 1925, au congrès de Clichy, nous accusions 76 000 adhérents. A la fin de 1925, il se vérifie que le chiffre de nos cotisants était d'environ. 60 000. Au 1er mai 1926, le nombre exact des cartes placées est de 55 213. C'est-à-dire que si nous ne dépassons pas le chiffre moyen de 1 000 adhésions par mois, notre parti se maintiendra en 1926 avec 60 000 adhérents [3]. »

Parmi les motifs de cette crise d'effectifs, Sémard n'hésite pas à faire figurer le tournant brutal de la mise en cellules. Même réaction chez Renaud Jean qui a toujours eu son franc-parler. Il parle de « véritable chaos » et de « transformation faite en dépit du bon sens ». Il ajoute : « de nombreuses cellules ne sont qu'un numéro; d'autres végètent [4]. »

L'Exécutif de l'Internationale finit par s'émouvoir de cette situation. Il en rend responsable le tandem qui, sur son ordre, a opéré la bolchevisation.

1. « A tous les membres du parti communiste. » Appel du 30 juillet 1925, signé de Loriot, A. Dunois, M. Paz, Gourget, Marthe Bigot, etc.
2. *Rapport de l'activité du rayon de Dax jusqu'au 1er juin 1925*, p. 1, texte manuscrit inédit.
3. *L'Humanité*, 16 juin 1926.
4. *Idem*, 30 avril 1926.

Manouilski et la révolution de palais

En principe, les transformations intérieures du parti, le renouvellement de ses organismes dirigeants, ne peut se faire que par l'action de ses propres membres. Une lettre de Marthe Bigot, un des opposants, adressée à la fin de 1925 à des « chers camarades » qui sont sans doute les Richard, montre que les vraies décisions se préparent en coulisse avec les envoyés du Komintern.

« L'Éxécutif [1], écrit Marthe Bigot, a fini par comprendre que tout n'allait pas pour le mieux dans le parti français, aussi vient-il de dépêcher en France un représentant, en l'espèce le camarade Manouilski. D'après quelques indices celui-ci serait venu et aurait procédé à une enquête incognito et se serait montré au bout de quelques jours. Que s'est-il dit au Bureau politique et ailleurs ? Nous s'en savons rien, mais le résultat fut la convocation d'un Comité directeur élargi.

« Manouilski a vivement engagé les camarades de province à parler, leur affirmant qu'ils n'avaient à craindre aucune sanction. Quelques-uns, paraît-il, se sont décidés et leurs interventions ont été un reflet des affirmations de l'opposition. L'attitude des dirigeants est bien intéressante à connaître.

« Vaillant-Couturier a fait savoir qu'il n'était point d'accord avec l'action du Bureau politique et qu'il avait cessé pour cette raison de venir au Comité directeur. [...]

« Doriot a fait une charge à fond contre les procédés actuels et a littéralement poignardé dans le dos ses alliés de la veille. Cela joint à son attitude au Ve congrès juge le bonhomme. Ce n'est pas seulement un militant qui se trompe, c'est un malhonnête homme.

« Treint a fait un grand *mea culpa*.
[...]
« Quelques-uns d'entre nous ne sont pas trop optimistes sur les résultats possibles de cette espèce de révolution de palais [2]. »

Les opposants ont raison d'être sceptiques. Le congrès de Lille, tenu en 1926, ne leur apporte rien si ce n'est de voir le tandem Treint-Girault brutalement débarqué. Un mot circule alors sur la différence de comportement du capitaine (qui vient de se rendre à Moscou), avant son départ et à son retour :

« Il est parti Treint-express, il est revenu Treint-omnibus [3]. »

Les changements dans l'équipe dirigeante, la mutation du parti, les échecs électoraux, les vaines tentatives du front unique avec le parti socialiste, les difficultés sur le plan syndical où les mots d'ordre politiques de la C.G.T.U.

1. De l'Internationale communiste.
2. Lettre manuscrite datée du mardi soir 8 décembre 1925. (Doc. inédit.)
3. Treint sera exclu quelques années plus tard après avoir critiqué dans une brochure *La Lettre de Schangaï*, la politique du parti bolchevik en Chine, où les communistes soutiennent Tchang-Kaï-chek. Exclue également, Suzanne Girault fera sa soumission et sera réintégrée, ce qui est exceptionnel, dans les rangs du parti où elle ne jouera plus, en apparence du moins, qu'un rôle fort effacé. Elle est décédée en 1973.

mènent souvent à délaisser les revendications immédiates et lassent les ouvriers placent le parti devant une crise prolongée qui occupe la deuxième moitié des années 20.

Cette période est dominée par trois grandes peurs : la peur du fascisme, la peur de la guerre, la peur de la police.

Groupes d'auto-défense

L'installation au pouvoir de Mussolini fait redouter une expérience identique en France. Aussi la vigilance est-elle bientôt à l'ordre du jour à l'égard des ligues fascistes (camelots du Roi, J.P., faisceaux de Georges Valois, dissident de l'A.F., Ligue du Bien public, Fédération nationale catholique du général de Castelnau).

On leur oppose des groupes d'auto-défense dont nous avons déjà parlé. Un des responsables de ce service d'ordre est alors Camille Larribère, qui effectue à Paris ses études de médecine et qui est souvent hébergé à l'époque par la famille Rabaté. Selon lui, c'est Chasseigne, alors un des dirigeants des Jeunesses communistes qui, en l'absence de Doriot, lui donne comme consigne pour la fameuse affaire de la rue Damrémont :

« Tu as carte blanche pour assurer par tous les moyens la protection de la réunion de ce soir [1]. »

Ces groupes seront fusionnés ensuite avec ceux de l'A.R.A.C. (Association républicaine des Anciens Combattants).

La peur de la guerre, qu'elle soit authentique ou feinte, va de pair avec celle du fascisme. Elle reflète le changement de stratégie des dirigeants soviétiques et de l'Internationale communiste dans la deuxième moitié des années 20. Jusque-là, Moscou et les différentes sections du communisme européen ont vécu dans la préparation fiévreuse ou l'attente de la nouvelle vague révolutionnaire. Avec l'élimination de Trotski, puis de Zinoviev, après les échecs des tentatives insurrectionnelles en Allemagne, en Estonie, en Bulgarie, ces perspectives s'estompent. Les thèses de la construction du socialisme dans un seul pays développées par Staline tendent à faire de l'Union soviétique un bastion, une citadelle assiégée. Autour d'elle les sombres forces de « l'impérialisme » mûrissent leurs assauts.

Du point de vue soviétique, l'analyse de la situation internationale n'est donc plus la même. Le mouvement révolutionnaire est dans une phase de recul. Mais le devoir des communistes français ne change guère. Si la révolution avait triomphé en Allemagne, leur rôle aurait consisté à attaquer l'armée impérialiste française sur ses arrières. Ils doivent remplir le même

---

1. Camille Larribère, « Les Premiers Pas », souvenirs publiés dans les *Cahiers de l'Institut Maurice Thorez*, nº 22, 2ᵉ trim. 1971, pp. 97 et 98. Larribère donne de l'affaire de la rue Damrémont un compte rendu très fantaisiste.

office, si cette même armée nourrit des projets d'intervention contre la patrie soviétique.

Qu'est-ce qui change alors? Le climat psychologique. En 1924-1925, il était fait d'enthousiasme. Dans la fin des années 20, la suspicion et l'appréhension s'installent.

Crispé sur ses positions, le parti aborde la phase la plus difficile de son histoire. Aux difficultés de la transformation du P.C.F., du travail syndical, s'ajoutent maintenant les consignes venues de Moscou qui imposent la tactique « classe contre classe ». Pour les élections de 1928, le parti ne fera pas de différence au second tour entre un candidat socialiste, un candidat radical et un candidat réactionnaire. En même temps, la presse communiste déclenche une violente campagne contre le parti socialiste.

Le résultat est consternant. En 1924, le parti communiste avait 26 députés. En 1928, après le premier tour des élections, il n'a aucun élu.

Barbé est alors à Moscou. Le Waterloo électoral du parti français fait allonger les mines au Komintern.

Quelques heures plus tard, le jeune Barbé est convoqué en même temps qu'Humbert-Droz et Boukharine dans le bureau de Staline.

Boukharine explique la situation rapidement. Staline fume sa pipe, placide et sombre. Quand Boukharine a fini de parler, il ne dit pas un mot. Pendant quelques instants, il y a dans cette pièce, au premier étage au Kremlin, quatre hommes absolument silencieux.

Staline : « Je désire savoir deux choses... »

Enfin Staline pose sa pipe sur la table et commence à parler, lentement, en russe :

« Je désire savoir deux choses :

« 1. Dans combien de circonscriptions l'élection d'un candidat communiste est-elle subordonnée à l'apport des voix socialistes?

« 2. Dans combien de circonscriptions l'élection du socialiste dépend-elle des suffrages communistes? »

Barbé donne des chiffres : 20 communistes et 50 socialistes.

« Bien, dit Staline, dans ce cas la direction de votre parti doit s'adresser immédiatement à celle du parti socialiste et lui proposer un accord sur la base du donnant donnant. »

Barbé et Humbert-Droz sont abasourdis. Ils expliqent que ce n'est pas possible. Que le parti communiste qui n'a cessé de tirer sur les socialistes se déconsidérerait par ce revirement aux yeux de la classe ouvrière française. Qu'au surplus, ce serait vainement, les socialistes négociant déjà leurs accords avec les radicaux.

Staline insiste. Il est furieux. Il se lève, marche de long en large à travers la pièce.

« Camarade Barbé, finit-il par lancer à celui qui a osé lui tenir tête, vous ne comprendrez jamais rien au bolchevisme. »

Et il sort, en claquant la porte [1].

Finalement, le parti aura tout de même 14 élus.

A cet échec, s'ajoute bientôt une violente offensive gouvernementale.

En 1927, Albert Sarraut, alors ministre de l'Intérieur, a lancé son célèbre : « Le communisme, voilà l'ennemi ! » Après les élections de 1928, Tardieu, d'abord à l'Intérieur, puis comme président du Conseil, très épaulé, dans les opérations répressives, par le préfet de police Jean Chiappe contre lequel les communistes se déchaînent [2], n'hésite pas à frapper dur et à utiliser tout l'arsenal des moyens répressifs.

Les manifestations, les grèves, sont durement réprimées. Les étrangers sont expulsés en plus grand nombre : 8 500 en 1927 contre 6 000 l'année précédente.

La direction du parti n'échappe pas à ses coups. Une brochure, *Quatre ans de répression, mai 1924-mai 1928*, en dresse une sorte de bilan.

Vague d'arrestations

Le 1er mai 1927, Monmousseau est arrêté à Dunkerque. Le 10, la Chambre vote les poursuites contre Doriot (alors en Chine), Clamamus, Duclos, Marty.

Le 11 juin, Sémard est arrêté dans la rue. Le 2 juillet, c'est le tour de Costes, secrétaire de la région parisienne. Le 18, Cachin et Doriot sont arrêtés à leur tour, quelques jours après Marty. Duclos a été incarcéré dès le 9. Barbé, secrétaire à la Jeunesse, est appréhendé le 23 août.

« Le gouvernement, peut-on lire dans la brochure, a réussi à emprisonner sans bruit la presque totalité des membres du Bureau politique du parti et du Bureau confédéral [3]. »

Duclos, Marty, Barbé, Ballanger, Ferrat et quelques autres totalisent quelque 90 années de prison.

La direction va se trouver coupée en deux. Une partie est en prison. L'autre, la plupart du temps, cherche refuge dans la clandestinité.

Le 1er mai 1929, selon Barbé, 10 000 arrestations sont effectuées dans la journée.

La Santé a accueilli beaucoup de monde. La prison, nous l'avons vu dans le cas de Thorez, peut être une école, mais elle est aussi, bien souvent, un lieu de disputes, d'amertumes et de rancœurs. Marty y étale son mauvais

---

1. Barbé, *op. cit.*, pp. 117-118. Cette scène a été rapportée également par Humbert-Droz (cf. *L'Œil de Moscou à Paris*, pp. 241-242) à peu près dans les mêmes termes mais avec cette variante importante : l'entretien se serait déroulé entre Staline, Boukharine et Humbert-Droz. Celui-ci tenant tête au Géorgien. A aucun moment Humbert-Droz ne parle de Barbé.

2. Cf. la brochure de Paul-Laurent Darnar : *Chiappe, un chef de bandits*.

3. *Op. cit.*, p. 28. Sur les arrestations et les condamnations, cf. aussi *Mémento de l'agitateur*.

caractère. Un jour, pris de fureur, il jette une assiette à la tête d'un de ses camarades.

Un autre jour, il s'indigne contre le boucher de la Villette Mathieu qui, après un séjour à l'école léniniste de Moscou, en est revenu fort dépité. La cellule des emprisonnés décide une grève de la faim que Mathieu refuse de faire. Marty réclame des sanctions contre le coupable.

Mais, quelques jours plus tard, le vertueux Marty est surpris par Costes dans sa cellule en flagrant délit d'alimentation [1].

Les dirigeants recherchés sont placés devant la nécessité de renforcer leur appareil clandestin. Son rôle est d'assurer, face à l'offensive Tardieu, le fonctionnement de la machine du parti, tout particulièrement de permettre à la fraction emprisonnée de continuer à travailler avec la fraction encore en liberté, que les membres de celle-ci vivent chez eux, parce qu'ils ne sont pas poursuivis, ou qu'ils se terrent.

La direction de cet appareil clandestin est confiée à Georges Marrane (qui est aussi le dirigeant de la Banque ouvrière et paysanne) et à un militant du Pas-de-Calais, Auguste Havez, remarquablement actif et débrouillard. Il leur appartient de trouver les locaux pour loger les clandestins, d'assurer les liaisons et les transports.

Dès cette époque, l'organisation du parti possède un service auto comprenant camionnettes et voitures Hotchkiss, ces dernières étant les véhicules les plus modernes en ce temps-là. Les chauffeurs sont souvent recrutés dans les compagnies de taxis où le P.C. a des intelligences.

Entrée dans le brouillard

Il faut avoir une base sûre pour un centre de direction clandestin. Celle-ci sera établie, hors frontières, à Bruxelles, qui devient ainsi le quartier général de l'*underground*.

C'est Barbé lui-même, sorti de prison, qui, en raison de ses liaisons internationales, installe ce centre illégal, après le VIᵉ congrès du Komintern. Monmousseau en est le premier responsable.

Barbé se déplace sans cesse entre Moscou, Berlin, Bruxelles et la région parisienne. Il est, selon l'expression en vigueur chez les clandestins, en ce temps-là, « entré dans le brouillard ». Quand il arrive dans la capitale belge il descend à l'hôtel de la Boule d'Or. Il y rencontre Doriot, Lozeray, Celor, Billoux, Thorez, Gitton, Sémard, lequel est sorti de la Santé à la faveur du coup de téléphone libérant Léon Daudet.

L'hôtel est vite repéré. Aussi les services spéciaux du parti ne tardent-ils pas à s'installer dans une villa de la banlieue bruxelloise.

Un jour, un nouvel hôte débarque. Il a quelques difficultés avec la police qui le recherche et peut-être avec le 2ᵉ Bureau. Comme il est pâtissier, on se dit qu'il fera sans doute un bon cuisinier et on lui confie la popote.

1. Témoignage de Pierre Dutilleul.

C'est Jacques Duclos. Ceux qui ont vécu là avec lui se souviennent encore de son remarquable pot-au-feu.

En général, le passage de la frontière ne pose guère de problèmes. Elle est franchie par le clandestin dans le flot des ouvriers frontaliers. Celui-ci se dirige ensuite vers le domicile d'un militant non repéré, à Valenciennes, Vieux-Condé ou Blanc-Mineur.

Mais en France la police mène une sévère chasse à l'homme. Lui échapper n'est pas facile. Tout le monde ne s'accommode pas d'un mode de vie qui réclame discrétion, flair, une observation quotidienne des règles de sécurité, et une grande patience. Sémard, paraît-il, pose à l'appareil d'incessants tracas. « Il a toujours en tête une amourette », écrit Barbé avec humeur [1]. Méfiant et secret, celui-ci, au contraire, se coule dans cette vie de l'ombre comme un poisson dans l'eau. Pourtant, à deux ou trois reprises, il échappe de peu à ses poursuivants. Une fois, il a juste le temps de sauter dans un taxi, mais les policiers en font autant. La chasse commence, Barbé, heureusement pour lui, a en tête trente ou quarante adresses de maisons à double issue. Il se fait déposer par le chauffeur devant un immeuble qu'il connaît près de la République, s'engouffre dans l'entrée. Les policiers l'y guettent longtemps avant de comprendre qu'ils ont été joués.

Essor des appareils annexes

En ces temps, difficiles pour lui, où le parti communiste bolchevisé fait sa crise de croissance, essuie les échecs électoraux, voit diminuer le nombre de ses militants, encaisse les coups de la police et manœuvre dans un isolement à peu près total, se mettent néanmoins en place ou se rodent les organismes plus ou moins légaux qui feront sa force et lui donneront son caractère propre.

L'A.R.A.C., organisation d'anciens combattants, est un lieu de rencontre pour les groupes d'auto-défense, et Jacques Duclos, qui joue un rôle important dans le travail illégal, sort de là.

Le Secours rouge international a été créé en 1922. Il a pour premier objectif de collecter des fonds, des vivres et des médicaments pour venir en aide à la Russie, affamée par la guerre civile.

Son centre est à Berlin et son patron n'est autre que le fameux Willy Münzenberg qui, grâce à son sens prodigieux de la publicité, lui donne, très vite, un essor remarquable.

En 1928, le S.R.I. revendique l'existence de 49 sections dans le monde qui groupent 7 800 000 membres (dont 3 541 000 pour la Russie soviétique). Il dispose dans 19 pays de 26 bulletins, journaux et périodiques [2].

1. *Op. cit.*, p. 134. Les passages précédents sont également tirés de ses Souvenirs et des conversations que j'ai eues avec lui.
2. Cf. article de Branko Lazitch in *Est et Ouest*, 16-30 septembre 1970.

Sur le papier, le Secours rouge se présente comme une organisation de sympathisants largement ouverte à tous les esprits humanitaires. En réalité, étroitement contrôlée par le Komintern, elle ne mène que les campagnes qui sont utiles à la cause communiste, en particulier pour les militants arrêtés en Allemagne et en Bulgarie, après l'échec des tentatives d'insurrection. Exception notable : le Secours rouge international lance une formidable campagne en faveur de Sacco et Vanzetti, ces deux anarchistes d'origine italienne, accusés d'avoir abattu deux convoyeurs de fonds aux États-Unis, et exécutés en 1927 à la prison de Charleston. En France, il assure avoir recueilli près de 3 millions de signatures.

En dépit des échecs essuyés au Maroc et en Syrie, l'action anticolonialiste se poursuit, en particulier en direction des Africains de race noire. Dès 1924 a été créée dans ce but, à Paris, la *Ligue universelle de défense de la race noire*. Elle a à sa tête un Dahoméen, Kodjo Kenoun. Celui-ci s'embarque un beau jour pour les États-Unis. Il laisse au parti une « ardoise » de quelque 400 000 francs de chèques sans provision.

Après ce coup du sort, on n'entend plus parler de la ligue.

En 1926 apparaît le *Comité de défense de la race nègre* qui se transforme, le 25 mai 1927, en *Ligue de défense de la race nègre*. Son secrétaire général, Kouyaté Tremoho Gara est membre du P.C., bien que le mouvement soit en théorie indépendant. La ligue ne tarde pas à sécréter deux nouvelles organisations : le *Comité universel de l'Institut nègre* et le *Foyer nègre* qui est la réplique du *Foyer indochinois* animé par Nguyen Aï-Quoc, le futur Ho Chi-minh.

On doit noter aussi l'apparition en 1926 d'une *Ligue contre l'impérialisme et l'oppression coloniale*, simple émanation du Komintern. Melnitchanski, membre du Comité central du P.C. de l'U.R.S.S., assisté de deux Français, Bloncourt, originaire des Antilles, et F. Meunier, un des secrétaires de la région parisienne du P.C., a la haute main sur cette ligue. A son congrès de Francfort (20-30 juillet 1929) on note la présence de personnalités comme Barbusse, Herclet, membre de l'appareil clandestin du Komintern, de Madame Sun Yat-sen, du Japonais Katuyama, chef du P.C. japonais, d'Harry Pollit, secrétaire général du P.C. britannique et, pour l'Inde, de Nehru.

Ces organismes anticoloniaux ont naturellement des contacts avec les Jeunesses communistes. Ceux-ci tentent d'implanter des cellules à l'intérieur des régiments indochinois et parmi les troupes noires.

L'objectif, très ambitieux, est de coordonner l'action des syndicats nègres dans les colonies françaises, anglaises, hollandaises et portugaises. En ce sens un congrès est prévu à Londres. Il se tient finalement à Hambourg. On y retrouve Münzenberg, homme-orchestre de « l'Agit-Prop » internationale.

Pourquoi Hambourg ? Cet énorme port assure les liaisons avec le monde entier. Les marins du réseau Wollweber qui effectuent la plupart des missions maritimes du Komintern auront pour tâche de transporter le matériel de propagande et de prendre contact avec les agitateurs de la ligue en divers points de la côte africaine.

C'est également, dans cette seconde moitié des années 20 que se crée la M.O.I. appelée d'abord M.O.E. (main-d'œuvre ouvrière émigrée). La M.O.E., elle, n'est pas une organisation de masse extérieure au parti. Elle rassemble, dans des sections ethniques, les travailleurs étrangers communistes vivant en France : Polonais, Italiens, Tchèques, Espagnols, Juifs, etc. Chaque groupe ethnique possède en principe son propre bulletin, rédigé dans sa propre langue. De par ses caractéristiques, la M.O.E. possède déjà des structures semi-clandestines, et des ramifications étroites avec le Komintern. Elle est appelée à jouer sous l'occupation un rôle très important.

Le parti lui-même renforce également ses propres structures, avec la création et le fonctionnement de diverses commissions, principalement celles de contrôle et celles des cadres, cette dernière étant destinée à devenir une véritable police intérieure du parti.

Le développement de ces appareils annexes, la chute des effectifs, jointe à la diminution du nombre des parlementaires qui entraîne une raréfaction des rentrées, les poursuites et les procès assortis de lourdes amendes, voilà qui repose une fois de plus le problème du financement.

Finances

Comme toujours, dès qu'on aborde cette question délicate, les renseignements collectés à diverses sources sont fragmentaires, souvent imprécis, difficilement vérifiables. Ils proviennent pour la plupart d'anciens communistes. Et l'on peut toujours soutenir que leur témoignage reste entaché de partialité [1].

La Banque commerciale pour l'Europe du Nord reste vraisemblablement une source de financement appréciable, sans qu'on puisse déterminer dans quelle proportion. Entre les années 1925-1930, on voit apparaître à son conseil d'administration des hommes comme Victor Kempner, Simon Posner, Henri Eline, Stephan Mouradian et comme directeurs le mystérieux Dimitri Navachine (1927-1929) (qui sera assassiné en 1937 au bois de Boulogne, par un inconnu, membre, croit-on, de la Cagoule), le comte Guy Feuillade de Chauvin (1927-1930), et enfin Charles Hilsum qui restera directeur jusqu'en 1938 et deviendra P.D.G. de la banque à la Libération.

Il n'existe aucune indication sérieuse sur le chiffre des subsides qui ont pu être alloués au P.C. français par le Komintern durant cette période. On trouve seulement chez Krivitski quelques indications sur le mécanisme de ce financement. Selon lui, « l'agent de l'O.M.S. (c'est-à-dire section de liaison internationale) dans chaque pays est juge de l'opportunité des nouvelles dépenses qu'un parti communiste doit faire... Pour transmettre l'argent et les instructions dans un pays étranger, on se sert principalement

---

1. Moins toutefois que les affirmations des dirigeants toujours alignés sur les thèses de Moscou.

des valises diplomatiques, qui échappent aux visites de la douane. C'est pour cette raison que le représentant de l'O.M.S. est d'ordinaire inscrit sur la liste du personnel diplomatique. Il reçoit de Moscou, dans des paquets portant le sceau du gouvernement soviétique, des liasses de billets et des instructions secrètes pour leur distribution. Il remet personnellement les billets au chef communiste avec lequel il est en contact direct [1]. »

Parfois les intermédiaires sont des dirigeants. Barbé, pour sa part, affirme avoir, à plusieurs reprises, transmis de l'argent à son parti. L'opération inverse a été accomplie par Jules Teulade. Il raconte qu'on lui a remis une fois en France plusieurs millions destinés au Parti communiste italien clandestin et au Parti communiste grec [2].

En pareil cas, les convoyeurs franchissent les frontières illégalement. Ils risquent d'être surpris. Un autre danger, qui intéresse cette fois leur organisation, c'est qu'ils prennent la clé des champs avec le magot. Le cas se serait produit à plusieurs reprises.

Dans son ouvrage intitulé : *Toutes les preuves : c'est Moscou qui paie* [3], publié après sa rupture avec le P.C.F. Jacques Doriot expose une situation déjà connue :

« *L'Humanité*, dit-il, a été déficitaire de 1926 à 1934, ainsi que le reste de la presse communiste. Le déficit serait comblé par le répondant en France Piatnitski, qui aurait en dépôt la majorité des actions du quotidien communiste. Remises par l'ouvrier communard Camelinat après le Congrès de Tours, ces actions pouvaient, en cas de fluctuations politiques à l'intérieur du P.C. français, passer aux mains de l'opposition. D'où la nécessité de les confier à un représentant dûment autorisé de l'Internationale. »

Doriot ne donne pas le nom de ce représentant, car il est, dit-il, dans l'émigration et peut être persécuté par Hitler.

Toujours selon la même source, le Komintern et le P.C. français sont en train de substituer aux passeurs d'or des structures implantées dans le pays qui doivent, en théorie du moins, être productrices d'argent. Une des mamelles du parti serait une société de publicité constituée en 1923 en Alsace, sur le modèle d'une société de publicité allemande. Celle-ci aurait été créée par le bras droit financier de Piatnitski.

Ce système a dû fonctionner et nous découvrons là sans doute l'embryon de l'appareil commercial du P.C. français qui est appelé à jouer un grand rôle dans l'avenir. Mais les affirmations de Doriot restent vraiment trop floues. En définitive, ce qui manque surtout à son livre, en dépit d'un titre trompeur, ce sont les preuves.

Moins ambitieuse, plus limitée, la note de Souvarine apparaît en définitive bien plus précieuse.

---

1. *Op. cit.*, pp. 74-75.
2. Mémoires inédits, *op. cit.*, p. 69.
3. Publié en 1937.

8.

La ténébreuse affaire du « groupe »

Dans l'offensive générale qu'il a lancée contre le Parti communiste français, André Tardieu ne se contente pas d'opérer par des arrestations massives. Il entend atteindre l'organisation adverse dans ses sources. Il va frapper à la caisse.

Une circonstance favorise ses projets. *L'Humanité* a fondé une caisse d'épargne à laquelle les lecteurs sont invités à confier leurs économies. Les sommes en dépôt atteignent trois millions de francs.

Pourquoi laisser cet argent dormir ? Pourquoi, utilisant les mécanismes financiers de la société capitaliste, ne pas faire fructifier cet argent dans l'intérêt des prêteurs et dans celui du Parti ?

C'est une idée de Georges Marrane.

« Il faut, dit-il, fonder une Banque ouvrière et paysanne qui sera gérée par des camarades du Parti. »

Le projet, à vrai dire, est accueilli avec réticence par le secrétariat et le Bureau politique. On décide d'en référer à Moscou. En compagnie de Barbé, Marrane va exposer son plan à Piatnitski, le trésorier du Komintern. Le père « Piat », lui non plus, ne montre guère d'enthousiasme. Sur l'insistance de Marrane, il finit par céder. A une condition. Son interlocuteur agira sous sa seule responsabilité.

A son retour à Paris, celui-ci, selon Barbé, se garde bien de souffler mot des réserves exprimées par les dirigeants du Komintern [1].

La banque se monte. Comme administrateurs Marrane a choisi Saux, qui remplissait des fonctions identiques à *L'Humanité* et Victor Arrighi, ancien instituteur venu d'Afrique du Nord, excellent orateur et administrateur du Secours rouge.

1. *Op. cit.*, pp. 182 et suiv.

Un « trou » dans la banque

Si la B.O.P. fait de mauvaises affaires, le scandale, inévitablement, rejaillira sur le parti qui supportera à la fois le discrédit et le déficit de ces mauvaises opérations. Tardieu a vite compris que la B.O.P. est le ventre mou du parti. Une perquisition, en juillet 1929, vraiment très opportune, permet de saisir la comptabilité et met en évidence un « trou » de sept millions.

Les communistes se sont donc révélés de piètres hommes d'affaires. Mais n'y a-t-il pas derrière ce fâcheux scandale une machination policière?

Provoquée ou accidentelle, la faillite de la B.O.P. n'arrange pas les choses avec Moscou. Furieux, Piatnitski invite la section française à se débrouiller. Le déficit de la B.O.P. risque de faire sombrer *L'Humanité*. Le découvert a entraîné en effet la mise sous scellés de l'établissement bancaire et tous les fonds du quotidien communiste se trouvent bloqués. Or, celui-ci doit justement payer de lourdes amendes.

André Marty assurera plus tard qu'il est le sauveur de *L'Humanité* [1]. Il fallait verser, sous les cinq jours, un million d'amende. De sa cellule à la Santé, Marty aurait alors lancé un appel aux lecteurs, signé d'un pseudonyme, en les invitant à souscrire. Il aurait ensuite signé des noms de Cachin et de Vaillant-Couturier, tous deux alors absents de Paris (c'était le mois d'août) d'autres articles dans le même sens.

En quelques jours de grosses sommes furent récoltées. Et les célèbres comités de défense de *L'Humanité*, les C.D.H., dont ce fut le baptême, commencèrent à fonctionner [2].

Il est permis toutefois de penser que l'action de Vassart, qui constitua un syndicat de défense des épargnants de la B.O.P. et qui récolta rapidement un million, fut plus efficace.

Le parti vient avec ce krach de frôler la catastrophe financière. Or cette affaire aux origines mystérieuses, attisant toutes les rumeurs, vraies ou fausses que provoque chaque fois une grosse perte d'argent, survient au moment où pèse sur un parti traqué un lourd malaise.

Les ravages de l'espionnite

Qui trahit?

Cette question angoissée, elle est posée à tous les échelons. A la suite des vagues d'arrestations, un vent de panique souffle chez les militants. La crainte, obsédante, du provocateur, du mouchard, se répand et exerce ses ravages dans les cerveaux inquiets.

Qui trahit?

Les cellules multiplient les recommandations. Avant de se rendre à la

1. Cf. *L'Affaire Marty*.
2. Cf. *L'Affaire Marty*, pp. 72, 73, 74.

réunion, on devra se retourner plusieurs fois dans la rue, pour s'assurer qu'on n'est pas suivi.

On se rencontrera plutôt dans un lieu privé que dans un café, et chacun sortira, à intervalles de cinq à dix minutes, afin de ne pas attirer l'attention. Les mises en garde contre les provocateurs révèlent une véritable psychose : « Il y a un nombre énorme de mouchards qui, ayant une profession stable, sont payés chaque fois qu'ils apportent une information. Un communiste doit se méfier de tous [1]. »

La méfiance ne s'attache pas seulement aux informateurs de la police, mais à tous ceux que le patronat, voire les agences de renseignement privées qui sont, semble-t-il fort actives, tentent de glisser dans les rangs de la C.G.T.U.

Que faire quand on a repéré un suspect? Les consignes sont précises. « Si on découvre un mouchard patronal, il faut coller dans les cabinets ou sur les murs de petits papillons du genre suivant : " X... est un mouchard, boycottez-le! " Il faut marquer sa profession, son atelier. Aucun camarade travaillant à l'usine ne doit écrire cela à la main. On peut le taper sur une machine ou couper dans un journal quelconque, à l'aide de ciseaux, les mots ou lettres nécessaires et les coller sur un bout de papier blanc.

« Si on découvre un mouchard parmi les membres du Parti, il faut coller un papillon dans la rue où il habite, sur sa maison.

« Dans la presse communiste locale, il faut mettre sa photographie si possible et coller quelques numéros du journal dans la rue.

« Le Rayon correspondant doit envoyer au centre une photographie et tous les renseignements sur le flic découvert. Le centre expédiera un exemplaire de ce qui a été recueilli sur le flic à tous les Rayons de Paris et en province, puisqu'une vieille méthode policière consiste dans le remplacement d'un mouchard " brûlé " à Paris, par exemple par un autre " brûlé " à Nancy. Tous les deux auront des documents faux. Mais ce ne sont pas seulement les camarades de la base qui doivent prendre ces précautions. A.B.C. Toulouse [2]. »

Ces recommandations constituent un remarquable témoignage sur le climat de panique qui règne dans les cellules. Il correspond certainement à des cas multiples d'espionnite aiguë, qui peuvent mener aux pires erreurs d'interprétation.

Il est plus que vraisemblable que les Renseignements généraux ont réussi à introduire certains des leurs dans les rangs du parti. Certains ont-ils pu être identifiés, dès cette époque? Barbé l'assure. Il cite le nom de Paul Jany, ancien marin, originaire de Marseille, responsable de la rubrique antimilitariste des G.D.V., et protégé de Marty. Une enquête de la direction aurait permis d'établir que Jany était en liaison avec les R.G. A la suite

---

1. Parti communiste S.F.I.C., *La discussion dans le parti*, s.d., p. 18.
2. *Op. cit.*, p. 18.

de quoi, ce dernier refusa de comparaître devant la Commission du parti qui devait juger son cas.

Dans le 20e, chez Roux-Combaluzier, un secrétaire de cellule, fort actif et serviable et qui, en raison de son dynamisme, avait commencé à gravir les échelons de la hiérarchie, aurait été un jour identifié comme ayant appartenu à la police de Limoges.

« Combien d'autres — interroge Barbé — n'ont pas été découverts [1]? »

Une brochure du parti, intitulée *Agents provocateurs*, désigne expressément comme des mouchards un certain nombre d'anciens militants. Leur brève biographie est assortie en général d'une photo. On y relève ainsi les noms de Jany, de Joubert, un des responsables avec Pierre Celor du travail anticolonial, exclu du parti sur l'accusation d'avoir détourné de l'argent et d'avoir été acheté par la police, avant de devenir sous-directeur à Radio-Algérie; de Maurice Laporte, ancien secrétaire des J.C., accusé d'être un joueur et un toxicomane et enfin, d'un certain nombre d'anciens militants impliqués dans les histoires d'espionnage de Crémet et de Muraille, Singre, Rousset, Le Dorze, Vedovini, etc.

A ces derniers, le parti ne pardonne pas d'avoir permis de démasquer les réseaux d'espionnage.

Ces « révélations » ne peuvent être accueillies sans les plus expresses réserves. Nous verrons que le parti a l'habitude de porter des accusations de ce genre contre les militants démissionnaires ou exclus de ses rangs. Barbé lui-même, et d'autres aussi connus, seront également traités de policiers. Quant au jugement de ceux qui ont rompu et qui vident de vieilles querelles, il n'est pas toujours sûr ni impartial.

Il était nécessaire d'évoquer ce climat. Car la peur du policier, infiltré cette fois au sommet de l'appareil, est le ressort essentiel de la crise et du drame qui vont se dérouler.

La montée des jeunes

Après l'éviction de Treint et de Suzanne Girault en 1926, à l'issue du Congrès de Lille, Pierre Sémard a conservé les attributions de secrétaire qu'il détient depuis 1924.

Mais son autorité est surtout nominale. Il ne fait pas le poids. Il ne réussit pas à s'imposer. Moscou est toujours à la recherche d'une direction efficace et cohérente.

C'est ici que le « noyau des jeunes » entre en scène.

L'Internationale a toujours compté sur eux pour donner au parti sa véritable efficacité bolchevique. Logiquement, Doriot devrait être le chef de file de cette génération montante. Logiquement, après l'affaire

---

1. Barbé, *op. cit.*, p. 173. L'appartenance de Paul Jany à la police a été vivement contestée devant nous par Hamard, ancien communiste, dont nous avons cité plus haut le témoignage.

du Rif, il devrait prendre la tête du parti. Il n'en est rien. Il a été envoyé
par le Komintern en mission en Chine, peu avant que les communistes
chinois ne soient liquidés par Tchang Kaï-Chek. Tout se passe comme si
cette mission n'avait d'autre raison que de l'écarter du poste suprême en
France. Quand il revient, à la fin de 1927, après un passage à la Santé
pour purger une condamnation, il se replie sur la mairie de Saint-Denis
et les tâches municipales. Entouré de quelques fidèles, il se réfugie dans un
attentisme amer et goguenard.

Doriot écarté, c'est une équipe de copains qui va prendre le pouvoir
dans le parti, avec les encouragements de Moscou.

La cheville ouvrière de cette opération, c'est un jeune métallo de Saint-
Denis, Henri Barbé.

Barbé le mystérieux

Il a alors 26 ans. C'est un garçon petit et trapu. Sous un front bombé,
les yeux vifs braquent vers l'interlocuteur un regard froid. Le nez retroussé
prête parfois au visage rond, l'expression ironique du gavroche. Il se
tait souvent. Il observe. Il écoute. Médiocrement servi par son physique,
bon orateur sans plus, il s'impose par la finesse de ses analyses politiques,
son habileté et son acharnement dans les discussions en tête à tête, ou dans
les petits cercles et par une certaine aura du secret, dont il joue volontiers.
Et, en dépit de son âge, il a déjà beaucoup appris.

La vie qu'il mène est extraordinaire. Délégué à l'Internationale des
Jeunes, le petit métallo dionysien côtoie à Moscou Boukharine, Piatnitski,
Humbert-Droz, Stepanov, Mikhaïlov — alias Williams —, Tasca (Rossi),
Longo, Manouilski. Il y sera reçu brièvement par Tchitcherine et par le
général Ian Berzine. Il se trouve mêlé aux entreprises les plus ténébreuses
du communisme. Rompu aux tâches du travail « anti » et de l'action clandestine, il se déplace sans cesse entre Moscou, Berlin, Bruxelles et Paris.
Une vie d'aventure. Celle des missionnaires du Komintern, engagés dans
les labyrinthes de l'*underground*.

Si sage qu'il soit, il est bien naturel que le jeune Barbé éprouve un sentiment de griserie. A ses camarades et à lui-même, le communisme offre
ce que le capitalisme leur refuse : la possibilité d'une promotion foudroyante
et, à défaut de l'enrichissement — car ces garçons vivent pauvrement —
l'accès à des postes de combat dans la direction d'un mouvement qui entend
transformer le monde.

A l'Internationale, l'homme qui contrôle les affaires françaises c'est
désormais avec Mikhaïlov (Williams), Manouilski. Nous l'avons déjà surpris en train d'intervenir dans la crise de la section française [1]. Il a su
prendre le virage stalinien et il éclipse en France ses prédécesseurs, Vouiovitch, Richard Schuller, Goussev, Guralski, attachés soit à Trotski, soit à

1. Cf. chap. précédent.

Zinoviev, et même le Suisse Humbert-Droz, qui va tomber, lui aussi, en disgrâce.

En U.R.S.S., Staline, après avoir éliminé Trotski et Zinoviev, a engagé la lutte contre Boukharine et ses partisans. Sa politique à l'intérieur de l'Union soviétique consiste à s'appuyer sur l'ambition de jeunes loups qui occupent les postes des anciens et qui lui doivent leur carrière. La même opération va se dessiner pour la France.

Après l'échec électoral de 1928, Manouilski entreprend d'endoctriner le jeune Barbé :

« Il faut, dit-il, régénérer le parti. Celui-ci a, à sa tête, un Bureau politique beaucoup trop faible. Sémard est léger, Doriot, Cachin et Renaud Jean, suspects d'opportunisme [1]. Le pouvoir, dans le parti, doit appartenir au « noyau » des meilleurs jeunes, coopérant avec les meilleurs syndicalistes, Frachon, Monmousseau, ainsi qu'avec Maurice Thorez. »

Comment le jeune Barbé ne se laisserait-il pas capter par cette nouvelle répartition des forces ? Le plan mis au point par Manouilski élimine du secrétariat Pierre Sémard qui, en compensation, est mis à la tête de L'Humanité. Le parti sera dirigé désormais par un secrétariat collectif, composé de quatre mousquetaires : Thorez, responsable politique, Frachon, responsable aux questions syndicales, Pierre Celor, chargé de la lutte antimilitariste et de la liaison avec les Jeunesses communistes, Barbé, chargé des liaisons avec l'Internationale communiste.

Ces secrétaires sont membres du Bureau politique, où l'on trouve aussi Sémard, Cachin, Doriot, Marty, Monmousseau, Lozeray et Ferrat. Un de leurs objectifs principaux, tel que le conçoit Manouilski, est d'isoler au sein du Bureau politique, les suspects Doriot et Cachin.

Naissance du « groupe »

Dès son retour à Paris, la tête pleine de ces projets, Barbé prend contact avec ses principaux camarades des Jeunesses communistes, Billoux, futur ministre à la Libération, l'étudiant lyonnais Morel, dit Ferrat, Ambroise Croizat, futur ministre du Travail, Henri Lozeray, spécialiste des questions anticoloniales et ancien mentor de Doriot, Raymond Guyot, futur responsable de l'action antimilitariste, François Magnien, ouvrier coiffeur, très bon orateur, Gustave Galopin, ancien métallo de Nevers, Pierre Celor et quelques autres.

A partir de ce moment, le « groupe » est en voie de formation.

Qu'est-ce que le « groupe ? » C'est une concertation entre les principaux dirigeants des Jeunesses communistes qui, ayant mené les mêmes combats, ont les mêmes affinités et montrent une même impatience à l'égard des

1. Dans la brochure *La discussion dans le parti* on trouve une appréciation semblable : « Renaud Jean et Doriot, peut-on lire, ayant quelques divergences tactiques avec l'I.C., n'ont pas leur place au B.P. », p. 14.

aînés qui ont « tout raté ». Avant chaque réunion importante, au Bureau politique, au Comité central, aux échelons principaux du parti, ils vont se réunir, hors des instances régulières, discuter entre eux et arrêter une attitude commune.

Bref, le « groupe » est très exactement une fraction agissant secrètement à l'intérieur du parti. Ce mode de fonctionnement est prohibé par les statuts et constitue une faute grave contre la discipline.

Barbé raconte qu'il en a fait la remarque à Manouilski, lui faisant observer qu'ils allaient se comporter en « fractionnistes », et que son interlocuteur a répliqué en riant : « Pourquoi pas ? Puisqu'il s'agit de défendre et de faire appliquer les directives de l'Internationale ! »

Outre ses entretiens avec ses camarades des Jeunesses, Barbé prend également contact avec Thorez, Sémard, Frachon et Monmousseau et leur fait part des intentions de l'I.C. Tous quatre expriment leur accord [1].

Barbé en avertit la direction de l'I.C. Au retour du VIᵉ congrès de l'Internationale (juillet 1928), le Comité central est convoqué. C'est Pierre Sémard lui-même qui présente les propositions de changement dans la direction du parti. Elles sont naturellement approuvées. Seul, Doriot, dans les coulisses du congrès, ironise sur cette révolution de palais.

Il se rend bien compte qu'elle a été faite dans une large mesure contre lui. Mais il ne peut l'empêcher.

Une troïka secrète

A partir de juillet 1928, la direction du « groupe », donc celle du parti, passe pratiquement entre les mains d'une troïka secrète composée d'Henri Barbé, Pierre Celor et Henri Lozeray.

Nous avons déjà eu l'occasion de parler de Lozeray, issu de la Jeunesse socialiste de Saint-Denis, et en ce temps conseiller des jeunes Doriot et Barbé. Pierre Celor, lui, qui va être l'acteur principal dans le drame qui va se jouer, a adhéré aux J.C. pendant son service militaire au Maroc. Spécialiste de la lutte anticoloniale, il a travaillé en Algérie aux côtés de Barbé et de Camille Larribère, au moment du fameux voyage de Doriot. C'est là qu'il s'est lié d'amitié avec Barbé. Il le rejoint à Paris et partage sa vie quotidienne. Et peut-être doit-il à l'appui de son camarade d'avoir connu une ascension rapide qui le mène en peu d'années au secrétariat à l'organisation.

C'est un Corrézien au visage anguleux. Il sourit rarement, d'une sorte de rictus plaqué sur une physionomie austère. Il est d'une santé fragile, il souffre très jeune de tuberculose et d'urée. Peu doué pour l'éloquence, il cherche souvent ses mots, tandis que du tranchant de la main il cisaille l'air devant lui, comme s'il voulait tronçonner l'adversaire.

1. Sur la naissance du *groupe* cf. *Souvenirs* de Barbé, pp. 123-124 et Henri Barbé-Pierre Celor : « Contribution à l'histoire du parti communiste : Le groupe Barbé-Celor », in *Est et Ouest*, 16-30 juin 1957, pp. 1-2.

Mais c'est aussi un travailleur acharné, un analyste méticuleux de la presse communiste, qui s'acharne à découvrir et à traquer l'hérésie dans les rangs du parti. Il vit avec une sobriété que certains trouveront ostentatoire et donne l'exemple d'un militantisme ponctuel.

Voilà donc l'équipe qui mène le parti. Elle applique une ligne dure, refuse toute concession, traque dans ses rangs l'opportunisme et les faiblesses, déclenche des grèves politiques, met au premier plan de ses soucis la défense de l'Union soviétique que les « brigands impérialistes » veulent attaquer.

Cette affaire du « groupe » est d'une importance capitale pour l'histoire du parti car de son issue dépend l'ascension de Thorez. Elle est tissée d'épisodes qui restent très obscurs. La politique du parti, le respect de ses statuts s'y mêlent étroitement aux intrigues des hommes, aux investigations policières et aux interventions de la Tchéka.

Nous l'avons dit : Tardieu mène une grande offensive : les dirigeants communistes sont en prison ou poursuivis, les grèves échouent, les militants se découragent, les effectifs tombent. En 1930, ils ne doivent pas dépasser 30 000 adhérents.

Deux épisodes vont contribuer à faire circuler les pires rumeurs sur les infiltrations policières.

Le 9 juin 1929, les membres du Comité central sont réunis à Achères, dans une propriété privée. Comme sur les 70 membres qui sont convoqués, une vingtaine sont clandestins, il est entendu que cette réunion se déroulera en un lieu tenu secret.

L'appareil « technique » dirigé par Auguste Havez est chargé de l'organisation. Les membres du Comité central sont convoqués par petits paquets en divers points de la région parisienne sans savoir où la réunion se déroulera. Aux lieux de rendez-vous, des voitures viennent prendre les délégués et les conduisent à Achères, municipalité communiste, dans une villa entourée de hauts murs.

Des guetteurs sont postés dans les environs afin de signaler toute approche suspecte.

Ainsi, toutes les précautions semblent avoir été prises. Si jamais le Comité central compte dans ses rangs un (ou plusieurs) indicateur(s), la police ne pourra être alertée, car, bien entendu, personne n'est autorisé à sortir pendant toute la durée de cette assemblée [1].

Pourtant, dans le milieu de l'après-midi, les guetteurs donnent l'alerte. Presque aussitôt, des forces de police font irruption, envahissent la villa, marchent droit vers un placard, l'ouvrent avec de gros rires : Thorez est dedans.

Sous le coup d'une condamnation, il est arrêté et expédié à la prison de Nancy. Le parti vient de perdre son secrétaire politique.

Des années plus tard, Thorez verra dans cette arrestation un traquenard policier. C'est la version qu'il donnera dans son autobiographie, *Fils du*

1. Cf. Barbé et Celor, *op. cit.*, in *Est et Ouest*, n° du 1er-15 juillet 1957.

Peuple [1]. Comme seuls quelques membres de l'appareil technique connaissaient le lieu de la réunion, comme les policiers ont marché droit vers le placard où il avait cherché refuge, il en tire la conclusion que la police a été renseignée par un mouchard haut placé.

Qui ? Dans les jours et les semaines qui suivent la réunion d'Achères, on prononce en chuchotant les noms d'Havez, de Celor et de Sémard.

Toutes ces déductions sont fausses, affirment vingt-huit ans plus tard, conjointement, Barbé et Celor [2]. Si Thorez a été découvert, il ne doit s'en prendre qu'à lui-même. Beaucoup de membres du Comité central, sitôt l'alerte donnée, ont sauté par-dessus les murs de la propriété et ont réussi à fuir à travers la campagne. Thorez, lui, s'est affolé. Il s'est réfugié dans un placard, sans se rendre compte que la porte de celui-ci ne descendait pas jusqu'au sol. Il a été trahi par ses pieds qui dépassaient. Tout le parti en a fait des gorges chaudes.

Mais qui a averti la police ?

Arrestations en masse

Ils ne seraient cependant pour rien dans le raid policier. L'explication de l'affaire d'Achères, incompréhensible à l'époque, tiendrait essentiellement à l'achat de quantités anormales de ravitaillement, et aux allées et venues nombreuses de voitures dans la matinée. L'attention de la police municipale d'Achères aurait alors été attirée, et elle aurait alerté les R.G. [3].

Après le coup malheureux d'Achères, la direction convoque un nouveau Comité central, le 21 juillet 1929, à Villeneuve-Saint-Georges, en prenant de nouveau de très grandes précautions. Cette fois, 110 personnes ont été réunies.

C'est un désastre. Le bouclage est presque sans faille. Quantité de militants sont arrêtés, parmi lesquels Frachon, Gourdeaux, Costes, Midol, Dudilleux.

C'est le point culminant de l'offensive Tardieu-Chiappe. Dès le lendemain, les mandats d'arrêt sont lancés et c'est alors qu'on perquisitionne à la B.O.P., ainsi que chez Marrane, Berlioz, Mauvais, Gaymann. Des mandats d'amener sont lancés contre Barbé, Ferrat, Monmousseau, Sémard, etc.

Qui trahit ?

Personne, assurent Barbé et Celor. Villeneuve-Saint-Georges a été repéré pour les mêmes raisons qu'Achères.

Thorez, lui, à ces accusations ajoute un nouveau grief. Le « groupe » a refusé de payer son amende. Il s'est arrangé ainsi pour le maintenir en prison, afin de pouvoir « diriger le parti à sa guise [4]. »

1. Pp. 60-61.
2. *Op. cit.*
3. Le problème est alors de savoir si la liaison entre les différents services de police était à l'époque assez rapide et assez bonne pour permettre une prompte intervention.
4. *Fils du Peuple, op. cit.*, p. 69.

La réalité semble assez différente. La décision de ne pas payer les amendes ne concernait pas le seul Thorez. Elle résultait d'une décision du Comité directeur, appuyé par l'Internationale. Ceci afin de réagir contre le « légalisme bourgeois » de certains dirigeants.

Thorez, en tout cas, au bout d'un certain temps, refuse de se plier à ces consignes. Il paie son amende, et le voici libéré.

Il est temps d'éclairer la personnalité de Thorez puisque aussi bien il est à la veille de jouer le premier rôle dans son parti, poste qu'il conservera jusqu'à sa mort, en 1964. Il a été, déjà avant guerre, mais surtout après la libération, l'objet d'une idolâtrie assimilable dans ses expressions au culte de la personnalité dont Staline fut l'objet. Les anciens communistes, au contraire, lui ont fait mauvaise presse. Nombre d'entre eux l'ont dépeint sous les traits d'un homme sans envergure, sans personnalité véritable, sans courage et d'une servilité sans limite à l'égard des Russes.

Qu'en est-il, au juste, de ces appréciations rigoureusement contradictoires ?

Mineur, le jeune Thorez a travaillé assez peu sur le carreau des mines, en tout quelque sept mois. Il adhère de bonne heure aux Jeunesses communistes, et dès ses premières interventions il est remarqué comme un sujet intéressant [1]. Il est probablement ce jeune délégué du Pas-de-Calais que Louise Bodin voit se lever au Congrès de Paris (octobre 1922) et « avec une chaleureuse ardeur [faire] cette déclaration » : « Notre Fédération n'est pas entièrement à gauche, mais je vote *gauche* par discipline et par attachement à la IIIe Internationale [2]. »

A cette époque, en effet, le jeune Maurice Thorez qui, dès 1923, est secrétaire fédéral du Pas-de-Calais, est en accord avec la gauche du parti, qui est « trotskiste ». C'est à lui que Souvarine pense comme élève type de la future école léniniste de Moscou. Treint, de son côté, favorise son ascension [3].

En 1924, encore, Thorez adresse à Souvarine un petit mot où il confirme son obédience trotskiste : « Tu voudras bien te servir de ma modeste contribution pour l'édition de la brochure de Trotski. J'en profite pour t'assurer de nouveau de ma complète solidarité, tant en ce qui concerne la situation du P.C.F. que dans ce qui intéresse la crise internationale [4]. »

Le même mois, la direction du parti enlève à Souvarine la responsabilité du *Bulletin* et la confie à Treint qui est « dans la ligne ». Thorez n'en demeure pas moins fidèle à son correspondant. Le 2 mai, il lui écrit encore :

« J'avais placé jusqu'ici vingt bulletins chaque semaine. J'en ai depuis un mois un stock qui grossira, puisque je me refuse à répandre cette prose inepte. »

Quelques mois passent. Au Ve Congrès de l'Internationale communiste (juillet 1924), Souvarine est exclu. Thorez change de cap. Il vire sa « cuti » trotskiste. On ne l'y reprendra jamais plus à être dans l'opposition.

1. Cf. chap. *Fronts rouges*.
2. Louise Bodin, *Le Drame politique du Congrès de Paris*, p. 54.
3. Entretien avec Albert Treint.
4. Lettre du 24 avril 1924.

Désormais, il va épouser fidèlement les tournants de l'Internationale, assurant ainsi sa carrière.

Thorez critiqué

Thorez est sans doute moins apprécié sur place, contrairement à la légende dorée du *Fils du Peuple*.

C'est ce que révèle une circulaire intitulée [1] « Contre-propositions du rayon de Valenciennes sur les candidats aux élections législatives ». Ce texte écarte en effet les trois candidats présentés par la région pour les élections de 1928, savoir : Maurice Thorez, Florimond Bonte, Gilbert Declercq :

« Sans dénier en aucune façon — peut-on lire dans ce document — les mérites des candidats proposés par la région, nous estimons que le Parti pouvait présenter autre chose que trois fonctionnaires du parti ou des syndicats.

« Nous disons que :

« Thorez a perdu une grosse partie de sa popularité dans le Nord, par suite de son départ à Paris et qu'il est indispensable à la direction du parti [2]... »

A la place des trois candidats proposés par la région, les cellules opposent comme tête de liste, Sadoul (acquitté lors de son retour en France), Dupont et Bauvois qui tous deux sont actuellement en prison.

On décèle dans cette réaction de la base, moins sans doute une hostilité personnelle à l'égard de Thorez, qu'une certaine rancune contre les permanents de l'appareil. On a peut-être là aussi l'explication de l'attitude de Thorez à l'égard du capitaine Sadoul, qu'il détestait et qu'il empêcha toujours d'être candidat du parti aux élections.

Le côté ondoyant du caractère de Thorez, son penchant très net à devenir un *apparatchik* docile, son manque probable de courage physique qui, à l'opposé de Doriot, le tient à distance des bagarres, ne doivent pas faire oublier les traits positifs qui lui ont valu aussi les faveurs de l'Internationale communiste.

Grand, bien bâti, de bonnes joues, un large sourire, la poignée de main facile et cordiale, il a l'allure du jeune chef prolétarien, et il sait à merveille s'attirer les sympathies. A ce physique qui le sert, il faut sans doute ajouter des dons d'assimilation rapide, la classe oratoire et un incontestable savoir-faire.

Le meilleur jugement que j'aie entendu porter sur lui venait de quelqu'un qui n'avait aucun intérêt à le ménager. Il s'agissait de Paul Marion, ancien communiste passé au P.P.F., avant de devenir ministre de Vichy :

---

1. (Doc. inédit, cf. Annexes.)
2. Cette résolution est signée d'un certain nombre de cellules dont voici la liste : Wagons-Lits Marly; Maroc-Marly; Locale Marly; Chantier des mines Anzin; P.T.T. Valenciennes; L'École Fosse Bleuse; Borne-Anzin; Fosse du temple La Sentinelle; Escaut et Meuse Anzin. Trois Faubourgs Valenciennes; Valenciennes Centre; Barbier Onnaing.

« Une des principales qualités de Thorez — disait Marion — c'est qu'il possède des dons d'arbitre exceptionnels. C'était une qualité précieuse dans un parti dont les tendances se combattaient farouchement[1]. »

Il est vraisemblable que ces qualités n'ont pas dû échapper aux délégués de l'Internationale communiste. Après l'échec de Sémard, ceux-ci devaient anxieusement chercher une personnalité capable de contrebalancer celle de Doriot.

La montée de Thorez au sein du Bureau politique, où il détient, à partir de 1928, le poste de responsable politique, n'a toutefois pu s'accomplir sans accord avec le « groupe », c'est-à-dire avec la *troïka* Barbé-Celor-Lozeray.

Dans ses *Souvenirs*, Barbé affirme à plusieurs reprises qu'il s'est fréquemment concerté avec Thorez. Au cours d'un entretien à Fontainebleau, en 1930, en présence d'Auguste Havez, ils auraient mis au point une sorte de division du travail entre eux[2].

Barbé a-t-il inventé cette coopération? Tillon, qui n'a aucun intérêt à le ménager, confirmera, bien plus tard, l'étroitesse des relations entre Thorez et le « groupe » :

« Le parti, écrit-il, était aux mains d'un groupe dit de " la Jeunesse communiste ", qui avait fomenté un complot visant à s'emparer de tous les postes de l'appreil en éliminant les anciens dirigeants subsistant depuis le Congrès de Tours, dont Sémard, et à contrôler la direction de la C.G.T.U. par des cadres acquis au secrétariat. Thorez n'était secrétaire que grâce au soutien du " Groupe de la Jeunesse ", les Barbé, Billoux, Celor, Guyot. Il avait pour adversaire principal l'homme qui le supplantait encore à Moscou devant l'Internationale communiste : Jacques Doriot[3]. »

Dans la version de Thorez, celui-ci apparaît comme un adversaire déclaré du « groupe » qui aurait mené de sa propre autorité une politique sectaire, provoquant une large chute d'effectifs, et la perte de contact avec les masses. Ceci, à l'insu de l'Internationale communiste[4].

Analyse difficilement soutenable. Il y a bien une politique sectaire du parti. Elle est bien celle du « groupe ». Mais elle est exécutée aussi par Thorez et elle a la pleine approbation de l'Internationale communiste.

Comment l'Internationale communiste aurait-elle pu ignorer le comportement du « groupe » puisqu'il y a toujours à Moscou un représentant du parti et un représentant des Jeunesses, puisque Stepanov est présent au centre clandestin de Bruxelles?

Une brochure peu connue démontre le contraire. Intitulée *L'Économie et la Lutte politique en France*, elle date de 1929 et a pour auteur Chavaroche, pseudonyme, nous l'avons dit, du Bulgare Minev, alias Stepanov, alias Lebedev. Le préfacier n'est autre que Henri Barbé.

1. Déclaration de Paul Marion en 1952, peu avant sa mort.
2. *Op. cit.*, p. 201.
3. Charles Tillon, *Un « Procès de Moscou » à Paris*, p. 51.
4. Gérard Walter dans son *Histoire du Parti communiste* épouse cette thèse dans ses grandes lignes.

Celui-ci invite fermement les dirigeants du parti français à s'inspirer des leçons du camarade Chavaroche. Or, l'envoyé de l'I.C. insiste sur le renforcement de la conscience de classe (c'est-à-dire de la politisation) dans la classe ouvrière, la lutte contre les socialistes et contre les dangers de la guerre [1].

Entre le « groupe » et l'Internationale, il n'y a vraiment pas de contradictions flagrantes. Tillon lui-même, démentant ainsi Thorez, écrira : « Notre parti était en plein gauchisme théorisant, avec l'appui de l'I.C. [2]. »

On peut parfaitement expliquer cette politique si on considère qu'à la fin des années 20 les dirigeants soviétiques vivent dans la crainte de l'agression capitaliste. Dès lors, ils ont avant tout besoin d'un parti dur en France, peu nombreux mais farouchement combatif et discipliné, prêt à attaquer l'armée française en cas de conflit.

Après 1930, le péril est écarté. Les dirigeants de l'I.C. considèrent alors d'un autre œil cette section française devenue squelettique. Au même moment, d'ailleurs, leur attention est alertée par les critiques qui lui parviennent.

Tillon se vantera d'avoir été de ces détracteurs à l'occasion d'un voyage en mai 1931 à Moscou, où il représentait la C.G.T.U. [3].

Prodromes de crise au C.C.

Mais quelqu'un surtout a joué dans le changement d'attitude des dirigeants de l'I.C. un rôle important. Ni Thorez dans *Fils du Peuple*, ni André Marty dans *L'Affaire Marty*, ni Charles Tillon dans *Un « Procès de Moscou » à Paris* ne parlent de lui. Barbé dans ses *Souvenirs*, puis Barbé et Celor dans leur étude commune sur le « groupe » évoquent très brièvement son rôle, pourtant essentiel.

L'homme est l'ouvrier métallurgiste Albert Vassart, esprit réfléchi qui se séparera du parti communiste en 1939, à cause du pacte germano-soviétique.

Membre du Bureau politique après le VIe Congrès, celui de Saint-Denis, Vassart désapprouve nettement et publiquement la ligne sectaire et les méthodes de direction du parti. Attitude qui lui vaut d'être pris à partie, au Comité central du 17 juillet 1930, par Barbé et Celor [4]. Mais aussi par Maurice Thorez.

Dans son discours devant le Comité central, Thorez déclare ceci au sujet de Vassart :

« 1. Au sujet de Vassart, avant même que l'on nous fasse la proposition

---

1. Pp. 123-124.
2. *Op. cit.*, p. 51.
3. *Op. cit.*, pp. 51-52.
4. Parti communiste S.F.I.C., « Discours de Celor, Thorez et Barbé au Comité central du 17 juillet 1930, suivis de leur résolution », cf. critiques de Barbé contre Vassart, pp. 39-40-42-43-49, et de Celor, pp. 13-14.

de réduction générale du B.P., nous avions l'intention de proposer au C.C. l'élimination de Vassart du B.P. pour des raisons politiques [1]. »

Il ajoute, un peu plus loin, qu'on ne prendra au B.P. « aucune mesure politique contre quiconque, sauf contre le camarade Vassart [2] ».

« Je vais avoir tort d'avoir eu raison trop tôt », constate alors Vassart avec mélancolie.

C'est de tradition, en effet, au parti communiste.

En vérité, Vassart, traité à ce Comité central d' « opportuniste », crime majeur, n'est peut-être pas trop inquiet sur son sort. Il est en effet fort bien, par l'intermédiaire de sa femme, allemande d'origine juive, avec Manouilski. C'est lui, très vraisemblablement, qui a alerté le premier l'I.C. La crise du « groupe » passée, il jouera jusqu'à la guerre, un rôle important aux côtés de Thorez.

Son heure n'est pas venue. Il semble au contraire en posture difficile, si l'on se réfère aux interventions rassemblées dans la brochure que nous venons de citer.

Ce document — difficilement trouvable aujourd'hui — est fort curieux. Les choses y sont dites de façon embrouillée, et souvent par allusions. En apparence, Thorez, Barbé et Celor disent la même chose : pas assez de liaisons avec les masses, faiblesses, mauvaise application de la « ligne », méthodes de travail défectueuses, lutte nécessaire à la fois contre le gauchisme et l'opportunisme. *Nostra culpa!*

Il faut toutefois se souvenir que le langage des dirigeants communistes est un langage chiffré, un code. Dans ses *Souvenirs*, Barbé explique que certaines expressions-clichés telles que « je suis d'accord *en général* avec ce que vient de dire le camarade X... » ou encore « je n'ai rien contre la thèse du B.P. ... », signifient bel et bien qu'on est en désaccord. Mais le dire équivaudrait à se faire exclure, ou à perdre son poste. On use donc de formules voilées dont le sens véritable n'est perceptible qu'aux familiers de la boutique.

Il serait fastidieux d'entrer dans une analyse détaillée de ces trois discours du Comité central du 17 juillet 1930. Marquons seulement quelques différences. Thorez insiste beaucoup sur le manque d'information de l'I.C. dans une certaine période, sur les directives que celle-ci compte faire appliquer. Barbé parle à peine de l'I.C. Il souligne la nécessité de la lutte sur les deux fronts (contre le sectarisme et contre l'opportunisme). Il se montre aussi plus dur pour Vassart que Thorez.

Si l'on tente de faire le point à l'issue de ce Comité central, on constate que Thorez passe un compromis avec le « groupe ». Il lui lâche Vassart. On se garde de bouleverser la direction en place. Mais Celor est nommé adjoint

---

1. *Op. cit.*, p. 33.
2. *Op. cit.*, p. 35. Il est intéressant de noter, au contraire, à quel point Thorez ménage Doriot. Signalant qu'il y a eu avec lui une série d'incidents, qu'il boude les réunions du B.P., et qu'il a même offert sa démission de cet organisme, Thorez révèle que ce différend a fait l'objet d'un voyage à Moscou. Tout en critiquant la position attentiste de Doriot « l'I.C. demande que Doriot travaille avec nous dans la direction du parti comme un élément actif. Nous sommes d'accord... », p. 33.

de Sémard à la région parisienne. Ce qui a tout l'air d'une rétrogradation.

Il apparaît tout de même, à la lecture de ces trois rapports, que Thorez est l'homme qui monte. Il parle avec une assurance qui ne s'expliquerait guère sans un fort appui à l'I.C. Mais rien n'est encore joué.

A-t-il déjà auprès de lui son éminence grise, le Tchèque d'origine hongroise Desider Fried, dit Clément ? Tillon le suggère. Il écrit que « Thorez — déjà conseillé par Desider Fried — peut, grâce à un virage savant, apparaître comme le maître de l'appareil du parti [1]. »

Le virage ne sera exécuté que l'année suivante. En mai, une délégation de syndicalistes dont font partie Croizat et Tillon, se rend à Moscou :

« [...] Notre délégation — écrit Tillon — ne cacha rien des difficultés de la C.G.T.U. et la discussion en présence de Losovski tourna en faveur d'une politique de détente dans le parti qui condamnait en fait la politique consulaire de l'ensemble de la direction du P.C.F. Les discussions poursuivies à l'I.C. aboutirent à charger André Marty d'un rapport en vue de « liquider l'idéologie du groupe ». Alors Guyot « paniqué » dénonça ses amis tandis que Billoux reconnaissait ses torts comme auteur de la plate-forme du groupe [2]. »

Guyot dénonce le « groupe ».

C'est bien Raymond Guyot qui « mange le morceau » et sans doute pour les raisons que Tillon indique.

Barbé, dans ses *Souvenirs*, situe les aveux de Guyot dans le courant de l'été 1931. Il est allé se reposer quelques jours en province. Survient Havez :

« Il y a une réunion importante du Bureau politique. Ta présence est indispensable. »

Pendant le trajet du retour, Havez révèle à Barbé que Manouilski se trouve depuis quelques jours à Paris, où il s'est entretenu avec Thorez et Raymond Guyot. De grandes transformations se préparent.

Le lendemain, dès qu'il entre dans la pièce où le Bureau politique est réuni, Barbé se rend compte, à l'expression tendue des visages, qu'une crise est ouverte.

Manouilski est là. Il prend la parole.

« Dès maintenant, dit-il, une enquête commence sur l'activité fractionnelle d'un groupe secret. »

Témoin à charge, Raymond Guyot dépose. Tête basse, évitant de regarder dans la direction de Barbé, il semble réciter une leçon. Oui, un « groupe » secret opérait à l'intérieur du parti. Ce « groupe » préparait la rébellion contre

---

1. *Op. cit.*, p. 52.
1. *Op. cit.*, pp. 51-52. Dans *L'affaire Marty*, André Marty se vante d'avoir *dès décembre 1929*, dans une lettre adressée par lui de la Santé à l'I.C., dénoncé le groupe « comme sabotant et détruisant le parti... et infiltrant partout des agents provocateurs. Cela me valut, début 1930, mon transfert à Clairvaux », pp. 71-72. Mais Marty a beaucoup d'imagination.

les directives de l'I.C. Lui-même en a fait partie et il en éprouve un vif remords. »

Thorez enchaîne. Il met sur le compte du « groupe » tous les échecs, toutes les déficiences du parti. Il assure n'avoir appris l'existence de ce cercle occulte que par la confession de Guyot.

Maintenant, c'est à Manouilski de parler. Il se tourne vers Barbé.

« Qu'as-tu à dire ? »

Barbé se tait.

« J'étais trop stupéfait, assure-t-il, pour ajouter quoi que ce soit. »

Mais il réclame aussitôt un entretien en tête à tête avec le délégué du Komintern. Et là, il explose :

« Que signifie cette mise en scène ? L'existence du " groupe ", vous la connaissiez !

— Allons, dit Manouilski, ne t'emballe pas. Il était nécessaire d'agir de la sorte. Sache que parmi les membres du " groupe ", il y a sûrement un provocateur.

— Qui ?

— Une enquête est en cours à Moscou.

— Pour ma part, dit Barbé, je suis prêt à y partir [1]. »

Telle est la version que donne Barbé, plus détaillée que le récit publié dans *Est et Ouest*.

On peut tenir pour certain que cette réunion est postérieure à celle du Comité central qui s'est tenue à la fin de mai 1931. On ne s'expliquerait pas en effet que Celor n'ait pas été présent à cette séance impromptue du Bureau politique. Or, Celor assistait au Comité central de mai [2]. Une note, rédigée par sa femme, précise d'autre part qu'il est parti pour Moscou en juin 1931 « comme représentant du P.C.F. auprès de l'Internationale communiste ».

La réunion du B.P. où Barbé comparaît s'étant déroulée en été est, sauf erreur de mémoire de sa part, sans doute postérieure à un éditorial de Thorez publié dans *L'Humanité* du 7 juin et intitulé « Au travail pour liquider le retard ». On y lit, au milieu d'un flot de critiques qui visent à n'en pas douter Barbé et ses amis, et après un passage réclamant *l'amélioration des méthodes de travail dans le sens de la persuasion* (souligné dans le texte), cette mise en demeure :

« Le Comité central estime nécessaire un véritable travail collectif, *excluant tout esprit de groupe...* » (souligné par nous).

Ce n'est certainement pas par hasard que le mot « groupe » apparaît. Faut-il en conclure qu'à cette date Manouilski a déjà obtenu les aveux de Guyot ? Il est douteux, en tout cas, que ce passage ait pu échapper à la vigilante attention de Barbé. Et comme l'article de Thorez comporte aussi de sévères remontrances à l'égard de camarades qui ne veulent pas consentir une franche autocritique, on peut se demander si ce n'est pas le refus persis-

1. *Op. cit.*, p. 213.
2. Cf. *L'Humanité* du 29 mai 1931, qui relève son intervention.

tant du « groupe » Barbé-Celor de faire acte d'allégeance envers Thorez, devenu le favori de Moscou, qui a incité Manouilski à abattre brutalement la carte Guyot.

Il est surprenant toutefois que Barbé ait été pris au dépourvu, comme il le raconte.

Que le « groupe » ait existé, aucun doute à ce sujet. C'est l'interprétation de son rôle qui laisse perplexe. La thèse thorézienne, reprise par Gérard Walter, selon laquelle l'I.C. ignorait l'existence de ce cercle et ses ramifications, n'est pas du tout convaincante. Il faudrait admettre que ce complot ait pu se développer à l'intérieur du parti, pendant trois ans.

Mais sans doute le « groupe » avait-il une tâche à remplir, et Moscou, au bout d'un certain temps, a jugé que cette équipe avait fait faillite. Ou bien on a considéré que cette direction était usée et qu'il fallait la remplacer par une autre. Il est possible alors que le « noyau des jeunes », isolé de Doriot et de ses amis, ait refusé de s'incliner devant l'étoile naissante de Thorez et soit entré en rébellion.

On aura feint de le sanctionner pour s'être constitué, alors qu'on le frappait pour n'avoir pas compris qu'il lui fallait se dissoudre. On a là en germe un petit procès de Moscou ou de Prague.

Le « groupe » est liquidé, en tant que tel, en juillet ou en août. Mais l'affaire Barbé-Celor ne fait que commencer. Après la phase politique vient la phase policière.

La « bio »

Celor et sa biographie ou « bio » y tiennent la place principale.

La *biographie* est un questionnaire serré que chaque militant doté d'une responsabilité quelconque doit remplir. Origines familiales, activités professionnelles, éventuels liens de parenté ou relations avec des adversaires politiques ou des policiers, fonctions occupées dans le parti, voilà les aspects principaux d'un questionnaire minutieux. Rédigée en triple exemplaire dont un est détenu par la commission de contrôle des cadres et un autre expédié à Moscou, la « bio » peut être demandée plusieurs fois au militant au cours de sa carrière dans le parti, et cette demande s'effectue en général *à l'improviste*.

Cette pratique constitue en effet pour la commission des cadres un moyen d'investigation et de contre-espionnage. Un policier introduit dans le parti, et qui tente d'en gravir les échelons, sera à peu près inévitablement conduit à dissimuler une partie de son passé. Mais en répondant, *à plusieurs années d'intervalle*, au même questionnaire, sans possibilité de se reporter au document précédent ou à des notes qu'il aurait pu prendre comme aide-mémoire, il lui sera extrêmement difficile de ne pas commettre d'erreurs (de lieu, de date, etc.).

En comparant ces documents, la commission des cadres examinera si le sujet n'a pas tenté de tromper le parti, de lui dissimuler quelque chose. En ce domaine, elle est très exigeante.

Introduite au moment de l'école de Bobigny, la « bio » d'avant guerre comporte une quarantaine de questions. Après la Libération, elle en comptera *une bonne centaine*. Elle joue un rôle capital dans l'affaire Celor, et non négligeable, comme on le verra plus loin, dans l'affaire Marchais [1].

Celor a rédigé trois « bios ». La comparaison entre ces trois documents va être pour lui une terrible épreuve.

Le drame qui va se jouer met en scène, pour l'essentiel, quatre personnes : Barbé, Celor, et leurs épouses respectives.

Parti sans doute en juin 1931 de Paris, Celor n'arrive qu'en août à Moscou. Sa femme, Louisette, qu'il a épousée en 1929, l'y rejoint. Elle travaille comme secrétaire au Komintern. Elle a vingt ans.

Barbé, de son côté, n'indique pas la date de son arrivée en U.R.S.S. Octobre, assure Louisette Celor [2].

Georgette Barbé a tout juste un an de plus qu'elle, mais possède déjà une expérience militante. Elle travaille en effet dans l'appareil illégal avec son mari et Auguste Havez. C'est elle qui chiffre les adresses clandestines.

En janvier 1932, Thorez la convoque.

« Tu vas aller rejoindre Henri à Moscou. On a besoin de toi là-bas. Je ferai expédier tes bagages séparément à Berlin. »

Georgette vient d'obtenir un passeport, valable un an. La commission de contrôle du P.C.F. le lui retire, lui en remet un faux à la place. Il expire quelques jours après son départ. Première étape : Bruxelles. L'agent de liaison lui donne le nom du « contact » à Berlin.

Elle séjourne plusieurs jours dans la capitale allemande. Ses bagages ne sont pas arrivés. Ils n'arriveront jamais.

Un beau jour, c'est le départ en compagnie d'un camarade étranger qui parle français et dont elle est censée partager la vie. Dantzig. Le contrôle polonais, le contrôle allemand, franchis avec chaque fois la crainte d'être démasqués.

A la frontière commune entre la Pologne et la Russie, les voyageurs changent de train. Sur un large écriteau, cette belle formule : « A partir d'ici, vous entrez dans le pays de la démocratie. »

La démocratie soviétique commence par la fouille. Minutieuse.

La jeune femme est attendue. On l'escorte jusqu'à Moscou, jusqu'au célèbre hôtel Lux, résidence des camarades étrangers. Quand elle entre dans le hall, une voix dit dans son dos :

« Est-ce que vous parlez français? »

---

1. Voir en annexe la reproduction commentée d'une « bio » remplie par un militant d'avant-guerre.

2. Cf. note critique de Louisette Celor sur les *Souvenirs de dirigeant et de militant* de Barbé, rédigée en septembre 1966 et accompagnée d'une lettre de Georges Albertini, dont elle est la secrétaire. Cette note et la lettre ont été jointes au manuscrit inédit de Barbé déposé à l'Institution Hoover, Stanford University, California.

Elle se retourne et reconnaît la femme d'Aucouturier, un des militants qui représentent le parti à Moscou.

On lui fait un lit de fortune sur deux chaises, rapprochées l'une de l'autre. Elle ne verra pas encore son mari cette nuit-là.

Elle est saisie d'effroi quand elle le rencontre le lendemain. Henri était plutôt replet. Ses camarades des Jeunesses l'avaient surnommé « Rondoux ». Il a maigri de 15 kilos. Ses traits sont tirés, son visage ravagé. Il flotte dans un manteau de cuir trop grand pour lui qui lui bat les talons [1].

Depuis des mois, il est comme Celor sous enquête. Il a de constants entretiens avec Manouilski, avec Stepanov, avec Lebedeva, avec des « tchékistes » qu'il ne nomme pas. Auguste Havez, chef de l'appareil technique, est lui aussi sur le gril. On les interroge sans cesse sur les irruptions policières à Achères et à Villeneuve-Saint-Georges.

A partir de là, les récits divergent, diffèrent subtilement, ou se heurtent avec violence [2].

Cette année 1931, l'hiver est terrible. Le froid étreint la ville. Le ravitaillement est détestable. Une terrible odeur de graisse, de crasse et de poisson fumé plane en permanence sur les salles du Komintern et les pièces de l'hôtel Lux où Georgette Barbé a fini par trouver une chambre.

Si l'atmosphère est pesante pour Georgette et son mari, Pierre et Louisette Celor, eux, sont déjà des pestiférés. Celor ne va plus au Komintern. Son salaire de 300 roubles lui a été supprimé. Il est malade. Le couple ne vit que du seul salaire de Louisette qui travaille encore comme secrétaire au Komintern.

Louisette Celor :

« Nous avions une carte d'alimentation pour deux, et comme nous ne pouvions vivre avec nos 120 roubles, je faisais du travail supplémentaire chez Paul Vaillant-Couturier, également à Moscou à l'époque, ou à la radio. »

Mais pourquoi cet isolement ? Il pèse sur Celor une accusation terrible : on le soupçonne d'être un provocateur policier qui, ayant réussi à occuper des fonctions très importantes — il a été un moment secrétaire à l'organisa-

---

1. Témoignage de Georgette Barbé.

2. Il est nécessaire de préciser les pièces dont j'ai disposé pour la conduite de ce récit. Ce sont :

a. Un passage des *Souvenirs* de Barbé, rédigé vers 1953;

b. Un récit en deux articles de Barbé et Celor publié dans *Est et Ouest.* J'en possède le manuscrit dactylographié, tapé par la femme de Barbé;

c. Un fragment de ce texte dactylographié, qui est inachevé et qui n'a pas été finalement retenu pour la version insérée dans *Est et Ouest ;*

Ce fragment, dont l'auteur ne peut être que Barbé, porte sur la personnalité de Pierre Celor;

d. Une note dactylographiée datée de septembre 1966 et rédigée par Louisette Celor. Cette note écrite sur un ton souvent vif, critique sur plusieurs points le récit qu'a donné Barbé dans ses *Souvenirs* sur l'affaire du « groupe »;

e. Le témoignage de Georgette Barbé tel que je l'ai recueilli de sa bouche en présence de Pierre et Hélène Dutilleul, le 9 décembre 1970.

tion — n'a cessé de saboter la politique du parti et de dénoncer ses membres aux coups de la répression.

Seul Barbé vient lui rendre visite. Les deux hommes ont entre eux de longs conciliabules.

Sur ces visites, Louisette Celor n'est pas tendre :

« Il venait constamment dans notre chambre... Je rentrais exténuée, j'étais obligée de revenir souvent à pied dans la neige, car il n'y avait pas de moyens de transport... Il restait là, parfois jusqu'à une heure du matin, j'étais obligée de le faire partir, car je devais travailler le lendemain. Que pouvait-il dire à mon mari pendant toutes ces heures passées avec lui ? Je ne le sais pas [1]. »

Barbé, que dit-il ?

Enquête à Moscou

Dès son arrivée à Moscou, il a été chambré par les Soviétiques. Successivement Manouilski et Stepanov le pressent de faire son autocritique :

« En tant que dirigeant politique, tu portes une responsabilité singulièrement lourde. Tu as été manœuvré par un provocateur policier. En refusant de reconnaître tes erreurs, tu as encouragé cette provocation.

— Qui est le provocateur ? demande Barbé.

— Celor est sous enquête », répondent Stepanov et Manouilski.

« Accusation terrible, note Barbé. Il ne me vient pas à l'idée de la mettre en doute [2]. »

Pendant plusieurs années, à Paris, Henri et Pierre ont vécu comme deux frères. C'est le premier qui a favorisé la carrière de l'autre. Maintenant, quand il va lui rendre ces longues visites, est-ce pour recueillir des aveux, pour capter des confidences qu'il rapportera ensuite aux Soviétiques ?

Louisette : « Un jour, je suis rentrée plus tôt que de coutume. J'ai trouvé mon mari titubant qui, s'approchant de moi, me dit : " Je ne sais ce que j'ai, pourtant je n'ai pas bu, et je suis comme ivre ... " (Mon mari ne buvait que de l'eau). Et Barbé qui naturellement était avec lui depuis le matin, me dit : " Si je n'avais pas été avec lui, j'aurais pensé qu'il était ivre ". Je n'ai jamais pu éclaircir ce mystère, mais je suis persuadée que Barbé lui avait administré une drogue, car dans son délire, qui a duré quarante-huit heures, il ne cessait de répéter : Pourquoi m'accuse-t-on d'être un policier ? [3] »

Barbé, pour sa part, n'évoque que fort brièvement ces entretiens. Il les situe, lui, non dans la chambre de Celor, mais à l'hôtel Lux.

« Je lui demandai, dit-il, de faire un rapport. Il n'en fit rien [4]. »

Parallèlement à celle de Moscou une vaste enquête sur le « groupe » se

1. *Op. cit.*
2. *Souvenirs*, p. 215.
3. Louisette Celor, *op. cit.*
4. *Souvenirs*, p. 215.

déroule à Paris. L'accusateur est Marty. Thorez, Frachon, Midol font partie de la commission d'enquête. Comparaissent devant elle, Billoux qui est le théoricien du « groupe », Lozeray, Croizat, Vassart, Gitton [1]...

Au Komintern, un traducteur épie les moindres propos de Louisette Celor et ne la quitte pas d'une semelle. Elle finit par ne plus parler à personne. Celor, qui a toujours été un grand malade, souffre d'un abcès froid. Sa femme, à son tour, atteinte d'une lésion pulmonaire, ne quitte plus la chambre.

Le thermomètre descend encore. La neige s'abat sur Moscou. On vit calfeutré. Dans le petit cercle qui compose la colonie française, des rumeurs circulent. On murmure qu'il y a un cas Barbé-Celor. Mais on ne sait rien de précis. Chacun épie son voisin.

Le 8 mars 1932, dans une salle du Komintern, à dix heures du matin, une douzaine de personnes prennent place autour d'une longue table rectangulaire. A la droite de Georgette Barbé, qui est chargée d'enregistrer en sténo la séance qui va se dérouler, s'assied son mari; à sa gauche, Pierre Celor. Un peu plus loin, l'air inquiet, voici Auguste Havez, responsable de l'appareil « technique » (clandestin).

Tous les autres sont des Russes. Ce sont d'abord les responsables de l'I.C. : Piatnitski, Manouilski, Stepanov, Lebedeva — la seule femme présente avec Georgette Barbé — et une traductrice, une certaine Marthe.

Répartis autour de la table, quatre ou cinq hommes, revêtus de vestes de cuir, massifs et silencieux, tranchent sur le reste de cette petite assemblée. Ce sont des *tchékistes*.

Dans une pièce voisine, un médecin se tient prêt à intervenir, au cas où l'accusé aurait une défaillance.

L'accusé, c'est Pierre Celor. Après des mois d'enquête, son procès commence. Il durera douze heures.

Douze heures terribles. Douze heures pendant lesquelles les questions fusent de toute part, « à la cadence d'une mitrailleuse [2] ».

De Jeannot à Pierrot : « *Envoyez viande fraîche* »

« Camarade Celor, en 1925, en pleine guerre du Rif, quand vous faisiez votre service au Maroc, vous avez bien été arrêté par les autorités militaires ? Pourquoi avez-vous dissimulé ce fait très grave dans vos " bios " successives ?

— Pourquoi, au lieu d'être condamné pour votre action antimilitariste, avez-vous été réformé et envoyé en France ? Pourquoi n'en avez-vous soufflé mot ?

— N'est-il pas vrai que vous avez livré le groupe communiste de Casablanca ?

1. Cf. récit de Camille Larribère, in *Les Cahiers de l'Institut Maurice-Thorez*, n° 22, 2e trim. 1971.
2. Témoignage de Georgette Barbé.

— Pourquoi avez-vous caché dans votre " bio " que votre oncle était un policier ?

— En France, par son intermédiaire, ne vous a-t-on pas proposé une place très avantageuse dans la société impérialiste Saint Frères ?

— Pourquoi, camarade Celor, avez-vous préféré militer de nouveau dans le parti, en cachant tout cela ?

— Au Maroc, vous étiez élégant. En France, vous aviez l'air pauvre et misérable. Un camarade a dû vous prêter un complet. C'était un masque, n'est-ce pas ?

— Dans les meetings, vous vous taisiez. A deux exceptions près, vous n'avez jamais écrit d'articles. Cette modestie excessive n'était-elle pas autre chose qu'une feinte ? »

— Pourquoi avez-vous protégé des provocateurs comme Jany, Courmont, Joubert et autres ?

— En 1929, dans un numéro de *L'Humanité* a paru cette petite annonce : " De Jeannot à Pierrot, envoyez d'urgence viande fraîche. " A l'époque, *Le Populaire* a prétendu que Jeannot, c'était Jany, que Pierrot, c'était votre camarade Sémard et qu'il s'agissait d'un langage codé utilisé par deux policiers pour réclamer un envoi d'argent. Jeannot c'était bien Jany, mais Pierrot, ce n'était pas Sémard odieusement calomnié par les infâmes sociaux-démocrates. Pierrot, c'était vous, n'est-ce pas ?

— Et, à Achères, pourquoi au dernier moment n'êtes-vous pas venu à cette réunion du Comité central, où votre camarade Thorez a été arrêté [1] ?

« Pourquoi ? Expliquez-nous !... Vous ne disiez pas cela tout à l'heure. Vous vous contredisez, camarade Celor. Dans votre première " bio " vous avez raconté que... Or, dans la seconde... »

Une grande partie de cet interrogatoire impitoyable tourne autour des « bio ». Barbé le confirme dans ses *Souvenirs*. Pour les Soviétiques, la « bio » doit être d'une rectitude absolue, ne rien laisser dans l'ombre. « Si, camarade, vous avez dissimulé quelque chose au parti, c'est donc que vous vouliez tromper le parti. Pourquoi ? Pour le compte de qui ? »

Dans cet affrontement, Barbé est témoin à charge. Accusé d'avoir couvert un « provocateur », il accuse à son tour. Il expliquera plus tard que les « tchékistes » avaient réussi à le convaincre que son camarade était un agent d'une très grande habileté.

L'attitude de Celor, d'autre part, le déconcerte. Il lui semble que, accusé de la sorte, il devrait protester de son innocence avec la plus grande éner-

---

1. Nous avons détaché ces questions des articles publiés sur le cas du « traître Celor », dans *L'Humanité*, notamment des numéros des 8, 9, 10, 11 et 12 octobre 1932. Ils sont signés à partir du 10 de Marcel Cachin, Jacques Doriot, Henri Barbé et Maurice Thorez. Barbé explique toutefois dans ses *Souvenirs* qu'il les rédigea tous à Moscou, sous le contrôle des dirigeants de l'I.C., et que les autres signatures furent ajoutées après coup. Cette version semble fort vraisemblable. Georgette Barbé, si elle a conservé de cet interrogatoire une impression très défavorable pour Celor, s'est montrée peu précise sur la nature des questions qui furent posées à celui-ci, ce qui n'est pas surprenant quelque quarante années après les faits.

gie. Celor n'en fait rien. Barbé se dit stupéfait de son absence de réaction et de sang-froid.

« Si on me demandait — écrit-il quelque trente ans plus tard — si Celor est un provocateur, je répondrais que je ne le crois pas. Mais toute son attitude pouvait laisser croire le contraire [1]. »

Et Georgette Barbé : « Il n'a jamais réussi à s'expliquer. Il éludait les questions des Russes, ne répondait jamais d'une façon précise [2]. »

A dix heures du soir, l'interrogatoire prend fin. Barbé et Thorez ont été, eux aussi, sévèrement « accrochés » par les Russes. Tout le monde est épuisé. Mais le médecin n'aura pas à intervenir.

Dehors souffle une terrible tempête de neige. Le vent hurle et mord. Ceux qui regagnent l'hôtel Lux sont obligés pour ne pas tomber de se tenir les uns aux autres.

Celor rejoint, seul, sa chambre. Entre lui et ses camarades, tout est fini.

Louisette Celor : « Enfin, à dix heures du matin, par une tempête de neige, il est rentré à bout de forces, avec une extinction de voix. A mes questions, il répondit qu'on avait exigé de lui le secret sur ces délibérations, mais qu'il pouvait néanmoins me dire que Barbé n'était pas venu comme témoin, mais comme accusateur [3]... »

Le temps ne permettra pas d'éclaircir cette affaire. Celor et sa femme ne cesseront de nier. Mais, même après sa rupture avec le parti communiste, qui n'interviendra qu'en 1934, Barbé continue à tenir Celor pour un policier.

Les années passent. Barbé devient secrétaire général du Parti populaire français, puis rompt avec Doriot en 1940. Celor a disparu de la scène politique. Il travaille comme chef de service dans une petite entreprise.

L'occupation. Barbé continue la lutte contre le communisme. Celor adhère au Parti populaire français que Barbé a quitté. A la Libération, ils seront jugés et condamnés à plusieurs années de travaux forcés.

Et puis, un beau jour, au début des années 50, les deux hommes se retrouvent dans le même centre de documentation anticommuniste. Tous deux sont séparés par de terribles souvenirs. Mais tous deux ont un terrible compte à régler avec Moscou.

Ce combat les reconcilie. Réconciliation de façade. A cette époque je partage leurs travaux dans la même agence de presse. Je vois chaque jour Barbé et Louisette Celor qui travaille là comme secrétaire. Celor vient seulement le vendredi à un comité de rédaction.

En apparence, les rapports des deux hommes sont cordiaux. Il n'est cependant pas nécessaire d'être très psychologue pour se rendre compte que les vieilles blessures sont mal refermées. Dans les discussions qui portent sur la politique du parti communiste, Barbé et Celor prennent toujours

---

1. *Op. cit.*, p. 218.
2. Témoignage de Georgette Barbé.
3. *Op. cit.*

de très grandes précautions de langage, surtout quand leurs avis viennent à différer. Comme si un mot de trop allait allumer un incendie.

Je n'ai jamais eu l'occasion d'évoquer l'affaire du groupe avec Celor. J'étais d'ailleurs davantage lié avec Barbé. Celui-ci évoquait volontiers, avec une verve colorée, sa vie de militant communiste. Je l'ai questionné une ou deux fois sur l'affaire Celor. Sur ce chapitre, il n'a jamais été très prolixe. Si ma mémoire est fidèle, ce qu'il a pu m'en dire recoupait à peu près ce qu'il a consigné dans ses *Souvenirs*.

Le jugement qu'il porte en conclusion et que j'ai cité plus haut : « Si on me demandait aujourd'hui... » n'est pas totalement dépourvu de réticences. On peut comparer cette réaction au passage rédigé en commun par les deux hommes, peu avant la mort de Celor, survenue en 1957 :

« Pierre Celor était à l'époque gravement malade. Il subit cette longue journée d'interrogatoire et d'accusation en refusant jusqu'au bout de reconnaître la véracité des accusations formulées contre lui. La réunion se termina donc sans fournir d'éléments appuyant la thèse de provocation avancée par les dirigeants de l'Internationale communiste. Ce qui ne les empêcha pas de conclure après la réunion que Celor était un provocateur et un policier habile glissé dans la direction du parti pour le désagréger. »

Par rapport au passage des *Souvenirs* de Barbé, ce texte arrondit les angles. Il résulte assurément d'un compromis [1].

Ce compromis, les deux femmes ne l'ont jamais passé. Elles sont restées intransigeantes dans leurs réactions contradictoires.

Je livre ici les pièces du dossier. Je me garderai bien de conclure et de démêler l'écheveau.

Il existerait en France un exemplaire des notes sténographiques prises par Georgette Barbé. Je n'ai pu avoir confirmation de cette rumeur. Cette pièce figure dans les archives du Komintern, à coup sûr.

Même si un jour elle devait être publiée, même si elle comportait certaines déclarations susceptibles d'être interprétées contre Celor, il resterait à examiner la valeur d'aveux obtenus dans de telles conditions.

Dans ce domaine, on ne saurait être trop prudent. Camille Larribère, dans les fragments de souvenirs publiés après sa mort par les *Cahiers de l'Institut Maurice Thorez*, accuse Celor d'avoir été un policier. Mais il affirme en même temps que la réunion d'Achères a été « donnée » par un certain *Salomé*, dont nul jusqu'ici n'avait soufflé mot.

Or, dans le dossier Celor, Achères était une des charges principales retenues contre lui.

Évoquons aussi un épisode très oublié. Au moment où l'affaire du « groupe » est en train de couver, l'espionnite exerce des ravages dans les rangs du parti.

Il se trouve que le militant syndicaliste Chambelland, qui appartient à la minorité anarcho-syndicaliste de la C.G.T.U., a porté de graves accusa-

---

1. Articles de Barbé et Celor in *Est et Ouest*, 1er juillet 1957. Le second article comporte *in fine* la mention « à suivre ». Il n'y aura jamais de suite.

tions concernant l'infiltration policière dans les rangs du parti communiste. Accusations qu'il étaie en publiant des rapports de police sur les grèves du Nord. Ces documents semblent établir que quelqu'un appartenant aux sphères dirigeants de la grève dans le Nord, renseigne la police.

En réponse, *L'Humanité* couvre d'injures Chambelland. Jean Brécot assure que les documents publiés par Chambelland sont des faux, fabriqués par la police. Si Chambelland a réussi à se les procurer, n'est-ce pas la preuve qu'il est en liaison avec celle-ci ? etc.

Jean Brécot, c'est le pseudonyme de Monmousseau. Il est justement un des dirigeants principaux de la C.G.T.U. à la tête des grévistes. Et certes, il ne saurait aujourd'hui être soupçonné d'avoir jamais été un provocateur policier.

Mais le second animateur de la grève s'appelle Marcel Gitton, de son vrai nom Giroux [1].

Or, Gitton — abattu par des F.T.P. sous l'occupation, après avoir rompu au moment du pacte germano-sociétique — *L'Humanité* l'accusera d'avoir été un policier. Ce qui, *a posteriori*, donnerait raison à Chambelland. Mais, comme l'expliquait Vassart : au parti communiste, il n'est pas bon d'avoir raison trop tôt [2].

Le côté piquant de cette histoire, c'est que, le groupe Barbé-Celor à peine liquidé, c'est Marcel Gitton qui va devenir secrétaire à l'organisation, poste capital, qu'il occupera jusqu'à la déclaration de guerre.

Qui l'a appelé à ce poste ? Qui lui a fait confiance ?

Nul autre que Maurice Thorez.

---

1. Sur cette affaire cf. l'*Humanité*, 6 juin 1931.
2. Il serait hasardeux de se prononcer sur le cas Gitton. Il semble seulement exact qu'au casier judiciaire de Gitton ait figuré une condamnation pour une affaire de mœurs, ce qui pouvait évidemment favoriser certaines pressions policières.

9.

Le Grand Jacques s'en va

LE 8 OCTOBRE 1932, EN GARE DU NORD, DESCENDENT DU TRAIN UN HOMME et une femme aux traits las : Pierre et Louisette Celor, retour de Moscou.

Sur le quai, les parents de Louisette les attendent. Il est tôt. Il fait très froid. Le petit groupe va s'installer dans un café voisin. Après quatorze mois de vie moscovite, comme il fait bon déguster le café au lait, le beurre de Normandie et les croissants chauds!

A cette heure, il y a très peu de monde. Un homme entre, s'installe à une table, juste en face des Celor. Il sort de sa poche *L'Humanité*, la déploie devant son visage. Le titre qui s'étale à la « une » voue à la vindicte populaire « le traître Celor ».

C'est le premier article de la longue série consacrée à l'affaire du groupe [1].

Celor est un homme politiquement brisé. Il revient de l'enfer. Il va plonger dans l'anonymat pour dix ans.

Retours difficiles

Les Celor ont eu les pires difficultés à quitter l'Union soviétique. Louisette raconte que son mari est allé à l'ambassade de France où il a été accueilli froidement et où on lui a fait des propositions de « travail », qu'il écartera. Elle a alors écrit à ses parents en France pour qu'ils lui adressent les pièces d'identité nécessaires à l'obtention d'un passeport, car, naturellement, ils étaient venus en U.R.S.S. avec de faux papiers. Les Soviétiques n'ont pas osé s'opposer à leur retour [2].

1. Voir chap. précédent.
2. *Op. cit.*

Barbé et sa femme connaissent des tracasseries identiques. Après l'interrogatoire de Celor, lui travaille encore un certain temps à l'école léniniste. Il voudrait revenir en France. On lui fait savoir que Thorez s'oppose à son retour.

Un beau jour, Barbé est convoqué à l'O.M.S. par un certain Abramov :
« Camarade Barbé, vous partez pour l'Oural.
— Oui. Avec ma femme.
— Jamais de la vie. Elle reste ici.
— Alors, je ne pars pas. »
Abramov :
« C'est un ordre, camarade Barbé : vous partez.
— Je vous préviens, dit Barbé froidement, que je suis allé à l'ambassade de France. Ils sont prévenus, si jamais il arrive quelque chose à ma femme ou à moi... »
Abramov est pâle de colère. Mais la crainte d'un incident avec l'ambassade de France a un effet magique : Henri et Georgette sont rapatriés.
« En réalité, raconte Barbé, je bluffais. Je n'ai jamais mis les pieds à l'ambassade [1]. »

S'il est vrai que les Soviétiques ont liquidé Tommasi et Crémet, voire Lefebvre, Lepetit et Vergeat, on peut se demander pourquoi ils n'en font pas autant avec Barbé et Celor. La raison, je crois, c'est la présence des femmes. On ne peut liquider deux couples. On ne peut se débarrasser des deux hommes et garder les femmes dans un isoloir, sans correspondance avec l'extérieur. On peut encore moins les réexpédier seules en France : elles ameuteraient l'opinion.

En regagnant la France, Barbé troque un Oural inquiétant contre la prison. Il est en effet insoumis. Il couche au Cherche-Midi.

Il y retrouve Raymond Guyot, l'homme qui a dénoncé le groupe. C'est l'occasion d'une explication sévère.

Rencontre en prison

Un autre insoumis de marque est l'hôte de cette prison : Henri Guilbeaux. L'ancien compagnon de Lénine, un des fondateurs de l'Internationale communiste avec Sadoul qui le détestait, a fini, lui aussi, par être rejeté de l'Union soviétique. Lénine, pour de mystérieuses raisons, avait pour lui beaucoup de complaisance. Mais Lénine est mort. Après avoir sans doute beaucoup travaillé pour la Tchéka, il végète et il n'intéresse pas du tout le successeur.

Il finit par obtenir l'autorisation de venir s'installer à Berlin. Puis il décide de se faire rapatrier. Il y a un lourd dossier, qui lui a valu d'être déjà condamné par contumace : insoumission pendant la guerre, intense propagande défaitiste en Suisse, et les relations qu'on lui prête, sans doute à raison, avec les services allemands.

1. *Op. cit.*, pp. 222-227.

Or, il est acquitté.

Guilbeaux est un peu gêné quand il croise Barbé en prison et qu'il doit expliquer ce verdict miraculeux. Barbé, de son côté, est surpris. Pas longtemps. Un garde républicain, sympathisant du parti, a assisté au procès Guilbeaux qui s'est tenu à huis clos, devant le tribunal militaire. Le colonel Reboul est venu déposer comme témoin à décharge. Il assure que Guilbeaux a fait parvenir au 2e Bureau de très précieux renseignements [1].

Guilbeaux est acquitté avec les félicitations du tribunal.

Guyot est condamné à un an de prison et Barbé à huit mois.

Quand il a achevé sa peine et qu'il reprend ses activités de communiste, il comprend vite qu'il n'a plus aucun avenir dans le parti. Il est renvoyé à la base, à Saint-Ouen.

Tous ceux qui ont appartenu au groupe ou l'ont approché sont marqués. Guyot, Billoux, Lozeray rentreront en grâce. D'autres sont tenus à l'écart. C'est manifestement le cas de Camille Larribère. « Il fallut d'abord, écrit-il, convaincre mon père, vieux militant qui s'était laissé prendre aux apparences trompeuses de Celor lors de son passage en Algérie, et ensuite couper les ponts avec ma femme devenue une ennemie [2]. » Ceci en dit long sur les drames que cette affaire a pu provoquer.

Barbé est retourné à l'usine, après avoir prudemment décliné une mission du parti au Canada. Il ne se fait pas remarquer. Il attend son heure. Il pense que ce sera celle de Jacques Doriot.

Le Grand Jacques, qu'est-il devenu? Nous l'avons quitté à la fin de l'année 1926, après cette dure campagne du Rif, alors que brillait son étoile et qu'il paraissait destiné à prendre en main, après le limogeage de l'équipe Treint-Girault, la tête du parti.

Au lieu de cela, il a été envoyé par le Komintern en Chine, dans la période (1927) où les communistes, alliés tout d'abord à Tchang Kaï-chek sont éliminés par le général qui se retourne contre eux.

Doriot a fait sur la situation en Chine un rapport très optimiste qui plaira à Staline. Quelques jours plus tard, les communistes chinois sont massacrés par Tchang Kaï-chek.

Doriot ne croit pas ce qu'il écrit. A l'écrivain italien Silone qui le rencontre à Moscou il ne dissimule pas qu'il n'a aucune confiance dans la tactique du Komintern. Après quoi, il monte à la tribune et dit le contraire.

Comme beaucoup de permanents désabusés, il a désormais deux langages : un pour les déclarations officielles et un autre pour les entretiens privés.

Il revient en France à la fin de 1927, amer, goguenard et déçu. Manifestement, le voyage en Chine a été un prétexte pour l'écarter du théâtre français, et le mettre hors jeu.

---

1. *Op. cit.*, p. 234.
2. *Op. cit.*, p. 106.

Doriot policier ?

Mais pourquoi ?

Certains trouveront peut-être une explication dans un article de Monmousseau publié dans *L'Humanité* du 23 septembre 1949.

Monmousseau explique que Doriot, dès 1926, serait passé au service de la police. Au cours d'une violente bagarre il avait tué un gardien de la paix, le brigadier Maillard, d'un coup de pied. Arrêté sur-le-champ, affolé par les conséquences pénales de son acte, Doriot se serait effondré et aurait passé un marché avec la police, dont une trace existerait à l'Intérieur. Moyennant quoi son affaire aurait été étouffée : mais désormais Doriot était devenu le prisonnier des R.G.

Les Soviétiques auraient donc eu connaissance de cet « accroc » ou l'auraient soupçonné, ce qui aurait eu pour effet d'écarter de toute responsabilité importante le député de Saint-Denis.

Telle qu'elle est exposée par Monmousseau (et reprise par Duclos) cette version ne résiste pas à l'examen.

Notons d'abord qu'elle est fort tardive. Elle n'apparaît qu'en 1949. Comment expliquer que les communistes n'aient jamais officiellement lancé ces accusations, ni au moment de la rupture avec Doriot, ni sous l'occupation ?

Et il n'est pas moins fâcheux pour Monmousseau que, dans le même article, il dénonce un autre *flic* : simplement le maréchal Tito.

Il serait intéressant de savoir si les amis de Monmousseau tiennent toujours le maréchal pour un policier.

Cet amalgame entre Tito et Doriot, sous l'angle très particulier de la coopération policière, n'est déjà pas très convaincant. L'examen des faits ne l'est pas dantage.

La bagarre avec le brigadier Maillard s'est déroulée le 12 octobre 1925, journée de grèves violentes contre la guerre du Rif, à la sortie d'un meeting à la Grange-aux-Belles. « Le député Doriot, vers lequel s'avançait le brigadier Maillard, déclina sa qualité, puis décocha un violent coup de pied qui atteignit l'agent au bas-ventre. Le communiste fut arrêté, pour être relâché une semaine après, *tandis que sa victime restait trois semaines hors d'état de reprendre son service* [1]. »

Le brigadier n'est donc pas mort quand Jacques Doriot est arrêté. Il ne l'est toujours pas quand le député communiste, assisté de maîtres Berthon et Fournier, comparaît devant la XIᵉ chambre correctionnelle pour y rendre compte de ses voies de fait. Maillard, qui souffrait déjà d'une maladie de vessie, ne décédera que plusieurs mois après, peut-être des suites du coup de pied (mais nous n'en savons rien, et Monmousseau non plus). La thèse : pacte secret Doriot-Intérieur, dans le dessein d'éviter les conséquences pénales d'un homicide, s'effondre. Ce marché n'a pu avoir lieu

---

1. Cf. *La Liberté*, 21 janvier 1926. Passage souligné par nous.

puisque, entre le 12 et le 24 octobre 1925, période de détention de Doriot, les conditions n'en étaient pas réunies.

Il faut donc chercher ailleurs les raisons pour lesquelles le Komintern l'écarte de la direction du parti. Sur ce chapitre les éléments à la disposition des historiens restent très limités.

Versons toutefois à ce débat un document inédit.

Deux lettres sur Doriot

Une lettre manuscrite [1] de Gourget, qui est le secrétaire du groupe des opposants (Souvarine, Rosmer, Paz, etc.) fait état des difficultés de la direction Treint-Suzanne Girault, dont l'Exécutif de l'Internationale est lassé. Gourget ajoute à ce propos :

« Le fait est que l'Exécutif verrait avec plaisir une nouvelle direction composée de Doriot-Marty-Sadoul, etc., mais il se heurte non seulement à Treint, mais à l'appareil de Treint. Appareil du parti qui est en fait le parti. »

Gourget n'indique pas la source de ses informations qui restent évidemment sujettes à caution. Mais on peut rapprocher son texte d'une lettre un peu postérieure [2] de Marthe Bigot que nous avons déjà citée. Celle-ci écrivait :

« Doriot a fait une charge à fond contre les procédés actuels et a littéralement poignardé dans le dos ses alliés de la veille. »

Dans la lutte déjà féroce pour le pouvoir au sein du parti, il est possible que Doriot ait été averti des intentions de l'Exécutif le concernant, et qu'il ait agi en conséquence.

Si, dans l'année 1925, l'Exécutif a pu penser à lui comme à un successeur possible, deux ans plus tard sa cote a dégringolé. Souvarine, dans cette lettre à ses camarades où il traite des finances du parti [3], évoque incidemment le cas Doriot sur le compte duquel il porte un jugement féroce :

« Les jeunes déjà contaminés, écrit-il, sont perdus pour le communisme. Vous savez mieux que moi ce qu'on pense à Moscou d'un produit de la « bolchevisation » comme Doriot, ce type caractérisé du léniniste d'après la mort de Lénine, traître à ses opinions, prêt à tout, propre à rien, à rien de propre, expert en crocs-en-jambe et virtuose du coup de poignard dans le dos, profiteur d'une opportune condamnation politique compensant une ignorance crasse, récitateur laborieux de leçons péniblement apprises : *des camarades russes nous rapportent que l'entourage même de Staline le qualifie de " futur fasciste ", de " petit Millerand "* (c'est nous qui soulignons). Pourtant, on le conserve, en vue d'impures besognes, en vertu d'une complicité qui solidarise corrupteurs et corrompus. »

1. Doc. inédit.
2. Lettre du 8 décembre 1925.
3. *Op. cit.*, chap. VII.

Méfiance de Staline

On trouve indirectement confirmation de ce que Souvarine avance dans un rapport de Staline présenté devant l'Exécutif de l'Internationale communiste en 1926. Parlant du Parti communiste français, Staline signale quatre noms de dirigeants comme dignes d'être retenus : Thorez, Sémard, Monmousseau et Crémet (le spécialiste de l'espionnage). L'omission du nom de Doriot est assez significative.

Pourquoi Staline s'est-il méfié de lui ? A cause de son passé « trotskiste » ? En raison d'une personnalité aventureuse ? Nous ne savons. Mais la méfiance semble évidente. Tout comme le souci de garder avec Doriot une carte en réserve.

Écarté du poste suprême, Doriot se cantonne désormais dans une opposition dite, dans la terminologie bolchevique, « droitière ». Il se retranche dans Saint-Denis comme dans l'enceinte d'une forteresse. Il est l'idole des jeunes révolutionnaires et il conserve dans tout le parti une grande popularité. A ses qualités innées de tribun, à sa technique d'agitateur, il joint à présent l'expérience acquise dans les tâches municipales. Il apprend à cette école l'importance des revendications quotidiennes, le sens de la mesure, il améliore sa psychologie des masses.

Pour Thorez, encore mal installé au poste de secrétaire du parti, il est le rival, le seul. En 1932, Doriot est sans doute plus populaire que lui, a davantage de personnalité et de *punch*. En contrepartie, Thorez, après la liquidation du groupe, a su rétablir certains contacts avec les dirigeants de la C.G.T.U. (Frachon, Tillon), corriger les erreurs « sectaires », détendre le climat du parti par sa cordialité, son « bongarçonnisme » un peu vulgaire. Il s'en faut qu'il ait convaincu tout le monde.

Apparatchik fidèle, il maintient à l'égard de la social-démocratie la ligne intransigeante définie par le Komintern.

Mais Doriot possède des atouts importants. Après tout, Thorez a collaboré longtemps avec le « groupe » alors que Doriot a toujours témoigné son hostilité, sinon à ses membres, du moins à leur politique. « Le groupe » battu, il n'a aucune difficulté à reprendre contact avec son ancien camarade des Jeunesses, Henri Barbé. Et, par Vassart, il conserve un lien avec Manouilski.

Doriot attaque Thorez

Au XIIe Plenum du Comité exécutif de l'Internationale communiste, Doriot attaque et pose pratiquement sa candidature au poste de secrétaire général. C'est ce qui ressort assez clairement de son discours, intitulé « Comment faire disparaître le " retard " du P.C. français [1] ».

Le « retard » du parti résulte de la faiblesse des effectifs et de la perte

1. Cf. *L'Internationale communiste*, organe bi-mensuel du Comité exécutif de l'Internationale communiste, 1-15 novembre 1932, n°s 21-22, pp. 1103-1109.

d'influence du P.C. français alors que, selon l'Internationale communiste, la situation due à la crise économique des années 30, avec ses cortèges de chômeurs, est grosse de possibilités révolutionnaires.

Alors qu'au même Plenum, Thorez charge à fond contre la social-démocratie, Doriot en parle à peine. Il aligne les chiffres : aux élections législatives de 1932, le parti a perdu 285 000 voix sur 1928, les effectifs de la C.G.T.U. sont en regression, le tirage de *L'Humanité* baisse.

Au contraire, la social-démocratie est passée de 1 700 000 voix en 1928 à 1 950 000 voix en 1932.

Comment expliquer cette dégringolade du parti ? Par la situation économique qui se caractérise par une entrée de la France dans la crise économique plus tardive que celle des autres pays capitalistes ?

Doriot n'en croit rien.

« Nous continuons à régresser, souligne-t-il, alors que le chômage est là. »

Si le « retard » du P.C. français n'est pas dû à la situation, si le redressement n'a pas été opéré à la suite de la liquidation du groupe, c'est donc la direction du parti qui est responsable, donc Thorez. Ceci, Doriot ne le dit pas explicitement, mais les dirigeants de l'Internationale communiste savent, en un clin d'œil, « décoder » les discours.

Au reste, Doriot indique *in fine* les conditions auxquelles il est disposé à travailler collectivement avec la direction actuelle. Le dernier point est un appel à l'Internationale communiste pour qu'elle règle cette question.

Mais Thorez reste en place. Dans l'ombre, Desider Fried lui sert de mentor.

Le rôle de ce délégué de l'Internationale communiste à peu près ignoré pendant des années va être considérable à la tête du P.C. français. Fried, dit Clément, est un Tchèque, d'origine hongroise.

C'est un grand type, mince et élégant, aux beaux traits réguliers, cultivé, amateur de bibelots. Avant même la liquidation du groupe, il est déjà là, si l'on en croit Tillon. Il a donc dû, pour cette bataille, servir de *manager* à Thorez, qu'il a probablement connu au Comité exécutif de l'Internationale communiste.

Barbé, dans ses *Souvenirs*, ne cite qu'une fois le nom de Fried qu'il estime « de valeur médiocre ».

L'épisode se situe après les journées de février 1934, alors que le duel Thorez-Doriot est engagé à fond. Fried fixe à Barbé un rendez-vous sur une petite place du XVIIIe arrondissement, dans le quartier de la Chapelle.

« Il faut, dit-il, que tu te désolidarises de Doriot et que tu soutiennes Maurice [Thorez]. »

Barbé lui oppose un refus catégorique [1]. Il ne reverra plus le camarade Fried, dit Clément.

Doriot n'a évidemment pas besoin de conseiller. Dans la pratique quoti-

1. *Op. cit.*, pp. 245-247.

dienne, il est souvent en infraction avec la « ligne ». A Saint-Denis, il a des contacts fréquents avec les socialistes. La politique de Moscou reste au contraire farouchement hostile à la social-démocratie à la fin de 1932. L'arrivée de Hitler au pouvoir est imminente. Cette hypothèse est froidement envisagée par Staline et son entourage. Ils sont convaincus que les nazis ne sauraient longtemps se maintenir : Hitler une fois balayé, le P.C. allemand occupera la place.

L'ennemi numéro un reste donc pour Moscou le concurrent principal, c'est-à-dire la social-démocratie allemande; l'atout principal de l'Internationale communiste, le P.C. allemand. Comme au moment de l'occupation de la Ruhr, le rôle du P.C. français est d'appuyer les opérations de son homologue germanique, par une campagne forcenée contre les socialistes français. Thorez applique docilement cette politique.

Doriot, lui, dès mai 1933, participe à la tentative d'unité d'action du *Front commun*, créé par Gaston Frank Bergery — tentative sans lendemain. Il continue à préconiser l'unité d'action avec le parti socialiste qui a lui-même des difficultés avec son aile droite. Celle-ci, dirigée par Déat, Marquet et Montagnon, oppose le « planisme » au marxisme de Léon Blum, qui se déclare « épouvanté ».

Le Komintern désavoue les avances aux socialistes, maintient sa condamnation de la social-démocratie et donne ainsi tort à Doriot. Celui-ci cependant n'est pas encore traité en rebelle. Il est « récupérable ».

Aux côtés des Camelots du roi !

Mais voici qu'approche la grande crise politique qui jette les gens dans la rue aux cris d' « A bas les voleurs! », ébranle la IIIe République et fait surgir le spectre du « fascisme ». C'est l'affaire Stavisky. Ce sont les émeutes de février 1934.

Les communistes n'aiment guère à le rappeler. Mais leurs troupes manifestent dans la rue, le 6 février, en même temps que les ligues factieuses, et parfois dans les mêmes cortèges, aux cris d' « A bas les voleurs! »

C'est sous ce titre en première page que paraît *L'Humanité* du 7.

Une nouvelle manifestation est prévue pour le 9. De nouveaux contingents sont jetés dans la bataille. Ce jour-là, il fait un brouillard à couper au couteau. A certains endroits, on ne distingue rien au-delà de trois mètres. Quand le brouillard se déchire, la police tire à vue.

Près de la gare de l'Est, une colonne de manifestants, venue de Saint-Denis, affronte les forces de l'ordre avec une violence extraordinaire. Jacques Doriot marche à sa tête. La police ouvre le feu : neuf morts.

Thorez, Duclos, Guyot, Frachon, qui ont permis cette manifestation, ont rejoint leurs postes de combat, dans des appartements prévus pour la clandestinité.

Pour sa part, Maurice Thorez est chez sa tante à Barbizon. Il trait les vaches.

La manifestation du 9 corrige en partie celle du 6. Elle est faite contre le régime, mais aussi contre le « danger fasciste ». Par là-même, elle favorise l'unité d'action avec les socialistes. La journée du 12 constitue, à cet égard, un « tournant ». Ce jour-là, en dehors de leurs état-majors respectifs, des militants communistes et socialistes fraternisent. Chaque parti a organisé un cortège séparé. Mais, cours de Vincennes, les manifestants des deux bords se joignent spontanément.

Dans la lutte qui oppose Doriot à Thorez, le premier vient de marquer un point important. Cependant Thorez ne désarme pas. Dans *L'Humanité* du 19 avril 1934, il écrit encore : « Comment peut-on lutter pour le pouvoir en commun avec les socialistes? Le parti socialiste veut " sauver la République ", il veut " arracher la République aux partis de fascisme et de réaction "... Au contraire, le parti communiste lutte pour le pouvoir des Soviets. »

Cependant la stratégie de l'Internationale est en train de se modifier. Elle vient d'essuyer en Allemagne un désastre. Hitler, en 1933, est arrivé au pouvoir. Le P.C. allemand a été dissous, il s'est effondré. Du même coup, le P.C. français devient la force principale du communisme européen. S'il reste isolé, il ne peut rien. La marche des événements mène vers l'alliance avec les socialistes, vers le Front populaire.

Vers le Front populaire

Staline ne va pas tarder à engager contre l'hitlérisme la croisade des démocraties, et à favoriser partout en Europe les alliances du type « Front popu ».

En France, depuis plusieurs années, Doriot a été le champion de cette politique. Logiquement, il devrait en prendre la tête. Mais la politique et la logique ne font pas toujours bon ménage.

Dans cette phase, le comportement de Doriot a pour objectif de rallier le maximum de monde à la base, en dehors de la direction du parti, c'est-à-dire contre elle. Il est soutenu par nombre d' « opportunistes de droite » et aussi par d'anciens « sectaires » du « groupe », dont le plus notable est Barbé. Doriot s'efforce de travailler aussi dans les organismes annexes, Secours rouge, A.R.A.C., C.G.T.U., contrôlés par l'appareil thorézien.

Saint-Denis demeure son fief. Trente sur trente-cinq cellules lui assurent la majorité. L'inconvénient c'est qu'il mène son attaque sur un front très limité. Il peut difficilement agir d'une autre manière. Porter la discussion dans tout le parti, ce serait se voir taxé d' « activités fractionnelles », crime majeur, accusation numéro un, formulée contre le « groupe » dont la défaite est encore présente à tous les esprits. Pour ses manœuvres, Doriot demeure prisonnier du système bolchevik.

Entre Thorez et lui le climat s'est considérablement tendu. Le maire de Saint-Denis ne met plus les pieds au Bureau politique. Il convoque par ailleurs, en mars, une réunion du neuvième rayon (celui de Saint-Denis) qui va durer trois jours.

110 voix pour Doriot, 61 pour Thorez

Thorez accepte de s'y rendre. C'est la seule fois où il affronte publiquement son adversaire sur le terrain de celui-ci. Verdict : 110 voix pour le maire de Saint-Denis, 61 pour Maurice.

Au cours de cette conférence, un certain Falasse, qui, à l'époque, est un des lieutenants de Doriot, propose que la crise soit arbitrée par le Komintern. S'agit-il d'une décision spontanée, ou bien Falasse a-t-il agi mandaté par Doriot pour faire pression sur le Komintern ?

La contre-attaque de Thorez ne tarde guère. Les 1er et 2 avril, il organise à Saint-Denis même une conférence des communistes de la région Nord de Paris. 84 délégués y approuvent la politique du Bureau politique. Mais 54 votent pour Doriot. Succès limité.

La querelle est devenue publique. A présent, dans *L'Humanité*, Thorez, sans désigner encore Doriot nommément, attaque « les opportunistes » et multiplie les griefs contre la social-démocratie.

La riposte de Doriot — peut-être conseillé par Barbé et par Pierre Dutilleul — est foudroyante et imprévue. Il donne sa démission de maire de Saint-Denis et provoque de nouvelles élections. Voilà le Bureau politique *coincé*. Si Doriot est réélu, il pourra soutenir que la population a ratifié sa politique. Mais si le Bureau politique combat le candidat communiste, Doriot pourra alors l'accuser d'avoir fait le jeu de la social-démocratie et de la réaction.

Doriot ne s'en tient pas là. Le neuvième rayon adresse au Komintern une lettre ouverte qui formule un nouveau programme politique en treize points, parmi lesquels l'alliance avec les paysans et les classes moyennes, les nationalisations sur le modèle socialiste, et, fait surprenant, *à la place du traditionnel soutien inconditionnel à l'U.R.S.S., une simple politique d'alliance*.

Cette démarche est rebelle par deux aspects principaux : le rayon de Saint-Denis s'adresse à l'Internationale par une voie « anormale », la *lettre ouverte* : il y a donc infraction à la discipline du communisme international ; et le nouveau programme avec son ouverture en direction des classes moyennes, et surtout son « délestage » par rapport à l'Union soviétique, est d'un opportunisme « affiché ».

Il y a une nette contradiction entre l'appel de Falasse et l'attitude que vient de prendre Doriot. Sa révolte se fait révolution.

Jusqu'ici il était seulement en conflit avec la direction révocable de son propre parti. Son intérêt, semblait-il, était de se concilier l'Exécutif de l'Internationale communiste avec lequel, grâce à Vassart, il n'était pas sans contact.

Mais comment peut-il espérer l'emporter à l'intérieur du parti, en adressant à l'Union soviétique un défi public, sous forme d'une « lettre ouverte » ?

Le grand combat n'aura pas lieu

La lutte prend un tour virulent. Les élections ont lieu le 6 mai. Auparavant, le 26 avril, une grande joute oratoire doit opposer au théâtre de Saint-Denis ces deux poids lourds, qui ont du *punch* dans le gosier : Thorez et Doriot.

Duel au sommet. On s'y prépare de part et d'autre avec ardeur. On bat le rappel des partisans. Saint-Denis mobilise. La région parisienne, entre les mains des thoréziens, débarque par camions les « lignards » dans la citadelle en dissidence.

Le 26 avril, bien avant l'heure du tournoi, la grande salle du théâtre municipal regorge de monde. Des milliers d'assistants ont pris place dans une seconde salle. Des milliers d'autres s'entassent sur la place.

Déception. Le grand choc, le combat du siècle n'aura pas lieu. Tous les membres du Bureau politique sont là, mais le secrétaire général n'est pas venu. « Dégonflage? » C'est ce qu'affirment encore aujourd'hui les anciens P.P.F. Il est plus probable que Thorez, conseillé par Fried, préféra éviter un « déballage » public qui ne pouvait que déplaire aux hommes du Komintern.

Le combat va donc opposer le remplaçant Marcel Cachin, lui-même vieux routier des meetings, au « Grand Jacques ».

C'est celui-ci qui, le premier, monte à la tribune. La salle est électrisée. Les interruptions des « lignards » fusent de partout. Elles ne cesseront pas. La voix de stentor de l'orateur, son souffle exceptionnel, se heurtent à ce barrage crépitant. Au bout de deux heures, il abandonne.

Cachin va payer, bien sûr, l'insulte infligée aux Dionysiens. Il n'est pas en mauvais termes avec Doriot. De janvier à mars 1934, il l'a régulièrement soutenu dans les réunions du Bureau politique. Si le parti l'a désigné pour affronter Doriot, c'est sans doute pour envenimer leurs rapports.

Déjà, au cours du meeting, Doriot, à l'hilarité de ses partisans, l'a traité de « monument historique ». A peine a-t-il paru à la tribune qu'une formidable clameur : « A bas Cachin! », salue ses premiers mots. Il ne tarde pas à renoncer.

Cet affrontement s'achèverait par une sorte de match nul, si le subtil Barbé n'avait prévu un stratagème, bien à sa façon. Se doutant que la controverse serait sabotée dans la grande salle du théâtre, il a prévu de lire le texte de Doriot dans la salle annexe, où les Dionysiens sont en majorité, tandis que sur la place publique des microphones diffusent ce discours.

Le combat de Saint-Denis a finalement été plutôt à l'avantage des Dionysiens. Mais c'est une victoire à la Pyrrhus. La seule chance pour Doriot de triompher de l'appareil, c'est l'appui, décisif, de Moscou. Or il ne fera rien pour jouer cette carte.

L'Exécutif : « Envoyez Doriot et Thorez ! »

Au Komintern, cependant — feinte ou sincère désir d'éviter une crise grave —, on travaille à un accord. Le 21 avril, la direction du parti reçoit de l'Exécutif de l'Internationale ce télégramme :

« Au Bureau politique, à Thorez et à Doriot. Nous considérons nécessaire de cesser la lutte intérieure dans le parti. Envoyez Doriot et Thorez ici. L'Internationale communiste examinera le désaccord fractionnel dans le parti français. Informez-nous quand ils partiront [1]. »

Thorez a immédiatement obtempéré. Il est parti pour Moscou le 26 avril au soir, presque à l'heure où il aurait dû participer au combat de Saint-Denis. Refus de Doriot, qu'il justifie par sa campagne électorale à quelques jours du scrutin.

Le 30, deuxième tentative de l'Internationale communiste. Elle invite le rebelle à observer une trêve dans sa lutte contre le clan Thorez. *L'Humanité* cesse sa campagne. Doriot poursuit la sienne. Il est bien décidé à ne pas se rendre à Moscou.

Devant ces actes d'indiscipline, l'exclusion ne saurait tarder. Pourtant Moscou patiente encore.

Le 6 mai est jour de triomphe à Saint-Denis. Doriot est réélu par 11 949 voix. La liste du neuvième rayon a récolté 75 % des suffrages.

La bataille électorale est gagnée. Rien n'empêche le vainqueur de boucler sa valise et de se rendre en U.R.S.S. Il ne bouge pas.

Le 10 mai, ce télégramme impatient lui parvient :

« Avez-vous l'intention de venir à Moscou, étant convoqué par le Comité exécutif de l'Internationale communiste ? Répondez oui ou non [2]. »

Suivent les signatures de Dimitrov, Manouilski, Piatnitski, et Pieck (un des dirigeants du P.C. allemand).

Cette invitation n'a pas plus de succès que les précédentes.

Doriot est exclu

Dès lors, l'exclusion est inévitable. Elle n'est pourtant pas immédiate. Doriot ne sera exclu que le 27 juin, après diverses péripéties.

Pourquoi a-t-il refusé aussi obstinément toutes les perches qui lui étaient tendues par Moscou ? Il y a, je crois, deux sortes de réponses.

La première est fondée sur la crainte possible de boire là-bas « un mauvais bouillon ». Doriot connaissait la fin mystérieuse de Tommasi et de Crémet. Barbé n'avait pu manquer d'évoquer le voyage vers l'Oural, qui pouvait fort bien être un voyage sans retour.

Il faut dire, toutefois, que Doriot, à notre connaissance, n'a jamais invoqué cette raison par la suite.

1. Cité par Dieter Wolf, *op. cit.*, p. 120.
2. Cf. Dieter Wolf, *op. cit.*, p. 121.

Le deuxième type d'explication est purement politique et, sans doute plus vraisemblable. Se fondant sur des précédents, dont sa mission en Chine en 1927, Doriot pouvait redouter d'être indéfiniment maintenu à l'Hôtel Lux. Assez longtemps en tout cas, pour que ses partisans, las d'attendre le retour de leur chef, se désagrègent, pour que Thorez revenu bientôt à Paris y ait le champ libre et y applique la politique préconisée par Doriot.

Certains ont estimé, par la suite, que ces appréhensions étaient vaines. Dans *Stalintern*, rédigé, nous l'avons dit, par deux anciens communistes sous le pseudonyme d'*Ypsilon*, les auteurs assurent que Staline voulait confier à Doriot la direction du parti pour effectuer le grand « tournant » vers le Front populaire [1].

Le témoignage de Vassart

Albert Vassart, de son côté, qui représenta à Moscou le P.C. français d'avril 1934 à avril 1935 affirme [2], dans un texte publié en Amérique en 1966, que sur sa suggestion, d'abord écartée, Moscou s'était décidé à inviter Doriot. Selon le même témoin, esprit très objectif, la nouvelle politique d'alliance avec le parti socialiste était déjà décidée et Doriot qui défendait depuis longtemps cette thèse hérétique avait toutes les chances de se voir confier les responsabilités les plus hautes contre son rival.

Il est très vraisemblable que Vassart ait reçu les assurances qu'il rapporte. Mais n'a-t-il pas été lui-même « intoxiqué »? L'objection la plus forte à la thèse de Vassart est qu'on imagine mal Staline — qui tranchait en dernier ressort — confiant l'exécution de la nouvelle ligne politique adoptée par lui à l'homme qui la défendait depuis plusieurs années en France, *avant lui, c'est-à-dire contre lui*.

Le conflit Thorez-Doriot, la convocation à Moscou devant une sorte de cour d'arbitrage démontrent en tout cas de la façon la plus claire que le pouvoir dans le parti français — comme dans toute section étrangère — s'obtient en U.R.S.S. et nulle part ailleurs.

Jusqu'ici la direction du parti n'a cessé de mener une campagne infernale contre les « social-traîtres ». Or, au début de l'été 1934, Thorez, renversant la vapeur, tend la main aux dirigeants socialistes.

Revirement

Il n'est pas l'auteur de ce changement de front. Celui-ci a été directement conçu à Moscou. Dès le début de l'année, une amorce de rapprochement avec la S.F.I.O. a été esquissée dans *Les Cahiers du Bolchevisme*, avec la création d'un *Comité Thaelmann* dont l'objet est d'exiger la libération du chef

1. *Op. cit.*, pp. 212, 213. Les dates données par *Ypsilon* sont erronées.
2. Celie et Albert Vassart « The Moscow Origin of the French Popular Front », in *The Comintern*, Historical Highlights, Essays, Recollection, Documents.

communiste emprisonné par Hitler. Et le 31 mai 1934, *L'Humanité* reproduit un article de la *Pravda* qui, traitant du cas Doriot, examine les possibilités d'entente entre socialistes et communistes :

« L'Internationale communiste, peut-on lire dans le journal russe, estime que cet appel au front unique devant la menace fasciste, non seulement se justifie mais est nécessaire dans certaines conditions... On sait que le Parti communiste allemand, avant l'accession des fascistes au pouvoir, s'est adressé plus d'une fois à la direction du parti social-démocrate allemand pour lui proposer un front unique de lutte.

« A plus forte raison, un pareil appel aux dirigeants socialistes est-il possible dans un pays comme la France où la social-démocratie n'a pas encore été au pouvoir... »

C'est cette politique que Thorez va défendre. Du même coup, il s'installe sur la « plate-forme » préconisée par son rival.

La manœuvre est bien dans la manière des staliniens. En 1928, déjà, Staline s'est décidé à pratiquer une politique de collectivisation brutale dans les campagnes et d'industrialisation accélérée. Il appliquait ainsi les mesures préconisées par la gauche du parti, et en particulier par Trotski (alors en exil à Alma-Ata) et ses partisans. Ces derniers perdirent alors leurs motifs de maintenir leur opposition et nombre d'entre eux se rallièrent à Staline (Radek, Racovski, etc.).

Le revirement thorézien porte de même un coup terrible à Doriot. A Saint-Denis, celui-ci pratique déjà avec les socialistes locaux l'unité d'action. Des conversations sont engagées à l'échelon national. En quelques mois, elles vont être réduites à néant. La conjonction des deux appareils, communiste et socialiste, les perspectives politiques qui débouchent sur le Front Populaire, rejettent dans l'isolement le rebelle dionysien. Car, bien entendu, la bureaucratie communiste ne saurait tolérer aucune sorte de front commun avec un « renégat ».

Faut-il croire que dans l'échec des conversations entre les dissidents de Saint-Denis et la direction de la S.F.I.O. un socialiste ait joué pour le compte des communistes un rôle décisif? Selon Maurice-Ivan Sicard les conversations auraient buté sur la mauvaise volonté de Zyromski. Or, il y a de bonnes raisons de penser que celui-ci, qui ralliera plus tard le parti communiste, était un « hors cadre », autrement dit un agent du parti opérant chez les socialistes.

Mais l'influence de Zyromski a joué certainement un rôle très secondaire dans l'échec du rapprochement entre doriotistes et socialistes.

A partir du moment où l'entente entre deux grandes formations politiques semble avantageuse aux deux partis, un troisième partenaire beaucoup plus faible, frappé d'interdit par l'une d'elles, devient pour l'autre un gêneur. Inévitablement, il sera sacrifié.

D'autre part, entre les dirigeants de la S.F.I.O. et les hommes de Doriot, il y avait vraiment aussi peu d'affinités au début des années 20 qu'entre les Jeunesses communistes et un Cachin ou un Frossard.

Doriot isolé

Dans la seconde moitié de 1934, Doriot est donc rejeté dans l'isolement. Son plan s'est écroulé. Finis les atermoiements! Certes, Saint-Denis dans sa grande majorité reste fidèle à son maire. Mais, autour du rayon majoritaire de Saint-Denis, l'appareil tisse un cordon sanitaire. Et une bataille acharnée se livre dans les organisations annexes contre quiconque est soupçonné de sympathies pour le rebelle.

Un cas peu connu illustre la violence de la lutte : il s'agit de Guy Jerram, véritable fondateur du communisme dans le Nord (en même temps que Clotaire Delourme), de tout temps hostile à Thorez. Jerram joue ensuite un rôle important à l'association pacifiste Amsterdam-Pleyel, dirigée nominalement par le célèbre écrivain Henri Barbusse. En 1934, Jerram est encore secrétaire de l'A.R.A.C., l'Association républicaine des anciens combattants, largement contrôlée par le parti.

Les sympathies de Jerram le portent vers Doriot. Pour cette raison, en compagnie de 299 autres personnes, il signe la « Lettre ouverte » à l'Internationale.

Il donne cette signature, non pas ès-qualités de secrétaire général de l'A.R.A.C., mais simplement comme ancien combattant. N'empêche qu'il est contraint de démissionner de son poste, bien que l'A.R.A.C. soit théoriquement indépendante du parti. En même temps, on lui demande des comptes.

Jerram était logé dans les locaux de l'A.R.A.C. Le 17 décembre 1934, le trésorier de cette association lui écrit : « J'apprends avec stupeur que tu as un compteur électrique dans ton appartement... C'est d'autant plus surprenant que, bien entendu, j'aurais dû être le premier informé de cet état de choses... Dans l'attente de tes explications, etc. [1]. »

De son côté Jean Duclos, frère de Jacques, exige des explications sur la disparition d'une collection du journal Le Réveil du Combattant et sur celle de la liste des abonnés [2].

Voilà bien des crimes! Jerram se justifie en répondant qu'un procès-verbal de l'A.R.A.C. établit que le local a été mis à sa disposition contre un bail « de 200 francs avec les charges, eau et électricité comprises »[3]. Mais il ne s'explique pas sur la disparition des listes qu'il a peut-être communiquées à Doriot et à ses amis. Opération classique en cas de dissidence.

En tout cas, après diverses péripéties et un échange de lettres de plus en plus âcres, Jerram est exclu de l'A.R.A.C. à la fin de 1935, après que les frères Duclos qui semblent nourrir une vive animosité contre lui, eurent fait appuyer par un commando du parti une descente en force à la 10e section de l'A.R.A.C. qui juge le cas Jerram.

L'exclusion de Jerram ne témoigne pas seulement des rigueurs exercées

---

1. Lettre de Henri Neveu à Guy Jerram, 17 décembre 1934. (Doc. inédit.)
2. Lettre de Jean Duclos, 20 décembre 1934. (Doc. inédit.)
3. Lettre de Jerram, 3 janvier 1935. (Doc. inédit.)

contre les suspects. La correspondance échangée établit l'étroite subordination de l'A.R.A.C. à la tutelle du parti communiste.

Autour du rayon majoritaire de Saint-Denis, la direction thorézienne pratique la tactique de la terre brûlée.

Écartés des deux grands courants qui vont former le Front populaire, Doriot et ses partisans ne pourraient-ils se raccrocher à d'autres formations qui tentent de définir une nouvelle « plate-forme » politique : frontistes de Gaston Frank Bergery, planistes de Déat... Des contacts ont bien été pris, mais il n'y a guère d'atomes crochus entre un meneur comme Doriot et un homme de laboratoire politique comme Déat, ou un *debater* brillant, mais un peu snob comme Bergery. Et, au fond, le mariage du tribun populaire de Saint-Denis et de l'esthète Léon Blum, la fusion entre des hommes formés à l'école bolchevique, qui en resteront toute leur vie marqués, et les socialistes adonnés aux usages parlementaires n'apparaissent pas davantage comme très durables.

Doriot lui-même y a-t-il jamais cru ? On peut penser qu'il a été pris de court par les événements et déconcerté par le retournement soudain du parti comministe. On peut aussi se demander s'il ne nourrissait pas, dès le début, un projet taillé à sa mesure. C'est ce qu'affirme Barbé : « L'arrière-pensée de Doriot, écrit-il, n'était pas de maintenir un lien solide avec le parti socialiste pour développer à l'aide de l'idée d'unité une crise profonde dans les rangs staliniens (français). Le plan intime de Doriot était déjà formé. Il voulait créer un parti de type nouveau qui ne serait ni le parti socialiste ni le parti communiste. Et, de ce parti, il serait le chef autoritaire [1]. »

L'homme-choc de l'anticommunisme

En 1935, les partisans de Doriot chantaient encore *En avant Saint-Denis* et appelaient à la lutte contre le fascisme. En 1936 l'hymne du nouveau parti, le P.P.F. (Parti populaire français) exige : *France, libère-toi !* et invite les foules à se dresser « contre la rouge dictature ». Inventeur du front avec les socialistes, Jacques Doriot devient, après deux années d'hésitations et de mutations, l'homme-choc de l'anticommunisme.

Le P.P.F. est né. Il est le point de convergence des dissidents de toutes sortes : anciens du parti communiste qui suivent Jacques, qui le suivront jusqu'au bout, qui ont pleuré parfois en rompant avec le parti, les Henri Barbé, Pierre Dutilleul, Jules Teulade, Marcel Marchal, Maurice Lebrun, Roland Simon, Abremski, Sabiani, mais aussi les dissidents de l'Action française, des Volontaires nationaux de La Roque, de la Solidarité française, du francisme et du socialisme.

Si le nouveau parti recrute avec succès à droite, il apporte la technique « d'Agit-Prop » des anciens communistes. Il est à sa manière une école. La

1. *Op. cit.*, p. 264.

personnalité de son chef va séduire nombre d'intellectuels : Bertrand de Jouvenel, Emmanuel Berl, Fabre-Luce, Drieu La Rochelle, Pierre Andreu, Claude Jeantet, etc. Des hommes qui ont rompu depuis longtemps avec le parti communiste, comme Paul Marion ou Victor Arrighi, des personnalités comme Pierre Pucheu ou de Maudhuy, rejoindront les rangs du P.P.F.

Si l'on considère les chances du nouveau venu créé en 1936, elles apparaissent sérieuses. Les Jeunesses patriotes ont pris « un coup de vieux »; la Solidarité française du parfumeur François Coty est inconsistante; le parti franciste de Marcel Bucard est une cohorte; la Cagoule un réseau de conspirateurs (assez naïfs, somme toute, car on ne peut comploter en secret longtemps et à beaucoup). Sur l'échiquier de droite, le P.P.F. n'a au fond que deux adversaires : le Parti social français du colonel de La Roque et l'Action française.

Le premier, important par le nombre, l'argent et l'organisation, n'est cependant qu'une nébuleuse sur laquelle trône un colonel falot. Le second est plutôt une école qu'un parti. Avec le temps, l'oxygène s'y est raréfié. Beaucoup sont allés respirer ailleurs.

Face à ces formations en déclin ou stagnantes, le P.P.F. apparaît comme une grande force populaire en gestation.

Elle n'aura pas le temps de mûrir. La guerre arrive. Elle va tout balayer.

10.

Réseaux pour l'Espagne rouge

CLÉMENT DIT « LE GRAND », A CAUSE DE SA HAUTE TAILLE (1,86 M). DE son vrai nom Desider Fried. Tchèque, d'origine hongroise.

Nous avons dit quelques mots, au précédent chapitre, de ce conseiller occulte de Thorez introduit auprès de lui probablement au cours de l'été 1931. Furtivement, il a fait son entrée, au cours de la grande bataille contre Doriot.

Sa venue à Paris c'est la rançon d'un échec. Dans la lutte pour le pouvoir à l'intérieur de son propre parti il a été battu. Ayant échoué comme premier rôle, il réussira peut-être ailleurs, comme « éminence grise ». Le Komintern l'exporte en France. Une des conditions du succès dans la partie qu'il va jouer, c'est qu'on ignore qui il est. Surtout qu'il ne se fasse pas remarquer [1] !

Qui discernerait dans ce Clément un dangereux agitateur ? Il est distingué, élégant, il a le goût des beaux objets, des beaux livres. Il a un beau visage aux traits un peu sévères. Ceretti nous le fait entrevoir tournant le coin d'une rue à Bruxelles, coiffé d'un feutre gris, enveloppé dans un long manteau sombre, portant canne à pommeau d'ivoire [2]. Il donne ses rendez-vous dans les musées, les églises, les librairies, les vieux cafés, les boutiques d'antiquaires. Il parle, en bégayant avec distinction, en connaisseur, d'estampes, de riches reliures, de sculptures, de vieux livres. Il a l'allure d'un dandy.

On l'imagine très bien engagé dans une controverse brillante avec Léon Blum. Mais sous les dehors de l'esthète, il n'en appartient pas moins

1. Cf. Giulio Ceretti, *A l'ombre des deux T. 40 ans avec Maurice Thorez et Palmiro Togliatti*, pp. 186-188.
2. *Op. cit.*, p. 189.

à cette direction occulte dont Blum, justement avait dès le début mesuré l'importance.

Le témoignage du fils de Thorez

Clément exécute fidèlement à Paris les consignes du Komintern. Avec quelle marge d'interprétation personnelle? Difficile à évaluer. Il est sûr, en tout cas, que son influence sur Thorez est énorme. L'atteste le fils de ce dernier, Maurice Thorez, dans un article du *Monde* [1]. Maurice Jr est l'enfant né de la première union de Thorez avec Aurore Membœuf. Celui-ci l'a quittée pour vivre avec Jeannette Vermeersch, cette fille de ch'Nord plantureuse, militante des Jeunes filles de France qui fredonnait en 1930 à l'école du parti de Pierrefitte *Ce n'est qu'un rêve*. Le reste de sa vie, Thorez le passera avec Jeannette Vermeersch dont il aura plusieurs enfants.

Maurice, l'aîné, reste avec sa mère et c'est Clément qui partage leur vie. Clément qui joue auprès de lui le rôle de père, Clément qui un jour, au début de la guerre, gagne avec eux Bruxelles, leur crie de fuir avant d'être abattu sur le seuil de sa villa par la Gestapo.

A Clément, Maurice Jr attribue un rôle capital. C'est lui, dit-il, qui a inventé le Front populaire, lui qui a suggéré à Thorez la célèbre manœuvre de la main tendue aux catholiques.

L'article du fils, quand il paraît dans un organe, « bourgeois » en dépit de ses complaisances pour la « gauche », ne suscite aucune réaction du parti. Clément? Connais pas. Il faudra attendre encore des années avant que le silence soit rompu sur ce nom, d'abord par le journaliste communiste Alain Guérin dans *La Résistance* [2], puis par l'Italien Ceretti.

« Il m'est arrivé de lire, écrit Ceretti, que l'idée du Front populaire, la politique de la main tendue aux catholiques, et le « Front français » viennent de Clément. C'est à la fois vrai et faux. Il y avait trop d'enchevêtrement entre ce que pensait et disait Clément et ce que pensait et disait Maurice Thorez, Jacques Duclos et Benoît Frachon pour savoir exactement ce qui était son apport personnel. Il serait naïf de croire que Clément ait pu un beau matin sortir, comme ça, de sa tête, une politique nouvelle toute prête et qu'il l'ait exposée à ses amis pour qu'ils la mettent en pratique [3]. »

Cette naïveté — que Ceretti ne personnifie pas — c'est celle du fils. Et, sans doute, celui-ci, fort jeune au temps du Front populaire, parle par ouï-dire et schématise. L'idée de l'unité d'action avec les socialistes, préface du Front populaire, elle n'est, nous l'avons vu, ni de Thorez ni de Clément, elle est de Jacques Doriot et très certainement aussi de Vassart. Elle a fini par être adoptée par l'Internationale. Quelle a été la part personnelle de Clément dans cette mutation? L'a-t-il suggérée? Ou bien ne fut-il

1. N° du 11 mai 1969.
2. T. I, p. 350.
3. *Op. cit.*, p. 192.

qu'un simple agent de transmission des consignes auprès du secrétaire général du P.C.F. ? Pour en décider, il faudrait posséder le courrier que Clément, tout comme Humbert-Droz, ne manquait pas d'adresser aux dirigeants du Komintern.

« Clément, écrit encore Ceretti, savait orienter et conseiller, sans jamais donner l'impression de vouloir s'imposer... Jamais je ne l'ai entendu donner directement un ordre. Cela n'était pas de son ressort, mais de celui de Maurice, et Thorez n'aimait pas que quelqu'un vienne piétiner ses plates-bandes [1]. »

Soit. Clément était assez avisé pour ne pas donner d'ordre, en présence de témoins ou même en tête à tête, au secrétaire général du P.C. français, doté d'ailleurs d'un vif amour-propre. Il ne se comportait pas avec lui comme avec un exécutant du type Tréand [2]. Mais Thorez, de son côté, était suffisamment averti pour comprendre ce que signifiait un conseil, dans la bouche d'un envoyé spécial de l'Internationale communiste à Paris.

Sur les registres officiels du P.C. français, Clément ne figure pas. Il est un sous-grade, quelque chose comme employé au musée d'histoire de Montreuil. Cependant, cet homme sans importance sociale suit comme son ombre le secrétaire général d'un puissant parti politique, a des conversations constantes avec Thorez, Frachon et Duclos, bref avec le trio maître de la section française.

« Un conseiller parmi d'autres »

Ceretti feint de trouver toute naturelle cette présence discrète — et étrangère — à la direction d'un parti qui prône sans cesse l'indépendance nationale. Présence, au surplus, sur laquelle on a fait silence pendant près de quarante ans. C'était très simple, dit Ceretti : Clément n'était qu'un « conseiller parmi tant d'autres depuis Tours, un conseiller comme l'étaient sous la direction de Frossard, Humbert-Droz ou Dahlem, lesquels étaient connus de tout le monde, y compris de la police [3] ».

Ceretti oublie simplement de rappeler que les directions des partis communistes étrangers ont dissimulé en général ce rôle d'hommes, chargés de mission par Moscou, qui étaient chez elles « notre agent à Paris ou à Rome ». La vérité officielle c'est que chaque parti est maître chez soi et décide de ses affaires. Après quoi, on feint de considérer un beau jour comme naturelle que cette souveraineté, purement nominale, ait été entamée de l'intérieur par une ingérence étrangère permanente, dont on ne trouve trace, ni dans les délibérations, ni dans les résolutions du Bureau politique ou du Comité central.

---

1. *Op. cit.*, p. 191.
2. « Maurice Tréand... qui réintégrait parfois son bureau en s'écriant : " Mon vieux, qu'est-ce qu'il m'a mis, Clément ! " », *op. cit.*, p. 191.
3. *Op. cit.*, p. 186.

Et puis la fonction de Clément diffère des interventions périodiques effectuées par les Humbert-Droz, Dridzo, Williams, Manouilski, Stepanov... Ceux-ci se comportaient comme des inspecteurs du Komintern en tournée. Aucun d'eux ne fut attaché par privilège à un membre du secrétariat. Maurice Thorez sera le premier dirigeant flanqué de 1931 à 1939 d'un *mentor* (doublé d'un surveillant), quasi quotidien.

Conseiller permanent du secrétaire général, Clément est son hôte et celui de sa compagne. Quand il quitte Maurice et Jeannette, c'est pour aller retrouver Aurore, l'épouse délaissée. Il est ainsi détenteur et gardien de bien des petits secrets qui n'iront pas s'égarer dans l'oreille indiscrète d'un Jacques Doriot ou d'un journaliste « bourgeois ». Par là, l'intérêt du parti et la vie privée de ses dirigeants s'interpénètrent étroitement.

Direction assistée

Clément n'opère pas seul. Il est à la tête d'un *staff* occulte. Comme le révèle André Ferrat, membre du Bureau politique de juillet 1927 au 24 janvier 1936, le secrétariat de l'I.C. a décidé — ce qui était jusqu'alors inusité — « d'envoyer à Paris, pour encadrer la nouvelle direction, une équipe de militants internationaux expérimentés, dont la plupart travaillent dans l'appareil central du Komintern depuis plusieurs années et qui avaient sa confiance [1]... »

Cette équipe où figurent Anna Pauker, Geroe, Georges Kagan, Ceretti lui-même, etc., prend en main les principaux leviers de commande : section d'organisation, d' « Agit-Prop », section syndicale, section coloniale, *Cahiers du Bolchevisme*...

« Très rapidement, poursuit Ferrat, les membres du Bureau politique du P.C.F. sont contrôlés par les membres de cet organisme dont ils deviennent en fait les collaborateurs et les subordonnés. A partir de fin 1931-début 1932, cet organisme devient la véritable direction du parti, la direction officielle et publique du parti n'est plus que son agent d'exécution et son paravent légal. Naturellement son existence est ignorée des membres du parti [2]. »

Ainsi le P.C.F. se trouve vis-à-vis du Komintern dans l'état de subordination étroite où le parti communiste algérien, théoriquement affranchi depuis le congrès de Villeurbanne en 1936, se trouve par rapport à lui. *Sa direction devient une direction assistée.*

Ferrat a bien mis en évidence la mutation importante, le saut qualitatif entre les ingérences antérieures de Moscou dans les affaires du P.C.F., et cette intrusion permanente. Avant, « l'œil de Moscou », s'entretenait tour à tour avec les membres du B.P. et du secrétariat, recueillait leurs doléances et pouvait être — théoriquement du moins — influencé par

1. « M. Jacques Fauvet saisi par la débauche », in *Preuves* n° 168, février 1965.
2. *Op. cit.*

leurs avis. Désormais, quand les membres du B.P. abordent une question, ils savent que l'opinion du secrétaire général a très vraisemblablement le matin même, reçu le visa de Clément. Contredire Maurice, c'est réfuter Moscou. Après la fin désastreuse du groupe, encore présente à toutes les mémoires, qui s'y risquerait?

Thorez dispose sans doute d'une autorité naturelle. Mais comment ne pas voir le renfort qu'elle reçoit d'une présence invisible, connue seulement d'un petit nombre? Un ange gardien veille sur lui.

Après cela, on peut se demander ce qui subsiste du mythe thorézien, du chef génial, du guide lumineux du prolétariat, image exhibée déjà au temps du Front populaire, outrancièrement affichée depuis la Libération dans un climat de flagornerie répandue à tous les échelons. De l'aveu même des communistes, aujourd'hui Thorez a cessé d'être le seul « inventeur » du Front populaire, de la main tendue aux catholiques. L'idée de *Fils du Peuple* lui a été soufflée par Clément [1]. Si l'on ajoute que le secrétaire général a encore bénéficié des conseils et de l'assistance de Ceretti en personne, que le *Fils du Peuple* a été, en réalité, rédigé par son secrétaire Jean Fréville (de son vrai nom Schkaff), ce dernier rétrocédant certaines tranches de « l'ours » à un « sous-nègre », d'ailleurs polonais [2], on constatera qu'en Maurice Thorez il y avait vraiment plusieurs hommes.

Passe-partout

Nous venons de citer à plusieurs reprises le nom de Ceretti. Avec lui apparaît encore un de ces hommes mystérieux tels qu'en sécrète en permanence l'*underground* bolchevik. Quand on dresse le bilan de ses activités, on ne saurait dire si on doit le tenir en définitive pour Italien, Français ou Soviétique.

Italien, le personnage l'est à coup sûr par la naissance, par un tempérament coloré qui filtre à travers son récit, mais aussi bien par le militantisme puisqu'il est apparu dans les années 20 au P.C. italien, et qu'il retournera à ce parti après la Libération.

Dans les années 30, beaucoup de gens, communistes ou non, l'ont cependant considéré comme Français, — l'hebdomadaire *Candide* attribuait à ce « Florentin » des origines picardes — puisqu'il était membre du Comité central sous le nom de Paul Allard.

En définitive, il appartient avant tout à l'appareil international soviétique, mobilisable un jour ici, un jour là, agitateur tous azimuts, capable sur ordre de pratiquer la double appartenance, alternativement avec Thorez et Togliatti, parfois simultanément, puisque, depuis la prise du pouvoir par les fascistes en Italie, Togliatti vit en France sous le pseudonyme d'Ercoli.

---

1. Cf. Ceretti, *op. cit.*, pp. 193-194.
2. Cf. *Le Monde* du 21 octobre 1972.

Destin étonnant que celui de ce Ceretti, dont l'importance aura été à peu près ignorée, hors d'un cercle restreint de dirigeants communistes. Parmi les dissidents, Barbé n'en dit mot. Rossi (Tasca), pourtant d'origine italienne, le cite une fois. Il semble très surprenant — et la remarque vaut aussi pour Vassart — qu'il ait ignoré son importance.

Personnage truculent, si on en juge d'après ses souvenirs, Ceretti arrive en France à la fin des années 20. Il participe aux activités de l'émigration italienne à Toulon. A l'en croire, son ascension dans la section française de l'Internationale date d'une rencontre avec Thorez au début de 1930 à Marseille, à la réunion des délégués communistes de Provence, de Corse et des Alpes-Maritimes. Thorez est « descendu » pour remettre de l'ordre « dans la maison commune, où chacun aurait voulu continuer à agir à sa guise, à favoriser la montée des copains et à baiser les dactylos [1] ».

Il n'est pas certain que sur les deux derniers points Thorez ait tout à fait réussi. Mais il aura peut-être obtenu que les copains qui « montent » soient désormais les siens et que ceux-ci détiennent le monopole du droit de cuissage sur les dactylos.

Quoi qu'il en soit, ce serait au cours de ces journées que Ceretti aurait attiré l'attention et la sympathie de Maurice en combattant le groupe. Le récit semble sujet à caution, dans la mesure où l'on y voit Thorez affrontant ouvertement un groupe qu'on nommera seulement un an plus tard.

Suivre la carrière de Ceretti, c'est en tout cas assister à la montée d'un « copain ». On ne tarde pas à le retrouver au mouvement pacifiste Amsterdam-Pleyel, dirigé nominalement par Barbusse. A la fin de 1931, Ceretti succède également à Bonetti à la direction des groupes communistes de langue italienne. Il s'agit là d'une branche de la très importante M.O.I. (main-d'œuvre ouvrière immigrée) qui s'appelait en ce temps-là M.O.E. C'est alors que Thorez lui demande, avant le congrès de Paris, d'entrer au Comité central.

« Je n'en revenais pas, commente Ceretti. Outre la carrière politique que cette nomination importante m'a ouverte, sans le savoir, j'allais quitter cette situation maudite d'apatride : par ma nomination, je devenais moralement un Français de plein droit tout en restant un Italien [2]. »

Le récit de Ceretti évoque un peu celui de la jolie fille assurant qu'elle a décroché le premier rôle d'un grand film parce que le metteur en scène l'a aperçue avenue des Champs-Élysées et a deviné, du premier coup d'œil, qu'il tenait là son héroïne. Il est très douteux que Thorez ait pris sa décision parce que le camarade italien de Marseille lui était brusquement revenu en mémoire. Ceretti indique ailleurs qu'il rédigeait pour *La Correspondance internationale* les biographies de certains hommes politiques. On n'attribue ces tâches qu'à des militants de toute confiance. De même, sa

1. *Op. cit.*, p. 26.
2. *Op. cit.*, p. 108.

présence à Amsterdam-Pleyel : tandis que Barbusse bavardait sur la conscience humaine avec quelques intellectuels, Ceretti, méprisé par ces visiteurs qui, certes, ne le valaient pas, effectuait tout le travail pratique, tâche qu'on n'affecte pas à n'importe qui. Il est donc probable que c'est le Komintern — peut-être par l'intermédiaire de Clément — qui conseilla à Thorez de coopter Ceretti.

Les conditions dans lesquelles l'émigré Ceretti a été, de son propre aveu, affecté au Comité central appellent une autre remarque. Dans les explications officielles du parti communiste, on lit toujours que les membres du Comité central ont été démocratiquement élus par la base. Le cas de Ceretti prouve le contraire : Thorez lui dit en somme : « J'en fais mon affaire. » Qui plus est, il s'agit d'un étranger, dont la nationalité et l'identité véritables seront camouflées pour l'immense majorité des militants.

Le camarade Allard

Ceretti est en effet coopté sous le nom de Paul Allard. Ce pseudo-Picard a bien d'autres identités, utilisées selon les lieux et les milieux qu'il fréquente. Pour signer son contrat de location dans le pavillon qu'il habite à La Varenne-Saint-Hilaire, les services du parti lui ont fourni des papiers d'identité au nom de Lucien Flavien. Quand il rencontre des immigrés et des membres du P.C. italien, il s'appelle Sergio. Dans le journal *Fraternité* qu'il dirige, et qui est l'organe de défense des émigrés, il signe ses articles Sergio Toscani. Mais, s'il lui arrive de collaborer à des journaux français, il devient Jacques Martel. Terminé ? Ah ! non. La guerre d'Espagne arrive. Il va s'en occuper sous le nom de *Pierre*.

Affublé de ces identités multiples, Ceretti-Fregoli mène une existence passionnante, digne d'un héros des *Treize*. Elle le fait déboucher partout. A Amsterdam-Pleyel, il a connu des intellectuels de gauche. Avec l'avènement du Front populaire, nous le voyons fréquenter Blum et Vincent Auriol. Magdeleine Paz qui, certes, n'a rien de communiste, lui a ouvert bien des portes. Dans les milieux radicaux où il rencontre, entre autres, Herriot et Daladier, il a été introduit par le mari d'une de ses secrétaires, le mystérieux avocat Levin. Celui-ci, tout de suite après l'armistice, est à Londres — sans qu'on sache comment il est arrivé là — et tout de suite aussi y voit de Gaulle.

En 1946, Ceretti le retrouve à Rome, au siège de *l'Unità*, le quotidien du P.C. italien. Levin vient tout juste de rencontrer le pape. « C'était une fouine qui mettait son museau partout [1]. »

En définitive, si Ceretti ne le dit pas, on pressent que fonctionne une collégialité Thorez-Clément-Ceretti, qui collectionne les informations et procède à une analyse de la situation politique. C'est une sorte de *troïka* clandestine, dont la seule partie émergée est le secrétaire général.

1. *Op. cit.*, p. 126.

Allard-Ceretti a toutes les audaces. A cette époque, il est, en tant que Ceretti, contraint à certaines formalités administratives pour le renouvellement, tous les trois mois, de son permis de séjour. Il voudrait bien être débarrassé de cette corvée. Est-ce que Dormoy, justement, ne pourrait arranger cela? Allard va donc le trouver et lui expose le cas douloureux de son ami Ceretti, un brave émigré italien, tout à fait inoffensif.

Aïe! Dormoy se fait apporter le dossier Ceretti, très volumineux, avec photos. Allard n'en mène pas large. Il a peur d'être reconnu. Mais Dormoy qui feuillette toutes ces paperasses n'y voit que du feu. *Ma che coglione* ce ministre!

Seulement, il ne donne pas non plus les facilités que le visiteur espérait. *Ma che saligaud!*

La scène est racontée par l'auteur avec une impudence gaillarde. Elle est exemplaire. Venu dans le dessein avoué de berner son camarade socialiste, Ceretti a encore l'aplomb, trente ans plus tard, de reprocher à son interlocuteur de ne pas lui avoir cédé.

Quand on considère l'activité de ces Clément, Ceretti, Kagan et autres fonctionnaires de l'I.C., on peut dire qu'elle vérifie de façon éclatante le lumineux pronostic de Léon Blum à Tours. Celui-ci avait assuré :

1. qu'il y aurait nécessairement une direction occulte;
2. que, non moins nécessairement, elle imposerait sa loi à la direction officielle. Le paradoxe de l'Histoire, c'est que le moment où cette direction occulte fonctionne à plein, le moment où le P.C.F. est le plus aliéné par Moscou, est aussi celui de la coalition entre communistes et socialistes dans le cadre du Front populaire. Ceci, Blum ne l'avait certainement pas prévu.

Non à la participation

Ce Front populaire, il n'est pas question d'en raconter ici l'histoire depuis sa naissance, depuis l'appel du 14 juillet 1935, la victoire électorale de mai 1936, les occupations d'usines, jusqu'à la chute du second ministère Blum (10 avril 1938) en passant par les étapes des avantages sociaux arrachés au patronat, de la dévaluation, de l'angoisse devant la perspective d'une guerre civile comme en Espagne, des discordes entre états-majors et des déceptions populaires. Ce sont là des épisodes trop connus. Et sans doute, il y a une histoire des coulisses du Front populaire qui ne coïncide pas exactement avec son histoire officielle. Mais pour voir fonctionner véritablement la machine communiste, il faut, pensons-nous, l'examiner ailleurs.

Avant, il faut toutefois considérer un aspect de cette expérience du Front populaire qui acquiert rétrospectivement un intérêt dans la mesure où un gouvernement d'union populaire est aujourd'hui possible.

Aujourd'hui, la question, dans l'hypothèse d'une victoire de la gauche aux législatives, est de savoir combien les communistes détiendraient de portefeuilles et lesquels. Pour 1936, la question qui semble conserver un côté mystérieux est : pourquoi les communistes n'ont-ils pas voulu participer à un gouvernement de Front populaire ?

Ceretti assure que Thorez souhaitait cette participation, mais qu'il hésita, redoutant de devenir le prisonnier d'un gouvernement de coalition [1]. Lecœur soutient, lui, que Duclos et Frachon étaient partisans de faire partie du ministère Blum.

En réalité, les intentions des uns ou des autres ont eu peu d'importance.

Pour les militants communistes et socialistes, ce problème de la participation des communistes au gouvernement les préoccupe beaucoup moins en 1936 que celui de la fusion, de l'unité ouvrière reconstituée. Il suffit de se reporter à la presse de l'époque pour s'en rendre compte.

La perspective d'une entrée communiste au gouvernement n'est évoquée que brièvement et par surprise. C'est que la victoire électorale du Front populaire a surpris les socialistes eux-mêmes. Elle est marquée par un important transfert de suffrages. Les communistes doublent leurs voix et passent de 10 sièges à 72. Ce sont les grands vainqueurs. Mais le parti socialiste avec 157 sièges, devient la principale formation électorale, supplantant les radicaux.

Blum distinguait dans sa dialectique « l'exercice du pouvoir », c'est-à-dire la simple gestion de la société capitaliste, de « la conquête du pouvoir » qui implique la transformation révolutionnaire de cette société. Hier simple force d'appoint pour les radicaux, les socialistes vont donc tenir les premiers rôles dans ce gouvernement, ce qui ne change en rien la nature bourgeoise de celui-ci.

En tendant la main aux socialistes, après les avoir traités de « social-fascistes » et de « social-traîtres » et passant de la tactique classe contre classe, aux mots d'ordre du Front populaire, les communistes français ont certes, en peu de temps, opéré un tournant majeur. Mais comment pourraient-ils songer à faire un nouveau bond en avant, en acceptant d'entrer dans ce gouvernement « d'honnête gestion » capitaliste présidé par le camarade Blum ? Leurs militants le comprendraient d'autant moins que dans les rangs du parti socialiste s'expriment parfois de fortes réserves.

Les consignes de l'Internationale écartaient du reste, implicitement, cette participation « opportuniste ». Au VIIe Congrès de l'I.C., le 2 août 1935, Georges Dimitrov avait clairement tracé la ligne à suivre :

« Si, en France, le mouvement antifasciste aboutit à la création d'un gouvernement qui réalisera une lutte véritable, non pas en paroles, mais en faits, contre le fascisme français, qui mettra en pratique le programme de revendication du Front populaire, antifasciste, les communistes, *tout en restant* les ennemis irréductibles de tout gouvernement bourgeois et les

---

1. *Op. cit.*, pp. 163-164.

partisans du pouvoir des Soviets, seront *prêts*, néanmoins, en face du danger fasciste croissant, à soutenir un tel gouvernement [1]. »

Le seul ministère dont les communistes, à l'époque, veulent entendre parler, c'est ce qu'ils appellent « le ministère des masses ». L'expression est très éloquente. Elle indique que le P.C.F. entend, à côté du pouvoir officiel, constituer un second pouvoir *parallèle* qui pèsera sur le premier et tentera de l'infléchir. Rien de plus. Il faudra la guerre, formidable accélérateur, pour que les communistes acceptent d'entrer dans ces formations d'Alger et de la Libération qu'ils auraient, quelques années plus tôt, dénoncées avec horreur comme des gouvernements d'Union sacrée. Alors, ils comprendront vite que les inconvénients d'être *compromis* sont largement compensés par l'occasion de prendre en main les secteurs de l'appareil d'État qui leur sont attribués, tout en gardant la faculté d'agir de l'extérieur sur ce même État, pris en tenaille.

En demeurant en dehors du gouvernement Blum, les dirigeants communistes pensent être mieux placés pour sauvegarder leur liberté de manœuvre et pour surveiller la montée du fascisme, que la guerre d'Espagne va rendre, à leurs yeux, plus redoutable. Au reste, les occupations d'usines et les désordres qu'elles entraînent, la dévaluation, la fuite des capitaux, le cycle infernal salaires-prix, les épisodes riches en atrocités d'un affrontement qui se déroule à la frontière d'Espagne, mettent en alerte quiconque milite à droite comme à gauche, et font monter la fièvre dans le pays. Pendant près de deux ans, la crainte d'une situation espagnole pèse sur la politique française : pour les organisations nationalistes (P.S.F., Action Française, P.P.F., C.S.A.R...) crainte d'une insurrection communiste; pour celles de gauche, d'un putsch fasciste, accentué par la découverte des entreprises « cagoulardes ».

Dans ce contexte, le sujet de préoccupation dominant pour le parti communiste, c'est l'intervention de l'armée, c'est-à-dire de ses cadres les plus « fascisés ». L'appareil « anti » est là pour y veiller.

Changement d'objectif

Nous avons quitté cet appareil, alors qu'il était engagé dans une virulente campagne contre les G.D.V. Cette propagande va se prolonger sous la direction de Raymond Guyot, le rescapé du « groupe », jusqu'à la conclusion, le 2 mai 1935, du pacte franco-soviétique signé par Staline et Laval. A partir de ce moment, cette campagne, sans cesser complètement, est menée en sourdine. Dans la perspective d'un conflit mondial, Staline n'a, pour l'instant, aucun intérêt à affaiblir l'armée impérialiste française, face à une Wehrmacht dont la puissance grandit rapidement. A la demande de Laval, il consentira même à déclarer qu' « il comprend et approuve pleinement la politique de défense nationale faite par la France pour maintenir

---

1. Cité par Lecœur, *Le Partisan*, p. 51, qui précise que les passages soulignés figurent comme tels dans le texte original.

sa force armée au niveau de sa sécurité [1] », déclaration qui n'ira pas sans provoquer des troubles au sein des J.C. qui voient une contradiction entre cette attitude et la lutte contre les deux ans de service militaire [2].

Les cellules antimilitaristes ne sont pas pour autant dissoutes à l'intérieur des unités. Elles disposent même de facilités plus grandes : le gouvernement du Front populaire supprime en effet le « fichage » du carnet B concernant les enrôlés jugés dangereux en raison de leur appartenance politique [3]. Dans certains secteurs, celui de l'aviation en particulier, dont le ministre, le radical Pierre Cot, est un compagnon de route du P.C.F., l'infiltration s'effectue plus commodément. Ce qui s'est modifié, c'est la direction principale de l'attaque : il ne s'agit plus, dans cette étape dialectique, de désintégrer l'armée bourgeoise en tant que telle, mais d'annihiler une fraction de cette armée (désormais dite démocratique), celle des cadres (officiers, sous-officiers) « antirépublicains », liés aux organisations civiles « factieuses ». Ceux-ci doivent être repérés, isolés, et, si possible, grâce aux complicités gouvernementales, déplacés ou écartés, afin de prévenir ou de désarticuler une tentative de coup de force.

Dans cette période, les dirigeants communistes n'ont aucunement l'intention de se lancer dans une aventure insurrectionnelle qui les couperait, à coup sûr, de leurs alliés radicaux et socialistes. Mais la crainte du « grand soir » demeure vive chez nombre de nationaux. C'est cette crainte qui anime le C.S.A.R. et qui mène à la création d'une organisation armée clandestine afin de s'opposer le moment venu aux entreprises révolutionnaires. Ses dirigeants s'efforceront même d'entraîner l'armée dans une opération préventive contre une « imminente » — mais imaginaire — tentative d'insurrection.

Il n'est pas douteux, en revanche, que les communistes, craignant eux-mêmes un coup de force « à la Franco », n'aient fait des préparatifs de caractère para-militaire.

Sur ces préparatifs, sur l'*underground* du P.C.F. et du Komintern, un homme diffuse à cette époque une documentation assez copieuse dans sa revue intitulée *Barrage*. C'est le bouillant commandant Loustaunau-Lacau, aussi anti-allemand qu'anticommuniste, qui, sous l'occupation, dirigera un réseau de résistance.

Le réseau Corvignolles

Sous le Front populaire, ce Béarnais débordant d'activité anime à l'intérieur de l'armée le réseau anticommuniste « Corvignolles ». Il a pour mission d'alerter les chefs militaires sur le péril communiste et de collecter les renseignements concernant leurs activités au sein de la troupe. « Corvi-

---

1. Déclaration de Moscou (15 mai 1935) citée par Georges Lefranc in *Histoire du Front populaire*, p. 435.
2. Cf. Léo Figuères, *Jeunesse militante*, p. 38.
3. Cf. Léo Figuères, *op. cit.*, p. 114.

gnolles » sera accusé de liaisons étroites avec le C.S.A.R., ce que Loustaunau-Lacau a toujours contesté.

Dans ses *Mémoires d'un Français rebelle*, publiés en 1948, le commandant assure que « Corvignolles » a permis de liquider « en douceur » deux cents cellules communistes [1]. Il raconte encore qu'il a remis personnellement au généralissime Gamelin un exemplaire de l'édition originale du livre *L'Insurrection armée* que « Corvignolles » a dérobé au siège du parti communiste [2]. L'ouvrage aurait été par ses soins photographié et distribué dans l'armée à 10 000 exemplaires.

Les *Mémoires d'un Français rebelle* forment un récit vif, coloré, plein de faconde. Mais il faut en prendre et en laisser. *L'Insurrection armée*, ouvrage de Neuberg [3], véritable manuel politico-militaire de guerre civile, est certes, un ouvrage d'un grand intérêt. Cependant, à peine publié, vers 1930, il est condamné par l'I.C. Ses thèses reflètent les conceptions des premières années de l'Internationale. En 1936 elles ne sont plus d'actualité. Bien que devenue rare, *L'Insurrection armée* n'est pas introuvable, ne serait-ce que chez les bouquinistes. Il est probable que l'exemplaire de Loustaunau, au lieu de lui parvenir par la voie romanesque qu'il indique, lui fut transmis par les soins d'Henri Barbé, alors secrétaire général du P.P.F. avec lequel le patron de « Corvignolles » menait un combat commun. Enfin 10 000 exemplaires d'un ouvrage de 278 pages font 10 000 × 278, soit deux millions sept cent quatre-vingt mille clichés, ce qui paraît tout de même beaucoup.

Ces remarques incitent à considérer avec circonspection la masse de renseignements glanée par « Navarre » (pseudonyme de Loustaunau-Lacau) et ses collaborateurs pour *Barrage*, organe mensuel de la société La Spirale, auquel succédera *L'Ordre national*. On y trouve une foule d'indications sur les cellules dans l'armée, sur les activités d'étrangers suspects en France, sur les liaisons avec l'Espagne rouge, sur le repérage d'adversaires politiques, les dépôts d'armes, les dirigeants et les principaux adhérents de telle ou telle fédération du parti. Tout est loin d'être sans intérêt dans cette accumulation. La difficulté est d'y trier le vrai. Ce qui concerne dans ces numéros les activités du Komintern semble assez bien documenté, et devait provenir en bonne part de Barbé. On tombe de même parfois sur un article fort précis concernant France-Navigation, entreprise dont nous allons parler plus loin. Mais sur une liste d'étrangers, présentés comme des agents communistes, on a la surprise de découvrir Pietro Nenni (socialiste) et Rossi (Tasca) qui a rompu depuis plusieurs années avec l'I.C. Et les adresses qui périodiquement sont fournies comme étant celles de demeures servant de dépôts d'armes, quel crédit leur accorder ?

Cependant, dans la liste des étrangers suspects, à côté de grossières

---

1. P. 124.
2. *Op. cit.*, p. 125.
3. Pseudonyme donné généralement comme étant celui de l'Allemand Neuman, mais Branko Lazitch l'attribue à un communiste finlandais.

erreurs, on trouve aussi d'authentiques agents du Komintern comme Gallo, Mikhaïlov, le Suisse Nicole, Punter (un des futurs membres de l'Orchestre rouge), Kondratiev, et le docteur Urbanovitch qui fera parler de lui à la Libération [1].

Nous découvrons encore dans *Barrage* [2] une lettre du socialiste Henri Tasso, président de la commission de la marine marchande, promettant d'intervenir auprès du ministre afin de faire obtenir un poste de radio-télégraphiste à un ancien matelot congédié de la marine, qui écrit des articles antimilitaristes dans *L'Humanité* et *Rouge-Midi*.

L'homme s'appelle Fernand Pauriol. C'est le futur chef des services radio-clandestins du P.C.F. sous l'occupation. A ce titre, il sera un moment en liaison avec le patron de l'Orchestre rouge en France, Trepper.

Barrage, le réseau « Corvignolles », la personnalité de « Navarre » sont très représentatifs d'une certaine droite, batailleuse et courageuse, très sincèrement anticommuniste, mais incertaine dans ses sources, légère pour le sens critique, superficielle dans ses analyses.

Le parti communiste, lui, est sérieux. Et, si nous voulons découvrir les rouages d'une machine clandestine devenue déjà *redoutable*, allons la voir à l'œuvre dans son effort de guerre : celle d'Espagne.

Formation des brigades

L'effort en faveur des républicains se caractérise d'abord par une aide visible : meetings de solidarité, heures de travail supplémentaires dans les usines, départ des premiers volontaires pour les brigades internationales.

Officiellement, le gouvernement Blum pratique une politique de non-intervention. Officieusement, il ferme volontiers les yeux sur les secours multiples qui, à travers les frontières ou les mers, parviennent aux rouges.

La création des brigades internationales résulte d'une décision du Komintern. Le principe en est admis ouvertement par le gouvernement des républicains espagnols le 22 octobre. Mais, déjà, les premiers volontaires ont commencé à être recrutés en France en septembre.

Les volontaires partent à l'automne pour rejoindre la base d'Albacète qui est celle du Ve régiment, formé par les communistes espagnols. Quatre colonnes franquistes progressent alors vers Madrid, d'où le mot célèbre du général nationaliste Mola : « C'est la Ve colonne, celle qui se prépare à entrer en action à l'intérieur de la ville, qui est la plus redoutable. » Pour bloquer leur assaut, les premières brigades sont jetées à la hâte dans la bataille au début de novembre : la XIe d'abord, formée du bataillon *Edgar Andree* (allemand), *Commune de Paris* (français) et *Dobrovski* (polonais); puis la XIIe avec les bataillons *Garibaldi* (italien), *Thaelmann* (allemand) et *André Marty* (franco-belge).

1. N° 1, novembre 1937.
2. N° 2, décembre 1937.

« Aucune personne sensée, dira plus tard André Marty, ne peut croire que ces maigres forces militaires ont pu sauver Madrid [1]. »

Cette modestie doit être dictée par des considérations internationales et sans doute par le souci de ménager l'amour-propre des républicains espagnols. Peu nombreux (40 000 environ), mal armés, pour ainsi dire pas entraînés, les premiers volontaires des brigades ont été engagés à des points décisifs et ont réussi à y contenir l'assaut des nationalistes. Sans leur intervention, Madrid, démoralisée, aurait-elle pu tenir ?

C'est Marty que le Komintern a choisi pour être l'organisateur des brigades. Il doit ce choix à la fausse légende qui auréole son nom. Il reviendra de cette campagne affublé, cette fois, d'une autre réputation, peu enviable : celle d'être un boucher.

Marty à Albacète

Il a beaucoup vieilli. Ses traits se sont empâtés. Les cheveux, la moustache sont devenus blancs. Une photo le montre, le visage enfoui sous un énorme béret alpin, le torse barré d'un baudrier, l'œil brumeux, l'expression maussade. Il a l'air d'un bistroquet qui voudrait jouer au guerrier. Il se tient pensivement le menton. Aurait-il oublié de fusiller quelqu'un ?

A la base d'Albacète, Marty commande une pléiade d'individus : Allemands, Autrichiens, Polonais, Juifs, Belges, Américains, Britanniques, Italiens, Yougoslaves. Du côté français, il est assisté d'un conseiller municipal de Paris, communiste, Vital Gayman, dit commandant Vidal, qui rompra au moment du pacte germano-soviétique. Le commandant du bataillon *Commune de Paris* est un ancien officier de la guerre de 1914-1918, le capitaine Jules Dumont, qui a été colon au Maroc, et que le Komintern a déjà expédié pendant la guerre d'Éthiopie comme conseiller militaire auprès du Négus. A ce bataillon, le commissaire politique s'appelle Pierre Rebière, membre du Comité central.

Le premier garde du corps de Marty à Albacète est un jeune gars qui n'a pas froid aux yeux. Il se nomme Pierre Georges, c'est le futur colonel Fabien. Il semble toutefois qu'il ne convienne pas à Marty, qui s'en débarrasse. Par contre celui-ci s'entiche d'un certain Dupré qu'il charge de l'intendance. Dupré s'occupe activement à la saboter. C'est un cagoulard. Ce pauvre Marty manque décidément de flair.

Parmi les cadres étrangers, il faut citer le nom des Italiens Luigi Longo, Di Vittorio, de Lazare Stern, dit Kléber, d'origine hongroise, qui commandera la XIe brigade, du Hongrois Lukacz, chef de la XIIe, de l'Allemand Wilhelm Zaisser, dit Gomez, commandant de la XIIIe, du Polonais Swierczewski, dit Walter [2].

---

1. Cf. « La Force du Front populaire. Ce qui s'est passé en Espagne », discours prononcé par André Marty à la réunion du Comité central du P.C. français, le 20 mai 1939 à Ivry, p. 14.
2. Tué au combat en Pologne après la guerre par les partisans nationalistes.

Si Albacète est la base arrière des brigades, Paris est la base arrière du soutien à l'Espagne républicaine.

Rue Lafayette s'installent Klement Gottwald, Ercoli (Togliatti) et, un moment, Luigi Longo. Ce quartier général est assisté d'un bureau technique installé rue de Chabrol. Le centre de recrutement principal des volontaires est situé à la Maison des syndicats rue Mathurin Moreau. Mais, un peu partout, on trouve des centres de recrutement secondaires dans les arrondissements de Paris et aussi dans toute la France, à Toulouse, Perpignan, Bordeaux, Marseille, Lyon et Oran.

De tous les pays d'Europe arrivent des volontaires. On les munit de faux papiers. Ils gagnent le territoire espagnol, soit par la route, soit par chemin de fer — un train part de Paris régulièrement, emmenant sa cargaison de volontaires. Pour franchir la frontière, ils empruntent en général des sentiers de contrebandiers.

Avant de partir, les volontaires passent une visite médicale devant une commission que préside le docteur Rouquès, qui joue un rôle très important. On retire aux hommes leur passeport et on les munit de faux papiers. C'est là une innocente manie soviétique. Par ce procédé, le *Rasvedoupr* ou l'I.N.U. récupèrent plusieurs milliers de passeports qui seront utilisés par leurs services.

« Tous les passeports de volontaires étaient enlevés et rarement rendus, écrit Krivitski. Même dans le cas où un individu était licencié, on lui disait que son passeport était perdu. Rien que des États-Unis, il viendra quelque deux mille volontaires et les passeports américains authentiques étaient très appréciés dans les officines du Guépéou à Moscou [1]. »

La guerre d'Espagne sert de banc d'essai aux diverses armées. Chaque grande nation (U.R.S.S., France, Allemagne, Italie) y expérimente ses chars ou ses avions, y confronte ses tactiques. Pour les communistes français, cette lutte est aussi une école de guerre. Nombre de futurs cadres des F.T.P. sont passés par les fronts de Madrid ou de Teruel. D'autres y viennent en mission et assurent des liaisons. Aux noms que nous avons déjà cités, on peut ajouter ceux de Catelas qui participe au ravitaillement de l'Espagne, d'Arthur Dallidet (qui appartient à la fameuse commission des cadres), de Maurice Tréand, de Jean Chaintron, dit Barthel, qui organise le recrutement en Algérie, de François Vittorri, un des dirigeants communistes en Corse, d'Henri Tanguy (le futur colonel Rol), de François Billoux, l'ancien théoricien du groupe qui est rentré en grâce, d'Auguste Lecœur, qui remplit des missions de renseignement, de Jean Jérôme (de son vrai nom Feintuch) qui travaille dans les services de ravitaillement, et de bien d'autres.

De son côté, André Malraux qui est, à cette époque, un compagnon de route du parti, a recruté, dès le début du conflit, une escadrille. Celle-ci tente de s'opposer aux raids des aviateurs allemands ou italiens, en général sans grand succès, car les pilotes volent sur de vieux appareils.

---

1. Krivitski, *J'étais agent de Staline*, p. 121.

En France, l'homme qui s'occupe des achats d'avions, on l'ignore souvent, c'est Corniglion-Molinier.

Pendant trois ans, 35 000 volontaires se succèdent sur cette terre d'Espagne, dont environ 9 000 Français [1]. Il y eut de tout dans cette armée du Komintern : des militants convaincus, des idéalistes persuadés de combattre pour la démocratie, des mercenaires, des chômeurs, des voyous.

Dans l'ensemble, ces hommes se battent avec un grand courage. Leurs pertes sont lourdes.

De ces trois ans de combat, Marty revient porteur d'un surnom terrible : « le boucher d'Albacète ». On l'accuse d'avoir fait exécuter des centaines de combattants en qui, l'esprit taraudé par le soupçon, il a cru découvrir des agents fascistes, des traîtres, des membres de la Ve colonne.

« Une sorte de brume sanglante... »

En France, la campagne est menée contre lui tout particulièrement dans la presse doriotiste, qui publie les récits d'anciens des brigades. Un Belge, Nick Gillain, publie lui aussi un livre accusateur [2].

Le 16 mars 1939, à la Chambre, André Marty, retour d'Espagne, est, dans un tumulte effroyable, la cible d'attaques violentes.

« Il flotte autour de la personne de M. Marty, s'écrie Philippe Henriot, qu'il le veuille ou non, une sorte de brume sanglante qui épouvante [3]. »

Les communistes hurlent. Auparavant Henriot a cité plusieurs cas d'exécution après un jugement sommaire. Il s'appuie en général sur le témoignage d'un journaliste français, Yves Dautun, et sur celui d'un certain Robert Leviel qui écrit :

« Il y a dans les environs d'Albacète trois demeures sinistres dont on ne revient jamais. Dans l'enclos de ces demeures d'épouvante, les malheureux qui sont fusillés en groupe sont abattus au pied d'un long mur blanc où l'on a tracé une large bande rouge.

« Quelquefois, dans la nuit, on réveille un milicien en secret : " On a besoin d'hommes pour une corvée. " On l'embarque dans un camion. On le fait marcher devant et on tire [4]. »

Après Henriot, c'est Tixier-Vignancour, alors un des plus jeunes députés de France, qui mène l'assaut.

Tixier assure qu'une commission de justice, composée de cinq hommes, dont Marty, examinait, hors de toute légalité, les cas qui lui étaient soumis.

Cette commission, selon lui, a jugé très peu de cas militaires, surtout des gens qui n'avaient pas observé la « ligne » politique du Komintern.

1. Chiffre cité par Delperrie de Bayac, *Les Brigades internationales*, p. 386.
2. *Le Mercenaire*.
3. *J.O.*, 17 mars 1939, p. 987.
4. *Op. cit.*, p. 987.

Sauf dans le cas du capitaine Delassale, elle ne tenait pas d'archives et ses sentences n'étaient pas publiques.

Delasalle, c'est Henriot qui a raconté son histoire. Il a le grade de capitaine dans l'armée française. Il commande un bataillon de la XIVe brigade qui, le 26 décembre 1937, attaque devant Copera. Le lendemain, c'est l'échec. Le 29, on arrête Delassale, accusé de lâcheté et de trahison. Le 2 janvier, il est jugé, condamné à mort et fusillé séance tenante. Justice sommaire.

Que dit Marty? Il se défend au milieu des interruptions incessantes qui hachent son discours. Les témoins cités par ses accusateurs sont des voyous, dit-il. Sur trois ou quatre d'entre eux, il cite des renseignements fort peu favorables, et qui semblent émaner tout droit d'archives de police. Albacète, soutient-il, n'est qu'un centre mobilisateur. Elle n'a jamais vu fonctionner sur son sol de commission judiciaire.

Il ne nie pas toutefois l'affaire Delassale. Mais celui-ci a été arrêté sur ordre du commandant de la brigade, jugé, non par une commission qui n'existe pas, mais par le tribunal militaire du secteur, appliquant « le nouveau code militaire amélioré, de la République [1] ». Lui-même, Marty, n'a joué aucun rôle dans ce procès, où il n'était ni accusateur ni témoin. Il se trouvait alors en première ligne et des centaines de combattants peuvent en témoigner.

Quant à Delassale, Marty assure qu'il a été jugé et condamné justement. Il aurait été officier du 2e Bureau dans l'armée d'Orient. Au reste, Marty a découvert une preuve posthume de sa culpabilité, car il a étudié « l'affaire à fond auprès du ministère de la Guerre ». « Or, la sûreté militaire (espagnole) m'a informé que quinze jours après, elle avait découvert tout le réseau de liaison qui permettait à cet homme de correspondre avec l'ennemi [2]... »

Ceci revient à dire qu'on a fusillé un accusé sans preuves. Inspiré ou non par Marty, le tribunal qui juge Delassale semble tout de même plus expéditif que celui qui, dix-huit ans plus tôt, a jugé un officier mécanicien mutiné.

Qu'en est-il en définitive du « boucher d'Albacète »? Le conflit mondial ne permettra jamais de faire une enquête approfondie. Quelque trente ans plus tard, Delperrie de Bayac, dans son livre sur les *Brigades internationales*, tente d'éclaircir cette affaire. Il en résulte que l'accusateur au « procès » Delassale fut, non pas comme Marty l'assurait à la Chambre, le capitaine italien Morandi, mais son homme de confiance André Heussler, alors commissaire politique, qui sera accusé sous l'occupation d'être un traître et abattu pour ce motif, sans jugement, par ses camarades des F.T.P., en 1942. Des centaines de témoins auraient aperçu Marty en première ligne? « Personne ne l'y a vu, écrit au contraire Delperrie. Il était bien, par contre, à Argonilla (village où l'on a jugé Delassale). On l'y a vu [1]. » Quant

1. *Op. cit.*, p. 997.
2. *Op. cit.*, p. 998.

aux preuves concernant le réseau du capitaine, elles n'ont jamais pu être produites...

Disons que la culpabilité de la victime n'a jamais été établie, et que l'intervention, au moins indirecte, de Marty reste probable.

Delperrie cite d'autres cas d'hommes exécutés dans des circonstances dramatiques. Il évalue leur nombre à une cinquantaine. Il est impossible de dresser un bilan exact.

Ce qu'on discerne très bien, c'est le climat : l'espionnite. Les républicains voient partout des agents de la Ve colonne. On cherche des coupables pour justifier les échecs. Les hommes du N.K.V.D., installés en Espagne, et les spécialistes du Parti communiste espagnol profitent de ces circonstances pour liquider des adversaires politiques : anarchistes, *poumistes* et même socialistes [2]. Les procès de Moscou avec leurs kyrielles d'aveux extorqués servent de modèles. En Espagne, outre les exécutions sommaires, on procède au jugement des dirigeants du P.O.U.M. (Parti ouvrier d'unification marxiste), petite formation trotskisante [3].

Les brigades internationales peuvent d'autant moins échapper à cette ambiance de suspicion, de délation et de terreur, qu'elles sont, dès l'origine, une entreprise typiquement bolchevique, contrôlée par les hommes du Komintern. Elles doivent être, nécessairement, épurées. A cette chasse à l'homme, Marty prête son cerveau malade, sa manie des soupçons, ses folles colères avivées par les échecs.

Dans *Pour qui sonne le glas*, Hemingway campe le terrible portrait d'un personnage « archi-fou » incapable de lire une carte militaire ou de conduire les opérations, obsédé par les complots, un certain Massart.

Massart, c'est Marty.

La plupart de ceux qui, dans les rangs communistes, l'ont approché dans cette période, ne sont pas tendres quand ils évoquent son rôle. Jean Jérôme (Feintuch) l'accusera de s'être conduit en sectaire à l'égard des catholiques [4]. C'est comme un énergumène que le décrit London, au moment où les républicains évacuent en désordre la Catalogne : « Il m'abreuve d'injures pour mon retard... Tantôt (il) nous ordonne de refouler les soldats qui se dirigent vers la frontière française et de ne laisser passer que les civils, tantôt il nous menace de nous faire fusiller si nous empêchons des camions militaires chargés de soldats de se diriger vers la frontière [5]. »

---

1. *Op. cit.*, p. 164.

2. Le jeune Ladmiral, khâgneux engagé dans les brigades, échappe de justesse à l'exécution, parce qu'il est membre des étudiants socialistes. Le parti socialiste en France menace en effet de rompre les conversations avec le parti communiste.

3. Sur cette liquidation des concurrents qui aboutira notamment à l'exécution de l'anarchiste italien Berneri, du dirigeant *poumiste* Andrès Nin, ou à la condamnation à des peines sévères de Joaquin Maurin et de Jordi Arquer, cf. Jean Rous, *Espagne 1936-Espagne 1939*; Maurice Wullens, *Huit jours à Barcelone*, suivi des *Dernières heures d'Irun* par Louis B. et de *Notes sur le Drame espagnol* de Victor Serge; Marcel Ollivier, *Les Journées sanglantes de Barcelone (3 au 9 mai 1937)*; Georges Orwell, *La Catalogne libre*.

4. Marty se défend avec véhémence contre cette accusation. Cf. *L'Affaire Marty*, pp. 49-50.

5. Artur London, *L'Aveu*, p. 94.

Le communiste espagnol Jesus Hernandez, qui semble l'avoir approché surtout en U.R.S.S., le décrit sujet, là aussi, à des colères pathologiques.

Un drame intime a dû aggraver son cas. Sa femme, Pauline, sœur de Mathilde Péri, l'a suivi à Albacète, où elle travaille dans le service sanitaire. Marty lui fait des scènes continuelles. Elle le quitte pour un Espagnol.

On ne reverra plus Pauline. Son sort reste mystérieux.

Marty, qui a fini par être limogé, revient en France avec une autre compagne, Raymonde [1].

Aschberg réapparaît

Les brigades représentent l'effort le plus visible et le plus spectaculaire de la solidarité communiste. Les autres aspects nous font mieux mesurer tout le poids de l'appareil. Un appareil qui ne mobilise pas seulement les ressources du P.C. français, mais celles du Komintern.

En quelques mois, depuis le début du conflit, Paris est devenu la plaque tournante de plusieurs réseaux de solidarité.

Fonctionnent ainsi :

— *Le Comité international de coordination* dont les présidents postiches sont Victor Basch et Langevin, et la secrétaire, elle, très effective, Madeleine Braun.

— *La Commission internationale de ravitaillement*, dirigée par le médecin espagnol Jean Planeyès.

— *Le Contrôle sanitaire international*, dont la section française est présidée par Joliot-Curie, mais animée en fait par le docteur Rouquès, membre du parti, assisté d'Yvonne Robert.

— *La Commission pour l'enfance*, animée par Alice Sportisse, qu'on retrouvera plus tard en Algérie.

Le journaliste communiste Alain Guérin affirme, à juste titre [2], que ces organismes ont trouvé rapidement leur efficacité parce qu'ils sont venus se greffer sur un essaim d'organisations pré-existantes comme le *Mouvement Amsterdam-Pleyel* (devenu par la suite le *Rassemblement universel pour la Paix*), dont la création remonte à 1932 avec Barbusse et Romain Rolland, et où travaillaient Guy Jerram et Ceretti (ces deux derniers non cités par Guérin).

Il faut dire quelques mots d'*Amsterdam-Pleyel* qui fut en somme la première mouture du *Mouvement de la Paix*. Derrière cette association et son important effort de propagande on trouve un mécène : le fameux « banquier rouge » Olaf Aschberg, qui possède un hôtel particulier à Paris, et son ami roumain Ludwig Brecher, dit Udeanu, dit Louis Dolivet.

Dolivet est en excellents termes avec Pierre Cot qui préside la section française du R.U.P. C'est grâce à lui qu'il obtient en 1937 la naturalisation

---

1. Cf. Delperrie de Bayac, *op. cit.*, pp. 93, 174 et 459.
2. *La Résistance (1930-1950)*, t. I, « Victoire du crime », p. 245.

et qu'il est mobilisé au début du conflit au ministère de l'Air, avant de filer aux États-Unis où il retrouvera Aschberg [1].

Si Dolivet a pour financier le banquier de Staline, son patron n'est autre que le fameux Münzenberg, maître de l' « Agit-Prop » du Komintern et tireur de ficelles dans les coulisses d'Amsterdam-Pleyel et autres officines pacifistes.

Willy s'est échappé d'Allemagne, le soir même du célèbre incendie du Reichstag. Son premier soin, une fois à Paris, va être de créer un organisme de contre-propagande nazie.

Ni Guérin, ni Ceretti qui l'a certainement connu, ne soufflent mot de Münzenberg. Il faut aller chercher les échos de son activité parisienne, chez Arthur Koestler, qui a travaillé sous ses ordres [2].

Koestler appelle ces deux antagonistes, Goebbels et Münzenberg, des « sorciers ». Il décrit leur duel acharné au moment du procès du Reichstag. Willy a installé ses bureaux d'abord rue Mondétour, puis 83 boulevard du Montparnasse. Là est le siège du *Comité international d'aide aux victimes du fascisme hitlérien*. A sa tête, une figuration importante recrutée chez les duchesses anglaises, les journalistes américains et les savants français. La plupart n'ont aucune idée des objectifs réels du comité. Ils ignorent que dans une grande pièce fonctionne le « cerveau » de cette machinerie humanitaire : l'inégalable Willy Münzenberg.

Willy « le cerveau »

Münzenberg ne parle pas un mot de français (c'est Dolivet qui se charge de ce secteur). Il n'écrit pas non plus une ligne. C'est Otto Katz, dit *Simone*, futur pendu du procès Slansky à Prague, en 1952, qui tient la plume, et parfois aussi le jeune Koestler. Willy lance des idées, mène des campagnes.

Une de ses réussites principales est le bilan d'une contre-enquête sur les origines de l'incendie du Reichstag, qui en rejette la responsabilité sur les nazis et qui s'intitule *Le Livre brun*. Le succès est considérable.

Au contre-procès, dont l'idée est encore de Willy, viennent témoigner l'italien Nitti, Branting, fils de l'ancien premier ministre de Suède, Moro-Giafferri, Gaston Bergery, l'Anglais D. N. Pritt... Quand Sartre, de nos jours, lance un tribunal international Bertrand Russel, il copie, peut-être sans le savoir, Münzenberg.

L'entreprise est axée sur la lutte contre le nazisme. Dès que le conflit espagnol commence, ses activités sont recyclées.

Münzenberg fonde alors le *Comité d'aide aux victimes de l'Espagne républi-*

---

1. Sur Dolivet, cf. *B.E.I.P.I.*, notamment le n° 28 (16 juin 1950) et aussi sur ses activités aux États-Unis pendant la guerre et en France après la Libération, les n°s 72, 73, 74, 77 et 82.

2. Cf. le livre de souvenirs très peu connu, mais plein de renseignements, de Koestler: *Hiéroglyphes*.

caine, puis le *Comité d'enquête sur l'intervention étrangère dans la guerre d'Espagne.*

« Willy — écrit Koestler, encore fasciné en 1953, date où il compose ses souvenirs — créait des comités comme un prestidigitateur sort des lapins de son chapeau; son génie consistait en une combinaison unique d'adresse de prestidigitateur et de ferveur de croisé [1]. »

C'est pour le compte de l'appareil Münzenberg que le jeune Koestler partira un jour enquêter chez Franco avec la « couverture » du journal libéral anglais *News Chronicle*, que Katz lui a obtenue, sur un simple coup de téléphone. L'équipée tourne mal. Reconnu, Koestler est condamné à mort comme espion et échappe de justesse à la fusillade. C'est cette expérience tragique qu'il a racontée dans un livre admirable : *Un Testament espagnol.*

Pourtant, en dépit de ses activités inlassables, le pouvoir de Willy est ébranlé. On l'invite à venir à Moscou. Il diffère sans cesse un voyage qu'il devine mortel. Auprès de lui, quelqu'un écrit sur son compte des rapports défavorables. C'est l'homme qui explique à des délégués du parlement britannique que « les églises incendiées de Catalogne avaient été démolies par des bombardements aériens, lesquels n'avaient jamais eu lieu [2] ». C'est Otto Katz, qui convoite sans doute la place de son patron. A des dates différentes, tous deux finiront mal. L'histoire des grands du Komintern est souvent une histoire de mort.

Expédier des volontaires, émettre des slogans, mobiliser les intellectuels, voilà qui compte. Mais il n'est pas moins important de forcer le blocus imposé par la non-intervention, règle que personne ne respecte. L'Italie, l'Allemagne, appuient la cause de Franco, lui dépêchent leurs volontaires, *Flèches noires, division Condor*, lui fournissent matériel de guerre et ravitaillement. La même aide matérielle est accordée de l'autre côté. Dans ce soutien, l'U.R.S.S. et le P.C. français tiennent une place capitale.

Pour venir en aide aux républicains fonctionne la Commission internationale de ravitaillement, qui emploie vingt personnes dans un hangar d'Alfortville et qui achète bientôt les vivres à la tonne [3]. Mais cette assistance, quasi officielle, est doublée par un réseau clandestin.

Un homme clé : Cusin

Pour faciliter l'écoulement du ravitaillement et des armes, un homme occupe le poste clé aux frontières : Gaston Cusin, haut fonctionnaire des douanes, qui appartient au parti socialiste.

« Nous avons fermé les yeux », déposera en 1947 Léon Blum devant la commission Charles Serre.

D'ordre de Blum, Cusin ferme les yeux aux frontières. Il est d'ailleurs

1. *Op. cit.*, p. 376.
2. *Op. cit.*, p. 393.
3. Cf. Guérin, *op. cit.*, p. 246.

en rapports constants avec Allard. Il assurera plus tard que ses services ont fait passer plus de 400 bateaux [1].

Pour réaliser pareil exploit, il faut des complicités. Elles sont recrutées dans les rangs de 3 000 douaniers syndiqués. Sur ce nombre, une centaine de personnes participent à l'aide clandestine. Cusin expliquera à Alain Guérin que ce réseau a continué à fonctionner pendant la guerre.

D'autres corporations soutiennent cet effort. Des dockers déchargent des caisses, censées contenir des haricots, en réalité pleines de cartouches ou de grenades. Des transporteurs mènent des convois automobiles depuis la Belgique jusqu'aux Pyrénées. De cheminots collaborent à ce transit. C'est à cette mobilisation dans des secteurs divers, et à la capacité de coordonner ces efforts dispersés qu'on peut mesurer la puissance non visible d'une organisation.

France-Navigation

France-Navigation est la pièce majeure de cette machinerie. Cette compagnie maritime a été fondée le 15 avril 1937, et ses statuts ont été déposés le 13 mai de la même année, avec un capital d'un million (déposé à l'American Express), qui sera porté le 20 juillet à cinq millions de francs, divisé en cinq mille actions, sur lesquelles 2 200 entièrement libérées ont été attribuées à René Fauconnet, administrateur de *Ce Soir*. En moins de deux ans le capital sera porté à 30 millions [2].

Les premiers administrateurs s'appellent Joseph Fritsch, René Legrand, Jean Piquemal, Paul Dauzier, Marcel Delaugère, etc., apparemment simples hommes de paille.

La personnalité de Joseph Fritsch, P.D.G. de France-Navigation qui détient initialement 225 000 actions, mérite toutefois de retenir l'attention. C'est un petit industriel, ancien directeur commercial des Tréfileries et Laminoirs du Havre. Il se lance ensuite dans la vente d'imperméables, entreprise qui tourne mal. L'affaire, sise 57, rue Charlot, est mise en liquidation judiciaire le 8 juillet 1932.

Pourquoi Fritsch accepte-t-il de devenir le P.D.G. de cette compagnie maritime ?

Parce qu'il est un petit patron, ruiné par les trusts ? Parce qu'il est franc-maçon [3] ? Parce que c'est le moyen, pour cet homme déjà âgé (il approche des 70 ans) de sortir de certaines difficultés financières ? Parce qu'il appartient à la section « hors cadres » ? Nous ne connaissons pas la réponse.

---

1. Un autre homme joue aussi un rôle important dans l'aide à l'Espagne. C'est Jean Moulin qui est alors au cabinet de Pierre Cot à l'aviation, avec le colonel Manhès.

2. Cf. *Barrage*, n° 8, juillet 1938 et Registre du Commerce.
Alain Guérin indique que la compagnie a été fondée avec 800 000 francs avancés par *L'Humanité* et un million par la Fédération des Métaux, d'après les déclarations de Ceretti, *op. cit.*, T. I, p. 249.

3. Cf. Alain Guérin, *op. cit.*, t. I, p. 250.

Nous savons seulement que cet homme, qui physiquement ressemble un peu au maréchal Pétain, et qui a sans doute subi l'influence de sa secrétaire Fernande... ne joue pas seulement un rôle décoratif. Il a en effet des contacts avec le contre-amiral Tavera, directeur du cabinet de Darlan, alors ministre de la Marine.

Il ne soupçonne sans doute pas qu'il s'engage dans une aventure qui lui vaudra de sérieux ennuis.

En 1937 entrera à France-Navigation comme directeur général un jeune militant, Georges Gosnat, fils de Venise Gosnat. Le futur trésorier du Parti communiste français effectue là ses premières armes financières. On l'a flanqué de Simon Posner et de Charles Hilsum, deux vieux routiers des questions d'argent [1].

Et derrière France-Navigation nous retrouvons Ceretti qui est, sans doute, le vrai patron.

C'est lui, en tout cas, qui achète à des courtiers maritimes hollandais les premiers bateaux de la compagnie.

En 1939, France-Navigation possède vingt cargos dont le tonnage brut est de 44 936 tonneaux. A ce moment, les bâtiments sont évalués à une centaine de millions.

A diverses reprises, les administrateurs, qui ne sont vraisemblablement que des hommes de paille, sont remplacés. Ainsi, le 23 mars 1939, on voit apparaître Joseph Dubois, futur directeur de l'hebdomadaire progressiste, *La Tribune des Nations*.

On n'achète évidemment pas une vingtaine de cargos dont l'un, le *Winnipeg*, est un des plus grands du monde, avec les seuls subsides de *L'Humanité* et de la Fédération des métaux.

Sur ce chapitre, Alain Guérin et Ceretti, même s'ils font aujourd'hui quelques révélations sur l'activité véritable de cette compagnie maritime, restent d'une pudeur extrême. Leur explication? Les dirigeants de France-Navigation auraient pris le risque énorme de faire l'économie de l'assurance. Avec les bénéfices ainsi obtenus, Ceretti, Maurice Tréand et Émile Dutilleul, alors trésorier du parti, auraient acheté de nouveaux navires.

La vérité, c'est que le grand secret financier de France-Navigation est inavouable pour des militants communistes.

Toutes les opérations de France-Navigation seraient impossibles si on ne retrouvait pas derrière elles le Komintern et les Soviétiques. Or, ceux-ci sont des gens réalistes. Ils font de l'aide « fraternelle », mais pas de cadeaux. Ils sont le contraire de gens qui accomplissent des actes chevaleresques.

---

1. Simon Posner a été administrateur délégué de la Banque commerciale pour l'Europe du Nord. Charles Hilsum a été directeur de la même banque de 1927 à 1938. Il en sera le P.D.G. après la Libération. Toute la famille Hilsum : Gérard attaché au cabinet du ministère de l'Économie nationale (*J.O.* 15 décembre 1945); René administrateur du « Bureau d'édition », entreprise commerciale du P.C. et beau-frère de maître Willard, est liée à l'appareil commercial du P.C.

Sur ce sujet, cf. *Le Fil d'Ariane*, 7 septembre 1955, nº spécial sur « L'appareil financier du parti communiste ».

C'est pourquoi ils exigent que la constitution de cette flotte soit gagée par l'or de l'Espagne républicaine.

L'or des Espagnols

Comment cet or a-t-il été transmis? Les récits à ce sujet sont parfois contradictoires, mais cette transmission de fonds est attestée par des personnes si diverses que sa réalité ne fait pas de doute. L'ancien dirigeant communiste Jesus Hernandez raconte qu'à la fin d'octobre 1936 un bateau quitta Carthagène avec à son bord un chargement de 7 800 caisses d'or, contenant 70 tonnes de ce métal, soit un milliard 581 millions de pesetas or.

Le 6 novembre, le cargo mouille dans le port d'Odessa. Ce jour-là les canons du général Mola tonnent devant Madrid [1].

L'ancien ministre socialiste de la Défense nationale, Indalecio Prieto, s'étend, lui, sur les fonds remis par le P.C. espagnol à son homologue français. Selon lui, le P.C. français aurait perçu deux milliards 500 millions de francs pour des livraisons de matériel, sans que la gestion de cette somme considérable ait pu être contrôlée par aucun fonctionnaire de l'État espagnol. Les communistes français auraient en outre perçu des fonds substantiels pour la propagande en faveur de l'Espagne républicaine et la flotte de France-Navigation était, en réalité, propriété espagnole, mais à la fin de la guerre les communistes français auraient refusé de les rendre [2].

Le général *El Campesino*, célèbre chef de partisans, confirme pour sa part que, sur ordre du docteur Negrin, à l'époque ministre des Finances, une partie de l'or de la Banque d'Espagne fut envoyée en U.R.S.S. en octobre 1936. Un autre transfert aurait été effectué pendant la dernière phase de la campagne de Catalogne. Quatre camions chargés d'or seraient passés en France et auraient été pris en charge par des communistes français habillés en gardes mobiles.

Est-ce le même or qui aurait été débarqué par bateau le *Cap Pinède*, un des navires de France-Navigation) à Port-Vendres? C'est le récit fait par un ancien administrateur de *L'Humanité*, M. de S., à Dominique Desanti, confidence que celle-ci rapporte dans son livre, *L'Internationale communiste*. Selon Desanti, des dockers auraient déchargé les caisses que Tillon aurait prises en charge.

Celui-ci nie, catégoriquement : « Je n'étais pas à Port-Vendres, écrit-il, et je n'ai jamais reçu la charge du trésor confié sur le *Cap Pinède* à M. de S. et remis à la direction du Parti communiste français [3]. »

1. *La Grande Trahison*, p. 39.
2. Indalecio Prieto, *Como y por que sali del Ministerio de Defensa nacional. Intrigas de los rusos en Espana*, pp. 13 et 14. Brochure publiée au Mexique en 1940. Une version abrégée de ce texte a paru en français. Mais elle ne comporte pas les passages concernant l'or espagnol.
3. *Un « procès de Moscou » à Paris*, p. 94.

Mais il confirme et l'existence de ce trésor de guerre et son accaparement par les communistes français : « Ce monsieur (de S.), poursuit-il, sait mieux que personne qu'en 1939 ses patrons étaient Gosnat et Jean Jérôme, responsables de France-Navigation. Il connaît les responsables du Parti qui ont pris le contrôle de cette partie du " trésor espagnol " [1]. »

Si les acheminements sont très divers et incertains, si les quantités d'or sont incontrôlables, il ne semble pas que tant de gens qui n'ont pas de liens entre eux, aient inventé de toutes pièces cet or de la République.

Une partie de ce trésor, selon Prieto, aurait permis de financer le quotidien communiste *Ce soir*, dirigé par Aragon avant guerre. A la fin de la guerre d'Espagne, il sera le sujet d'une grande querelle entre communistes français et espagnols. Querelle dont Castro Delgado se fait l'écho :

« Quant au règlement des comptes [...], écrit-il, ce fut Allard qui s'en chargea au nom du P.C. français : " pour pics et pioches cent millions ". [...] Il paraît que cent millions de francs avaient disparu. [...] Il paraît que le P.C. français avait créé, avec les fonds du P.C. espagnol, une compagnie de navigation qui faisait le transport en Afrique du Nord, et acheté des actions de certaines sociétés minières anglaises et d'autres sociétés industrielles et immobilières en France. A la suite de l'invasion, tout a été perdu. L'Angleterre a gelé certains capitaux. Et des dépôts de joyaux ont disparu. Au Komintern, l'impression fut désastreuse. La délégation espagnole n'accepta pas les explications d'Allard [2]. »

Delgado évoque cette affaire au conditionnel. Mais dans son livre publié juste après la Libération, il est frappant qu'il cite, comme lié à des questions financières, le nom d'Allard, qu'il parle aussi de sociétés anglaises dont Guérin reconnaîtra l'existence des années plus tard.

France-Navigation possédait en effet des avoirs bancaires en Grande-Bretagne et à Rotterdam.

Des tas de contacts

La rotation de ces navires exige une foule de contacts. Elle introduit les émissaires du P.C. français dans des milieux où ils n'auraient pas normalement accès. Ainsi, pour faire protéger leurs navires, Fritsch et Gosnat n'hésitent pas à s'adresser au contre-amiral Tavera, directeur du cabinet du ministre de la Marine. Il leur arrive aussi d'approcher ce dernier, voire de solliciter un « réactionnaire » notaire, Anatole de Monzie, qui possède un réseau de relations très étendu.

En Belgique, les mêmes hommes fréquentent un certain Kratly, commerçant d'Anvers. Pendant la guerre de 1914, il a sauvé l'or de la Banque de Belgique. A la suite de cet exploit, il est reçu partout.

« La générosité de certains libéraux ainsi rencontrés pendant la guerre

1. *Idem.* Tillon écrit Gérôme alors que l'initiale de ce pseudonyme est en général un J.
2. *J'ai perdu la foi à Moscou*, pp. 81-87.

d'Espagne, note Alain Guérin, ne sera pas sans utilité pour la direction du Parti communiste français en 1939-1940 [1]... »

On le conçoit. On saisit là l'aptitude du parti à s'infiltrer dans les structures les plus hautes de la société capitaliste, financières ou politiques, qu'il s'est donné pour objectif de détruire, et à y pomper le maximum de services et de protection.

C'est Guérin lui-même qui pour définir France-Navigation emploie cette expression, parfaitement adéquate : « Machine de guerre aux allures de société commerciale ».

Il y aura beaucoup de machines de guerre de cette sorte.

Une autre figure de l'appareil commercial où opère aussi Maurice Tréand, c'est Jean Jérôme, alias Feintuch. Il participe à la fourniture d'armes à l'Espagne. Ce qui lui vaudra d'être accusé plus tard par Marty d'avoir quelque peu puisé dans les fonds en livrant aux républicains de vieux casques rouillés [2].

L'ombre de M. Joseph

Dans ces trafics dont les ramifications sont innombrables, Joanovici, le célèbre « Joano », fournisseur de métaux au service de récupération allemand Otto pendant l'occupation, et bailleur de fonds du mouvement de résistance Honneur et Police à la veille de l'insurrection parisienne, petit chiffonnier bessarabien, devenu un des maîtres du marché noir, connu familièrement sous le nom de M. Joseph, oui, ce Joanovici a-t-il tenu sa partie?

La source unique de cette thèse est un article publié le 1er décembre 1947 dans un petit organe, *Dissidence 40*. On y affirme que le prétendu petit chiffonnier était de 1937 à 1941 un important agent du Komintern ayant à sa disposition des fonds de propagande considérables.

Chef de la Jeunesse communiste, Raymond Guyot aurait été assisté « par un certain Louis Berthol, alias André Sauvage, alias Louis Ivascu, aujourd'hui mieux connu sous son véritable nom de Joseph Joanovici ». Tout en acheminant des volontaires des Balkans vers l'Espagne, Joanovici aurait géré les fonds mis à sa disposition par Guyot.

D'autres indications sont encore fournies dans cet article, dont les éléments ont été repris par Faillant de Villemarest [3].

Personnellement, je n'ai pu trouver aucune confirmation des activités politiques de Joanivici à cette époque. Elles ne sont pas absolument exclues. On comprendrait mieux qu'il ait pu, au début de l'occupation, engager de gros trafics, s'il disposait déjà de fonds prélevés sur la solidarité avec

1. *Op. cit.*, p. 253.
2. *L'Affaire Marty*, p. 50.
3. Dans son livre *L'Espionnage soviétique en France*.

l'Espagne. Mais aucune donnée sérieuse ne permet jusqu'ici d'étayer cette hypothèse.

Meurtres et enlèvements

Tandis qu'en Espagne la guerre fait rage, que les volontaires tombent sur les différents fronts, que les navires de France-Navigation sillonnent les mers avec parfois à bord un futur maréchal soviétique, Malinovski, Paris est vraiment devenu, en plein Front populaire, la capitale avancée du Komintern et des « tchékistes ».

On y enlève le général « blanc » Miller, grâce à la complicité du général Skobline, agent double. En juillet 1937, un important agent des services secrets soviétiques, Ignace Reiss, écœuré par les procès de Moscou, rompt avec Staline. Le 5 septembre, on retrouve son corps en Suisse, criblé de balles. Auteurs du crime : un Monégasque Roland Abbiat, et un Français Martignat, qui sont peut-être en réalité de nationalité soviétique. Complices : Renata Steiner, Ducomet, Smirensky, qui ont filé Reiss. Un ami de ce Smirensky est un certain Tchistagonoff, Russe blanc. Ce dernier a été accusé par Léon Sedov, fils de Trotski, de l'avoir pris en filature, et Smirensky, comme par hasard, habite 28 rue Lacretelle, à deux pas du domicile de Sedov. Celui-ci n'a toutefois aucune méfiance à l'égard de son plus fidèle compagnon, un certain Étienne, militant trotskiste. Après la guerre, on aura la confirmation qu'Étienne est un homme des services soviétiques. C'est sur ses conseils que Sedov, en pleine crise d'appendicite, est entré dans une clinique tenue par des émigrés russes, et dont tout le personnel appartient à la Société pour le rapatriement, officine soviétique. Sedov y meurt dans des conditions qui ne seront jamais éclaircies en février 1938. A la même époque personne ne soupçonne un médecin neurologue, Anna de Maximovitch, une gaillarde d'un mètre quatre-vingts, qui dirige une petite clinique pour malades mentaux à Choisy-le-Roi. Pourquoi la soupçonner ? Elle est la fille d'un général tsariste, elle déteste les rouges, elle et son frère ont pu poursuivre leurs études en France grâce à l'obligeance de Mgr Chaptal, et la bonne Anna finance de ses deniers un petit groupe d'émigrés blancs, l'Union des Défensistes. Oui, mais la clinique accueille en même temps les blessés de l'armée républicaine espagnole. Et si, après l'armistice, Anna et surtout son frère sont en excellents termes avec les officiers allemands, on découvrira qu'ils travaillent en vérité pour l'Orchestre rouge du fameux Trepper. Mais, en 1938, personne ne peut imaginer que l'espionnage soviétique ait de telles ramifications. C'est cette année-là aussi qu'après Reiss, des tueurs inconnus liquident quelque part Rudolf Klement, ancien secrétaire de Trotski à Barbizon. La Seine restitue son corps mutilé.

Ces meurtres, ces filatures, ces traquenards, ces enlèvements, ce sont à la fois les échos de la guerre civile en Espagne, les suites des procès de Moscou et les premières péripéties du grand conflit qui s'annonce.

DEUXIÈME PARTIE

DANS LES TOURMENTES DE LA GUERRE

I.

Leur guerre

Dans les salles de rédaction de l'Humanité la nouvelle explose comme une bombe : l'Allemagne nazie et l'Union soviétique viennent de conclure un accord commercial. Aucun doute possible : c'est une dépêche de l'agence Tass, datée du 20 août 1939, qui l'annonce.

Qu'est-ce que cela veut dire? Depuis des années, depuis surtout le fameux traité de Munich signé en 1938, l'U.R.S.S. se pose devant l'opinion mondiale comme l'ennemie irréductible du régime hitlérien. En ce moment même, une délégation française, conduite par le général Doumenc, est en train de négocier à Moscou avec les Soviétiques...

Prudemment, pudiquement, *L'Humanité* relègue cette information incompréhensible en page deux.

Le lendemain, nouvelle alerte. La *Pravda* annonce que cet accord peut être « un pas sérieux dans l'amélioration... des relations non seulement économiques mais aussi *politiques* [1] entre l'U.R.S.S. et l'Allemagne ». On a à peine le temps de s'interroger sur la portée de ce commentaire qu'éclate un nouveau flash : Ribbentrop, ministre des Affaires étrangères du Reich, a pris l'avion pour Moscou. Il va signer un pacte de non-agression avec l'U.R.S.S.

C'est incroyable! C'est fantastique! Ce n'est pas vrai! Au secrétariat du quotidien communiste, on s'affole. Que faire? Aucun des « grands » du parti n'est là. Thorez, Duclos, Marty prennent encore leurs vacances. Clément (Fried) est, lui aussi, absent. Seul, Marcel Gitton, secrétaire à l'organisation, est présent. L'événement excède ses capacités d'analyse.

On téléphone, dans l'angoisse, à l'ambassade soviétique. On n'en obtient rien. Berlin qui annonce le départ de Ribbentrop a, en effet, vingt-quatre

1. Souligné par nous.

heures d'avance sur Moscou pour la diffusion de la nouvelle. Les bureaucrates soviétiques de la rue de Grenelle sont trop prudents pour répondre aux questions pressantes : « *Niet* » ou « *Da* ».

A *L'Humanité* on se résigne à publier l'information « sous réserve ». On est parvenu, enfin, à joindre Thorez. Il regagne Paris le 24.

Clamamus est à Oléron où, chaque année, il dirige une colonie de vacances pour les enfants de Bobigny. Il est réveillé par un coup de téléphone de son fils.

« Papa! Tu sais la nouvelle? Ribbentrop est parti signer un pacte de non-agression avec Staline! »

Selon ses propres termes, le vieux Clamamus est « bouleversé [1] ». En vrai militant, en dépit des vacances, il n'a pas cessé, en compagnie de Pierre Sémard, au café, sur la plage, dans les conversations avec les amis, de défendre la « ligne » politique du parti : union des Français contre Hitler, front des démocrates contre l'Allemagne nazie, soutien actif à la Pologne menacée d'agression, attitude énergique pour faire reculer la guerre...

Et soudain, ce pacte contre nature! Ce terrible coup de massue!

Clamamus n'a pas le loisir de s'interroger plus longtemps. Une dépêche de Gitton le convoque à Paris. Le 25 août, dans une salle de la Commission des finances, au Palais-Bourbon, il retrouve des membres du Bureau politique, du Comité central, du groupe parlementaire. Tout le monde n'a pu être joint. Ceux qui sont là sont désemparés.

« Ce pacte, prédit Renaud Jean, qui a toujours eu son franc-parler, c'est la guerre! »

Thorez réagit avec une molle conviction :

« Non, ce n'est pas la guerre... Non, je ne peux rien expliquer... Le coup est rude, certes. »

Il refuse d'aller demander des éclaircissements à l'ambassade.

« Ce serait considéré par l'Internationale comme une trahison envers la Russie. Oui, à Moscou, on croirait que je veux trahir [2]. »

Le lendemain, deux députés de la Dordogne, Saussot et Loubradou, qui ont réclamé la démarche rue de Grenelle, démissionnent. Les ruptures commencent. Le parti va connaître sa plus terrible crise.

Embarras, désarroi... *L'Humanité*, Aragon dans *Ce Soir*, les principaux organes du parti tentent de justifier le pacte calamiteux, en assurant qu'il fera reculer Hitler, reculer la guerre, qu'il faut le compléter en signant, vite, avec Moscou un pacte d'assistance mutuelle [3]. Et les députés communistes se disent prêts à voter les crédits militaires.

« En agissant ainsi, l'U.R.S.S. a mis en échec le plan de Munich... Mais si Hitler, malgré tout, déclenche la guerre, alors qu'il sache bien qu'il trouvera devant lui le peuple de France uni, les communistes au

1. *Rivarol*, 3 juin 1965.
2. *Op. cit.*, 3 juin 1965.
3. Vorochilov ne tardera pas à dire à ses interlocuteurs français et britanniques qu'un traité avec la France et l'Angleterre est désormais sans objet.

premier rang, pour défendre la sécurité du pays, la liberté et l'indépendance des peuples.

« C'est pourquoi notre parti communiste approuve les mesures qui ont été prises par le gouvernement pour garantir nos frontières et apporter le cas échéant l'aide nécessaire à la nation qui pourrait être agressée [1] et à laquelle nous sommes liés par un traité d'alliance [2]. »

Aragon, dans *Ce Soir*, n'est pas moins résolu :

« Que les gouvernements français et anglais signent à Moscou le pacte de la paix ! écrit-il. Tous contre l'agresseur ! Est-ce assez clair [3] ? »

C'est très clair, en effet. C'est la définition même d'une « ligne » politique qui, vue de Moscou, *relève d'un opportunisme honteux*. Les communistes se disent prêts, en cas de conflit, à accomplir leur devoir de soldats, et à participer sans restriction à l'effort de défense nationale. En votant les crédits militaires — ce qui équivaut à une déclaration de guerre à l'Allemagne — leurs députés contribueront à faire échouer la tentative de Gaston Bergery, qui aurait voulu prendre la parole pour un ultime effort en faveur d'une solution pacifique.

Dans cette première phase, les communistes sont résolument « défensistes » (c'est-à-dire partisans de la défense nationale).

Ils continueraient certainement à défendre publiquement cette position, au moins pendant quelque temps, si le gouvernement, éperonné par une opinion publique que révolte le revirement de Staline, ne décidait, à la hâte, de leur couper la parole.

Dans l'après-midi du 25 août, la police fait irruption à l'imprimerie de *L'Humanité* et saisit le plomb. Le quotidien communiste ne reparaîtra plus, légalement, avant la Libération.

Dans les jours qui suivent, *Ce Soir*, *La Vie ouvrière*, *Regards* cessent de paraître. Le 30 août, le procureur de la République ouvre une information contre le parti.

Il faut cependant attendre le 26 septembre pour que celui-ci soit dissous. S'affirmant solidaire de l'U.R.S.S., il a suscité, contre lui, la colère de la population, aggravée par l'entrée en guerre de l'Allemagne contre la Pologne. Mais, du moins, l'U.R.S.S. reste encore à l'écart du conflit.

Le 17 septembre, le voile se déchire. Alors que l'armée polonaise est en train de s'effondrer, les troupes soviétiques, à leur tour, envahissent la Pologne, annexent des territoires à l'est et au sud-est de ce pays.

Et Molotov, par télégramme, félicite Hitler pour ses brillants succès.

C'en est trop, le Conseil des ministres dissout « de plein droit, le parti communiste, toutes associations, toutes organisations et tous groupements de fait qui s'y rattachent et tous ceux qui, affiliés ou non à ce parti, se conforment, dans l'exercice de leurs activités, à des mots d'ordre relevant de la IIIe Internationale ».

1. La Pologne, évidemment.
2. Communiqué de presse du groupe communiste daté du 25 août 1939.
3. 24 août 1939.

Ils s'en vont

La signature du pacte, l'occupation brutale de la Pologne provoquent à l'intérieur du parti la crise la plus grave que celui-ci ait connue, depuis la rupture avec Doriot.

Un tiers environ des parlementaires communistes — soit vingt-deux personnes — (vingt et un députés et un sénateur) font défection. Rompent avec le parti dans les semaines qui suivent la déclaration de guerre, un membre du secrétariat, Marcel Gitton, qui viendra en uniforme lors d'une permission, pour faire enregistrer sa démission dans un commissariat de police ; Auguste Vassart, membre du bureau politique ; Fernand Soupé, Clamamus, Capron, Loubradou, Saussot, le conseiller municipal Vital Gaymann qui a été instructeur des brigades à Albacète, directement sous les ordres de Marty.

Pour ce dernier, aucun trouble de conscience. Dès l'annonce du pacte, il a pris l'avion pour Moscou. Là-bas, on ne démissionne pas, sauf si on cherche le *suicide*.

Le désarroi n'est pas moindre chez les militants de base. Nombre d'entre eux chez Renault, chez Citroën, déchirent publiquement leur carte du parti. Dans beaucoup d'usines les communistes se font insulter. Il faut attendre 1972 pour qu'un membre du parti, Alain Guérin, admette enfin la profondeur de cette crise.

Responsable aux cadres après la Libération, Chaumeil raconte comment, après la signature du pacte, trois ou quatre camarades viennent le trouver à la mairie de Bagnolet, l'insultent, insultent l'U.R.S.S. et Staline. La discussion s'achève par une bagarre générale où Chaumeil laisse une dent.

Bien avant lui, Auguste Lecœur avait décrit la « corrida » dont il fut l'objet alors que, jeune secrétaire de la Fédération du Pas-de-Calais, il tenait une réunion à Nœux-les-Mines :

« A peine avais-je ouvert la bouche que je fus accueilli par une bordée d'injures. Je tins tête, parlai, mais personne ne m'entendit et plusieurs membres du parti vinrent devant la tribune déchirer obstensiblement leur carte d'adhérent [1]... »

A Auchel vit un vieux militant, sorte de modèle de la fidélité militante, un certain Dubus. C'est l'oncle de Maurice Thorez. Dans la salle de la permanence que tient le tonton figure une photographie du secrétaire général. La Pologne occupée, la photo est toujours là, mais Dubus, avant d'évacuer cette salle, dessine à la place des yeux de son neveu des croix gammées, et sous l'image longtemps vénérée, calligraphie une injure [2].

Quelques semaines ont suffi. Le parti subit une chute vertigineuse de popularité. Un froid polaire s'abat sur les militants qui restent fidèles. Les malheurs du P.C.F. ne s'arrêtent pas là. Isolé en France, il est sévère-

1. Auguste Lecœur, *Le Partisan*, p. 106.
2. *Ibidem.*

ment jugé à Moscou. Staline et les dirigeants de l'Internationale exigent de sa direction un revirement immédiat.

Deux lettres, écrites toutes deux à cette époque par des communistes français, adressées l'une et l'autre au même homme — Léon Blum — expriment très bien les divergences de conception, selon qu'on milite à Paris ou dans la capitale soviétique.

La première est de Marcel Cachin. Elle a dû être adressée à Blum dans la première quinzaine de septembre.

« Pour nous — écrit Cachin — nous entendons juger dans le seul intérêt de la France elle-même... Nous, communistes français, nous sommes attachés à notre pays par des liens solides... Nous ne recevons nos mots d'ordre que du peuple français [1]. »

Marty, lui, dans une *Lettre ouverte à Léon Blum,* écrite à Moscou et introduite de Belgique en France, sous une fausse couverture portant ce titre trompeur *Pour la Victoire,* tient un tout autre langage :

« L'actuelle guerre européenne — affirme-t-il — est une guerre provoquée par deux groupes impérialistes dont chacun veut dépouiller l'autre; par conséquent, les ouvriers, les paysans, les peuples, n'ont rien à voir dans cette affaire... Cette guerre, monsieur Blum, les ouvriers et les paysans français n'en veulent pas. Vous et les vôtres, socialistes d'Union sacrée, vous avez été à la tête de la lutte contre le parti communiste français, *la seule force opposée à cette guerre,* c'est pour cela que vous avez exigé sa dissolution, *croyant ainsi que la bourgeoisie aurait les mains libres pour mener cette guerre impérialiste, cette guerre injuste* [2]. »

Les députés communistes français ont voté les crédits militaires. La lettre de Cachin se réfère aux intérêts français. La lettre de Marty, en définissant le conflit comme l'affrontement de deux impérialismes, balaie ces « conceptions opportunistes ». Elle exprime la ligne de Moscou, qui doit devenir celle du parti : guerre à la guerre. Le retournement est évident et brutal.

Il est imposé par l'Internationale communiste.

Et l'Internationale communiste, c'est en France le camarade Clément.

Il devait être, lui et lui seul, averti de quelque chose. Au moment où éclate l'effarante nouvelle du pacte, il est en Belgique, où le parti a conservé une base clandestine. Dès le 23 août, il ordonne à Ceretti de l'y rejoindre. Duclos, Ramette, député du Nord, Maurice Tréand ne tardent pas, eux aussi, à passer la frontière, ainsi qu'une jeune militante d'Ivry, déjà rompue au travail illégal, Francine Fromont. A la mi-septembre, ce petit groupe tente de provoquer à Bruges une réunion de Comité central pour examiner la situation.

« C'est un demi-désastre », avouera Ceretti. [3].

Demi est nettement abusif. Clément souhaitait une participation nom-

---

1. Cité par Blum dans son éditorial du *Populaire,* le 20 septembre
2. Passages soulignés par nous.
3. *Op. cit.* 201.

breuse. Il y a là, en tout, *cinq membres du Comité central* : Duclos, Ramette, Tréand, Dutilleul et Ceretti (Allard). C'est le Tchèque Clément qui préside ce Comité central, squelettique, d'un parti défini comme français.

Frachon a formellement refusé de revenir. Son poste, dit-il, est à Paris. Façon de prendre ses distances. Aucun secrétaire fédéral ne s'est déplacé. Certes, la mobilisation empêche certains de bouger. Mais enfin, tout le monde n'est pas sous les drapeaux. Non, la vérité c'est que le parti, dans ses cadres les plus hauts, est encore assommé par le pacte et par l'agression contre la Pologne.

Après la signature du pacte germano-soviétique, le parti a encore défendu la thèse de l'effort de guerre, nécessaire contre l'agression hitlérienne. Désormais, il n'est plus question d'agression. Hitlérisme est rayé du vocabulaire. La poursuite de la guerre, après l'occupation de la Pologne, devient une prolongation typiquement impérialiste. On ne va pas tarder à affirmer que la responsabilité principale appartient aux impérialistes français et britanniques qui oppriment les peuples coloniaux placés sous leur joug.

Molotov le dit très clairement :

« L'Allemagne se trouve dans la situation d'un État qui aspire à voir la cessation rapide de la guerre... tandis que l'Angleterre et la France qui, hier encore, s'affirmaient contre l'agression, sont pour la continuation de la guerre et contre la conclusion de la paix [1]. »

Conséquences : le Parti communiste français qui, depuis le pacte, se trouve dans une défensive malaisée, est invité à passer à l'offensive, une offensive violemment anti-belliciste. Abandonnant les positions « patriotiques » — qui ne datent guère que de 1936 — il va revenir à la ligne du défaitisme révolutionnaire préconisé par Lénine pendant le conflit impérialiste de 1914, au mot d'ordre de Liebknecht : « l'ennemi est dans notre pays »; à la transformation de la guerre impérialiste en guerre civile; à la lutte « anti » de la mer Noire, de la Ruhr, du Rif, tradition en vigueur, avec plus ou moins d'intensité, mais sans interruption, de la fondation du parti à 1936 [2].

Cette nouvelle orientation du combat doit se traduire, non seulement par les multiples expressions de l'*Agit-Prop*, mais par des actes *concrets* contre l'effort de guerre.

Un des premiers et des plus importants de ces actes, c'est la désertion de Maurice Thorez.

1. Discours du 31 octobre 1939 reproduit dans *Les Cahiers du Bolchevisme* de janvier 1940. Bien d'autres textes à cette époque vont dans le même sens. Sur ce sujet, cf. Rossi, *Les Communistes français pendant la Drôle de guerre*.

2. La propagande antimilitariste diminue toutefois sensiblement après la signature du pacte Staline-Laval, en 1934.

Le sapeur Thorez n'a pas reparu

Depuis le 3 septembre, Maurice Thorez est mobilisé au 3ᵉ génie, cantonné à Chauny, dans l'Aisne. Il y accomplit son devoir sans attirer l'attention sur lui. Il n'est pas davantage l'objet de menaces ou de brimades.

Le 4 octobre, il est en train de jouer aux cartes avec des camarades de chambrée. Quelqu'un entre :

« Maurice, des amis veulent te voir. Ils t'attendent dans une voiture, à l'entrée de la caserne. »

Le sergent Thorez se lève, pose ses cartes sur la table et s'en va, très tranquille. En effet, à proximité de la caserne, une voiture stationne. Un peu plus tard, elle n'est plus là. Un peu plus tard encore, on commence à s'inquiéter : le sergent Thorez n'a pas reparu.

On ne le reverra plus en France avant qu'en novembre 1944 un militaire lui fasse signe qu'il peut rentrer.

Thorez, dans sa biographie, *Fils du Peuple*, ne s'expliquera jamais sur les circonstances d'une désertion dont il restera toujours marqué. Jusqu'à ces derniers temps la littérature du parti n'était pas plus explicite. On se bornait à affirmer, sommairement et pudiquement, que le secrétaire général avait gagné son poste de combat dans une clandestinité d'une totale imprécision géographique.

Les renseignements qui filtrent au lendemain de cette disparition sont minces. On raconte que dans la voiture qui a assuré sa fuite, deux personnes ont pris place : une femme, ce serait Martha Desrumeaux, rude militante du Nord au visage taillé à coups de serpe et un homme qui pourrait être Arthur Ramette.

A l'époque, les adversaires de Thorez stigmatisent sa lâcheté. « L'Agit-Prop » communiste ripostera que le secrétaire général n'a fait que s'incliner devant une décision du Comité central.

Aucune de ces explications n'est la bonne...

La lâcheté et le courage sont des notions qui n'entrent pas ici en ligne de compte, et les réactions personnelles de Thorez pèsent faiblement dans la décision prise.

Quant au Comité central, nous avons vu ce que c'était.

Selon le récit de Ceretti, c'est le centre clandestin de Belgique, c'est-à-dire Moscou, qui le charge de faire une démarche pressante auprès de Thorez, pour l'inviter à « quitter l'armée coûte que coûte ». Elle a essentiellement pour objet de mettre à l'abri les secrétaires généraux des partis qui risquent de sérieux ennuis [1].

Thorez, catégoriquement, refuse. Ceretti confirme ainsi diverses rumeurs

---

[1]. Tillon de son côté confirme cette règle : « ... lorsque Gottwald, écrit-t-il, se cachait avec sa famille dans un hôtel de Prague, c'est moi qui fut chargé de me rendre près de lui pour lui rappeler, au nom de l'Internationale, que, quand son pays est menacé d'être envahi, le secrétaire général d'un parti communiste doit aller vivre à Moscou, afin que les directives de l'I.C. passent par son aval ». *Un « Procès de Moscou » à Paris*, p. 119.

selon lesquelles le soldat du 3e génie ne se serait résigné à la désertion qu'à contre cœur.

Le soldat « prélevé »

Mais à la réunion de Bruges, Clément qui préside lit un message de Dimitrov. Celui-ci invite à prendre toutes mesures pour « sauver Thorez et lui permettre de revenir diriger le parti ». « A l'unanimité — poursuit Ceretti — il fut décidé d'*ordonner à Thorez de reprendre sa place de secrétaire général*. Un camarade fut chargé de " prélever " *(sic)* Maurice Thorez de son régiment. J'ajoute, en passant, que Maurice, tout en formulant des réserves, ne put faire autrement qu'obéir [1]. »

On ignore tout, à vrai dire, de ses réactions véritables dans cet instant. L'hypothèse la plus vraisemblable est qu'il ne s'attendait nullement à cette visite. Il eût été imprudent de l'en prévenir par une lettre qui aurait pu être interceptée. Celui ou ceux qui sont venus le chercher en voiture — Guérin ne nomme qu'Alphonse Pelayo, un militant de l'Haÿ-les-Roses, n'apportaient sans doute pas de messages de l'Internationale qui auraient pu tomber aux mains des autorités [2].

Il est donc plus plausible que le messager ait tenu à Thorez le langage suivant :

« Maurice, tu dois nous suivre. C'est l'ordre de l'Internationale. »

Voilà qui démontre le poids de l'appareil *secret*. Pour ne pas mettre en doute l'authenticité de l'invitation qui lui est faite, il faut que le secrétaire général sache, en toute certitude, que les agents de liaison sont des hommes de confiance de l'I.C. Des camarades indiscutables.

Maurice Thorez a très peu de temps pour arrêter un choix capital : quelques dizaines de minutes, quelques heures au grand maximum. S'il refuse, il ira inévitablement rejoindre le lot des scissionnistes. Il suivra le chemin déjà emprunté par Doriot. Il sera, dans quelques semaines, dans quelques mois, cloué au pilori comme renégat.

S'il quitte son régiment, il devient un traître à la nation en guerre.

Il n'y a pas de troisième voie. Thorez choisit, on le sait, de rester fidèle à Moscou.

En abandonnant son corps, le secrétaire général remplit une double tâche. Il démontre à l'opinion, par un acte provocant, que la voie de la lutte illégale est ouverte. Et en même temps, il se met à l'abri, toujours pour appliquer les consignes de l'Internationale, qui prévoit que le numéro un doit être préservé.

Plus tard, les communistes donneront de la « disparition » de leur chef la version suivante : Thorez n'aurait quitté son régiment que pour éviter une arrestation imminente : « La police me recherchait [3] », écrira Thorez.

1. *Op. cit.*, p. 201. En capitales dans le texte.
2. *La Résistance*, t. I. p. 351.
3. *Fils du Peuple*, p. 116 (la désertion présentée comme un acte patriotique).

Aucun dirigeant communiste aux armées n'était alors recherché. Aucun d'eux ne sera arrêté, à l'exception de Fajon [1].

La désertion de Thorez a été précédée quelques jours plus tôt par une lettre au président Herriot, signée de Bonte et de Ramette. Elle invite la France à rechercher la conclusion rapide de la paix avec l'Allemagne. Le 30 septembre, Bonte en donne lecture à une réunion du groupe Ouvrier et Paysan. C'est sous cette étiquette que les parlementaires communistes tentent de se regrouper après la dissolution du P.C.F., le 26 du même mois.

Ce texte fait suite, notons-le, à une déclaration germano-soviétique, publiée la veille, qui constitue une offre de paix.

La lecture de la lettre de Bonte provoque chez les parlementaires communistes des mouvements divers :

« C'est une provocation! » s'exclame Renaud Jean.

Péri, semble-t-il, proteste avec véhémence :

« Nous fournissons, dit-il, au gouvernement un excellent prétexte pour nous envoyer au poteau de Vincennes [2]. »

En fin de compte, devant les critiques qu'il soulève, ce document sera amendé. Il invite le Parlement à examiner en réunion publique les propositions de paix « dues aux initiatives diplomatiques de l'U.R.S.S. [3] ».

La lettre à Herriot, la fuite de Thorez, qui interviennent à quelques jours de distance, constituent les deux actes qui délimitent la nouvelle ligne du parti, résolument défaitiste. A partir de là, le P.C.F. plonge dans la clandestinité.

Une clandestinité difficile

Il n'y est nullement prêt. Ceretti et Guérin reconnaissent aujourd'hui cette défaillance. Ils en donnent la même explication : le *Kriegspiel* de la direction ne prévoyait qu'un coup d'État militaire ou un putsch fasciste, non pas une guerre. L'organisation, illégale, en conséquence, a été complètement disloquée par le jeu des affectations dans les unités.

1. Arrêté après sa condamnation au procès des députés communistes, en mars-avril 1940.

2. Cf. à ce sujet Rossi, *op. cit.*, pp. 58-59 et 65.

3. Ces propositions de paix résultent d'un texte élaboré à Moscou après le second voyage de Ribbentrop, le 28 septembre, et signé de Molotov et de lui. On y lit notamment : « Le gouvernement du Reich et le gouvernement de l'Union soviétique ayant réglé par l'arrangement signé aujourd'hui, *définitivement*, les questions qui découlent de la dissolution de l'État polonais, et ayant ainsi créé une base pour une paix durable en Europe orientale, expriment en commun l'opinion qu'il correspondrait aux véritables intérêts de toutes les nations de mettre fin à l'état de guerre qui existe entre l'Allemagne, d'une part, la France et l'Angleterre d'autre part... » L'accord conclu à Moscou le 28 septembre comprenait en outre quatre protocoles secrets, dont le troisième prévoyait une étroite coopération entre la Gestapo et le N.K.V.D. : « Les deux parties ne toléreront dans leurs territoires aucune agitation polonaise affectant les territoires de l'autre partie. Elles supprimeront dans leurs territoires tout commencement... d'une telle agitation et s'informeront réciproquement au sujet des mesures appropriées à un tel but » cité par Rossi, *op. cit.*, p. 56.

On peut rester sceptique devant cette version qui confirme, du moins, l'existence en temps de paix d'un appareil illégal. « L'Agit-Prop » depuis plusieurs années ne cessait de présenter Hitler comme un boutefeu.

Si la direction ne croyait pas au danger de guerre [1], c'est donc qu'elle ne croyait pas non plus à ce qu'elle racontait à l'opinion. Il est douteux, cependant, qu'elle ait absolument négligé le risque d'un conflit. Non, le déclenchement brutal des hostilités a pu la surprendre, mais les vrais motifs de la pagaille qui perturbe les liaisons illégales sont ailleurs. Ceux-ci tiennent au pacte qui déconcerte, stupéfie, démoralise, à une dissolution foudroyante, à l'isolement (le poisson est projeté hors de l'eau), aux scissions éprouvantes.

Ces scissions, certainement, pèsent lourd. Gitton est secrétaire à l'organisation. Il joue un rôle important à la tête de l'organisation clandestine ; or dès sa première permission, nous l'avons vu, il va faire consigner sa rupture dans un commissariat de police. Il y a pire. Le vrai chef de l'appareil illégal devait être Vassart. Il rompt, lui aussi. Il a épousé une Allemande d'origine juive, Célia. Le couple est révolté par l'alliance *de fait* entre Staline et Hitler.

Il faut donc mettre en place une nouvelle direction clandestine, constituer de nouvelles structures, renouer des contacts, trouver des remplaçants à ceux qui, ouvertement ou en secret, déchirent leur carte.

L'appareil va fonctionner en double commande avec une direction en territoire belge, et une autre en France.

En Belgique, le centre illégal, sous la direction de Clément, qui a ouvert une boutique d'antiquaire, et lancé une revue, fonctionne avec Duclos, Ceretti et Tréand, assistés de la jeune Francine Fromont. A plusieurs reprises Ceretti et Tréand viendront d'ailleurs en France.

A Paris, le travail est effectué dans une semi-légalité par Benoît Frachon, sorte de père tranquille. Pour les militants, les syndicats constituent en effet des bases de repli. Grâce à cette couverture, Frachon, sans doute le plus subtil des dirigeants communistes, renoue peu à peu les fils d'une organisation moralement éprouvée et organiquement disloquée.

Pour cette tâche délicate, il est *secondé* par Jean Catelas, Victor Michaut et Albert Rigal.

Mais c'est un rouage essentiel de l'organisation visible du parti communiste qui constitue le vrai poste de commande de l'appareil clandestin : la fameuse commission des cadres, véritable police du parti.

Elle a à sa tête Maurice Tréand, formé à l'école léniniste de Moscou, adepte de stages de renseignements, homme tout d'exécution, grosse tête massive, sorte de bulldozer du militantisme. Au premier appel de Clément, il a filé en Belgique. Mais il vient souvent en France. A ses côtés, un ancien coureur cycliste solide et trapu, *Arthur Dallidet*, qui vient d'arriver de Moscou, en compagnie de Raymond Guyot. Auprès d'eux, il faut encore citer la fille d'Émile Dutilleul, Mounette, 29 ans, militante fanatique, René

1. Cf. Ceretti, *op. cit.*, pp 199-200 ; Guérin, *op. cit.*, pp. 330-334.

Mourre, personnage gris, enfoncé dans la routine bureaucratique, mais précieux par ses qualités de travail, et Janin, maire de Villeneuve-Saint-Georges qui a profité, avant la guerre, de ses fonctions pour munir Ceretti d'une fausse attestation.

C'est Tréand qui contrôle le fichier des cadres, les fameuses « bios », ainsi que les renseignements accumulés sur sympathisants et adversaires politiques. Juste avant la dissolution du parti, sans doute dès que des mesures d'interdiction furent prises contre *L'Humanité*, ce fichier a été évacué et mis à l'abri. Certains ont prétendu qu'il était susceptible de contenir des millions de noms. Rien, à vrai dire, n'est établi à ce sujet.

Aucune information n'a été fournie sur la destination de ce fichier qui posait un délicat problème d'évacuation. Il n'a jamais été découvert.

La caisse d'or de Thorez

Un des premiers problèmes qui se posent à toute entreprise clandestine, c'est celui de l'argent. Les progrès mêmes de cet appareil illégal ne peuvent que le rendre plus criant. Pour le parti communiste au moment où il « entre dans le brouillard », la situation est loin d'être défavorable.

A la veille du pacte germano-soviétique, la caisse « opérative » du parti dispose, selon Rossi, d'au moins dix millions de francs. Une autre caisse, alimentée directement par Moscou, est entre les mains de Mounette Dutilleul. Enfin il y a l'or espagnol. Une part de cet or a été utilisé pour l'achat des navires de France-Navigation, pour l'acquisition de l'immeuble de la rue Le Pelletier (siège du parti), et pour le lancement du quotidien *Ce Soir*. Mais ce trésor de guerre n'est pas entièrement épuisé.

Peu après Munich, Thorez a convoqué un jour chez lui, à Ivry, Clamamus :

« Viens en voiture », lui fait-il dire.

Le jour dit, Clamamus est au rendez-vous. Et, après les amitiés de circonstance, le secrétaire général lui confie une étrange mission :

« Tu as toujours servi fidèlement le parti, Clamamus. Après Munich, les événements tendent à prendre une vilaine tournure. C'est pourquoi je vais te remettre quelque chose. »

Thorez s'adresse alors à ses gardes du corps, qui se trouvent dans une pièce voisine. Ceux-ci apportent un paquet, enveloppé dans du carton, qui semble fort lourd, bien qu'il ne mesure guère plus de soixante centimètres.

« Ça, reprend Thorez, c'est le trésor du parti. Tu vas l'emporter chez toi. Je connais toute l'installation de ton pavillon, ton jardin, tes hangars, et j'estime que tu as toute facilité pour dissimuler ce paquet. Tu le remettras un jour à quelqu'un dont je ne te donne pas maintenant le nom. Mais cet émissaire, tu le reconnaîtras certainement quand il se présentera. D'ailleurs, il te rappellera les propos que je te tiens en ce moment. »

Voilà donc Clamamus qui repart avec le paquet. Il l'enterre dans le jardin de son pavillon de Bobigny, qui couvre environ mille mètres carrés, très exactement sous son poulailler. Il n'a jamais vérifié son contenu. Mais il assure avoir recueilli à ce sujet les confidences de Gitton, peu avant le meurtre de celui-ci. Selon l'ancien secrétaire à l'organisation, le trésor se serait élevé à 30 millions en pièces d'or. Un second coffre aurait été caché chez un autre dépositaire.

Quand la guerre arrive, Clamamus se trouve bien embarrassé : il est de ceux, en effet, qui, à cause du pacte, rompent avec le parti. Et, sous le poulailler, il y a toujours le sacré trésor.

Le père Clamamus se dit que si jamais on le découvre, les dirigeants croiront toujours, soit qu'il l'a volontairement livré à la police, soit qu'il a mis la main dessus.

Mais un soir, on sonne à la porte du pavillon. Le fils Clamamus va ouvrir et revient en annonçant à son père que quelqu'un veut lui parler au nom du parti. Qui ? Le visiteur n'a pas voulu dire son nom. Il entre. Clamamus reconnaît Janin.

« Je viens chercher le trésor du parti », dit Janin.

Clamamus et son fils vont déterrer le paquet et le remettent à l'envoyé de Thorez. Une voiture attend celui-ci à proximité du pavillon. Ainsi disparaît dans la nuit l'or espagnol [1].

Si la question argent semble s'être réglée sans graves accrocs, la mise en route de l'appareil illégal est plutôt pénible. Une des premières tâches de la direction clandestine consiste à reconstituer les fils brisés. Mais il faut attendre décembre 1939 pour qu'elle diffuse ses premières instructions. Celles-ci soulignent l'importance capitale des cadres pour la lutte qui commence :

« Les cadres qui étaient excellents dans la période du Front populaire peuvent être insuffisants ou mauvais dans la période actuelle où les qualités exigées sont différentes. »

On fera donc appel à des cadres anciens « fermes politiquement », c'est-à-dire qui acceptent toutes les conséquences du pacte, amalgamés à des éléments jeunes. On veillera toutefois que la police ne glisse pas dans les rangs de ces derniers quelques agents provocateurs [2].

Dans le même document figure un plan de reconstitution du parti :

« L'organisation est devenue un problème essentiel du parti... il importe donc de créer, 1° les directions régionales; 2° les directions locales; 3° les directions d'entreprise [...], de contrôler autant qu'il se peut afin de multiplier les initiatives et de faciliter la tâche des comités régionaux ou locaux. Porter une attention particulière à l'organisation des grosses entreprises et les doter des possibilités d'éditer et de diffuser elles-mêmes des tracts. Ne pas négliger les villages, le travail chez les paysans étant d'une grande

---

1. Cf. *Rivarol*, 10 juin 1965.
1. *Notre lutte contre la guerre* (brochure clandestine).

importance [...] pour les soldats en liaison avec les villages... Organiser les communistes par groupes de trois ou quatre. »

Ces instructions se heurtent à bien des obstacles. Toutefois, dans la région parisienne, Frachon réussit à reconstituer les cinq directions régionales. Quelques autres directions sont également mises sur pied, non sans peine, en province.

Quels sont les moyens d'action de cet « appareil »? Dans les premiers mois, il ne peut être question que d'agitation et de propagande (tracts, journaux, brochures). Les différents noyaux clandestins possèdent, ou bien acquièrent vite le matériel léger (ronéo, stencils, papier) indispensable. Mais l'appareil, pendant toute la durée de la drôle de guerre, est incapable de passer au stade supérieur, c'est-à-dire de faire *imprimer, en France*, de la littérature clandestine. Entre le 26 octobre 1939 et le 24 juin 1940, 57 numéros de *L'Humanité* sont bien diffusés, mais ils sont tous tirés à la ronéo.

Manque de moyens matériels? Sans doute. Mais Rossi estime — avec raison, à notre avis — que l'obstacle principal est d'ordre psychologique et politique. Pour faire fonctionner une ronéo quelques personnes suffisent. L'impression mobilise des complicités plus vastes. Le « climat » engendré par le pacte honteux ne s'y prête pas.

Il ne manque pourtant pas de littérature imprimée pendant cette période : tracts, deux numéros de *L'Humanité* (novembre et fin décembre 1939) un numéro de *La Vie ouvrière* (février 1940); brochures de Marty et de Dimitrov, interview de Thorez, appel de la Fédération des Jeunesses communistes (Jeunes de France à l'action), etc. Seulement, tous ces libelles ont été *imprimés à l'étranger*.

En novembre, la police découvre à Roubaix huit ballots contenant des stocks de numéros imprimés de *L'Humanité* et des brochures de Thorez et de Dimitrov. A la mi-janvier 1940, ce sont les autorités belges qui saisissent un stock de *L'Humanité* sur une chaloupe à Saint-Ghislain (Hainaut). En février, on saisit, toujours en Belgique, un autre matériel destiné à la France [1].

L'impression serait donc faite en Belgique. Rossi qui révèle ces saisies, n'en croit pourtant rien. Il fait remarquer que les autorités de ce pays ont rapidement mis fin aux activités légales du P.C. belge. Et il ne croit pas que l'appareil d'impression clandestin des communistes belges ait pu suffire à leurs propres publications et à celles de leurs camarades français. D'autre part, certains documents, comme *Les Cahiers du Bolchevisme*, par exemple, sont imprimés avec des moyens techniques tout à fait modernes.

Où s'effectue alors l'impression? En Allemagne, suggère Rossi [2]. A l'appui de son hypothèse, il cite un propos tenu par Ribbentrop à Mussolini, au cours d'un des deux entretiens qu'il eut avec celui-ci à Rome les 10 et 11 mars 1940. Extrait des *Archives secrètes du comte Ciano*, il s'agit du passage suivant :

1. Rossi, *op. cit.*, p. 104.
2. *Op. cit.*, p. 104.

« Quand le Duce a fait allusion au mouvement communiste en France et au fait qu'on y publiait maintenant encore des journaux communistes, le ministre des Affaires étrangères a fait observer en riant que certains de ces journaux sont imprimés en Allemagne [1]. »

L'impression en Allemagne pose tout de même un problème de liaison, celui de l'introduction de cette littérature à travers la frontière germano-belge, puis le franchissement d'une nouvelle frontière avant de parvenir en France. Ce n'est pas techniquement impossible pour l'appareil international du Komintern, mais c'est tout de même une filière sujette à divers aléas. D'autres arguments de Rossi en faveur de la thèse de l'impression en Allemagne que nous n'avons pas la place de discuter ici ne nous semblent pas décisifs.

Quel que soit son siège, c'est en tout cas le « centre » de l'étranger qui possède les moyens techniques les plus perfectionnés et qui donne aussi les directives les plus catégoriques dans le sens du défaitisme. Et ici, nous retrouvons Maurice Thorez.

Thorez, un pot au lait à la main...

Nous l'avons quitté, alors qu'il se dirigeait vers la frontière belge, dans la voiture pilotée par Pelayo. Ils s'arrêtent à Carvin. Martha Desrumeaux y organise le passage de la frontière. Le sergent Thorez troque l'uniforme contre la tenue du prolétaire : on repart. On fait halte à La Madeleine. C'est là qu'un militant nommé Dujardin fait franchir la frontière au secrétaire général en rupture de régiment. Les deux hommes sont censés aller s'approvisionner en lait en Belgique, ce qui est d'une pratique courante. En fait, ils vont au domicile d'un militant belge, Achille Van Voorde, qui, depuis 1930, a assuré une multitude de passages clandestins.

« C'était à vingt-cinq mètres de la frontière — raconte-t-il à Alain Guérin. Je le (Thorez) vois encore. Il avait un pot au lait à la main. Il avait déjà passé la douane française. A cet endroit, il y avait peut-être dix mille ouvriers qui passaient chaque matin. Lui, avec ses espadrilles, sa casquette, une grosse écharpe autour du cou, il avait l'air d'un vrai mineur. Et si, en plus, on parlait patois, personne ne faisait attention [2]. »

Ce que Guérin ne se rappelle pas, c'est que cette route du Nord, elle a été ouverte à l'époque du « groupe ». Thorez a marché sur les traces d'Henri Barbé.

A l'heure où les autorités militaires s'inquiètent, où partout le signalement du sapeur disparu est diffusé, où des barrages sont dressés le long des routes, à l'état-major de la division à laquelle appartient Thorez, un officier du 2e Bureau est réveillé par un planton qui lui remet une dépêche : « Prendre toutes mesures utiles pour arrêter le déserteur Maurice Thorez. »

1. *Op. cit.*, p. 104.
2. Alain Guérin, *op. cit.*, p. 352.

Voilà un ordre qui ne va pas susciter un zèle excessif. L'officier du 2e Bureau s'appelle en effet Marcel Prenant. Professeur de biologie, militant communiste actif, il est un des futurs chefs des F.T.P. Curieux tout de même qu'il ait été affecté à un poste de sécurité précisément dans ce secteur.

Un des mobiles qui ont peut-être incité Thorez à déserter, c'est l'attitude de Marty. Dès la fin du mois d'août, celui-ci a filé à Moscou. De là, il se déchaîne. Il accuse la direction du parti de l'avoir expédié en Espagne pour se débarrasser de lui, d'avoir adopté une « ligne » opportuniste à la déclaration de guerre, d'être responsable des multiples défections, de la pagaille qui règne dans le mouvement, etc.

Qui ce réquisitoire vise-t-il ? Thorez, assurément. En s'alignant scrupuleusement sur les consignes de Moscou, Marty tente de « doubler » le secrétaire général. Il pose sa candidature à la succession. Il bombarde littéralement le centre clandestin de Belgique d'appels que celui-ci n'a pas encore les moyens techniques de diffuser. Bref, il fait du zèle pro-soviétique [1].

On comprend que Thorez soit agacé et peut-être inquiet de cette surenchère. On discerne, là aussi, les germes des furieuses rivalités qui exploseront en 1952.

Thorez a assuré qu'en cas de guerre les communistes feraient leur devoir. Marty dans sa fameuse *Lettre à Léon Blum* s'est empressé de donner l'assurance contraire.

Il est temps que Thorez s'aligne sur cette ligne politique du défaitisme en temps de guerre, celle que Staline exige. Le 17 novembre paraît un numéro de *L'Humanité clandestine* reproduisant une interview accordée par Thorez à Sam Russel, correspondant en Belgique du journal *Daily Worker*, organe du P.C. britannique. C'est Clément qui a monté cette rencontre dans un petit village. A Russel, Thorez tend un texte tout prêt qu'il n'a peut-être pas rédigé. On y lit ceci :

« La réaction, les hommes du 6 février, leur homme de confiance Daladier et les chefs traîtres du parti socialiste S.F.I.O. sont furieux parce que nous dénonçons les buts impérialistes de la guerre qu'ils imposent au peuple français... Nous agissons comme les vrais défenseurs du peuple français, en ne voulant pas que les jeunes gens de notre pays soient les victimes du massacre causé par les capitalistes anglais dans la guerre d'intérêts qu'ils font aux capitalistes allemands [2]... »

Léon Blum ? « Un sbire de la police »

Voici Thorez apparemment en règle avec le Komintern. Il n'a cependant pas tout à fait rattrapé son retard sur André Marty. Il se doit bien à son tour de fustiger Léon Blum qui est alors la bête noire des communistes. C'est pourquoi Thorez signe un article « Renégat et politique d'Union

1. Cf. Ceretti, *op. cit.*, pp. 202-203.
2. Cf. Rossi, *op. cit.*, p. 85.

sacrée : Léon Blum tel qu'il est ». Cet article paraît d'abord dans *L'Internationale communiste*, n° 2, en 1940 et est bientôt reproduit dans le journal allemand *Die Welt* (qui l'a sans doute trouvé à son goût) le 16 février 1940 [1].

Blum, ses origines familiales, sa politique depuis le congrès de Tours y sont copieusement vilipendés. Le chef du parti socialiste y est successivement traité d' « avocat de Munich » (p. 14), de pourvoyeur des prisons et des bagnes (p. 16) d' « hyène » *(idem)*, de « misérable créature » ... (qui se livre) « pour ainsi dire à une danse du scalp » *(idem)*, de « policier auxiliaire et dénonciateur » (p. 17) et pour couronner ces gentillesses « d'assassin de Clichy », de « sbire de la police » et d' « homme de la guerre » (p. 18).

Il n'est pas sûr toutefois que ce déploiement d'injures ait permis à Thorez — nous le verrons — de récupérer aussitôt les bonnes grâces de Staline. Il est du moins, provisoirement, à l'abri dans l'exil belge. A quoi occupe-t-il son temps ? Que devient-il ? Quand et comment part-il pour l'U.R.S.S. ? Sur ce chapitre, Ceretti et Guérin cessent, subitement, d'être prolixes.

Par où est-il passé ?

Le premier se borne à assurer que Thorez a vécu à Anvers. Il ne donne pas d'adresse. Le second a recueilli les confidences de maître Fonteyne, avocat belge [2], et qui se rendit sans doute à Albacète pendant la guerre d'Espagne. Fonteyne déclare que Thorez a vécu chez lui — le domicile d'un avocat chez qui on hésitera beaucoup à perquisitionner est une bonne « planque » — deux ou trois mois, « immédiatement avant son départ pour l'Union soviétique » [3].

« Immédiatement avant », c'était quand ? On ne le dit pas. Les auteurs communistes semblent avoir une querelle personnelle avec la chronologie. Nous pouvons néanmoins tenter de déterminer une date par recoupements. Ceretti, dans une phrase négligente, et comme si cela allait de soi, avance que Thorez a pris un bateau à Ostende en même temps que Togliatti, à destination de l'Union soviétique. Mais à quelle date ? Le nom du bateau ? Pourrait-on interviewer le capitaine ou n'importe quel membre de l'équipage qui serait encore en vie ? Le voyage de Thorez gagnant l'U.R.S.S. à travers l'Allemagne, avec l'accord d'Hitler, ne serait donc qu'une mauvaise légende ? Et pourquoi diable attendre trente ans pour nous le dire, furtivement, en une phrase ? Guérin et Ceretti sont furieusement distraits. Ils ne prennent pas la peine de nous expliquer quoi que ce soit.

1. Très peu connu, l'article en question a été publié sous forme de brochure, accompagné d'un fac-similé de *Die Welt* par Charles Pot, alors secrétaire de la section S.F.I.O. de Villejuif, « Léon Blum tel qu'il est — un odieux document », 1956.

2. Défenseur de Florimond Bonte au procès des 44 députés communistes, (30 détenus, 3 en liberté provisoire, 11 en fuite) à Paris en mars 1940, et auteur du livre *Le Procès des quarante-quatre*, publié en 1940 en Belgique sous l'occupation allemande. Sur ce procès cf. Rossi, *op. cit.*, pp. 146 à 161.

3. *Op. cit.*, p. 354.

Nous pouvons seulement supposer que cet embarquement pourrait se situer en mars ou avril 1940. Ceretti écrit en effet : [...] « J'étais en train de boucler mes malles pour aller un peu plus vers le nord (le Danemark) et je ne pourrais pas me rendre à Ostende, trois mois plus tard, au départ du bateau soviétique qui emmenait Ercoli et Thorez vers la liberté [1]. » Or, il indique ailleurs [2] qu'il a quitté Bruxelles pour Aix-la-Chapelle à l'aube du 29 décembre 1939.

Mais y a-t-il eu seulement un bateau soviétique pour relâcher dans le port belge à l'époque dont parle Ceretti ? Pour s'en assurer, il suffisait d'écrire aux autorités maritimes d'Ostende. C'est ce que nous avons fait. Voici la lettre que nous avons reçue quelques jours plus tard du commissaire maritime en chef :

> Ostende, 16 8 1973
> « Monsieur,
> « Votre lettre du 8 courant m'a été transmise par le capitaine du port d'Ostende.
> « D'après les archives en ma possession aucun navire soviétique n'a fait escale dans le port d'Ostende entre janvier et juillet 1940.
> « Veuillez agréer, etc.
> Le commissaire maritime en chef
S. Huys [3]. »

Ceretti expliquera peut-être dans quelles circonstances le « Soviétique volant » a pu faire escale dans un port belge sans attirer l'attention. Jusque-là, sa mémoire fantaisiste ne suffit assurément pas à détruire la version selon laquelle Thorez, quittant la Belgique, aurait gagné la Suisse par l'Allemagne et, de là, se serait rendu en Union soviétique, en traversant de nouveau le territoire allemand.

Selon Jean-Louis Vigier, Thorez aurait séjourné en Suisse de janvier à avril 1940. « ... Nous sommes dans la douloureuse nécessité, écrit-il, de lui (Thorez) rappeler qu'entre janvier et avril 1940, il était l'hôte clandestin de la Suisse et porteur d'un passeport espagnol au nom de Jean Samblett [4]. »

Vigier, dans le même article, formulait de graves accusations :

« Ses appels (de Thorez) à la radio étaient faits sur ondes courtes et visaient à saper le moral des soldats français. Ils s'effectuaient sur des « 402 » dans la région comprise entre Annemasse et Morteau, où il venait de temps en temps. Sur une intervention du consul de France à Lausanne, le gouvernement fédéral demanda courtoisement à Jean Samblett de quitter le territoire suisse. Et ainsi, à la fin du mois de mars 1940, M. Maurice Thorez était contraint d'installer ses pénates en Russie, passant obligatoirement par l'Allemagne. »

1. *Op. cit.*, p. 206.
2. *Op. cit.*, p. 222.
3. Voir pièce annexe.
4. *L'Époque*, 4 octobre 1945.

Vigier ne donne pas ses sources qui proviennent peut-être d'un service type 2ᵉ Bureau. Thorez n'a rien répondu à ce sujet. Son silence toutefois ne prouve rien. Il n'avait aucun intérêt à polémiquer sur un épisode de sa vie qui ramenait l'attention sur sa désertion.

Dans ses *Souvenirs*, Ceretti raconte avec détails comment sa famille et lui, munis de passeports diplomatiques que leur a procurés le gouvernement du Chili — on est en plein Front populaire dans ce pays — traversèrent l'Allemagne en compartiment réservé pour gagner le Danemark. On s'explique mal pourquoi ce qui était possible pour un envoyé du Komintern, escorté de sa famille, ne l'était pas pour un personnage comme Thorez, même accompagné de Jeannette Vermeersch.

Un itinéraire emprunté par Jean-Richard Bloch

On le comprend d'autant moins que l'itinéraire allemand a été emprunté par Jean-Richard Bloch, ainsi que l'écrivain l'a raconté dans son allocution du 19 juillet 1941, au micro de Radio-Moscou :

« Je traversai l'Allemagne — raconte Jean-Richard Bloch. Le pays était sans joie, obsédé par la pensée d'une guerre qui s'annonçait sans fruit et sans fin... A Berlin, un observateur international très haut placé me disait : " La population reste absolument insensible aux nouvelles des victoires. De haut en bas, de bas en haut, une seule question vient aux lèvres des Allemands : Quand est-ce que cela finira ? " [1]. »

Bloch décrit ensuite les effets des raids anglais sur la capitale et raconte sa conversation dans le train avec une voyageuse qui s'étonne de lui voir gagner Moscou [2].

« Où était Thorez ? écrivait Benoît Frachon dans *L'Humanité*. Vous voudriez savoir comment il se fait qu'il vous ait échappé ? Vous êtes trop curieux, messieurs [3] ! »

Nous sommes peut-être trop curieux ! Mais pourquoi donc les amis de Frachon restent-ils si cachottiers ?

La Belgique, la Suisse, l'Allemagne ?...

En tout cas, nous retrouvons Thorez en Russie d'où il ne reviendra qu'en novembre 1944 après l'amnistie gaullienne. Sur la date approximative de son arrivée, nous possédons le témoignage de Castro Delgado, qui la situe « au plus tard au début de l'été 1940 » [4]. Dans ses *Souvenirs*, Delgado donne ces détails :

« Sont arrivés : MM. Maurice Thorez, secrétaire général du parti communiste français ; Ramette, membre du bureau politique et secrétaire du

1. J.-R. Bloch, *De la France trahie à la France en armes*. Commentaires à Radio-Moscou, 2ᵉ éd., 1949 p. 30.
2. *Op. cit.*, p. 31.
3. 29 avril 1950.
4. Confidence faite à Rossi, *op. cit.*, p. 81.

groupe parlementaire communiste; Allard[1], membre du Comité central. Mais dans l'Union soviétique, il n'y a personne qui réponde au nom de Maurice Thorez : nous connaissons un nommé Ivanov qui ne parle pas le russe, mais le français, qui s'est laissé pousser la barbe et qui vit à Kunsevo, dans une magnifique maison de campagne [2]. »

Entre Thorez-Ivanov qui apparaît à Moscou fin juin ou début juillet, et Thorez-Samblett qui disparaît (peut-être) de Suisse en mars ou avril 1940 ou de Belgique vers la même date, il y a un « trou » de quelques mois. Où le déserteur les a-t-il passés? Il n'y a toujours pas de réponse précise à cette question.

Ainsi, le vagabondage thorézien depuis le moment où le sapeur du 3e génie se sépara de son régiment comporte toujours bien des ombres.

Une autre énigme se rattache à cette aventure. A différentes reprises dans la presse française de l'époque, il est fait mention des postes de radio clandestins qui diffusent de la propagande communiste. Dans le *Bulletin hebdomadaire* du Commissariat à l'Information, n° 19, du 24 février 1940, on trouve, par exemple, ces précisions : « Le poste de Radio-Humanité qui diffuse en français des proclamations d'esprit communiste est installé dans le sud de la Forêt-Noire à quelques kilomètres de Bâle. Les émissions en français de *La Voix de la Paix* sont diffusées sur trois longueurs d'ondes par les postes de Zeesen (Allemagne), Waren (Allemagne), et Leningrad (U.R.S.S.). »

Il n'y a pas eu depuis, à notre connaissance, d'autres renseignements sur l'emplacement de ces postes. Étaient-ils contrôlés par les communistes? Ou s'agissait-il d'émissions entièrement aux mains des services allemands qui leur auraient donné les apparences d'une propagande défaitiste du P.C.F.? Aucune donnée un peu solide ne permet de se faire sur ce sujet une opinion.

Il n'y a pas de contestation en revanche sur la propagande écrite qui porte la marque communiste.

Défaitisme révolutionnaire

L'objectif est de mettre fin à tout prix à cette guerre. Les consignes de Dimitrov, la *Lettre à Léon Blum* de Marty, largement répandue par les communistes français, l'interview de Thorez contribuent à populariser ce mot d'ordre.

En mars 1940, quand un certain nombre de députés communistes — poursuivis pour avoir signé la lettre au président Herriot qui réclamait en somme la paix immédiate — comparaîtront devant le tribunal, les thèmes qui illustrent leurs déclarations restent sensiblement les mêmes.

Fajon : « Nous avons la conviction en luttant contre cette guerre, en récla-

1. Pseudonyme de Ceretti.
2. *J'ai perdu la foi à Moscou*, pp. 50-51.

mant la paix immédiate, de répondre exactement à la volonté populaire dont nous sommes les représentants [1]. »

Billoux : « Nous sommes poursuivis parce que nous nous sommes dressés et parce que nous nous dressons avec la dernière énergie contre la guerre impérialiste. »

Entre-temps, la drôle de guerre s'est prolongée dans l'inaction, avec les relâchements qui en résultent, les questions que se posent les soldats et la population civile sur le sens d'un conflit, mené de telle sorte par les Alliés qu'ils n'osent, ni la conclure par la paix ni lui donner un caractère offensif.

Par là même, le terrain psychologique devient éminemment favorable pour le P.C. clandestin. Celui-ci déclenche la campagne de défaitisme révolutionnaire la plus classique. Le personnage que « l'Agit-Prop » cite alors en exemple est Karl Liebknecht qui, dès 1916, se dressa en Allemagne contre l'effort de guerre.

Dans cette campagne, les consignes données par Dimitrov au nom de l'Internationale, celles du centre illégal à l'étranger que dirige Thorez et celles des clandestins demeurés sur le territoire national, coïncident parfaitement.

Dimitrov : « Chacun dans son propre pays... (devrait mener) la lutte intransigeante contre la guerre [2]. »

Thorez : « L'ennemi est chez nous, voilà ce que nous avons dit à la veille des élections de 1936... Au cours de la première guerre mondiale, il fallut attendre trois ans avant d'assister au réveil du mouvement ouvrier dans les usines et au front. Maintenant tout va bien plus vite [3]. »

L'Humanité : « Les travailleurs se souviendront de l'appel lancé par Karl Liebknecht le 1er mars 1916 [4]. »

C'est aussi à Liebknecht que se réfère *L'Avant-Garde*, et d'une façon plus précise. Elle rappelle que le révolutionnaire allemand a lancé ce mot d'ordre : « Tournez vos armes contre vos ennemis de classe à l'intérieur du pays [5]. » Un tract diffusé dans l'armée au début de mars répète que « *l'ennemi n'est pas de l'autre côté de la ligne Siegfried, mais bien à l'intérieur de votre propre pays* » [6].

Après la Libération, Thorez reprochera au gouvernement Daladier d'avoir « immobilisé l'armée dans les casemates de la ligne Maginot ». A la Chambre, alors que l'on discute de l'invalidation du même Daladier, Jacques Duclos prononcera un réquisitoire contre le « pacifisme » de l'ancien président du Conseil : « Permettez-moi de dire, s'écrie-t-il, que lorsqu'on veut vraiment faire la guerre et qu'on veut la gagner, on ne tient pas un

---

1. Ce passage (et d'autres) ont été supprimés par Bonte dans la citation du discours de Fajon qui figure dans son livre *Le Chemin de l'Honneur.*
2. Appel d'octobre 1939.
3. Interview de Thorez, 20 octobre 1939.
4. 20 décembre 1939.
5. 1er février 1940.
6. Extrait du tract « L'égalité des sacrifices ». Passage souligné par nous.

pareil langage, langage de défaitiste; on fait appel à l'effort, au courage, au sacrifice [1]. »

Par la suite, le parti communiste maintiendra en substance la même version des faits. Celle-ci prendra appui sur ce phénomène incontestable : pendant toute la durée de la drôle de guerre, le P.C. clandestin a combattu avec acharnement les gouvernements Daladier et Reynaud. *La supercherie repose sur le sens que le parti communiste entend donner, après la Libération, à cette opposition, et sur celui qu'il avait en réalité.*

La thèse communiste consiste aujourd'hui à assurer que le parti a combattu dans l'illégalité les gouvernements en place, parce que ceux-ci *ne voulaient pas faire la guerre*, et même la sabotaient. En réalité, c'est *contre la guerre*, et par conséquent contre tout effort de guerre, que les communistes luttaient.

L'opposition des commentaires d'aujourd'hui et des textes de l'époque est flagrante.

« La France se démobilise de plus en plus devant le danger hitlérien. » La propagande communiste assure ensuite que le gouvernement tente de transformer la guerre contre l'Allemagne en croisade contre l'U.R.S.S. D'où le projet de bombarder les puits de pétrole de Bakou à partir des bases de Syrie, et la concentration dans ce pays de l' « importante *(sic)* armée Weygand », tandis que Gamelin serait l'auteur d'un plan pour envoyer en Finlande un corps expéditionnaire motorisé.

La réalité est tout autre. Le P.C. clandestin n'a pas seulement combattu le projet Weygand en Syrie, ou l'envoi du corps expéditionnaire en Norvège, il s'est systématiquement dressé contre tout effort de guerre.

Au début de 1940, *L'Humanité*, dans son édition languedocienne, tient le langage suivant : « Si les gouvernements adverses n'ont pas encore amplifié le combat, c'est qu'ils ont peur que les fraternisations qui déjà se produisent entre les lignes et pendant les patrouilles, prennent une telle ampleur qu'elles mettent fin à la guerre en sonnant le glas du capital [2]. » Et quand Daladier, le « défaitiste », dans son appel radiodiffusé le 29 janvier 1940, évoque la perspective d'une guerre totale, *L'Appel*, journal destiné aux femmes, réplique aussitôt (début février) : « On parle de guerre totale et d'offensive. Si cela était, ce serait le bombardement des villes... et pour nos soldats, les mutilations, l'angoisse, la mort [3]. »

« *Le rapport d'un état-major...* »

Telle est alors la ligne générale de l'*Agit-Prop*. Mais quand on dispose d'un appareil déjà rodé par vingt années d'expérience, on ne saurait s'en tenir là. La tâche de cet appareil consiste à propager et à diversifier le

1. *Fils du Peuple*, p. 162.
2. Cité par Rossi, *op. cit.*, p. 165.
3. *Op. cit.*, p. 166.

défaitisme selon les milieux qu'il entend toucher. La classe ouvrière concentrée dans ses entreprises, les jeunes, les femmes, les soldats, tels sont les milieux sociaux où s'exerce l'effort principal du P.C. clandestin.

Avec la classe ouvrière, la partie n'est pas facile. Dans leur grande majorité, les dirigeants cégétistes ont condamné les positions du P.C. Celui-ci a beau fulminer contre les « réformistes », et prescrire néanmoins à ses membres de rester dans les syndicats pour tenter de les noyauter, les résultats sont médiocres.

Certaines mesures maladroites du gouvernement, telles que l'amputation de 40 % des heures supplémentaires et l'allongement de la durée du travail ne tarderont pas à provoquer un mécontentement incontestable, que les communistes tentent aussitôt d'exploiter. A vrai dire sans grand succès, et les mouvements de grève restent insignifiants.

Comme aux temps de la Ruhr et du Rif, les Jeunesses communistes (dont le dirigeant, Raymond Guyot, a apporté de Moscou les consignes à suivre), se trouvent très vite à la pointe du combat. Dès son premier numéro, *L'Avant-Garde* annonce que le journal « luttera contre la guerre impérialiste et le capitalisme, ennemi de notre génération [1] ». Les J.C. insistent, par la suite, sur le mot d'ordre : *Paix immédiate*. Mais sauf dans un domaine très spécial que nous allons aborder dans un instant, l'action des Jeunesses est sensiblement freinée et désorganisée par la mobilisation, qui les affecte encore davantage que le parti.

L' « intox » joue bien davantage auprès des femmes, mères, épouses ou fiancées des soldats. Déjà, pendant le premier conflit mondial, Inessa Armand et Clara Zetkin n'avaient pas ménagé leur peine pour tenter de dresser les femmes contre la guerre. Dès le début des hostilités, *Les Cahiers du Bolchevisme* rappellent que l'exploitation de la sensibilité féminine constitue dans la bataille qui s'engage une arme capitale.

« La guerre offre la possibilité d'un élargissement considérable du mouvement des femmes. Les ouvrières prennent à l'usine la place des mobilisés. Les paysannes restent seules à la culture. Les ménagères sont aux prises avec de grandes difficultés. Chaque femme, mère, épouse ou fiancée maudit la guerre. Le parti doit s'efforcer de rassembler pour la lutte contre la guerre les femmes de toutes conditions : ouvrières, paysannes, ménagères, intellectuelles. L'effort principal doit porter sur les entreprises, sur les syndicats [2]. »

Comme le remarque justement Rossi : « C'est le rapport d'un état-major qui étudie le terrain sur lequel il va livrer le combat; pour qui les souffrances humaines ne jouent pas d'autre rôle que celui de dépôts d'armes disponibles, de points d'appui auxquels s'accrocher pour la défense ou pour l'attaque [3]. »

Les périls qu'englobe toute guerre servent de grand thème mobilisateur : « Femmes et mères de France, il dépend de vous que vos maris et vos fils

1. 1er décembre 1939.
2. Janvier 1940.
3. *Op. cit.*, p. 232.

reviennent des tranchées [1] »; « Femmes, mères, fiancées, unissons-nous!
Menons ensemble à l'arrière le combat pour la Paix... luttons contre la
guerre impérialiste et pour une France heureuse... Vive la Paix! [2] ». « Vive
l'union des mères françaises et allemandes contre les capitalistes, fauteurs de
guerre! [3] »

Les femmes britanniques, en revanche, sont à cette époque, mal vues :
« De riches Anglaises insultent nos malheurs par leurs parades en uniforme.
Leurs indécentes coquetteries mettent en évidence la soumission de la France
envers les ploutocrates britanniques [4]. »

Avec la crainte pour le sort d'un être cher, les difficultés matérielles offrent
une autre occasion d'entraîner dans la lutte les masses féminines : insuffisance des allocations militaires, blocage des salaires, difficultés de ravitaillement, vie chère... On presse les femmes d'écrire aux soldats pour qu'ils
soient exactement informés (et démoralisés) des difficultés de l'arrière. On
les invite à manifester dans les mairies, les perceptions, sur les marchés.
On leur conseille même d' «amener leurs enfants avec elles dans les mairies
pour revendiquer ce qui leur est dû [5] ».

Le corps de bataille du P.C. comprend aussi, on le voit, les enfants de
troupe.

Menant une action dans leur propre sphère, les femmes communistes
sont encore les meilleurs agents de liaison avec les mobilisés. Au cours de
l'hiver 1939-1940, les soldats se trouvent dans les casemates de la ligne
Maginot, les casernes, les cantonnements. Les opérations se limitent à des
engagements de patrouille. Il en résulte que l'osmose entre l'arrière et le front
est constante. Cet état de choses favorise la propagande « anti » et les femmes
tiennent là un rôle privilégié.

On ne leur demande pas seulement de faire savoir aux soldats « ce qui se
passe à l'arrière ». On invite celles qui reçoivent *L'Humanité* clandestine à la
faire parvenir aux mobilisés. Le va-et-vient des affectés spéciaux facilite,
par ailleurs, les contacts. Enfin, les livraisons de matériel permettent de
transmettre aux troupes tracts et journaux.

A d'autres signes, on constate que l'expérience du travail « anti » constitue un atout important. Les communistes savent de longue date que, pour
gripper la machine militaire, il est important de s'infiltrer dans ses centres
nerveux. Ainsi certains ont-ils réussi à se faire affecter dans les centres mobili-
sateurs de l'armée : ils peuvent faciliter des affectations à telle ou telle
unité, faire procéder à des démobilisations pour des affectations spéciales,
collecter une foule de renseignements précieux...

Quelques anecdotes permettent de discerner, de façon fugitive, le fonctionnement de cette machine.

1. *Op. cit.*, p. 232.
2. L'*Appel*, février 1940.
3. Papillon distribué dans les usines à la fin de 1940.
4. *L'Humanité du soldat*, 1er mai 1940.
5. Tract : « M. Daladier détruit la famille française », distribué dans les usines fin février
1940.

Un des cas les plus typiques est celui de Marcel Paul, dirigeant de la Fédération C.G.T. - Éclairage. Condamné en 1929 pour antimilitarisme, Paul figure évidemment au Carnet B. Aussi, après sa mobilisation en 1939, est-il exclu de la Marine, et renvoyé à Paris, au début de l'année 1940, pour que l'on statue sur son sort.

Or, son dossier a disparu, grâce à un syndiqué de l'Éclairage qui, *spontanément*, l'a escamoté. Pendant que l'on s'efforce de reconstituer le *curriculum vitae* du soldat Paul, celui-ci est affecté à l'armée Corap. Là — nouveau hasard ? — un officier de l'unité qui l'a pris en sympathie l'avertit un beau jour que son arrestation est imminente.

Le lendemain, les Allemands prennent l'offensive [1].

Les choses sont peut-être plus claires si l'on admet que le syndiqué de l'Éclairage fait partie de l'appareil « anti », que l'affectation à l'armée Corap, où l'on retrouve, dit-on, nombre de communistes, procède d'un certain plan, que l'officier sympathisant appartient, lui aussi, à un réseau clandestin.

Faut-il, de même, croire aux hasards de la guerre quand nous retrouvons L. Chaintron (alias Barthel), ancien de l'appareil colonial en Afrique du Nord et des brigades internationales, à un poste aux écritures à Toulouse, en juillet, juste après la débâcle ?

C'est comme secrétaire de l'officier de détail du 373e R.I., en Corse, que Léo Figuères, un des dirigeants des Jeunesses communistes, se trouve mobilisé. A ce titre, il s'occupe des problèmes administratifs, économiques et financiers de l'unité. A ce titre, aussi, il voit passer entre ses mains nombre de circulaires, dont celles qui expliquent comment combattre le défaitisme.

Un beau jour, en mars, tombe entre les mains de Figuères un pli demandant au commandant de signaler les fonctions que le jeune communiste occupe, car il est « un P.R. dangereux » (P.R. = Propagandiste révolutionnaire, mention supprimée par le premier gouvernement de Front populaire). Le commandant n'est pas très anticommuniste. Il se dit navré. Mais tout de suite après la débâcle, il rendra au jeune Léo ses anciennes fonctions. Lequel en profite pour renforcer ses liaisons avec ses camarades clandestins [2].

Le travail « anti » au sein des troupes n'a duré que quelques mois, compte tenu des délais de réorganisation pour s'exprimer. Il semble s'être limité jusqu'à la veille de l'offensive allemande à des distributions de littérature défaitiste et à la diffusion de mots d'ordre de bouche à oreille. Il est impossible d'apprécier quelle a pu être l'action désorganisatrice des communistes au cours des opérations militaires et à la débâcle. Aucune étude systématique n'a été entreprise sur ce sujet et, du reste, les témoignages semblent difficiles à rassembler.

---

1. Cf. *Debout Partisans*, p. 37.
2. Léo Figuères, *Jeunesse militante*, p. 103 et p. 107.

Des sabotages

Il en est de même pour les actes de sabotage dans les entreprises travaillant pour la défense nationale, opérations qui se situent au cœur même de l'action « anti ». Ici, toutefois, un petit nombre de faits ont pu être constatés.

Le cas le plus célèbre et le plus dramatique est celui des frères Rambaud.

Au cours des premiers mois de l'année 1940, certains avions récemment sortis des usines Farman sont l'objet d'accidents mortels survenus en plein vol. Après enquête les autorités militaires acquièrent, courant avril, la conviction que ces accidents ont une origine criminelle.

La direction de Farman se livre alors à des vérifications approfondies. On examine minutieusement les moteurs prêts à être livrés, une fois subis les essais d'usage : aucun doute, il y a sabotage.

A cette époque, un jeune ajusteur de 17 ans est apparemment « traumatisé » par la mort en plein ciel des aviateurs. Il organise en effet une collecte, chez Farman en faveur des familles des victimes. Un bon petit. C'est ce dévouement qui attire l'attention des enquêteurs. Ils exercent sur le jeune Rambaud une surveillance étroite. Ils réussissent, un jour, à le prendre en flagrant délit : sous leurs yeux, le dévoué quêteur vient de saboter 17 *moteurs sur* 20.

Il a coupé dix-sept fois le fil de laiton qui sert de frein à l'écrou maintenant le tuyau d'arrivée d'essence. Tôt ou tard, les conséquences en seront mortelles. Privé de son frein, l'écrou se desserrera après un certain nombre d'heures de vol, par suite des vibrations du moteur. L'essence s'échappera, d'abord goutte à goutte, puis rapidement. Tombant sur la tubulure d'échappement rougie à blanc, elle provoquera ainsi des vapeurs qui entraîneront l'explosion de l'appareil en plein vol et la mort du personnel navigant.

Enquête faite, Roger Rambaud, le saboteur, se révèle être membre des Jeunesses communistes. Il a été entraîné dans cette voie par son frère Marcel, déjà condamné avant-guerre pour activité anti-militariste, qui est également ajusteur chez Farman, comme affecté spécial.

Quatre autres ouvriers font partie du même réseau de sabotage : Raymond Andrieu, plombier, Maurice Lebeau, menuisier, Léon Lebeau, garçon de courses, et Roger Leroux, tous communistes. Maurice Lebeau est un vieux routier de « l'appareil » illégal. Pendant son service militaire, en 1930, il a saboté les turbines d'un navire de guerre. Condamné à sept ans de travaux forcés, puis amnistié, le parti l'a exhibé dans les meetings anti-militaristes.

Tous ces hommes sont rapidement jugés, le 27 mai 1940, par le 3e tribunal militaire de Paris. Trois d'entre eux, les deux frères Rambaud et Maurice Lebeau, sont exécutés à Bordeaux, au fort du Hâ. Un des frères Lebeau, condamné à mort lui aussi, a bénéficié d'une grâce. Andrieu et Leroux sont condamnés à vingt ans de travaux forcés [1].

1. Sur cette affaire, cf. Rossi, *op. cit.*, pp. 207-209 et *Documentation sur le communisme* fiche n° 48 *bis*.

Le parti communiste n'osera jamais présenter ces jeunes gens comme des héros victimes de la répression.

Le cas des jeunes saboteurs de Farman n'est pourtant pas un acte isolé. Daladier, au cours d'une intervention à l'Assemblée nationale, en juillet 1946, le confirme : « Outre l'affaire Farman, il y a eu, dit-il, un certain nombre de sabotages dans les poudreries, notamment à la poudrerie de Sorgues, où l'ingénieur Muret les a relevés. Il y a eu des sabotages dans les casemates de la région fortifiée de Bouloy, des sabotages de fusées d'obus et de balles anti-tanks, en pleine bataille de France. [1] »

D'autres sabotages ont pu être constatés dans diverses entreprises importantes : chez Renault, où l'on fabrique des chars, des documents enregistrent les déprédations suivantes : « Sabotage des installations électriques force motrice — Réservoirs de carburants vidés dans les égouts — Tentatives d'incendie — Bris de machines-outils et d'outillage — Pièces loupées en quantité considérable — Sable et potée d'émeri dans les paliers et graisseurs — Déréglage et bris des appareils de contrôle — Destruction de plans et dessins — Vols de pièces, outillages, matériaux divers, anormalement nombreux. »

Autres sabotages sur des chars B. 1 : « Utilisation systématique de pièces loupées — Écrous de serrage non goupillés — Écrous, boulons, ferrailles diverses placés dans les boîtes de vitesses et mécaniques de transmissions — Tubulures d'huile écrasées au marteau — Limaille et potée d'émeri dans les carters — Traits de scie constituant amorce de rupture aux tubulures d'huile et d'essence, devant déterminer le sectionnement après plusieurs heures de marche. »

Ici, l'attention des autorités a été attirée par les accidents survenus à des chars Renault tombant en panne entre les lignes. Des spécialistes font des essais dans un centre d'entraînement avec des appareils qui viennent de sortir de l'usine. Ils constatent alors que les pannes sont dues au sectionnement de cinq fils sur six reliant les charbons de la dynamo aux accumulateurs, ce qui a pour effet d'empêcher la recharge normale [2].

En mars 1940, le ministre de l'Intérieur adresse au généralissime Gamelin un rapport qui signale des actes de sabotage aux établissements Weitz, à Lyon, et aux usines Somua de Vénissieux, qui produisent les chars les plus modernes, seuls capables de surclasser les chars allemands.

On relève encore des actes de malveillance caractérisée à la Cie générale de construction, de Saint-Denis, et à la C.A.P.R.A., de Courbevoie. Plutôt que de procéder à une enquête nécessairement longue, les directions de ces entreprises prennent cette mesure radicale : tous les éléments communistes ou considérés comme tels sont, avec l'accord des autorités, expédiés au front. Le sabotage cesse.

Les informations que l'on possède aujourd'hui restent trop fragmentaires pour permettre de cerner avec exactitude l'ampleur du phénomène sabotage.

1. Séance du 18 juillet 1946, *J.O.*, p. 2683.
2. Rapport de l'époque publié dans la revue *Europe Amérique*, 7 avril 1949.

On peut cependant se livrer à quelques déductions prudentes. Il est probable que les consignes d'action « concrète » ne furent pas diffusées avant la fin de 1939 ou le début de l'année 1940. Elles ne furent donc pas appliquées pendant plus de quatre à cinq mois. Il fallut nécessairement un certain délai aux services du 2ᵉ Bureau, agissant en coopération avec les Renseignements généraux, pour recueillir des informations sur ces actes et commencer à enquêter. A ce moment, la bataille de France, puis la débâcle empêchèrent de constituer des dossiers très fournis sur ces questions [1].

On ne doit pas perdre de vue non plus que nombre d'archives d'entreprises, ainsi que de rapports figurant dans les dossiers de la préfecture de police furent saisis, à la Libération, par les communistes et détruits par eux. Certaines directions d'usines ne tiennent pas, par ailleurs, à ce que l'on réveille ces « vieilles histoires ».

Vers le 20 mars 1940, le ministre de l'Aviation, Guy La Chambre, envisageait la création d'un organisme spécialisé dans la lutte contre les sabotages. La défaite empêcha ce projet d'aboutir.

Réduits à une durée de quelques mois, on ne peut croire que les actes de sabotage aient eu une incidence sérieuse sur le déroulement de la guerre. Ils sont surtout caractéristiques d'une certaine résolution : un *jusqu'au - boutisme communiste dans le défaitisme*.

L'Agit-Prop a toutefois exercé plus de ravages. Elle a bénéficié d'un grand luxe de moyens. Elle a pris des formes multiples, touché des milieux divers. Le climat politique était pourtant, à l'origine, tout à fait défavorable. Mais l'immobilité des armées, le désœuvrement des hommes, le relâchement de la discipline, l'incertitude du gouvernement et des états-majors sur les buts à atteindre, sensible dans tout le pays, donnèrent sans conteste de l'aliment aux entreprises très élaborées de la propagande communiste. Celle-ci procède au pourrissement des volontés.

L'appareil dispose à cet effet d'un organe spécialisé, *Le Trait d'Union*, réservé aux soldats : trois numéros de ce journal paraissent entre janvier et le 1ᵉʳ mars 1940, puis il prend le titre de *L'Humanité du Soldat*. Mais il y aura d'autres feuilles : *Soldats de France, L'Étoile rouge, Cherbourg naval...* Toutes insistent sur la nécessité de mettre promptement fin à la guerre.

Aux journaux clandestins s'ajoutent les tracts et les lettres tirés à la ronéo, expédiés par la poste et que le destinataire est invité à diffuser largement.

Conformément aux recettes d'une vieille tactique « anti », les mots d'ordre de paix immédiate, de guerre inutile menée pour le compte des impérialistes britanniques s'accompagnent de revendications matérielles : amélioration de la nourriture, permissions plus nombreuses, augmentation du prêt. Pour ce dernier point, on ne manque pas de rappeler la modicité des sommes touchées par le troupier français, par rapport au prêt de son frère d'armes britannique.

---

1. Un réseau de sabotage aurait toutefois été détecté sur la ligne Maginot, et quelques arrestations opérées. L'enquête était en cours quand survint la débâcle.

L'impact psychologique de cette propagande est certain. Elle atteint une armée déjà désorientée par le déroulement bizarre de la guerre.

L'offensive du 10 mai tombe comme la foudre sur une troupe au moral déliquescent. Hitler, par l'intermédiaire de son ambassadeur von Schulenburg, l'annonce à Molotov, qui « ne doute aucunement de son succès »[1].

C'est une façon diplomatique d'exprimer qu'on la souhaite, encore que Moscou escompte vraisemblablement une offensive moins fulgurante. L'attitude des communistes français ne peut être très différente.

Pour l'appareil illégal, l'inconvénient de la *Blitzkrieg*, toutefois, c'est qu'elle disloque une fois encore, ou du moins compromet ses liaisons. Mais pour la « ligne » du parti, un manifeste rédigé quinze jours après le début de l'offensive, et publié dans *L'Internationale communiste*, ne laisse aucun doute.

« Dans ces heures graves et tragiques où la guerre fait rage et s'étend déjà sur le sol français, où cinq millions d'ouvriers et de paysans français et, parmi eux, plus d'un million de communistes et de sympathisants sont forcés de verser leur sang, nous — les communistes, les vrais représentants du peuple — considérons comme un devoir sacré de dire une fois de plus à notre peuple la vérité tout entière.

« Si le devoir de nos frères, les travailleurs allemands, éclairés par le parti de Thaelmann, est d'engager une lutte énergique contre l'impérialisme allemand et de démasquer ses desseins criminels, notre devoir, comme communistes français, est de dénoncer ceux qui, dans notre pays, ont contribué à faire éclater la guerre, ceux qui, par leur politique impérialiste et réactionnaire, ont frayé le chemin aux envahisseurs[2]... »

Le manifeste se poursuit par une violente attaque contre les hommes au pouvoir, en particulier Daladier, et en exigeant la libération de tous les emprisonnés.

Dans ce texte, la dénonciation de l'impérialisme allemand, brièvement évoqué, semble une clause de style. Au reste, aucun document clandestin publié pendant la drôle de guerre ne cite d'actes *concrets* de la résistance allemande contre son propre impérialisme. Il faut enfin noter que, si à plusieurs reprises, cet impérialisme se trouve mis en accusation, on évite de recourir à la terminologie d'avant-guerre qui fustigeait *nazis* et *hitlériens*.

Pour leur part, les deux numéros clandestins de *L'Humanité* des 15 et 17 mai reprennent les habituelles diatribes contre la guerre, les injures contre les dirigeants impérialistes, assorties d'outrages particuliers contre les chefs socialistes. L'éditorial du 17 s'achève sur un appel au peuple de France pour « un gouvernement de paix s'appuyant sur les masses populaires, prenant des mesures contre la réaction, un gouvernement qui s'entende sans délai avec l'Union soviétique pour le rétablissement de la paix dans le monde[3] ».

Les numéros suivants n'apportent pas de changements. On y souligne

1. *Nazi. Soviet relations*, p. 142.
2. Cf. Rossi, *op. cit.*, pp. 276-277.
3. *Op. cit.*, p. 282.

l'étendue du désastre subi par les armées anglo-françaises dans les Flandres, on y prend à partie le nouveau gouvernement Reynaud, on réclame une fois de plus le retour à la paix et — mot d'ordre neuf — Thorez au pouvoir.

Mais la rapidité même de l'avance allemande contrarie les efforts du parti. Dans une armée en déroute, les communistes de chaque unité ne peuvent plus garder le contact avec leurs centres clandestins.

Quelqu'un pourtant suit de près le vainqueur dans son avance accélérée. Un homme qui circule sur les arrières immédiats de cette armée, dans la voiture du consul de Bulgarie. Il s'appelle Léopold Trepper. Nul doute que le chef de l'Orchestre rouge ne collecte une moisson de renseignements pour son « directeur » à Moscou. Dans le même temps, la radio moscovite en direction de la France accroît singulièrement le nombre de ses émissions : à partir du 20 mai, elles doublent.

Trepper fait-il d'une pierre deux coups ? Adresse-t-il une partie des informations qu'il recueille à Jacques Duclos qu'il a sans doute connu au moment du réseau « Fantômas » ? C'est une hypothèse plausible, après tout. Mais elle n'est étayée à ce jour par aucun témoignage.

Voulaient-ils défendre Paris ?

Tandis que les blindés de von Rundstedt, Trepper sur leurs arrières, approchent de la capitale, se situe un épisode étrange, dont la réalité est encore sujette à caution, dit « de la défense de Paris ».

Les communistes auraient proposé aux autorités de défendre, sous certaines conditions, la capitale contre les envahisseurs.

Thorez l'affirme : « Les communistes — écrit-il — voulaient que l'envahisseur hitlérien fût accueilli à coups de fusil dans notre capitale [1]. »

Cette version apparaît pour la première fois dans un tract communiste, diffusé en octobre et novembre 1943, et intitulé : « L'activité nationale et le Parti communiste français », tract reproduit dans *Les Cahiers du Communisme* du premier trimestre 1944 [2].

Dans ce document, il est affirmé que des propositions communistes ont été faites pour une « levée en masse » ... « dans les premiers jours de juin ».

Florimond Bonte, toutefois, dans une brochure parue en 1945, assure [3] que ces propositions ont été formulés en mai; et dans *L'Humanité* du 6 juin 1945, il donne pour date à ces offres le 6 juin 1940.

La version selon laquelle les communistes auraient eu l'initiative de ce geste est tardive. Dans *Les Cahiers du Communisme* (numéro que nous avons cité plus haut), l'initiative est attribuée au gouvernement Reynaud :

« Dans les premiers jours de juin, des personnages touchant aux milieux ministériels cherchaient à toucher la direction illégale du parti communiste.

1. *Fils du Peuple*, édition de 1949, p. 177.
2. *Ibidem*, pp. 78-84.
3. *A l'échelle de la Nation*, p. 30.

Ils s'adressèrent à des gens dont ils savaient qu'ils pourraient rapporter leurs propos aux dirigeants du Parti. Il faudrait, disaient-ils, que les communistes s'affirment pour la défense de Paris.

« ... Voici la réponse qu'elle (la direction clandestine) transmet en utilisant la même voie, par laquelle lui étaient parvenus les propos ci-dessus. »

Cette réponse tient en cinq points que nous empruntons au document de septembre 1943 :

« Le parti communiste considérerait comme une trahison d'abandonner Paris aux envahisseurs fascistes. Il considère comme premier devoir national d'organiser sa défense. Pour cela, il faut :

« 1. Transformer le caractère de la guerre, en faire une guerre nationale pour l'indépendance et la liberté.

« 2. Libérer les députés et militants communistes ainsi que les dizaines de milliers d'ouvriers emprisonnés ou internés ;

« 3. Arrêter immédiatement les agents de l'ennemi qui grouillent dans les Chambres, dans les ministères et jusqu'à l'état-major et leur appliquer un châtiment exemplaire ;

« 4. Les premières mesures créeraient l'enthousiasme populaire et permettraient une levée en masse qu'il faut décréter sans délai ;

« 5. Il faudrait armer le peuple et faire de Paris une citadelle inexpugnable... »

Voilà donc — avec les variations que nous avons signalées — ces curieuses propositions communistes qui constitueraient une brutale rupture avec la ligne défaitiste suivie jusque-là [1].

Sur cette affaire, quelques éléments nouveaux ont été publiés, à une date relativement récente, dans *Debout Partisans*, de Claude Angeli et Paul Gillet.

Reynaud — selon cet ouvrage — aurait demandé à l'U.R.S.S. de lui fournir des armes et aurait également cherché à s'assurer le concours des communistes français pour la défense de Paris. Il aurait chargé de Monzie d'effectuer cette double démarche. De Monzie aurait pris contact, le 24 mai, avec Ilya Ehrenbourg qui aurait transmis les propositions françaises au chargé d'affaires soviétique, Ivanov. Staline, informé aussitôt, aurait accepté l'envoi d'un représentant du gouvernement français, mais Pierre Cot, pressenti à cette fin, ne serait pas parti. Le 28 mai, Reynaud aurait renoncé à son projet.

Voilà pour la tentative en direction de l'U.R.S.S. Quelques jours plus tard, de Monzie aurait convoqué à son ministère le gendre de Langevin, Jacques Solomon, très lié au communiste Politzer, alors mobilisé à l'École militaire. Celui-ci aurait effectivement joint Frachon qui était, à cette date, le seul représentant de la direction clandestine résidant dans la région parisienne.

---

1. Florimond Bonte, dans son article du 6 juin 1945, présentait l'initiative du 6 juin 1940 comme un premier acte de résistance. « L'appel communiste du 6 juin, écrit-il, a précédé l'appel de De Gaulle du 18 juin. » Cette tentative d'écrire ainsi l'histoire n'a pas eu de suite.

Le 3 juin, Politzer aurait apporté aux Travaux publics (ministère de De Monzie) les cinq propositions énumérées plus haut; mais de Monzie était alors en province. Le 6, quand il revient dans la capitale, il n'est plus ministre. Le gouvernement a été remanié, et de Monzie a perdu son portefeuille. Avec son départ, l'hypothétique projet de défendre Paris s'évanouit en fumée.

S'est-il jamais agi d'autre chose? Les témoins capitaux dans cette affaire, de Monzie, Politzer, Solomon sont morts. Reynaud, avant de mourir, n'a fait, lui non plus, aucune confidence à ce sujet.

Dans *La Nuit tombe*, Ilya Ehrenbourg parle effectivement des propositions que lui aurait faites de Monzie, demandant des avions à Moscou, proposition transmise par l'écrivain soviétique au chargé d'affaires Ivanov. Il ne souffle pas un mot du projet communiste de défendre Paris [1].

Ehrenbourg n'est pas exactement ce qu'on peut appeler un témoin à toute épreuve. Quelques pages plus loin, il raconte que les policiers français venus l'arrêter ont exhibé « un mandat d'arrêt émanant du cabinet du vice-président du Conseil, le maréchal Pétain »!

De Monzie, ministre à la culture éblouissante, ce qui n'est pas toujours le cas des parlementaires, est aussi un homme qui possède des antennes dans des milieux tout à fait différents.

En 1935, à la demande de Boris Souvarine, qui est un de ses familiers, de Monzie est intervenu pour faire récupérer à Berlin les archives de Marx et d'Engels tombées aux mains des nazis après la dissolution du parti social-démocrate allemand. Il a assuré que ces archives ont été acquises — ce qui est faux — par la Bibliothèque nationale. Transférées à Paris, elles sont récupérées par Souvarine et seront envoyées à Moscou, après un marchandage avec les mencheviks Dan et Nikolaïevski [2]. Naturellement, personne aujourd'hui ne va évoquer cette histoire. Les hommes de gauche n'aiment pas devoir quelque chose à un « réactionnaire » comme de Monzie. Les hommes de droite, à leur tour, ne se soucient guère d'un politicien qui n'appartient pas vraiment à leur famille d'esprit. Le destin de cet homme, c'est donc d'être oublié par les uns et les autres.

En fait, c'est un très mystérieux personnage.

Comme Ehrenbourg le raconte, il est vrai qu'il est en relations avec celui-ci. Mais il est aussi en contact avec Hubert Lagardelle, conseiller syndical de Mussolini. Et il est encore lié à Jacques Sadoul, qui est le *conseil juridique de l'ambassade soviétique*.

Au début de la guerre, le 24 septembre 1939, Sadoul a écrit une lettre étrange, très voisine des positions exprimées par Cachin à la même époque.

« Quels que soient les manœuvres et les zigzags du gouvernement soviétique, écrit-il, le devoir des communistes français demeure aujourd'hui comme hier de participer sans réserve à la lutte contre le pays agresseur et fauteur de guerre... Dans cette guerre défensive — *guerre légitime, juste pour*

1. *La Nuit tombe*, pp. 332-336.
2. Cf. *Le Contrat social*, juillet-août 1964.

la nation française — les communistes français doivent faire bloc avec le peuple français [1]. »

Des extraits de cette lettre ont paru dans *Ci-devant*, de De Monzie, avec plusieurs autres lettres de Sadoul, écrites à la même époque. Le nom du destinataire n'est pas indiqué. Se pourrait-il que ce fût Laval ? Selon Tillon [2], Sadoul prônait l'envoi de Laval en octobre à Moscou pour négocier avec Staline.

Sadoul a toujours gardé d'excellentes relations avec l'homme de Châteldon. Clamamus raconte qu'il fut très surpris, tout de suite après la défaite, de rencontrer à Vichy l'ancien capitaine, sortant d'un entretien avec Laval. Sadoul lui confia que, à court d'argent, il avait obtenu un viatique de l'Auvergnat [3].

Clamamus voit là un signe de la générosité lavalienne. C'est possible. Mais les relations entre les deux hommes devaient se situer sur un autre plan que la simple amitié. Laval avait intérêt à garder le contact avec un homme écouté à l'ambassade soviétique. Cette relation lui permettait d'obtenir certains renseignements et, si nécessaire, de procéder à des sondages discrets.

On peut supposer que Sadoul jouait un rôle identique auprès de De Monzie.

Par l'intermédiaire de Sadoul ou d'Ilya Ehrenbourg, il est donc très possible qu'un ballon d'essai ait été lancé du côté de Moscou ; on ne risquait rien, étant donné l'état désespéré de la situation. Initiative qui, de toute façon, n'eut pas de suite.

La négociation avec le parti communiste semble en revanche beaucoup plus mythique. Elle a dû venir se greffer comme une légende opportune sur la première. On voit mal pourquoi de Monzie se serait adressé à Solomon.

Au cabinet de l'avocat de Monzie, travaille en effet, en qualité de secrétaire, le fils d'un gros client, un capitaliste nommé Schkaff qui possède des intérêts importants dans les mines de Bor en Yougoslavie. Schkaff junior, lui, est membre du parti communiste. Il est appelé à y jouer un certain rôle puisqu'il sera — sous le pseudonyme de Jean Fréville — le secrétaire de Thorez et qu'à ce titre il rédigera une bonne partie de *Fils du Peuple*.

Dès le début de la drôle de guerre, peut-être le jeune Schkaff a-t-il eu à intervenir pour régler une délicate affaire : Togliatti (qui vit en France sous le pseudonyme d'Ercoli) est « tombé ». Il a été arrêté par la police française. Plus tard, il expliquera que celle-ci, ne l'ayant pas identifié, l'a remis en liberté. « C'est là une version qui me semble très romantique — commente avec ironie Ceretti — mais puisque Togliatti s'est amusé à la faire circuler, je veux bien en tenir compte [4]. »

1. Souligné par nous.
2. *Op. cit.*, p. 139.
3. Cf *Rivarol*, 11 novembre 1965.
4. *Op., cit.* p. 206.

Il explique ensuite que Clément s'est donné beaucoup de mal pour faire libérer Togliatti, et qu'il y est parvenu grâce à un ministre, que Guérin nomme : c'est, naturellement, de Monzie [1].

Les relations de Monzie durant cette période difficile n'en sont sans doute pas restées là. Dans la philippique anti-impérialiste de Marty que nous avons évoquée plus haut, figure le reproche « d'avoir sombré dans la bêtise parlementaire en faisant crédit à des hommes véreux comme de Monzie ou Sarraut [2] ».

En quoi a bien pu consister la « bêtise parlementaire » de Thorez, après le pacte germano-soviétique ? Risquons cette hypothèse : peut-être à tenter d'obtenir des assurances contre une prochaine dissolution. En contrepartie, les communistes feraient leur devoir à l'armée.

Il est intéressant de voir apparaître dans ce contexte le nom de Monzie. Celui de Sarraut, l'homme du « communisme, voilà l'ennemi », semble, à première vue, plus surprenant. Mais la phrase a été prononcée en 1927. Depuis, sa fille Simone, a épousé en 1935 un Russe émigré, Nicolas Kagan, qui sera naturalisé deux ans plus tard. Certains prétendent — certainement à tort — que ce Kagan, qui deviendra un des gérants de la Banque Seligman — est un frère du dirigeant soviétique Kaganovitch. Le nom de Kagan, qui a des intérêts dans de nombreuses sociétés, apparaîtra après la Libération à France-Navigation, et on le dit lié à Charles Hilsum.

Revenons à de Monzie. Étant donné ce qui précède, on voit bien qu'il aurait pu être l'homme-pivot pour une négociation, et avec les Soviétiques, et avec les communistes français. Mais on ne voit pas pourquoi il aurait éprouvé le besoin de s'adresser à Solomon alors qu'il avait le fils Schkaff sous la main.

Souvarine, de son côté, qui voyait constamment de Monzie, n'a jamais entendu parler de cette fameuse défense de Paris.

Quoi qu'il en soit, rêverie, mythe, ou vague ébauche aussitôt abandonnée, cette défense relève du non-être. Elle est hors de l'Histoire.

Aux soldats : « Venez avec nous ! »

D'ailleurs, quelques semaines après l'armistice, le parti publie une brochure dont plusieurs pages sont consacrées à la capitale. Il s'agit d'un libelle d'une violence inouïe contre le gouverneur militaire de Paris — le général Hering — qui avait envisagé un moment de transformer Paris en camp retranché :

« Accusé Hering ! Levez-vous ! Vous étiez gouverneur militaire de Paris au début de juin. C'est vous qui, d'accord avec deux coquins illustres,

---

1. A titre de remerciement, celui-ci a droit, de façon posthume, à quelques épithètes désobligeantes. *Op. cit.*, p. 371. Cf. également Frachon in *L'Humanité* du 17 août 1964.
2. Ceretti, *op. cit.*, p. 202.

Mandel [1] et Pomaret, êtes responsable de la tragédie sanglante de l'exode. C'est vous que les Parisiens ont entendu hurler un soir à la radio : « L'armée se replie en bon ordre sur Paris, dont les pâtés de maisons de six étages sont autant de citadelles pour retarder l'ennemi. » Là-dessus, vous, Hering, vous avez fait vos bagages. Mais les Parisiens se sont dit : « On se battra dans Paris, quartier par quartier, immeuble par immeuble. Nous allons connaître l'horreur des bombardements, de l'incendie. » Et, pendant cinq jours, un sombre cortège, que secouait la terreur, a traversé la capitale de la porte de la Chapelle à la porte d'Orléans. Et, tout cela, Hering, c'est vous qui l'aviez organisé, les femmes et les enfants servant de cibles aux aviations et aux artilleries... Vous êtes un assassin vulgaire. Et jamais potence n'aura été plus utile que celle où nous voulons voir tout à l'heure se balancer votre carcasse [2]. »

Ce texte n'a pas tout à fait les mâles accents d'un appel aux combats de rue pour sauver Paris.

Dans cette ville, qui n'a été défendue ni par Hering ni par les communistes, tandis que les soldats en pleine retraite la traversent, une femme, petite et malingre, se porte à leur hauteur, boulevard Lefebvre, et suit un moment leur marche résignée.

Au milieu de cette troupe, elle a repéré des Noirs et des Nord-Africains. Ils avancent, pêle-mêle avec la foule parisienne, qui s'enfuit.

Elle leur parle :

« Venez avec nous. Nous pouvons vous cacher dans des appartements... On vous donnera des vêtements civils. N'allez pas vous faire prendre comme ça par les Allemands... »

Pas d'écho. On jette des regards méfiants sur cette femme. Et les soldats poursuivent leur marche.

La femme s'appelle Madeleine Marzin. Institutrice, militante communiste, elle fera parler d'elle comme résistante plus tard. Elle vient d'arriver à Paris, venant de l'Allier.

Elle n'est pas seule à lancer des appels à la désertion en groupe. D'autres femmes communistes qui l'accompagnent effectuent la même tentative [3].

Assurément, elles agissent sur consigne. Dans quel but ?

L'interprétation de leur comportement dépend de la période à laquelle on le rattache. Si c'est à l'attitude des communistes à partir de juin 1941, alors on peut dire que Madeleine Marzin et ses camarades accomplissent un premier acte de résistance. Les soldats sont invités à sortir des rangs pour échapper à une captivité inéluctable, et rester ainsi cachés et disponibles pour reprendre plus tard la lutte.

Mais si on relie ces appels à la lutte que mène le P.C.F. en ce mois de juin 1940, alors ce sont des provocations à la crosse en l'air. Madeleine

---

1. Dans *La Nuit Tombe*, Ehrenbourg témoigne d'une évidente considération pour « le coquin », pp. 337-338.
2. *La Grande Trahison*, « Les Anciens Combattants accusent », mars 1941, p. 15.
3. Cf. Angeli et Gillet, *op. cit.*, p. 54.

Marzin est revenue précipitamment à Paris pour appliquer *concrètement* les consignes du défaitisme révolutionnaire. Avec ses camarades, elle est passée à une phase supérieure du travail de démoralisation des femmes auprès de la troupe. Et ce n'est pas un hasard si ces agitatrices s'adressent de préférence aux *coloniaux*. Dans cette période, la propagande communiste reproche souvent aux impérialistes anglais et français de tenir sous le joug les peuples coloniaux et de les utiliser comme chair à canon.

Ainsi, dans le torrent de la débâcle, de petits noyaux de militants accomplissent leur tâche. Peut-être sur ordre, peut-être spontanément. Peut-être avec le dessein, dans le bref intervalle qui sépare le départ des Français et l'entrée de la Wehrmacht, de prendre le pouvoir — quelques soldats, quelques armes seraient bien utiles pour cela — et d'instituer un gouvernement révolutionnaire.

Si ce projet a existé, le formidable exode d'une population l'emporte avec lui.

Dans la voiture d'un ministre

Au moment où le gouvernement quitte Paris, un homme trouve place dans la voiture d'un ministre. C'est un important et fort riche expert auprès du tribunal de commerce. Il a eu de gros intérêts dans un grand quotidien parisien. Cet homme est connu pour ses opinions de droite. Il appartient même au cercle France-Allemagne, où l'on trouve beaucoup de partisans d'une entente avec le IIIe Reich.

Dans la voiture, sur ses genoux, l'homme a posé une élégante serviette.

Avant de savoir ce qu'elle contient, revenons rue de l'Arcade, siège de France-Navigation, fin août ou dans les tout premiers jours de septembre 1939, alors que le P.C. et ses filiales viennent d'être dissous.

Juste avant de filer en Belgique, Ceretti a fait, imprudemment, un saut au siège de la compagnie maritime où il possède un grand bureau. Il voudrait, raconte-t-il, récupérer ses dossiers, enfermés dans des coffres-forts. Dans le couloir, il rencontre le chauffeur du P.D.G. Fritsch.

« La police est là, souffle celui-ci. Elle procède aux scellés. »

Ceretti s'enfuit. Il l'a échappé belle. Mais les précieux dossiers ? Il raconte que ceux-ci seront « récupérés », de nuit, par Paul Combette et Francine Fromond qui effectuent rue de l'Arcade un hardi fric-frac [1].

Fritsch a moins de chance. L'appareil le laisse-t-il tomber ? En tout cas il est arrêté, et accusé d'avoir livré le Code de la Marine aux Soviétiques. Se retrouver à 70 ans à fond de cale à Mers el-Kébir — la prison maritime est la pire — tandis que les Anglais bombardent la flotte est une rude épreuve. Il s'en tire. Il est acquitté par le tribunal militaire.

Entre-temps France-Navigation a été mise sous séquestre. Mais la jus-

1. *Op. cit.*, pp. 216-217.

tice française recherche vainement les 30 000 actions qui ont disparu, et dont Ceretti, curieusement, ne souffle mot.

Selon ce que je crois savoir [1], ces actions dont Fritsch possédait à titre personnel 1250, et détenait 27 755 autres, ne se trouvaient pas dans les coffres de la rue de l'Arcade mais, avec d'autres pièces comptables, dans sa propriété personnelle de Joué-lès-Tours, enfermées dans deux coffres-forts. Quand il aurait voulu en reprendre possession, il aurait constaté que les coffres étaient vides. Auteurs présumés de ce prélèvement : le chauffeur et une femme.

Que ce soit de la rue de l'Arcade ou de la propriété de Joué-lès-Tours, les actions ont disparu. Elles se seraient retrouvées dans les coffres d'un armateur, Wolf, que Guérin évoque furtivement [2] et dans ceux d'une banque de Rotterdam.

Elles n'y sont pas, croyons-nous, restées longtemps. Elles ont été rachetées, au moins en partie, par un Français au-dessus de tout soupçon.

Pas pour les services allemands qui veulent (pourquoi ?) récupérer ce paquet d'actions. Quarante-huit heures après leur entrée à Paris des représentants de la police allemande vont sonner au domicile du distingué expert auprès du tribunal de commerce, membre du Comité France-Allemagne.

Trop tard, maître R. a quitté Paris dans la voiture du ministre, honni, haï, vitupéré par les communistes. Il roule vers Bordeaux. Sur ses genoux repose la belle serviette de cuir. Et dans la serviette, il emporte un dépôt précieux : la majorité des actions de France-Navigation.

A la même date, approximativement, un homme entre dans cette capitale que chacun déserte. Il s'appelle Tréand.

1. Documentation personnelle.
2. *Op. cit.*, p. 253.

2.

Voie allemande vers le pouvoir

A L'HEURE OÙ TRÉAND ENTRE DANS PARIS, OÙ SONT DONC LES AUTRES dirigeants clandestins?

Frachon a gagné Bordeaux, sans doute au début de juin. Non loin de la grande cité girondine, Tillon se cache dans un ancien moulin. Duclos est plus difficile à « loger ». Dans ses *Mémoires* il assure qu'il n'a pas quitté la capitale et qu'il habite rue de la Verrerie [1]. Mais un témoin raconte qu'il s'est réfugié au Pouliguen chez une dame Geoffroy [2].

Responsable de l'appareil technique, Arthur Dallidet prend la route de l'exode avec sa petite équipe : Jeanjean, Georgette Cadras, Jeanne Têtard, Claudine Chomat. Mais à Saint-Rémy-lès-Chevreuse, il rebrousse chemin. Pourquoi? Les hasards de l'exode tronçonnent son groupe : Claudine Chomat et Jeanne Têtard arrivent à Bordeaux où elles se mettent à la disposition de Frachon et de Danielle Casanova. Puis tout le monde gagne Toulouse, où l'on retrouve Jeanjean et Georgette Cadras [3].

Marcel Paul s'est démobilisé tout seul du côté de la Loire. Le 23 juin, il arrive à Ivry, n'y trouve personne, se replie au Mans.

Gabriel Péri, lui, est resté à Colombes.

N'ont pas quitté non plus la région parisienne, ou y reviennent bientôt : Victor Michaut, Janin (l'homme qui a récupéré le trésor), Jean Jérôme, Villon, Politzer, Hénaff, Cadras, sans qu'on puisse à leur sujet affirmer rien de certain [4].

Tout se passe, en somme, comme si la direction clandestine avait éclaté.

1. *Mémoires*, t. III, 1re partie, p. 52.
2. Cf. Claude Angeli et Paul Gillet, *op. cit.*, pp. 75-78.
3. *Op. cit.*, pp. 28-30.
4. Duclos estime qu'il reste en tout dans la région parisienne 180 à 200 militants clandestins.

Dans quel dessein ? On ne discerne rien de cohérent dans cette dispersion. Pourquoi Frachon gagne-t-il Bordeaux ? Pourquoi Duclos reste-t-il
à Paris ou va-t-il s'abriter au Pouliguen ? Dans leurs souvenirs, les communistes, Duclos en tête, sont sur ce point comme sur bien d'autres singulièrement avares de détails et de précisions. Il y a certainement quelque chose
qui les gêne.

Quoi ? Peut-être, tout bonnement, l'aveu que, emportés par la panique
générale, ils ont fui au lieu d'occuper leur poste de combat révolutionnaire [1].

Le parti doit « coller » aux masses. Les masses, en ce mois de juin, sont
sur les routes. Mais s'abandonner à leur flot ne mène nulle part.

Paris, en revanche, conserve sa situation de lieu privilégié, où se fait
l'histoire de France. Pourquoi les chefs communistes ont-ils déserté Paris ?

La logique de leur action, son couronnement, en ce mois de juin bouleversé, c'est, à la faveur de la débacle, *la prise du pouvoir*.

Les dirigeants clandestins du P.C.F. peuvent ici s'inspirer d'un schéma
qui leur sert de modèle : l'action des bolcheviks en 1917. Après des mois
d'action défaitiste au sein des armées russes, les bolcheviks ont renversé à
Petrograd le gouvernement « défensiste » de Kerensky, avant que les Allemands qui la menacent n'occupent la ville.

Si l'on applique ce schéma à la situation française en 1940, les communistes devraient tenter de constituer un gouvernement populaire à Paris,
en profitant de la défaite, soit par une mutinerie des troupes au début du
mois de juin, soit par un coup de force, dans le bref intervalle qui sépare
leur retraite de l'entrée de la Wehrmacht. Le nouveau pouvoir révolutionnaire suivrait alors l'exemple de Lénine en 1918 : il signerait la paix,
comme à Brest-Litovsk.

Compte tenu des différences de situation, ce schéma est-il applicable
en France ? On trouve, en tout cas, une ébauche de ce plan dans un article
de Thorez, visé assurément par le Komintern, et publié dans *L'Humanité*
du 25 avril. Il y est dit clairement qu'il faut chasser le gouvernement des
Pitt et Cobourg (c'est-à-dire soumis à l'impérialisme britannique) et lui
substituer un gouvernement populaire qui, fort de l'amitié soviétique, fera
la paix immédiate.

Ces mots d'ordre sont largement repris pendant la campagne de France.
Dans *L'Humanité* du 17 mai, par exemple, figure un éditorial où l'on réclame,
en conclusion « un gouvernement de paix s'appuyant sur les masses populaires, prenant des mesures contre la réaction, un gouvernement qui
s'entende sans délai avec l'Union soviétique pour le rétablissement de la
paix générale dans le monde [2] ».

Vers la même époque apparaissent les mots d'ordre de « Thorez au
pouvoir ».

Le parti communiste proclame donc sa volonté de renverser le gouverne-

2. Voir plus loin.
1. Cf. Rossi, *op. cit.*, p. 282.

ment et de lui substituer un pouvoir révolutionnaire. Les intentions sont claires. La réalisation malaisée.

Contrarie l'exécution de ce plan : la rapidité de la défaite. Elle oblige à brûler quelques étapes. Le front s'écroule trop vite pour que l' « Agit Prop » et le noyautage disposent du temps nécessaire à une prise de conscience des unités, pour la transformation de la guerre impérialiste en guerre civile, pour la constitution à l'intérieur de l'armée française d'une contre-armée bolchevique comme en 1917, en Russie.

Il y a bien chute brutale du moral de l'armée, débandade, et finalement débâcle. Mais l'étendue d'une panique qui englobe les populations civiles, l'accélération du reflux qui brise les liaisons, empêchent cette crise de se muer en insurrection.

En 1917, sur le front français, les mutineries qui éclatèrent n'eurent pas de conséquences révolutionnaires, faute d'une direction capable de les exploiter. En 1940, cette direction existe, mais les événements vont trop vite pour qu'elle ait prise sur eux.

En fin de compte, elle abandonne la partie, prend la clé des champs, et rate un rendez-vous avec l'Histoire.

Le Komintern : « Ne pas quitter Paris... »

Pourtant, il semble bien que le Komintern ait donné d'autres consignes. Aussitôt après l'armistice, fin juin ou début juillet, est diffusée une instruction réservée aux cadres du parti, qui constitue une première analyse de la situation au lendemain de la défaite. Ce document comporte ce bref passage :

« En France, nous devons déplorer des fautes politiques. La radio soviétique — le Komintern — avait donné aux militants parisiens le mot d'ordre suivant : *Ne pas quitter Paris, quoi qu'il arrive* (souligné dans le texte).

« *L'Humanité* devait paraître, légalement, aussitôt l'entrée des troupes allemandes, qui se seraient trouvées devant le fait accompli. La copie était prête, mais le personnel faisait défaut [1]. »

L'accusation est nette : des fautes ont été commises; les militants ne sont pas restés sur place, *c'est-à-dire avant tout les dirigeants*. Contrairement aux consignes du Komintern. Si celui-ci leur assigne d'être présents dans la capitale, ce n'est peut-être pas uniquement dans le seul dessein de faire reparaître *L'Huma*, mais pour tenter une opération plus vaste qui pouvait être, après le repli du gouvernement à Bordeaux, la création d'une commune populaire.

Ici se place l'incident Thorez.

La crainte d'une tentative communiste obsède les dirigeants français. Elle leur semble correspondre à une certaine logique révolutionnaire. C'est dans ce climat que, dans la soirée du 13 juin, au Conseil des ministres

1. Rossi, *Physiologie du Parti communiste français*, pp. 395-402.

tenu à Cangé, le généralissime Weygand fait état d'une nouvelle alarmante, transmise par un officier du ministère de la Marine : Thorez et les communistes se sont installés à l'Élysée.

Au Conseil des ministres, on s'alarme, on tente d'obtenir une confirmation. Le ministre de l'Intérieur, Mandel, appelle au téléphone le préfet de police Langeron. Celui-ci dément en ces termes :

« Il n'y a pas d'incidents à Paris, et il n'y en aura pas. Les communistes ne bougent pas. Personne ne bouge. Thorez n'est pas à Paris et il n'y a à l'Élysée que les gardes municipaux que j'y ai placés et qui, je vous l'assure, ne le laisseront pas envahir [1]. »

Pendant longtemps, l'information donnée par Weygand a été considérée par nombre d'historiens comme une tentative « d'intoxication », faite pour hâter la conclusion de l'armistice.

Nouvelle erronée, peut-être, mais non point fausse nouvelle délibérément forgée par le général en chef, comme l'ont soutenu certains. En publiant deux documents, M. Pierre Bourget vient en effet de ranimer la controverse.

Bourget révèle les sources d'information de Weygand. Il s'agit du lieutenant de vaisseau Honorat. Le 13 juin, à 18 h 30, du ministère de la Marine à Paris où il se trouve encore, le lieutenant a adressé à l'Amirauté française, repliée à Montbazon, le message suivant :

« Un lieutenant de gardes mobiles vient de m'informer que les Allemands doivent faire leur entrée dans Paris demain vendredi 14 juin.

« Les forces de police, gardes mobiles, gardes républicains, ont été désarmées par ordre du gouvernement et doivent aller saluer les troupes allemandes à leur entrée dans Paris.

« M. Maurice Thorez s'installera à l'Élysée. »

Réponse de l'Amirauté :

« Allez vérifier vos renseignements auprès du gouverneur militaire de Paris. »

Lieutenant de vaisseau Honorat :

« Le gouverneur militaire a quitté Paris ce matin. »

Amirauté :

« Allez vérifier près de la préfecture de police. »

Un peu plus tard, Honorat téléphone que la préfecture de police a confirmé les renseignements précédents.

Ultérieurement le lieutenant de vaisseau dans une « note cursive sur les événements du 13 juin 1940 », confirme l'envoi de son message. Il témoigne que, dans le courant de l'après-midi du 13, entre environ 15 h et 16 h 30, il s'est rendu, à la demande de l'amiral Le Luc, chez le préfet de police pour lui demander des explications, parce que deux gardiens de la paix étaient venus occuper le ministère de la Marine, en attendant l'arrivée des Allemands.

« Mais qu'est-ce que vous faites à Paris ? — s'étonne Langeron. Il n'y a

1. Langeron, *Paris, juin 1940*, p. 37.

plus aucun officier ici et les Allemands sont aux portes. On parle d'un gouvernement provisoire présidé par Thorez qui se forme à l'Élysée. J'ai fait occuper tous les ministères par des gardiens désarmés jusqu'à l'arrivée des troupes allemandes. »

Telle est donc, si l'on en croit Honorat, la source de l'information qui, transmise à Cangé, bouleverse le Conseil des ministres : *le préfet de police en personne*, qui ne peut guère tenir ce renseignement que de ses services.

Ce témoignage se trouve confirmé par celui du docteur Gautier, médecin de la Marine, qui a accompagné le lieutenant de vaisseau chez le préfet.

« Au cours de cette conversation à bâtons rompus qui dura cinq à dix minutes et sans qu'on lui demande quoi que ce soit, M. Langeron nous déclara : " Je ne pense pas pour ma part, en avoir pour longtemps ici, puisque Thorez va s'installer à l'Élysée. "

« Je ne saurais préciser si M. Langeron nous a déclaré que " Thorez devait prendre le pouvoir à l'Élysée " ou bien " constituerait un gouvernement à Paris ". »

Comment expliquer alors que, quelques heures plus tard, le même Langeron oppose un démenti vigoureux à Mandel, au point de s'exclamer :

« Qui a pu vous dire cela ? Comment a-t-il pu vous dire cela ? Le personnage dont vous parlez (Weygand) a été victime, je veux le croire, d'une machination, etc. »

Contradiction flagrante. Pour la résoudre, Pierre Bourget « hasarde », selon ses propres termes, l'explication suivante : avant de s'entretenir avec ses deux visiteurs, Langeron a bien reçu, parmi d'autres, l'information « Thorez à l'Élysée ». Mais elle a été démentie aussitôt après leur départ. Quand Mandel l'appelle, le préfet ne lui communique que le démenti, de crainte de paraître colporter des bobards, à une époque où ils courent les rues [1].

Psychologiquement, l'explication de Bourget se tient. Elle laisse toutefois entière la réponse à cette question : à supposer que l'information ait été transmise à Langeron par les R.G., avait-elle un fondement [2]?

---

1. Sur cette affaire, voir le récit minutieux de Pierre Bourget : « Thorez à l'Élysée » in *Le Monde* du 21 juillet 1972.

2. Un policier qui tient à garder l'anonymat — et qui appartint à la préfecture de police à l'époque de ces événements — fait à ce sujet les plus expresses réserves, qui nous ont été communiquées par un tiers. Selon lui, il est absolument certain que cette information n'émane pas de la 1re section des R.G.

Baillet, chef de service de l' « Information », et le chef du cabinet de Langeron, Simon, n'auraient jamais laissé passer une telle assertion sans en vérifier d'abord l'authenticité. « Or, ajoute-t-il, à ce moment-là, nous n'en avons pas eu connaissance. Au surplus, nous savions Thorez à Moscou, depuis plusieurs mois déjà, et nous n'aurions pas transmis une telle assertion. »

Toujours selon la même source, il reste une faible possibilité pour que l'inspecteur C., connu pour son goût des nouvelles sensationnelles, ait communiqué directement celle-ci au préfet.

Cette opinion, étant donné les conditions dans lesquelles elle est transmise, n'a pas toutefois le même poids que les témoignages d'Honorat et de Gautier.

Il n'existe aucun indice qui permette d'affirmer que Thorez ait été, à cette date, présent en France ou en Suisse, c'est-à-dire à même de gagner rapidement la capitale. S'il se trouve déjà à Moscou, son retour est hors de question, car ce déplacement passe par une négociation avec les Allemands. Et ceux-ci n'ont aucun motif d'autoriser le retour d'un homme dont la présence poserait de sérieux problèmes politiques avec Vichy.

Mais il est possible que la formule « Thorez à l'Élysée » soit une extrapolation du mot d'ordre diffusé par la littérature clandestine communiste : « Thorez au pouvoir ».

En revanche, il n'est nullement exclu que le Komintern ait — avec ou sans Thorez — envisagé la formation d'un pouvoir révolutionnaire à Paris. Il serait même surprenant que des projets n'aient pas été ébauchés en ce sens : l'occasion ne se représenterait pas de si tôt. Si l'on songe que la présence dans les ministères de gardiens de la paix *désarmés* était, somme toute, symbolique, il aurait suffi, le 13 juin, de très peu de forces pour prendre le pouvoir.

Ces forces n'ont pu être rassemblées (peut-être la tentative de Madeleine Marzin avait-elle cet objectif?). L'éparpillement de la direction clandestine ruinait toute tentative sérieuse. On peut même se demander si cette dispersion n'a pas été provoquée par la peur d'agir.

Lorsqu'on tente de reconstituer les mobiles des uns et des autres, on ne doit pas oublier que dans cette période de fièvre, les événements se succèdent à un rythme rapide. Le général Hering commence par proclamer à la radio que Paris sera défendu et qu'on se battra, maison par maison. Puis Hering est remplacé par Dentz, qui déclare Paris ville ouverte.

Si la résistance s'organise avec la participation des civils, alors la guerre risque de se prolonger. La chute de Paris est inévitable, mais elle peut donner le temps à une organisation révolutionnaire résolue de provoquer une mutinerie parmi les troupes qui vont défendre Paris et d'instituer un gouvernement provisoire.

Pour mener ce plan à bien, il faudrait, dans la capitale, une direction révolutionnaire. Or, semble-t-il, c'est au moment où Hering appelle aux armes que Frachon décampe vers Bordeaux (vers le 9 ou le 10 juin).

C'est peut-être une simple coïncidence. Elle est troublante.

Démarches pour L'Humanité

Quelqu'un, en tout cas, est à son poste et ne perd pas son temps, c'est Maurice Tréand.

Son objectif est plus modeste, mais important : faire reparaître légalement *L'Humanité*.

Tréand, qui revient du Nord, sait qu'en Belgique occupée l'organe du P.C. belge a reparu. Sortis de la clandestinité, certains communistes occupent ouvertement des fonctions dans des municipalités ou des institutions.

Tréand voudrait suivre cet exemple. Il ne peut s'agir de sa part d'une initiative personnelle. Responsable de la section des cadres, il a évidemment l'appui du Komintern, il ne lui est pas difficile d'obtenir l'approbation de l'ambassade soviétique à Paris, puisque Reynaud a rétabli des liens diplomatiques avec l'U.R.S.S. L'opération, si elle réussit, a une grosse importance : *L'Humanité* serait le seul journal français à informer les Parisiens. Dans le vide politique créé par la débâcle, le P.C.F. apparaîtrait comme la seule force qui subsiste.

Telle est, du moins, la consigne donnée par le Komintern et dont nous trouvons le reflet dans le document que nous avons déjà cité [1].

« *L'Humanité* — est-il dit dans ce texte — devait paraître légalement aussitôt l'entrée des Allemands, qui se seraient trouvés devant le fait accompli. La copie était prête, mais le personnel faisait défaut. »

Les typos communistes sont en effet sur les routes de l'exode. Puisque *L'Humanité* n'a pas pu reparaître aussitôt, pour des motifs techniques, il reste à Tréand à solliciter le visa des autorités allemandes.

Tréand, semble-t-il, n'effectue pas la démarche en personne. Il confie cette tâche à Denise Ginollin, qui a travaillé avant guerre comme permanente à la fédération des Jeunesses communistes en qualité de dactylo. Denise, Suzanne Schrodt et Valentine Grunenberger constituent la petite équipe féminine que manipule Tréand.

Le 17 et le 18 juin, Denise Ginollin se rend à la section de presse de la Kommandantur, 12 boulevard de la Madeleine. Elle est reçue par le lieutenant Weber, à qui elle expose son projet. Le lieutenant Weber donne son accord. Bien entendu, le texte des articles devra lui être soumis [2].

La première partie de l'opération — l'accord allemand — est faite. La seconde — la rédaction des articles — est aussi accomplie (on ne sait par qui la copie fut rédigée). Reste à faire exécuter l'impression. Dangon en accepte le principe.

C'est Valentine Grunenberger qui va s'en charger. Tréand connaît depuis des années cette militante qui appartient certainement à l'appareil du Komintern. Il va la retrouver dans le petit appartement qu'elle occupe, 75 rue du Faubourg Saint-Martin.

« Nous allons tenter, lui dit-il, de faire reparaître *L'Humanité*. Voilà 60 000 francs pour les frais d'impression [3]. »

Quelques jours plus tard, le 20 juin dans l'après-midi, un homme attend Valentine près du café du Croissant où fut tué Jaurès. Valentine arrive, un paquet sous le bras. C'est la copie pour Dangon, qui a reçu 50 000 francs d'avance.

Tout est prêt. *L'Humanité* paraîtra le lendemain.

Au dernier moment, tout échoue, à cause de la police française.

1. Instructions aux cadres du P.C.F. après l'armistice.
2. Cf. procès-verbal de la déposition de Denise Ginollin devant le commissaire Lafon, lu à l'Assemblée nationale par Pierre de Chevigné, le 9 décembre 1947 (*J.O.* du 10).
3. Angeli et Gillet, *op. cit.*, p. 62.

Il s'agit de la P.J. D'ordinaire les activités communistes relèvent des Renseignements généraux.

Les inspecteurs de la P.J. surveillent les abords des bureaux allemands. Depuis quelques jours, ils ont repéré les allées et venues de militantes communistes fichées.

En pareil cas, les R.G. ont pour habitude de laisser se développer une affaire jusqu'à ce qu'ils en connaissent tous les tenants et aboutissants. La P.J., elle, mène l'opération comme un flagrant délit.

Le 20 juin 1940, les inspecteurs arrêtent Denise Ginollin, Suzanne Schrodt et Maurice Tréand, qui sont en train de se concerter près de la station de métro Saint-Martin [1].

Le même soir, Valentine Grunenberger est cueillie à son domicile [2]. C'est un dimanche. Tout le monde couche au dépôt.

Tout le monde est interrogé le lendemain par le commissaire Lafon. Sur Denise Ginollin, les inspecteurs ont trouvé la copie du journal et un *Ausweiss* (laisser-passer) pour la Kommandantur, signé du lieutenant Weber. Elle ne fait aucune difficulté pour reconnaître les faits.

« Il est tout à fait exact — peut-on lire dans sa déposition — qu'avec deux camarades, Mme Schrodt et M. Tréand, j'ai songé à faire paraître régulièrement *L'Humanité*. Nous avons eu cette idée lorsque nous avons vu publier divers journaux tels que *Le Matin* et *La Victoire* [...] J'ai été reçue par le lieutenant Weber, etc. [3] »

Dans sa déposition, Tréand confirme ces propos et prend sur lui la responsabilité de ces démarches.

L'intervention-éclair de la police française a donc fait échouer une publication imminente. A vingt-quatre heures près.

Tréand est écroué à la Santé. Les deux femmes à la Roquette. Sur réquisitoire du procureur Frette-Damicourt une instruction est ouverte et confiée au juge Pihier.

Tréand ne s'en tracasse pas trop. Au dépôt, il a eu l'occasion de rencontrer ses deux camarades et de les rassurer.

« Tout va s'arranger », assure-t-il [4].

Tout s'arrange, en effet, dès le 25. Ce jour-là, l'heureux destin porte l'uniforme de la Wehrmacht. Il porte aussi un nom prédestiné : Fritz, conseiller supérieur auprès de l'administration militaire allemande. Celui-ci se présente à la Santé et à la Roquette et exige que les détenus soient aussitôt libérés.

« J'ai l'honneur, écrit le directeur de la Santé au juge Pihier, de vous rendre compte que le nommé Tréand Maurice-Joseph, écroué le 22 juin 1940, ... a été mis en liberté ce jour, par ordre verbal de M. Fritz [5]... »

---

1. Cf. Rossi, *Physiologie du Parti communiste français*, pp. 404-405.
2. Angeli et Gillet, *op. cit.*, p. 63.
3. Déposition lue le 9 décembre 1947 à l'Assemblée nationale par de Chevigné.
4. Cf. Angeli et Gillet, *op. cit.*, p. 64.
5. Cf. Documentation sur le communisme, fiche 95.

Dès la sortie de Tréand, les négociations reprennent avec le même objectif.

Elles se déroulent toutefois dans un climat nouveau. Il y a désormais un contentieux à ce sujet, entre les autorités militaires et Vichy. La reparution légale de *L'Humanité* a failli être un fait accompli, accordé, semble-t-il, par un sous-ordre, avant même la signature de l'armistice. Désormais, elle apparaîtrait comme un acte politique délibérément hostile à Vichy.

On voit bien que les choses prennent un autre caractère, puisque Tréand n'est plus seul pour solliciter l'autorisation. Il est appuyé par le député communiste Jean Catelas, et par maître Foissin, avocat du barreau de Paris, qui, au début des années 20, défendait déjà les jeunes communistes devant les tribunaux, et qui est en relations étroites avec l'ambassade soviétique.

Tous trois adressent au conseiller d'État allemand, Turner, une lettre datée du 25 juin (mais écrite en réalité le 26, puisque Tréand n'a été libéré que la veille). En voici les passages principaux :

« Comme suite à la conversation que nous avons eue ce matin, nous tenons à vous préciser les préoccupations qui sont les nôtres [...]

« [...] Nous, communistes, nous avons été les seuls à nous dresser contre la guerre, à demander la paix à une heure où il y avait quelque danger à le faire [...]

« Il y a un journal qui est capable d'inspirer confiance au peuple parce qu'il a été interdit par le gouvernement des fauteurs de guerre. Ce journal, c'est *L'Humanité*, bien connu comme organe central du parti communiste français.

« *L'Humanité*, publiée par nous, se fixerait pour tâche de dénoncer les agissements des agents de l'impérialisme britannique qui veulent entraîner les colonies françaises dans la guerre [...] Elle se fixerait pour tâche de poursuivre une politique de pacification européenne et de défendre la conclusion d'un pacte d'amitié franco-soviétique qui serait le complément du pacte germano-soviétique [1]. »

Le 27 juin, maître Foissin porte ce document au conseiller Turner. Celui-ci en adresse le lendemain une copie au gouverneur militaire de Paris, avec ses commentaires qui se terminent sur cette phrase :

« Foissin, Tréand et Catelas demandent une entrevue avec la personnalité compétente de l'administration militaire [2]. »

On ignore toujours si cette entrevue a eu lieu ou non. C'est cependant vraisemblable, si l'on considère que du côté allemand on envisagea d'abord l'autorisation, sous condition que *L'Humanité* se présente sans la mention « Organe central du Parti communiste » et privée du sigle de la faucille et du marteau. Les porte-parole communistes refusent ces amputations, et envisagent un moment, en contrepartie, de faire reparaître *Ce Soir* [3].

Le doute subsiste également sur le, ou les auteurs véritables de la lettre

1. Cf. Ceyrat, *La Trahison permanente*, pp. 94-95.
2. Cf. Édouard Daladier, *Réponse aux chefs communistes*.
3. *Physiologie..*, op. cit., p. 18.

au conseiller Turner. Comme Foissin, un des signataires, est en liaison avec l'ambassade soviétique, il est logique de penser que ce document fut au moins soumis à la ratification des Russes. Lecœur, pour sa part, croit y reconnaître la marque personnelle de Duclos [1]. Argument à vrai dire assez faible, car un texte rédigé par un Duclos ou un Thorez est tout de même moins identifiable que celui d'un Chateaubriand ou d'un Stendhal. Et puis la présence de Duclos à Paris à cette date est, nous l'avons vu, hypothétique.

On ne peut, en tout cas, rejeter sur le seul Tréand, pris comme bouc émissaire, la responsabilité des démarches auprès des Allemands. Ceretti lui-même souligne qu'il n'a « aucune autonomie politique », sa fonction à la section des cadres l'y astreint : il exécute les consignes. Son visage parle pour lui. Moustachu, il ressemble à un comptable. Imberbe, il a l'air d'un V.R.P. du communisme. Ses traits, coulés dans le béton, ne dénotent rien d'autre qu'une obstination massive. On peut compter sur cet homme. On ne saurait en attendre d'initiative.

L'initiative à qui revient-elle en fin de compte ?

Dans la phase des démarches entreprises en juin, il est difficile d'imaginer que Clément, en coulisse, ne soit pas intervenu.

Abetz de son côté affirme dans ses *Mémoires :*

« Quelques semaines après l'occupation de la capitale française, de très hautes personnalités du Parti communiste français, interdit par décret du gouvernement, vinrent à maintes reprises me rendre visite à l'ambassade. Ils sollicitaient une intervention allemande pour la libération des communistes emprisonnés par Daladier, et pour obtenir, des services d'occupation, l'autorisation de faire reparaître leur quotidien [2]. »

Ce texte montre que les communistes, en dépit de l'échec de Tréand, n'ont pas renoncé. Qui, en juillet-août, aurait fait ces démarches ? Abetz ne donne pas de noms. Le terme de « hautes personnalités » ne peut guère s'appliquer qu'à des membres du secrétariat, du Bureau politique, à la rigueur du Comité central.

On a cru longtemps que la tentative de faire reparaître légalement *L'Humanité* était un épisode sans suite — limité à cette période de la fin juin 1940. En réalité, les communistes n'ont jamais renoncé complètement.

Il apparaît même qu'ils ont fait de nouvelles tentatives en automne 1940 [3].

Mésaventures d'un « typo », précieuses pour l'historien

On en trouve la trace dans deux procès-verbaux du comité syndical de la Chambre syndicale typographique parisienne, datés du 14 et du 21 octobre 1944 qui relatent un curieux et savoureux incident.

1. *Le Parti communiste français et la Résistance*, pp. 76-77.
2. Art. de Ferdinand, p. 227.
3. Cf. Charbit, in *La Révolution prolétarienne*, octobre 1970.

Le 14, ce comité examine le cas d'un ouvrier typographe, un certain Oudot, frappé de quinze jours de suspension de travail par la commission d'épuration pour être allé volontairement travailler en Allemagne sous l'occupation. L'épuré réagit. Pourquoi s'en est-on pris à lui seul? « Il fait allusion — peut-on lire dans le procès-verbal — à une démarche qu'il a vu accomplir par Ballu et par Raveau, en octobre 1940, à la Propaganda Staffel, 52, avenue des Champs-Élysées, et considère ne pas être plus fautif que ces deux camarades. »

« Ballu n'est pas du tout de cet avis. Il (Ballu) déclare que la démarche dont Oudot était le témoin était faite dans le but de demander aux autorités allemandes l'autorisation de faire paraître des journaux amis. »

Le 21 octobre, l'affaire revient sur le tapis. Ballu, nullement gêné, donne de nouvelles preuves qu'il était là en mission, puisque... « la démarche faite pour l'autorisation de paraître de deux journaux *(L'Humanité* et *La Vie ouvrière)* l'a été, à l'instigation de l'Union des Syndicats clandestins, par ses secrétaires Hénaff et Vonet ».

Oudot n'a pas été fameusement inspiré en évoquant la démarche du communiste Ballu. Ce rappel inopportun lui vaut un mois de suspension au lieu de quinze jours. Ce qui démontre qu'on peut être en même temps typographe et lampiste.

L'historien, en revanche, lui saura gré d'une rouspétance précieuse. Elle permet d'établir que quatre mois après l'armistice, non seulement le projet de reparution de *L'Humanité* n'est pas abandonné, mais qu'on espère bénéficier du même visa pour *La Vie Ouvrière*. On voit, en outre, que les dirigeants syndicaux, qui opèrent dans une semi-clandestinité, ont pris le relais des politiques.

Pourquoi, en fin de compte, ces tentatives répétées ont-elles échoué? La réponse figure certainement (ou a figuré) dans les archives allemandes. Aucun texte sur ce sujet brûlant n'a été retrouvé. Aucun témoin allemand n'a parlé [1].

Les communistes : « Ce sont des faux ! »

Sautons sept ans. Nous sommes le 6 décembre 1947 à l'Assemblée nationale. Dressés à leur banc, les députés communistes hurlent. L'objet de leur fureur est leur collègue M.R.P. de Chevigné. Dans une interpellation, hachée par les cris de haine, celui-ci est en train de narrer la fameuse démarche de Tréand, Schrodt et Ginollin.

Daladier a déjà eu l'occasion de le faire. M. de Chevigné apporte toutefois des preuves nouvelles : les procès-verbaux des interrogatoires effectués par les policiers français, dont nous avons cité des extraits.

---

1. Nous ne savons ce que sont devenus le lieutenant Weber et le conseiller Turner. Le policier allemand Boemelburg, qui est arrivé à Paris aussitôt après l'entrée des troupes allemandes, connaissait au moins certains aspects de cette question.

Jules Moch, ministre de l'Intérieur, s'emploie à briser la vague de grèves insurrectionnelles que les communistes ont lancées dans tous le pays. Depuis plusieurs jours, les débats sont d'une violence inouïe. C'est dans ce climat que les communistes répondent aux accusations dont ils sont l'objet. Ils nient tous. Ils nient tout. Dans un discours criblé d'interruptions et de cris, de Chevigné donne lecture de la déposition de Denise Ginollin. Au milieu d'un terrible tumulte, on entend le député modéré Robert Bruyneel qui interroge :

« Est-ce vrai ou n'est-ce pas vrai ? »

M. Marcel Servin : « M. de Chevigné lui-même sait que ce n'est pas vrai ! »

M. Arthur Ramette : « On a mis deux ans pour fabriquer un faux. »

M. Jacques Duclos : « Tout cela est une affaire de police et de « flics ». »

M. Roger Roucaute : « Cela sent la " flicaille " ! »

M. Fernand Grenier : « Je n'ai pas l'intention de refaire un roman feuilleton. Je veux simplement indiquer en premier lieu que *L'Humanité* n'a jamais paru... » *(Exclamations et rires à droite et au centre.)*

M. Robert Bruyneel : « Oui ou non, Mme Ginollin a-t-elle fait les démarches dont on a parlé ? »

M. Marcel Servin : « Non, vous le savez bien. »

M. Eugène Duvernois : « C'est du roman policier. »

M. Georges Cogniot : « C'est du Jules Moch [1] ! »

Deux jours plus tard, au cours de la deuxième séance du 11 décembre, Mme Ginollin demande la parole pour répondre aux accusations de Pierre de Chevigné : elle dit qu'elle a été arrêtée en effet en 1940 « comme militante communiste pour mon activité illégale au service de mon pays depuis 1939 » par la police française qui, selon elle, agissait pour le compte de la police allemande. Elle s'étend longuement sur le fait qu'elle a été arrêtée en 1943 et déportée à Ravensbrück, ce qui est d'ailleurs exact. Elle nie avec violence avoir été libérée par la Gestapo [2]. Elle proteste :

« ... Je répète que les documents que vous utilisez, M. de Chevigné, sont des faux dignes des officines de la Gestapo. *(Applaudissements à l'extrême gauche.)* Tous ont été fabriqués pour la mauvaise cause que vous servez aujourd'hui... Vous en êtes réduit à l'insulte et à l'utilisation de faux policiers. »

M. Pierre de Chevigné : « Je demande la parole. »

A l'extrême gauche : « Policier ! Flic ! Gestapo ! »

M. Yves Péron : « Silence à ceux auxquels la Gestapo a fait ses confidences ! Nous n'avons pas reçu les confidences de la Gestapo ! »

A l'extrême gauche : « Vous êtes un calomniateur, M. de Chevigné. » *(Rires et exclamations au centre et à droite.)*

M. Yves Péron : « Recevoir les confidences de la Gestapo, c'est un cas d'intelligence avec l'ennemi. C'est le vôtre, M. de Chevigné ! »

---

1. *J.O.*, pp. 5563-5564.
2. Formellement, c'est exact. Il n'y a pas de Gestapo à Paris en juin 1940. Denise Ginollin a été libérée par la Wehrmacht.

M. Ambroise Croizat : « Il lui appartient bien, ainsi qu'à son ami Jules Moch, de nous donner des leçons ! »

M. Roger Roucaute : « Entre flics on se comprend [1] ! »

C'est en vain que de Chevigné propose que l'affaire soit portée devant la justice, où Mme Ginollin et Maurice Tréand pourraient le poursuivre. Pour toute réponse, il n'obtient qu'une nouvelle bordée d'injures : « A Cayenne ! Calomniateur ! Flic ! Confident de la Gestapo [2] ! »

Treize ans plus tard, le ton a beaucoup baissé. Germaine Willard évite de parler des démarches de Tréand et de Denise Ginollin pour faire reparaître *L'Humanité*. Une phrase lui suffit pour dire que « des sanctions sont prises contre certains militants (qui ?) tombés dans les pièges de l'ennemi [3] ».

C'est un modèle de narration cursive.

Encore dix ans, et Jacques Duclos à son tour aborde dans ses *Mémoires* cet épisode délicat.

« Dans ce climat, écrit-il, des camarades animés sans aucun doute de bonnes intentions et qui, par la suite, se battirent courageusement contre les occupants, pensèrent que la presse du parti pourrait paraître légalement, puisque aussi bien d'autres journaux étaient publiés. Ils firent donc des démarches en ce sens. La direction du parti désavoua ces démarches et les auteurs reconnurent leurs erreurs.

« Mais le parti fut par contre amené à exclure deux adhérents qui avaient eu dans cette affaire des préoccupations tendant à nuire au parti dans l'intérêt des occupants hitlériens et des traîtres de Vichy [4]. »

C'est tout. Les faits restent noyés dans un brouillard pudique. En tout cas, on ne les nie plus. La tentative pour faire reparaître *L'Humanité* — les communistes le reconnaissent aujourd'hui — a bien eu lieu. Jacques Duclos 1970 réfute Jacques Duclos 1947.

A la reparution manquée de *L'Humanité* légale, il faut rattacher deux événements, l'un incontestable, le second bien plus obscur.

Les autorités allemandes ne se contentent pas de faire relâcher Tréand et ses camarades, elles libèrent de nombreux militants et militantes communistes, internés ou condamnés par le gouvernement français. Ils comparaissent en général devant une petite commission allemande, qui visite les prisons et, à la question : « Pourquoi avez-vous été arrêtés ? », il leur suffit de répondre : « Parce que nous avons défendu le pacte germano-soviétique », pour être aussitôt remis en liberté.

Dans la lettre adressée au conseiller Turner, Tréand, Catelas et Foissin réclament en effet la libération des communistes emprisonnés. Ils demandent aussi que soient rétablis dans leurs fonctions maires et conseillers

---

1. *J.O.*, p. 5623.
2. *J.O.*, p. 5624.
3. *Op. cit.*, p. 102.
4. *Op. cit.*, t. III, 1re partie, p. 55.

communistes déchus de leur mandat en raison de leur attitude défaitiste [1].

« La France au travail »

L'apparition à la place de *L'Humanité* du quotidien *La France au travail*,
dont le premier numéro paraît le 30 juin, pose, elle, un problème. Mi-feuille
d'extrême droite, mi-*Humanité* ersatz, ce journal n'a-t-il pas été, du moins
dans sa première version, une sorte de subsitut d'un quotidien communiste
qui ne pouvait plus paraître? Le ton, la mise en pages rappellent parfois
ceux de la presse communiste. On y trouve des articles réclamant que
justice et liberté soient rendues aux dirigeants et aux militants du parti
qui ont lutté contre la guerre.

Quand on se reporte à la collection de *La France au travail* dans cet été
1940, on ne découvre, à vrai dire, *qu'un article* qui semble manifestement
d'inspiration communiste. Il s'agit de la lettre d'un groupe (anonyme)
d'ouvriers qui est publiée en première page dans le numéro 1 (30 juin).
On y lit : « Les hommes qui eurent le courage de demander la paix dès
septembre 1939 furent odieusement attaqués, persécutés, emprisonnés... »
On y réclame ensuite : 1. La libération de tous les communistes emprisonnés pour avoir défendu la paix; 2. La mise en accusation et le jugement
de tous ceux qui ont poussé la France à la guerre; 3. La confiscation de
tous les bénéfices de guerre et un prélèvement massif sur les grosses for-
tunes; 4. La remise en activité de toutes les usines, y compris celles dont
les propriétaires sont défaillants (thèmes qui seront repris par la presse
clandestine communiste).

Un encadré exalte l'attitude des députés communistes en 1939.

Mais on trouve aussi dans les numéros suivants quelques articles de
Juliette Goublet [2]. Avocate, elle aurait participé comme son confrère
Picard à la création de *La France au travail*. Tous deux, pendant la « drôle
de guerre », ont défendu des inculpés communistes. Sur un ton passionné,
Juliette Goublet évoque les violences que leur ont infligées, dit-elle, les
policiers, et critique âprement les juges civils ou militaires qui ont eu à
connaître des affaires communistes.

Ces articles traduisent-ils la réaction affective d'une femme sensible au
destin de ses clients? Ou bien Juliette Goublet est-elle une « hors cadres »
qui mène à *La France au travail* une mission pour le compte du parti? (saper

---

1. Angeli et Gillet, *op. cit.*, racontent certaines de ces libérations. Un des épisodes
met en scène un libérateur qui, bien qu'officier de la Wehrmacht, est en réalité un membre
clandestin du P.C. allemand, agissant en liaison avec un membre de l'appareil du P.C.
français. Le fait est peut-être exact, mais il serait assurément ridicule de faire croire que
les communistes français ont été délivrés par leurs frères du P.C. allemand, outrepassant
les instructions de la Wehrmacht. Pareille initiative aurait été en effet pour eux l'occasion
de se faire repérer.

2. Notamment des 22, 26, 29 juillet et 13 août 1940.

la police et la justice anti-communistes). On ne saurait trancher. Mais il apparaît que Juliette Goublet a été l'avocate de Pierre Georges (le futur colonel Fabien), et qu'elle a défendu un des frères Rambaud. Fabien et Rambaud appartiennent l'un et l'autre à l'appareil clandestin, et on peut se demander si leurs dossiers peuvent être confiés à une avocate en qui ils n'auraient pas toute confiance.

On comprend en tout cas une des raisons pour lesquelles la presse communiste observera plus tard un silence total, chaque fois que ses adversaires évoqueront le sabotage des frères Rambaud. Juliette Goublet assure que le jeune Rambaud qu'elle eut à défendre était innocent. Pour continuer à soutenir cette thèse, les communistes devraient se référer au témoignage de son avocate, et après sa collaboration à *La France au travail*, elle est devenue impossible à montrer, Juliette !

La France au travail a été dirigée par un Suisse du nom d'Oltramare, dit Dieudonné, très lié dans son pays aux milieux nationaux-socialistes. Sa signature apparaît pour la première fois le 15 juillet. Revenu dans son pays sous l'occupation, ou à la Libération, il y est mort, sans avoir fait, à notre connaissance, de révélation intéressante sur la part que les communistes auraient pu prendre à ce quotidien.

En tout cas, rapidement, les signatures qui apparaissent, les articles violemment antisémites et antimaçonniques qui envahissent le journal, rendent impossible aux communistes toute coopération. Si celle-ci eut lieu, sous la forme de quelques apports, elle ne passa pas l'été.

« L'allié occasionnel »

Dans cette période qui précède ou qui suit immédiatement l'armistice, ce sont les communistes qui font les avances. Ils tentent de jouer la carte allemande. Cela ne marche pas très bien. Ils profitent tout de même des circonstances historiques pour reconstituer leurs réseaux disloqués par l'exode.

Frachon, Dallidet, Danielle Casanova, Cadras, sont revenus à Paris. Grenier, démobilisé, Auguste Lecœur, évadé, rallient la capitale. Les publications : *Huma* ronéotée, tracts, brochures, recommencent à circuler.

Le mot d'ordre est d'agir dans une semi-légalité. Aux « troïkas », on substitue une formule plus large : celle des réunions de cellules étendues à sept ou huit personnes. Des notables communistes regagnent leur circonscription, tiennent de petites réunions, voient les uns et les autres quasi au grand jour.

A son arrivée à Paris, Lecœur est tout surpris de trouver, à la terrasse d'un café, Catelas, qui ne songe même pas à se cacher [1].

En cet été 1940, en cette saison de la défaite, l'ennemi numéro un du parti communiste, c'est l'équipe au pouvoir, le gouvernement de Vichy,

1. *Le Partisan*, p. 140.

qui a pris la suite des gouvernements Daladier et Reynaud. Le Parti communiste français n'a pas perdu l'espoir de s'emparer du gouvernement. Son allié potentiel, c'est le gouvernement allemand.

Pour la direction du parti, il s'agit de mettre en application la théorie du maillon le plus faible dans la chaîne des impérialismes. C'est ainsi que Lénine a conquis le pouvoir, en faisant sauter le maillon tsariste.

L'occasion a été manquée de faire sauter, en profitant de la débâcle, le maillon de l'impérialisme français. Mais celui-ci, en raison du chômage, des désordres multiples engendrés par l'exode, des problèmes du ravitaillement, du traumatisme provoqué par une défaite écrasante, doit faire face à une situation difficile. Dans la lutte poursuivie contre lui, l'impérialisme allemand reste un allié logique qui a aidé à abattre l'ennemi intérieur.

Ici, la directive aux cadres que nous avons déjà citée, explique le comportement du parti pendant l'été 1940.

« L'impérialisme français — peut-on lire dans ce document — vient de subir sa plus grande défaite de l'Histoire. L'ennemi qui, dans toute guerre impérialiste, est à l'intérieur, se trouve par terre. La classe ouvrière française et mondiale doit retenir cet événement comme une victoire et comprendre qu'il faut voir là un ennemi de moins. Il importe donc de mettre tout en œuvre pour que la chute de l'impérialisme français soit définitive. *Il ressort, à la constatation de cet état de choses, que la lutte du peuple français a eu le même objectif que la lutte de l'impérialisme allemand contre l'impérialisme français. Il est exact qu'en ce sens l'impérialisme allemand fut un allié occasionnel. Quiconque ne comprend pas cela n'est pas un révolutionnaire* [1]. »

La concordance des intérêts entraîne alors quelques prises de position, qui embarrasseront beaucoup les communistes par la suite. Dans *L'Humanité* du 4 juillet 1940, on trouve, par exemple, ces appréciations :

« Il est particulièrement réconfortant, en ce temps de malheur, de voir de nombreux travailleurs parisiens s'entretenir amicalement avec les soldats allemands, soit dans la rue, soit au bistro du coin.

« Bravo, camarades, continuez, même si cela ne plaît pas à certains bourgeois, aussi stupides que malfaisants. »

Le 13, *L'Humanité* revient sur le même sujet :

« Les conversations amicales entre travailleurs parisiens et soldats allemands se multiplient. Nous en sommes heureux. Apprenons à nous connaître. Quand on dit aux soldats allemands que les députés communistes ont été jetés en prison pour avoir défendu la paix, quand on leur dit : " En 1923, les communistes se dressèrent contre l'occupation de la Ruhr ", on travaille pour la fraternisation franco-allemande. »

Ces dispositions se traduisent par des actes : conversations entre les J.C. et les soldats de la Wehrmacht, démarches d'élus communistes auprès des Kommandanturen locales pour obtenir la réouverture de certaines entreprises, ou pour assurer la distribution des vivres.

---

1. *Premières instructions du P.C.F. après l'armistice* ; passage souligné par nous.

Les clins d'œil à l'occupant ne sont toutefois que les aspects tactiques d'une stratégie qui poursuit deux grands objectifs : sur le plan intérieur, s'emparer du pouvoir; sur le plan extérieur, aboutir rapidement à un traité de paix. Une partie de ces objectifs correspond aux desseins du P.C.F., l'autre aux soucis de Staline.

Comment s'emparer du pouvoir? L'objectif ne semble pas hors de portée. L'exode a créé d'énormes difficultés pour la population; une foule de gens sont complètement déracinés; dans certaines régions, l'administration s'est effondrée; le travail ne reprend qu'avec peine : excellents thèmes d'agitation.

Pour diffuser ces mots d'ordre, les militants communistes sont invités à constituer, partout où ils le peuvent, des comités populaires. Ces comités ne sont rien d'autre que des embryons de soviets.

La Vie du Parti [1] annonce que « déjà dans plusieurs dizaines d'entreprises, des comités populaires se sont constitués... Quand l'usine marche, un tel comité permet de grouper tous les travailleurs sur la base d'un programme revendicatif et il facilite la reconstitution du syndicat; quand l'usine ne marche pas, le comité permet de maintenir les contacts entre les travailleurs qui étaient occupés dans l'entreprise maintenant fermée. Au surplus, dans les quartiers, les localités, la création de comités populaires de solidarité et d'entraide doit être activement poursuivie par nos camarades. Dans certaines localités, ces comités s'occupent du ravitaillement et rendent de grands services à la population. Ailleurs, de tels comités s'occupent des évacués, de leur logement, etc. ».

Ces comités, on le voit, doivent être pour le parti des « courroies de transmission ». Au début de septembre, cent dix comités de ce type auraient été constitués dans la région parisienne [2]. Chiffre à coup sûr fort exagéré. Mais on voit bien que dans l'esprit des dirigeants, ces organismes doivent contribuer à saper l'autorité de Vichy.

Contre Vichy, l'*Agit-Prop* concentre son tir. Certes, journaux et tracts ne se privent pas de dénoncer avec une grande violence les équipes gouvernementales précédentes, doublement coupables : elles ont fait la guerre; elles l'ont perdue.

« L'heure est venue — lit-on — de situer les responsabilités de tous ceux qui ont conduit la France à la catastrophe. La clique des dirigeants banqueroutiers de la politique de guerre a bénéficié de l'appui de tous les partis, unis dans une même besogne de trahison et dans une même haine de la classe ouvrière et du communisme. Le parti radical, avec ses Daladier, ses Bonnet, ses Chautemps et ses Chichery, le parti socialiste, avec ses Blum, ses Sérol, ses Zyromski, ses Paul Faure; les partis de droite avec Flandin, Marin, Fernand-Laurent, Laval, Chiappe... La malédiction de tout un peuple trahi monte vengeresse vers ces hommes qui ont voulu la guerre et préparé la défaite [3]. »

1. Août 1940.
2. *Appel au peuple de France*, dit du 10 juillet, en réalité d'août 1940.
3. *Appel au peuple de France*.

A d'innombrables reprises, sous forme d'articles, de tracts ou de papillons, ces accusations sont reprises. Le 19 décembre 1940, François Billoux adresse encore à « Monsieur le maréchal Pétain, chef de l'État français », sa fameuse lettre par laquelle il demande à témoigner au procès de Riom contre les responsables de la guerre, dont il réclame le châtiment, tout en rappelant que les communistes étaient les seuls à se « dresser contre la guerre... les seuls pour la paix [1] ».

Contre Vichy

Une grande partie de ces hommes ont été balayés par la débâcle. Il est donc plus important de s'attaquer à ceux qui forment le nouveau pouvoir, et dont la solidarité reste encore à établir.

L'assaut est d'une grande violence. Le procès de Vichy devant l'opinion s'effectue sur deux plans : le gouvernement est une puissance de répression à l'intérieur et un régime de servitude à l'extérieur. Thèse qui est développée dès l'*Appel*, dit du 10 juillet :

« Le Peuple de France voit que le gouvernement de traîtres et de vendus qui siège à Vichy en attendant de venir à Versailles, pour imiter le sinistre Thiers, mise sur des concours extérieurs pour se maintenir au pouvoir contre la volonté de la nation... Ce gouvernement de traîtres où se retrouvent aux côtés d'affairistes notoires, des politiciens tarés, déshonore la France... A la porte, le gouvernement de Vichy!... C'est un tout autre gouvernement qu'il faut à la France! [2] »

A ce gouvernement, la propagande oppose un pouvoir réellement populaire, ce qui se résume parfois dans cette formule ramassée : « Thorez au pouvoir! »

Il est assez paradoxal de voir les dirigeants communistes accuser les hommes de Vichy d'être inféodés à l'occupant. Ne viennent-ils pas eux-mêmes de solliciter cet occupant en faveur de *L'Humanité*, et ne sont-ils pas les apôtres de la fraternisation avec la Wehrmacht?

Mais cette contradiction est dissoute dans la dialectique communiste : *ce n'est pas le comportement qui compte, c'est d'être en somme en état de grâce.* Les hommes de Vichy, ploutocrates et militaristes, n'ont pas de racines populaires, par définition. L'autorité ne peut donc leur venir que de l'occupant. Les communistes, au contraire, représentent la seule force authentiquement populaire. La preuve : ils ont été les seuls à lutter concrètement contre la guerre. S'ils viennent au pouvoir, ce ne pourra être que par l'effet de la volonté populaire. Investis par cette autorité, ils seront donc automatiquement les garants d'une indépendance nationale vraie.

Dans la campagne de *l'Agit-Prop* contre Vichy, le parti communiste

1. Cette lettre célèbre figure au *J.O.* relatant les débats du 18 juillet 1946. Cf. Ceyrat, *La Trahison permanente*, p. 105.
2. *Appel au Peuple de France*, dit du 10 juillet, mais en réalité d'août 1940.

joue des deux registres : d'une part des énormes difficultés engendrées par la défaite (ravitaillement, chômage, prisonniers, réfugiés, etc.) et d'autre part du sentiment national humilié des populations, qu'il ne souhaite pas voir accaparer par d'autres concurrents.

Les anciennes forces politiques (radicaux, socialistes) ont été éliminées. Mais deux grandes forces nouvelles se dessinent : les mouvements qui prônent la collaboration, les émigrés de Londres, qui prêchent la résistance.

Doriot, Déat et leurs partisans sont attaqués par les communistes avec la même fureur que les hommes de Vichy. On ne leur reproche pas de collaborer, mais d'avoir été des bellicistes. A Marcel Déat, on fait grief non pas d'avoir signé le tract *Paix immédiate* (qui, après la conquête de la Pologne, réclamait l'ouverture des négociations), mais bien d'avoir retiré sa signature. En somme, c'est un faux pacifiste.

« Déat, Giono, Dumoulin, après avoir signé un tract anodin pour la paix., se dégonflèrent lamentablement les uns après les autres [1]. »

Doriot n'est pas mieux traité [2].

En second lieu, les mouvements collaborateurs de Déat, Doriot ou Bucard sont inféodés à l'occupant, pour les mêmes raisons que le gouvernement de Vichy : ils n'ont pas de racines populaires.

Tous ont trahi. Tous doivent être mis dans le même sac.

Un seul parti échappe à ces tares, un seul parti a défendu la paix : le parti communiste. « Un seul journal a le droit de parler; un journal a le droit de dire leur fait aux responsables des malheurs de la France : ce journal, c'est *L'Humanité* qui a défendu la grande cause de la liberté et de la paix. Seul un parti a lutté pour la paix, c'est le parti communiste [3]. »

Cambronne contre de Gaulle

Les gaullistes forment le deuxième groupe de concurrents.

Fondamentalement, dans cette phase de la guerre, ils ne diffèrent pas, aux yeux des communistes, des Vichyssois. Ceux-ci sont les représentants d'un impérialisme vaincu. Ceux-là, les alliées d'un impérialisme toujours en guerre.

Vichyssois et partis collaborationnistes de zone Nord tiennent pour acquise la défaite. Les gaullistes la nient. Ils tentent de mobiliser le sentiment national blessé. Ce sentiment, le P.C.F. s'efforce de l'exploiter, lui aussi, à sa manière. Il faut donc, sur ce terrain, démolir le rival de Londres. Les injures pleuvent. Dans le premier numéro de *L'Humanité*, publié après l'occupation, on trouve cette tirade : « Le général de Gaulle et autres agents de la finance anglaise voudraient faire battre les Français pour la City

1. *L'Humanité*, octobre 1940.
2. *L'Humanité*, 1er juillet 1940. Dans le même numéro, violente diatribe contre *Paris-Soir*, *Le Matin* et *Le Cri du Peuple* que les Allemands ont autorisés à reparaître malgré « leur triste besogne d'excitation à la guerre ».
3. *Idem*.

et s'efforcent d'entraîner les peuples coloniaux dans la guerre. Les Français répondent le mot de Cambronne à ces messieurs [1]. »

Quelques mois plus tard, nouvelle tactique : de Gaulle poursuit sa carrière en Angleterre « où il est l'allié du gouvernement réactionnaire anglais, des lords et des banquiers [2] ».

Et encore « ... Laval, Déat, Deloncle et Jean Goy sont rejoints dans leurs plans de destruction des libertés populaires par de Gaulle et de Larminat [3]. »

Peu avant que l'Allemagne et l'U.R.S.S. s'affrontent, cette offensive anti-gaulliste se poursuit : « Certains Français et Françaises, qui souffrent de voir notre pays opprimé par l'envahisseur, placent à tort leurs espérances dans le mouvement de De Gaulle. A ces compatriotes, nous disons que ce n'est pas derrière un tel mouvement, d'inspiration réactionnaire et colonialiste, à l'image de l'impérialisme britannique, que peut se réaliser l'unité de la nation française pour la libération nationale [4]. »

Un des principaux griefs exprimés contre de Gaulle et ses partisans est que ce mouvement prolonge le conflit... Dans une lettre adressée aux militants communistes, en octobre 1940, Thorez et Duclos s'en prennent aux « agents de De Gaulle » qui veulent « faire tuer des Français pour aider l'Angleterre dans sa lutte contre l'Allemagne [5] ». Tout commentaire est superflu.

Après avoir fixé les rapports du parti communiste avec les autres forces qui occupent l'échiquier français, il est plus facile de discerner les grandes lignes de la politique préconisée par eux dans cette période juin 1940-juin 1941.

Combattant, dans le domaine de la politique intérieure, les agissements réactionnaires et répressifs de Vichy, le Parti communiste français se pose en politique étrangère comme *l'ennemi de l'aventure*. Il tient à rester aux yeux de l'opinion comme la seule force pacifiste. C'est pourquoi il préconise la signature d'un pacte franco-soviétique qui, complétant le pacte germano-soviétique, renforcerait la paix dans le monde.

Anticolonialisme

Cette paix, qui la menace depuis l'armistice ? Les partis collaborationnistes et Vichy qui envisagent selon les communistes d'entraîner la France dans une nouvelle aventure guerrière aux côtés de l'Allemagne. C'est pourquoi *l'Agit-Prop* attaque avec violence le nouveau gouvernement de l'amiral Darlan qui lui semble prêt à s'engager dans cette voie. Et comme

1. N° 58, 1er juillet 1940.
2. *L'Humanité*, 21 janvier 1941, éd. normande.
3. *L'Humanité*, 5 mars 1941... Deloncle, chef de la Cagoule avant la guerre et Jean Goy, dirigeant de l'Union nationale des Combattants, avaient rejoint Déat pour former le Rassemblement national populaire (R.N.P.).
4. *Les Cahiers du Bolchevisme*, 2e et 3e trim. 1941.
5. Reproduite par *Les Cahiers du Bolchevisme*, 1er trim. 1941.

les territoires de l'empire pourraient être, dans cette perspective, les théâtres des futures opérations, il s'ensuit que les communistes ne sont pas moins hostiles à toutes les entreprises que mènent les gaullistes.

Pour ces territoires, le parti communiste ressuscite les thèmes de la vieille agitation anticolonialiste. L'attaque porte, certes, contre Vichy, mais aussi contre l'impérialisme britannique, la City et ses « valets » gaullistes.

Dans la demande de reparution de *L'Humanité* adressée aux Allemands, en juin 1940, figurait déjà cette proposition :

« *L'Humanité* publiée par nous se fixerait pour tâche de dénoncer les agissements des agents de l'impérialisme britannique, qui veulent entraîner les colonies françaises dans la guerre, et d'appeler les peuples coloniaux à la lutte pour l'indépendance contre les oppresseurs impérialistes. »

A la veille du 22 juin 1941, ce programme est toujours en vigueur. Dans le numéro de *L'Humanité* daté du 20 juin, se détache cet appel : « Vive la liberté et l'indépendance des peuples coloniaux ! »

Sur ce terrain, les intérêts du parti communiste, de l'Union soviétique et de l'Allemagne coïncident. Seul Auguste Lecœur a bien dégagé cet aspect : « Un point important dans cette continuité — écrit-il — c'est l'appel aux peuples coloniaux pour lutter contre leurs oppresseurs impérialistes. L'Allemagne hitlérienne n'a plus de colonies, en récupérer est un de ses buts de guerre, elle est donc très sensible à tout ce qui peut lui faciliter cette tâche [1]... »

L'éventuelle récupération des territoires coloniaux n'est peut-être pas, en cette période 1940-1941, le souci principal d'Hitler. Mais il est possible que la direction du Parti communiste français ait fait le calcul suivant : « Si le débarquement ne peut être effectué en Angleterre, les territoires de l'empire colonial français et ceux de l'empire britannique peuvent devenir des champs de bataille. Par notre vieille expérience anti-colonialiste, nous sommes bien placés pour aider les Allemands dans cette lutte. D'autre part, aux yeux des masses indigènes, la France est déconsidérée après son écrasante défaite militaire. Nous avons là une excellente base pour une offensive anti-gouvernementale et nous pouvons escompter, dans cette lutte, l'appui de l'Allemagne.

« Quant à l'Union soviétique, elle ne peut que souhaiter une extension des opérations militaires en Afrique et dans le bassin méditerranéen, offensive qui détournerait de ses frontières le gros des forces germaniques. »

Cette voie anticolonialiste, parcourue de concert avec les dirigeants du IIIe Reich, est un chemin possible vers le pouvoir. Il y a là en pointillé le dessin d'une politique à laquelle le cours de l'Histoire ne permettra pas de s'épanouir [2]. Mais à l'automne 1940, et dans les premiers mois de 1941, elle n'est nullement inconcevable.

1. *Croix de guerre pour une grève*, pp. 131-132.
2. Depuis sa fondation, la politique anticolonialiste du P.C.F. n'aura connu que deux brèves périodes d'interruption : 1. de 1936 à 1939, quand le concours de peuples coloniaux était nécessaire à une croisade des démocraties contre le fascisme ; 2. de juin 1941 à 1948, période de la guerre contre le fascisme, puis de la participation communiste au pouvoir

Au fil des mois, l'entrevue de Montoire, la consolidation du gouvernement de Vichy, soutenu par l'immense majorité du pays, le refus persistant des autorités allemandes d'autoriser les moyens d'expression communistes, les entretiens à Berchtesgaden entre le chancelier Hitler et l'amiral Darlan, les nuages qui, dès la visite de Molotov à Berlin, en novembre 1940, apparaissent entre l'U.R.S.S. et le IIIe Reich, les arrestations de militants par les policiers de Vichy que les Allemands laissent désormais agir, cette succession de déconvenues rétrécit les possibilités d'un jeu commun entre le P.C.F. et la puissance des occupants. La voie allemande vers le pouvoir s'encombre d'obstacles. Le 22 juin 1941, elle est définitivement barrée.

Interprétations nouvelles

Sur cette période, la thèse communiste est connue. Elle a le mérite d'une belle simplicité : depuis le premier jour de l'occupation, le parti n'a pas cessé de résister. Seules les modalités de cette résistance ont pu changer. Au lendemain de la Libération, la propagande communiste a nié toute collusion avec les autorités occupantes. Aux révélations de Chevigné à l'Assemblée nationale sur les démarches de Denise Ginollin, celle-ci, appuyée par les Duclos, Ramette, Bonte, Roucaute et autres, oppose des dénégations véhémentes. Bien plus tard, une petite brèche s'est ouverte dans ce roc : oui, sans doute, quelques camarades (anonymes) ont, avec les meilleures intentions du monde, effectué des démarches auprès des occupants. Ces déviations ont été aussitôt corrigées. Ces camarades ont reconnu leurs fautes. Simples « bavures ».

Cette thèse, qu'on trouve aussi bien chez Jacques Duclos que dans l'ouvrage *Le Parti communiste et la Résistance* publié par l'Institut Maurice Thorez, a été récemment reprise, complétée ou quelque peu nuancée par deux auteurs qui, apparemment, ont agi sans se concerter, mais adoptent des démarches très parallèles. Le premier est communiste. Il s'agit d'Alain Guérin, auteur de *La Résistance*, que nous avons déjà cité à plusieurs reprises. Le second est Henri Noguères, qui publie une *Histoire de la Résistance*, écrite en collaboration avec Degliame (lui-même ancien communiste) et Jean-Louis Vigier [1].

L'Histoire collective du parti communiste dans la Résistance, les récents *Mémoires* de Jacques Duclos, les livres de Guérin ou de Noguères, tendent tous à la même démonstration : *on ne peut plus sérieusement soutenir que la résistance des communistes date du 22 juin, jour de l'offensive Barbarossa contre l'Union soviétique.*

Cette présentation des faits repose sur trois catégories d'arguments :
1. Des textes.
2. Des mouvements de masse antérieurs à la date fatidique.

1. Ce dernier exprime toutefois, *en annexe* du tome I, son total désaccord avec ses co-auteurs sur l'attitude du parti communiste pendant cette période. Son nom n'est pas reparu dans les deux tomes suivants.

3. Des actes individuels (collectes d'armes, attentats, sabotages, tous antérieurs au 22 juin 1941) ou accomplis par de petits groupes.

Nous allons les examiner successivement.

Les textes

Le document-massue, c'est le fameux « appel du 10 juillet » (1940) lancé, nous dit-on, par Maurice Thorez et Jacques Duclos. Ce manifeste serait une authentique incitation à la résistance.

Rappelons d'abord que cet appel a été longtemps publié sous une forme truquée et falsifiée. Les passages les plus gênants de la version originale ont été froidement amputés ou supprimés. Ainsi, dans la version donnée par Florimond Bonte dans son livre *Le Chemin de l'honneur,* on relève *une quarantaine de suppressions*, petites ou grandes (il s'agit tantôt d'un mot, tantôt d'un membre de phrase, tantôt de passages entiers). Tel qu'il a été présenté, jusqu'à ce que paraisse le livre de Guérin, le fameux appel du 10 juillet était une version expurgée, et sciemment trafiquée.

Ces « tripatouillages » successifs dénotent un évident embarras.

Avec un texte fabriqué, Florimond Bonte tentait de faire croire que, dès juillet, les communistes résistaient. Avec un texte complet (comme les aimait Fustel de Coulanges), Alain Guérin procède à la même opération (mais alors, pourquoi ses prédécesseurs s'étaient-ils donné tant de mal à manier les ciseaux?). Il s'efforce même de hisser ce manifeste au niveau de l'appel gaullien du 18 juin.

Cet exercice de force est un franc insuccès.

Il n'y a pas dans le fameux appel du 10 juillet un mot, *un seul*, qui puisse constituer une exhortation à la lutte contre un occupant qu'on ne nomme point, *qui n'est jamais nommé.* Fort long, ce texte dénonce, très précisément, deux catégories d'ennemis : ceux qui, hier, étaient au pouvoir (Daladier, Reynaud, Mandel) [1], ainsi que leurs alliés, comme Blum, et ceux qui les ont remplacés après l'armistice (les Vichyssois).

Que cet appel n'ait aucun contenu anti-allemand, c'était l'opinion d'Emmanuel d'Astier de la Vigerie, peu suspect d'anticommunisme systématique. Au cours d'une polémique contre l'hebdomadaire du P.C. *France Nouvelle*, qui lui reprochait de l'avoir oublié, d'Astier répliquait :

« Je n'ai pas oublié " l'Appel au Peuple de France " du 10 juillet que vous nommez " Appel à la résistance ". J'entends le texte complet et non la reproduction qu'en a donnée Maurice Thorez dans *Fils du Peuple*. Ce texte ne porte aucune condamnation du fascisme ou du nazisme, ni aucun appel à la résistance contre l'occupant allemand [2]. »

1. Dans les versions amputées, le nom de Mandel a naturellement disparu.
2. Lettre adressée par d'Astier à *France Nouvelle*, qui ne l'a jamais insérée. Le texte de cette lettre a paru dans *Le Monde* du 11 juin 1964. Cinq mois plus tard, *Libération*, le quotidien progressiste dirigé par d'Astier, qui ne pouvait paraître sans les deniers communistes, annonçait (le 27 novembre) qu'il cessait sa publication.

Quand on se reporte au document en question, on constate que toute l'argumentation communiste repose sur un simple membre de phrase, soigneusement isolé de son contexte. Très exactement sur treize mots :

« *Jamais un grand peuple comme le nôtre ne sera un peuple d'esclaves...* »

Imprimés en 1945, ou même aujourd'hui, ces treize mots peuvent laisser croire qu'il s'agit de se libérer de l'esclavage imposé par l'occupant. La suite de la phrase établit que les auteurs avaient à l'époque d'autres esclavagistes en tête :

« [...] et si, malgré la terreur, ce peuple a dû, sous les formes les plus diverses, montrer sa réprobation de voir la France enchaînée au char du capitalisme britannique, il saura signifier aussi à la bande actuellement au pouvoir sa volonté d'être libre. »

La terreur, c'était celle des gouvernements Daladier et Reynaud; l'esclavage d'hier, celui qu'imposait au peuple de France *la City*; le nouvel esclavage, à rejeter : celui des Vichyssois. Pas un mot des Allemands.

Noguères, moins exigeant que d'Astier, se refuse à trancher la question de savoir si ces treize mots constituent ou non un appel à la résistance. Ce serait là, selon lui, question d' « appréciation subjective [1] ». Il ne rend pas ainsi un très bon service à Guérin, qui a mis en parallèle l'appel du 10 juillet et celui du 18 juin. Pour être reconnu, du premier coup d'œil, comme antiallemand, ce dernier n'a nul besoin des béquilles de « la subjectivité ».

Deux autres truquages doivent être relevés, le premier certain, le second fort vraisemblable.

D'abord, l'appel n'a pas paru à la date indiquée. Il y est en effet question de Lémery, Piétri et Mireaux, qui n'ont été nommés ministres que le 13 juillet. Autre preuve, fournie par Auguste Lecœur [2] : toutes les *Humanité* clandestines étaient numérotées. Or, ni le numéro 60, daté du 10 juillet, ni le numéro 61 ne font mention de cet appel. Il y a donc lieu de le tenir pour postérieur. Aucun témoin n'assure avoir eu cet appel entre les mains en juillet. La date la plus proche est donnée par Grenier à Noguères : regagnant Saint-Denis à la mi-août, il en aurait eu connaissance à ce moment. Lecœur, lui, affirme que ce texte n'a été diffusé dans la région parisienne que fin septembre [3].

La seconde question concerne les rédacteurs de cet appel, attribué à Duclos et à Thorez. Or ce dernier était, à cette époque, en Union soviétique.

Duclos, dans ses *Mémoires*, affirme que ce texte a été mis au point après consultation de plusieurs personnes. Guérin ne donne pas la même version. Rappelant que Frachon était alors dans le Limousin et Clément à Bruxelles, il affirme que ce furent « les deux dirigeants [...] qui avaient la possibilité de communiquer directement et immédiatement, c'est-à-dire par radio,

---

1. Cf. t. I, p. 55. Noguères tient également les amputations du texte pour des « maladresses ».
2. *Croix de guerre pour une grève*, p. 112.
3. *Le Parti communiste français et la Résistance* p. 32.

qui rédigèrent ce texte, et c'est pourquoi, bien qu'ayant valeur de " manifeste du Comité central ", ces pages furent tout simplement signées : Maurice Thorez et Jacques Duclos. Cependant, de longs et minutieux dialogues, qui constituaient presque à l'époque des prouesses techniques, n'empêchèrent pas les auteurs de devoir faire des corrections en cours de tirage s'ils voulaient tenir compte de l'évolution galopante de l'actualité [1]. »

Passons sur ce Comité central, encore rétréci par rapport à celui de Bruxelles et qui se résume à présent à Thorez et Duclos. On reste rêveur sur ces longs dialogues par la voie des ondes, en un temps où les communications radio clandestines étaient étroitement surveillées et où la brièveté des messages était un gage de sécurité [2].

Et il est tout de même curieux que Duclos dans ses *Mémoires* ne souffle mot de Thorez, co-auteur en théorie de « l'Appel ».

Sorti de cet « Appel » qu'aucune exégèse sérieuse ne peut tenir pour une exhortation à la résistance, qu'y a-t-il? Presque rien; quelques documents plus ou moins tardifs qui révèlent plutôt des sujets de friction avec l'occupant qu'une hostilité ouverte et globale. L'ouvrage, *Le Parti communiste et la Résistance*, réalisé par une équipe d'historiens de l'Institut Maurice Thorez se limite à trois choses : une protestation (non datée) contre l'occupation de l'Alsace-Lorraine, la brochure de Politzer, réponse au théoricien du racisme Rosenberg, et un appel daté de mai 1941 pour la constitution du Front national.

Aucun de ces documents ne peut être considéré comme une incitation à la résistance. L'appel de janvier 1941 proteste bien contre l'annexion de l'Alsace-Lorraine, sans consultation des populations — ce qui est conforme à la vieille thèse communiste sur le droit à l'autodétermination de cette province — mais réaffirme que « le peuple de France ne veut pas prendre part à nouveau à la guerre impérialiste [3] ». La brochure de Politzer, si elle combat les thèses racistes, prêche la reconquête de l'indépendance nationale, non par les armes, mais par la voie de la révolution sociale. *C'est toujours le problème du pouvoir qui est posé, non celui de la lutte armée contre l'occupant.* L'appel de mai 1941 insiste sur la nécessité de maintenir la France hors du conflit. Car les communistes, à l'époque, redoutent que le gouvernement Darlan n'entraîne la France aux côtés de l'Axe.

Les mouvements de masse

A une exception près, fort importante, les manifestations et autres démonstrations dans la rue se limitent à peu de chose.

Il y a certes, tout au début de l'occupation, une certaine effervescence, avec la réoccupation de certaines mairies — non sans le laisser faire alle-

---

1. *Op. cit.*, t. II, p. 198.
2. Cf. *L'Orchestre rouge.*
3. Cf. Rossi, *Physiologie du Parti communiste français*, p. 431.

mand — avec les cortèges de chômeurs dans la rue et les manifestations devant les préfectures. Toutes ces tentatives sont orientées contre Vichy.

Les *comités populaires*, courroies de transmission auprès des masses, n'exercent aucune activité résistante. Ils sont chargés de susciter des revendications sociales et économiques.

Noguères présente une de ces activités sous un éclairage équivoque :

« On note dès juillet — écrit-il — en différents points sensibles de la zone Nord quelques actes de sabotage, des attentats, des distributions de tracts, des manifestations pour le 14 juillet; Bocquet, contremaître chez Renault, répand par milliers des croix de Lorraine tricolores, découpées par Mme Tounelle; *à Villeneuve-Saint-Georges, le 22, trois ou quatre cents personnes qui manifestent dans la cour de la mairie, pour réclamer le retour de la municipalité communiste, sont appréhendées sur l'ordre du préfet de Seine-et-Oise* [1]. Le 28, entre Rennes et Fougères des câbles sont cisaillés; le 30 on signale des distributions de tracts à Tremblay-lès-Gonesse et à Villepinte [2]. »

Ce passage procède de la technique de *l'amalgame*, familière aux bolcheviks. Noguères insère arbitrairement une manifestation communiste, dirigée contre les autorités françaises, au milieu d'activités anti-allemandes qui n'ont rien à voir avec elle : sabotages (dont rien ne prouve qu'ils aient été effectués par des communistes), agitation *gaulliste* chez Renault, diffusions de tracts anonymes, câbles coupés par des inconnus. Assemblage hétéroclite.

La seule grande manifestation de masse, tardive mais notable, c'est la grève des mineurs du Pas-de-Calais [3].

Les opérations de groupes

Dans le prière d'insérer du livre de Noguères figure cette question pertinente : « Jusqu'à l'entrée en guerre de la Russie, la Résistance française a-t-elle compté dans ses rangs le parti communiste ou seulement *des* communistes ? »

C'est poser correctement le problème. Pour prendre une comparaison, en 1964 le parti communiste comptait certainement dans ses rangs plusieurs dizaines de milliers de femmes. Et sur ce nombre, plusieurs dizaines, si ce n'est davantage, ont dû se faire avorter cette année-là.

Or, cette même année, le parti communiste condamnait publiquement l'avortement. Il est bien clair que si la direction du parti revendiquait aujourd'hui le comportement de ces militantes, pour soutenir que le parti tout entier était en 1964 le ferme défenseur de l'avortement, il s'agirait là d'une imposture flagrante.

Et de même, *des* communistes résistants en 1940 rendent témoignage

1. Souligné par nous.
2. *Op. cit.*, p. 75.
3. Lecœur *(op. cit.)* a montré qu'elle avait un caractère essentiellement revendicatif.

de leur comportement individuel, et non de celui de leur organisation.

Mais pour Noguères la résistance communiste dépasse celle, sans signification, des individus. Contrairement à de Gaulle qui, dans une lettre à Vercors, affirme que « sous réserve de ce que firent quelques individualités, leur parti, jusqu'en été 1941, ne s'engagera pas dans la lutte[1] », il estime, au contraire, que cette résistance fut *organique*. Pour tenter de le démontrer, il s'appuie, essentiellement, sur des « témoignages [...] pour la plupart inédits », par lesquels, « les communistes répondent, citent des faits, des noms, des dates[2] ».

Avant de discuter ce point de vue, il conviendrait peut-être de définir avec précision — Noguères ne le fait pas — ce qu'il convient d'entendre par *organisation* communiste en 1940-41.

A la veille de la guerre, le parti communiste compte environ 300 000 adhérents. Après la dissolution, après les vicissitudes de la mobilisation et de la guerre, les liens entre la direction clandestine et l'immense masse des militants se trouvent rompus, soit que certains s'estiment en désaccord, soit que les contacts aient été coupés. Dès lors, le parti, au début de l'occupation, qu'est-ce que c'est?

Quelques milliers d'individus. Pour la Seine-et-Marne, Guérin, d'après des sources communistes, peut-être optimistes, donne 324 membres en février 1941[3]. A cette date, la région parisienne ne doit pas regrouper plus de mille à quinze cents membres. Pour l'ensemble de la France, les effectifs ne doivent pas compter plus de quatre à cinq mille personnes. La structure clandestine organique du P.C.F. se limite à ces effectifs qui, d'ailleurs, en raison des circonstances et des coups durs multiples, sont loin d'être négligeables.

Quant aux autres communistes, coupés volontairement ou accidentellement de cette structure, ils n'ont pas à entrer en ligne de compte. Ils ne sont plus pilotés par le parti. Ils naviguent selon leur propre boussole. Si d'aucuns, de leur initiative, cisaillent un jour une ligne téléphonique, il n'y a aucun motif de porter cet acte au crédit de *l'organisation* qui, elle, *à aucun moment*, ne donne cette consigne.

Voilà ce qu'il convient de ne pas oublier, avant d'examiner à présent ce que dit Noguères. Celui-ci cite à la barre un certain nombre de témoins « nouveaux » qu'il estime dignes de respect en raison de leur activité résistante : Marcel Paul, Pierre Villon, Fernand Grenier, André Ouzoulias, André Tollet, Rol-Tanguy, André Mercier, Francis de Lescure, Lucie Aubrac, Serge Asher, tous communistes ou sympathisants, et trois dissidents : Arthur London, Charles Tillon, Pierre Hervé. Témoins, il est vrai, récemment interrogés, mais qui n'apportent rien de vraiment neuf. Et le témoignage de ceux qui sont restés communistes, présenté sans être soumis à

---

1. Cf. *P.P.C. (Pour prendre congé)*, pp. 326-332.
2. *Op. cit.*, t. I, Prière d'insérer.
3. *Op. cit.*, t. II, p. 389.

critique, coïncide toujours avec la dernière position du parti sur cette période [1].

Aussi, comme nous ne pratiquons pas, à l'exemple de Noguères, le respect *a priori* du témoin communiste, ne sommes-nous pas excessivement bouleversés par cette confidence de Pierre Villon, selon qui les communistes ont appris « l'attaque du 10 mai avec la rage au cœur [2] ». En ce temps-là, cette grande douleur était très muette.

Or, c'est à partir de ces témoignages que Noguères soutient que des groupes communistes *organisés* prirent une part sans cesse croissante à l'action contre l'occupant.

Notons que cette thèse repose sur des souvenirs, *non sur des textes*. Pourtant, la production communiste entre juin 1940 et juin 1941 a été fort abondante. Du 22 juin 1941 à la Libération, la « littérature » communiste est le reflet, parfois amplifié, des actions anti-allemandes entreprises par les groupes communistes organisés. La « littérature » de la phase précédente ne reflète rien de semblable. Pourquoi ce divorce ? Noguères ni Guérin ne prennent la peine de nous l'expliquer.

Voyons certains de ces témoignages.

Marcel Paul assure qu'aussitôt après l'armistice il a diffusé dans l'Ouest un tract contre l'occupant (non retrouvé). Son beau-père a commencé à récupérer des armes. Nommé « inter » (responsable interrégional) par le Comité central, il en a reçu un seul mot d'ordre précis : organiser et réaliser l'action contre l'occupant. Et, dès fin juillet, de premiers dépôts d'armes étaient constitués.

Noguères ne paraît pas se demander comment, dès juillet 1940, le Comité central a pu diffuser une consigne quelconque. Il suffit de se reporter à Duclos et à Guérin pour constater qu'aucun Comité central n'a pu se réunir (il ne le fera pas de toute l'occupation). L'affirmation de Marcel Paul est par ailleurs réfutée par Tillon. Celui-ci, dans *Les F.T.P.* assure que les collectes d'armes furent entreprises à l'initiative de *certaines directions régionales*, façon de faire entendre aux initiés que la direction n'y fut pour rien.

Mais Marcel Paul était-il « interrégional » ? Non, si l'on en croit le témoignage d'Auguste Havez publié pour la première fois dans *La Nation socialiste* d'Auguste Lecœur. L'ancien responsable de l'appareil technique, à l'époque du « groupe », raconte qu'en sa qualité d'interrégional, responsable

---

1. A la p. 143 de son ouvrage (t. I), Noguères relève, avec une certaine malice, deux opinions émises sur un même sujet par le colonel Groussard, et quelque peu différentes. Il est dommage seulement que l'esprit critique de Noguères soit comme paralysé, dès qu'il a affaire à un témoin communiste. Aussi enregistre-t-il, sans sourciller, un récit de Rol-Tanguy, qui affirme (p. 85) avoir rencontré en août 1940 à Paris divers camarades dont Pierre Sémard.

Il suffit de se reporter à l'*Histoire du P.C.F.* (manuel rédigé par les communistes) pour constater que Sémard a été arrêté en 1939 (p. 402) et ne pouvait donc se trouver en liberté en 1940 à Paris.

2. *Op. cit.*, p. 57.

de dix départements de l'Ouest, il rassembla de sa propre initiative un certain nombre de camarades et les incita à résister aux Allemands.

Noguères ignore totalement ce témoignage d'un dissident. Guérin n'en retient qu'une partie : celle assurément où Havez raconte que dès fin juin, à Brest, il donne des consignes et publie un tract qui attaque l'occupant. Le texte (non retrouvé) comportait, dit Havez, cette phrase : « Pas de répit avant d'avoir bouté les bottes hitlériennes hors de notre pays [1]. »

Presque au même moment, Tillon en Gironde rédigeait un texte dactylographié qui comportait lui aussi un passage contre le fascisme nazi. Ce texte aurait été reproduit en un tract (non retrouvé).

Guérin se garde toutefois de dire ce qu'il advient d'Havez. A quelque temps de là, celui-ci rencontre une envoyée du centre clandestin, Lucienne Chaussinaud. Havez lui explique la « ligne », qu'il a suivie dans sa région. La camarade le considère avec stupeur et commisération :

« Ça n'est pas ça du tout!, dit-elle. Qu'est-ce que tu vas prendre! »

Havez est déconcerté. De retour dans sa « planque », il rédige pour les dirigeants du centre clandestin un rapport qui s'achève ainsi :

« Que Maurice me pardonne, mais s'il devait prendre le pouvoir dans de telles conditions, ce ne pourrait être que comme Gauleiter. »

Pour Tillon, on sait qu'à la même époque, il n'est pas d'accord avec la « ligne » des dirigeants. Il ne rejoindra Duclos et Frachon dans la région parisienne pour prendre la tête de l'appareil militaire qu'après l'offensive de la Wehrmacht.

Dans le Nord, Debarge et quelques autres récupèrent des armes, c'est vrai, et organisent peut-être quelques sabotages légers avant le 22 juin 1941. Ces opérations n'en restent pas moins bien conjecturales. Dans *Les F.T.P.*, Tillon affirme bien qu'Hapiot, un dirigeant clandestin du Nord, incendie à la fin de 1940 un parc auto allemand [2]. Mais Lecœur fait remarquer que Madeleine Riffaud attribue le même exploit à Debarge. Il assure aussi que les notes laissées par celui-ci ne font état d'actions armées que postérieurement à la grève de mai 1941 [3].

Il est certain en revanche que les militants communistes du Nord, opérant dans une zone interdite et n'ayant de ce fait que de rares et difficiles liaisons avec le centre clandestin, nourrissaient un antigermanisme tenace venu de la guerre de 1914.

Des actions armées, antérieures à la guerre germano-russe, furent effectivement entreprises dans le Limousin, sous la direction de Georges Guingouin. Mais celui-ci entretenait des rapports tels avec la direction clandestine qu'elle tenta de le faire liquider. Averti, se tenant sur ses gardes,

---

1. *Op. cit.*, t. II, p. 207. Havez raconte aussi qu'il donnait comme consigne à Marcel Paul et à Ballanger de constituer des stocks d'armes, récupérées sur les troupes en retraite. Ce qui modifie totalement le sens des affirmations de Marcel Paul puisque cette consigne n'émane pas du C.C. Cf. Lecœur, *Le Partisan*, pp. 144-145.

2. *P.* 64.

3. Cf. *Le Partisan*, pp. 150-151.

Guingouin ne reprit contact avec elle que fin 1942. Lecœur a rapporté dans quel climat :

« Le rapport rédigé par l'envoyé de la direction et relatant cette reprise de contact était digne de figurer dans un chapitre de roman d'espionnage.

« Les hommes de Guingouin prirent cet envoyé en charge en un lieu désert et avant de le faire monter en voiture lui bandèrent les yeux. La promenade dura deux heures. Il fut reçu par Guingouin qui, entouré de son état-major, exigea des excuses pour les faits antérieurs et demanda de nombreuses garanties pour l'avenir.

« Le retour de l'agent de liaison s'effectua dans les mêmes conditions que pour sa venue et les relations entre Guingouin et la direction de zone se normalisèrent peu de temps après [1]. »

Mais qui donc voulait « descendre » Guingouin ? Des hommes d'un groupe organisé, d'un caractère particulier, dont nous allons souvent reparler : l'O.S. (Organisation spéciale).

L'O.S., Guérin et Noguères la citent en exemple. Selon plusieurs témoignages elle a été constituée, à l'automne, ou au plus tard à la fin de l'année 1940 et, semble-t-il, à l'initiative de la direction. Et il s'agit d'une formation militaire.

L'équivoque joue sur cette caractéristique : *militaire*. L'O.S. n'est pas, à cette époque, *résistante*.

C'est cette O.S. (qui changeant de dénomination sera appelée T.P. : Travail particulier) qui sera transformé à son tour en F.T.P.

L'O.S. originelle est donc bien un embryon d'appareil militaire, mais nullement dirigé, à l'origine, contre l'occupant. Celui-ci observe à son égard la neutralité. Certes, des arrestations d'O.S. sont à cette époque effectuées mais par la police française. Les services allemands se sont bornés à laisser faire, au lieu de faire relâcher les gens, comme au début de l'occupation.

Examinant d'un œil superficiel ou complaisant ces entreprises organiques qui n'ont pas la signification qu'on leur accorde généreusement, Guérin et Noguères finissent l'un et l'autre par escamoter le groupe capital : *le groupe dirigeant*. Pour y parvenir, il faut évidemment esquiver ces délicates questions : les démarches auprès des Allemands, avant même la signature de l'armistice, la tentative de reparution légale de *L'Humanité*, les premiers articles ou tracts, très coopératifs. Nos auteurs pensent se tirer de ce pas litigieux, en n'abordant ces épisodes qu'après avoir brossé un large tableau des résistances prêtées aux formations du parti communiste clandestin. Ce tour de passe-passe est particulièrement flagrant chez Noguères qui a choisi de retracer *mois par mois*, l'histoire de la Résistance. Or, pour le mois de juin 1940, il est à peine fait allusion à la tentative de reparution de *L'Humanité*. Cet épisode n'est vraiment abordé — contre toute logique —

---

1. Cf. Lecœur. *Le Parti communiste français et la Résistance*, pp. 36-37. L'envoyé de la direction était Louis Lambin, militant de la fédération du Nord, mais opérant en zone Sud.

que dans le chapitre consacré à juin 1941, à la fin du tome premier.

Il vaut la peine de citer ce passage : « En effet, entre l'armistice de 1940 et l'entrée en guerre de la Russie, un certain nombre de manifestations *intempestives*, imputables à *des* communistes, et ayant connu une assez large publicité, ont contribué à dresser contre ceux qui en avaient pris l'initiative — et contre ceux qui n'avaient pas cru devoir les répudier — les résistants non communistes. Peuvent être rangés au nombre de ces manifestations, non seulement les éditoriaux de *L'Humanité* clandestine, mais encore les démarches entreprises à l'occasion du procès de Riom par les députés communistes emprisonnés, la demande adressée aux autorités d'occupation par Denise Ginollin et quelques autres, en vue de faire reparaître *L'Humanité*, ou la signature de Marcel Cachin apparaissant au bas d'une affiche apposée par les nazis sur les murs de Paris [1]. »

On voit à quoi tend la démonstration. Certains (dont de Gaulle) soutenaient que seuls des individualités communistes avaient résisté. Noguères renverse la perspective : l'organisation est sainte ; seuls quelques individus ont péché. Peccadilles, à vrai dire : leurs actes sont jugés seulement *intempestifs*. On en a beaucoup trop parlé. Tout ce qu'on peut reprocher aux dirigeants, c'est une *faiblesse* : ils n'ont pas eu le cœur de répudier ces actes.

Il est difficile de travestir davantage la réalité : car ce sont les actes de résistance communistes qui, dans cette phase, représentent des « bavures » par rapport aux directives de l'appareil central [2].

Est-ce à dire que pendant ces douze mois cette direction ait adopté une attitude immuable ? Sans doute pas. Il faut tenir compte du facteur temps. Après tout, on pouvait escompter de la part des Allemands un soutien, voire une neutralité bienveillante puisqu'ils avaient fait relâcher des militants. Après tout, leur politique à l'égard de Vichy n'était pas immuable. Cette illusion coopérative dura l'été. A l'automne, le réveil est brutal. La police de Vichy porte aux communistes de rudes coups. Les services allemands laissent faire. On sait par des rapports du S.D. [3] que la police allemande, dès le début de 1941, se méfie des entreprises de l'appareil illégal communiste.

Cet *appareil*, dans ses profondeurs, a dû, dès la fin de l'année 1940, commencer à se rebiffer, la politique de la direction doit, en bien des cas, se heurter au *non possumus* de l'affectivité antifasciste. Les seules vraies résistances qui se manifestent à la ligne coopérative de la direction sont le fait de dissidents.

1. *Op. cit.*, t. II, pp. 439-440. Passages soulignés par nous.
2. Guérin, dans son livre, montre sur cette question un extrême embarras. Il ne peut désavouer Tréand, puisque Thorez et Duclos sont allés s'incliner sur sa tombe. On croit comprendre que Tréand est peut-être allé un peu loin. Le mot d'ordre « Thorez au pouvoir ! » est présenté comme la manifestation excessive d'un romantisme juvénile (t. II, p. 165). On connaissait les déviations sectaires et opportunistes, gauchistes et droitières ; avec Guérin on découvre la déviation romantique.
3. Publié par la revue *Recherches internationales à la lumière du marxisme*, nos 9-10, sept.-déc. 1958.

D'autre part, à la fin de l'année 1940, les relations entre l'U.R.S.S. et l'Allemagne se détériorent. L'entretien entre Molotov, venu à Berlin, et Hitler est un échec. Les deux puissances se guettent. Dans les territoires occupés, les directions des partis communistes n'ont pas manqué de percevoir ce changement de climat. Vouées à servir l'intérêt soviétique, elles peuvent être amenées à devenir des instruments de pression contre l'occupant. Dans les dernières publications clandestines du P.C.F., cette aggravation des rapports entre l'U.R.S.S. et l'Allemagne, jamais évoquée ouvertement, n'en est pas moins perceptible.

Rien n'est toutefois encore décidé. Si le climat s'est assombri, il reste encore possible de faire un bout de chemin avec l'impérialisme allemand. Ce n'est par le Parti communiste français qui, délibérément, renonce à s'engager dans cette voie. C'est l'offensive de la Wehrmacht, à l'aube du 22 juin, qui la barre, définitivement. A partir de là, mais à partir de là seulement, voici venir le temps des bombes et des armes.

3.

La terreur commence à Barbès

Huit heures du matin, station Barbès, direction porte d'Orléans. Des couloirs de correspondance la foule des travailleurs débouche et s'entasse sur les quais. A la hauteur des premières, un jeune aspirant de la Kriegsmarine attend l'arrivée de la prochaine rame.

Huit heures dix-huit. Avec son fracas habituel, la rame sort du tunnel, s'immobilise le long du quai. Dans la voiture de première, un soldat de la Wehrmacht a aperçu l'officier de la Kriegsmarine. Par déférence, il lui ouvre la portière, salue.

Deux coups de feu : l'aspirant chancelle, tombe en avant, sans un cri, à l'intérieur de la voiture. Ses jambes pendent sur le quai. Il est mort.

De la foule stupéfaite, un homme jeune, vingt-cinq ans peut-être, brun, taille moyenne, visage triangulaire, manteau gris, se dégage, fonce vers l'escalier de correspondance, en grimpe les marches quatre à quatre. Bras tendu en avant, doigt pointé, il grimpe, il grimpe, et il crie à tue-tête : « Arrêtez-le ! Arrêtez-le ! » Et il continue à monter les marches et à crier, avec le même geste impérieux qui désigne un fuyard invisible.

Bizarrement, sur ses pas, un jeune homme escalade aussi les marches, mais avec un revolver à la main.

On les perd de vue. Mais nous pouvons les suivre dans le hall de la station, où l'un derrière l'autre, ils viennent de déboucher. Le bras du premier s'abaisse, sa bouche se ferme. Le second a déjà mis le revolver dans sa poche.

Le bruit des coups de feu n'est pas venu jusqu'ici. Les gens vont et viennent tranquillement. Ils ignorent tout de l'attentat.

Tranquillement aussi, Fabien et Gilbert Brustlein franchissent les grilles de Barbès et, par les petites rues de Montmartre, gagnent les jardins du

Sacré-Cœur. Quelques instants plus tard, un troisième garçon vient les rejoindre.

« Alors ? interroge Fabien.

— Alors, dit le nouveau venu, je suis resté sur le quai, comme tu me l'avais dit, pour observer les réactions des gens.

— Alors ?

— Les flics sont arrivés quelques minutes plus tard. Ils ont cherché des témoins. Personne n'avait rien vu.

— Ils ont fait des réflexions ?

— Quelques-uns. Favorables. Des hommes ont dit en parlant de vous deux. " Les gars ont eu du cran ". Une fille a murmuré : " Un de moins ! ". »

Il est huit heures trente, ou huit heures trente-cinq. Depuis un quart d'heure environ, en cette matinée du 21 août 1941, soixante-deux jours après le début de l'offensive allemande dans les plaines de Russie, l'aspirant Moser est mort, foudroyé par les deux balles tirées, dans le dos, à bout portant, par Frédo, alias Fabien, de son vrai nom Pierre Georges.

L'appareil de combat des Jeunesses communistes vient de frapper son premier grand coup.

En apparence, il ne s'est presque rien passé. L'armée allemande vient de perdre un homme d'une manière imprévue, sur un front qui ne figure pas au communiqué militaire : le front des populations occupées. Un secteur, jusqu'ici, sans histoire.

Au-dehors, les gens vaquent à leurs affaires, sous le soleil. Il y a les difficultés du ravitaillement, le poids de l'occupation, tous les signes qui rappellent que la France a perdu la guerre. Mais, justement, pour nous la guerre est finie. La guerre, c'est une histoire qui concerne les Allemands, les Russes et les Anglais. Quelque chose qui se passe au loin, dans les airs ou dans les steppes où tournoient les Panzer. Notre guerre, le Maréchal y a mis fin un an plus tôt, et, sauf par une poignée d'hommes, son pouvoir n'est pas discuté, même après l'entrevue de Montoire qui scelle la collaboration.

La France ne le sait pas encore : ce 21 août 1941, la guerre vient de reprendre sur son sol. Une guerre, faite de coups de feu dans le dos, qui entraînera en représailles des tortures, des feux de peloton, et des coups de grâce.

La mort de l'aspirant Moser inaugure une phase sanglante. L'écho des deux détonations insignifiantes d'un 6,35 mm n'a pas dépassé l'aire de Barbès, mais il retentit déjà au Q.G. de la Werhmacht. Il va résonner à travers l'Histoire, ouvrant un débat qui se prolonge encore.

Dès le lendemain, Ingrand, chef de l'échelon administratif du ministère de l'Intérieur à Paris, est convoqué par les Allemands. Il est averti que Hitler a décidé de prendre cent cinquante otages, dont le tiers doit être exécuté aussitôt. Ces représailles massives ne pourront être évitées que si le gouvernement français consent à adopter les trois mesures suivantes :

1. Promulguer aussitôt une loi déjà à l'étude et destinée à réprimer les menées communistes et anarchistes;

2. Créer un tribunal extraordinaire.

3. Condamner à mort six communistes déjà incarcérés. Ils devront être exécutés au plus tard le 28 août, le jour même des obsèques de l'aspirant Moser [1].

Naissance de l'O.S.

Telle est la dramatique alternative devant laquelle Vichy se trouve placé.

Pourquoi, comment le parti communiste clandestin a-t-il inauguré cette tactique, extrêmement coûteuse en vies humaines, et que de Gaulle, lui-même, a d'abord repoussée [2] ?

Il faut remonter à cette période où le parti communiste clandestin constitue sa première formation armée : l'Organisation spéciale (O.S.)

Les premiers groupes de l'O.S. ont été créés à une date indéterminée, en été 1940 [3], ou en automne [4]. La seconde date est la plus vraisemblable. Tillon précise que ces groupes ont été formés par les « directions régionales », façon d'indiquer aux initiés [5] que la direction clandestine n'y a aucune part. Leur première tâche a été d'assurer la protection des orateurs de rues et des distributeurs de tracts.

Éventuellement aussi, les hommes de l'O.S. doivent éliminer les « traîtres », qui se seraient infiltrés à l'intérieur du parti clandestin et liquider ceux qui ont rompu au moment du pacte germano-soviétique.

C'est ce qu'indique Lecœur. Selon lui, le premier groupe O.S. aurait été constitué dans la région parisienne avec pour mission de liquider les « traîtres », d'abattre les policiers français et de récolter pour le parti de l'argent et du ravitaillement. Par la suite, devaient être formés les T.P. (Travail particulier) qui devaient protéger les équipes de propagande. Ceux-ci deviendront tout naturellement, au début de 1942, les F.T.P. (Francs-tireurs partisans), puis F.T.P.F. (Francs-tireurs partisans français), définition adoptée pour bien mettre en évidence le caractère national de cette formation [6].

---

1. Cf. Yves-Frédéric Jaffré, *Les Tribunaux d'exception*.

2. Après l'exécution des otages de Châteaubriant, le 23 octobre 1941, de Gaulle, à la radio de Londres, juge en ces termes les attentats : « Il faut que tous ces combattants, ceux du dedans comme ceux du dehors, observent exactement la consigne. Or, actuellement, la consigne que je donne pour le territoire occupé, c'est de ne pas y tuer d'Allemands. Cela, pour une seule, mais une très bonne raison, c'est qu'il est en ce moment trop facile à l'ennemi de riposter par le massacre de nos combattants maintenant désarmés.

« Au contraire, dès que nous serons en mesure de passer tous ensemble à l'attaque par l'extérieur et par l'intérieur, vous recevrez les ordres voulus. Jusque-là, patience, préparation, résolution. »

3. *Le P.C.F. dans la Résistance*, pp. 81-82.

4. Tillon, *Les F.T.P.*, pp. 67-68.

5. A l'époque où il publie *Les F.T.P.* (1962) Tillon est encore membre du parti.

6. Cf. Lecœur, *Le Parti communiste français et la Résistance*, pp. 82-84.

Comme on le voit, selon qu'on se réfère à l'un ou à l'autre, l'acte de naissance de l'O.S. se situe à une date incertaine.

Alors que les comités populaires sont des formations assez larges, semi-clandestines, pouvant regrouper sept à huit personnes, l'O.S. au contraire doit appliquer les strictes règles de la clandestinité. Sa formation de base est la « troïka », ou groupe de trois. Un seul des trois hommes connaît le responsable de l'échelon supérieur, et les détachements de base s'ignorent entre eux. Ainsi est assuré le cloisonnement maximum.

Telle est, du moins, la théorie. Dans la pratique, ces règles seront loin d'être toujours observées.

De leur côté, les Jeunesses communistes, aussitôt après l'offensive alle-mande à l'est, constituent leurs propres formations de combat qui pren-dront le titre ambitieux de *Bataillons de la Jeunesse*.

Qui dirige l'O.S. ? Tillon cite les noms de Lucien Carré, ancien comman-dant des brigades internationales en Espagne, de Losserand, d'Hénaff, et parmi d'autres de Jules Dumont; parmi les jeunes, d'Ouzoulias et d'André Leroy. Une autre source, *Le Parti communiste dans la Résistance* (ouvrage collectif réalisé par l'Institut Maurice Thorez) donne comme « patrons » Carré, Rebière (membre du C.C. depuis 1937, et lui aussi ancien des brigades) et le colonel Dumont.

C'est celui-ci qui est le véritable chef de l'O.S. Ancien commandant de l'armée françaises il a joué un rôle important dans les brigades internatio-nales où il dirigeait le bataillon *Commune de Paris*. Son expérience le désigne pour prendre la tête de l'appareil militaire. C'est lui qui, après juin 1941, organise le laboratoire où se fabriquent les premières bombes du parti, dans le 20e arrondissement, et dont la responsable est France Bloch-Sar-razin. Son rôle est aujourd'hui minimisé par les orthodoxes du parti, et même par Tillon.

Lorsque la Blitzkrieg commence à l'Est, il ne semble pas que cet appareil militaire soit très étoffé. Ses effectifs ne doivent pas dépasser une tren-taine d'homme dans la région parisienne, munis d'un armement de for-tune (pistolets, baïonnettes, poignards et même matraques). En province, il y a peut-être quelques groupes qui opèrent dans la Loire-Atlan-tique, en Bretagne, dans l'Aube, près de Rouen, mais c'est le Nord qui compte sans doute les effectifs les plus importants et les plus hostiles aux Allemands, pour les raisons que nous avons déjà vues.

Les Bataillons de la Jeunesse, eux, ne s'organisent vraiment que dans le courant de l'été 1941.

La direction politique des J.C. est alors assurée (août 1941) par Danielle Casanova, André Leroy, Camille Baynac, Lucien Dorland et Pierre Geor-ges (Fabien). A la direction parisienne, on trouve Berlemont, Lucien Germa, René Despouy, Jean Compagnon, Odile Arrighi, Albert Gueus-quin, etc [1].

---

1. Cf. Ouzoulias, *op. cit.*, pp. 96-97. Dans *Le P.C.F. dans la Résistance*, on trouve une liste différente : Baynac, Paul Costeur, Lucien Dorland.

En juillet 1941, André Ouzoulias, ancien responsable des J.C. d'avant-guerre, s'évade de son camp en Allemagne. A la fin du mois, il est à Paris. Il est aussitôt « contacté » par Danielle Casanova.

La rencontre a lieu le 2 août, au début de l'après-midi, à la *Closerie des Lilas*.

« Tu vas prendre la direction des groupes armés de jeunes », dit Danielle. Elle a 32 ans, lui 26. Il hésite. Il a, sans doute, son expérience d'artilleur. Est-ce suffisant pour une responsabilité aussi lourde?

« Tu ne seras pas seul, insiste Danielle. Tu auras Pierre Georges. »

Quelques heures plus tard, l'ex-*Kriegsgefangene* Ouzoulias discute problèmes tactiques dans un autre café, près de Duroc, avec son adjoint direct Pierre Georges, le futur colonel Fabien.

Celui-ci est le jeune communiste exemplaire, digne d'une bande dessinée à l'usage des militants. Son père, ouvrier boulanger, était membre du parti. Né le 21 janvier 1919, le jeune Pierre est déjà à dix ans responsable d'un groupe de *Pionniers* [1], à Villeneuve-Saint-Georges. Passé aux Jeunesses, il gravit rapidement les échelons jusqu'à la direction nationale. Mais il préfère les combats de la guerre d'Espagne et à 17 ans s'engage dans les brigades. Spécialisé dans les coups de main sur les lignes arrière des franquistes, il revient en France en 1938 avec une collection de blessures, d'exploits, et le grade de lieutenant.

A la déclaration de guerre, il travaille dans une usine d'aviation de La Courneuve, la C.A.P.R.A. [2], en compagnie d'un autre J.C. Maurice Le Berre. Il est également responsable des J.C. dans la région parisienne. Arrêté en novembre 1939, il s'évade en juin 1940 du camp de Baillet, selon Ouzoulias, du camion qui le conduit à Bordeaux, selon Angeli et Gillet.

L'épisode est peu clair. L'utilisation de Pierre Georges dans les premiers temps de l'occupation ne l'est guère davantage. On le trouve à Marseille, où il travaille avec l'appareil clandestin des marins, sous la direction de Fernand Vigne (Vigne, notons-le, dirige un groupe chargé de liquider les « traîtres »). Vers février 1940, le jeune Pierre Georges gagne la Corse en barque, « contacte » l'organisation clandestine et en particulier Léo Figuères, esquive de peu l'arrestation, regagne le continent où il travaille à l'organisation des J.C. de la zone Sud. Il supervise encore une distribution de tracts à Toulouse, et revient enfin à Paris.

Ces allées et venues indiquent assez qu'il est un homme de confiance, chargé de prendre des contacts et de mettre en place des structures que d'autres devront animer. Il semble qu'il travaille indifféremment pour le compte du parti et pour celui des Jeunesses. Ce qui semble, *a priori*, curieux. Ou bien, opère-t-il directement pour l'appareil soviétique?

A la question : « Qui manipule Pierre Georges? » on ne peut répondre

1. Formation des enfants communistes.
2. La C.A.P.R.A. figure dans la liste des usines où des sabotages ont été enregistrés pendant « la drôle de guerre ». Il semble toutefois impossible que Pierre Georges, arrêté en novembre, ait eu le temps de les organiser.

à coup sûr. En tout cas, c'est un guérillero d'une audace exceptionnelle. Implacable, aussi. L'attentat de Barbès est son œuvre, dans son exécution — c'est lui qui tire les deux balles sur Moser —, dans sa préparation, et dans le choix de l'objectif et du moment.

Pour la décision du passage à l'attentat en général, c'est autre chose.

Dans leurs récentes versions, les communistes présentent l'opération Barbès comme une riposte, comme un acte de vengeance. L'*Histoire du P.C.F. dans la Résistance* souligne ainsi que Bréchet et Bastard, — alors que l'attentat de Barbès s'est déroulé le 21 août — ont été exécutés le 19. Ce qui est une erreur. A cette date, ce sont deux autres jeunes communistes : Tyszelman et Gautherot qui ont été fusillés par les Allemands.

Ce sont ces morts qu'Ouzoulias invoque pour justifier la campagne d'attentats contre les soldats de la Wehrmacht, inaugurée à Barbès.

« L'histoire dira, écrit-il, que les nazis tirèrent les premiers sur des hommes et des femmes sans défense. Les exécutions d'officiers nazis viennent comme des ripostes; ripostes en particulier à l'arrestation en juillet 1941 de José Roig et André Masseron et, après le 15 août, d'Henri Gautherot et Samuel Tyszelman [1]. »

Qu'en est-il au juste? Pour répondre à cette question, il faut examiner comment le parti communiste clandestin est passé de sa phase de coopération (ou tout au moins de neutralité) avec les Allemands, à la lutte armée dirigée contre eux.

Après l'attaque de la Wehrmacht, devant les développements d'une offensive qui obtient alors d'éclatants succès, la direction clandestine du P.C.F. se doit, assurément, d'agir sur les arrières de l'ennemi, afin de diminuer la pression que l'armée allemande exerce sur l'Armée Rouge.

Toute l'histoire de l'I.C. avec les précédents de l'offensive rouge en Pologne, de l'occupation de la Ruhr et de la « drôle de guerre » est là pour justifier ce genre d'opérations. Avec une urgence accrue : cette fois, c'est la patrie soviétique qui court un péril mortel. Au reste, Staline n'attend pas. Dans son appel de juillet, il invite les peuples occupés à se soulever contre l'occupant. Cette volonté de créer, à défaut d'un second front qui n'est pas encore possible, le maximum de foyers de luttes, afin de fixer le maximum de troupes allemandes, ou de désorganiser son effort militaire, sera exprimée avec insistance en octobre par la jeunesse soviétique.

De toute façon, à partir de juillet, la direction clandestine du parti et celle des Jeunesses en France sont tenues de s'aligner et de substituer à l'action politique et psychologique une lutte de type militaire.

Mais quelle forme de lutte ?

Si nous nous reportons aux textes publiés à l'époque, on constate qu'ils préconisent, en gros, trois types d'action :

---

1. *Op. cit.*, pp. 112-113.

1. Avant tout une action contre les transports de l'ennemi, tout à fait conforme à la tradition de l'I.C.

2. Des sabotages dans les usines d'armement de l'ennemi, ou dans les secteurs de production particulièrement utiles à son effort de guerre. Il s'agit essentiellement de *sabotages de masse* auxquels l'ensemble de la classe ouvrière est invitée à participer.

3. Pour appuyer ces actes, des grèves ouvertes ou perlées.

Voici quelques appels en ce sens :

« Pour hâter la défaite de Hitler, il faut saboter par tous les moyens ses fabrications de guerre, ses transports d'hommes, de matériel et de vivres [1]. »

« Cheminots, refusez de conduire les trains ; dockers, refusez de les charger ; métallos, exigez que le fer reste dans notre pays ; mineurs, refusez de l'extraire, s'il doit être livré à l'occupant [2]. »

Le même appel est lancé en zone sud :

« Dans les usines, les ouvriers ont le devoir, car il s'agit du sort du pays, de refuser de produire pour Hitler. Ceux de Clermont-Ferrand n'ont pas à fabriquer de caoutchouc pour leurs oppresseurs ; ceux de Dewoitine et de Breguet n'ont pas à fabriquer des avions pour l'Allemagne ; ceux de Berliet ne doivent pas construire des camions ou des tanks [3]. »

Des consignes plus précises sont données aux cheminots [4] et aux métallurgistes dans un tract qui leur est spécialement destiné [5].

Reprenant l'appel de la jeunesse soviétique, *L'Avant-Garde*, dans un numéro spécial, invitera les jeunes à participer activement à cette lutte :

« Coupez les fils téléphoniques. Faites dérailler les trains. Transformez-vous en francs-tireurs. Sabotez la production. Rendez les usines inutilisables [6]. »

Aucun de ces appels à la lutte armée ne comporte *explicitement* le mot d'ordre d'abattre des soldats allemands isolés [7].

En soi, ce n'est pas surprenant. L'attentat de Barbès et ceux qui vont suivre relèvent du terrorisme pur. Le marxisme-léninisme condamne expressément l'acte terroriste, comme méthode de lutte individuelle [8]. Cette condamnation est toutefois assortie de cette importante réserve : si la terreur est exigée et pratiquée par les masses, alors les bolcheviks ne sauraient la désavouer.

1. *L'Humanité*, n° spécial du 7 août 1941.
2. *L'Humanité*, n° 114 du 12 août 1941.
3. *L'Humanité* de zone non occupée, n° 112, 19 juillet 1941.
4. *La Tribune des Cheminots*, août-septembre 1941.
5. *Métallurgistes de France*, novembre 1941.
6. Octobre-novembre 1941.
7. On peut, à la rigueur, soutenir que ce mot d'ordre est *implicitement* compris dans la formule « Transformez-vous en francs-tireurs ». Mais celle-ci ne correspond-elle pas plutôt à des attaques contre des détachements, des postes de garde, et des dépôts de munitions allemands, telles qu'en mèneront dans le Nord Debarge et ses hommes?
8. Cf. Lénine in *Iskra*, mai 1901.

En définitive, qui décidera que l'acte terroriste est *de masse* (donc légitime) ou *individuel* (donc aventureux) ? La direction du parti, dans une circonstance historique déterminée (avec le risque d'être désavouée ultérieurement par une autre direction, pour déviation gauchiste et sectaire) [1].

En août 1941, les masses sont d'une formidable passivité. Il n'y a naturellement aucun sabotage important dans les usines, ni grèves, ni manifestations, ni refus de produire, ni actions d'envergure sur les voies de communication de l'ennemi, qui réclament d'ailleurs un personnel et un matériel qualifié.

Quelque temps plus tôt, un orateur du parti, protégé par un petit groupe O.S., a pris la parole en plein marché, à Saint-Denis. A peine a-t-il commencé à parler, que les ménagères, apeurées, s'écartent. Juché sur un tréteau, il poursuit courageusement son discours, absolument seul, au centre d'un cercle vide, délimité par la panique [2].

Ouzoulias lui-même le reconnaît : « Cette lutte (sous forme d'attentat) était d'autant plus difficile que la majorité de la population ne la comprenait pas encore et, dans sa grande masse, à ce moment précis, condamnait les actions des francs-tireurs [3]. »

Le passage au terrorisme est en effet accompli par une infime minorité. Frédo (Pierre Georges) et Ouzoulias en sont les propagandistes. Premier objectif : « Porter des coups importants à Paris pour qu'ils retentissent à travers tout le pays comme un appel à la lutte armée de notre peuple et de sa jeunesse [4]. »

A cet effet, Frédo prend contact avec Gilbert Brustlein et Maurice Le Berre qui viennent de constituer les premiers Bataillons de la Jeunesse, c'est-à-dire de petits groupes composés de trois ou quatre jeunes. Ceux-ci ont commencé leur action à un niveau très modeste par des jets de pavés contre des vitrines du R.N.P. ou du P.P.F.

Par rapport à ces premières ébauches, la consigne de Frédo a de quoi effrayer : il faut « descendre » des officiers allemands.

Dans les discussions avec Brustlein, les choses ne vont pas toutes seules. Celui-ci pense que l'action doit consister à détruire le matériel ennemi. « Il faut détruire le matériel, répond Frédo, *mais nous devons aussi porter le coup politique* (souligné par nous). Nous devons tuer les Allemands, sans cela rien ne sera possible [5]. »

Aux alentours du 15 août, sous les allures du camping — et sans doute dans le cadre des activités du C.L.A.J. (Centre laïque des auberges de la jeunesse) — une sortie a lieu près d'Étampes. (Les règles de sécurité ne sont pas encore très bien observées.) Ouzoulias, Frédo, Brustlein y prennent part.

1. Nous retrouverons ce problème au moment de la guerre d'Algérie.
2. Ouzoulias, *op. cit.*, p. 127.
3. *Op. cit.*, p. 120.
4. *Op. cit.*, p. 120.
5. *Debout Partisans*, p. 316.

Frédo entreprend d'initier ces garçons à l'attaque fictive d'un poste alle-mand. Puis Ouzoulias les harangue, avec pour dessein de les convaincre qu'il faut abattre des Allemands dans la rue. Des objections s'élèvent :

« Un soldat allemand, c'est peut-être un anti-hitlérien. »

Et les jeunes concluent :

« Nous ne voulons tuer que des officiers S.S. ou des hommes de la Ges-tapo [1]. »

Ainsi, quelques jours avant l'attentat, l'action terroriste se heurte à de fortes réticences. A tel point que Frédo est obligé d'agir par surprise. Il donne comme consigne à Brustlein, Albert Gueusquin et Zalkinov d'aller déboulonner des rails dans la nuit du 20 août, près de Nogent-sur-Marne, et de le retrouver le lendemain à huit heures du matin au métro Barbès. C'est seulement sur place qu'il leur dévoile son plan :

« On va tuer un officier allemand [2]! »

Dans l'esprit d'Ouzoulias et de Frédo, l'idée d'entreprendre à tout prix des attentats contre des officiers allemands n'est pas du tout une riposte à l'exécution des deux jeunes communistes Tyszelman et Gautherot, arrêtés au cours d'une manifestation sur les Grands Boulevards et exécutés le 19 août. Elle est, nous venons de le voir, quelque peu antérieure.

Mais cette idée, qui la leur a soufflée ?

Logiquement, statutairement, ce devrait être la direction clandestine du parti, à laquelle la direction nationale des J.C. est subordonnée. Et il est difficile en effet de concevoir que le passage à l'attentat ait pu être effectué sans une directive formelle donnée par la « troïka » dirigeante : Duclos, Frachon, Tillon.

Pourtant, l'analyse de la situation nous conduit à écarter cette hypo-thèse.

Il est de toute façon rigoureusement impossible qu'entre le 19 août (date de l'exécution de Tyszelman et Gautherot) et le 21, la direction clan-destine ait pu se réunir, analyser la situation, décider de représailles, et communiquer cette décision à Frédo. Les règles de sécurité imposaient en effet des délais sensiblement plus longs.

Il n'est pas davantage vraisemblable que la direction clandestine ait arrêté son choix antérieurement. Car cette direction est en plein remue-ménage.

Duclos, si l'on se fie à ses *Mémoires,* est resté caché dans un grand immeuble situé juste en face de la caserne Mortier, de juillet à septembre 1940, puis il s'est rendu à Antony, et rue de l'Abbé-Groult (15e), avec son garde du corps Victor, puis avenue de la Porte-de-la-Plaine, près du palais des Expo-sitions de la porte de Versailles. Il a laissé pousser sa barbe et il porte bino-cle. Sa femme passe pour la petite amie de son garde du corps. Mou-nette Dutilleul assure les liaisons. Duclos, pour sa part, sort très rarement [3].

1. Ouzoulias, *op. cit.*, p. 119.
2. Récit de Brustlein, in *L'Humanité,* le 20 août 1950.
3. *Mémoires,* t. III, 1re partie, pp. 111-118.

Frachon, de son côté, réside aussi dans la capitale mais dans le courant de l'été 1941, les deux hommes vont s'installer dans la vallée de Chevreuse, près de Villebon.

Tillon et sa femme ont quitté Bordeaux pour s'installer 257, rue de Paris à Palaiseau, dans une villa louée à un policier en retraite — qui ne soupçonna rien — par leur garde du corps Francis Covelet [1]. Réticent à l'égard de la ligne politique adoptée par la direction du parti, il vient d'être appelé, après le 22 juin 1941, pour prendre la tête de l'appareil militaire.

L'appareil militaire, c'est alors peu de chose : c'est l'O.S., ce sont les balbutiants Bataillons de la Jeunesse; c'est aussi, mieux structurée déjà, mais plus fermée, plus secrète, l'organisation de combat de la M.O.I.

Logiquement, c'est le spécialiste militaire de la « troïka » centrale, Tillon qui, avec l'accord des deux autres, devrait décider et contrôler l'opération Barbès.

Or, il n'existe à l'heure actuelle aucun indice que cette direction, en pleine installation dans la vallée de Chevreuse, ait décidé quoi que ce soit.

Dans le récit d'Ouzoulias, la direction du parti est absente, totalement absente. Duclos, dans ses *Mémoires*, évoque très brièvement (en une phrase) l'attentat commis par Fabien [2].

Tillon est un peu plus prolixe. Il note que « la France est placée à l'arrière du front de l'est ». A aucun moment, toutefois, il ne prend la responsabilité des attentats.

Qui donna l'ordre de tirer ?

« Pour populariser la lutte armée et élever son niveau, écrit-il, l'ordre fut donné de frapper en plein jour et d'attaquer les forces militaires occupantes dans leurs œuvres vives [3]... »

Il ne dit pas *qui* donna l'ordre.

Il note en revanche (et Duclos et Ouzoulias font de même) que l'on se heurta « aux hésitations et aux incompréhensions d'ordre politique et parfois au recul... des volontaires devant l'acte de violence [4]... »

Ces hésitations, on les découvre dans la presse clandestine de l'époque. Elles témoignent d'un net désarroi. Sans doute, un numéro de *L'Humanité* menace de faire abattre dix Allemands pour tout Français exécuté [5]. Mais, contradictoirement, un papillon collé en septembre sur les murs affirme que « l'officier qui a été abattu Barbès a subi la loi de la jungle : il s'agirait d'une violence privée, d'un crime du milieu [6] ».

1. Cf. *Debout Partisans*, pp. 239-240.
2. « Les victimes de l'hitlérisme furent vengées deux jours après, le 21 août, par Pierre Georges (le futur colonel Fabien), qui abattit un officier allemand sur le quai de la station de métro Barbès-Rochechouart », *op. cit.*, p. 182.
3. *Les F.T.P.*, p. 105.
4. *Op. cit.*, p. 102.
5. Numéro du 21 août 1941.
6. Cité par Rossi, *Physiologie du Parti communiste français*, p. 202.

De même, après l'attentat de Nantes contre un major allemand (qui entraîne en représailles l'exécution des détenus de Châteaubriant), on peut lire dans *Libération*, organe du Secours populaire de France, que « Hitler et Pétain ont organisé le crime de Nantes... pour servir de prétexte à l'exécution de patriotes français... Tout a été préparé et mis au point par le ministre de l'Intérieur et la Gestapo [1]. »

Les résistances à l'action terroriste vont loin... « Aussitôt après l'exécution d'un officier allemand à Nantes en 1941, écrit Tillon, un dirigeant de la région écrivit dans son rapport au Comité central que " celui qui a tiré devrait se dénoncer pour empêcher la répression de frapper les otages " [2]. »

Le recours au terrorisme est en effet une extraordinaire rupture avec la *praxis* des communistes français. L'attentat de Barbès et ceux qui vont suivre constituent des opérations politiques, froidement calculées, qui se situent à la charnière des relations franco-allemandes. Ce ne sont pas seulement les occupants qui fusillent, mais Vichy qui s'engage dans la voie de la répression. Jusqu'ici la politique de collaboration, scellée à Montoire, a pu être acceptée par certaines fractions de l'opinion, tolérée comme un moindre mal, ou désavouée. Elle n'a pas encore suscité, dans de vastes couches de la population, des sentiments de haine. Après les verdicts du tribunal spécial, davantage encore après Châteaubriant, elle commence à déraper dans le sang.

Les conséquences politiques et psychologiques sont considérables. Elles ont été obtenues avec une grande économie de moyens : quelques balles.

Il n'est pas vraisemblable de croire que quelques jeunes gens aient, seuls, accompli le saut. La direction clandestine n'aurait-elle pas aussitôt condamné ces « gestes aventureux » ?

Mais si cette direction n'a pas pris l'initiative du terrorisme, il faut alors admettre qu'un autre organisme est passé par-dessus sa tête. Un seul pouvait le faire : *l'appareil militaire du Komintern.*

A diverses reprises, l'I.C. court-circuitant la direction du parti jugée trop opportuniste s'est tournée vers les Jeunesses, plus malléables et plus hardies. C'est ce qui se produit au moment de l'occupation de la Ruhr, pendant la guerre du Rif, à la formation du *groupe.* Dans la situation de péril mortel où se trouve la patrie soviétique, envahie par les blindés, Moscou a besoin d'actes immédiats et éclatants.

Il est logique que ses représentants, méprisant une direction adulte souvent pusillanime, se tournent vers les jeunes. Danielle Casanova, qui avait la confiance de Thorez et de l'appareil soviétique, a pu être l'interprète de ces décisions.

Nous ne possédons ni documents ni témoignages en ce sens. L'hypothèse que nous formulons est donc fragile, nous l'admettons volontiers, car elle ne repose que sur une déduction. Mais elle est la seule à rendre compte, d'une façon cohérente, d'une certaine situation.

1. Numéro de décembre.
2. *Op. cit.*, p. 110.

Les secrets de l'attentat de Colette

Six jours après les deux balles tirées à Barbès, d'autres coups de feu éclatent, le 27 août 1941, à Versailles. Laval et Déat qui, dans la cour d'une caserne, passent en revue les premiers volontaires de la L.V.F. avant leur départ pour le front de l'est, y sont grièvement blessés par un jeune homme roux, originaire de Rouen, Paul Colette.

Le geste, à l'époque, a un énorme retentissement. Arrêté aussitôt, Colette déclare avoir agi seul, par patriotisme gaulliste. Avant-guerre, il a appartenu aux Volontaires nationaux du colonel de La Roque. L'enquête menée à son sujet et le procès qui le condamne à mort ne lui découvrent pas de complices. Gracié par le maréchal, il survit à sa déportation.

Un mystère subsiste autour de cet homme. Bien que le jeune Colette se soit réclamé de lui, de Gaulle n'approuve pas son geste (à l'époque, en effet, le général désavoue les attentats). Il n'en est pas moins surprenant qu'après la Libération Colette soit très vite rentré dans l'ombre et dans un un silence dont il n'est que fort rarement sorti, notamment dans une interview accordée à *France-Dimanche* [1].

Au sujet de Colette, Laval avançait une thèse. Il était convaincu que le jeune homme avait été manipulé par l'entourage cagoulard de Deloncle. Celui-ci avait en effet fondé en compagnie de Marcel Déat le Rassemblement national populaire (R.N.P.), mais en août 1941, de grosses divergences séparaient ces deux dirigeants plus rivaux qu'alliés; quelques semaines plus tard, d'ailleurs, Deloncle et ses partisans quittaient le R.N.P.

Rien, jusqu'à présent, n'est venu étayer les soupçons de Laval, partagés vraisemblablement à l'époque par Marcel Déat.

Personne ne semble avoir effectué un autre rapprochement. Le jeune patriote communiste Fabien abat un officier allemand; le jeune patriote *sans parti* Colette tire sur deux « traîtres », vedettes de la collaboration, *le jour du départ d'une formation destinée à combattre l'Union soviétique.* Ces deux actes, que quelques jours séparent, ont en commun un air de famille et semblent appartenir au même cycle. Chacun touche des cibles exemplaires : les Allemands et les « traîtres » Leurs actes ont la même valeur symbolique d'unité nationale, de Front national pourrait-on dire (lancé par les communistes en mai), d'appel à d'autres actes vengeurs. Fabien et Colette sont les étincelles qui doivent allumer la flamme du terrorisme, le premier dans le milieu ouvrier, le second dans des couches politiques plus modérées.

Fabien et Colette ont-ils eu les mêmes inspirateurs?

Il serait téméraire de l'affirmer, bien que la presse communiste clandes-

1. N° du 15 décembre 1946. « J'ai tiré sur Laval. »

tine ait accueilli l'attentat de Versailles avec sympathie [1], et que, bien plus tard, Ouzoulias et Duclos citent l'un et l'autre Paul Colette en exemple.

Mais le fait le plus troublant est une phrase tirée d'un ouvrage du communiste Maurice Choury consacré à la lutte de ses camarades en Corse, phrase qui semble avoir échappé à tous les historiens :

« Quatre jours plus tard (après l'attentat de Fabien) [2], l'un de ceux qui devaient s'illustrer dans la Résistance corse, *André Giusti, participa à la tentative d'exécution du traître Laval à Versailles* [3]. »

La participation de ce Giusti à l'attentat de Versailles était restée jusque-là inconnue, Colette ayant toujours prétendu avoir agi seul. André Giusti est en Corse chargé du renseignement au sein du Front national, formé quelques mois plus tôt par les communistes. Or, si des contacts ont été pris par lui avec Colette, il est logique que ce soit dans le cadre du Front national et par l'intermédiaire d'un spécialiste du renseignement.

Giusti a-t-il connu Pierre Georges qui, on s'en souvient, s'est rendu en Corse et l'attentat de Versailles a-t-il été monté en liaison avec ce dernier ? Nous ne possédons à ce sujet aucune donnée [4].

S'il est impossible de dégager des conclusions formelles de cet épisode, la présence de Giusti aux côtés de Colette, sa participation à l'attentat de Versailles, du moins si l'on en croit le témoignage de Choury, qui n'a pu publier son ouvrage qu'avec le visa du parti communiste, contredit la version généralement admise jusqu'ici.

On ne peut évoquer les premiers attentats terroristes contre l'occupant sans les relier à deux événements qui, à des titres divers, ont marqué l'action du parti communiste : la mort de Péri, l'affiche de Marcel Cachin.

Qui donna Péri ?

Un double mystère enveloppe les derniers mois de Gabriel Péri : celui de son arrestation, celui de sa mort.

Péri est arrêté en mai 1941 à Argenteuil où il se cache, donc avant l'offensive allemande en Russie, par la police française. Après la Libération, le commissaire qui a procédé à l'arrestation sera seulement révoqué. Circonstance qui intrigue. Diverses rumeurs sur l'étrange arrestation de

1. « Le parti communiste... sait que ce n'est pas d'un geste isolé mais de l'action des masses qu'il faut attendre le salut de la patrie. Mais il s'incline, comme tous les Français, devant le jeune patriote Paul Colette qui, voyant le spectacle de la trahison, a fait don de sa vie pour frapper des traîtres. » (« Après les incidents de Versailles : une déclaration du parti communiste. ») A la même époque, on trouve d'autres réactions identiques.

2. En réalité, il s'agit de 6 jours, mais Choury prend sans doute comme point de référence la date erronée du 23 donnée par des sources communistes.

3. *Tous bandits d'honneur. Résistance et Libération de la Corse* (juin 1940-août 1943). Préface d'Arthur Giovoni, p. 25. Passage souligné par nous. L'ouvrage a paru aux Éditions Sociales en 1958.

4. Giusti qui sera abattu plus tard, au cours d'une opération en Corse, était artiste lyrique à Paris sous le nom d'André Darcy.

Gabriel sont alors recueillies par certains journaux, en particulier par *Le Figaro* et par le périodique *Unir pour le socialisme*[1] qui deviendra « *Unir-Débat* ».

L'Humanité ne semble pas souhaiter un débat sur ce sujet. Duclos l'aborde tout de même dans ses *Mémoires*. Il s'empresse de céder la parole à Mounette Dutilleul, fille d'Émile, trésorier du parti et agent de liaison auprès de la direction clandestine[2].

Le 15 mai, donc — selon le récit de Mounette — celle-ci, un bouquet de tulipes blanches à la main et munie d'un Stendhal, collection « La Pléiade », « cela pour faire jeune femme très XVIe » a rendez-vous avec Catelas à la porte d'Auteuil. Les minutes passent. A 16 h 30, Catelas n'est toujours pas là. Au moment où la jeune femme s'apprête à partir, un inconnu d'une trentaine d'années l'aborde. Coups de sifflets. Des policiers surgissent. Elle est prise.

Elle a sur elle des papiers au nom de Jeanne Dessart. C'est sous cette fausse identité qu'elle sera d'ailleurs condamnée. On la conduit au commissariat d'Asnières; dans la grande salle : Catelas. Il fait celui qui ne la connaît pas. Dans le bureau occupé par le secrétaire du commissaire : Péri.

« Vous la connaissez?

— J'ai vu beaucoup de jolies femmes, dit-il galamment. Je regrette de ne pas connaître celle-ci. »

Selon Mounette, Catelas a été arrêté le 13, Péri le lendemain. Dans la grande salle de police, elle a pu apercevoir un autre communiste « Armand » qui travaille à la commission des cadres.

Quand elle est ramenée au « violon » elle constate que dans la grande salle de police, un autre communiste a remplacé Catelas. Il s'appelle « Armand » et travaille à la section des cadres.

Au cours de la nuit, « Armand » réussit à échanger quelques mots avec Mounette. Son comportement est bizarre, ses explications embarrassées. C'est lui qui a transmis à Catelas le billet donnant rendez-vous à Mounette. Comme Catelas n'était pas chez lui, il l'a glissé sous la porte. Mais Péri? « Armand » assure avoir entendu les policiers dire qu'ils avaient trouvé son adresse en fouillant dans les papiers de Catelas.

De tous ceux qui ont été pris dans ce coup de filet, il sera le seul à être relâché[3].

« Il est certes difficile, commente Duclos, d'établir des responsabilités précises dans une affaire comme celle-là, mais le fait qu' " Armand " fut seul à être relâché, alors que, sans aucun doute, la Gestapo savait qu'elle avait affaire à un agent de liaison, ne milite pas en sa faveur[4]. »

Bien que voilée, l'accusation est nette. Mais qui est « Armand »? Quand a-t-il été relâché? Pourquoi tenter de nous faire croire que la Gestapo ne pouvait ignorer son rôle, puisque à cette date celle-ci n'intervenait pas

1. Organe de certains opposants communistes.
2. *Op. cit.*, t. III, 1ere partie pp. 138-141.
3. *Op. cit. idem.*, pp. 138-140.
4. *Op. cit.*, p. 141.

dans les arrestations de communistes opérées uniquement par la police française?

On ne trouve de réponse qu'à la première question, dans l'*Histoire du Parti communiste français*, ouvrage collectif rédigé par une équipe d'opposants du journal *Unir* qui compte en son sein Marcel Prenant.

« Il (Péri) fut dénoncé — peut-on lire — par Hermann Bertelé, dit " Armand ", adjoint du responsable aux cadres choisi par Duclos, Maurice Tréand, celui qui avait organisé les démarches auprès des *Führer* occupants pour la reparution de *L'Humanité* avec l'imprimatur nazi [1]. »

Qui est « Armand » ?

Que devient Bertelé? Ni chez Duclos, qui ne le nomme pas, ni dans *L'Histoire du Parti communiste français* que nous venons de citer, on ne trouve de réponse à cette question.

Sautons une dizaine d'années. En mai 1953, la D.S.T. interpelle un libraire de Fontenay-sous-Bois qui sera condamné à dix ans de détention le 28 juillet 1961, pour activité d'espionnage avec le S.R. polonais.

L'homme s'appelle Hermann Bertelé, plus connu dans sa librairie sous le surnom de « Monsieur Armand ».

Il est né le 5 mars 1902 à Vienne. Ce sujet autrichien, militant communiste accompli, est entré en France vers 1938, sans doute en provenance d'Espagne où il servait dans les brigades. Selon ses déclarations, il s'engage alors à la Légion étrangère, puis combat dans les rangs des F.T.P. avant d'être pris et déporté en Allemagne.

A son retour il épouse en août 1945, à Saint-Martin-d'Hères (Isère) une Espagnole, Félicie Alfonso, et obtient un peu plus tard la nationalité française.

A partir de là, trois hypothèses sont possibles.

Première hypothèse : en dépit de la similitude du nom, du prénom et du « pseudo », le Bertelé de Fontenay n'a rien de commun avec le « Armand » de Péri. Il s'agit d'une simple homonymie.

Deuxième hypothèse : après sa trahison, « Armand » a été abattu quelque part en France par l'O.S. Ses papiers ont été récupérés, et utilisés par l'homme qui travaillera après la libération, pour le compte du S.R. polonais.

Troisième hypothèse : les deux Hermann Bertelé ne sont qu'un seul et même personnage.

Dans ce dernier cas, il faudrait admettre que Bertelé, engagé vers 1938 dans la Légion, a déserté, et se trouvait à Paris comme adjoint de Tréand au début de 1941.

Nous n'avons pas éclairci ce point. Bertelé lui-même ne pourrait fournir aucune explication à ce sujet, car il a été libéré le 30 novembre 1967, et a regagné sa base en Pologne.

1. T. II, pp. 73-74.

S'il s'agissait du même personnage on aurait alors la quasi-certitude que Péri a été « donné » par l'appareil Tréand. Il paraît cependant fort douteux qu'un homme détenteur d'un pareil secret soit réutilisé par le S.R. polonais, sous la même identité, au risque de se faire prendre et de consentir sur son passé des aveux très gênants pour son parti.

Tout récemment, le mystère de l'arrestation de Péri vient de rebondir. Dans le tome III de son livre sur la Résistance, Alain Guérin qui évoque bien brièvement l'arrestation de Péri (pourquoi?) assure que le traître s'appelait « Edmond Vogelein, alias Armand ». Suit une citation du passage où Duclos évoque sans le nommer le rôle d' « Armand » et c'est tout [1].

Mais qui donc est Vogelein? Qu'est-il devenu? Pourquoi faut-il attendre, en dépit de rumeurs persistantes sur cette trouble affaire, vingt-cinq années avant que Duclos n'évoque le personnage d' « Armand », sans le désigner autrement, vingt-neuf avant que Guérin ne nomme Vogelein? Pourquoi aucun démenti n'est-il infligé aux rédacteurs d'*Unir* qui ont mis en cause Bertelé et qui auraient ainsi calomnié un innocent? Et comment, après cela, ne pas supposer qu'il y ait à l'origine de la double arrestation de Péri et de Catelas — celui-ci détenteur probable de renseignements importants — un secret indicible [2]?

Un autre secret concerne les derniers jours de Péri

« J'ai souvent pensé cette nuit à ce que mon cher Paul Vaillant-Couturier disait avec tant de raison, que le communisme était la jeunesse du monde et qu'il préparait des lendemains qui chantent.

« Je vais préparer tout à l'heure des lendemains qui chantent.

« [Sans doute est-ce parce que Marcel Cachin a été mon bon maître que je me sens fort pour affronter la mort [3].]

« Adieu, et que vive la France! »

Ainsi s'achève la lettre qu'il écrit le 16 décembre 1941 avant d'être conduit au poteau.

Ce même jour, Sampaix est exécuté par les Allemands à Caen. Catelas, lui, a été guillotiné après avoir comparu, comme nous l'avons dit, devant un tribunal français d'exception.

---

1. *Op. cit.*, t. III, p. 314.
2. D'anciens membres du parti communiste se demandent si « Armand » ne serait pas Armand Latour qui travaillait lui aussi à la section des cadres, et dont la mort sous l'occupation (exécution, suicide?) n'a jamais été élucidée. D'autre part, la date même de l'arrestation de Péri est incertaine : Mounette Dutilleul parle du 14 mai, Catelas ayant été, selon elle, arrêtée la veille. Dans le livre d'*Unir* on lit que Péri a été appréhendé au domicile d'un certain André Chaintron le 18. Enfin, *Le Cri du Peuple*, journal de Doriot, donne la date du 6 juin.
3. Ce paragraphe a été omis dans la version qu'en donne Jacques Duclos d'après, dit-il, *L'Humanité*, nᵒ 147, du 23 janvier 1942, *op. cit.*, pp. 214-215.

Toutes ces morts, comme celles de Châteaubriant, font partie des représailles exigées par les Allemands, en riposte aux attentats.

Dans les semaines qui ont précédé l'exécution de Péri, une lutte acharnée, aux incidences et aux mobiles obscurs, s'est déroulée en coulisse. Enjeu : la vie d'un homme, Péri, accordée ou refusée, selon qu'il consent ou non à signer une déclaration dont la teneur reste incertaine.

Autour de cette vie en suspens, nous allons découvrir des démarches et deviner, supputer des calculs, des pressions complexes, des jeux doubles ou triples.

Ici, le témoin principal s'appelle Camille Fégy. C'est un ancien camarade de Gabriel. Tous deux ont participé en 1919 à la fondation des Jeunesses communistes. Mais Fégy, dans les années 30, a rompu avec le parti et rejoint Doriot. Au début de l'occupation, il est rédacteur en chef de *La Gerbe*, hebdomadaire qui défend la politique de collaboration et que dirige Alphonse de Châteaubriant.

« *On va fusiller Gabriel...* »

Un jour — fin octobre? début novembre? il ne se souvient plus — Fégy quitte le ministère de la Production industrielle, quand il est abordé par Chassagne [1], un chargé de mission de Pucheu, ministre de l'Intérieur.

« Tu sais qu'on va fusiller Gabriel. »

Fégy est stupéfait et bouleversé. Il pense aussitôt à tenter quelque chose pour sauver son ancien camarade. Quoi? Peut-être grouper quelques amis et, avec leur aide, effectuer une démarche auprès des autorités. Il s'en ouvre, entre autres, à Maurice Laporte, l'ancien secrétaire des J.C. et rival de Doriot. Celui-ci est en contact à Paris avec des officiers S.S.

Selon Fégy, la réaction de Laporte est alors la suivante :

« Impossible d'intervenir si Gabriel n'appuie pas notre tentative par une déclaration. »

Cela signifie qu'on va lui demander de désavouer certaines gens, certaines idées, ou certains actes. Fégy ne s'explique pas sur le sens de cette déclaration. Nous verrons plus loin l'hypothèse que l'on peut formuler.

Presque aussitôt, Laporte communique à son camarade le nom du défenseur de Péri. C'est le célèbre avocat Maurice Garçon.

Fégy n'aime guère les conditions posées à sa démarche. Il dit qu'il hésite beaucoup, avant de prendre contact avec Garçon. Celui-ci lui fixe rendez-vous, mais ne le reçoit pas dans son cabinet.

« Il était — écrit Fégy — déjà dans son antichambre et j'ai eu l'impression de quelque chose d'insolite. »

En tout cas, il ne semble pas pressé de transmettre le message de son visiteur.

---

1. A ne pas confondre avec Chasseigne, ancien membre du P.C.

« Gabriel vous remercie, dit-il, mais il ne court aucun danger. Il a cessé toute activité depuis 1934. Il risque tout au plus trois ans de prison.

— Vous vous trompez, réplique Fégy. Il va mourir. J'ai le sentiment que, du côté français, certains qui nourrissent malheureusement contre lui des haines personnelles, désirent sa mort. Je partage sa répugnance pour ce qu'on lui offre. Dites-lui que j'estime que nous sommes restés les mêmes qu'en 1919, qu'aujourd'hui les cartes sont fausses et qu'il est impossible qu'il sacrifie sa vie pour une question de forme. »

Mais Garçon ne se laisse pas convaincre. Plus tard, quand Fégy passera devant un tribunal de l'épuration où, à son tour, il risque sa tête, il dira à son confrère maître Naud qui sollicite un moment son témoignage :

« Je dirai que Fégy voulait sincèrement sauver son camarade. Il savait qu'il allait mourir et qu'il n'y avait pas d'autre moyen de le sauver. *Mais, moi, je n'ai pas prévenu Gabriel.* »

Pourquoi Garçon ne transmet-il pas à son client la proposition de Fégy ? Parce qu'il ne croit pas que Péri risque la mort ? La confidence faite plus tard à maître Naud semble indiquer le contraire. Parce qu'il ne veut pas servir d'intermédiaire dans ce marché ? Ou parce que son client le lui a déjà interdit ? Ou parce que d'autres le lui ont déconseillé ? Nous l'ignorons. Nous ne savons pas davantage pourquoi Garçon, quelques jours après l'entrevue avec Fégy, abandonne la défense de Péri et passe le dossier à maître Python, avocat communiste.

Fégy, très inquiet après cet entretien décevant, sollicite une audience du ministre de l'Intérieur. Pucheu le reçoit aussitôt.

« Il n'y aura pas de déclaration de Péri, dit Fégy. Il faut agir tout de suite. »

« Le ministre ne me parut pas vouloir la mort de Gabriel — écrit Fégy — mais il me fit l'impression d'être très gêné. Il semblait dépassé. Il me dit qu'il ne pouvait rien faire sans une déclaration. Je lui rapportai les paroles de Garçon. Il demeura silencieux. " Procure-moi une autorisation de visite, proposai-je. — Je ne peux pas. " Cela me semblait extraordinaire. " Un avocat pourrait-il ? — Sans doute — Alors... Berthon ". »

Berthon aura en effet avec Péri, qui le connaît de longue date, un entretien à la Santé, le 6 décembre, selon une source communiste. Que se disent-ils ? « A l'époque de la fusillade, écrit Fégy, on a assuré que les conversations entre Berthon et Gabriel avaient bien commencé. » Mais, inculpé à la Libération, maître Berthon niera devant le juge d'instruction avoir sollicité du prisonnier une déclaration quelconque. Il obtiendra assez vite un non-lieu.

Péri est dans l'antichambre de la mort. Il ne reste maintenant plus beaucoup de jours avant la marche au Mont-Valérien. Dans la rue, par hasard, Fégy — qui ne semble pas avoir été averti de la tentative de Berthon — rencontre Marcel Fourrier qu'il connaît bien, futur éditorialiste de *Franc-Tireur*. Il lui parle de ses vaines démarches.

« Mais c'est Python à présent qui défend Péri, dit Fourrier. Je vais le prévenir. »

Le lendemain, il téléphone.

« J'ai vu Python. Garçon ne lui avait rien communiqué. Il demande que tu l'appelles. »

Le lendemain, au téléphone, Python révèle que d'autres démarches sont en cours. Elles viennent d'anciens membres du parti communiste qui ont bien connu Gabriel.

« Il (Péri) ne me parut pas désireux, ajoute Fégy, de me demander quoi que ce soit, ni de me voir prendre contact avec ceux qui agissaient avec lui : j'ai su plus tard que Capron [1] était intervenu. »

« On a rendu les affaires à la famille »

A partir de ce moment, un quiproquo atroce va se produire. Conduit au Mont-Valérien pour y être fusillé, Péri écrit avant de mourir sa lettre célèbre. Mais Fégy ignore cette fin.

Vers le 15 décembre, Laporte qui n'a plus eu aucun contact avec lui, l'appelle. Interné à la Santé, Péri, annonce-t-il, vient d'être transféré au Cherche-Midi, prison placée sous contrôle allemand. Il est sur la liste des hommes à exécuter.

« Il faut que tu renouvelles les offres précédentes », insiste-t-il.

Fégy s'insurge : « Vous allez faire une saloperie et une connerie. » Il appelle néanmoins Python.

« Il n'y a plus de démarche à faire, dit l'avocat. Péri est mort. Depuis deux jours. Il a laissé un testament. »

« Il est vivant », assure Laporte, que Fégy rappelle aussitôt.

Qui dit vrai ? Qui se trompe ? Fégy cherche à élucider cette énigme auprès de maître Odette Moreau, première avocate de Péri. La réponse de celle-ci balaie les doutes :

« On a rendu les affaires à la famille. »

Fégy : « Laporte retourna voir les Allemands. Il m'a raconté ainsi la scène : comme il interrogeait un des officiers S.S., celui-ci appela un collègue et lui dit : " Confirmez à M. Laporte que Gabriel n'est pas et ne sera pas exécuté. Et l'interpellé confirma... ". »

« ... J'ai su depuis que ni l'ambassade ni les S.S. ne désiraient l'exécution et que celle-ci a été commandée par l'O.K.W. Cela est bien conforme à la sottise des militaires allemands [2]. »

La version communiste sur cette affaire est exprimée dans une brochure : *Gabriel Péri vous parle*, publiée en 1943 et dont *Les Informations ouvrières et syndicales* reproduisent quelques pages.

Les auteurs de cette brochure rejettent la responsabilité de cette mort à la fois sur les Allemands, Vichy et les fascistes français.

1. Capron, ancien député communiste.
2. Tout ce récit est extrait d'une « note juridique autorisée par M. le directeur, le 25 mars 1948 » rédigée par Camille Fégy, matricule 1853, alors détenu au camp de Varaigne, près d'Épinal.

Les premiers ont voulu sa mort parce que Péri « avait opposé un refus méprisant aux propositions qui lui avaient été faites, le 19 novembre, à la prison de la Santé, par les membres de la Gestapo. Au cours d'un interrogatoire qu'ils lui avaient fait subir, ils lui avaient demandé de trahir son pays et de renier son idéal. »

Le gouvernement de Vichy s'est rendu complice de ce crime. Il voulait en effet éviter à tout prix les révélations que Péri aurait pu faire au cours d'un procès « sur les circonstances dans lesquelles la guerre avait été déclarée et perdue ».

C'est pourquoi, selon la thèse communiste, Péri a figuré sur une liste d'otages à laquelle Pétain a participé.

Les fascistes français également haïssaient Péri. C'est pourquoi ils voulaient l'obliger à se renier.

« ... Le 6 décembre 1941, André Berthon — Français, retenez bien ce nom, c'est celui du plus lâche assassin, du plus vil individu — osa rendre visite à Gabriel Péri à la prison de la Santé pour lui proposer un honteux marché. [...]

« Ils étaient là, dans cette petite cellule austère de la Santé.

« Alors celui qui avait trahi son parti avant de trahir son pays parla. Bien qu'il soit devant un homme privé de tout moyen de défense, André Berthon eut l'audace de faire usage de la menace et du chantage. Il pensait ainsi obtenir de Gabriel Péri qu'il trahisse la cause du peuple... Il ne put recueillir que le mépris de l'emmuré. Celui-ci lui signifia, en termes non équivoques, que le communiste Gabriel Péri n'avait rien à renier de sa vie de militant.

« Il refusa catégoriquement un peu plus tard de recevoir une délégation de fascistes français qui voulait lui apporter les deniers de Judas et la vie sauve.

« C'en était trop. Son nom fut, dès le lendemain de la visite d'André Berthon, mis sur la liste des otages qui devaient être fusillés. »

Il y aurait donc eu, si l'on en croit la thèse communiste, trois tentatives pour amener Péri à se renier : une des Allemands le 19 novembre — que Fégy passe sous silence ou a ignorée —, la seconde de Berthon (ce dernier admet avoir vu Péri, mais nie avoir exercé sur lui une pression quelconque), la troisième, refusée par Péri, de « fascistes français » (Capron et d'autres).

C'est à cause de ce refus persistant que les autorités françaises (dont Pétain) auraient fait figurer le nom de Péri sur une liste de personnes livrées aux Allemands.

Le troisième document publié par *les Informations ouvrières et syndicales* [1],

1. Le témoignage de Fégy repose, certes, sur la parole d'un homme, alors détenu, qui peut vouloir amplifier son rôle, par exemple dans le dessein d'obtenir plus aisément une grâce. Il reste toutefois que ce récit, rédigé en 1948, donc un peu plus de sept ans après les faits, est fréquemment recoupé par un texte antérieur pratiquement inconnu.

Sous l'occupation, paraît en effet à partir de 1942 une publication ronéotée, distribuée clandestinement, les *Informations ouvrières et syndicales*. Chaque numéro, en général assez épais, publie indifféremment des nouvelles de l'étranger qui ne figurent pas dans la presse,

« la note officieuse d'une personnalité compétente du cabinet Pierre Pucheu » est sans doute le texte le plus intéressant quant aux intentions du ministre de l'Intérieur.

Pucheu et Péri

Elle nous introduit au cœur d'un jeu terrible que, très probablement, Fégy lui-même discerne mal. Son souci dominant, c'est de sauver la vie d'un homme dont il est, en 1941, politiquement séparé, mais qui fut le compagnon de ses premières armes. Ministre de l'Intérieur, Pucheu a d'autres préoccupations. A son poste, son objectif principal est de faire barrage au terrorisme, afin de stopper le cycle infernal attentats-répressions. Il n'a jamais partagé la vie et les aspirations de jeunesse de Gabriel Péri. Il sait seulement que celui-ci est un adversaire politique et que, dans la partie mortelle qui se déroule entre le Parti communiste, les Allemands, et le gouvernement français, le renom de Péri, son intervention rendue publique peuvent peser d'un grand poids.

Dans cette perspective, la « note sur l'attitude de l'Intérieur », publiée dans *les Informations*, éclaire le sens de la *déclaration* qu'on sollicite. Évoquant la démarche de maître Berthon (qui avait été autorisé par le président Rousseau à visiter le prisonnier), le commentateur anonyme de l'Intérieur déclare :

« L'affaire Péri est certainement une de celles qui ont le plus vivement préoccupé le ministère de l'Intérieur, qui estimait que Péri était un doctrinaire du communisme et non un agitateur au sens terroriste du mot. De plus, Péri était incarcéré depuis longtemps déjà et ne pouvait en aucun cas être tenu pour personnellement responsable d'une agitation à laquelle il n'avait en aucune façon pu participer du fait de son emprisonnement. »

C'est un désaveu des actes terroristes que Pucheu souhaite obtenir de Péri. C'est le sens de la déclaration qu'on lui demande de signer.

« Le ministère, peut-on lire dans la note, arriva à la conclusion que le

---

des études économiques, des informations sur le gouvernement d'Alger, ou des documents communistes. Cette publication, dont le ton reste toujours objectif, semble avoir été animée par un groupe de syndicalistes et de militants pour la plupart socialistes ou anciens socialistes.

Donc, dans leur numéro du 21 septembre 1943, les *Informations ouvrières et syndicales* ont publié un « dossier sur la mort de Gabriel Péri », qui comprend trois parties : la thèse communiste, un « document sur les négociations menées par Fégy » et une « Note sur l'attitude de l'Intérieur », rédigée sans doute par un fonctionnaire de ce ministère.

Il est évident que Fégy, détenu en juin 1948, n'a pu se reporter à ce « document » qui le concernait, car il était devenu introuvable. Or, le récit publié par les *Informations* et le témoignage de Fégy sont identiques, à une réserve près : dans le document publié en 1943, l'entretien entre Fégy et Pucheu se situe *après la rencontre avec Marcel Fourrier et le coup de téléphone à maître Python*, contradiction qui peut très bien s'expliquer par une défaillance de mémoire, ou par une erreur du correspondant des *Informations*, qui semble avoir touché Fégy de très près.

meilleur moyen d'écarter la menace qui semblait peser à ce moment-là sur Péri serait d'obtenir de celui-ci une lettre dans laquelle il exposerait ses opinions sur les attentats terroristes, les sabotages, etc.

« Le ministère de l'Intérieur n'a jamais songé à proposer à Péri un " marché inavouable "; il s'agissait d'une prise de position politique, qui rendrait à peu près impossible aux autorités d'occupation de faire retomber sur Péri le poids des représailles. »

Un autre passage révèle que Pucheu n'envisageait pas seulement d'obtenir une déclaration condamnant le terrorisme du seul Péri :

« [...] il était politique d'obtenir de personnalités comme Péri, Cachin et Racamond des déclarations sincères qui n'auraient fait que confirmer le point de vue antiterroriste de ces vieux militants communistes [...] le ministère songeait dans le même temps à une opération de caractère politique qui n'a pu être qu'ébauchée mais qui fixe la position » (souligné par nous).

Cette note est un plaidoyer. Elle a pour trait dominant le souci d'écarter l'accusation : Pucheu a livré Péri aux Allemands. C'eût été absurde — estime le commentateur — en contradiction avec le parti que l'Intérieur espérait tirer d'une déclaration de Péri.

Dans quelles circonstances alors celui-ci a-t-il été transféré au Cherche-Midi ? La note de l'Intérieur n'apporte aucun éclaircissement à ce sujet.

« Maître Berthon — peut-on lire — fit connaître que les premières réactions de Péri avaient été favorables, qu'il demandait naturellement à réfléchir à la question, et en particulier au projet qui s'était développé de lier sa déclaration à une autre, similaire, de Cachin et de Racamond [1], l'un ayant été arrêté par la police allemande et l'autre se trouvant, croyait-on, dans un camp de concentration en zone libre.

« Tout semblait donc orienté dans la voie poursuivie par l'Intérieur qui pouvait croire le danger momentanément écarté pour Péri. Semblable impression avait d'ailleurs été recueillie d'un autre côté par Monsieur Camille Fégy.

« C'est presque simultanément que les autorités d'occupation se saisirent de Péri [2]. »

Dans cette affaire tragique, qui accumule les énigmes, nous ignorons quel a pu être le rôle de la direction clandestine du parti communiste. Était-elle en contact avec les avocats du captif ? Cela semble vraisemblable. A-t-elle connu les démarches effectuées auprès de Péri ? Est-elle intervenue à son tour, et dans quel sens ? Nous ne disposons d'aucune donnée à ce sujet [3].

---

1. Souligné par nous.
2. La note en question indique : 1. que les hommes destinés à l'exécution étaient choisis par les Allemands; 2. qu'on ne communiquait pas à l'avance les noms des personnes qui seraient fusillées; 3. qu'il fut difficile d'obtenir même communication de cette liste après exécution.
3. Alors que les otages de Châteaubriant et la responsabilité que l'accusation attribue à Pucheu sont, au procès de celui-ci à Alger (mars 1944), l'occasion de violents incidents entre l'accusé et les communistes, ceux-ci, très étrangement, n'évoquent pas le sort de Péri.

« Il semble que tout soit double dans cette affaire, écrit Fégy en conclusion de sa note.

Tout est trouble en effet dans cette période : c'est que les attentats sèment chez tous la panique et l'angoisse. Au moment même où le sort de Péri est l'objet de tractations fiévreuses, ils se poursuivent. Les journaux publient les « Avis » des autorités allemandes annonçant qu'en représailles un certain nombre de détenus ont été exécutés. Le Maréchal intervient pour condamner le terrorisme.

Le 11 décembre 1941 — quatre jours avant l'exécution de Péri — paraît un appel aux populations, exprimant la réprobation des attentats commis, et invitant les Français à fournir leur concours dans la lutte contre le terrorisme. Il est signé de De Brinon, de plusieurs conseillers municipaux, des cardinaux Suhard et Baudrillart, du pasteur Boegner, du recteur d'académie Gidel, de Baudoin, doyen de la faculté de médecine, de Ripert, doyen de la faculté de droit, de Vendryès, doyen de la faculté des lettres.

Il n'y a pas à cette date que les Allemands et Vichy qui soient hostiles aux attentats. De hautes autorités spirituelles prennent aussi position. Le maire de Nantes désavoue par affiches le meurtre d'un officier allemand. Le général de Gaulle s'oppose aux attentats individuels, l'immense majorité de la population en redoute les conséquences.

Même dans les rangs communistes, nous le savons, beaucoup, jusqu'aux plus hauts échelons, ne sont pas d'accord.

Il serait vain aujourd'hui de se demander quels furent les sentiments de Péri sur ce mode d'action. Il n'y a aucun moyen de les connaître. Son attitude, extrêmement courageuse, est définie une fois pour toutes dans sa dernière lettre.

Cachin condamne les « actes individuels »

Deux mois plus tôt, en octobre 1941, Marcel Cachin, encore détenu à la Santé, d'où il a été libéré sans doute au début de novembre, a souscrit, lui, à une déclaration antiterroriste [1].

Il serait sans doute très commode d'opposer à l'héroïsme de Péri la « lâcheté » de Marcel Cachin, mais la réalité est plus complexe.

En 1942, paraît sur les murs de la capitale un texte signé de Marcel

1. Nous ne savons si une démarche a eu lieu auprès de Racamond, important dirigeant de la C.G.T., alors détenu au camp de Rouillé, en zone sud où il aurait été mis en quarantaine par ses co-détenus communistes. Il ne sera transféré à la Santé qu'en 1942, dans une cellule qu'il partage avec l'acteur Harry Baur, mort en déportation. Racamond sera libéré un peu plus tard. Dans un tract communiste de 1943, reproduit par Ceyrat dans sa brochure *La trahison permanente du parti communiste*, p. 135, on peut lire ceci : « Racamond a été libéré par les Boches après avoir signé une déclaration condamnant les patriotes qui luttent pour la libération de la France. Cette déclaration, dictée par les Allemands eux-mêmes, dénonce ce que les traîtres appellent " les actes de terrorisme contre les troupes allemandes ". Après la Libération Racamond n'en sera pas moins récupéré par le parti communiste, mais finira sa vie dans une sorte de disgrâce. »

Cachin. Il y condamne formellement les « actes individuels », c'est-à-dire les attentats.

De quoi s'agit-il exactement? D'un passage extrait d'une déclaration manuscrite rédigée par Cachin et qui ne compte pas moins de dix-neuf feuillets. Emprisonné à la Santé en 1940 et 1941, Cachin a rédigé cette déclaration à l'usage du colonel Boemelburg, chef de la police militaire à Paris.

Dans ce manuscrit, Cachin explique que sa vie a été consacrée au rapprochement franco-allemand, quel que soit le régime intérieur de l'Allemagne. Il sollicite des autorités allemandes sa remise en liberté, en raison de son grand âge. Il s'engage à se retirer à Paimpol, sa ville natale, à n'en plus bouger et à s'abstenir de toute activité politique.

Est-ce Cachin qui a pris l'initiative de cette déclaration? Lui a-t-elle été demandée contre la promesse d'une libération? Il est probable que la seconde hypothèse est la bonne.

Seul le passage qui concerne les attentats sera reproduit en affiche par la *Propaganda Staffel*. Entre-temps, Cachin a été effectivement libéré et a pu regagner sa propriété bretonne.

En juillet 1942, un article de *La Vie ouvrière* stigmatise cette défaillance : « Le vieux Cachin qui, pendant des dizaines d'années, fut un militant révolutionnaire conséquent, vient de trahir pour sauver sa peau. Arrêté, il n'a pas hésité pour recouvrer sa liberté et retourner vivre tranquillement dans son castel breton à faire des dépositions qui ont permis l'arrestation d'un certain nombre de nos camarades. La classe ouvrière vomira ce vieillard sénile *(sic)* qui a trahi. »

Frachon prétendra plus tard que ce numéro[1] de *La Vie ouvrière* est un faux. Si rien ne permet d'affirmer que Cachin ait dénoncé qui que ce soit, rien non plus n'autorise à mettre en doute l'authenticité de ce document.

Au lendemain de la Libération, en tout cas, certains membres du parti communiste, et non des moindres, ont conservé une dent contre le vieux leader.

A la Libération, *L'Humanité* reparaît légalement, le 21 août. Ce numéro-là et celui du lendemain portent la mention « Directeur Marcel Cachin ». Dans le numéro du 23, son nom et sa qualité de directeur disparaissent. Lecœur (qui rapporte cet incident) est chargé de le régler. Il raconte : « ... Touché dans la journée par l'agent de liaison de Jacques Duclos, je me rends à *L'Humanité* voir Georges Cogniot, qui dirige ce journal. Très embarrassé, il ne peut me donner d'explication, sauf " l'erreur technique ". Cachin, qui est un technicien, déclare : " Mes noms et qualité n'étaient pas composés typographiquement, il a fallu faire sauter le titre. " C'est ce qui avait été fait. " A mon insu ", a toujours affirmé Georges Cogniot[2]. »

Le titre de directeur ne sera restitué à Cachin que le 26.

Si Lecœur a bien effectué cette démarche en faveur de Cachin, à la

---

1. Mai 1946.
2. Lecœur, *Le P.C.F. et la Résistance*, pp. 107-108.

demande de Jacques Duclos, ce ne serait donc pas au directeur de *L'Humanité* que celui-ci aurait fait allusion quand il s'écriait :

« C'est alors (en 1941) que dans nos rangs certains éléments essayèrent de combattre théoriquement notre politique et parlèrent " d'actes individuels ". En vérité, par lâcheté, ils reculèrent devant le combat [1]. »

Duclos vise plus probablement des hommes comme ce dirigeant de la région nantaise dont nous avons parlé plus haut. Mais lui-même, à l'époque, était-il tellement partisan de ce genre d'opérations ?

C'est dans ce contexte qu'il faut replacer la fameuse déclaration de Cachin. En la rédigeant, assortie de considérations qui approuvent vigoureusement la politique étrangère soviétique, le vieux directeur de *L'Humanité* n'a certainement pas eu le sentiment de « trahir ». Il restait fidèle à la vieille conception léniniste, hostile au terrorisme, à la ligne constante de son parti jusqu'à ces journées brûlantes d'août 1941. Sa réaction correspondait sans doute à celle de camarades, détenus comme lui, qui appréhendaient d'être les victimes des représailles allemandes. Elle correspondait aussi à l'attitude de camarades qui, au-dehors, responsables de l'appareil clandestin du parti, ne « marchaient » pas.

Cachin, détenu, pouvait-il connaître les positions de militants toujours en activité ? Absolument. Pour les communistes, les murs d'une prison n'ont jamais été imperméables.

Prisonnier comme Cachin, à la même époque, libéré comme lui, Paul-Laurent Darnar, ancien rédacteur en chef de *L'Humanité* a, lui aussi, désavoué les attentats. Les communistes stigmatiseront toujours sa « lâcheté ». Mais Darnar a rompu avec le parti, dès la signature du pacte germano-soviétique. Le vieux Cachin n'a rien fait de semblable. Il est toujours en état de grâce. Et puis, son nom est lié à la création du parti, à toute son histoire. Faire de celui que Jacques Doriot appelait ironiquement « le monument historique » un traître, aurait des répercussions fâcheuses.

Le parti ferme les yeux. Après la Libération, quand les adversaires rappellent la fameuse affiche, les communistes prétendent, contre toute vraisemblance et toute bonne foi, qu'il s'agit d'un « faux ». Et puis ils parlent d'autre chose.

Reste cette libération par les Allemands, gênante, car elle est intervenue en cet automne de sang où Péri attend la mort. En 1942, Cachin vit toujours dans sa villa bretonne avec sa famille, à l'écart de toute action politique. Mais sait-on jamais ? Les Allemands peuvent l'arrêter de nouveau, obtenir de lui une nouvelle déclaration. La direction clandestine qui a rétabli le « contact » prend la décision de le mettre à l'abri avec son consentement.

Le militant qui est chargé de le ravitailler s'appelle Le Gloarec. Ses allées et venues ne sont pas ignorées des policiers français des brigades

---

1. Rapport au Comité central, 31 août 1944.

spéciales (B.S.) qui exercent une surveillance discrète sur la résidence de l'ancien directeur de *L'Humanité*.

Un beau jour, au cours de l'année 1942 Cachin et Le Gloarec quittent ensemble la villa de Paimpol. Ils prennent ensemble le train pour Paris. Intrigués, les hommes des B.S. suivent. La tactique des policiers consiste à exercer une filature, sans intervenir, jusqu'à ce qu'elle ait permis de découvrir toute l'étendue d'une affaire.

Paris a été averti, Cachin et son garde du corps sont attendus à Montparnasse où on ne les lâchera pas d'une semelle. Deux policiers sont montés dans le wagon de Cachin. Le dispositif est en place. Aucun danger de fuite

Mais à Versailles, surprise. Cachin et Le Gloarec descendent, empruntent la passerelle, changent de train, et débarquent à la gare de Vanves-Malakoff.

A la sortie de la gare, une camionnette. Cachin et son compagnon y montent en hâte. La camionnette démarre [1].

Les deux policiers de la B.S. sont pris de court. Ils n'ont aucun véhicule pour engager une poursuite. Faute d'ordres, ils n'osent pas tirer.

Cachin vient d'être récupéré par le service de Lecœur. Celui-ci le « planque » dans un pavillon de banlieue dont il ne sortira plus avant la Libération [2].

Dans le duel acharné qui l'oppose à l'appareil clandestin du parti communiste, la B.S. vient de perdre une manche.

---

1. Documentation personnelle de l'auteur.
2. Lecœur, *op. cit.*, p. 105. Lecœur ne parle pas de Le Gloarec.

4.

B.S. contre O.S.

L E CHAPITRE QUI COMMENCE EST CONSACRÉ PRINCIPALEMENT A LA LUTTE
entre les brigades spéciales de la préfecture de police et l'organisation
spéciale ou autres formations militaires du parti communiste.

Diverses forces de répression ont eu à connaître des activités illégales des
communistes dans la période de l'occupation.

Du côté français : les brigades spéciales, qui ont essentiellement opéré
dans le ressort de la préfecture de police, c'est-à-dire dans la région parisienne; le S.P.A.C. (Service de protection anticommuniste) primitivement
appelé S.R.M.A.N. (Service de répression des menées antinationales);
la Sûreté nationale et les gendarmes, qui sont intervenus en province;
sans parler de la police judiciaire, qui a procédé à quelques arrestations.

Du côté allemand : le service improprement appelé *Gestapo*, alors qu'il
s'agissait le plus souvent du *Sichereitsdienst* (S.D.), et de la police militaire
allemande [1].

Du fait des opérations dites du « maintien de l'ordre » et conformément
aux conventions d'armistice, des contacts ont été établis entre services
français et services allemands. Cette coordination des recherches, ou la
communication de renseignements, ne s'est pas effectuée sur le terrain,
mais au niveau de la direction de la préfecture de police, ou à celui des
chefs de service.

Tenter de retracer les activités de l'appareil militaire communiste sous
l'occupation, c'est assurément faire appel aux sources communistes (récits,
souvenirs, interviews, etc.); mais c'est aussi utiliser les sources adverses.

Fort peu de procès-verbaux d'interrogatoires ont été retrouvés jusqu'ici.

---

1. L'*Abwehr*, service de renseignements de la Wehrmacht, est aussi intervenue, mais
dans des affaires d'espionnage, comme la célèbre « Rote Kapelle ».

La plupart des sources dont nous disposons se limitent donc, soit aux comptes rendus des procès intentés, après la Libération, aux policiers devant la Cour de justice — comptes rendus souvent fort brefs en raison de la faible quantité de papier dont disposaient alors les journaux — soit à des témoignages rares, souvent réticents, glanés ici ou là.

Refuser *a priori* cet éclairage, c'est refuser de comprendre certaines choses.

L'histoire du mouvement révolutionnaire en Russie, telle que nous pouvons l'écrire aujourd'hui, serait différente si, en 1917, le gouvernement de Février n'avait pris la décision de publier les archives de l'Okhrana (police politique du tsarisme). Sans ces archives, il ne serait pas établi que Malinovski, un des principaux lieutenants de Lénine avant la guerre, était un des meilleurs agents de cette police, activité que Lénine ignorait, ou du moins prétendait ignorer.

Au reste, il devient impossible de négliger certaines sources. Récemment, un grand quotidien du soir a publié un récit attribué à Barbie sur ses entreprises de policier allemand à Lyon sous l'occupation, récit auquel succédèrent les répliques des personnalités de la Résistance française qu'il mettait en cause.

Il faut toutefois des circonstances tout à fait extraordinaires pour qu'un témoin ayant détenu un poste de responsabilité dans l'appareil répressif allemand en vienne à parler. Ni le S.S. Knochen, ni le général Oberg, ni le policier Boemelburg ne l'ont fait [1].

Quant aux archives de la Gestapo, elles n'ont jamais été publiées. Certaines, certes, ont été détruites ou perdues. Mais d'autres sont tombées entre les mains des services américains, russes, français. Elles sont *top secret*. Il n'est pas certain qu'elles le restent toujours. Il est vraisemblable que des fonctionnaires du S.D., de la police militaire allemande, de la S.S. ou de l'Abwehr ont dû prendre la précaution de « planquer » certains documents et d'acheter ainsi une relative tranquillité [2].

---

1. Boemelburg serait mort en Égypte, où il se serait réfugié. Il n'a jamais parlé. Assez curieusement, il ne semble pas que des recherches sérieuses aient été engagées pour le retrouver. Knochen vit toujours, en Allemagne.

2. Des documents, très fragmentaires, concernant des activités communistes en France sous l'occupation, et extraits des archives de la Gestapo ont été publiés dans la revue communiste *Recherches internationales à la lumière du marxisme* (nos 9-10 sept.-déc. 1958). Les quelques rapports ou notes qui ont été communiqués à cette occasion et qui proviennent d'archives découvertes sur le territoire de la R.D.A., ont pour dessein de montrer que les services allemands — il s'agit ici du S.D. — se méfiaient à partir de janvier 1941 des activités communistes françaises, ce qui n'a rien en effet d'invraisemblable. Ces rapports font ressortir que les arrestations, à cette date, sont uniquement le fait des autorités françaises. A ce jour, le reste des archives détenues par la R.D.A. n'a fait l'objet à notre connaissance d'aucune publication, ce qui est pour le moins intrigant.

Archives secrètes

Nous ne sommes guère plus gâtés en ce qui concerne les sources policières françaises. Des dossiers demeurent enfouis dans les oubliettes de la préfecture de police, d'où ils sortiront peut-être un jour. D'autres, nous le verrons, ont disparu à la Libération. Il y a aussi au ministère de la Justice les procès-verbaux d'instructions et les sténographies des procès (quand elles existent), couverts, eux aussi, par le secret.

Des archives ont été détruites. Par exemple, sur le livre de levées d'écrou à la Santé, la page qui concerne la sortie de Tréand a été arrachée.

En définitive, on dispose de très peu de chose : outre les brefs comptes rendus de procès que nous avons évoqués déjà, il y a les souvenirs fragmentaires de quelques policiers, de témoins occasionnels ou d'avocats, presque toujours soucieux de préserver leur anonymat [1]. Ajoutons encore à ce maigre tableau quelques pièces publiées ici et là (comme le procès-verbal de l'interrogatoire de Denise Ginollin).

Les activités du S.P.A.C. sont à peu près impossibles à connaître, du moins tant que les archives de ce service, si elles existent, ne sont pas communicables. Onze condamnations à mort furent en effet prononcées au procès du S.P.A.C. et sept furent suivies d'exécution, dont celle de leur chef, Charles Detmar, ancien membre du P.P.F. de Jacques Doriot. Pratiquement, tous les témoins importants ont disparu.

En fin de compte, c'est le duel des services de la police française officielle, et plus particulièrement des brigades spéciales, contre l'appareil politico-militaire communiste dont nous allons tenter de retracer ici les phases principales. Ces B.S. constituent d'ailleurs l'instrument le plus efficace dans la lutte répressive contre les activités communistes sous l'occupation.

Le S.P.A.C., en effet, dont le chef est Charles Detmar — qui avant et pendant la drôle de guerre a travaillé en liaison avec le 2e Bureau — constitue une police auxiliaire. Ses membres ont été la plupart du temps recrutés chez des militants anticommunistes. C'était une formation assez hétéroclite.

Les services de police allemands disposent de moyens considérables mais opèrent en territoire étranger, handicap évident.

Les hommes des B.S., eux, sont des fonctionnaires, se veulent uniquement fonctionnaires.

La création d'un service de police répressif destiné à combattre les menées communistes est antérieure à l'occupation. Elle intervient pendant la drôle de guerre, après le décret de Daladier, alors président du Conseil, qui dissout le parti communiste et ses annexes, le 26 septembre 1939.

Les activités de ce parti relèvent des Renseignements généraux, très exactement de la première section, qui surveille les partis de gauche (communistes, socialistes, anarchistes...) et les menées anticoloniales.

---

1. Cet anonymat est respecté ici, sous la mention suivante : documentation personnelle de l'auteur.

Cette section a une tâche, non de répression, mais d'information. Une de ses branches, par exemple, groupe des inspecteurs qu'on appelle « réunionistes », ce qui signifie qu'ils sont chargés de suivre les réunions et les manifestations des partis de gauche.

A partir du décret Daladier, à partir du moment où le parti communiste est dissous, mais reconstitue son organisation dans la clandestinité et ne doit plus faire seulement l'objet d'un contrôle, mais d'un combat, il est inévitable que l'appareil étatique de cette lutte subisse certaines transformations.

Naissance d'un groupe répressif

Un premier groupe répressif est ainsi formé à la fin de 1939. Il ne rassemble guère, tout d'abord, plus d'une quinzaine d'inspecteurs, la plupart choisis dans les services qui composent la première section des R.G.

Cette initiative est prise par le préfet de police Langeron.

Baillet, chef de la première section, a peut-être alors quelques motifs de croire à l'échec de toute tentative communiste en vue de reconstituer un réseau illégal. Cet appareil devra en effet se reformer, soit avec des cellules locales, soit avec des éléments qui sont censés avoir été exclus, dans les années qui ont précédé le conflit.

Or, la première section des R.G. possède un remarquable fichier des membres du P.C. C'est le produit du travail accompli depuis vingt ans, très exactement depuis le Congrès de Tours, par les fonctionnaires de cette section.

Au sein de celle-ci, existe un service dit de « l'Information », qui collecte les rapports de tous les services de la préfecture ayant trait à l'activité communiste, et contrôle les A.S. (agents secrets ou informateurs). C'est un centre de synthèse. Mais on y examine aussi les mesures à prendre pour, avec le concours des informateurs, « intoxiquer » la machine communiste. Il s'agit donc aussi, dans une certaine mesure, d'un centre opérationnel.

Ce service a été constitué à l'époque où Jean Chiappe était préfet de police, sans doute à l'initiative, en tout cas sous la direction d'un autre Corse, le commissaire Gianvitti. Par la suite, celui-ci passera à la tête de la cinquième section, ou « contre-espionnage ».

Dans le privé, Gianvitti, qui ne manque pas de faconde, se targue volontiers de connaître le nombre des membres du parti à une unité près. Ceci dit, son travail est très efficace. A la déclaration de guerre, quand il aura quitté la première section, son fichier et celui des archives centrales permettront les premières arrestations effectuées par les Renseignements généraux.

Les pseudo-exclus du parti bénéficient d'un certain répit, mais très bref. A partir du moment où leur système est éventé, leur ruse se retourne contre eux : la démission ou l'exclusion dans une certaine période deviennent des indices de suspicion.

Ce groupe répressif rassemble des éléments très jeunes, encadrés par deux inspecteurs principaux, plus anciens dans le métier, en général prélevés sur les effectifs de la première section. La jeunesse de ce nouveau corps constitue un atout dans les filatures. Les clandestins imaginent en effet leurs adversaires sous les traits classiques de l'inspecteur « en bourgeois [1] ».

Les mois passent. Les effectifs de la section répressive augmentent. Des mutations d'hommes provenant d'autres services sont opérées. Elles sont d'autant plus nécessaires qu'il est apparu qu'en dépit du fichier de Gianvitti, le parti communiste n'a pu être brisé. Au contraire, au début de l'année 1940, l'organisation subversive passe du stade de la propagande à celui du sabotage.

Le noyau initial forme maintenant une véritable brigade qui rassemble une trentaine d'hommes. Celle-ci opère avec une certaine autonomie. Ses chefs s'attachent à lui épargner les lenteurs administratives et à lui donner un esprit de corps. Ce groupe attire les éléments les plus hardis.

A la veille de la débâcle, le groupe répressif est devenu le fer de lance des R.G. Le recrutement en est sévère et étroitement limité. Il en sera ainsi pendant toute la durée de l'occupation. Ceux qui font partie de cette formation ont le sentiment flatteur d'appartenir à une unité d'élite.

Le décret du 26 septembre 1939

Aucun problème de conscience ne se pose à ces hommes. Pour la plupart, leurs actes ne sont pas dictés par des considérations d'ordre idéologique. Ce sont des fonctionnaires. Ils appliquent la loi.

La loi, c'est le décret du 26 septembre 1939, qui dissout le P.C.F. et les administrations municipales aux mains des communistes. Ce sont les décrets du 18 novembre 1939. Le premier concerne « les individus dangereux pour la défense nationale ou pour la sécurité publique ». Ceux-ci peuvent, sur simple décision du préfet, « être éloignés par l'autorité militaire des lieux où ils résident et, en cas de nécessité, être astreints à résider dans un centre désigné par décision du ministre de la Défense nationale et de la Guerre, et du ministre de l'Intérieur ». Le second décret, pris le même jour, suspend les garanties dont bénéficient les fonctionnaires visés par des mesures disciplinaires, ceci afin de faciliter leur élimination des administrations publiques.

Ces mesures ont pu à l'époque susciter des critiques. Elles forment une sorte de « décret des suspects ». Mais, comme le souligne Rossi, « sur la répression elle-même, sur sa légitimité, sur le devoir que les responsables de la politique nationale avaient de l'exercer, personne n'a élevé d'objection [2] ».

Cet arsenal répressif sera singulièrement renforcé par le décret du 9 avril

1. Documentation personnelle de l'auteur.
2. *Les Communistes français pendant la Drôle de guerre*, p. 108-109.

1940, qui porte le nom du socialiste Sérol, garde des Sceaux dans le nouveau ministère Reynaud. Ce décret stipule que tout Français qui aura participé sciemment à une entreprise de démoralisation de l'armée ou de la nation, ayant pour but de nuire à la défense nationale, tombera sous le coup de l'article 76 « qui concerne la trahison en temps de guerre et implique la peine de mort ».

Au reste, dans la période qui précède la défaite, les hommes du groupe répressif coopèrent étroitement avec les magistrats et avec les militaires du 2e Bureau.

Qu'advient-il de ces R.G. au moment de l'entrée des Allemands à Paris ? D'ordre du préfet de police Langeron, la plupart demeurent dans la capitale. Mais il semble bien qu'ils s'abstiennent, certainement sur consigne, de toute activité, dans l'incertitude où l'on est de l'attitude des Allemands à leur égard (l'occupation de la capitale précède en effet la signature de l'armistice).

Un fichier dans une péniche

Si les hommes restent à Paris, dans l'attente d'une affectation, le « trésor », lui, est évacué. Le « trésor », ce sont les archives de la préfecture de police. Celles-ci, contenues dans des réceptacles en bois rectangulaires, sont, avant l'occupation de la capitale, chargées par des inspecteurs à bord d'une péniche, amarrée quai du Marché-Neuf. La péniche, remontant la Seine, va jusqu'à Roanne où, sur ordre supérieur, elle est coulée.

Les policiers qui ont pris soin de cette cargaison restent sur place. Après l'armistice, l'un d'eux regagne Paris pour prendre les consignes. Il reçoit alors mission de récupérer le contenu de l'embarcation coulée. Les précieuses boîtes sont repêchées. Et pendant des jours, au soleil, dans une prairie, les inspecteurs font sécher les feuilles humides, lestées de cailloux pour éviter qu'elles ne s'envolent [1].

Pendant ce temps, les hommes du groupe répressif ont été utilisés dans la capitale à quelques enquêtes secondaires, par exemple à observer les réactions de la population devant l'occupant. Bientôt, ils vont reprendre la lutte anticommuniste, cette fois pour le compte du gouvernement de Vichy.

Là encore, il n'y a guère de problèmes. Le gouvernement de Vichy, régulièrement investi par l'Assemblée nationale, soutenu à l'époque par l'immense majorité de l'opinion publique, est le successeur légitime du gouvernement Reynaud.

Du point de vue légal, entre le gouvernement d'hier et celui d'aujourd'hui il n'y a aucune rupture de continuité. Il n'y en a pas davantage pour les policiers, quels qu'ils soient. Ils continuent à exécuter leur tâche en fonctionnaires loyaux.

1. Documentation personnelle de l'auteur.

C'est ce loyalisme qui ne sera pas admis après la Libération. Les commissaires et les inspecteurs des B.S. seront poursuivis devant les tribunaux des cours de justice, condamnés à mort ou à de lourdes peines de travaux forcés, en vertu d'une législation rétroactive. Ils en éprouveront un ressentiment amer, qu'exprime pleinement ce cri de l'un d'eux devant le poteau d'exécution :

« Alors, maintenant, on fusille les petits fonctionnaires ! »

Et ils rappellent volontiers qu'ils n'ont fait, après tout, qu'exécuter les ordres de leurs supérieurs et les commissions rogatoires signées par les juges d'instruction. Certains d'entre eux affirment que, dans les premiers temps du terrorisme communiste, une très haute autorité leur rappela qu'ils étaient en service commandé, et par conséquent tenus d'obéir, que de toute façon ils seraient couverts par la loi.

Vraie ou fausse, l'anecdote n'a en fin de compte qu'une importance secondaire. Psychologiquement, certes, la pression d'un supérieur éminent n'est pas négligeable. Mais, sur le simple plan juridique, les textes suffisent La légitimité de Vichy, en dépit de tout ce qu'on pourra affirmer par la suite, n'est pas douteuse. Le décret Sérol est toujours en vigueur. Des fonctionnaires n'ont pas à se poser de problèmes de conscience. Sinon, l'autorité de l'État est battue en brèche, calamité dont nous ne sommes pas encore guéris et qui est infiniment plus grave, par toutes ses incidences sur la société, que toutes les vertueuses considérations morales.

C'est sous Vichy que le service anticommuniste originel va prendre sa forme définitive et se diviser en deux branches : la B.S. 1 et la B.S. 2.

B.S. 1 et B.S. 2

La B.S. 1 est essentiellement chargée de la lutte contre l'*Agit-Prop* communiste. Dans la période juin 1940-juin 1941, l'organisation clandestine se limite à ces activités. De nombreuses arrestations seront effectuées par la B.S. 1, en particulier en octobre 1940 et au début de l'année 1941.

La formation de la B.S. 2 est plus tardive. Elle n'est constituée qu'après l'apparition des premiers attentats communistes au cours de l'été et de l'automne 1941. Alors que la B.S. 1 a pour objectif d'anéantir l'appareil de l'*Agit-Prop*, la B.S. 2 sera essentiellement « antiterroriste ».

Les hommes de la B.S. 2, qui se plaignent d'être mal armés — l'arme administrative est en effet un 6,35 d'une portée médiocre contre les 7,65, les colts, puis les mitraillettes des communistes clandestins — se trouvent engagés à partir de l'hiver 1941-1942 dans une lutte implacable contre l'O.S. et les Bataillons de la Jeunesse. Ils affronteront aussi d'autres détachements comme les C.S.E. (groupes spéciaux d'exécution) ou la M.O.I. (main-d'œuvre ouvrière immigrée).

Si la formation de base de l'organisation militaire communiste est la « troïka » (groupe de trois), celle de la B.S. 2 est le tandem. Les B.S. qui « travaillent une affaire » vont en effet par deux, contrairement à la célèbre recommandation jésuitique (l'introduction d'un tiers s'est, à l'usage, révélée comme une source de mésentente).

La situation psychologique des B.S. est évidemment très différente de celle qui règne au sein de la « troïka ». Les hommes de la « troïka » clandestine n'ont entre eux que de brèves rencontres. Les policiers, au contraire, n'ont pas à se cacher. Ils se voient tous les jours pour mettre au point leurs activités.

Ces équipes de deux se forment par affinités. En général, le travail se répartit spontanément entre un « cerveau » et un exécutant. En cas de coup dur, chacun ne peut compter que sur l'autre.

S'il s'agit toutefois de procéder à une opération d'une certaine ampleur, pour neutraliser un groupe terroriste, on fait appel à plusieurs équipes. A l'occasion même, les hommes de la B.S. sont renforcés par des inspecteurs, pris dans d'autres services des Renseignements généraux, pour remplir des tâches secondaires ou pour participer à des arrestations, quand une affaire importante est déclenchée.

Le groupe de deux peut alors se composer d'un B.S. et d'un fonctionnaire d'un autre service.

Les B.S. 1 et 2 sont dirigées chacune par un commissaire divisionnaire auquel sont adjoints des commissaires de police, secrétaires, inspecteurs principaux et inspecteurs. Le chef de la B.S. 1 sera ainsi le commissaire David, qui sera exécuté après la Libération.

Tel est le dispositif de la répression policière.

Aucun lien, semble-t-il, n'a existé entre les B.S. et le S.P.A.C. Il n'en est pas de même entre les dirigeants de la police française et les services de police allemands. La coordination qui s'établit entre eux est conforme aux articles de l'armistice franco-allemand précisant les obligations des fonctionnaires, articles qui reflètent les droits accordés à la puissance occupante par les conventions internationales de La Haye.

L'article 3 spécifie notamment :

« Dans les régions occupées en France, le Reich allemand exerce tous les droits de la puissance occupante. Le gouvernement français s'engage à faciliter par tous les moyens la réglementation relative à l'exercice de ce droit et à sa mise en exécution avec le concours de l'administration française. Le gouvernement français invitera immédiatement toutes les autorités et tous les services administratifs du territoire occupé à se conformer aux réglementations des autorités allemandes [1]... »

En général, une convention d'armistice précède de peu la conclusion d'un traité de paix. Nul alors ne peut supposer que cette situation ambiguë, qui n'est ni la guerre classique ni la paix, va se prolonger pendant plus de quatre ans avec son cortège de drames et de souffrances, avec une aggravation constante d'un climat passionnel.

Au cours des procès qui leur seront faits devant les cours de justice, d'anciens B.S. ne manqueront pas de souligner, par exemple, que leurs

1. Cf. *Requête aux Nations Unies sur les droits de l'Homme*, pp. 64-65.

activités se sont limitées aux réseaux communistes et qu'ils ne sont pas intervenus contre les organisations gaullistes.

Il y eut, semble-t-il, toutefois, des exceptions à cette ligne de conduite dans certains services de la police. Mais ce n'est pas le sujet de ce livre.

Cent arrestations

Voilà donc les B.S. lancées dans la lutte contre l'appareil clandestin. Jusqu'à l'attentat de Barbès, leur rôle s'est limité à du renseignement et à la répression contre *l'Agit-Prop*. L'apparition du terrorisme donne à la lutte une nouvelle dimension : nous entrons dans le monde du bruit et de la fureur.

Au début, les B.S. tâtonnent. Personne ne sait qui a commis ces premiers attentats. Cette incertitude dure quelques semaines. Dès qu'elle cesse, la machine communiste est durement éprouvée.

En dépit de ses expériences antérieures sans équivalent en France, cette machine connaît des ratés. Nous en avons exposé les raisons essentielles. Il faut y ajouter une certaine légèreté, très française, qui incite même les membres du parti communiste à négliger les règles les plus élémentaires de la sécurité.

Au début de novembre 1941, un premier groupe de membres des Bataillons de la Jeunesse « tombe ». A l'origine des arrestations, une simple imprudence : un des jeunes guérilleros, agissant sans doute par forfanterie, montre dans sa chambre son revolver à sa fiancée. Celle-ci en parle à un ami dont le père dénonce le possesseur de l'arme aux Allemands [1]. Sept jeunes gens sont arrêtés dont six sont domiciliés dans le quartier de la Roquette; Gilbert Brustlein, auteur avec Fabien de l'attentat de Barbès, échappe de justesse à cette rafle. Mais il est repéré, identifié. Sa photo est affichée sur tous les murs de la capitale; sa tête mise à prix. Traqué sur l'ensemble du territoire, il n'a d'autre solution que de passer en Espagne.

En février 1942, une rafle gigantesque affecte cette fois non pas les organisations militaires du parti, mais ses réseaux politiques et la direction des J.C. Il y a plus de cent arrestations. Tombent alors Dallidet, responsable aux cadres, Félix Cadras, Marie-Claude Vaillant-Couturier, Catelas et, chez les jeunes, Danielle Casanova.

C'est un coup terrible pour le parti. La survie de la direction clandestine, alors cachée dans la vallée de Chevreuse, ne tient qu'à un fil. Très exactement, au silence d'Arthur Dallidet. Il connaît naturellement quantité d'adresses importantes et, avant tout, celle de Jacques Duclos.

« J'étais tellement sûr du silence de Dallidet, écrira plus tard celui-ci, que même une fois connue son arrestation, je décidai de ne pas quitter ma planque [2]. »

---

1. Ouzoulias, *op. cit.*, p. 248.
2. Cf. Duclos, *op. cit.*, p. 241.

Confiance justifiée. Dallidet, homme d'une trempe exceptionnelle, ne desserre pas les dents, en dépit des graves sévices qui lui sont infligés. Mais l'aveu de Duclos — comme le soulignera plus tard à juste titre Auguste Lecœur — est l'indice d'une légèreté singulière.

Cette arrestation des cent, qui comporte ses zones d'ombre, laisse subsister dans les milieux communistes qui ont connu de près cette péripétie un certain malaise. D'abord, parce qu'à cette affaire est lié un drame dont nous parlerons plus loin. Mais aussi parce que cent personnes ne sont pas arrêtées sans que de graves fautes aient été commises contre les règles de la sécurité.

Un mois plus tard, en mars 1942, c'est l'O.S. qui est frappée. La B.S. 2 arrête les dirigeants de l'O.S. parisienne, Kermen et Marchandise. Le laboratoire des bombes qui fonctionne dans le XIXᵉ, sous la direction technique de France Bloch-Sarrasin, est découvert. Ouzoulias, dirigeant militaire de la Jeunesse, échappe de justesse. Il possède plusieurs domiciles clandestins. A la moindre alerte, il déménage. Une trentaine de déménagements lui permettront de tenir jusqu'à la Libération.

C'est Breton qui succède à Dallidet comme responsable aux cadres. Il ne tient que quelques semaines; Jean Laffitte, qui a remplacé Cadras, est, lui aussi, très rapidement arrêté.

Sur la cause principale de ces arrestations, c'est-à-dire un grave manque de rigueur dans le comportement clandestin, les conclusions d'Ouzoulias, des B.S. et celle d'Auguste Lecœur se rejoignent. Ce dernier écrit notamment :

« Après la guerre, nous avons eu l'occasion de prendre connaissance de rapports émanant de policiers français de la brigade spéciale, sans le concours desquels les Allemands auraient été chaque fois mystifiés : c'est ainsi que nous apprîmes que Varagnat par exemple, qui était alors responsable de Paris, avait amené, sans s'en rendre compte, la police à trente-sept de ses rendez-vous en huit jours [1], que Cadras, qui habitait à côté de la porte de Vincennes, avait eu en une seule matinée treize rendez-vous échelonnés de café en café, de la porte au métro Reuilly-Diderot [1]. »

D'où vient tant d'insouciance? Sans doute des habitudes prises au début de l'occupation, de la semi-légalité dans laquelle vivait alors le parti. Il en résulte un relâchement de la prudence, difficile à corriger.

« C'est ainsi, poursuit Lecœur, que l'année 1941 et le début de 1942 virent les plus vastes coups de filet de toute l'occupation. Depuis des mois, nos responsables étaient suivis; leurs domiciles, leurs lieux de rendez-vous ordinaires étaient connus : dirigeants d'interrégions, cadres politiques et techniques, intellectuels, femmes, jeunes, ce fut une hécatombe : Péri, Catelas, Politzer, Danielle Casanova avaient été arrêtés. Cadras le fut à son tour; son remplaçant, Laffitte, ne tint que quelques semaines. L'état-major était menacé [2]. »

1. *Le Partisan*, p. 193.
2. *Op. cit.*, p. 194.

Les imprudences ne sont pas le seul motif qui explique les déconvenues communistes. Les informations recueillies par les « indics » de la B.S. 1 et son habileté dans la technique de la filature y sont assurément pour quelque chose. S'y ajoute la précision de l'interrogatoire mené par la B.S. 2.

Celle-ci a mis au point une terrible machine à « piéger » les interpellés : son fichier.

Individus recherchés

Tout inspecteur de la B.S. qui interroge un communiste arrêté doit être à même de prendre connaissance, aussitôt, de toutes les informations qui ont pu être rassemblées sur son compte, notamment aux archives centrales des Renseignements généraux. Après chaque interrogatoire d'un militant arrêté ou d'un de ses proches, ou d'après les documents saisis, le secrétaire de la B.S. procède à la mise à jour de son fichier intitulé « Individus recherchés ».

Énorme travail, qui consiste à établir, pour chaque personne citée dans une procédure :

1. Une fiche à son nom, si l'identité véritable a pu être établie : MARTIN Robert.

2. Une fiche au nom qui figure sur son faux état civil : alias LEMEUR.

3. Une fiche correspondant au pseudonyme sous lequel il est connu dans le parti : dit « YVES ».

4. Une fiche à son matricule : 3 250.

(Les communistes clandestins sont en effet en général codés par la section des cadres [1].)

Tous les faits relatifs à l'individu recherché sont mentionnés sur la première fiche; à défaut sur la seconde, ou la troisième, si sa véritable identité reste inconnue.

Les informations ainsi recueillies sont bien entendu d'une précision variable. Elles sont cependant en général assez fournies car l'interrogatoire des sujets antérieurement arrêtés a été mené selon un plan précis et d'une façon minutieuse.

L'interrogatoire repose sur une chronologie : état civil, faits qui ont motivé l'arrestation, antécédents politiques, origines de l'action illégale, tâches exercées ou actions accomplies.

On présente ensuite au sujet des photos d'individus arrêtés ou en fuite. On l'interroge sur les documents saisis sur lui, à son domicile, ou dans des dépôts secrets du parti...

Ce cadre ainsi fixé, l'inspecteur de la B.S. va tenter d'en savoir davantage. Revenant en arrière, il tente de faire préciser certains détails : les dates, le lieu du séjour, les changements de domicile, de « pseudo » et de matricule,

---

1. Les noms et le chiffre cités ci-dessus sont évidemment purement imaginaires.

les changements d'affectation, les nouveaux contacts, les relations coupées avec les raisons de la coupure, les connaissances du sujet sur les dépôts, planques, etc., les armes employées, les véhicules utilisés...

Ainsi, un fait est exposé d'une façon générale, puis repris dans ses plus petits détails, tout en étant minutieusement noté et analysé jusqu'à ce que l'interrogateur ait le sentiment qu'il ne peut plus rien obtenir du sujet.

Les matériaux accumulés vont jouer un rôle capital pour l'interrogatoire du prochain militant « interpellé » dans le cadre d'une même affaire. Celui-ci, dès les premières questions, constate qu'une partie au moins de ses activités, de ses liaisons, sa place dans la hiérarchie de l'appareil sont déjà connues de la police.

« Tu prétends t'appeler Lemeur? C'est un faux état civil. Dans le parti, ton pseudo, c'est Yves. Tu es responsable aux masses pour le département de l'Oise. Tu as dîné, il y a trois semaines, avec Josette dans un petit restaurant de la rue Claude-Bernard. Ce n'est pas vrai? Bien. Vous avez obtenu de la viande sans ticket, car Josette couche avec le patron. Allez! On sait tout, à la B.S. »

La B.S. ne sait certainement pas tout. Mais l'effet psychologique de tous ces détails, assenés brutalement, est terrible. La démoralisation peut être foudroyante. Puisqu'on sait tout, puisque d'autres ont déjà parlé, à quoi bon dissimuler? Ici, l'inspecteur de la B.S. exploite l'avantage acquis en jouant sur un clavier de sentiments dont les touches sont toujours les mêmes : vanité, lâcheté, jalousie, et ce besoin, très difficile à juguler, de parler, de s'expliquer, de se justifier, de se faire comprendre, même par l'ennemi de classe.

Au bout de quelques heures, le fichier de la B.S. s'est enrichi de nouveaux noms, de nouvelles données, qui vont servir contre d'autres « individus recherchés ».

Comment se défendre ?

Quiconque cherche à échapper à cet engrenage en inventant, en bluffant, en s'efforçant de duper la police, évite difficilement des contradictions que l'enquêteur s'empresse de relever. Il ne tarde pas à être désarçonné. En pareil cas, il n'y a qu'une méthode efficace : refuser de répondre.

C'était la parade inventée par Mikhaïlov, un des chefs de l'organisation russe « Narodnaïa Volia » (Volonté du Peuple) et reprise ensuite par les bolcheviks. Mais l'Okhrana, du moins jusqu'en 1905, n'avait pas recours aux sévices [1]. Les temps de l'occupation sont beaucoup plus rudes.

Pour armer ses militants en cas d'interrogatoire, l'Agit-Prop a rapidement mis au point et diffusé la brochure Comment se défendre. Excellent manuel, riche en petites recettes pratiques, dont la principale règle, simple dans son principe mais très difficile à observer, tient en deux mots : se taire.

---

1. Cf. à ce sujet le bolchevik Tchernomordik, *L'Accusé devant ses Juges*, et Victor Serge, *Les Coulisses d'une sûreté générale*.

Se taire dans son travail, avec ses amis, sa famille, avec les femmes, avec les camarades du réseau. Se taire, bien sûr, en cas d'arrestation.

Il n'y a pas de parade infaillible. Le défaut de celle-ci c'est que son observance permet rapidement aux policiers de se rendre compte qu'ils ont affaire à un militant formé [1]. Donc à renforcer leur pression. En cas d'un refus de répondre, il n'est pas douteux que certains hommes de la B.S. ont eu recours aux violences, même si l'ampleur de celles-ci a été exagérée par la suite, au cours des procès de la Libération.

Une circonstance va aggraver ce climat. L'appareil militaire des communistes n'hésite pas à abattre des policiers. Une de leurs premières victimes est le gardien de la paix Lécureuil qui, d'abord blessé, est achevé d'une balle par un membre d'une « troïka ». Le nom de Lécureuil figure toujours dans la liste des gardiens de la paix victimes du devoir qui se trouve dans la cour de la préfecture de police [2].

D'autres policiers sont abattus, par exemple dans l'affaire de la rue de Buci. Ces attentats développent chez les B.S. un indéniable esprit de riposte et de représailles.

La vague d'arrestations ébranle profondément l'appareil. Cadras est le seul lien de Fernand Grenier, ancien dirigeant de France-U.R.S.S., avec la direction clandestine. Celle-ci a organisé son évasion du camp de Châteaubriant en compagnie d'Hénaff. Après avoir vécu caché chez deux femmes de Nantes, dont il ne donne pas le nom, Grenier et sa femme sont « planqués » près de la place Daumesnil. Chaque semaine, il a rendez-vous avec Cadras qui, tous les mois, lui remet des tickets d'alimentation et deux mille francs pour vivre.

Un jour, au rendez-vous fixé sur le pont National, Cadras ne vient pas. Il est de règle en pareil cas, dans la clandestinité communiste, qu'un rendez-vous de repêchage soit fixé à l'endroit où a eu lieu la première rencontre avec les deux hommes, en la circonstance près de la porte Daumesnil. Grenier s'y rend. Personne. Les jours suivants, Grenier revient au même endroit, toujours à la même heure. Vaine attente.

C'est le plein hiver 1941-1942. Il gèle à pierre fendre. Une évidence s'impose à l'esprit de Fernand Grenier : Cadras est « tombé ». Entre la direction et lui le contact est coupé.

Le temps des imprudences a pris fin. La direction clandestine fait appel à Auguste Lecœur. Celui-ci a donné ses preuves dans le Nord où il a imposé

---

1. Dans la phase de la lutte armée pour l'Algérie française, l'O.A.S. ne se souciera pas, ou ne sera pas capable de mettre au point un manuel semblable, base de toute opération clandestine. De nombreux membres de cette organisation, arrêtés, seront vite désarçonnés par les interrogatoires.

2. Le problème du comportement d'une organisation clandestine à l'égard du système répressif est toujours délicat. Les attentats dirigés contre les organismes les plus spécialisés peuvent avoir un effet démoralisant, et contribuer à isoler ces organismes du reste de l'appareil policier. Mais ils peuvent aussi bien avoir l'effet inverse, c'est-à-dire donner à la répression une vigueur accrue.

des règles de sécurité minutieuses. Dans la région parisienne, il entend suivre la même ligne de conduite.

« Je décidai tout d'abord — écrit Lecœur — de prendre des mesures immédiates pour moi, mes collaborateurs les plus proches et les responsables des différents services politiques et techniques placés sous ma responsabilité. J'imposai une discipline rigoureuse. Pour commencer, je fis suivre tel ou tel responsable par un camarade de mon service. Au début, il ne s'apercevait de rien et se montrait tout étonné quand je lui rendais compte, minute par minute, de son emploi du temps pour tel jour. Par la suite, ils se méfièrent tous et se montrèrent plus prudents, ce que je désirais. J'interdis progressivement aux responsables les rendez-vous dans les cafés de Paris ou aux stations de métro, puis, en fin de compte, interdis tout rendez-vous dans Paris qui avait vu les coups de filets les plus importants. Peu à peu, ces consignes furent respectées [...] On peut affirmer qu'à partir du moment où je fus coopté à la direction du parti, il y eut certes encore des arrestations individuelles de militants dans l'accomplissement d'une tâche, mais jamais plus il n'y eut d'arrestations en chaîne, aucun service ne fut plus jamais décapité, à l'exception du service radio, où le responsable donna à la police pratiquement toutes les filières [1]. »

Anatomie d'un appareil

Il est temps à présent de procéder à l'anatomie de l'appareil clandestin tel qu'il fonctionnait, après un certain nombre de tâtonnements, au cours de l'année 1942, puis au cours des deux années suivantes.

La structure de l'appareil de combat du parti qui, après la dénomination d'O.S., recevra celles de T.P. (Travail particulier) puis de F.T.P. (Francs-tireurs partisans) et enfin de F.T.P.F. (Francs-tireurs partisans français) comprend plusieurs échelons : national, subdivision, inter-régional, régional. Au niveau de chaque région fonctionnent des détachements qui comprennent eux-mêmes des groupes et des sous-groupes, et ainsi de suite jusqu'à l'élément de base qui est la « troïka ».

Entre chaque échelon s'intercalent au moins deux ou trois agents de liaison. Inconvénient majeur : la lenteur des communications, compensée

---

1. Lecœur, *op. cit.*, pp. 195-196. Dans ses *Mémoires* (t. III), avec une mauvaise humeur évidente, Duclos est obligé de reconnaître que la direction clandestine fit appel à Lecœur. Suit une attaque fielleuse contre ce dernier qui, pense-t-il, n'avait pas encore « un fil à la patte » (p. 242, expression que Duclos emploie aussi pour Gitton, considéré par les communistes comme un « indic »). S'efforçant de limiter l'importance du rôle joué par Lecœur, Duclos s'empresse d'ajouter que le travail principal fut effectué par l'adjoint de celui-ci, Chaumeil (cf. Duclos, *op. cit.*, pp. 242-243).

Notons d'autre part que l'affirmation de Lecœur sur la sécurité totale dans l'appareil clandestin à partir du moment où il en assume la responsabilité semble contestable, cf., plus loin, l'affaire Philibert.

par une sécurité évidente. En cas d'arrestation d'un des agents, celui-ci ne peut livrer en principe que deux à trois noms [1].

A partir du détachement, les responsables sont doublés par des adjoints. Ces derniers ne se mêlent pas à l'action en cours. Ils se bornent à maintenir une liaison avec leur chef de détachement, qui leur communique les informations dont il dispose. Ceci afin que, le responsable étant arrêté, son successeur connaisse parfaitement la situation dont il hérite.

L'organisation entière de l'O.S., puis des F.T.P., est naturellement placée sous le contrôle de la direction clandestine du parti (Duclos-Frachon), où elle est représentée en la personne de Tillon, chef suprême de l'appareil militaire. Militairement, toutefois, elle obéit aux consignes des délégués du Komintern.

A tous les échelons (national, interrégional, régional, etc.) on trouvera automatiquement une répartition des responsabilités qui correspond au schéma suivant :

1. *Un commissaire politique :* c'est le « cerveau ». Il détermine la « ligne » et donne les consignes. Il aide à éviter que le cours de l'action n'entraîne les hommes vers des déviations. Il est en liaison constante avec le « politique » des échelons inférieurs et supérieurs.

Au sein de la « troïka » centrale, cette fonction est assurée par Duclos.

2. *Un commissaire militaire :* il est chargé de l'entraînement et de l'instruction. Il mène les hommes au combat.

Initialement, ce poste a été occupé, à la tête de l'O.S., par le colonel Dumont.

Il subsiste un certain mystère autour de la personne de Dumont. Dans les ouvrages des communistes (Duclos, Tillon, Ouzoulias), on ne parle guère de lui. On explique qu'on dut l'envoyer en province en 1942 parce qu'il était « grillé » dans la région parisienne. La réalité semble différente. Dumont aurait voulu limiter l'action de ses hommes à des attaques contre l'occupant et aurait refusé de prendre la responsabilité des attentats contre les « renégats » du parti et les collaborateurs.

Dumont, qui a pour adjoint un autre ancien des brigades — Pierre Rebière — est muté dans l'Oise, dès la fin de 1941, comme simple responsable d'une région militaire, puis en mars 1942, il prend avec Debarge la direction des F.T.P. du Nord et du Pas-de-Calais.

Alors que dans les productions de la propagande communiste, Debarge fait figure de héros, on n'évoque que rarement la figure de Dumont.

Son remplaçant à la tête de l'appareil militaire est Georges Vallet, dit Raoul, ex-secrétaire de la Fédération de l'habillement, arrêté au début de 1943 et fusillé au cours de la même année.

3. *Un commissaire technique :* il a sous ses ordres une petite équipe composée de femmes, d'enfants, qui ont pour mission d'acheminer des armes légères dans un sac de ménagère.

---

1. Celui des deux camarades de sa « troïka » et, éventuellement, d'un camarade situé à un échelon supérieur ou inférieur.

En raison des rafles et des fouilles, le transport d'armes est toujours chose délicate. Certains combattants portent leur revolver dans un étui placé entre les jambes. Inconvénient : l'arme est difficile à saisir au moment de l'action. D'autres dissimulent sous le dos de leur veste un parabellum, glissé dans la ceinture.

Les armes les plus encombrantes doivent être stockées dans des dépôts. Les unités militaires de la M.O.I. adoptent, elles, le système suivant : après chaque action, un responsable rassemble les armes et les « planque ».

Le commissaire technique doit veiller à l'entretien et à la réparation du matériel. Il s'occupe aussi de la fabrication des explosifs et cherche à se procurer des ingrédients chimiques.

En principe, il doit aussi établir des notices pour l'emploi des explosifs par les groupes de combat. Mais, dans la pratique, cette tâche est plutôt assurée par des spécialistes attachés à la « troïka » centrale.

Pour faciliter l'écoulement des brochures « techniques », les communistes ont l'habitude de dissimuler le texte sous une couverture trompeuse. Celle qui concerne le matériel porte pour titre : *Ce qu'il faut savoir de la défense passive*. Le premier manuel d'instruction des F.T.P. paraît sous le titre : *Manuel du légionnaire*, ouvrage soi-disant publié par la Légion des Volontaires contre le bolchevisme. Un autre ouvrage s'intitule *Le Scout* [1].

4. *Un commissaire aux « cadres »* : c'est lui qui dirige réellement tout le personnel, qui provoque les promotions ou les évictions. Il n'intervient pas directement dans l'action ou dans les problèmes qui concernent la ligne politique. Il est aussi chargé de veiller à la sécurité. A ce dernier titre, il a le droit d'exiger à tout moment des militants de son échelon ou d'un échelon inférieur la rédaction de nouvelles « bios » (biographies).

A la suite des arrestations, il procède aux enquêtes, en tire les enseignements et prend les mesures qui en découlent. Il ordonne également le repli en province ou le changement d'affectation des hommes qui ont pu être repérés.

Le « cadre » dispose encore d'un appareil de renseignement constitué par des permanents du parti.

Ces attributions font de lui le policier en chef de l'appareil. C'est lui qui communique aux groupes spéciaux chargés des exécutions les « listes noires » des adversaires ou des « renégats », bref des hommes à abattre.

A l'échelon national, le responsable aux cadres est Dallidet, remplacé par Breton, puis par Laffitte, par Philibert et enfin par Chaumeil.

Au Comité militaire national, le poste de chef de service du renseignement a été tenu par Beyer, dont on reparlera quelques années plus tard, au moment de la crise Marty-Tillon [2].

Au-dessous de cet état-major, on trouve les subdivisionnaires. Ceux-ci forment une sorte de réserve pour la direction nationale. Ils sont encore

---

1. Sur ce sujet, cf. Tillon, Les F.T.P., pp. 131-132.
2. Un des meilleurs agents du service de renseignements du P.C. était une Roumaine d'origine juive, nommée Roth, dite « Fernande ».

des *missi dominici*, chargés de contrôler — si le centre l'exige — une dizaine de départements.

Vient ensuite l'interrégion. On y trouve à l'état-major les mêmes responsables qu'à l'échelon national : politique, militaire, technique, « cadres ». Ces hommes commandent à un certain nombre de groupes :

— Les G.S.E. (groupes spéciaux d'exécution), chargés à l'échelon interrégional d'un certain nombre de liquidations, en fonction des listes qui leur sont communiquées. Les G.S.E. comportent une forte proportion d'étrangers.

— Les G.S.R. (groupes spéciaux de récupération). Que récupèrent-ils ? De l'argent, des titres de rationnement (indispensables pour la survie du parti), ou des armes. Ces récupérations peuvent se faire soit chez des particuliers, soit dans des mairies ou des centres de ravitaillement, soit encore dans des dépôts tenus par l'ennemi (français ou allemand : casernes, commissariats, arsenaux, carrières, etc.).

On peut encore récupérer des parachutages destinés à d'autres groupes « amis » (gaullistes ou armée secrète) mais en réalité concurrents. Le cas s'est, semble-t-il, présenté plusieurs fois.

— Les G.S.D. (groupes spéciaux de destruction), spécialisés dans les sabotages des installations électriques, téléphoniques ou radio, dans la destruction des entreprises travaillant pour la guerre, et surtout dans le sabotage des voies ferrées. La lutte contre les voies de communication de l'ennemi reste en effet, conformément à la vieille expérience bolchevique, un des objectifs principaux des opérations militaires.

Ces G.S.D. recrutent de préférence leurs hommes parmi des professionnels (techniciens de la S.N.C.F., de l'électricité, des P.T.T., etc.).

Service sanitaire

A l'état-major de l'interrégion est aussi rattaché un *service sanitaire* avec médecins, infirmiers, pharmaciens.

De longue date, l'action sanitaire est un des points forts de l'*underground* communiste. Avant guerre, le parti comptait déjà dans ses rangs nombre de médecins qui n'ont pas hésité à remplir des missions très confidentielles. Au début des années 20, le docteur Goldenberg, père de Léo Hamon, a, dit-on, accepté d'être le dépositaire de fonds secrets du parti. Rumeur, à vrai dire jamais confirmée. Au moment de la guerre d'Espagne, le docteur Rouquès joue un rôle important. C'est lui, en particulier, qui dirige toute une équipe de toubibs chargés de vérifier l'état de santé des volontaires pour les brigades.

Enfin, l'action occulte du parti trouve des concours appréciables auprès de médecins étrangers.

Une partie du personnel de l'administration de l'Assistance publique constitue un autre réservoir.

Sous l'occupation, la plupart des hommes de l' « appareil sanitaire » continuent à travailler dans la légalité. Il est difficile en effet de créer des centres médicaux clandestins. Le P.C. se borne à constituer des dépôts de produits pharmaceutiques, alimentés soit par des fonctionnaires communistes des hôpitaux, soit par des pharmaciens sympathisants.

Dans les cas graves, les soins peuvent être donnés dans les hôpitaux ou dans des cliniques privées. Dans une clinique du square Desaix, par exemple, on reçoit un jour un F.T.P. blessé à la main par l'explosion prématurée de sa grenade.

Les blessés peuvent encore être hébergés par des personnes bénévoles. « Sadi », meurtrier d'Albert Clément, qui est blessé au poumon au cours du repli de son groupe, est d'abord soigné chez la militante communiste Renée Berger, puis dans un domaine appartenant à des gaullistes.

Il va de soi que dans la période de l'occupation, les concours sanitaires que trouve le parti excèdent beaucoup le secteur des médecins ou infirmiers sympathisants. Nombre de personnes donnent des soins par simple souci humanitaire ou patriotique.

Dans la région parisienne, en 1943, le responsable médical du parti est le docteur Chrétien, de Gentilly. Il est arrêté alors qu'il se présente au domicile du « politique » de l'interrégion parisienne, Linet, dit « Rivière », pour une intervention urgente sur la secrétaire de celui-ci, chargée de la trésorerie.

A côté du service sanitaire, on trouve aussi une section « Intendance » qui dépend de l'état-major interrégional. C'est l'Intendance qui centralise les tickets d'alimentation « récupérés ». Elle est chargée de la répartition des denrées stockées et de la distribution des vêtements, gros problème à cette époque de pénurie de textiles [1].

On trouve enfin, comme à l'échelon national, un service de renseignement.

Maintenant que nous avons montré les rouages d'une interrégion, voyons comment la mécanique fonctionne, en prenant comme modèle l' « inter » parisienne qui englobe, outre la capitale, la Seine, la Seine-et-Oise et la Seine-et-Marne, soit dix régions organisées, dont huit sur la base locale et deux sur la base *entreprises*.

Les huit régions « locales » sont désignées par la lettre P. suivie d'un chiffre :

> P.1 = Paris rive gauche
> P.2 = Paris rive droite
> P.3 = Seine-Nord (Linet, Baillet)
> P.4, 5 et 6 = Seine-Est, Sud et Ouest (Jean Chaumeil)
> P.7 = Seine-et-Oise
> P.8 = Seine-et-Marne
> P.9 = Citroën
> P.10 = Renault.

---

1. Documentation personnelle de l'auteur.

Dans une phase ultérieure, P.9 et P.10 désigneront des catégories professionnelles : intellectuels, fonctionnaires, étudiants, etc.

C'est là un schéma. Il est loin de correspondre toujours à la réalité.

La Seine-et-Oise, par exemple, en raison de son tracé, ne cesse de poser de gros problèmes. On envisage d'abord de la diviser en deux régions : nord et sud. Cette répartition géographique ne donne pas de très bons résultats. Alors, chaque partie est rattachée, l'une à P.3 (Seine-Nord), l'autre à P.5 (Seine-Sud). La Seine-et-Oise n'en reste pas moins un détestable théâtre d'opérations. Elle est trop étendue, partant difficile à organiser. Les communications y sont malaisées, étant donné la pénurie de transports. La bicyclette, par la suite, devient un instrument précieux. Elle assure les liaisons, permet en cours d'opération des déplacements et des replis rapides. C'est pourquoi, dans les communiqués des F.T.P., la récupération des vélos occupe souvent une place importante.

La Seine-et-Marne, de son côté, est trop éloignée du centre.

Il en résulte que ces deux départements sont surtout l'objet de raids lancés par des groupes parisiens.

Les attentats de l'O.S.

Au niveau de la région, on retrouve le même dispositif qu'à celui de l'inter-région : état-major, G.S.D., G.S.E., etc.

Les détachements y forment la masse des effectifs de combat du parti. Ils sont divisés en groupes de combat — unités de base des F.T.P. — eux-mêmes parfois scindés en deux sous-groupes.

A ce niveau, contrairement aux échelons supérieurs, le nombre des agents de liaison est limité. D'où des « chutes » nombreuses.

En dépit des précautions prises, bien plus strictes que celles des autres formations de la Résistance, il y aura, du sommet de l'appareil à sa base, une énorme consommation de militants. La période d'activité des responsables parisiens ne dépasse guère, en moyenne, *quatre mois*. Ou bien ils sont arrêtés; ou bien, « grillés », ils sont obligés de partir en province.

C'est le destin de Fabien. Après une opération manquée d'un groupe des Bataillons de la Jeunesse contre l'exposition antibolchevique, avenue de Wagram, des arrestations interviennent. Quelqu'un parle. Fabien est activement recherché.

On l'envoie dans le Doubs, au printemps 1942. Il y organise des groupes de combat. Un jour, sa formation est attaquée à l'improviste par des gendarmes. Quoique sérieusement blessé à la tête, Fabien réussit à leur échapper. Le voici de nouveau dans la région parisienne, où le docteur Chrétien le fait soigner dans une clinique clandestine. Mais le 30 novembre 1942 est pour lui un jour de malchance. A la station République, il tombe sur un barrage policier. On le fouille. On trouve sur lui le parabellum qu'il porte dans le dos. Il est pris.

A cette date, soit un an après le début de l'action terroriste, les groupes de combat des F.T.P. et des Jeunesses de la région parisienne sont encore extrêmement faibles. Les adultes n'y participent guère. Exception faite des hommes de la M.O.I. dont le cas est à part, ce sont essentiellement les J.C. qui sont mis à contribution. Des gamins. Kirchen a 15 ans. L'âge des autres oscille autour de 20 ans. Dans les comptes rendus d'opérations, ce sont presque toujours les mêmes noms qui reviennent : Brustlein, Le Berre, Tony Bloncourt, Salkinov, Tardif, Madeleine Capievic, Coquillet, Guesquin, Bourdarias, Tourette, Tondelier, Grinberg, Bertone, Feferman...

Dans la région parisienne, les principales actions se décomposent ainsi :

14 août 1941	Attaque contre une usine, à Vitry (groupe Le Berre).
20 août	Tentative manquée de déraillement au Perreux (Brustlein).
21 août	Attentat Barbès (Pierre Georges, Brustlein, Gueusquin).
3 septembre	Officier allemand abattu près de la gare de l'Est (Brustlein ?)
4 septembre	L'ancien communiste Gitton est abattu aux Lilas devant le 18 de la rue de Bagnolet (inconnu).
5 septembre	Attaque contre un garage allemand.
6 septembre	Attentat contre un officier allemand dans le 16e (Kirchen, Bernard Laurent, Tourette).
10 septembre	Attentat contre un soldat allemand au métro Porte-Dauphine (Kirchen, Laurent, Tourette).
10 et 11 septembre	Deux officiers allemands abattus rue Lafayette et bd de Magenta (Feferman, Feld).
15 septembre	Le capitaine Schoben abattu bd de Strasbourg.
19 septembre	Attaque contre un garage allemand.
21 novembre	Attaque par deux groupes contre la librairie *Rive Gauche*.

Il y eut sans doute quelques autres attentats. Mais ils restent peu nombreux dans la région parisienne et sont le fait de petits groupes de jeunes, dont le nombre ne doit pas excéder la vingtaine.

Ce sont ces mêmes jeunes cependant — noyau déjà très faible pour Paris — et quelques adultes de l'O.S. qui vont être chargés de porter l'action armée en province, où, exception faite du Nord et du Pas-de-Calais, elle se réduit pratiquement à rien.

Sans doute sur l'initiative du colonel Dumont sont constitués ce que celui-ci nomme des « brûlots », c'est-à-dire des groupes qui, partant de Paris, gagnent une région donnée pour y commettre des attentats, disparaissent, regagnent leur base parisienne, puis vont porter dans un autre coin la terreur.

Un groupe commet un attentat à Nantes contre un colonel de la Wehrmacht. Ce groupe est formé de Spartaco (étranger), Brustlein et Bourdarias. C'est Gilbert Brustlein qui abat le colonel Hotz. Fabien supervise l'opération. Un second groupe Le (Berre, d'Andurain) est parti pour Rouen où il a provoqué la veille un déraillement.

12 janvier 1942	Rupture d'un câble près du Bourget (groupe Tondelier).
20 janvier	Un officier allemand abattu.
22 janvier	Attaque d'une permanence R.N.P., rue Princesse (Bourdarias).
28 janvier	Attaque contre une cantine de la Wehrmacht carrefour Châteaudun.
1er février	Attaque contre des camions allemands, place de la Concorde.
5 février	Attaque contre un bordel de la Wehrmacht, av. de Suffren.
11-12 février	Dépôt de valises remplies d'explosifs dans un train de permissionnaires en partance pour l'Allemagne (Tardif, Tondelier, Armand).
8 mars	Tentative manquée contre l'exposition antibolchevique de l'avenue de Wagram. Alors qu'ils viennent de déposer des valises contenant des explosifs, un jeune Allemand, Schoenhaar, membre des Bataillons de la Jeunesse, et Tondelier sont arrêtés à la sortie. Kirchen est pris le lendemain [1].

L'homme à la ceinture d'or

Ces opérations, on a pu le voir, englobent tout aussi bien attentats contre Allemands et ceux qui sont dirigés contre des Français (collaborateurs ou dissidents communistes). Tout au long de l'occupation, les communistes en effet ne cesseront pas de liquider les « traîtres ».

Dans la dialectique communiste, la notion de « traître » a une acception très vaste. Traître, l'indicateur qui, installé dans les rouages de « l'appareil » clandestin, renseigne la police; traître aussi l'homme qui a rompu avec le parti, en particulier au moment du pacte germano-soviétique; traître encore, le militant de la collaboration ou le volontaire de la L.V.F., le policier ou le gendarme qui appartiennent aux forces chargées de maintenir l'ordre; et, plus généralement, est affublé de cette épithète outrageante tout individu qui constitue pour le parti une gêne sensible ou un obstacle.

Il serait logique en pareil cas que les hommes qui ont participé à ces mises à mort n'éprouvent nulle honte à en faire état. Or, la plupart du temps, leurs noms, aujourd'hui encore, demeurent dissimulés dans un anonymat singulier.

1. Pour ces attentats, cf. Ouzoulias, *op. cit.*

Une des exécutions les plus célèbres de cette époque sanglante a pour auteurs des hommes dont nous ne donnerons ici que les pseudonymes, bien que nous connaissions leur identité véritable. Elle est la rispote de l'appareil militaire communiste à un coup redoutable porté à un envoyé du Komintern.

En octobre 1940, la B.S.1 est avertie par son informateur principal que deux délégués du Komintern viennent d'arriver dans la région parisienne. Le commissaire qui dirige le service est en vacances. Son remplaçant décide d'exploiter aussitôt le renseignement et de procéder à des arrestations qui ne manqueront pas de lui valoir une promotion flatteuse.

L'action est lancée. Elle aboutit à l'arrestation en banlieue d'un étranger, Vetter, ancien gérant du Centre de diffusion du livre et de la presse, important organisme de propagande communiste.

Vetter habite dans une baraque en planches à Vitry, mais à l'intérieur de cette bicoque vétuste les inspecteurs stupéfaits découvrent une vaste bibliothèque, gorgée de livres.

Peu auparavant, les B.S. ont fait une prise importante : l'envoyé spécial du Komintern, Julius, dit Herbert, Hongrois d'origine juive.

On emmène Vetter et Herbert dans les locaux de la préfecture de police. Herbert est un homme de taille moyenne, au visage rond, le poil gris, assez corpulent. Il doit avoir une cinquantaine d'années.

Deux signes particuliers. Comme beaucoup d'envoyés du Komintern, c'est un polyglotte accompli : il parle une dizaine de langues. Et il porte autour de la taille une large ceinture de cuir, comme un cow-boy.

On confisque la ceinture. On n'a pas besoin de l'examiner longtemps. Elle est pleine de louis d'or. L'homme du Komintern a sur lui sa fortune.

Herbert est très calme. Le lendemain, il n'est plus dans la pièce. Qu'est-il devenu ? Selon les rumeurs qui circulent alors, les Allemands seraient intervenus auprès du cabinet du préfet pour « récupérer » Herbert. On n'entendra plus jamais parler de l'homme à la ceinture d'or.

Vetter, lui, est fusillé plus tard. Mystérieusement, les communistes n'évoquent jamais cette double arrestation.

Mais ils en évoquent d'autres — dans ce mois d'octobre, la police procède à une véritable rafle — notamment celles qui interviennent dans les rangs des syndicalistes communistes.

« Moi, dit André Tollet, responsable syndical à Paris, je fus arrêté le 16 octobre 1940, Hénaff le fut un jour plus tard. Nous commencions à rattacher les fils de la résistance syndicale. Hénaff tomba le 17 ou le 18. Nous étions consternés car nous étions en train de faire sortir *La Vie ouvrière*.

« Nous devions la faire imprimer; cela avait échoué avec un vieil ami imprimeur qui s'appelait Gorb et qui était l'oncle de Maltine [1], l'actuel

---

1. Vraisemblablement faute d'impression, Maltine au lieu de Matline.

secrétaire du Syndicat des Casquetiers, et de Laroche. Une perquisition avait eu lieu chez Gorb. Nous décidâmes donc de faire sortir *La Vie ouvrière* ronéotypée. Clément, qui, en tant que militant, travaillait à *La Vie ouvrière*, a eu quelques hésitations. Il n'a pas tout donné.

« Mais j'ai été arrêté avec les stencils sur moi [1]. »

Ajoutons que l'arrestation de Tollet, qui s'effectue sur les Champs-Élysées, est une retombée de l'opération montée contre Herbert et Vetter.

Dans ce même récit, Tollet porte des accusations contre un suspect. Évoquant les arrestations massives d'octobre, il écrit : « C'était une trahison d'un nommé Clément, qui a été directeur du *Cri du Peuple* et qui finit abattu par la Résistance le 2 juin 1942 [2]. »

Clément est un vieux militant syndical, rédacteur en chef de *La Vie ouvrière* jusqu'en 1939, très au fait des secrets de l'appareil. Aucune preuve n'a jamais été fournie qu'il soit à l'origine des arrestations d'octobre. Mais quelque temps plus tard il rompt avec le parti. Il entre au P.P.F. de Jacques Doriot. Sa signature apparaît dans *Le Cri du Peuple*, après l'offensive de la Wehrmacht à l'Est. Il en deviendra le rédacteur en chef. Dans ses articles, il attaque avec violence les communistes, réclamant contre eux des châtiments exemplaires.

Le passage de Clément au P.P.F. ne peut évidemment que renforcer les soupçons qui pèsent sans doute déjà sur lui. On ne l'accuse pas seulement d'avoir la responsabilité de nombreuses arrestations, mais d'avoir touché à l'appareil international [3]. Il est un homme à abattre, une cible.

Les « cadres spéciaux » entrent en action.

Les « cadres spéciaux » — dont les récits communistes ne parlent jamais — sont chargés des « liquidations » importantes. Ils forment à l'intérieur du parti une sorte de police placée directement sous les ordres du Comité national militaire. Au nombre d'une trentaine, ils obéissent à un responsable flanqué de deux adjoints auxquels ils doivent une soumission absolue.

Leurs noms de guerre sont des noms de villes : Paris, Tours, Bordeaux, Cerbère, Bourbon, Caen, etc.

Pour la mise à mort de Clément, deux formations ont été prévues. Un premier groupe, composé de « Nice », « Caen », « Tours », « Charleville », guette Clément à la sortie de son travail, passage Vivienne. Un second groupe, formé de « Reims », « Cerbère » et « Paris », l'attend près de son domicile à Bécon, au cas où l'homme aurait échappé au premier dispositif.

Mais, le 2 juin 1942, le commando de Bécon n'aura pas à intervenir. Lorsque Clément, quittant son travail à 18 h 30 et marchant dans la rue Vivienne, arrive à la hauteur de « Caen », celui-ci soulève légèrement son chapeau. C'est le signal.

---

1. Cf. Henri Noguères, *Histoire de la Résistance en France*, t. I, pp. 144-145.
2. *Op. cit.*, p. 145.
3. Les noms donnés par Tollet : Gorb, Matline, Laroche (de son vrai nom Boris Matline) sont ceux de dirigeants et de militants du M.O.I. (Main-d'œuvre ouvrière immigrée) dont nous verrons le rôle très important.

Sur sa bicyclette, « Nice » démarre, le revolver braqué droit devant lui. Il a une dizaine de mètres à parcourir pour rejoindre Clément qui vient de descendre sur la chaussée. Il arrive à sa hauteur, tire presque à bout portant, en pleine tête.

Clément s'abat, foudroyé.

« Caen », de son côté, a sorti son arme. Peu s'en faut qu'il ne soit pris. Un livreur, juché sur son triporteur, le renverse. « Caen » a du mal à se relever. Dans sa chute son arme est tombée à terre. Il la ramasse. Sa bicyclette est endommagée. D'une main, il la traîne avec lui tout en menaçant la foule de son arme, court pendant quelques mètres en direction de la rue Montmartre, enfourche son engin qui veut bien repartir et disparaît enfin, au coin de la rue d'Aboukir.

La mort de Clément inaugure une longue chasse. Il y aura bientôt d'autres victimes.

5.

Des « cadres spéciaux » à la M.O.I.

D'UN AMAS DE FEUILLES MORTES, AU PLUS PROFOND D'UN FOURRÉ, DANS le bois de Verrières, les hommes de la B.S.2 viennent de dégager le corps de la femme. La puanteur s'est emparée de l'air. Les mouches vrombissent. Les chairs décomposées des mains et des jambes sont couleur d'écorce.

Le cadavre gît sur le ventre. On le retourne. Le visage n'est plus qu'une sorte de trou noirâtre. Rats, fourmis et mulots ont dévoré cette face.

Les mains sont des moignons : l'extrémité des doigts manque. Cette fois c'est l'œuvre des hommes.

« Pas commode à identifier, cette bonne femme, grogne un policier. Ils ont pris leurs précautions pour que nous n'ayons pas d'empreintes digitales. »

« Paris » hoche la tête. Il ne dit rien. C'est lui qui a conduit les hommes de la B.S. dans ce fourré de Verrières.

« Vous y trouverez, a-t-il dit, la secrétaire de Duclos, qui lui sert aussi d'agent de liaison. Le parti nous a donné ordre de l'abattre. »

« Paris » ne connaît pas ou ne veut pas dire les motifs de cette exécution. On ne les saura jamais. La police ne pourra pas davantage identifier la femme du bois de Verrières. Duclos, dans ses *Mémoires*, n'en souffle mot.

« Paris »

« Paris » est le chef des « cadres spéciaux ».

Il n'a pas été arrêté par la B.S. mais par les Allemands. Le « Sicherheitsdienst » pour des raisons inexpliquées, remet un jour entre les mains de la B.S.2 un homme fort mal en point. A force de coups reçus, ses jambes sont monstrueusement enflées. Il est hors d'état de faire un pas.

On le soigne. Peut-être parce qu'il redoute d'être livré de nouveau aux Allemands et de subir de nouvelles tortures, il se décide à parler. Il raconte en détails l'histoire des « cadres spéciaux ». C'est un sanglant bilan d'opérations « ponctuelles » dont voici les principales :

— 22.12.1941 : Attentat contre Fernand Soupé.
— 27.5.1942 : Attentat contre Molinier rue Taylor.
— 2.6.1942 : Meurtre d'Albert Clément.
— 1.7.1942 : Attentat contre Mᵐᵉ Ségard.
— 10.7.1942 : Meurtre de Viala.
— 1.8.1942 : Raid contre un bureau d'embauche allemand à Vincennes.
— 25.9.1942 : Dépôt d'un engin chez Vincentelli, maire d'Auberviliers.
— 17.9.1942 : Premier attentat à la bombe au Rex.
— 22.9.1942 : Attaque du centre de distribution des cartes alimentaires de Sartrouville.
— Jet d'une bombe à la permanence du francisme, rue Dareau.
— 5.10.1942 : Dépôt d'un engin à la gare de l'Est.
— 6.10.1942 : Attentat au Maillot Palace.
— 6.10.1942 : Tentative de dépôt d'un engin au Rex.
— 12.10.1942 : Dépôt d'un engin au Rex.
— 16.10.1942 : Intervention armée, 275, rue du Faubourg Saint-Antoine, au domicile de Belloni.
— 29.7.1942 : Attentat contre Delozelles, ancien conseiller municipal communiste.
— 13.10.1942 : Dépôt d'un engin à la gare Montparnasse.
— de mars à octobre 42 : Différents vols de vélos.
— 28.04.1942 : Attentat contre Clamamus.

Au cours de son interrogatoire « Paris » révèle qu'il a été introduit dans l'appareil clandestin par un certain Riant (pseudonyme) adjoint de Duclos.

Riant ne semble pas avoir jamais été identifié.

Au reste « Paris » est loin de faire des aveux complets. Ainsi il ne livre que les « pseudos » (noms de villes) des hommes qui ont participé aux diverses opérations dont il assume la responsabilité. Certains de ceux-ci ne seront identifiés que par recoupements.

« Paris », qui a obtenu des Allemands — après négociation par l'intermédiaire de la B.S. — la garantie d'avoir la vie sauve, doit peut-être à ces réticences d'avoir bénéficié après la Libération d'une étrange indulgence auprès du Parti.

Car, inexplicablement, « Paris » sera récupéré par l'appareil. Il est envoyé après-guerre en mission en A.O.F. où il occupe un poste de trésorier dans l'organisation communiste de cette région. Au bout de quelques années, on perd sa trace.

Chance singulière! La police du parti ne pardonne guère à ceux qui trahissent. Les clandestins, d'autre part, vivent dans la hantise de cette trahison. Non sans motifs. Jusqu'à la Libération, des hommes continueront à renseigner les B.S.

Ces derniers utilisent d'ailleurs, pour s'infiltrer dans l'organisation adverse, une technique relativement simple, du moins dans son principe.

Le problème pour les policiers est de faciliter l'ascension de leurs agents dans les structures de l'appareil clandestin.

Supposons que l'un d'eux soit le chef d'un petit groupe de *l'Agit-Prop*. Il peut mener en toute sécurité ses opérations de diffusion. Son rendement, son « courage », le font remarquer des supérieurs du parti qui envisagent bientôt de faire « monter » un sujet aussi doué.

Naturellement, une réussite trop parfaite, trop constante, serait à même d'engendrer des soupçons. Les « manipulateurs » doivent y veiller. Mais un organe clandestin peut-il se défier systématiquement des militants qui font preuve d'initiative, d'audace, et accumulent les succès?

Les policiers disposent aussi du moyen de faire naître la méfiance. Il leur suffit de relâcher un sujet arrêté. Ce dernier aura les plus grandes peines à convaincre ses camarades de son innocence. A tout le moins, sera-t-il tenu un certain temps à l'écart.

Suspect aussi, qui s'évade. Arrêté en juin 1941 et enfermé au palais de justice avec de nombreux militants communistes, Pierre Hervé nourrit justement ce dessein. La plupart des militants internés en même temps que lui ne sont pas d'accord. Ils redoutent d'être les victimes d'une sombre provocation.

Hervé, Breton têtu, réussit à alerter un camarade de l'extérieur qui consulte le centre clandestin. Réponse peu encourageante : soit! qu'Hervé s'évade, mais il le fera sous son entière responsabilité.

Autrement dit, si l'affaire échoue, le responsable de l'opération pourrait bien être mis au pilori comme provocateur.

Hervé ne se laisse pas arrêter par ces considérations. Les barreaux de la fenêtre, éclairant la salle commune du palais, sont sciés. Mais sur quatre-vingts détenus communistes, quarante seulement suivent Pierre Hervé. Les autres méditent [1].

Dans ce climat où le soupçon et la peur sont les maîtres, il est fatal que la tragédie survienne. Le cas Déziré en est sans doute l'illustration la plus frappante.

Responsable interrégional de Normandie, Déziré est venu à Paris, au moment même où, dans un formidable coup de filet que nous avons évoqué au chapitre précédent, les B.S. raflent plus de cent communistes dont Politzer et Danielle Casanova. L'arrestation frôle Georges Déziré. Par miracle, il échappe.

Cette chance insolente signe sa perte. Pour les dirigeants clandestins, il n'y a pas de miracles. Comment pareille hécatombe aurait-elle pu se

---

1. Cf. *Histoire de la Résistance en France*, de Noguères, t. II, pp. 27-31.

produire sans trahison? Qui a trahi, sinon le rescapé? Une logique implacable condamne Déziré à mort.

Mort de Déziré

Au fait, ne prétendait-on pas avant-guerre que sa sœur était trotskiste?

Des inconnus l'attaquent au bois de Boulogne. A ses cris, des passants
accourent. Ses agresseurs s'enfuient.

Après cette tentative de meurtre, il devrait être sur ses gardes. Mais
quand un agent de liaison, le 16 mars 1942, lui fixe un rendez-vous dans
une « cache » pour y rencontrer le lendemain un membre de la direction
clandestine, il s'y rend, peut-on croire, sans méfiance.

Il est condamné à mort par son parti depuis deux jours. Trois hommes
ont été désignés pour l'exécution.

Le 17, Déziré pénètre dans un pavillon de Chatou qui appartient à la
femme Laguère et dont le jardin donne sur la Seine.

On fait descendre Déziré dans la cave. Le « tribunal », présidé par
« Bourbon », y siège. Tout de suite, les accusations pleuvent, brutales.
Les protestations véhémentes du malheureux ne servent à rien. La convic-
tion de ses juges est faite. Le verdict est vite rendu.

« Thiais » est chargé de l'exécution. Troublé peut-être, il loge à bout
portant une balle dans la tête de Déziré, mais ne fait que le blesser. Hési-
tation, remords, ou toute autre raison, la seconde balle qui achève le
condamné n'aurait pas été tirée tout de suite [1].

Déziré mort, on dénude son corps. On récupère ses vêtements (c'est la
crise du textile). On lui cisaille l'extrêmité des doigts : même précaution
que pour la femme du bois de Verrières. Puis, à travers le jardin, on traîne
le corps mutilé jusqu'à la Seine.

Les communistes ont longtemps fait le silence sur ce drame. Ouzoulias
nomme au passage Déziré, ne dit rien sur sa mort. Duclos a fini par reconnaître qu'elle fut une tragique erreur en ces termes : « ... le malheureux
Georges Déziré qui, injustement soupçonné d'être à l'origine des chutes,
tomba sous les coups de ses frères de combat, victime d'une de ces erreurs
que rien ne peut racheter. Je connaissais bien ce camarade courageux qui
ne méritait pas un destin si cruel [2]... »

« Bourbon », le président du « tribunal », est mort récemment. Il a exercé
des fonctions importantes dans la hiérarchie du parti, où il était membre du
Comité central. Après la Libération, il a été élu député.

Mais quel tribunal improvisé porte la responsabilité de cette erreur?
Teruel Mania accuse nettement la direction : « ... un responsable inter-

---

1. Teruel Mania affirme dans son récit que Déziré fut abattu dès qu'il eut pénétré dans
la villa. *De Lénine au panzer-communisme*, pp. 17-22.
2. *Mémoires, op. cit.*, t. III, 1re partie p. 240.

régional, écrit-il, ne pouvait être exécuté que sur l'ordre ou au moins avec l'accord de la direction, c'est-à-dire, entre autres, de Duclos [1]. »

Dans les opérations des « cadres spéciaux », dans les différents attentats menés contre les gradés de la Wehrmacht isolés, comme pour l'ensemble des activités militaires du parti communiste, on trouve toujours une forte proportion d'étrangers.

Importance de la M.O.I.

Ici il importe de cerner, dans la mesure où on peut le faire aujourd'hui, le rôle important de la M.O.I. dans les différentes formes de la lutte armée. Aujourd'hui encore, les communistes français minimisent ce rôle, pour des raisons politiques : ils savent que le sentiment xénophobe reste toujours vif dans l'opinion.

La M.O.I. (Main-d'œuvre ouvrière immigrée) est une organisation parallèle au parti, qui fonctionne en France depuis les années 30. Elle regroupe les travailleurs étrangers par sections ethniques : Italiens qui ont fui le fascisme, Polonais nombreux dans les mines du Nord, Espagnols qui affluèrent surtout à la fin de la guerre civile, Tchèques, Yougoslaves, etc. Les Juifs qui tiennent une place importante dans les cadres de la M.O.I., constituent en général un groupe ethnique à part, quel que soit le pays dont ils sont originaires (Pologne, Ukraine, Tchécoslovaquie, Allemagne, Autriche...).

A vrai dire, au sein de la M.O.I., les immigrés Juifs forment une « sous-section » où les Juifs polonais ont un rôle prépondérant. Ils ont fui la Pologne, soit pour des raisons économiques, soit pour échapper à la répression. Ces militants communistes issus du judaïsme polonais ont derrière eux, pour la plupart, une large expérience illégale. Ils ne sont peut-être pas très nombreux, mais fortement structurés. Ils noyautent le prolétariat juif immigré, lui-même concentré dans les quartiers de Belleville et de la République.

En tant que militants communistes, ils mènent une activité double. Ils participent aux réunions de cellule avec leurs camarades français, mais ils ont un rôle spécifique puisqu'ils sont seuls capables de communiquer, par le yiddish, avec leurs congénères.

Cela ne va pas sans problèmes pour la direction du P.C.F. A la veille du Front populaire la sous-section est dissoute. Cependant ce particularisme subsiste. Il a acquis son moyen d'expression avec la fondation, en 1934, du quotidien yiddish *Noïe Presse* (La Presse Nouvelle), soutenu par une « Association des Amis de la *Noïe Presse* » [2].

La plupart des groupes ethniques possèdent, eux aussi, un organe périodique rédigé dans la langue nationale.

1. *Op. cit.*, p. 19.
2. Sur ce sujet cf. l'article de Meir Waintrater, « Les Juifs du P.C.F. », in *l'Arche*.

Les dirigeants de la M.O.I., dans la période d'avant-guerre, agissent certes en coopération avec la direction du P.C.F. Mais, en définitive, ils sont davantage branchés sur le Komintern. Chaque groupe ethnique constitue, par ailleurs, un petit univers clos, qui possède, a défaut de lois spécifiques, ses habitudes et ses mœurs.

La guerre va accentuer ces particularismes. Le décret de dissolution brise les liens de la légalité. L'unité de langue, le caractère ethnique, deviennent pour ainsi dire, des mots de passe. Sur ces bases, des hommes se regroupent.

Où apparaît Artur London

Par là même, des problèmes se posent. Les Juifs de la M.O.I. ont dû accueillir, sans excès de joie, la signature du pacte germano-soviétique. Certains ne l'ont pas acceptée. Ce groupe vit un débat particulièrement intense, au moment même où, par la force des choses, ses liens avec la direction centrale se trouvent distendus.

Il y a, d'autre part, à la veille de la guerre, une osmose profonde entre a M.O.I. et les brigades internationales. Beaucoup d'immigrés sont allés, en effet, guerroyer en Espagne : Allemands, Polonais, Tchèques... Après la défaite, ils se retrouvent en 1939 en France, ou bien sont internés dans les camps de concentration avec les débris de l'armée républicaine espagnole. Parmi eux, un certain Artur London.

C'est, à l'époque, un jeune homme, (22 ans) qui a fait ses premières armes politiques en Tchécoslovaquie, dès la quinzième année. Ce sujet bien doué est allé parfaire son éducation à Moscou. Quand la guerre civile éclate en Espagne, le Komintern le juge assez mûr pour prendre des responsabilités à l'état-major des brigades, aux côtés d'André Marty, à Albacète, où sa femme travaille déjà comme secrétaire de l'ancien mutin [1].

Entre-temps, en effet, il a épousé la fille d'un Espagnol émigré, Lise Ricol, elle-même farouche militante communiste. Ce mariage fait de London le beau-frère de Raymond Guyot.

C'est, d'ailleurs, dans la voiture de ce dernier que London, au moment de la débâcle des troupes républicaines en Catalogne, repasse la frontière en compagnie de Catelas et d'un certain Henri Tanguy qui n'est pas encore le colonel Rol.

Après cette retraite, London qui a échappé à l'internement, devient le responsable politique du groupe tchèque de la M.O.I. Il travaille en liaison étroite avec Jacques Duclos. Rappelons qu'il a moins de 25 ans. Pareille ascension serait inexplicable, sans l'appui du Komintern.

Plusieurs Tchèques, dont les noms furent cités lors du procès Slansky en 1952, gravitent alors autour de London (pseudonyme : Gérard), ou ont participé à la guerre d'Espagne.

Après l'occupation de la Tchécoslovaquie par Hitler, au printemps 1939,

1. *L'Aveu*, p. 89.

Siroky et Jean Sverma arrivent à Paris. Clémentis, futur ministre des Affaires étrangères, débarque lui aussi dans notre capitale, mais en provenance de Moscou.

La guerre déclarée, l'activité de la section tchèque de la M.O.I. s'enveloppe de mystère. London indique, par exemple, que Sverma, Siroky, Köhler et la majorité des anciens combattants tchèques des brigades internationales se sont enrôlés dans l'armée tchécoslovaque qui se forme sur le sol de France. Leur dirigeant est un certain Laco Holdos, ancien officier des brigades qui a été évacué en Afrique du Nord, mais a gagné bientôt le territoire de la métropole.

La mission de l'armée tchécoslovaque est évidemment de combattre aux côtés des Alliés contre l'Allemagne. Or, très vite, les hommes de la M.O.I. noyautent cette armée. Dans quel dessein ? Pour combattre l'hitlérisme, comme tente de le faire croire London dans *L'Aveu* [1] ? Ces hommes auraient donc rompu avec Moscou et le Komintern, puisque aux yeux des dirigeants soviétiques, à cette époque, les armées alliées sont au service de l'impérialisme anglo-saxon.

Leur cas est même plus grave que celui des députés communistes français qui n'ont pas approuvé le pacte germano-soviétique. Ceux-ci, après tout, n'ont fait qu'un acte politique. Les amis de London, eux, prennent les armes en faveur d'une cause condamnée par les instances internationales du communisme.

Mais, du même coup, on ne comprend plus que London, en liaison étroite avec ses compatriotes communistes, volontaires pour l'armée tchécoslovaque, ait conservé son poste de confiance auprès de Duclos.

Un deuxième type d'explication s'offre à nous : ces Tchèques de la M.O.I. et des brigades se sont engagés pour, *le moment venu*, saboter de l'intérieur l'armée tchécoslovaque.

Il y a enfin une troisième hypothèse : le pacte germano-soviétique a provoqué une grave crise au sein de la communauté tchèque émigrée. Certains de ses membres, réagissant violemment à l'attitude de Staline, sont allés s'engager pour combattre l'Allemagne qui occupait leur pays. Contrairement à ce que London tente de faire croire aujourd'hui, ils étaient en désaccord avec lui. La réconciliation ne s'est faite qu'après le 22 juin 1941.

Il faudrait de nouveaux témoignages pour y voir plus clair.

Quoi qu'il en soit, Laco Holdos, mobilisé dans l'armée tchécoslovaque, n'y perd pas son temps. Aussitôt après la débâcle de 1940, il se procure au centre d'Agde quantité de feuilles de démobilisation en blanc, des cachets, des livrets militaires.

Ce matériel sert à diverses fins : d'abord à démobiliser les volontaires communistes; ensuite à leur procurer de fausses identités; plus tard, à fournir à des membres de la M.O.I. ou à des communistes français de faux papiers.

---

1. *Op. cit.*, pp. 140-141.

La technique acquise dans l'*underground* communiste, se révèle ainsi précieuse.

« C'est par ma vieille amie, Erna Kockbart — écrit encore London — militante allemande, ancienne secrétaire de Dimitrov qui avait échappé au procès de Leipzig, en s'évadant d'un transfert de la prison d'Alexanderplatz à l'hôpital où on devait l'opérer des yeux, que nous avions trouvé la manne providentielle des " authentiques " fausses cartes d'identité, livrets militaires et tickets d'alimentation [1] »

Péripéties des Tchèques

Comment la vieille militante allemande s'est-elle procuré tout ce « matériel »? London ne l'explique pas. Constatons seulement que tous ces étranges rescapés de l'Allemagne nazie, de la Tchécoslovaquie occupée, ou de l'Espagne de Franco, se débrouillent assez bien chez nous.

Nous ne sommes pas au bout de nos surprises. Poursuivons avec London : où loger les illégaux tchèques? Dans une grande propriété de Louveciennes, occupée par les Yougoslaves de la M.O.I.

La direction de la section tchèque de la M.O.I. à Marseille a, d'autre part, établi le contact avec ses compatriotes internés soit à Argelès, soit au camp du Vernet. Elle se préoccupe d'assurer leur évasion. Ce groupe de Marseille doit bien avoir quelques petits problèmes financiers? Il ne s'en tire pas trop mal. Il perçoit en effet quelques subsides de l'ancien consulat du gouvernement tchèque en exil qui s'est transformé, après l'armistice de 1940, en centre d'aide. L'organisation américaine Y.M.C.A. fournit aussi des fonds.

Nous sommes en octobre 1940. Artur London vient d'effectuer un voyage clandestin de trois jours à Marseille. La M.O.I. toutefois ne se borne pas à procurer des secours et à fournir des faux papiers. Elle se préoccupe aussi d'organiser le rapatriement de nombreux communistes tchèques dans leur pays d'origine, alors occupé, rappelons-le, par les armées hitlériennes.

« C'était pour combattre l'hitlérisme », assure aujourd'hui London dans son livre [2].

Voyons. En octobre 1940 les relations germano-soviétiques sont encore bonnes. Personne ne peut imaginer l'assaut du 22 juin 1941. Cette volonté de regagner la patrie tchécoslovaque pour y engager la lutte contre l'occupant jure avec tout ce que nous savons.

Ce voyage qui, pour certains, a pour point de départ, les camps d'Argelès ou du Vernet en zone sud ne doit pas être très commode, pensera-t-on. Il n'en est rien. A partir de décembre 1940, les communistes tchèques, volontaires pour ce rapatriement, se rendent au bureau de placement germanique qui cherche des travailleurs volontaires pour le grand Reich.

1. *Op. cit.*, p. 141.
2. *Op. cit.*, p. 144.

Une fois parvenus en Allemagne, les Tchèques ont pour consigne de gagner le Protectorat par leurs propres moyens, ou, en cas d'impossibilité, de revenir en France, à leur première permission régulière...

« Et là — poursuit benoîtement London — nous les versions dans un groupe de F.T.P.F. [1]. »

Il y a tout de même une petite difficulté pour accepter la thèse de London. Les faits qu'il décrit se situent fin 1940, début 1941. Or les F.T.P.F. n'existeront sous ce sigle qu'en 1942.

« Au début de 1941 — poursuit London — presque tous les communistes tchèques du groupe de Marseille avaient rejoint le pays en suivant cette filière. Ils nous envoyaient une carte postale banale, confirmant qu'ils avaient atteint le but de leur voyage. A partir de ce moment, tous nos contacts avec eux étaient rompus [2]. »

Une autre filière ne tarde pas à fonctionner. Elle assure le rapatriement des Slovaques et des communistes d'autres nationalités : Hongrois, Roumains, Yougoslaves...

Il n'est pas douteux que tous ces gens regagnent leur base natale, pour y poursuivre le travail communiste. Tout le problème est de savoir quel est, *à cette date*, l'orientation de ce travail. Est-il dirigé déjà contre les Allemands ? Il n'existe pas d'indices qui puissent étayer cette version. Nous savons en revanche que l'entente entre Hitler et Staline n'est pas rompue, puisque jusqu'au dernier moment celui-ci doutera de la volonté d'agression de l'Allemagne.

Certaines questions surgissent. Dans un autre passage de son livre, London précise que « pour récupérer les camarades encore internés au Vernet, nous leur avions donné l'instruction de se faire inscrire au bureau de travail allemand qui fonctionnait jusque dans les camps. Nous devions ensuite les faire évader en cours de route [3]... »

Mais pourquoi cette évasion, puisque tout le monde est rapatrié par l'office du travail allemand ?

Admirons tout de même la technique de ces apatrides — capables à la fois de toucher l'argent des Américains et les bons de transport du IIIe Reich. On voit par là que la M.O.I. est un organisme vraiment à part, un petit univers clos, bourré de secrets.

Trente ans plus tard, les fils qui permettraient de se guider dans cette société murée demeurent malaisés à saisir.

En théorie, c'est Jacques Duclos, l'ancien compagnon de route de Muraille et de Bir, qui contrôle la M.O.I. Mais ne serait-ce pas plutôt le jeune London qui contrôle Duclos pour le compte du Komintern ?

Outre London, comme membre de la troïka nationale qui dirige la M.O.I., on trouve le Polonais Kaminsky qui, après la Libération, regagnera sa patrie.

---

1. *Op. cit.*, p. 145.
2. *Op. cit.*, p. 145.
3. *Op. cit.*, p. 146.

Mais, officiellement, la composition de cette direction étrangère, parallèle au triangle national Duclos-Frachon-Tillon, demeure inconnue. Cette lacune met en évidence l'ombre dont s'enveloppent aujourd'hui encore les activités de la M.O.I. Le livre paru en 1965 aux Éditions Sociales, signé de Gaston Laroche, alias Boris Matline, colonel F.T.P., ouvrage qui sous le titre de *On les nommait des étrangers* entend narrer les exploits de la M.O.I. ne parle jamais de Kaminsky, cite rapidement London, et ne fournit aucun renseignement sur la direction centrale de la M.O.I.

Une légion étrangère

C'est dire qu'une large partie de l'action menée par cette formation entre 1940 et 1944 nous échappe encore. Or, passer son rôle a peu près sous silence (ni Tillon dans son livre sur les F.T.P., ni Ouzoulias, ni aujourd'hui encore Duclos n'accordent beaucoup de place à l'activité spécifique de la M.O.I.), c'est mutiler les entreprises armées des communistes sous l'occupation.

On comprend bien pourquoi la direction du P.C.F., au lendemain de la Libération et de nos jours encore, n'a pas tenu à braquer l'éclairage sur cet aspect de la lutte. Les attentats terroristes ont été désavoués à la fois par les partisans de Vichy et de la collaboration, par ceux du général de Gaulle, par certains communistes — et non des moindres — et par l'ensemble de la population. Souligner qu'ils ont été en bonne part l'œuvre de contingents étrangers, c'est provoquer, même de nos jours, chez beaucoup de Français une réaction hostile.

C'est risquer d'autre part de susciter une prise de conscience : cette M.O.I. était une légion étrangère qui a opéré sur notre sol pendant l'occupation contre une armée, étrangère elle aussi. Mais n'aurait-elle pas été capable d'opérer *avant* ou *après*, cette fois comme force subversive?

A l'exception du groupe Manouchian, épisode dramatique, et qui peut être présenté comme un cas à part, il est donc de l'intérêt du parti de rejeter dans l'ombre les faits d'armes de la M.O.I. Cela ne va pas alors sans faire naître des amertumes chez les combattants étrangers. Longtemps refoulées, elles ont fini par faire surface, surtout à partir du moment où les conflits entre Israël et le régime soviétique sont devenus évidents. L'écho de ce ressentiment est particulièrement perceptible dans le livre de Claude Levy, *Les Parias de la Résistance*, où l'on explique que les attentats dans la région toulousaine ont été essentiellement le fait de partisans juifs.

Ainsi cette question de la M.O.I. révèle les contradictions internes du parti communiste. Si l'on veut donner un tableau exact de l'action armée sous l'occupation, il faut accorder à la légion étrangère sa place, toute sa place. Mais la recherche de la vérité historique peut, par ses incidences, se révéler une maladresse politique.

Le seul exemple de la branche tchèque montre que celle-ci a affronté avec bien plus de succès que l'appareil illégal du P.C.F. les péripéties du début de l'occupation.

Il n'est pas surprenant que cette fraction tchèque entre très tôt dans la lutte armée. Plusieurs de ses combattants font partie des premiers détachements O.S. dans la région parisienne. C'est le cas, par exemple, de Zavodsky, condamné à mort en 1952 au procès de Slansky et pendu. C'est celui d'Aloïs Neuer qui, aidé de quelques chimistes, fabrique, dans le laboratoire de France Bloch-Sarrazin, les premières bombes de l'O.S.

Il n'est pas impossible que la consigne des attentats individuels contre les Allemands ait été donnée à Ouzoulias et à Fabien par le canal de la M.O.I. et peut-être de London en personne, ou de « Bruno ». Si l'on admet la thèse que nous avons exposée plus haut [1], savoir que le Komintern, pressé par le temps, a court-circuité la direction française du parti, cette supposition est logique.

Mais ce n'est rien de plus qu'une hypothèse.

Il est certain en revanche que l'appareil militaire étranger est intervenu très tôt dans la lutte. Composé, en majeure partie, d'anciens des brigades internationales, il a pour lui les atouts de la technique et une longue tradition de la clandestinité. Ces hommes forment un *tercio* rouge.

A l'heure où les blindés allemands foncent vers Moscou, les communistes français peuvent se dire que, la patrie soviétique submergée, eux du moins, s'ils ont échappé à l'arrestation, se tireront individuellement d'affaire.

Mais les apatrides, où trouveront-ils asile ou espoir ? Psychologiquement, ils sont, plus que d'autres, prêts à prendre des risques et à se montrer moins sensibles que leurs camarades français aux exécutions de Châteaubriant, rançon sanglante des attentats.

Toutes les sections étrangères de la M.O.I. n'ont pas la même importance. Avec les Tchèques ont doit citer les partisans juifs, les Arméniens qui participent aux coups de main du célèbre groupe Manouchian, les Espagnols, nombreux dans les maquis du Sud et du Sud-Ouest de la France. Après, viennent les partisans soviétiques (prisonniers de guerre évadés, unités nationales organisées par les Allemands, composées de Géorgiens, Ukrainiens, Tatars), les Polonais nombreux dans le Nord et le Pas-de-Calais, les déserteurs allemands et autrichiens, les Italiens...

Quelques groupes polonais ont dû opérer dans le Nord avant le 22 juin 1941, mais en rupture avec les consignes du parti. Des Juifs ont participé, dans la région parisienne, à la lutte armée de l'été 1941.

Partisans juifs

Dans ce combat de la M.O.I. les partisans juifs ont tenu un rôle de premier plan, c'est ce qui ressort des ouvrages que nous avons déjà cités, de Laroche, David Diamant, Abraham Lissner, Claude Levy, ainsi que du

1. Cf. chap. « La terreur commence à Barbès ».

livre de Jacques Ravine. Mais la chronologie de leurs actions reste fort embrouillée. Sans doute pour deux raisons : d'une part, comme nous l'avons déjà indiqué, les Juifs de la M.O.I. éprouvaient, après la signature du pacte germano-soviétique, au moins des réticences à l'égard de la politique communiste, et les auteurs ne tiennent pas à entrer dans le détail de ce sujet, tabou pour eux ; et d'autre part, il semble bien que les partisans juifs aient eu de multiples connexions avec d'autres organisations juives (œuvre de la rue Amelot, O.S.E., Joint, Paole-sion, O.R.T. etc.) et nous nous trouvons à l'entrée d'un labyrinthe, difficile à explorer.

Les premiers détachements juifs semblent avoir eu une action spécifique dans leur propre milieu ethnique par des raids contre les tailleurs et fourreurs qui travaillaient directement ou non pour la Wehrmacht. On trouve là une des lois du terrorisme moderne qui s'emploie d'abord à imposer le contrôle de la population, afin de mener un combat plus efficace contre l'occupant. Mais d'autres éléments (ou les mêmes) ont participé activement aux premières opérations parisiennes des Bataillons de la Jeunesse, au cours de l'été 1941.

La suite de leurs activités est plus difficile à cerner. Selon Laroche, les premiers détachements juifs autonomes ont été créés en mars 1942. Diamant indique toutefois que le premier détachement armé de la M.O.I. dont le chef, l'Espagnol Muret-Must, est arrêté en février de la même année, comprenait déjà 90 % de combattants juifs de Hongrie et de Roumanie. Selon la même source, le deuxième détachement était composé uniquement de Juifs, le troisième d'Italiens, de Tchèques et d'Autrichiens ; le quatrième de dérailleurs de trains et le cinquième de combattants d'élite, affectés à des missions de première importance [1]. Mais Lissner ne parle que de quatre détachements et indique que le quatrième était une unité mixte d'Espagnols et d'Arméniens.

De même, Lissner ne souffle mot d'une épreuve qui entraîne, en avril 1943, de nombreuses arrestations et contraint à dissoudre le deuxième détachement [2].

Arrestation de Jean Jérôme

C'est au cours de cette rafle importante qu'est pris un personnage dont nous reparlerons plus tard : Jean Jérôme, de son vrai nom Michel Feintuch, Juif polonais, arrivé en France avant la guerre, intendant du matériel livré en Espagne, un des hommes importants de la M.O.I.

Diamant relate ainsi cet épisode, au cours duquel Lerman échappe de justesse à l'arrestation ! « Jean Jérôme, militant des cadres supérieurs de la Résistance sur le plan national, fut arrêté dans les conditions suivantes : Betka [3], déjà filée, le rencontra par hasard dans la rue. Voulant sans doute

1. Diamant, op. cit., p. 225.
2. Les Juifs dans la Résistance française, p. 104.
3. Betka Brikner, agent de liaison centrale de la M.O.I.

sauver le reste des militants, elle l'accosta à peine et lui souffla " le coup de filet " qui commençait. Jean Jérôme, ne perdant pas le nord, tira son chapeau, fit un geste comme pour lui montrer la rue qu'elle cherchait. En un clin d'œil, deux flics braquèrent des revolvers sur ses tempes. En prison, Betka était désespérée de la faute qu'elle avait commise. Jean Jérôme devait dans ces circonstances, soutenir son moral et ils ont réussi à survivre [1]. »

Incarcéré en effet à la prison des Tourelles, Jérôme sera libéré en 1944.

Si sur bien des points, les auteurs que nous avons cités ne sont pas toujours d'accord, ils se retrouvent pour mettre en évidence le rôle important des partisans juifs dans la lutte armée, qui se déroule également en province, en particulier à Toulouse, Lyon, Marseille. Diamant, à ce propos, soulignant que le pourcentage des Juifs dans la population française était de 1 %, écrit : « En certains endroits et dans des périodes données, ils [les partisans juifs] ont représenté 20 à 80 % des effectifs engagés dans la lutte [2]. »

C'était un raisonnement rigoureusement inverse que tenait la revue du commandant Loustaunau-Lacau, *L'Ordre national* (qui succéda à *Barrage*). On y lisait en effet :

« Et surtout, qu'on nous fiche la paix une bonne fois pour toutes avec cette histoire des Juifs morts à la guerre, des Juifs anciens combattants. Nous sommes capables de faire tout seuls la distinction quand il y a lieu. Et nous sommes capables aussi de compter : sur plus de 400 000 Juifs qui se trouvaient en France en 1941, 1 600 sont morts à la guerre : cela fait moins de 0,4 %, alors que le pourcentage des Français est largement supérieur à 4 % [3]. »

Le délicat travail effectué auprès des prisonniers de guerre soviétiques, et des unités de Géorgiens, Tatars, Ukrainiens, envoyés en France par les Allemands pour y combattre les maquis est un autre aspect des entreprises de la M.O.I.

Les Soviétiques qui combattent dans les rangs des partisans sont naturellement des évadés qui ont réussi à rejoindre un détachement F.T.P. ou un maquis (entre la fin 1943 et le début de 1944 on compte en France 30 000 à 40 000 prisonniers soviétiques). Quant aux Géorgiens, Tatars, Ukrainiens, etc., enrôlés de gré ou de force dans la Wehrmacht, ils sont approchés et noyautés par des spécialistes de la propagande, rompus aux stratagèmes du travail « anti ». Dans les semaines qui suivent le débarquement allié certaines de ces troupes, passent en bloc dans les rangs de la Résistance.

Les Russes émigrés ne sont pas oubliés. Sous le contrôle des techniciens de la M.O.I. ils fondent en 1943 l'Union des Patriotes russes. Ils servent comme agents de liaison, auprès des prisonniers de guerre soviétiques, ou comme interprètes auprès des services allemands. Leur organe clandestin s'intitule *Le Patriote russe*.

---

1. *Op. cit.*, p. 224.
2. *Op. cit.*, p. 17.
3. *L'Ordre national*, n° 16, 1er février 1939.

Le T.A.

Autre branche très spécialisée : le T.A.

Le T.A., c'est *le travail anti-allemand*. Il s'agit d'une entreprise de noyautage et de démoralisation des troupes occupantes, en somme une variété du travail anti-militariste. A la tête de cette branche, on retrouve l'infatigable Artur London.

Le travail parmi les troupes allemandes en France se développe surtout après la création du Comité national pour l'Allemagne libre, constitué en Union soviétique après la victoire de Stalingrad, avec, à sa tête, le maréchal von Paulus.

Les premières entreprises du T.A. remontent à la période d'avant-guerre. Un certain nombre de jeunes communistes allemands et de jeunes socialistes — ces derniers peut-être « cryptos » — franchissent la frontière après la prise du pouvoir par Hitler et viennent à Paris dans le dessein d'y organiser la résistance à l'hitlérisme. Plusieurs d'entre eux sont alors en contact avec Raymond Guyot, grand patron du travail antimilitariste.

Parmi ces jeunes gens, un certain Willy Brandt.

Interrompu par le pacte germano-soviétique, le travail « anti » dans le cadre de la Wehrmacht reprend après juin 1941.

Du côté français, Georges Wodli, dirigeant du P.C.F. en Alsace, organise la diffusion dans cette région de la littérature anti-hitlérienne.

A Paris, on relève les noms des jeunes Schönhaar et Théo. Ce travail va se poursuivre tout au long de l'occupation, aussi bien auprès des Allemands que des Autrichiens mobilisés.

Tâche délicate, dangereuse, qui ne peut être assurée que grâce à l'expérience acquise dans le travail « anti ».

Les femmes — jeunes de préférence — y tiennent une place essentielle, au moins dans la phase d'approche qui est celle du charme.

« Des amies autrichiennes, allemandes, roumaines, hongroises, qui parlaient l'allemand, essayaient de connaître la position politique du soldat avec lequel elles avaient engagé la conversation dans l'autobus ou le métro, devant un étalage ou un monument, au cours de conversations ou de discussions sur la guerre et sur la situation au front et dans la patrie; le soldat lui-même, naturellement heureux d'avoir rencontré une " Française " parlant sa langue, demandait un second rendez-vous et, lorsqu'on le jugeait nécessaire, une troisième, puis une quatrième rencontre était organisée; c'était, au plus tôt, pour le troisième rendez-vous qu'on emportait tracts et papillons. On demandait ensuite au soldat s'il serait d'accord pour rencontrer un de nos amis [1]. »

Pour les Autrichiens de la Wehrmacht, l'appareil « anti » de la M.O.I. assure la diffusion de tracts à proximité des cantonnements. On procède comme pour les Allemands, en engageant des conversations individuelles.

Des hommes et des femmes du F.N.A. (Front national autrichien) parti-

---

1. Laroche, *op. cit.*, p. 346.

cipent à ces entreprises : « Grâce à la langue commune, l'Autrichien prenait vite un contact personnel avec des soldats et le " travail " commençait. Un soldat bien observé devenait un ami. Leur amitié va croissant jusqu'au moment où ce dernier croit pouvoir dévoiler ses véritables buts. C'est là le moment critique : le soldat ainsi choisi acceptera-t-il de travailler pour la libération de sa patrie contre les fascistes hitlériens ? ou, au contraire, refusera-t-il, ou même ira-t-il dénoncer le résistant à la Gestapo ? Dans ce cas, ce dernier devra disparaître et contracter un nouvel engagement ailleurs sous une nouvelle identité [1]. »

Un autre contingent étranger intervient massivement dans la lutte armée : celui des Espagnols. Ils sont nombreux dans le Sud et le Sud-Ouest. Beaucoup d'entre eux ont combattu pendant la guerre civile. Un des premiers responsables de la M.O.I. à l'échelon national, Muret-Must, est, rappelons-le, un Espagnol.

Le groupe Manouchian

Sous l'occupation, la M.O.I., baptisée inexactement par les Allemands Mouvement ouvrier international, a été l'objet d'un procès célèbre : celui du groupe « Manouchian ». La photo de celui-ci et de ses principaux co-inculpés est apparue sur une affiche, largement diffusée dans tout Paris. Aragon tirera de cet épisode un poème : « L'Affiche Rouge ».

Cette affiche est placardée sur les murs par les autorités allemandes dans le dessein de montrer à la population française que le terrorisme est surtout exercé par des étrangers.

Le groupe Manouchian a en effet accompli une série d'attentats spectaculaires : dépôt de bombes à retardement devant un hôtel allemand près de la porte de Versailles, dans une boîte de nuit à Asnières ; jets de grenades ou coups de feu contre des détachements, incendies de camions, exécution d'un « traître », déraillements, attentats contre des soldats allemands isolés, exécution d'un partisan de Marcel Bucard, attentat contre Julius Ritter, représentant en France du gauleiter Sauckel, etc.

La plupart de ces actes ont été accomplis dans la période 1942-1943.

Le procès qui se déroule en février 1944 à Paris s'achève par 23 condamnations à mort. Parmi ces partisans voués à l'exécution on trouve les Roumains Boczov (ancien des brigades) et Olga Bancic, arrêtée en France peu avant la guerre, après avoir milité aux J.C., en Roumanie ; Marcel Rayman, responsable des J.C. du 11e arrondissement ; Finjercweig qui appartint au 2e détachement composé exclusivement de Juifs immigrés, Emeric Glasz, venu en France en 1937, Thomas Elek, Hongrois, technicien du déraillement, le Juif polonais Grzywacz, qui « organise » les ouvriers juifs de la fourrure, l'Arménien Lavitian, capitaine de l'Armée Rouge envoyé en mission après 1917, successivement en Perse, aux Indes, en Allemagne et

---

1. *Op. cit.*, p. 355.

enfin à Paris. Glasz sera arrêté en compagnie de sa femme Hélène, alors qu'ils se rendent à une répartition d'armes.

Leur chef Missak Manouchian a, si l'on en croit Boris Laroche, connu tout jeune l'oppression turque avant de s'enfuir en Syrie. En 1925, il arrive en France. Embauché aux usines Citroën, il fonde avec quelques compatriotes en exil une petite revue littéraire avant d'adhérer en 1934 au parti communiste français. Il y devient vite un des responsables de la M.O.I.

Arrêté au début de la guerre, il est emprisonné à Fresnes. Relâché, c'est seulement à la fin de 1942, semble-t-il, qu'il entre dans les rangs des F.T.P. où il tient rapidement une place importante.

C'est la B.S.2 qui provoque la chute du groupe Manouchian. Les filatures ont permis de repérer son chef, de situer ses liaisons principales. L'ordre vient de s'emparer de lui.

Un jour, Manouchian prend le train dans une gare parisienne pour Évry-Petit-Bourg. Sans qu'il s'en doute, une demi-douzaine d'inspecteurs, répartis dans différents wagons, l'accompagnent dans son voyage. Mais ceux-ci, à leur tour, ignorent le lieu de sa destination. Un seul inspecteur monte dans son compartiment.

A la station qui précède Évry, Manouchian se lève, va jusqu'à la portière, comme s'il s'apprêtait à descendre. Le policier se lève à son tour.

Brusquement, l'Arménien fait demi-tour et les deux hommes se trouvent face à face. Sans doute a-t-il deviné qu'il était suivi.

« Avez-vous du feu ? » demande l'inspecteur pour tenter de donner le change.

Manouchian secoue silencieusement la tête, va se rasseoir à sa place. A Évry il descend, et le policier le suit. Mais comme celui-ci pense que sa filature a été éventée, il n'insiste pas et emprunte un chemin de halage menant à une direction opposée à celle prise par Manouchian.

Les autres B.S., eux, prennent le relais de leur camarade.

La filature s'exerce selon la technique habituelle : une partie des inspecteurs précèdent le suspect, auquel les autres emboîtent le pas. Tous ont compris que l'Arménien se rend à un rendez-vous.

Toujours méfiant, celui-ci fait soudain demi-tour.

Mais une partie des B.S. sont déjà tombés sur le « contact » de l'Arménien. Ce dernier a vite fait de comprendre le manège de ces hommes. Sans hésiter, il ouvre le feu le premier.

Au bruit des détonations, Manouchian saute dans un fossé et s'y planque. Trop tard pour lui. Les B.S. l'y découvrent, la main à la poche, prêt à tirer. Il n'a pas le temps de faire usage de son arme. Cerné de toutes parts, il est pris.

Aujourd'hui, l'équipée du groupe Manouchian reste l'épisode le plus connu des activités de la M.O.I. Un des rares que la propagande du P.C.F. a consenti, après la guerre, à monter en épingle, sans doute pour effacer les impressions xénophobes que le procès spectaculaire organisé par les Allemands avait pu laisser dans l'opinion. Chaque année, hommage est ainsi rendu aux 23 étrangers qui ont payé de leur vie le combat mené dans les rangs des F.T.P.

D'autres épisodes ne bénéficient pas du même éclairage. En juin 1942, par exemple, les B.S. arrêtent une certaine Jeanne Dupont, de son vrai nom Szyfrin Lypsic. D'origine polonaise, c'est une envoyée du Komintern. Après être passée par l'Angleterre, elle a été débarquée en France. A son domicile, à celui d'un autre militant, un certain Gilbert Bocart, à celui d'un nommé Beck, la police saisit du matériel incendiaire. La mission de ces agents consiste en effet à faire brûler les récoltes, afin d'aggraver le ravitaillement des populations françaises et d'accroître ainsi le mécontentement. Chez Beck, en outre, les B.S. saisissent une somme de cent mille francs, 80 livres sterling, de l'or, des produits chimiques tels que acide sulfurique, chlorate de potasse, des balles de fusil et de revolver dont les pointes ont été sciées pour les rendre plus meurtrières, des documents relatifs à l'emploi des gaz et naturellement tout un lot de tracts et de brochures.

Beck est, lui aussi, un important agent ainsi que la femme Lypsic. Les Allemands les réclament bientôt. Leur trace se perd.

Selon Guérin, le premier appartient à une branche spéciale de l'Orchestre rouge, dont les activités restent mal connues.

Des survivants amers

Nombre de survivants de la M.O.I. éprouvent une certaine amertume. Ils estiment que la propagande officielle du P.C.F., pour exalter le combat des F.T.P. appartenant à l'ethnie française, tend à minimiser leur importance et à les rejeter dans l'ombre. Leur grief n'est pas sans justification [1].

La M.O.I. et les plus actifs des J.C. forment le gros des partisans dans la période fin 1941-1942. La participation des adultes du P.C.F. semble fort restreinte.

Les F.T.P. de Tillon ne recrutent des combattants français en quantité appréciable qu'à l'entrée en vigueur du S.T.O., c'est-à-dire à partir de février 1943. La crainte du départ en Allemagne est le meilleur sergent-recruteur du maquis.

Même pour la période finale, le rôle de la Légion étrangère bolchevique demeure considérable. Il suffit de se reporter aux chiffres — il est vrai, sans doute « gonflés » — fournis par Matline dans son livre. Selon cette source 40 000 immigrés sont intégrés aux F.F.I. à la Libération. Environ 10 000 d'entre eux sont des Espagnols, particulièrement actifs dans le Sud et le Sud-Ouest, où ils forment une véritable armée. A la fin de l'occupation, ils participent aux combats pour la libération de Toulouse, Marseille, Albi, Castres, Lyon.

---

1. On trouve un écho de ce ressentiment dans le livre de Levy qui décrit la lutte armée dans la région toulousaine, en soulignant que les actions furent dues à des étrangers. Le livre de Lissner, *Un Franc-Tireur juif raconte*, laisse filtrer par moments un ressentiment identique.

Dans le Nord plusieurs milliers de Polonais sont félicités par de Gaulle à la Libération [1].

Pour les combats de Paris, des détachements juifs, espagnols, italiens et autres prennent part à l'insurrection.

Un autre aspect mérite d'être souligné : les cadres de la lutte armée, français ou étrangers, proviennent pour la plupart des brigades internationales. L'appareil illégal d'avant-guerre, actif pendant la phase de la « drôle de guerre » a fourni relativement peu de cadres pour la suite des opérations. Soit parce qu'il avait été sérieusement décimé, soit parce qu'il était davantage préparé aux opérations de l'*Agit-Prop* qu'à celles de la guérilla urbaine ou des maquis, soit encore parce que cet appareil avait été sérieusement secoué par la crise du pacte germano-soviétique. Cette remarque est surtout valable pour les cadres moyens. Aux échelons supérieurs, on trouve Duclos, Marcel Prenant, Pierre Villon, Maurice Tréand, Auguste Havez, Marcel Paul et sans doute Suzanne Girault...

Numériquement, l'apport des brigades est cependant bien supérieur. Chez les Français sont passés par ce banc d'essai : Tillon chef de l'appareil militaire, le colonel Dumont premier chef de l'O.S., Fabien, Cadras, Auguste Lecœur, Rebière, Hénaff, Catelas, Jean Jérôme pour ne citer que les plus connus. Et chez les étrangers : Artur London, Zavodsky, Joseph Epstein (colonel Gilles), Muret-Must, Aloïs Neuer (ancien commissaire politique des brigades), Hrodmako, Holdos, membre de la direction de la Résistance tchèque, Oucharoff (Bulgare) et le général Ilitch (Yougoslave) qui dirige militairement les unités de la M.O.I. à la Libération [2].

Le temps de la guerre civile espagnole a été ainsi celui d'une véritable école de guerre.

Philibert tombe à Ambroise III

A partir de 1943 la lutte armée change de dimension. Aux petites unités terroristes, aux « troïkas » se substituent, du moins dans les campagnes, de véritables détachements, voire des bataillons, cantonnés dans des maquis. Sans doute ces unités sont-elles plus éparpillées et plus mobiles que les troupes de la résistance gaulliste. Mais elles ne peuvent plus être combattues par de simples unités de police. Ce sont les troupes de la Wehrmacht ou de la S.S. ou les détachements de la milice qui seront chargés de les affronter.

Dans les grandes villes, et plus particulièrement dans la région parisienne, les B.S. n'en restent pas moins fort actives. Leur mission principale consiste évidemment à remonter jusqu'au sommet de la résistance communiste et à le démanteler. Cet objectif ne sera jamais atteint.

L'état-major de la M.O.I. ne sera pas davantage découvert.

Les B.S. n'en portent pas moins de rudes coups à l'appareil communiste.

1. Cf. Laroche, *op. cit.* p. 183.
2. Ilitch a pour adjoint le Français Bauduin (René Camphin).

Un des derniers grands succès de la B.S. est l'arrestation de Brossard, dit « Philibert ». Celui-ci est une victime du célèbre Delarue dit « La Bobine ».

Dans le cadre d'une affaire connue sous le nom de code d'« Ambroise III » (parce qu'elle est la troisième opération qui se déroule dans le quartier Saint-Ambroise), les « fileurs » de la B.S. 1 notent les rares apparitions d'un personnage qui semble bénéficier d'une importante protection.

Un jour, on le repère près de Fontenay-sous-Bois, suivi d'une escorte importante. Et les précautions prises sont très sévères. « La Bobine » dit à ses collègues :

« On va ferrer du gros poisson! »

Il décide de faire arrêter immédiatement le suspect. Comme celui-ci se montre extrêmement méfiant, la filature risque d'être découverte.

Delarue a vu juste. Brossard est responsable national aux cadres. Une perquisition effectuée à son domicile permet d'y saisir une malle entière de « bios » rédigées en code.

Une vraie « mine » pour la B.S. Celle-ci toutefois ne peut exploiter ces renseignements qu'à partir du moment où elle en obtient la clé.

La police allemande ne tarde pas à réclamer Brossard. Il ne reparaîtra plus. Selon certaines rumeurs il aurait péri au cours d'un bombardement, à bord d'un bateau, dans le port de Hambourg.

Philibert disparaît, mais la malle aux « bios » reste entre les mains de la B.S. Est-elle exploitée? Il ne le semble pas. La Libération approche. Certains responsables de la B.S. nourrissent d'autres projets : les « bios » constituent un stock de renseignements sans égal. Plutôt que de les utiliser aussitôt, il est préférable de les « planquer » et de s'en servir plus tard pour, en fonction des indications fournies sur la personnalité des militants, recruter, après la guerre, de nouveaux informateurs dans les rangs du parti.

La malle de Philibert est donc mise en lieu sûr avec d'autres documents. Les renseignements qu'elle contient ont-ils jamais pu servir? Il semble impossible que les B.S. aient communiqué leurs archives aux services mis en place après la Libération. Il faut noter toutefois que lorsque le commissaire Dides avec la protection du préfet de police Baylot crée au début des années 50 un service anticommuniste, il fait appel à « La Bobine », qui s'est évadé des travaux forcés. Delarue, selon la version couramment admise, reconstitue le fichier du parti, à l'aide de sa remarquable mémoire.

A-t-il eu accès également à la malle aux « bios »? Nous l'ignorons. Au moment de l'« affaire des fuites », les archives du service Dides disparaissent, elles aussi. Elles auraient été cachées en province et détruites pendant la phase de répression anti-O.A.S. (1961-1962) par crainte d'une perquisition [1]. Mais comprenaient-elles les « bios » de Philibert et ont-elles bien été détruites?

La direction du P.C.F. n'a pu ignorer que la documentation de Philibert a été saisie par les B.S. Pour un mouvement qui, même dans la légalité, garde secrète une partie de ses structures, c'est là une singulière menace :

1. Documentation personnelle de l'auteur.

« l'ennemi de classe » a mis la main sur un dépôt de munitions. Il peut, à tout moment, s'en servir et d'une façon silencieuse. Saisies par la police, les « bios » sont autant d'armes braquées sur le parti. Seulement, la direction ignore à partir de quel moment elles entreront en action. Voilà la source d'un singulier malaise dans les années qui suivent la Libération.

Après « Ambroise III », l'activité des B.S. semble ralentie. Nombre de policiers s'interrogent sur l'avenir du gouvernement. Au sein des B.S. des défections se produisent. Des documents disparaissent. Beaucoup d'inspecteurs croient cependant qu'ils seront « couverts » par les gaullistes. Ne se sont-ils pas toujours efforcés de ménager ceux-ci? Rotée, un de leurs chefs, s'applique d'ailleurs à rassurer ses hommes.

« Des contacts, assure-t-il, ont été pris en ce sens. »

Vrai? Faux? La dernière opération montée par la B.S. consiste en une importante saisie d'armes, dans la rue de Charonne. Le transfert pose toujours aux clandestins un problème délicat. Or, le stock intercepté est destiné à Rol Tanguy, chef de l'appareil militaire des F.F.I. dans la région parisienne. Il devra s'en passer. A la veille de l'insurrection, c'est un coup dur.

Que deviennent ces armes? Quelques policiers en récupèrent. Le gros du stock disparaît. Chose curieuse, parmi les inspecteurs qui ont participé à la perquisition l'un d'eux est le secrétaire de Rottée. Il passe pour être gaulliste.

En fin de compte, les armes auraient été transportées à la caserne Sully-Morland, et mises à la disposition des gardes républicains.

Il n'est pas sûr qu'elles aient servi à libérer la capitale. Mais — si cette version est exacte — elles ont augmenté la puissance du feu de troupes hostiles aux communistes, tandis qu'elles manquaient cruellement à ces derniers. Ce serait là le dernier point marqué par les B.S. dans leur longue bataille anticommuniste.

Décidément, il est temps pour ces dernières de disparaître. Avec elles les communistes ont bien des comptes à régler, et la « couverture » gaulliste n'est qu'un mirage.

6.

Les grandes manœuvres
de la fraction bolchevique

MARSEILLE, NOVEMBRE 1942. DU TRAIN DE NUIT EN PROVENANCE DE Paris descend un voyageur dont la carte d'identité indique comme profession : commerçant. Son premier soin est de se précipiter vers un kiosque à journaux. Barrant la « une » des quotidiens un titre énorme : la flotte vient de se saborder.

Le paisible commerçant n'est autre que Fernand Grenier. Quelques semaines plus tard, le 28, dans un pavillon de banlieue meublé Henri II, il aura un premier entretien avec le représentant du général de Gaulle, Rémy. Les deux hommes y examineront l'éventualité d'un voyage à Londres. Mandaté par son parti, Grenier tenterait d'y jeter les bases d'une entente entre les communistes et le chef des Français libres.

A la recherche d'un gouvernement fantôme

Mais au début du mois, l'homme de France-U.R.S.S., l'homme de confiance des services soviétiques a reçu une tout autre mission. Motif : quelques jours avant le débarquement en Afrique du Nord, donc peu avant le 8 novembre, la direction du parti a obtenu un « tuyau » selon lequel la constitution d'un gouvernement provisoire comprenant des représentants de tous les mouvements de libération, communistes compris, serait imminente. Ce gouvernement sera formé dès que les Alliés auront débarqué à Marseille.

Voilà pourquoi Grenier arpente la Canebière à la recherche du gouvernement provisoire.

Malheureusement pour le député communiste et pour ses camarades, le « tuyau » est crevé. Le gouvernement « libre » est une histoire marseillaise. Cette rumeur est sans doute venue se greffer sur les projets aventureux du général Giraud qui, ne doutant de rien, envisageait en effet un débarquement sur les côtes provençales, appuyé par l'armée de l'armistice.

Mais au lieu que les navires alliés abordent les côtes de Provence, ce sont les blindés de la Wehrmacht qui déferlent, tandis que le ciel de Toulon s'embrase.

A la recherche de son gouvernement fantôme, Grenier erre dans Marseille. Il lui faut cinq ou six jours avant de tomber sur un député gaulliste : Jacquinot. Les deux hommes se sont connus à la Chambre. Aussitôt, le tutoiement parlementaire leur vient aux lèvres ;

« Comme tu es changé! s'exclame Jacquinot.

— J'ai perdu vingt-cinq kilos, répond Grenier. Toi, en revanche, tu as à peine bougé. »

On n'est pas là pour comparer des corpulences et discuter de leurs causes. Et ce gouvernement? Jacquinot en ignore tout. Il conduit deux jours plus tard son ancien collègue chez le général Dassault, lequel n'en sait pas davantage [1].

Grenier regagne sa base parisienne. Quelques jours plus tard, le mirage du gouvernement sudiste dissipé, Grenier discute avec un petit homme à lunettes : Rémy. Tous deux parlent contacts, armes, parachutages, argent. Sur ce dernier point, les communistes ne perdent pas de temps : ils ont déjà réussi à se faire avancer par Rémy un million de francs de l'époque.

Encore quelques jours, et puis, un beau matin, dans une localité de la banlieue parisienne, un camion stoppe près du trottoir où Grenier attend. L'homme de France-U.R.S.S. monte à côté du chauffeur. Le camion démarre. Il erre longtemps à travers les rues. Grenier s'astreint à ne pas observer l'itinéraire suivi : si les B.S. l'arrêtent, quoi qu'ils fassent, ils ne pourront lui arracher aucun renseignement.

Après un long moment, le camion stoppe dans un village. Le chauffeur et son compagnon descendent. Le reste du trajet va s'effectuer à pied, pendant plusieurs kilomètres, non sans que les deux hommes ne vérifient qu'ils ne sont pas suivis, jusqu'à une petite ferme.

Ils entrent. Dans la première pièce les attendent un barbu et un moustachu. Le barbu, c'est Duclos, le moustachu, Frachon.

Toute la conversation roule sur la nécessité de coordonner la lutte, c'est-à-dire pour le parti communiste de noyauter les forces qui s'organisent en dehors de leur contrôle : en métropole, où ne va pas tarder à se créer le Comité national de la Résistance (C.N.R.); à Londres où, aux yeux des communistes, de Gaulle a une conception attentiste de la lutte. En Afrique du Nord, de nombreux dirigeants communistes sont encore internés, mais se dessinent là-bas de nouvelles perspectives.

---

1. Sur cet épisode, cf. Grenier : *C'était ainsi*, p. 117.

Les F.T.P. écrivent à de Gaulle

A la même époque, le comité militaire national des F.T.P. que dirige Charles Tillon adresse une longue lettre au général de Gaulle « chef de la France combattante [1] ». Ce document décrit la naissance, l'organisation, la tactique des F.T.P. ainsi que les résultats obtenus par eux.

Mais surtout ce texte est une justification de l'action militaire entreprise. Il entend s'inspirer de l'exemple des partisans soviétiques et ... du général nationaliste serbe, Mikhaïlovitch, ce qui prend aujourd'hui une saveur singulière, Mikhaïlovitch, qui sera fusillé par Tito, étant désormais considéré par les communistes comme un traître [2]. Et, tout en déplorant que la radio de Londres s'obstine à étouffer l'action des vaillants F.T.P., les auteurs de cette lettre amorcent une sorte de tentative de compromis. Ils savent que les actions isolées (les attentats) contre les soldats allemands sont désapprouvées par de Gaulle. Ils les justifient — ce qui est nouveau — par la nécessité de se procurer des armes individuelles (Fabien n'a nullement récupéré l'arme de Moser), afin de pouvoir attaquer d'autres objectifs : voies ferrées, casernes, usines, etc. Par conséquent, à les en croire, il suffirait aux services de De Gaulle d'armer les F.T.P. pour que ceux-ci renoncent aux attentats [3].

On relève au passage que ce comité militaire exprime ses remerciements pour deux envois de matériel déjà reçus. Si l'on se souvient de l'argent avancé par Rémy, on constate que les communistes ont été moins sevrés qu'ils ne le prétendent de numéraire et de munitions par la France combattante.

La mission de Grenier est donc d'améliorer les relations. Cependant, une fois à Londres, les choses ne tournent pas très bien pour lui. Dans ses souvenirs, l'envoyé du parti communiste se plaint amèrement d'avoir eu avec le général des contacts rares, soupçonneux, voire orageux. C'est là une péripétie trop connue pour qu'on y insiste ici.

Le voyage inutile à Marseille est bien oublié. Il est pourtant fort intéressant. Il montre que les communistes sont toujours prêts à saisir au vol l'occasion. Si le gouvernement se forme en zone sud, ils ne négligeront pas d'y entrer, et peu importe ce qu'en pensera ce général de Londres qu'ils ont abreuvé d'injures avant l'offensive à l'est de la Wehrmacht. La politique du parti ne s'encombre pas de considérations sentimentales.

Arrêtons-nous à présent sur le fonctionnement de cette mécanique politique. Nous avons vu dans les chapitres précédents que la contribution des adultes du parti à la lutte armée avait été médiocre. Assez pâle sur le plan militaire, ce parti récupère toute son efficacité dans le domaine proprement

1. Ce document récemment retrouvé par Rémy dans ses archives a été publié dans le t. III de l'*Histoire de la Résistance*, d'Henri Noguères, pp. 643-650.
2. « Notre action, peut-on lire, n'est certes pas comparable, ni par ses résultats, ni par l'ampleur des sacrifices, à l'action des partisans agissant sous les ordres du général Mikhaïlovitch ou bien à celle des innombrables partisans soviétiques », *op. cit.*, p. 646.
3. *Op. cit.*, pp. 646-647.

politique, pour les tâches du contact avec les autres organisations, pour les problèmes de stratégie et de tactique. En fait, il aborde le combat avec des atouts que ne possèdent point ses rivaux.

Des perspectives favorables

On pourrait croire, à première vue, le contraire. Après tout, le P.C.F. est entré bon dernier dans la résistance. Mais ce handicap qui lui vaut, certes, des remontrances, est plus apparent que véritable. Sur toutes les autres formations politiques de ce pays, celles qui existaient avant-guerre, celles qui subsistent légalement sous Vichy, celles qui se constituent dans la clandestinité, le P.C. français possède une supériorité écrasante : *la continuité*. Il dispose d'un appareil qui est entré dans la lutte dès septembre 1939 et qui a su se maintenir à travers bien des vicissitudes.

Si l'on considère, au contraire, l'échiquier politique, on constate que bien des formations ont éclaté : la Cagoule s'est brisée en plusieurs tronçons ; le Parti social français du colonel de La Rocque n'existe plus ; depuis l'échec du 6 février, les dissidences n'ont pas cessé à l'Action française. En définitive, dans les mouvements de droite, le P.P.F. de Doriot — dont les chefs connaissent bien la théorie et la pratique communistes — est la seule formation qui ait réellement conservé ses hommes et ses structures. Le R.N.P. de Marcel Déat en zone Nord, la Légion (d'où sortira la Milice) en zone sud, sont des mouvements neufs.

Certains dissidents ont pu agir contre le parti communiste, voire gêner son action. Mais ils sont en grand danger de liquidation physique.

Dans le secteur de la Résistance, l'échiquier est encore plus favorable pour les communistes. Leur action se développe ici dans un quasi-désert. Tous les grands partis d'avant-guerre ont été volatilisés par la défaite. Le parti radical, pilier de la IIIe République, n'existe plus. Le parti socialiste, concurrent le plus redoutable du parti communiste, celui qui le connaît le mieux, qui possède à sa tête des hommes aptes, par une vieille expérience, à « contrer » ses entreprises et à déjouer ses manœuvres, ce parti est dans un état aussi peu brillant. Certains de ses dirigeants se sont ralliés à Vichy ; d'autres se réfugient dans l'attentisme ; quelques-uns (Guy Mollet, Daniel Mayer, Robert Lacoste) rallient la Résistance. Mais ce sont des individualités.

A droite, l'*Alliance démocratique*, la *Fédération républicaine*, ont toujours été des combinaisons électorales. Ces formations ne sont pas faites pour naviguer par grand vent.

L'occupation a fait surgir des organismes d'un type nouveau : les réseaux de résistants, *Libé-Nord*, *Libé-Sud*, l'*O.C.M.* (Organisation civile et militaire), *Franc-Tireur*, *Ceux de la Libération* (C.D.L.L.)... Ces groupes sont nés du hasard, des rencontres, ou des affinités personnelles. A l'*O.C.M.*, civils et militaires se sont retrouvés pour « faire quelque chose contre l'Allemand ».

A *Libé-Nord,* on trouve une certaine influence socialiste, mais cela ne va pas très loin.

Pour la plupart, les dirigeants de ces groupes — et sous ce rapport les militaires sont les plus naïfs — n'ont aucune connaissance vraie du communisme. Ceux qui lui sont le plus vivement hostiles se forment de ses militants une image caricaturale ou mythique. Ceux qui connaissent le problème sont de rares individus sans courroies de transmission.

De Gaulle et les communistes

De Gaulle, à Londres, le connaît-il ? C'est un militaire qui a piétiné longtemps dans les antichambres et fréquenté les ministres, avant d'être appelé au poste éphémère de secrétaire d'État aux armées. Il y a fourbi une intelligence innée des réalités politiques qui échappent à tant de guerriers, absorbés par les aspects techniques de leur profession.

Il n'est pas sûr pour autant que de Gaulle, au début de l'occupation, mesure vraiment le poids de l'appareil communiste. Son entourage hétéroclite où se coudoient militaires, hommes de droite (Passy, Rémy, Saint-Jacques) et de gauche (Georges Boris, Louis Vallon, l'inévitable professeur Cassin), peut-il beaucoup lui apprendre sur ce sujet ? C'est douteux. En outre, il va bientôt écarter les éclaircissements et les renforts qui pourraient lui venir de l'étranger. Son hostilité morbide pour le gouvernement britannique, et davantage encore pour celui des États-Unis, lui-même d'ailleurs singulièrement ouvert aux infiltrations soviétiques, le laisse seul devant le Kremlin et devant les communistes.

Sa haine des Anglo-Saxons l'incite à s'entendre avec le gouvernement de Staline qui flatte aussitôt son amour-propre en acceptant de le reconnaître. Peut-on faire alliance avec les Soviétiques, tout en tenant les communistes à distance, voire en « contrant » avec vigueur leurs entreprises ? Cette dissociation entre une politique extérieure soviétophile menée par un noyau d'émigrés — dont les attaches avec la France résistante restent incertaines, fragiles ou difficiles — et sa politique intérieure, anticommuniste, ressemble encore, trente ans plus tard, à un exercice en chambre.

De Gaulle n'est sans doute pas entièrement dupe des justifications que ses partisans présentent de sa politique. Les encouragements et les flatteries des Soviétiques à l'égard des Français de Londres peuvent-ils réellement l'abuser ? Le comportement de Bogomolov est un test.

Passant de Vichy, où il était ambassadeur, à Londres, le courtois, habile et souriant diplomate évite avec soin d'afficher de l'humeur pour le gouvernement du Maréchal [1]. Sait-on jamais ? Les contacts rompus entre Staline et Pétain (du fait de ce dernier) seront peut-être renoués. La prudence de Bogomolov montre au chef de la France libre, si imbu qu'il soit de lui-même, qu'il ne doit pas se laisser abuser par l'engouement qu'on lui témoigne.

1. Cf. de Gaulle, *Mémoires de guerre, l'Appel,* p. 224.

Au reste, il n'est pas sûr que les Soviétiques, dans le temps même où ils encensent l'émigré, ne méditent de lui fabriquer un rival. Dans les *Mémoires* du général de Gaulle figure une petite phrase énigmatique. Parlant du général Petit envoyé à Moscou comme attaché militaire, de Gaulle note que celui-ci est comblé d'attentions par ses hôtes, au point d'être reçu, faveur rare, par Staline en personne. « J'eus d'ailleurs, enchaîne de Gaulle, à me demander par la suite, si le but de leurs avances à Petit n'était que professionnel [1]. » Veut-il insinuer par là que le Kremlin a tenté de dresser Petit contre lui, dans l'espoir d'avoir dans son jeu un général plus malléable?

Cette politique des Soviets qu'on devine, sous les assurances aimables, ambiguë à l'égard des gaullistes, prête à attiser leurs rancœurs contre les Anglo-Saxons, à utiliser les noyaux des Français libres, incrustés à Londres, au Moyen-Orient, en Amérique, comme accélérateurs du second front, mais prête aussi bien, si Staline vire de bord, à les laisser « choir », cette politique trouve son exacte réplique dans le comportement du Parti communiste français.

Avec Giraud

Certes, les communistes ont expédié à Londres Grenier, que rejoindra Waldeck Rochet, mais ils ne sont pas moins présents à Alger auprès du général Giraud. A côté de ce général conservateur, de Gaulle fait figure de révolutionnaire extrémiste. Mais — tout le monde semble l'ignorer — pendant une certaine phase, la direction du P.C. français a paru davantage encline à jouer la carte Giraud que la carte de Gaulle.

Ce moment tactique, méconnu, est pourtant bien explicable.

D'abord, après le débarquement des Anglo-Américains en Afrique du Nord et l'assassinat de Darlan, il n'est pas du tout assuré que de Gaulle, terriblement seul, va l'emporter sur son rival. Giraud a sous son autorité des forces importantes. Jetées sur le champ de bataille, elles constitueraient un apport précieux. « Le pape, combien a-t-il de divisions? », interrogera plus tard Staline. Giraud, à la fin de 1942, a beaucoup plus de divisions que de Gaulle, qui, n'en a guère. Staline, dont l'objectif est de vaincre l'Allemagne, qui, dans une lettre à Roosevelt, immédiatement postérieure au débarquement, approuvait les négociations avec Darlan et Boisson [2], ne

---

1. *Op. cit.*, p. 245.
2. Lettre du 13 décembre 1942 : « En raison des rumeurs de toute sorte qui circulent à propos de l'attitude de l'U.R.S.S. quant à l'usage qui est fait de Darlan et autres personnages comparables, il ne me paraît pas inutile de vous dire que mes camarades et moi approuvons la politique menée par Eisenhower à l'égard de Darlan, Giraud, Boisson et autres. Je considère comme un grand succès que vous ayez réussi à faire entrer Darlan et les autres dans l'orbite des Alliés en lutte contre Hitler. » Cité par Noguères, *Histoire de la Résistance en France*, t. III, p. 71.

perd pas de vue ces réalités. La direction du P.C. français, alignée sur Moscou, ne les ignore pas davantage.

Il y a d'autres considérations, réalistes elles aussi. En Algérie, à partir du moment où les détenus communistes sont libérés de Maison-Carrée, ceux-ci disposent d'un territoire où ils ont pouvoir de s'organiser à peu près librement. Quelques centaines de militants dévoués sont sur place, avec à leur tête un noyau solide : François Billoux, Florimond Bonte, Virgile Barel, Lucien Midol, Henri Lozeray, Henri Martel, Louis Prot, Georges Levy, etc. [1].

Nulle part ailleurs, ni en France métropolitaine, ni en Angleterre, où leur antenne est numériquement très faible, les communistes ne peuvent trouver des circonstances plus favorables.

Enfin, la personnalité de Giraud constitue un atout supplémentaire. Considéré comme un militaire capable, Giraud, la suite va le démontrer, n'a pas d'étoffe politique. Qu'il soit plus réactionnaire que de Gaulle, les communistes s'en moquent éperdument. Ils ont vite fait de découvrir que l'homme est infiniment moins rugueux et moins « vicieux » que son concurrent de Londres. L'intérêt est de cultiver ce soldat qui ne voit pas beaucoup plus loin que le bout de ses longues moustaches.

La direction clandestine délègue en Afrique du Nord Henri Pourtalet, qui est, en somme, là-bas, l'homologue de Grenier.

Pourtalet, ancien député des Alpes-Maritimes, membre de la délégation du comité central en zone sud, retardé en Espagne par les autorités franquistes qui l'internent, n'arrive en Algérie que le 30 juillet 1943, soit avec un retard de six mois [2].

Entre-temps, les événements ont marché. De Gaulle et Giraud sont en pleine bagarre. C'est à ce dernier que Pourtalet, un jour, se présente. Il est fraîchement reçu. Le général grogne :

« Parti communiste français, qu'est-ce que c'est que ça ? [3] »

Pourtant, quelques semaines plus tard, le ton change. Giraud revoit Pourtalet et accepte d'envoyer en métropole une mission de liaison auprès de la direction clandestine. De Gaulle est furieux.

Il a quelques raisons d'être d'une humeur noire. Au mois de septembre, en effet, les F.T.P. de Corse opèrent pour libérer l'île, en étroite coordination avec les troupes giraudistes. Giraud n'a peut-être vu dans cette entreprise que ses aspects militaires. Les communistes, eux, effectuent là une sorte de banc d'essai, de répétition, avant le débarquement en métropole et, sur le plan politique, ils exploitent largement ce succès militaire. L'*Agit-Prop* répand partout le bruit que la Corse s'est libérée elle-même et que, dans cette lutte, les F.T.P. ont été l'élément de pointe. Il faut ajouter qu'ils ont reçu des parachutages d'armes d'une réelle importance.

C'est là un moyen de faire pression sur de Gaulle, toujours réticent à

1. Ils sont libérés au début de février 1943.
2. Cf. Duclos, *op. cit.*, t. III, 2ᵉ partie, pp. 81-82.
3. *Op. cit.*, p. 82.

armer sur une vaste échelle cette formation rivale qui, à travers les péripéties de la guerre, a comme lui, pour point de mire, le pouvoir. Que ne feront pas les communistes demain en métropole, si Giraud les appuie?

Le chef de la France combattante est ainsi en danger d'être « squeezé » par une conjonction entre les communistes et les militaires d'extrême-droite. Il a deux raisons supplémentaires d'être furieux; l'une anecdotique : en Corse, son propre cousin, Henri Maillot, s'est laissé embarquer dans l'entreprise du Front national contrôlé par les communistes; l'autre plus profonde : avant les opérations qui se sont déroulées en septembre 1943, le communiste Giovoni est venu de Corse à Alger, a vu Giraud et a superbement ignoré le chef du gouvernement provisoire [1].

Les communistes, selon une tactique qui leur est familière, se sont empressés d'exploiter les contradictions de leurs concurrents.

La mission Larribère

Les difficultés des communistes avec de Gaulle, ou au contraire leurs accords, ont tellement retenu l'attention que les rapports avec Giraud ont été escamotés. Or, ces rapports ont été assez loin. Dans ses *Mémoires*, Duclos révèle que ce général a accepté l'envoi d'un messager communiste auprès de la direction militaire du parti en métropole. Le nom de ce chargé de mission a de quoi surprendre : il se nomme Camille Larribère.

Mis en quarantaine, après l'affaire du groupe, Larribère ne renoue vraiment les contacts avec ses camarades qu'après la libération de ceux-ci en Afrique du Nord [2].

La situation est plutôt piquante : Larribère est un vieil antimilitariste et il a appartenu aux réseaux soviétiques. En 1932 il a été cassé de son grade de capitaine. Le messager n'a pas de quoi enthousiasmer un officier supérieur comme Giraud. Mais peut-être celui-ci ignore-t-il le passé du personnage.

Parvenu en métropole, Larribère rencontre Marrane à Lyon, prend contact à Paris avec Beyer, chef du service de renseignements des F.T.P., puis avec Tillon. En revanche, il ne voit pas Duclos qui l'a pourtant bien connu à la revue *Le Militant rouge*.

Duclos seul, dans ses *Mémoires*, évoque cette mission dont Larribère dans sa notice biographique ne soufle mot (à moins qu'elle n'ait été caviardée). Il n'explique pas pourquoi cette rencontre n'a pas eu lieu, se bornant à écrire : « Je ne le rencontrai pas personnellement, mais je lui envoyai une lettre où je lui faisais connaître les vues du parti concernant la situation et le développement de la lutte armée [3]. » Ce qu'étaient alors ces vues, Duclos ne le précise pas, et on peut se demander s'il n'y eut pas quelques

1. Sur l'épisode corse, cf. de Gaulle, t. II, *L'Unité*, pp. 172-182. Duclos, dans ses *Mémoires*, ne soufle mot du voyage de Giovoni.
2. Cf. sa biographie dans *Les Cahiers de l'Institut Maurice Thorez, op. cit.*, pp. 106-107.
3. *Op. cit.*, p. 84.

divergences sur l'action à mener, entre la direction politique et la branche militaire dont Tillon était le chef, divergences qui se préciseront par la suite. Ou bien, circonspect à l'extrême, l'ancien pâtissier s'est-il méfié d'un vieux camarade qui n'avait pas toujours été un parfait « lignard » ?

L'opération Larribère ne tarde pas à tomber à l'eau : entre-temps, l'interlocuteur valable a sombré. Larribère a quitté Alger en janvier 1944. Quand il y revient, en avril, Giraud n'est plus rien. Une balle, tirée « par accident », a même failli l'annuler. La question du choix entre les deux généraux ne se pose plus.

Au reste, deux communistes font déjà partie du Comité français de Libération nationale (C.F.L.N.) à Alger : Billoux, commissaire d'État, et Grenier, commissaire de l'Air [1].

Giraud, les communistes et Pucheu

La collusion communistes-Giraud donne toutefois la clé du singulier comportement observé par le général à l'égard de Pierre Pucheu.

En février 1943, Giraud répondant à une lettre de Pucheu, alors en Espagne, souligne que la présence de l'ancien ministre de Vichy, violemment accusé par les communistes d'être le responsable de la fusillade de Châteaubriant, risque de provoquer des troubles en Algérie. Il ajoute cependant : « Je suis donc tout prêt à vous accueillir et à vous donner une place dans une unité combattante, sous réserve que vous ne ferez aucune politique. »

Fort de cette assurance, Pucheu arrive au Maroc, le 16 mai 1943. Six jours plus tard, Giraud le fait arrêter et interner dans le Sud marocain.

De Gaulle, sur ces entrefaites, survient en Algérie. Le 14 août 1943, le Comité de Libération nationale que préside Giraud ordonne la comparution de Pucheu devant un tribunal militaire. Car le procès est réclamé à cor et à cri par les communistes et les gaullistes.

Giraud cède à cette pression. A la veille du débarquement en Corse, la coopération avec les communistes est une donnée de son jeu politique. Il va lui sacrifier une tête. Venu déposer au procès, il y fait pâle figure et

---

1. Les ponts sont-ils définitivement coupés entre Giraud et les communistes ? Il convient de signaler cette rumeur qui circule après la Libération et que *les Informations ouvrières et syndicales* rapportent dans leur numéro de décembre 1944, pages N et O sous le titre : « La nouvelle affaire Giraud » :

« Ne va-t-on pas en effet jusqu'à dire que le général Giraud, profitant de l'absence du général de Gaulle, aurait l'intention de provoquer un putsch... Le général Giraud trouverait un soutien inattendu chez les staliniens. Tellement inattendu ? Non pas... il y a longtemps que le général Giraud bénéficie de la sollicitude communiste. »

A l'appui, *Les Informations* rappellent que les volontaires arrivant d'Espagne s'entendent demander s'ils préféraient servir chez Giraud ou de Gaulle, ce qui avantageait celui-ci plus connu. Un député communiste intervenant à l'Assemblée d'Alger, aurait dénoncé ces pratiques qui cessèrent. De même, Grenier aurait manifesté ses regrets de l'éviction du général de son poste d'inspecteur général de l'armée.

tient des propos embarrassés que de Gaulle, non sans délectation, relève dans ses *Mémoires*.

Giraud perd la partie. Le P.C. français, lui, a doublement bien manœuvré dans le bassin méditerranéen : en Corse grâce à Giraud, à Alger, où il a réussi à placer deux ministres chez de Gaulle.

Contacts à Alger

C'est dans la base algérienne que s'élaborent entre de Gaulle d'une part, les communistes français ou les agents soviétiques de l'autre, des rapports qui ne cesseront jamais d'être ambigus.

Avec les communistes, qu'il s'agisse d'André Marty ou de Fernand Grenier, commissaire à l'Air, les relations seront souvent orageuses.

Elles sont, apparemment, bien meilleures avec les Soviétiques qui cultivent soigneusement l'antagonisme de Gaulle-Roosevelt ou de Gaulle-Churchill. Bogomolov multiplie les entretiens. Vychinski, le procureur des hideuses mascarades de Moscou, vient à Alger assister à la projection du premier film bolchevik. Toutes sortes de liens avoués ou occultes se nouent et préparent des retrouvailles, quand de Gaulle et les siens seront, après mai 1958, de nouveau au pouvoir.

Dès février, le gouvernement soviétique encourage la création d'un Institut rattaché à l'Université d'Alger et qui doit s'occuper des questions économiques et politiques concernant l'U.R.S.S. Le recteur de cette Université est Henri Laugier, connu pour ses sympathies pro-communistes qui ne se démentiront jamais.

Qui dirige cet Institut? Ce sont — selon le *Relevé hebdomadaire d'écoutes relatives au communisme*, du ministère de l'Information à Vichy — le professeur Salmon et Mme Lucie F. (Lucie Faure). Le 3 juin, ils organisent une réception « au cours de laquelle, les professeurs et les élèves du Centre ont pu prendre contact avec les membres de la représentation soviétique à Alger ».

Deux mois plus tôt, le 13 avril, l'Association France-U.R.S.S. a tenu sa première réunion. « Le commissaire à la justice du comité de De Gaulle a déclaré à cette occasion : Les bolcheviks sont les fils les plus fidèles de la France. »

Le commissaire à la justice, c'est de Menthon et il est probable qu'il a voulu plutôt parler des communistes [1].

C'est dans cette ambiance d'euphorie franco-soviétique que sont engagés des rapports plus secrets. Un jeune élève de Normale Sup qui a épousé en 1939 la fille d'un militant communiste italien, émigré en France, Viviana Stiatti, s'entretient avec le docteur Goldstein, ancien capitaine des brigades. Le docteur met en relation ce sujet intéressant, giraudiste, qui parle à Radio-Alger sous le nom de Versailles, avec le conseiller Goussovsky, de l'ambassade soviétique. Marché conclu : on verse quelques subsides au

1. *Bulletin*, nᵒ 23, du 29 avril et 28, du 3 juin 1944.

jeune homme — bien que l'argent ne soit pas son mobile — et on lui fait signer un reçu, histoire de le tenir.

Georges Pâques vient d'accomplir les premiers pas dans sa carrière de « hors cadres ».

Avec les forces qui s'organisent en métropole, sous le label de la Résistance, le travail opéré par les éléments détachés du parti communiste n'est pas moins impressionnant.

Le parti dispose, tout d'abord, d'une formation spécialisée qui lui permet d'atteindre des gens, en principe éloignés de lui, et de les entraîner dans l'action : c'est le *Front national*, constitué au printemps 1941. A lui seul, le *Front national* permet de s'infiltrer dans les milieux divers et de s'y implanter : chez les écrivains et les artistes (Mauriac, Debû-Bridel, Vercors...) ; chez les militaires qui brûlent de combattre l'Allemand (d'Estienne d'Orves, Moullec) ; chez les médecins (professeur Debré, Dr Descomps...) ; chez les catholiques (Mgr Chevrot, R.P. Philippe...) ; chez les syndicalistes (Pierre Lebrun, Saillant...) ; dans les administrations et la police où, selon les sources communistes, le Front, à la veille de l'insurrection, réussit à influencer environ 600 à 800 policiers parisiens sur un total de 22 000 [1].

Le noyautage des concurrents

Mais le noyautage des organisations concurrentes est un travail plus remarquable encore. On s'aperçoit qu'en très peu de temps (deux ans environ) le P.C. français a réussi à glisser un peu partout des hommes à lui.

Même Vichy n'échappe pas à ces approches, au moins dans les premiers temps. Au début de l'occupation le représentant de l'U.N.E.F. en zone occupée, François de Lescure, est un des dirigeants des étudiants communistes. Au secrétariat à la Jeunesse on en ignore tout.

Le travail de noyautage est cependant beaucoup plus poussé en zone Sud. Comme Lyon y fait figure de capitale de la Résistance, les communistes y concentrent leurs efforts et négligent, semble-t-il, le développement des activités spécifiques du parti [2].

C'est ainsi qu'à *Libé-Sud* animé par Cavaillès, le couple Raymond et Lucie Aubrac apporte sont concours dès les premiers temps. Et c'est Lucie Aubrac qui, en juillet 1942, sert, pour ainsi dire, de marraine au jeune Hervé qui, après son évasion sensationnelle du palais de justice, s'est réfugié en zone non occupée. Avec lui, entrent aussi à *Libé-Sud*, Kriegel-Valrimont et Malleret-Joinville, futur général F.F.I.

Le cas de Marcel Degliame (co-auteur avec Noguères de l'*Histoire de la Résistance*) est encore plus étonnant. Cet ancien secrétaire communiste de la fédération du textile a réussi à s'évader du stalag IV C dans le territoire des Sudètes. De là, il parvient à gagner la Syrie où il entre aussitôt en contact

1. Cf. *Le Parti communiste français dans la Résistance*, p. 205.
2. Cf. Noguères, t. II.

avec les gaullistes. Mais il souhaite avant tout revenir en France. Il y parvient en août 1941. Les gaullistes du Moyen-Orient lui ont confié le soin d'établir la liaison avec les milieux syndicaux.

Tout le monde ignore sa qualité de communiste et il s'appliquera, par la suite, à la dissimuler soigneusement. Il n'est pas impossible qu'au début il ait agi d'une façon spontanée, mais, ayant pris contact avec l'appareil du parti, c'est par ordre qu'il continue à observer le silence sur sa véritable couleur politique. A partir de ce moment, Degliame se comporte donc en « hors cadres ».

Il opère à *Combat*, considéré pourtant comme le mouvement le plus à droite. Il y préconise la création de groupes d'action, le sabotage dans les usines et l'action immédiate, ce qui n'est pas du tout, à l'époque, dans la ligne gaulliste. Il s'efforce aussi de dresser ses nouveaux amis aux dures règles de la vie clandestine, telles que le parti les lui a enseignées. Non sans mal. Une de ses rencontres le met en contact avec René Hardy [1].

A *Combat*, on trouve aussi Francis Crémieux, futur membre du parti.

A *Libération*, les communistes J.P. Vernant, Mialhe et Victor Leduc dirigent à Toulouse les groupes para-militaires de ce mouvement.

Enfin collaborent en zone Sud au *Front national* Yves Farge, Justin Godart, Mgr Chevrot, le père Tison (s.j.). En fait également partie Georges Bidault, qui se trouve alors à la direction de *Combat*.

Jean Moulin communiste ?

En zone nord, la pénétration est peut-être moins accentuée. C'est cependant un homme que nous retrouverons, après la Libération, étroitement lié aux communistes, le colonel Manhès, que Jean Moulin a choisi pour délégué.

Celui qui a été le premier président du C.N.R. et le représentant de De Gaulle en métropole a-t-il été, sinon communiste, du moins rallié à eux ? Homme de gauche, peut-être franc-maçon, lié avant guerre aux milieux du journal *La Lumière*, ami de Georges Boris, Moulin fut aussi chef de cabinet de Pierre Cot, ministre de l'Air sous le Front populaire. Avec Manhès, précisément, il a joué un rôle actif dans le soutien à l'Espagne républicaine.

Cette question vient de connaître un regain d'actualité avec les accusations portées par Frenay, chef du mouvement *Combat*, dans ses souvenirs intitulés *La Nuit finira*.

La thèse de Frenay repose, au départ, sur l'analyse d'une erreur commise par de Gaulle. Selon lui, le chef de la France Libre aurait eu le tort de mépriser les mouvements de Résistance et de ne considérer pendant deux ans que l'aspect militaire des entreprises. Celles-ci, pour être efficaces,

---

1. Sur Degliame, qui a rompu depuis avec le P.C. français, cf. Henri Noguères, *op. cit.*, t. II, pp. 99-100 et 546-547.

devaient donc être dirigées de Londres, en liaison avec l'état-major allié. Là étaient les armes et l'argent. Les mouvements de métropole devaient se plier, comme des soldats disciplinés, aux consignes données par son représentant.

Celui-ci va donc disposer d'une puissance énorme. « De Gaulle, écrit Frenay, et par conséquent ses services, se condamnaient donc à ne voir et à n'entendre que par les yeux et les oreilles de l'homme qu'ils choisiraient et sur lequel, une fois qu'il serait en France, aucun contrôle pratiquement ne pourrait plus s'exercer [1]. »

L'homme, nous le savons, c'est Moulin, « intelligent, réfléchi, obstiné [2]», mais qui continue à poser à Frenay et à ses compagnons une série de questions fort troublantes.

Ces questions, Frenay les énumère. Elles sont fort diverses. Elles touchent au financement de certains maquis, parallèlement aux mouvements de résistance, à la reconstitution des partis politiques, à la création du C.N.R. que Moulin a fini par arracher à de Gaulle, malgré l'opposition de tous les mouvements, au conseil donné en *catimini* à Bidault, d'entrer au *Front national*, au choix comme secrétaire de celui-ci d'Annie, femme de Pierre Hervé, à la sélection de ses adjoints, à l'envoi du colonel Manhès en zone nord, etc.

Ce faisceau de présomptions entraîne cette conclusion : « Jean Moulin, crypto-communiste ? C'est une réponse satisfaisante à toutes nos questions et alors, brusquement, tout s'éclaire [3]. »

A la thèse de Frenay, on peut faire l'objection suivante : au moment de l'armistice, Moulin s'ouvre la gorge pour éviter de signer un texte que les Allemands veulent lui imposer. Ce n'est pas là un comportement qui corresponde aux consignes communistes à cette date. N'oublions pas que Pierre Cot a désavoué le pacte germano-soviétique et pris ses distances avec le parti communiste français. L'évolution de Moulin a pu être celle de toute une frange progressiste qui s'est détachée du rameau central.

Il reste qu'à partir du moment où le parti communiste se porte vers la lutte armée, les inclinations passées de Moulin ont pu resurgir et l'inciter à entreprendre avec les communistes un nouveau bout de chemin.

Mais les questions que posent la personnalité et le comportement de Moulin, ressemblent singulièrement à celles que suscite à son tour une des adjointes de Frenay à *Combat*, Bertie Albrecht.

Cette femme énergique qui, arrêtée en 1943 par le S.D., s'est peut-être tuée à Fresnes, pour éviter de parler. Frenay l'a connue avant-guerre et, sous l'occupation, elle a été pour lui d'une aide inappréciable. « Bouche volontaire, yeux bleus très clairs, coiffure sévère où le blanc commence à se mêler aux cheveux blonds, l'élégance toujours sobre, l'expression de son regard, comme de sa parole, peuvent refléter tout aussi bien une extrême bonté qu'une rigoureuse fermeté [4]. » Voilà comment Frenay la décrit.

1. *La Nuit finira*, p. 563.
2. *Op. cit.*, p. 563.
3. *Op. cit.*, p. 565.
4. Frenay, *op. cit.*, p. 42.

Jeune officier, il a connu avant-guerre cette protestante d'origine suisse, née Wild, élevée à Marseille, mariée à un grand financier hollandais de la City, et qui, séparée de son mari, vit à Paris rue de l'Université, dans l'hôtel particulier des Bourbon-Parme.

« Ma mère était de gauche, raconte sa fille, mais pas inscrite au parti [1]. » Cette grande bourgeoise appartient en tout cas à une intelligentsia très proche. Elle est allée à plusieurs reprises à Moscou. Cette protestante n'hésite pas à défendre dans une revue l'avortement libre. Quand elle invite à goûter les petits camarades de ses enfants, elle prend soin de disposer au milieu des friandises et des cadeaux, un bel ouvrage relié rouge et or : la Constitution soviétique.

« Elle était aussi liée, poursuit sa fille, avec les communistes qu'avec les quakers. Il défilait chez nous des professeurs d'histoire qui discutaient de leur cours de marxisme, des architectes américains révolutionnaires ou Jean Lurçat [2]... »

On y voit aussi, selon la même source, des combattants de la guerre d'Espagne, comme l'écrivain Gustav Regler, commissaire aux brigades, et des réfugiés juifs allemands.

On conçoit que pour le jeune officier de renseignements Frenay, axé sur le réarmement de l'Allemagne, le salon de cette femme intelligente, ouvert à des émigrés qui sont aussi des savants, ait été une aubaine, et qu'entre eux, une entente soit née. N'était-il pas intéressant aussi pour Bertie Albrecht d'avoir, par Frenay, une fenêtre ouverte sur l'armée ? Mais dès lors, on peut se demander si cette femme n'a pas joué auprès de *Combat*, pour le compte du parti communiste, le même rôle que l'auteur de *La Nuit finira* prête à Moulin. Frenay n'en croit rien. Il assure que Bertie a désapprouvé le pacte germano-soviétique et qu'elle a commencé à résister aussitôt après l'armistice. Et, certes, le pacte a ébranlé beaucoup de monde. Aussi, pour Bertie Albrecht comme pour Jean Moulin, est-il hasardeux de se prononcer.

Les activités de Bertie Albrecht n'intéressent que *Combat*. Celles de Moulin, au contraire, concernent l'ensemble des organisations résistantes. Or, au poste-clé qu'il occupe à la tête du C.N.R. il faut bien constater que les deux adjoints de *Max* (Moulin) se nomment Chambeyron et Meunier.

Infiltration au C.N.R.

On les retrouvera tous deux, après-guerre, dans les mouvements progressistes directement influencés, voire financés par le parti.

Et quand on examine la composition du Conseil national de la Résis-

---

1. « La mort d'une mère », interview de Mireille Albrecht par Denise Dubois-Jallais, in *Elle*, 20 août 1973.
2. *Op. cit.*

tance, constitué en 1943, on constate que les communistes et les communisants y sont fortement incrustés.

Auprès de Moulin qui préside, Meunier et Chambeyron occupent les fonctions respectives de secrétaire et de secrétaire adjoint. Sans doute n'ont-ils pas voix délibérative aux séances. Mais nul ne saurait méconnaître l'importance des fonctions administratives de l'appareil, surtout dans un organisme clandestin où l'on ne rend pas tous les jours de comptes aux adhérents. Parmi les représentants des huit mouvements de résistance [1] qui constituent le C.N.R., on note la présence de Pierre Villon (Ginsburger) pour le *Front national*, de Degliame, suppléant de Claude Bourdet à *Combat*, de Pierre Hervé, suppléant de Pascal Copeau à *Libération-Sud*. Parmi les six formations politiques qui délégueront chacune un représentant [2], les communistes, il est vrai, ne détiennent qu'une voix (André Mercier, puis Auguste Gillot). Mais à celle-ci viendra se joindre souvent celle de Debû-Bridel, représentant de la fantomatique Fédération républicaine. Enfin, Louis Saillant, futur secrétaire de la F.S.M. (Fédération syndicale mondiale), filiale soviétique, parle au nom de la C.G.T., représentée elle aussi en même temps que la C.F.T.C. [3].

Au total, sur 17 voix délibératives (16 + Moulin), la fraction communisante peut compter sur 3 voix sûres (Villon, Mercier ou Gillot, Saillant), une probable (Debu-Bridel) et sur 5 ou 6 dans les séances où les suppléants Hervé et Degliame viennent à siéger.

Ce n'est pas encore décisif, bien que l'exercice du travail fractionnel donne à cette minorité (qui peut atteindre le tiers des participants) une cohésion redoutable.

Mais ici intervient, pour le fonctionnement pratique du C.N.R., un phénomène déjà constaté pour le Comité central du parti bolchevik pendant la révolution de 1917. Un organisme qui groupe 17 personnes est difficile à rassembler dans la clandestinité. Chaque réunion multiplie les risques d'arrestation. Il faut donc que lui soit substitué le plus souvent un bureau. Celui-ci, après la mort de Moulin, compte cinq membres : Bidault (qui a remplacé Moulin), Blocq-Masquart, Villon, Saillant et Copeau.

Cette répartition donne deux voix à la tendance communiste. Mais Copeau en est très proche, et il subit l'ascendant d'Emmanuel d'Astier de la Vigerie, devenu commissaire à l'Intérieur du C.F.L.N.

Les communistes sont bien près d'être maîtres de la place.

La même infiltration se répète au Comité parisien de Libération dont la naissance a été annoncée le 1er septembre 1943.

La création de ce comité provoque aussitôt l'inquiétude de la Délégation générale, émanation de De Gaulle en métropole. Celle-ci redoute que la

1. *Organisation civile et militaire* (O.C.M.); *Ceux de la Libération* (C.D.L.L.), *Ceux de la Résistance* (C.D.L.R.); *Libération-Nord*; *Combat*; *Libération-Sud*; *Franc-Tireur*; *Front National*.

2. Communistes, socialistes, radicaux, démocrates-chrétiens, Alliance démocratique, Fédération républicaine.

3. Nous donnons cette liste d'après René Hostache, *Le Conseil national de la Résistance*, pp. 147-148.

région parisienne ne passe sous la coupe de ce comité, contrôlé par les communistes.

Le « noyau actif »

Craintes qui ne sont pas sans fondement. Car au C.D.L.P. on retrouve le même processus qu'au C.N.R., mais aggravé. C'est-à-dire que le Comité compte sept communistes sur dix-huit membres, mais que sur les six personnes du bureau, trois sont communistes : Rigal (remplacé par Marrane pendant l'insurrection) pour le P.C. français, Carrel pour le *Front national*, et Tollet qui préside, pour la C.G.T. Et il est entendu que ce « seul noyau actif se réunira jusqu'à la Libération [1] ».

Ainsi, à la veille du débarquement, le parti communiste constitue une puissance politique sans égale.

Sur le plan militaire le rapport de forces est plus complexe.

Les mouvements de résistance, qu'ils soient ou non rattachés aux Français libres de Londres, à l'Intelligence Service, ou purement autonomes sont, au début du moins, des organismes de propagande ou des réseaux de renseignement (parfois les deux).

Le parti communiste, au contraire, a préconisé et entrepris l'action armée immédiate, désavouée par de Gaulle comme prématurée et exposant les Français à de dangereuses représailles.

Les chefs de l'armée de l'armistice et de l'armée secrète partagent cette conception. Pour eux, il s'agit de former des dépôts d'armes et de recenser des troupes qui doivent intervenir seulement au jour J, en coordination avec les forces de débarquement.

Cette conception de la lutte est toutefois légèrement infléchie dans l'esprit de De Gaulle, au printemps 1943. Dans l'instruction qu'il adresse à *Vidal* (général Delestraint), chef de l'armée secrète, il admet « le principe de la nécessité des actions immédiates ».

De fortes différences subsistent néanmoins entre des formations autorisées parfois, non sans réticences, à se livrer à des actions sporadiques, et les F.T.P. qui, systématiquement, accumulent les coups de main. Les réseaux gaullistes, l'armée secrète, commandée au moment du débarquement par le général Revers, restent fidèles au type d'encadrement de l'ancienne armée. Tout se passe comme si la troupe y était composée de réservistes. Les officiers conservent soigneusement la liste de ces hommes qu'on mobilisera et qu'on jettera dans la bataille au jour du débarquement.

Les F.T.P. au contraire plongent aussitôt dans l'action tous ceux qui se présentent, et constituent de petites unités mobiles de guérilla.

1. Hostache, *op. cit.*, p. 306.

Les armes et l'argent

Outre ces différences de tactique, les deux grandes branches de la résistance ont deux sujets de discorde : les armes et l'argent.

Sous ce rapport, les unités qui relèvent du général de Gaulle et du B.C.R.A. possèdent sur les F.T.P. un très net avantage. Aussi la presse clandestine des communistes et les ouvrages écrits après la Libération sont-ils remplis de doléances sur les discriminations dont les formations F.T.P. auraient été l'objet. Elles se résument dans ce thème simple : ce sont les F.T.P. qui mènent la guerre à outrance contre la Wehrmacht. Or, systématiquement, ils sont privés d'armes.

D'un côté, il y aurait donc des stocks de matériel, accumulés dans des dépôts et qui restent sans emploi; de l'autre, des unités qui combattent mais qui seraient démunies, au détriment d'une lutte efficace contre l'occupant. Il ne faut pas trop se laisser prendre aux bonnes ou mauvaises raisons des uns et des autres. La polémique ouverte sur les problèmes de l'armement masque les desseins véritables de concurrents, engagés dans une course de vitesse. Chaque camp songe à renforcer son potentiel de combat moins pour affronter l'occupant que dans la perspective de la prise et du contrôle du pouvoir, au moment où l'Allemand évacuera le territoire.

Un document de l'époque établit bien ce climat de méfiance entre gaullistes et communistes. Il s'agit d'une lettre du 10 septembre 1943 adressée par la direction des F.T.P. à la direction de l'armée secrète, plus précisément à « M. le colonel président du Comité militaire de l'armée secrète », et publiée dans les *Informations ouvrières et syndicales* [1]. Dans cette lettre, la direction militaire des F.T.P. se plaint tout à la fois des tentatives de débauchage auprès de ses membres, de calomnies sur le compte des F.T.P. qu'on cherche à présenter comme une antenne du parti communiste, alors qu'il n'en est rien — contestation qui ne manque pas de saveur — et surtout d'une discrimination systématique en matière d'armements.

A cette lecture, on découvre que les F.T.P. n'étaient pas tout à fait aussi démunis de matériel qu'ils l'affirment aujourd'hui : « En juillet, lit-on, cinq opérations étaient promises; une seule a été effectuée et d'ailleurs parfaitement reçue dans le bloc D (D. 1). Dans cette même région, l'A.S. nous a remis deux tonnes de matériel, mais uniquement des explosifs, les armes nous étant refusées pour des raisons que nous exposons plus loin... En août, aucune réception... En septembre, enfin, plusieurs parachutages sont promis, mais nous ignorons s'ils auront lieu. »

Un peu plus haut, on trouve cet aveu inhabituel sous une plume communiste : « En ce qui concerne les armes et le matériel de guerre, nous reconnaissons volontiers que nous n'avons pas, autrefois, indiqué de très nombreux terrains d'atterrissage; nous avions également, pour des raisons majeures de sécurité, demandé que les parachutages destinés aux F.T.P.F., passent

1. Nº du 23 décembre 1943, pp. K à O.

directement par le B.O.A. national, évitant ainsi l'intermédiaire des B.O.A. de " Bloc ". »

Les responsables militaires des F.T.P. se plaignent encore que « des sommes sont réparties », mais qu'ils ne bénéficient point de cette manne. « Dans le même temps, notre service de renseignements, que nous avons développé tout particulièrement à la demande expresse d'un envoyé du général de Gaulle et avec l'assurance d'une aide matérielle effective, se voit depuis trois mois réduit à la portion congrue. Bien qu'ayant dû emprunter à des tiers amis, membres du Front national, près de 2 millions, il a dû renoncer à certaines missions, notamment en Allemagne, et s'est trouvé fortement gêné dans l'organisation de son réseau de transmissions radio, plusieurs locations et aménagements n'ayant pu être faits, faute d'argent. Ce même service se voit depuis six mois promettre des postes émetteurs qu'il ne reçoit jamais. Nous ne mettons nullement en cause la personnalité du chef du service de renseignements, avec lequel le chef de notre propre service [1] entretient des rapports cordiaux, mais pensons qu'il y a un grave défaut d'organisation. »

On voit le ton, qui révèle une profonde suspicion. On voit aussi qu'il faut nuancer la thèse selon laquelle les F.T.P. n'auraient reçu de Londres aucune livraison de matériel.

Le conflit dépasse souvent l'échange d'aigres propos. A diverses reprises, mystérieusement avertis, les F.T.P. font irruption sur des lieux de parachutage et s'emparent d'armes destinées à d'autres propriétaires ou les subtilisent par ruse [2].

Tant que les F.T.P., tout comme les réseaux gaullistes, sont des formations peu étoffées, ces rivalités ont une importance médiocre. Les choses s'aggravent à partir du moment où les réfractaires du S.T.O. affluent dans les maquis. La conception de l'état-major des F.T.P. pousse à lancer les jeunes gens dans la lutte, mais le manque d'armes freine les opérations. Les chefs de l'armée secrète ne sont pas moins embarrassés par des volontaires qu'il faut nourrir et loger. Sans compter que leurs provocations risquent d'entraîner des représailles allemandes.

Après les armes, les subsides fournissent un autre sujet de discorde. Les réseaux gaullistes (ou non communistes) sont alimentés en fonds, soit par le gouvernement provisoire d'Alger, soit par l'I.S., soit par l'O.S.S. américain installé en Suisse. Ce ne sont pas des sources négligeables.

Là encore — nous venons d'en avoir un aperçu —, les communistes se plaignent d'être mal desservis. Ils sont sans doute moins bien pourvus que leurs rivaux, encore que leurs doléances soient excessives, et que l'Intelligence Service ne les ait pas toujours oubliés pour les distributions d'armes et de fonds [3].

1. Georges Beyer.
2. On en trouve un exemple dans le livre de Claude Levy, *Les Parias de la Résistance*, pp. 86-89. Mais il y eut certainement bien d'autres cas.
3. Cf. Noguères, t. III, p. 266.

De toute façon, côté finances, les communistes, tout au long de leur histoire, n'ont jamais été pris au dépourvu. Il serait surprenant que leur « caisse noire » soit restée vide, dans la période décisive de l'occupation.

Sur ce chapitre, nous ne possédons que des informations très fragmentaires. Pendant la période de la « drôle de guerre », il est probable que des fonds sont parvenus à la direction clandestine par le biais de l'ambassade soviétique et sans doute par des relais bancaires. Un réseau d'espionnage comme l'Orchestre rouge travaillait, nous le savons, sous le couvert d'entreprises commerciales. Il se peut que ces entreprises aient servi à transporter des fonds pour le parti. Mais il est plus vraisemblable de supposer que le réseau espionnage ne tenait pas, pour de multiples raisons, à mélanger ses comptes avec ceux du parti, et à garder avec lui trop de contacts.

London, incidemment, révèle une autre source, imprévue. Il avait été mis en contact, en 1939, à Paris, par son compatriote Siroky, avec un autre Tchèque, Feigl. Celui-ci était alors le représentant en France d'une grosse société américaine de produits dentaires qui appartenait à un de ses cousins. « Comme il gagnait très largement sa vie, explique London, il nous versait régulièrement une subvention pour participer au financement de notre travail illégal. Il rédigeait pour la direction du Parti communiste français un bulletin d'information sur les problèmes économiques d'après l'écoute des différentes radios européennes et surtout d'après la presse internationale accessible en 1940-1941 à Paris. Sa femme, Vlasta Vesela, avait été volontaire des brigades internationales, dans le service sanitaire [1]. »

Par la suite, les Feigl se réfugient à Marseille, où ils gardent le contact avec le groupe tchèque communiste, puis passent en Suisse.

Dans son récit, London présente la contribution de Feigl comme celle d'un mécène, qui en est de sa poche. Mais cet homme de confiance, qui rédige aussi un bulletin pour le P.C. français, et dont la femme travaille dans le service de santé des brigades, appartient, sans aucun doute, à l'appareil international [2]. Il est hautement probable qu'il sert de simple relais pour transmettre des fonds qui viennent des États-Unis.

Les besoins financiers d'une organisation clandestine sont énormes. Les succès mêmes de l'organisation, les font croître vertigineusement. Et, à partir de l'offensive allemande à l'est, l'indiscrète, la délicate question « d'où vient l'argent »? se pose plus que jamais. L'ambassade soviétique à Vichy ferme ses portes et plie bagages. Il faut nourrir des hommes, les payer (un combattant de la M.O.I. touche en 1943 2 300 F par mois [3], assurer l'édition d'une littérature clandestine considérable (journaux, tracts, brochures, matériel d'impression, etc.), louer ou acheter d'innombrables « planques [4] », s'assurer, contre argent, des complicités, obtenir une foule de denrées et de matériaux au marché noir... Pour faire face à ce budget, non chiffrable,

---

1. *L'Aveu*, pp. 38-39.
2. Il sera arrêté comme London à Prague.
3. Cf. Lissner, *Un Franc-Tireur juif raconte*, p. 28.
4. Ouzoulias change une trentaine de fois de domicile.

mais certes impressionnant, les cotisations ne fournissent que des rentrées dérisoires.

De l'argent est venu, nous le savons, du B.C.R.A. Rémy trouve un million. Mais, de ce côté, le numéraire fut sans doute chichement mesuré, surtout dans la phase finale.

Toutes sortes de canaux ont dû être utilisés pour faire venir la manne du côté soviétique, y compris les plus simples : charger quelqu'un de transporter de l'or ou des bijoux. Herbert, nous l'avons vu, avait sur lui sa fortune : une ceinture remplie de louis d'or. D'autres envoyés, parachutés ou débarqués en sous-marin, ont pu parvenir à destination, munis de sommes plus ou moins importantes. Sur la femme Lypsic, les policiers découvrent des dollars, de l'or, etc.

L'United Service Committee

Les organisations humanitaires offrent d'autres filières : il est toujours gênant pour les polices d'y procéder à des perquisitions. Leurs investigations font scandale. Une de ces filières passe certainement par le siège de l'United Service Committee, cette antenne américaine sise à Marseille, chargée de venir en aide aux réfugiés. A la tête de l'United se trouve le fameux Noël Field. Après la guerre, Staline l'accusera d'être un agent américain. Mais tout au long du conflit il est un rouage important de l'appareil international.

Marseille est évidemment le siège d'une ou plusieurs « banques » occultes. C'est à Marseille que London se rend, au début de l'occupation, pour reconstituer le réseau tchèque de la M.O.I. C'est à Marseille que se réfugient certains membres de l'Orchestre rouge démantelé. C'est à Marseille qu'après la débâcle s'est repliée l'organisation philanthropique juive *Joint*. Le *Joint*, dont les représentants en France étaient Jeffroykin et Maurice Brener recevait, au début de l'occupation, des contributions importantes fournies par les Juifs d'Amérique [1].

Cette filière est coupée après le débarquement en Afrique du Nord, le *Joint*, devenu clandestin, s'efforce de recueillir des fonds en métropole. Quelle que soit la générosité de certains donateurs, les sommes sont insuffisantes pour couvrir les besoins de la Résistance juive et, en particulier, des groupes armés qui constituent l'A.J. (l'armée juive). Un autre organisme est alors constitué, le *Vaad Hatzalah* (Fonds palestiniens de sauvetage) dont le siège est à Istanbul, mais qui transmet en Suisse l'argent récolté.

A Genève se trouve, depuis 1943, Marc Jarblum, qui bénéficie du soutien financier de Saly Mayer, représentant du *Joint* en Suisse. Jarblum est en contact avec beaucoup de mouvements de résistance juifs ou non juifs qu'il subventionne et, parmi ceux-ci, de son propre aveu, le parti communiste [2].

1. Cf. à ce sujet Anny Latour, *La Résistance juive en France*, pp. 114-133.
2. Cf. Anny Latour, *ibid.*, p. 123.

Les récupérations d'argent par le biais de la contrainte — ce que les révolutionnaires russes appelaient « expropriation » — constituent un autre moyen pour alimenter une trésorerie dévorante. Les F.T.P. organisent un certain nombre de coups de main contre des perceptions, des bureaux de poste, voire des banques, etc. Dans la lettre adressée par le Comité militaire national des F.T.P., le 23 novembre 1942 à de Gaulle, il est indiqué, par ailleurs, que « les F.T.P.F. reçoivent une aide matérielle appréciable de la part d'un nombre grandissant de petits patrons et d'industriels [1] ». Après la guerre, le parti communiste a omis de publier la liste de ces généreux donateurs qui n'ont peut-être pas toujours cotisé de très bon gré.

A la veille de la Libération, comme dans la période immédiatement postérieure, les raids à objectif financier se multiplient. L'argent afflue. Témoin, les opérations fructueuses de Nîmes. A peine les Allemands ont-ils évacué, qu'un commando envahit une banque, et contraint son directeur, M. Lasalle, à ouvrir ses coffres. Les F.T.P. rafflent ainsi :

24 700 billets de	5 000 F	=	123 500 000 F
94 900 —	1 000 F		94 900 000 F
29 000 —	500 F		14 500 000 F
Total			232 900 000 F

(Deux cent trente-deux millions neuf cent mille francs [2].)

Un milliard trois cents millions sont d'autre part « récupérés » en gare de Chamalières, localité où l'on fabrique les billets de la Banque de France.

Le directeur veut faire opposition sur les billets détournés. Mais, le 17 janvier 1945, le ministre des Finances, Pleven, s'y oppose [3].

Quelques mois plus tard, au moment de l'échange des billets qui ne peut en théorie s'effectuer sans contrôle d'identité, et justification de l'origine des fonds, Pleven donne des ordres pour que cette opération se déroule sans inconvénient pour le parti communiste, membre du tripartisme [4].

En fin de compte, c'est par accident ou par recoupement que nous parvenons à obtenir quelques faibles éclaircissements sur les finances communistes, pour ces années où l'argent était le nerf de la guérilla. Il est certain que la plus grande partie de cet iceberg nous est toujours inconnue.

L'Orchestre rouge

Un secteur qui reste aussi très mystérieux, c'est celui des rapports entre l'appareil clandestin du P.C. français et de la célèbre organisation d'espion-

1. Noguères, *op. cit.* T. III, p. 644.
2. Capitaine Lacipieras, *Au Carrefour de la trahison*, p. 141.
3. Cf. Jean Castagnez in *la République Libre*, 18 mars 1950.
4. Cf. *Requête aux Nations Unies sur les Droits de l'Homme*, p. 188.

nage *Rote Kapelle* (l'Orchestre rouge) dont les différentes branches rayonnaient sur la France, l'Allemagne et la Belgique. Sur le papier il s'agit d'organismes très distincts qui, pour des raisons de sécurité, doivent au maximum limiter leurs rapports. Ceux-ci ne peuvent pas être, toutefois, totalement inexistants, d'une part parce que le P.C. peut être une source d'informations intéressante, d'autre part parce qu'en cas de difficultés imprévues, l'un de ces organismes peut avoir besoin de l'autre.

En fait, ces contacts ont bien eu lieu, pour autant qu'on le sache, au sommet. L'homme tout désigné pour les assumer en France était Jacques Duclos qui avait pu connaître, au moment de l'affaire *Fantômas* le chef de *Rote Kapelle*, Trepper.

Sur les liens entre *Rote Kapelle* et Duclos nous savons peu de choses. L'agent de liaison entre le chef communiste et Trepper était un certain « Michel », mais nous ne connaissons que ce pseudonyme.

C'est à « Michel » que Trepper, momentanément privé de poste émetteur, demande que le parti communiste le dépanne, en faisant passer ses messages sur le réseau radio de cette organisation. Après approbation du « directeur » à Moscou, la demande est acceptée et « Michel » met Trepper en contact avec Fernand Pauriol, le spécialiste radio du parti [1].

Trepper bénéficie encore des renseignements et des documents récoltés par les cellules communistes, les groupes F.T.P., la M.O.I., et les militants qui opèrent dans le T.A. (travail « anti »).

Le 13 août 1943, Pauriol est arrêté à Bordeaux.

En Suisse, au même moment, fonctionnent trois réseaux qu'on appellera *les trois Rouges*. Le plus important d'entre eux est dirigé par un communiste hongrois, ancien spécialiste militaire des compagnies prolétariennes dans la Ruhr, émissaire du Komintern et cartographe éminent, Rado. Sur le plan du renseignement, le rôle de Rado est sans doute plus important que celui de Trepper, que Perrault a exagérément « gonflé ».

Parmi les hommes qui renseignent Rado, on trouve des Français, dont l'ingénieur Maurice Haenis-Anslin, qui sera arrêté et torturé par la Gestapo et qui, sous couleur de faire des affaires, se rend fréquemment en Suisse.

Un autre informateur du réseau Rado est un Français, installé en Suisse, qui figure dans les messages échangés avec la direction de Moscou sous le pseudonyme de « Marius ». Ce « Marius » n'a rien à voir avec le dirigeant de l'appareil « anti » dont nous avons raconté l'histoire au chapitre v. C'est, tout bonnement, Marius Moutet, ancien ministre socialiste, futur gouverneur général de l'Indochine après la Libération.

Dans les ouvrages qui ont paru sur *Rote Kapelle* en France, le nom de Moutet, bizarrement, n'est jamais prononcé. Il ne figure pas moins sous son pseudonyme dans un message angoissé du directeur adressé le 7 juillet 1943 à Sissy, un des agents de Dora (Rado) :

1. Cf. Gilles Perrault, *L'Orchestre rouge*, p. 113.

« Chère Sissy,

« Albert nous a communiqué l'histoire du téléphone. A certainement quelque chose à voir avec l'arrestation de Maurice [1] en France. La Gestapo suit à partir de la France cette piste pour remonter jusqu'à nos gens. Vous personnellement n'êtes pas en grand danger, même si la Gestapo vous signale à la police suisse, ne pas trop parler. *Tout contester, même que vous connaissez Marius* [2]. »

Pour en savoir un peu plus sur les activités de Moutet, il faut se reporter au livre de souvenirs écrit par Rado et publié en français sous le titre *Sous le pseudonyme « Dora »*. On apprend alors que Marius Moutet représentait le gouvernement français au Bureau international du travail à Genève. Moutet se rend souvent à Vichy où il a un ami qui est en excellents termes avec Laval, et qui fréquente assidûment Abetz à Paris. Nous ne connaissons que le « pseudo » de cet homme, que Rado lui a donné : *Diemen*. Celui-ci communique régulièrement ses informations à Moutet qui les retransmet à Sissy (Esther Boesendorfer) avec qui il est entré en relation au début de 1943.

Dans ses souvenirs, Rado explique encore qu'il est obligé par la suite de couper les contacts avec *Marius*, par mesure de sécurité. Rado a appris, en effet, qu'un certain Belov qui s'agite beaucoup en Suisse, se fait passer pour un agent soviétique. Rado tient que ce personnage, confiant volontiers qu'il est colonel de l'Armée Rouge, ne peut être qu'un agent provocateur.

« Un comportement aussi simpliste, écrit-il, ne pouvait tromper que des simples d'esprit. Et il y en avait. Belov réussit à prendre dans ses filets Marius qui faisait partie du groupe de Sissy. Aussi étrange que cela paraisse, cet homme, faisant confiance à Belov crut qu'il était le chef des services de renseignements soviétiques en Suisse, et exécuta ses directives [3]. »

Le jugement n'est pas très flatteur quant à la perspicacité du ministre socialiste. Mais la suite donne une idée du rôle important de Moutet dans le réseau. Rado ajoute en effet :

« Que l'un des membres de notre réseau n'eût pas reconnu la provocation n'aurait pas été un grand danger en soi. Mais Marius était en liaison avec Sissy. Il connaissait Diemen, l'officier français qui était le courrier de Vichy, et nous fournissait d'importants renseignements... Je donnai donc des instructions pour que tout contact avec Marius fût rompu [4]. »

---

1. Haenis-Anslin.

2. Cf. Wilhelm von Schramm, *Les Espions ont-ils gagné la guerre ?* p. 211, passage souligné par nous. Le nom de Moutet figurait déjà dans le livre de l'Allemand Flicke. *Agenten funken nach Moskau*, p. 344. Il a disparu dans la version française.

3. *Sous le pseudonyme « Dora »*, p. 318.

4. *Op. cit.*, p. 318. A propos de Moutet, Émile Bougère affirmait — et il a tenu les mêmes propos à Jean-André Faucher — qu'à l'époque où il opérait au côté de Muraille, il avait reçu comme instruction, en cas d'arrestation, de désigner comme avocat Moutet ou Louis Noguères.

Nous avons vu par ailleurs que Noguères fut le défenseur de Muraille et de Grodnicki.

La course au pouvoir

La direction du parti communiste a bien compris que la lutte pour le pouvoir était une compétition à trois. Son jeu consistait à miser à la fois sur de Gaulle et Giraud, et à tirer parti de leurs rivalités.

Giraud éliminé, communistes et gaullistes restent en présence. Entre eux commence une phase de concurrence aiguë.

Ils ont pour objectif *avoué* de chasser l'Allemand. Ils ont pour objectif réel de s'emparer du pouvoir. Une circulaire émanant du secrétariat général des M.U.R. (Mouvements unis de Résistance [1]) le dit clairement :

« 2. L'insurrection doit avoir lieu dans tous les cas... » (Même si) « les conditions, du fait de la Libération, étaient telles que, par l'écroulement spontané du gouvernement de Vichy, la transmission des pouvoirs puisse se faire sans aucune violence, de celui-ci au C.F.L.N. et au gouvernement provisoire, il serait absurde et, en tout cas, outrageant pour le peuple français, d'imaginer l'absence de tout soulèvement de masse, armé d'une forte volonté de vengeance...

« 3. Il faut placer les Alliés devant le fait accompli. »

Communistes et gaullistes se trouvent ainsi avoir les mêmes adversaires : le gouvernement du maréchal qui pourrait tenter un retour à la IIIe République (la tentative sera esquissée en effet) et les Alliés anglo-saxons qui pourraient cautionner cette manœuvre.

En revanche les uns et les autres se retrouvent rivaux dès qu'il s'agit de savoir qui prendra la tête de l'insurrection et s'en servira pour conquérir le pouvoir.

Appliquant les règles de la stratégie sur la direction principale de l'attaque, le Parti concentre le maximum de ses forces politiques et militaires dans le secteur décisif : celui de la région parisienne.

Ses représentants sont fortement implantés au C.N.R. Ils dominent encore davantage le Comité parisien de la Libération dont, seul le noyau actif, nous l'avons dit, doit se réunir jusqu'à la victoire.

Le processus est le même qu'au C.N.R. : à l'échelon décisif d'une structure, la concentration communiste est plus dense, ceci grâce aux organisations annexes (C.G.T., Front national...).

Quel est l'objet des C.P.L.? Ils doivent être substitués aux conseils municipaux et généraux, c'est-à-dire devenir les rouages du pouvoir nouveau. Le C.P.L. peut devenir le vrai pouvoir dans la capitale [2].

---

1. Cf. *Écrits de Paris*, août 1950.
2. L'art. 5 des statuts du C.P.L. précise ainsi leur rôle « pour faciliter la tâche des futurs pouvoirs, ils aident au noyautage des services publics ; ils préparent les mesures immédiates d'épuration et de neutralisation des traîtres. Ils prennent les dispositions nécessaires pour le remplacement des fonctionnaires indignes et étudient la mise en place des municipalités provisoires. Ils proposent les plans de ravitaillement pour le département et la solution des problèmes locaux de presse et d'information », Henri Denis, *Le Comité parisien de la Libération*, p. 64.

C'est pourquoi le gouvernement provisoire d'Alger s'efforce de garder le contrôle de la situation en désignant les préfets (préfet de police, préfet de la Seine) et les secrétaires généraux.

Les communistes ripostent en « organisant les masses ». Ils prolongent le C.P.L. en comités locaux qui coiffent les arrondissements et qu'ils contrôlent sans peine. A ces comités sont rattachées les milices patriotiques, organisées soit par quartiers, soit par entreprises. Leur fonction principale est celle d'une police supplétive. Elles quadrillent les entreprises, les quartiers, et font la chasse aux suspects.

Les milices dans la période des combats regroupent à peine deux mille hommes. Leur recrutement fera un bond après la capitulation de von Choltitz.

Les communistes souhaiteraient voir un des leurs comme préfet de la Seine, un homme lié aux masses, c'est-à-dire quelqu'un comme Marrane. Le gouvernement provisoire envoie au C.P.L. Flouret, ancien chef de cabinet d'Auriol ; les communistes lui font grise mine. Mais Flouret sait se montrer assez incolore pour se faire tolérer.

Arrestations suspectes

Sur le plan proprement militaire, à mesure qu'approche la date du débarquement, les communistes s'arrangent pour détenir les postes de commande.

Ils dominent (Villon, Kriegel-Valrimont) le C.O.M.A.C. (nommé d'abord C.O.M.I.D.A.C.), qui est le poste de commandement militaire du C.N.R. En outre, une série de circonstances vont leur permettre d'occuper, au détriment de leurs concurrents, les postes de chefs d'état-major à Paris et dans la Seine.

Dans la région parisienne, le commandant en chef des Forces françaises de l'Intérieur (F.F.I.) auxquelles les F.T.P. se sont nominalement intégrés, est assuré par Coquoin (Lenormand) chef du C.D.L.L. Mais Coquoin est arrêté. Normalement, Mutter devrait lui succéder. Le communiste Malleret-Joinville n'en désigne pas moins, en violation des engagements pris, le communiste Henri Rol-Tanguy.

Malleret-Joinville lui-même a été désigné dans des conditions aussi arbitraires au poste de chef d'état-major F.F.I. de l'Ile-de-France. Celui-ci était occupé par le colonel de Jussieu (Pontcarral). Or, le 1er mai 1944, Pontcarral est arrêté avec la majorité de son état-major et déporté. Pour le remplacer, le comité directeur des M.U.R. (Mouvements unis des Résistances) avait chargé Kriegel-Valrimont — dont l'appartenance au parti communiste est alors ignorée — de soutenir la candidature de Rebattet. Kriegel n'en a cure. Épaulé par Villon, il fait désigner Malleret-Joinville [1].

Troisième arrestation : celle de Lefaucheux, chef des F.F.I. de Seine et

1. Cf. René Hostache, *op. cit.*, p. 394.

Seine-et-Oise. Cette fois, le parti communiste ne réussit pas à faire nommer un des siens. C'est le colonel de Margueritte (Lizé), appartenant au mouvement *Libération*, qui est choisi.

Bref, à la veille du débarquement, les éléments militaires non-communistes de la région parisienne ont été décimés.

Est-ce l'effet du hasard ? Dès cette époque, des rumeurs circulent. Elles attribuent aux communistes la responsabilité de ces éliminations qui seraient intervenues à la suite de dénonciations faites à la Gestapo. Dans un communiqué, le C.P.L. flétrit ces calomnies, colportées, assure-t-il, par Radio-Paris.

Vingt-sept ans plus tard, ces acusations seront reprises dans le petit livre du colonel du Jonchay, *La Résistance et les communistes*.

Responsable, un moment, du 2e Bureau en Afrique du Nord, passé à la Résistance, du Jonchay évoque un rendez-vous des chefs militaires de la Résistance au rond-point des Champs-Élysées, en mai-juin 1944, rencontre qui s'achève en catastrophe. Les participants, et parmi eux de Jussieu (Pontcarral) et du Jonchay, qui réussira un peu plus tard à s'évader, sont pris.

A ce rendez-vous, les communistes, et en particulier Vermorel-Rey, ne sont pas venus. Du Jonchay estime que cette absence est infiniment troublante. Tout se passe, selon lui, comme si l'appareil communiste avait « donné » de Jussieu et ses lieutenants à la Gestapo, dans le dessein de les remplacer à la tête des F.F.I.

L'argumentation, à vrai dire, n'est pas absolument convaincante. En maintes circonstances, les responsables de la résistance non communiste ont organisé leurs rencontres avec beaucoup de légèreté, source de nombreuses arrestations. Il est possible que les communistes, qui avaient une tout autre technique de la clandestinité, aient volontairement manqué un rendez-vous donné au beau milieu des Champs-Élysées, parce qu'ils jugeaient le risque trop grand.

Dans ses *Mémoires*, Duclos prend à partie le colonel du Jonchay à qui il reproche d'être entré dans la Résistance seulement en 1943, et qu'il accuse de « distiller l'injure et la calomnie [1] ». Il se garde toutefois d'évoquer l'épisode précis raconté par du Jonchay et de le réfuter [2].

---

1. *Op. cit.*, t. III, 2e partie, Introduction, pp. 12-13.

2. Dans son livre Frenay accuse les communistes d'avoir par une « stratégie globale » tenté de prendre en main, en province, l'ensemble de la Résistance, en écartant les adversaires politiques. « Tous les moyens sont bons — écrit Frenay — pour atteindre ce but et en premier lieu la calomnie la plus odieuse », *op. cit.*, p. 438.

Frenay, à l'appui de cette thèse, cite une série d'exemples. En R. 4. à Toulouse, Jacques Dhont, chef régional des M.U.R., est l'objet d'une campagne de calomnies qui le dépeint comme un agent de la Gestapo. Écœuré, il finit par renoncer à son poste. Comme successeur, il désigne François Verdier, membre de *Libération*, bientôt voué à une campagne identique. Il est arrêté un peu plus tard. Et c'est Ravanel (Asher) qui lui succède.

Michel Brault, chef national des maquis est accusé par le communiste Malleret-Joinville d'être l'homme du préfet vichyssois Angeli. Brault gagne Londres pour s'y justifier. Il y est

Servis par le destin ou par leurs stratagèmes, le fait est que les communistes, à l'heure H, dominent largement l'appareil politico-militaire de la résistance dans la région parisienne.

Ils exercent déjà une très forte influence au sein du C.N.R. Ils sont devenus majoritaires dans son organe militaire le C.O.M.I.D.A.C., dénommé bientôt C.O.M.A.C. Villon y représente le Front national, Kriegel-Valrimont, à qui Degliame a cédé sa place, les M.U.R. Pour s'opposer à eux, il n'y aurait guère que de Voguë, quarante ans, gros industriel du sucre, mandaté par l'armée secrète. Mais celui-ci, tout au long des discussions orageuses qui émaillent les réunions du C.O.M.A.C., va, étrangement, subir la fascination communiste.

Enfin, comme nous l'avons dit, les communistes contrôlent le C.P.L. que préside Tollet.

La concentration des forces est donc impressionnante dans le camp des communistes. Pour contrecarrer cette action, les gaullistes ne disposent que de quelques hommes : Luizet, Flouret, Parodi, délégué général, le délégué militaire Chaban, les chefs de l'armée secrète. Mais ils ont surtout la disposition des armes et des fonds assurés par les parachutages.

Les communistes se plaindront amèrement d'avoir été sevrés d'armement dans la région parisienne. Le chef de l'état-major, le colonel Rol, assurera qu'il ne dispose dans Paris que de 600 armes. Chiffre probablement inférieur à la réalité, car les F.T.P. pour des raisons faciles à comprendre « gonflent » leurs effectifs et minimisent l'importance de leurs armements.

Il n'en reste pas moins vraisemblable que le B.C.R.A. a freiné la livraison de matériel, dans la période précédant l'insurrection parisienne.

Cette insurrection, nous avons vu qu'elle faisait, en toutes circonstances partie des plans gaullistes et communistes, quelle que fût la situation militaire. Cependant, au fur et à mesure que l'heure de la libération parisienne approche, de Gaulle et ses partisans vont être amenés à ralentir les opérations, de crainte d'être débordés par leurs concurrents.

Les chefs militaires alliés souhaitent que la Résistance intérieure subordonne ses actions aux plans de l'état-major. Or, ceux-ci ne comportent pas l'occupation immédiate de la capitale, que les Allemands se préparent à évacuer. Militairement, l'insurrection parisienne ne se justifie pas.

retenu par Pascal Copeau. Georges Rebattet qui a remplacé Brault finit par être évincé au bénéfice de Kriegel-Valrimont.

A Montpellier, Gilbert de Chambrun remplace Cals, arrêté et déporté; Degliame, de son côté, prend la place de Bourdet, arrêté.

En fin de compte, en zone sud, les M.U.R. désignent un comité exécutif, investi de tous pouvoirs et qui peut agir sans en référer au Comité directeur. Or, il comprend Pierre Hervé (communiste), Marcel Degliame (communiste hors-cadres) et Pascal Copeau, sympathisant du parti. *Op. cit.*, pp. 438-442.

Cet ensemble de faits, s'il n'est pas absolument démonstratif, ne laisse pas de troubler. On peut en tout cas enregistrer que, dans plusieurs régions, les communistes, à la phase décisive, réussissent à placer leurs hommes.

Deux types d'insurrection

Pour les communistes, au contraire, l'insurrection doit prendre les devants et durer assez longtemps, pour entraîner beaucoup de victimes, de grandes destructions et, dans une ville affamée, bientôt privée de police, créer cette situation dramatique d'où surgira, au milieu des ruines, le pouvoir populaire.

De Gaulle a parfaitement saisi ce plan. « Que ces projets politiques fussent mêlés aux élans du combat, écrit-il, me paraissait inévitable. Que l'insurrection dans la grande ville dût, pour certains, tendre à l'institution d'un pouvoir dominé par la IIIᵉ Internationale, je le savais depuis longtemps. *Mais je tenais néanmoins pour essentiel que les armes de la France agissent dans Paris avant celles des alliés, que le peuple contribue à la défaite de l'envahisseur, que la libération de la capitale porte la marque d'une opération militaire et nationale. C'est pourquoi, prenant le risque, j'encourageais le soulèvement* [1]... »

A travers les lignes, on discerne le jeu de De Gaulle : il veut une insurrection brève, suffisante pour proclamer que Paris a été libéré par les forces de l'intérieur, pour permettre à de Gaulle de faire une entrée triomphale, soutenu par la division Leclerc. Il calcule que cette opération de prestige, militairement sans objet, lui permettra d'assurer son autorité face aux Américains et de souffler aux communistes, sur le poteau, le pouvoir.

La tentative côtoie un précipice. Elle réussira, néanmoins.

Voilà pourquoi, si, politiquement, de Gaulle se heurte à Churchill et à Eisenhower, sur le terrain ses délégués militaires, reliés au général Koenig installé à Londres, ont soin de ne pas trop s'écarter des plans alliés : les forces de la résistance intérieure doivent coordonner leur action avec le commandement militaire, et jouer un rôle d'appoint. Si elles précèdent l'avance des troupes, alors ce sera de très peu.

Pour les communistes, au contraire, l'insurrection doit prendre les devants en fonction de l'état combatif des masses — ce qui signifie quand les communistes le jugent bon — libérer des portions de territoire, y installer des bases militaires et les organes du nouveau pouvoir.

Le conflit éclate avec violence peu après le débarquement, à la réunion du C.O.M.A.C. le 14 juin à la suite du fameux télégramme de Koenig : « Étant donné l'impossibilité de fournir des armes pour l'instant, freinez au maximum guérilla. »

Cette consigne provoque la vive protestation de Kriegel-Valrimont. Il rédige en sens contraire un ordre du jour qui souligne longuement que l'insurrection nationale est un devoir. Ces directives prévoient, en particulier dans les zones de l'avant, d'appuyer avec l'aide des milices patriotiques « la prise du pouvoir des comités de libération », et dans les zones de l'inté-

---

1. *Mémoires de guerre*, « L'Unité », p. 355.

rieur d'occuper, dans toute la mesure du possible des zones de territoire étendues [1].

A partir de là, le C.O.M.A.C., dont les communistes veulent faire le cerveau de l'insurrection, va être le siège d'âpres controverses avec des moments de tension aiguë. L'ouvrage de Kriegel-Valrimont, *Les Archives du C.O.M.A.C.*, publié en 1964, constitue la relation de ces affrontements [2].

Dès la séance du 14 juin s'ouvre le débat sur le type d'action à mener. Chaban-Delmas, Délégué militaire national, redoute qu'une offensive prématurée n'entraîne des représailles ennemies. Kriegel et Villon ripostent que « les représailles ennemies... entraîneront de nouvelles couches dans l'action [3] ». On croit entendre renaître la controverse sur les attentats. De même, les communistes refusent de lancer un appel prescrivant l'évacuation hors de Paris des couches non combattantes (femmes, enfants, vieillards). Ils se souviennent certainement que l'exode de 1940, en vidant la capitale de sa population, a rendu toute tentative insurrectionnelle impossible. Et pour eux, fondamentalement, le problème est le même. En juin 1940, il s'agissait de s'insérer entre le départ des autorités gouvernementales et l'arrivée de la Wehrmacht, pour installer leur pouvoir. En 1944, ils doivent pour atteindre leur objectif propre constituer un pouvoir populaire dans le moment qui sépare le retrait des troupes allemandes et l'entrée dans la capitale des unités alliées. Dans les deux cas, seuls les mots d'ordre changent. Dans le premier : « Paix immédiate! » Dans le second : « A chacun son Boche! »

Tout au long du mois de juillet et en août les discussions ne vont pas cesser. Dans cette phase difficile, le seul à tenir tête sans désemparer aux communistes est Chaban-Delmas, et ce n'est pas sans mérite pour un jeune inspecteur des finances de vingt-neuf ans qui n'a pas dû apprendre à Sciences Po à les affronter.

Les militaires en revanche font grise figure. Du général Revers, ancien postier et chef de l'armée secrète, Kriegel dresse un bref portrait, ironique, et le montre en train de somnoler dans les réunions. Le général est bientôt accusé d'avoir voulu organiser dans le sud de la France des unités militaires échappant au contrôle des F.F.I. soit, le plus souvent, au contrôle communiste. Convoqué par le C.O.M.A.C. à sa séance du 24 juillet, il jure, désormais, de se tenir tranquille, et, de fait, n'ouvre plus la bouche [4].

Ély n'est guère plus fringant. Ou bien il se tait, ou bien il finit, sous réserve de menues objections, par approuver le point de vue communiste.

---

1. Cf. Kriegel-Valrimont, *La Libération, Les Archives du C.O.M.A.C.* (mai-août 1944) pp. 40-44.
2. Quand Kriegel-Valrimont publie cet ouvrage il a rompu avec le parti communiste.
3. *Op. cit.*, p. 45.
4. *Op. cit.*, p. 117.

Affrontements au C.O.M.A.C.

Quant à de Voguë, on peut dire qu'il s'aligne de façon à peu près constante sur les positions de Villon et de Kriegel. Le 26 juin, à l'occasion d'une vive controverse entre Chaban et Kriegel, il appuie le point de vue du second [1]. Le 26 juillet, il s'oppose à Ély sur la question importante des pouvoirs du général Koenig.

« Si Koenig était en France, soutient Ély, le C.O.M.A.C. ne pourrait être que son conseiller technique.

— Impossible, rispote de Voguë, Koenig serait intégré au C.O.M.A.C. [2]. »

C'est tout à fait le point de vue communiste. Les D.M.R. (Délégués militaires régionaux), les préfets de la Seine ou de police doivent être subordonnés à la résistance intérieure dans un Paris que les communistes se targueraient d'avoir libéré. De Gaulle survenant après coup ne serait pas écarté, mais il ferait figure d'otage [3].

Ainsi, pendant près de trois mois, le C.O.M.A.C. est un champ de bataille entre des conceptions divergentes. A diverses reprises les communistes s'y élèvent contre les tentatives de créer des forces échappant au contrôle des F.F.I., notamment d'un régiment qui aurait été prévu, selon eux, pour assurer la garde personnelle du général de Gaulle [4]. Roland Pré dont ils dénoncent les « intrigues » semble être leur bête noire. A la veille de l'insurrection, il semble qu'ils aient fini par imposer leur point de vue.

« [...] Toutes les positions défendues par la Résistance intérieure se trouvent enfin consacrées », note Kriegel avec satisfaction [5].

Tout semble au point pour que les communistes gagnent la course au

1. *Op. cit.*, pp. 59-67.
2. *Op. cit.*, p. 131.
3. En marge de ces discussions passionnées se déroulent trois épisodes dont on parle peu.

D'abord, si l'on en croit Kriegel-Valrimont, celui-ci aurait une responsabilité dans l'opération qui aboutit au meurtre de Philippe Henriot, ministre de l'Information. Il indique en effet qu'il proposa Morlot comme chef des équipes d'Action nationale, « chargées de certaines missions spéciales » (*op. cit.*, p. 20). Or, c'est une de ces équipes précisément commandée par Morlot qui mena l'expédition au ministère de l'Information, et ce fut lui, croit-on, qui tua Henriot.

La véritable personnalité de Morlot reste inconnue.

Autre péripétie que les communistes, aujourd'hui, préfèrent certainement avoir oubliée. Quand au C.P.L., quelqu'un évoque l'exécution de Mandel et propose que l'on publie un texte sur ce sujet, le représentant communiste indique qu' « il n'y a pas lieu de s'étendre sur le cas Mandel, sa personnalité étant fort discutée » (cf. Henri Denis *Le Comité parisien de la Libération*, Annexe XXVI, P.-V. de la 31e séance du 18 juillet 1944, p. 218).

Il est enfin piquant de constater que dans un exposé à la séance du C.O.M.A.C. du 9 août, le général Revers, très assagi, attribue certaines difficultés survenues dans la région de Limoges à l'attitude de la mission Berger (André Malraux) liée, dit-il, à l'Intelligence Service. Celle-ci a « contesté la direction des F.F.I. et [...] a entraîné certains officiers de l'O.R.A qui étaient en rapport avec elle » (*Les Archives du C.O.M.A.C.*, p. 167).

4. *Op. cit.*, p. 107.
5. *Op. cit.*, p. 171.

pouvoir. Le 12 août, ils déclenchent la grève des cheminots, le 14, celle des policiers. Lancée par les trois mouvements, Front national, Police et Patrie, Honneur de la Police (Rol-Tanguy s'est déplacé spécialement pour contrôler la réunion des trois organisations qui décide de lancer le mouvement [1]), elle prend l'allure d'une rébellion contre les autorités allemandes. Elle est surtout un torpillage du projet Laval : celui-ci compte sur la police du préfet Bussières pour protéger le pouvoir de transition qu'il espère installer avec le concours d'Herriot et la convocation des Assemblées.

En s'emparant de la préfecture de police et de l'hôtel de ville, lieux symboliques, les communistes comptent bien s'imposer.

Pourtant cette mécanique va s'enrayer. D'abord quelques grains de sable la détraquent. Ils ne nomment Roland Pré, Léo Hamon, Luizet et Yves Bayet. Précédant de peu l'irruption des F.T.P., ils arrivent à la préfecture. Rien de plus simple que de les en déloger. Mais les communistes qui se trouvent sur place sont des exécutants. Ils doivent rendre compte avant toute décision imprévue. Ils redoutent en jetant quelques individus dehors d'ouvrir, peut-être, un grave conflit au sein de la Résistance.

Ainsi la vitesse individuelle l'emporte sur une certaine lourdeur bureaucratique.

A l'hôtel de ville, occupé lui aussi par des policiers, le C.N.R. ne tarde pas à s'installer. Politiquement, il est inconcevable qu'il en soit expulsé par les hommes du colonel Rol.

Un seul moyen : le stratagème. Georges Bidault raconte qu'une rumeur circula : des chars Tigre allaient attaquer le bâtiment. Ainsi une garnison nouvelle eût-elle pu occuper la place évacuée, en hâte, par la précédente. Mais Bidault et ses amis ne bougent pas. Les Tigre restent invisibles [2].

La trêve

Le parti communiste, toutefois, a d'autres ressources. Il tente d'élargir la guérilla dans la capitale, il occupe des mairies, contrôle de nombreux quartiers. Que la lutte se prolonge, la ville s'enfoncera dans le désordre, les pillages et l'effervescence révolutionnaire. Paris deviendra, sous les obus et les bombes, Varsovie.

Pour court-circuiter ce plan, il faut que les troupes d'Eisenhower arrivent. Elles ne sont pas en vue. Elles ont pour projet de contourner la ville, non de l'investir. La trêve pallie, fort opportunément, ce retard si profitable aux F.T.P. Les historiens la présentent en général comme une tentative humanitaire. Les communistes y voient un mauvais coup contre leurs projets. Ils n'ont pas, sans doute, entièrement tort. La trêve est *aussi* une manœuvre politique.

1. *La Libération de Paris* (ouvrage collectif), pp. 38-39.
2. *D'une Résistance à l'autre*, p. 82.

Pour son agencement fort délicat, on voit apparaître maints acteurs, dont certains aujourd'hui encore semblent porter un masque. Outre le commandant en chef à Paris von Choltitz, las, franchement hostile aux consignes de destruction du Führer, désireux de préserver Paris, outre le président du conseil municipal, Pierre Taittinger, voici l'étrange commandant Binder, sous-chef du service secret allemand à Paris, qui prend soin d'alerter Eisenhower sur les intentions humanitaires de son supérieur. Voici le baron autrichien von Poch Pastor, mêlé lui aussi aux conciliabules. Et puis le consul de Suède Raoul Nordling, le jésuite Russo, et du côté gaulliste, Léo Hamon, le banquier de Saint-Phalle, Chaban-Delmas, et le très efficace Roland Pré.

Voilà beaucoup de monde, recruté tous azimuts pour œuvrer à cette trêve. On sait la suite. Acceptée par une assemblée restreinte du C.N.R., la trêve est bientôt rejetée sous la pression des communistes déchaînés. Ils font céder le délégué gaulliste, le faible Parodi, poursuivent les combats, couvrent Paris de barricades démonstratives, édifiées de préférence dans les quartiers ou les Tigres ne vont pas. Ils le savent bien : la trêve, c'est leur mort, politique s'entend.

Si l'insurrection reprend, les actions de De Gaulle baissent. La contre-attaque, c'est de lancer au plus vite Leclerc sur Paris. Il faut en obtenir l'autorisation du général Patton. Il est étonnant, à ce propos, de noter combien de gens travaillent à ce projet. De Gaulle et Koenig, dès le 22 août, font pression sur Eisenhower. Dans l'après-midi, avec le blanc-seing de von Choltitz et de Luizet, et tandis que la garnison allemande qui la laisse passer gronde « trahison [1] », une mission quitte la capitale, sous le pavillon suédois. Elle comprend le frère de Raoul Nordling, le banquier de Saint-Phalle qui représente Parodi, Jean Laurent, directeur de la banque d'Indochine, von Poch Pastor, et le colonel A., de l'Intelligence Service [2].

La menace communiste regroupe décidément beaucoup de monde.

Le 24 au soir, les cloches de Notre-Dame se mettent à sonner. Les chars du capitaine Dronne débouchent sur la place du Châtelet. C'est la fin de l'insurrection. A la grande fureur de De Gaulle, le colonel Rol, chaperonné par Kriegel-Valrimont, signe, à Montparnasse, *avant Leclerc*, l'acte de reddition de von Choltitz. Succès exploitable pour les besoins de l'*Agit-Prop*, mais qui ne donne pas pour autant la clé du pouvoir.

La reddition de von Choltitz n'entraîne pas la réconciliation entre les concurrents. Le 27 août, au ministère de la Guerre, de Gaulle reçoit une vingtaine de dirigeants militaires de l'insurrection. Accueil rapide et glacial. Poignée de main. « Au suivant! »

Le 28, les désaccords persistent, les communistes insurrectionnels ne veulent pas être soumis au commandement de Koenig. Ils entendent que les F.F.I. forment le noyau de la future armée. Dans sa dernière séance,

1. Cf. de Gaulle, *op. cit.*, p. 369.
2. Cf. Robert Aron, *Histoire de la Libération*, p. 418.

le C.O.M.A.C. ordonne la création de services de sécurité départementaux dans tous les départements libérés [1]. Une police parallèle se dessine.

Le même jour, « éclatant comme un coup de tonnerre », paraît au *J.O.* une décision « apportant à notre débat — note avec amertume Kriegel — une conclusion dont nous n'avons pas fini de mesurer les conséquences [2] ».

L'article 2 de ce décret précise en effet que les F.F.I. seront intégrés aux forces armées territoriales. L'article 3 stipule que l'état-major des forces de l'Intérieur existant à Paris est dissous à la date du lendemain. Il en est de même pour l'organisation des commandements et des états-majors des forces intérieures existant dans les départements libérés. Leur autorité est attribuée pour la capitale à un gouverneur général, pour la province, aux généraux commandant les régions militaires intéressées.

Coups d'arrêt à une éventuelle tentative de prise du pouvoir.

Paris et Varsovie

Trois événements concomitants viennent de se dérouler en Europe, qui ont été tous trois rarement rapprochés. L'insurrection de Varsovie a été écrasée après de terribles batailles de rue. Les Russes n'ont parachuté aux nationalistes polonais aucun ravitaillement. Ils sont restés l'arme au pied à quelques kilomètres de la ville. Ils ont refusé à l'aviation anglo-saxonne leurs aérodromes.

Toute la presse communiste condamne cette insurrection « prématurée ».

Les Soviétiques viennent de signer avec les Finlandais un armistice. Celui-ci contient une clause importante, totalement oubliée aujourd'hui. Les troupes allemandes soit 160 000 hommes de troupes d'élite, dont celles du général Dietl, le vainqueur de Narvik, *ont un délai de quinze jours pour évacuer leur matériel et pour rejoindre leur patrie où elles poursuivront la guerre.*

A Paris, au même moment, il fallait coûte que coûte empêcher la modeste garnison de von Choltitz de quitter la capitale. Pas un Boche ne devait sortir de la ville vivant !

Ces opérations sont rigoureusement contradictoires. Sauf si l'on considère que deux d'entre elles au moins ont été dictées par des considérations politiques. A Varsovie on était contre l'insurrection afin d'empêcher les homologues polonais du général de Gaulle de s'imposer. A Paris, on voulait l'insurrection à tout prix, pour barrer la route au général.

A Varsovie les communistes ont gagné. A Paris ils viennent de perdre une bataille. Ils n'ont pas encore perdu leur guerre.

1. *Op. cit.*, pp. 232-233.
2. *Op. cit.*, p. 233.

TROISIÈME PARTIE

DES INSURRECTIONS AVORTÉES
A L' « ENTRISME »

NOTE

« Dans le vocabulaire des partis de gauche, le néologisme « entrisme » désigne les tentatives effectuées par certains éléments pour s'incruster à l'intérieur d'un parti qu'ils tentent de noyauter. Exemple : certains militants de nuance trotskiste au P.S.U., ou au parti socialiste.

Ici, le terme « entrisme » concerne des opérations, avouées ou non, menées par les éléments communistes pour s'implanter dans l'appareil d'État, ou encore dans les institutions et les structures de la société capitaliste avec le dessein de les conquérir de l'intérieur. »

I.

Des lendemains qui chantent
pour Thorez

D E TOUTE LA HAUTEUR DE SES CENT SOIXANTE-DEUX CENTIMÈTRES, Jacques Duclos s'est dressé. La voiture où il était assis au côté d'Auguste Lecœur, venu le chercher dans sa « planque » de banlieue, entre dans Paris par la porte d'Orléans. Presque en même temps que la colonne Leclerc. Les trottoirs, les chaussées sont noirs de monde. Des grappes humaines attendent ceux qui doivent libérer Paris.

Duclos a beau faire. Il ne récolte pas un applaudissement. Aucune voix ne crie son nom. Personne ne l'a reconnu. Quatre ans ont suffi pour chasser son image des mémoires populaires.

Monmousseau, connais pas !

Les militants aussi ont oublié, ou pire, ne savent rien. Quand, quelques jours après la Libération, Gaston Monmousseau se présente à la porte du 44, rue Le Peletier, siège du parti, réoccupé par les communistes, les jeunes gens de garde n'identifient pas davantage le vieux lutteur syndical.

« Je suis Gaston Monmousseau », s'époumone à répéter l'impétrant furieux.

« Monmousseau, connais pas, réplique la garde.

— J'exige de voir Duclos, immédiatement!

— Attendez ici [1]! »

Ces deux épisodes n'ont pas seulement valeur d'anecdote. Ils montrent qu'en quatre ans le parti s'est profondément renouvelé.

Il est impossible de savoir combien d'hommes et de femmes, sur les

---

1. Auguste Lecœur, *Le Partisan*, p. 207.

300 000 inscrits d'avant-guerre, ont conservé le contact avec le parti ou rejoignent ses rangs après quatre années d'abstention. On ne peut pas donner davantage de chiffres pour ceux qui n'ont jamais milité avant 1939, mais on peut estimer qu'ils forment une large fraction des nouveaux effectifs.

Beaucoup sont très jeunes. Pour échapper au S.T.O., ils ont rejoint les maquis F.T.P. puis donné leur adhésion au parti.

Celui-ci ressemble à un fleuve qui se serait presque entièrement vidé de ses eaux, et dont un flot nouveau aurait impétueusement rempli le lit.

Les principes et les mœurs du P.C.F., les nouveaux membres ne les connaissent guère. Ses chefs leur demeurent à peu près inconnus. Thorez, Duclos, Frachon, ce sont des noms qu'ils ont entendu prononcer, mais qui ne sont pas liés dans leur mémoire à une pratique militante.

Ils connaissent surtout leurs chefs directs, les « colonels », « commandants », « capitaines » F.T.P. qui les encadrent.

Entre cet appareil militaire forgé dans les combats et l'appareil politique de la direction clandestine se manifestent déjà des tensions qui échappent encore aux observateurs de l'extérieur.

L'incident de l'affiche en témoigne.

Placardée sur les murs de Paris dans la nuit du 18 au 19 août 1944, elle invite les habitants à se soulever et à chasser les Allemands. Cet appel à l'insurrection est lancé au nom des membres du Comité central et des députés communistes.

Cette initiative appartient à Duclos. Elle provoque la colère de Tillon, qui voit dans cet acte, à juste titre, une imposture. Parmi les membres du Comité central et les parlementaires communistes, les uns sont à Londres ou en Algérie, d'autres en Russie, d'autres dispersés dans diverses régions de France, d'autres encore ont rompu ou ne se sont plus manifestés depuis longtemps [1]. Cette affiche ressemble à un canular.

Mais Duclos sait ce qu'il fait. Il sert les intérêts de la direction politique, contre l'appareil militaire. Il se méfie de cette nouvelle génération turbulente qui échappe à son contrôle.

Tillon disparaît

La fureur de Tillon est telle qu'il coupe le contact avec la direction clandestine et disparaît.

Plus tard, Tillon soutiendra que cette rupture a été le fait de Duclos pour retarder l'insurrection nationale [2]. Mais il semble bien que la thèse inverse, exposée par Lecœur soit la bonne. A l'appui, il cite cette lettre que Duclos lui a adressée le 23 août 1944. Celui-ci écrit :

« Au surplus, je pense que tu as la liaison avec Allais [3] pour qui je te

---

1. Tillon affirme que les députés étaient tous, *sauf quatre*, en Algérie et Thorez et Ramette en U.R.S.S. *Un « Procès de Moscou » à Paris*, p. 111.

2. *Op. cit.*, p. 111.

3. Tillon.

passe une lettre et il faudrait que tu saches où le trouver, quand le moment des manifestations va venir avec de Gaulle qui prépare sa rentrée, car il faudra qu'il soit avec le grand-père [1], Cogniot, Joseph [2] et moi [3]. »

Lecœur affirme qu'à cette date il n'avait auprès de lui comme membre du Comité militaire des F.T.P. que le colonel Bauduin (René Camphin) qu'il chargea de retrouver Tillon. Mais celui-ci avait disparu.

Phénomène surprenant dans cette phase décisive, mais difficilement contestable. Lorsque nous consultons en effet les différents récits de l'insurrection parisienne, à aucun moment il n'en ressort que Tillon chef suprême en titre des F.T.P. ait joué un rôle quelconque ni donné la moindre directive [4].

Il ne paraît pas douteux que Tillon ait été, à cette époque, un partisan de l'insurrection jusqu'au bout et du refus de toute compromission avec l'équipe gaulliste (son gros ouvrage *Les F.T.P.* est plein d'une rancune tenace contre de Gaulle et ses hommes). Sans doute ses réactions étaient-elles alors proches de celles d'un Villon ou d'un Kriegel-Valrimont.

Duclos et Frachon, eux, raisonnent tout autrement. Hostiles eux aussi à la trêve, ils ont néanmoins (Duclos en tout cas) des contacts radio avec Moscou dont les autres sont privés. Et il est logique de penser qu'en l'absence de Thorez, une prudence naturelle les écarte de l'aventure.

A la fin du mois d'août, la tentative communiste de s'assurer le contrôle de la capitale semble momentanément enrayée. L'est-elle pourtant autant sur l'ensemble du territoire ?

Bases rouges

Le scénario de la transformation du combat contre les Allemands en insurrection populaire pour l'installation d'un autre pouvoir à Paris ayant avorté, un second scénario est possible : celui des *bases rouges* établies dans les provinces. Faisant tache d'huile elles peuvent encercler et asphyxier les villes tenues par les gaullistes, ou bien s'organiser en pouvoir révolutionnaire installé au sud de la Loire. Schéma qui évoquerait davantage l'expérience maoïste que celle de 1917 à Petrograd.

Or, à la fin du mois d'août, les F.T.P. dominent largement les zones suivantes : R 3 (Montpellier : Gilbert de Chambrun); R 4 (Toulouse : Asher, dit Ravanel); R 5 (Limoges : Guingouin). Ils sont solidement implantés dans la région B. (Bordeaux) et ils sont puissants à Marseille.

1. Cachin.
2. Frachon.
3. Cf. le texte intégral de la lettre de Lecœur, *op. cit.*, pp. 200-203.
4. Dans *Les F.T.P.*, Tillon explique que le C.M.N. qu'il dirigeait résida dans une localité de banlieue jusqu'au 15 août, et qu'il est allé ensuite siéger à Saint-Mandé. A aucun moment toutefois il ne donne de détails permettant d'établir qu'une liaison effective ait fonctionné à partir de cette date entre cet état-major et celui de Rol-Tanguy, p. 455 et p. 492.

Ils ont échoué en revanche à Lyon où le colonel Descors leur est très hostile. Cet échec est dû pour une part à l'arrestation du Comité militaire national (C.M.N.) des F.T.P. en zone sud. Les origines de ce coup de filet sont restées mystérieuses. Dans la version officielle du Parti, les arrestations seraient dues à un « agent de la Gestapo », un certain Iltis, introduit au sein du C.M.N. par Beyer, chef du service de renseignement des F.T.P. Cette affaire fera après la Libération l'objet d'une longue enquête de la section des cadres et constitue une des phases du « procès » intenté par les dirigeants du Parti à Marty et à Tillon [1].

Bref, il s'en est fallu de peu que l'appareil militaire communiste ne domine toute la moitié sud de la France, tout en conservant dans la région parisienne des forces importantes. Les F.T.P. n'en tiennent pas moins un vaste quadrilatère, délimité à peu près par les Pyrénées, l'Atlantique, la Loire et le Rhône — le contrôle du Massif central leur échappant toutefois — portions du territoire où n'ont pas pénétré les armées alliées. Leurs forces sont constituées, surtout dans la région de Toulouse, de guérilleros espagnols, pour la plupart anciens des brigades, nombreux et bien armés. Ils font la loi, ce qui se traduit par l'élimination implacable de leurs adversaires politiques. Isolés dans cet environnement qui a la couleur de la guerre civile, les envoyés du pouvoir central ne font pas très brillante figure. Ils ne disposent d'aucun moyen pour faire reconnaître leur autorité.

Rien ne s'oppose, semble-t-il, à la création d'une république populaire du Sud-Ouest de la France.

Pourtant, peu à peu, les *missi dominici* gaulliens s'imposent. Après de graves désordres et des tueries sanglantes, la tentative révolutionnaire se résorbe.

Pour expliquer cet échec, on a invoqué l'opposition de Staline. A Yalta, celui-ci aurait conclu avec Roosevelt une sorte de pacte secret : les Alliés lui auraient abandonné le contrôle des pays d'Europe centrale, envahis par l'Armée Rouge. En contrepartie, il aurait renoncé à fomenter des mouvements révolutionnaires dans la zone d'influence occidentale.

Mais, après tout, il ne s'opposera pas à une tentative insurrectionnelle en Grèce.

Peut-être les véritables motivations de Staline ne tiennent-elles pas à la stricte observance d'un pacte. En 1944, il a un souci dominant et un objectif capital : gagner la guerre. Il est obsédé par la perspective d'un compromis entre les Anglo-Saxons et un gouvernement allemand qui réussirait à éliminer Hitler.

Or, l'établissement d'une république populaire sur la totalité de l'hexagone, ou simplement sur une de ses parties, distraira inévitablement une fraction des forces armées en France, soulèvera de sérieux problèmes politiques et diplomatiques, ralentira l'effort de guerre des Alliés, voire le détournera dans le dessein de rétablir l'ordre sur les arrières du front.

Il y a d'autres raisons qui rendent cette réalisation impossible. Pour

1. Cf. 3e partie, chap. III.

diriger une vaste opération révolutionnaire, il faut un homme ou tout au moins un état-major insurrectionnel. Ces conditions ne sont pas remplies. Duclos et Frachon, il est douteux qu'ils aient jamais nourri de tels desseins. Thorez n'est pas là. Le plus séduit par un projet de cette sorte serait sans doute Marty. Il est à Alger. Rien n'indique que Tillon ait médité de prendre, contre l'avis de la direction politique et quelles que soient ses amertumes, la tête d'un putsch des F.T.P.

Des barons

En définitive, l'impulsion pourrait venir des chefs de région. Mais ils sont davantage chefs de bandes que chefs politiques. Ravanel est très jeune (il semble d'ailleurs que le véritable « cerveau » de Toulouse soit un professeur de philosophie, Vernant).

Gilbert de Chambrun (Montpellier) est un rallié, issu des tribus les plus bourgeoises. Le cas Guingouin est pire : il s'est engagé dans la résistance armée avant le tournant du parti; tare ineffaçable, car on n'a pas raison contre son parti, et encore moins avant. Il n'a pas cessé de désobéir. A la fin de l'occupation les instances supérieures lui prescrivaient de s'emparer de Limoges. Il s'y est refusé.

Ainsi, le sud-ouest de la France, la zone la plus rouge du pays, est aussi celle des « barons » communistes. La direction se méfie de ces féodaux.

La conjoncture internationale n'est pas favorable; il n'y a pas de direction révolutionnaire.

Dans les jours qui suivent la Libération, s'il y a un dessein chez les dirigeants communistes, c'est plutôt celui de maintenir des forces militaires autonomes et des zones échappant à l'autorité du gouvernement provisoire, comme moyen de pression contre ce gouvernement.

Dans cette phase, de Gaulle et son entourage éprouvent une profonde angoisse. La division Leclerc a écarté momentanément le péril de la capitale. Mais ces forces ne sont pas à la discrétion du gouvernement provisoire. Elles ont été momentanément distraites d'un dispositif militaire. Elles doivent poursuivre les Allemands et participer à l'effort de guerre.

Dilemme pour de Gaulle

De Gaulle se trouve face à un dilemme. S'il conserve des divisions sur place, la contribution de la France à la victoire devient quasi nulle. Or, il a un besoin urgent de cette participation pour assurer son prestige aux yeux des Alliés, au moment de la conclusion de l'armistice, et aussi pour ne pas abandonner à Juin, qui s'est illustré en Italie, l'auréole d'une vraie campagne militaire.

La partie qui se joue à ce moment ressemble à certaines situations sur un échiquier où le joueur a le choix entre deux ou trois coups, mais pas davantage. Si les forces armées sont engagées au front, de Gaulle se retrouve à Paris singulièrement dépourvu de moyens face aux F.T.P. de la région parisienne et aux milices patriotiques qui recrutent à présent d'autant plus de monde que le risque est raisonnablement limité depuis le 24 août [1].

La solution serait peut-être d'obtenir une aide américaine. Au cours d'un entretien avec Eisenhower et Bradley, de Gaulle fait connaître au généralissime américain qu'il compte garder à Paris pour quelques jours la deuxième division blindée de Leclerc afin d'assurer l'ordre. A cela se bornent ses souvenirs et à une phrase très elliptique qui ne camoufle pas entièrement ses inquiétudes [2].

Eisenhower, dans son témoignage, va plus loin. Il affirme que le chef du gouvernement provisoire lui a demandé « le prêt à titre temporaire de deux divisions américaines afin de faire un étalage de force, comme il disait, pour asseoir fermement ses positions [3] ».

Eisenhower ne peut souscrire à cette demande. Tout ce qu'il accorde, c'est un défilé de ses troupes à travers la capitale. Cette parade se déroule sur les Champs-Élysées le 29 août, en présence du général de Gaulle, d'Eisenhower et de Bradley qui affichent ainsi leur unité.

Le péril intérieur est jugé grave pour que de Gaulle, ravalant son humiliation, sollicite le secours d'un Américain. Mais puisqu'on ne peut compter sur une puissance étrangère pour faire la police, puisque les divisions françaises sont indispensables ailleurs, il ne reste plus qu'à jouer la carte politique et à obtenir de Staline ce retour à l'ordre que le généralissime américain ne peut fournir.

Le salaire de cette combinaison c'est l'amnistie et le retour de Thorez.

Le retour de Thorez

Cette affaire a soulevé les passions. Il faut tenter 29 ans après, plutôt que de prononcer à son sujet des réquisitoires ou des plaidoyers, d'en démonter les rouages.

Par lui-même, l'acte d'amnistie est en la circonstance d'une gravité exceptionnelle. Alors que le conflit mondial n'est pas achevé, la décision gaullienne revient à passer l'éponge sur un acte pour lequel, même dans le cas d'une simple tentative, on fusillait sur-le-champ pendant la guerre de 1914.

1. Massiet évalue les effectifs des milices patriotiques au moment de l'Insurrection à environ 2 000 hommes. Cf. Henri Denis, *Le Comité parisien de libération*.
2. « Je fais connaître au commandant en chef que, pour des raisons qui tiennent au moral de la population, et éventuellement, au bon ordre, je garderai quelques jours à ma disposition directe la 2ᵉ division blindée. Eisenhower m'annonce qu'il va installer son quartier général à Versailles. Je l'approuve, trouvant convenable qu'il ne réside pas à Paris et utile qu'il y soit presque. » *Mémoires de guerre*, « L'unité », p. 387.
3. Cité par Robert Aron, *Histoire de la Libération de la France*, p. 574.

Au cours d'un conflit précédent, les déserteurs étaient des personnages sans surface politique. Thorez, le 4 octobre 1939, jour où il quitte son régiment, est le secrétaire du plus grand parti de France. Il n'a cédé ni à la panique, ni à un mouvement de faiblesse. Il a, peut-être contre son vœu intime, exécuté la consigne d'une puissance étrangère. On s'en doutait à l'époque. C'est confirmé par les communistes eux-mêmes, puisque les ordres passent par Clément et par Ceretti.

La désertion de Thorez a une dimension nationale. Or, c'est lui que De Gaulle amnistie. Et c'est l'ancien vainqueur de Verdun qu'il fera condamner à mort par sa justice. Cette différence dans le traitement va créer en France des divergences irréductibles. Entre partisans du Maréchal et partisans de De Gaulle la réconciliation devient impossible.

Exception faite du jugement de Pétain, qu'il ne souhaitait pas, il est douteux que de Gaulle n'ait pas mesuré les conséquences politiques de sa décision. Staline dont il recherchait le soutien sur le plan international lui a-t-il imposé ce retour ? Ce n'est même pas sûr. Après tout, le Géorgien préférerait sans doute que de Gaulle lui annonce qu'il va engager trois divisions de plus contre Hitler. Il est plus vraisemblable que de Gaulle lui-même souhaite ce retour, car il lui assure un répit contre les périls intérieurs.

Le syndicat des chefs

Les intérêts de De Gaulle et de Thorez coïncident en effet, momentanément. Tous deux ont la même aspiration : un formidable besoin d'autorité. De Gaulle souhaite installer la sienne dans le pays ; Thorez, coupé de son parti depuis cinq ans, doit d'urgence le reprendre en main. Il a tout à craindre d'une fronde intérieure qui a conquis ses galons dans les maquis, alors qu'en compagnie de Jeannette Vermeersch il bénéficiait du confort de sa datcha.

Tactiquement, tous deux ont besoin d'une pause. Le retour de Thorez, c'est une des manifestations du syndicat des chefs.

Il est vraisemblable qu'un pacte secret ait été alors conclu entre le chef du gouvernement provisoire et le secrétaire général du P.C.F. : en échange de la grâce amnistiante, celui-ci doit obtenir la dissolution des Milices patriotiques.

Créées en mars 1944 pour participer à l'insurrection, les Milices ont survécu à cette période sous le contrôle du Front national. Elles prennent alors le titre de Gardes patriotiques, puis de Gardes civiques.

Ces troupes forment sur l'étendue du territoire, mais particulièrement dans la région parisienne (où elles auraient rassemblé après les combats 50 000 hommes, chiffre sans doute « gonflé »), une police parallèle.

Les Gardes patriotiques doivent « exécuter un acte de vigilance patriotique constante à travers tout le territoire ; réclamer une action d'épuration énergique en publiant les faits délictueux dont elles auraient connaissance et, en dénonçant toutes les complaisances, se tenir prêtes à riposter sur-le-champ à toute tentative de subversion des institutions républicaines [...], dénoncer toutes les tentatives de sabotage et toutes les lenteurs bureau-cratiques [1] ».

Tel est, schématiquement, le programme adopté par la conférence des commissions militaires du Front national qui s'est tenue les 28, 29 et 30 octobre à la mairie de Montreuil. A cette conférence, placée sous la présidence d'honneur de Charles Tillon, alors ministre de l'Air, prennent part le général Dassault, commandant militaire du Front national et une série de chefs F.T.P. : les colonels Casanova, Camphin, Ouzoulias, Rol-Tanguy, Fabien, Roucaute, le commandant Leibovici, etc. On note aussi la présence du « général » yougoslave Ilitch qui est alors le chef militaire de la M.O.I. [2].

Pour un chef d'État il est inquiétant de constater qu'un de ses propres ministres, occupant un poste à la défense nationale, patronne une force militaire supplétive qui entend intervenir dans les affaires intérieures du pays.

Une police parallèle : les Gardes patriotiques

Les pouvoirs des Gardes patriotiques vont en effet sensiblement au-delà des exigences définies dans leur programme. Groupant, selon le commandant Barrois, deux mille permanents dans le seul département de la Seine, les Gardes patriotiques passent à l'action sur l'étendue du territoire, procèdent à des perquisitions et des arrestations, voire exécutent des « traîtres ».

Mais, c'est alors que le ministre de l'Intérieur, Tixier, prend la décision de faire dissoudre les Gardes patriotiques (le 28 octobre 1944).

La presse communiste proteste aussitôt : « Samedi 4 novembre, écrit le commandant Barrois, au Vélodrome d'Hiver plus de 30 000 Parisiens étaient groupés pour entendre préciser le rôle des Gardes patriotiques. Huit jours avant, exactement, le gouvernement avait annoncé le désarmement, donc pratiquement la dissolution de ces formations. Ces deux faits expriment l'extrême gravité du problème [...] Nous pensons très fermement que le principe de l'armement du peuple, contrôlé par les autorités locales, doit être respecté [3]. »

Ces « autorités locales » ce sont les Comités de libération aux mains des communistes.

Même protestation dans *La Vie ouvrière* [4], sous la plume du dirigeant syndical Henri Raynaud. Celui-ci estime que, loin de désavouer et de dissoudre les Milices patriotiques, « il convient de perfectionner partout, tant

1. *France d'abord*, 4 octobre 1944.
2. *L'Humanité*, 29-30 octobre 1944.
3. *France d'abord*, 9 novembre 1944.
4. Nos des 2 et 9 novembre 1944.

sur le plan local que sur le plan des entreprises, leur organisation... » Et il accuse la Cagoule !

Au reste, dès le 20 octobre le Bureau politique du parti a déjà exprimé sa résolution de défendre la Garde patriotique qui « peut facilement exercer une surveillance sensible, sur tous les éléments suspects, transmettre toutes les indications utiles à la police... et participer, si besoin est, aux perquisitions et aux arrestations des traîtres... ».

Le C.N.R. proteste aussi. Il n'a pas été consulté. Il juge la décision de Tixier « difficilement applicable ».

Conduite par Rebière, une délégation du C.N.R. est reçue par de Gaulle. A l'issue de cet entretien, un communiqué de la présidence du Conseil souligne que « le gouvernement a le strict devoir de faire en sorte que, désormais, aucun groupement ne subsiste en territoire libéré, en dehors de l'armée et de la police de l'État ».

Va-t-on vers une épreuve de force ? Tout se passe en tout cas du côté communiste comme si un dispositif était mis en place. Duclos, dès le 29 octobre, s'en est pris aux « cagoulards du B.C.R.A. » qui s'occupaient selon lui de parachutages d'armes, mais surtout de ravitailler les groupements anticommunistes préparant la guerre civile.

Adrien Tixier désavoué

« La Garde patriotique, s'écrie le chef communiste, n'est pas dissoute. Renforçons-la ! »

C'est l'appel indiscutable à la lutte, sinon contre le gouvernement pris en bloc, du moins contre le ministre de l'Intérieur. On en trouve la confirmation dans ce passage de la résolution adoptée par le Bureau politique :

« En conclusion, après avoir entendu les ministres communistes, les camarades Tillon et Billoux, le Bureau politique déclare que le parti communiste *ne saurait s'associer en aucune manière* à des décisions tendant à désavouer le peuple en face d'une cinquième colonne hitlérienne que la mollesse de la répression laisse intacte et puissamment armée.

« Tous les communistes, à quelque poste qu'ils se trouvent, agiront dans le sens inspiré par le Bureau politique, et ils mettront tout en œuvre pour élargir et consolider l'union de la Résistance française [1]... »

Il y a là, plus qu'esquissée, la menace d'une crise gouvernementale : « Tous les communistes à quelque poste qu'ils se trouvent... », donc aussi les ministres communistes Tillon et Billoux. Ils désavouent Tixier, donc se dressent en rebelles contre de Gaulle. Le tempérament de celui-ci, sa conception de l'État et de l'autorité devraient l'inciter à se débarrasser aussitôt de ces hommes. Il ne bouge pas.

On peut penser que la situation est moins grave qu'il n'y paraît et que les

---

1. Passage souligné par nous.

communistes n'oseront pas tenter une opération de force. Ils n'en ont pas en effet l'intention immédiatement. Leur tactique est plus subtile. Ils tentent d'une part de désagréger le gouvernement provisoire, de l'intérieur, grâce aux ministres communistes qui en font partie; ils tentent d'autre part d'opposer à ce gouvernement un contre-pouvoir qui pourrait être le C.N.R.

Dans un premier stade, ils s'efforceront d'isoler Tixier, de l'acculer à la démission, partant d'affaiblir de Gaulle. Dans une deuxième phase, celui-ci serait contraint soit d'accepter les conditions communistes, soit d'affronter le C.N.R. manipulé par les partisans de Duclos.

On trouve l'esquisse de ce plan chez Marty :

« Le secrétariat du P.C. français a prétendu, écrit-il, que j'aurais voulu la prise du pouvoir par le prolétariat, en septembre-octobre 1944; c'est faux, elle n'était pas possible à ce moment-là; les conditions étaient loin d'être réalisées. Mais comme nous l'avions établi à Alger, je demandai simplement que la participation ministérielle s'effectuât sur la base des décisions du 17e congrès de l'Internationale communiste exposées ci-dessus. Cela voulait dire en développant l'action des masses populaires [...]. Jamais je n'ai appelé à la révolution socialiste, mais à soutenir les communistes membres du gouvernement pour faire appliquer le programme du Conseil national de la Résistance [1]. »

L'action préconisée par Marty consiste à profiter de la situation exceptionnelle du parti communiste qui est à la fois dans le gouvernement et hors de lui. On utilisera à fond l'appareil d'État; en même temps on profite de toutes les possibilités extérieures pour faire pression sur cet État et le transformer.

Cette tactique a eu un commencement d'exécution avec la convocation des délégués des Comités de libération de 40 départements du Sud-Est réunis à Avignon les 7 et 8 octobre 1944. Ils appellent « les comités locaux à convoquer dans les villes et les villages des assemblées patriotiques où sera exposé le problème d'action du C.N.R., où ce programme sera précisé selon les conditions locales et où seraient soumises à la ratification populaire la composition et l'action de ces comités locaux ».

Si ce processus se poursuivait on verrait sans doute le C.N.R. opposé au gouvernement comme force de remplacement. En face d'une désintégration profonde du pouvoir, il n'est pas du tout certain que les militaires ou le gouvernement américain auraient pris la décision de stopper brutalement ce qui n'aurait pas eu les allures d'un coup de force.

Le retour de Thorez, lui, est un coup d'arrêt à cette tactique qui a en tout juste le temps de s'amorcer. Il accepte aussitôt la dissolution des milices. Au début de l'année suivante, elles ont cessé d'exister comme force autonome.

Staline a sûrement approuvé ces mesures. Il a besoin que toutes les forces participent à la lutte contre l'Allemagne (d'où ensuite les appels des Thorez, Lecœur, Frachon, pour l'organisation de la production). Un événement

1. *L'Affaire Marty*, p. 241.

a dû singulièrement peser en faveur de la dissolution des troupes du parti : à la fin de 1944, l'Allemagne, dans une ultime tentative, lance ses divisions blindées dans les Ardennes, qu'elles traversent; le front des Alliés menace de s'écrouler !

Personne, décidément, ne peut s'accommoder de ces turbulentes milices. Avant de faire la révolution, il faut gagner la guerre. L'heure de la conquête du pouvoir passe, comme elle est passée dans l'insurrection de Paris en août 1944, comme elle est passée au moment de l'occupation de Paris en 1940. Elle ne reviendra pas de sitôt.

Implantation

Le retour de Thorez n'indique pas, néanmoins, que le parti communiste ait changé de cap. Il annonce que la phase de la conquête du pouvoir par des moyens essentiellement militaires est terminée. L'objectif sera désormais poursuivi par d'autres voies, qui sont celles de l'implantation et de l'investissement. Nous sommes toujours dans cette phase, qui n'a connu que de brefs accrocs illégalistes.

Le pouvoir central, nonobstant de Gaulle, était faible. Son autorité était contestée par des féodaux ou battue en brèche par des bandes. C'est vraiment le retour de Thorez qui remet le train sur ses rails. Il faut bien lui faire quelques concessions.

Écartés des postes essentiels (Présidence, Défense nationale — en grande partie —, Affaires étrangères, Intérieur) les communistes n'en manœuvrent pas moins des rouages importants de la machine d'État : l'aviation (Tillon), l'Économie nationale (Billoux), la Production industrielle (Marcel Paul), le travail (Croizat). Il faudrait toute une étude pour analyser l'importance de cette phase qui marquera la politique française et dont les effets, dans certains secteurs, persistent. Nous ne pouvons ici que la survoler.

Liquidations

Un des premiers soucis des communistes pendant l'insurrection et dans les mois qui suivent, c'est la liquidation physique des adversaires. La mort, sans trop de phrases, est assurément le système le plus rapide.

En premier lieu, pas de quartier pour les « renégats ». Malheur à ceux qui tombent entre les mains communistes dans cette période de sang.

Député du Gard, maire d'Alès, Ferdinand Valat, après avoir été emprisonné aux Baumettes par les Allemands, n'a été libéré que le 18 août 1944. Le 22 août, deux jours après son retour dans sa ville, il est arrêté par les F.T.P. et fusillé sans jugement.

Piginnier, maire de Malakoff, est arrêté à son domicile le 19 août 1944 et fusillé le 24.

Charles Bourneton, ancien secrétaire de la C.G.T., est entré dans une organisation de résistance. Ce qui ne lui évite pas d'être liquidé devant la porte de son domicile en septembre 1944.

Brun, maire de Draveil est exécuté le 31 août 1944 après un simulacre de procès. Principal chef d'accusation : renégat à son parti.

Deux semaines après la Libération, Ambrogelli, dirigeant du syndicat de l'alimentation dans la région parisienne, est enlevé par les communistes, conduit par eux en forêt de Sénart et abattu.

Jean-Marie Clamamus échappe aux tueurs. A plusieurs reprises sous l'occupation, on a voulu le tuer. A la Libération, on ne le trouve pas chez lui, à Bobigny. Les F.T.P., le 26 août, s'emparent de son fils, ancien combattant des brigades et l'exécutent à quelques kilomètres de la ville.

Nous citons ces cas à titre d'exemple. Sur l'ensemble du territoire, il y eut bien d'autres exécutions sommaires, imputables, les unes à des règlements de comptes individuels, échappant par là même au contrôle du parti, d'autres souvent préméditées, car elles sont le fait de cours martiales que président les communistes.

Le nombre de ces exécutions sommaires est encore aujourd'hui un sujet de contestation.

En réponse à une question écrite de maître Isorni, en date du 19 juillet 1951, le président du Conseil, ministre de l'Intérieur, donne les chiffres suivants, extraits, assure-t-il, d'une enquête effectuée en 1948 auprès des préfets :

A. Exécutions effectuées sous l'occupation	5 234
B. Exécutions effectuées pendant et après la Libération :	
a) Sans jugement	3 114
b) Après jugement d'un tribunal de fait	1 325
Total :	9 675 [1]

Donc, environ 10 000 victimes, dont la moitié sous l'occupation.

Ce chiffre n'est pas accepté par l'ensemble des organismes ou des personnes qui ont critiqué sévèrement l'épuration légale ou extra-légale. De ce côté, on se réfère à une confidence faite en février 1945 par le ministre de l'Intérieur Tixier au colonel Passy, lequel a rapporté cette conversation. Tixier aurait avancé le chiffre de 105 000 victimes [2].

D'autres enquêtes, en particulier celle d'un journaliste américain, Donald Robinson, attaché au quartier général des affaires civiles de la VIIe armée à Marseille [3], aboutissent à des conclusions voisines. Robinson dit tenir d'officiers de la Sécurité militaire le chiffre de 50 000 victimes dans le Midi de la France. Par extrapolation pour la zone Nord, on retrouverait finalement environ 100 000 exécutés.

Dans son livre *Histoire de la Libération de la France*, Robert Arón discute et conteste les chiffres des deux thèses. La réponse officielle lui paraît trop

1. Cité par Robert Aron, *op. cit.*, p. 651.
2. Cf. Lettre de Dewavrin in *Écrits de Paris*, août 1950.
3. Cf. *The American Mercury*, avril 1946.

faible, quand il la confronte à ses recherches personnelles. Le chiffre de 105 000, inversement, semble excessif, car il correspond à plus de 1 000 victimes par département. Or, les liquidations sommaires se sont faites de façon très inégale. Le Nord, les départements atlantiques, l'Est de la France ont été beaucoup moins sujets à la terreur que le Midi de la France ou la région parisienne.

Aron, en fin de compte, adopte un chiffre de l'ordre de 30 000 à 40 000 victimes. On ne connaîtra sans doute jamais la vérité sur cette question, pas davantage que sur le nombre réel de communards exécutés par les Versaillais. Mais l'estimation approximative de Robert Aron paraît, en définitive, la plus vraisemblable [1].

Davantage d'ailleurs que le chiffre des morts, il convient de retenir l'intention qui présidait à bon nombre de ces actes. Ceux-ci faisaient partie d'un programme.

Le 15 octobre 1943, Emmanuel d'Astier de la Vigerie, très proche, dès cette époque, des communistes, adressait d'Alger aux divers mouvements de résistance en France une circulaire ordonnant les exécutions sommaires :

« Dès maintenant, dans chaque département, peut-on lire dans ce texte, on dressera une liste des traîtres les plus notoires, dont l'exécution sommaire serait considérée par toute la population comme un acte de justice [2]. »

Fonctions de l'épuration

Ces modes d'exécution, si on en discute l'ampleur, ont été désavoués par de larges fractions de la Résistance. Il n'en est pas de même de l'épuration officielle qui cette fois est prise en charge par l'ensemble de ces organisations et par le gouvernement de la IVe République.

Ici encore, les données sont contradictoires selon les autorités qui fournissent les références, mais les différences sont, cette fois, relativement minimes.

D'après une intervention du député Jean Deshors faite à l'Assemblée le 24 octobre 1950 [3], le bilan des condamnations serait le suivant :

Peines de mort par contumace	4 397
Condamnations à mort	2 640
Exécutions	791
Travaux forcés à perpétuité	2 777
Travaux forcés à temps	10 434
Réclusion	2 173
Peines de prison	23 816
Dégradations	692
Total des condamnations	47 720
Relaxes :	8 603

1. Robert Aron, *op. cit.*, pp. 649-655.
2. Cf. *Écrits de Paris*, août 1950.
3. *J.O.*, p. 7 111.

En définitive, 50 595 affaires auraient été jugées, auxquelles on devrait ajouter 45 047 affaires classées.

A ce bilan, il convient d'ajouter les affaires qui sont passées devant les chambres civiques, soit :

Affaires jugées	67 965
Relaxes	19 479
Dégradations nationales	48 486

Il est possible qu'un certain nombre d'affaires classées par les cours de justice soient venues ensuite devant les chambres civiques, autre juridiction. Si bien qu'on peut légitimement additionner les condamnations prononcées par la cour de justice avec celles des chambres civiques, ce qui donne un total de 90 206 condamnations, mais le chiffre exact des gens arrêtés reste incertain, oscillant sans doute entre 120 000 et 150 000 personnes. A ce total s'ajoutent des personnes internées dans des camps au moment de la Libération, mais dont la situation n'a pas nécessité l'ouverture d'un dossier et qui, par conséquent, n'entrent dans aucune statistique.

Il faut encore compter les 30 000 à 40 000 victimes d'exécutions sommaires qui n'entrent pas, elles, dans les statistiques officielles. On peut donc estimer qu'entre 150 000 et 200 000 personnes ont été directement frappées par l'épuration. Ce qui semble un chiffre minimum.

On a souvent insisté sur l'aspect dramatique des exécutions sommaires, sur l'arbitraire des cours de justice fonctionnant en vertu de lois rétroactives.

Il nous intéresse davantage d'en mesurer ici — très superficiellement — les effets dans la vie d'une nation.

Il n'est pas exagéré d'admettre que pour tout individu mis en cause par une chambre civique, une cour de justice ou abattu, deux autres personnes en moyenne (une femme, un enfant) ont été atteints dans leur existence [1]. Ainsi l'épuration a-t-elle touché entre 450 000 et 600 000 personnes sans parler des ascendants ou des proches qui ont pu en ressentir les effets.

A partir du moment où un nombre aussi important d'individus voit son existence profondément perturbée — des situations ont été complètement ruinées, des familles dissoutes —, la vie civique d'un pays est incontestablement marquée, au moins pour une génération.

Les souffrances n'ont certainement pas été plus graves que celles des personnes victimes de la déportation. Mais sous l'angle politique et civique, la différence est considérable.

Les morts et les condamnés pour faits de résistance ont été au lendemain de la Libération réhabilités et honorés.

Le camp des Vychissois demeure frappé d'opprobre. Tous ceux qui ont

---

1. Parmi les personnes poursuivies, il y avait naturellement des célibataires, mais inversement un nombre X de gens mariés avaient plus d'un enfant.

été condamnés à ce titre ont été évincés des postes sociaux ou économiques. Expulsés en tout cas de l'échiquier politique.

Des centaines de milliers de citoyens ont ainsi découvert que la politique pouvait être mortelle. Ils ne l'oublieront pas de sitôt.

Ce résultat est pour le parti communiste un énorme succès. Il a mis hors jeu pour une génération — ou réduit à une activité marginale — toute une catégorie d'adversaires. Il en a terrorisé ou dissuadé d'autres.

Dès la Libération, un de ses principaux soucis a été de contrôler la mécanique judiciaire.

Sous le régime de la mitraillette

En août 1944, le secrétariat à la Justice est d'abord occupé par l'avocat communiste Marcel Willard, un de ceux qui, depuis longtemps, défendent les inculpés du parti devant les tribunaux « bourgeois ». Dans l'euphorie de la victoire, Willard ne prend même pas la peine de camoufler son jeu.

« Nous sommes en pleine bataille, déclare-t-il. Nous ne sommes plus sous le signe du dossier ou de la balance, mais sous celui de la mitraillette [1]. »

C'était ce même Willard qui avant la guerre s'était félicité de l'épuration stalinienne en ces termes :

« Les juges de Moscou ont droit à notre gratitude [2]. »

Willard ne restera pas longtemps à la Justice. Il n'en sera pas moins nommé membre de la Commission d'Instruction de la Haute Cour. Et, avant d'être remercié, il a eu le temps d'installer au ministère quelques « camarades » dont Midol, fils d'un membre du Comité central et secrétaire général du Front national judiciaire, qui regroupe sous la houlette du P.C. un certain nombre de magistrats.

Nominalement, les communistes n'ont plus le contrôle du ministère de la Justice. En revanche, ils dominent largement les cours de justice.

L'ordonnance du 26 juin 1944 décide en effet que ces cours seront composées de cinq membres : un magistrat qui préside, et quatre jurés. Ces derniers sont tirés au sort sur une liste établie par une commission de trois membres : un magistrat et deux représentants des Comités de libération.

Or, ces Comités sont presque toujours contrôlés par le parti communiste.

L'application de ce système donne environ 70 % de communistes dans le jury de la cour de justice de Paris. Ces hommes et ces femmes rendent des verdits de partisans, tempérés parfois — mais pas toujours — par les présidents.

Le parti communiste n'est pas le seul à participer aux besognes de l'épuration. Mais il en est l'élément moteur.

A cette offensive de liquidation de l'adversaire, fondée sur une justice terroriste, s'ajoute une autre opération qui, elle, vise à évincer de leurs

1. *Ce Soir*, 24 août 1944.
2. *Les Procès de Moscou. Comment ils ont avoué.* Cité par Jean Maze in *Le Système*, p. 58.

postes des adversaires réels ou potentiels. Il s'agit de l'épuration administrative.

Le nombre des épurés administratifs, officiers des trois armes, magistrats,
policiers et autres fonctionnaires des services publics, aurait atteint
120 000 personnes [1]. Cette épuration semble avoir été particulièrement
importante pour l'armée.

Faisant état des réponses du ministre de la Guerre, un député, Charles
Serre, a assuré que le nombre des officiers épurés, dégagés des cadres et
mis à la retraite par suite de l'abaissement de la limite d'âge était, depuis
la Libération, de 26 779 [2].

Il faut noter cependant que ce chiffre englobe également des officiers
F.F.I. dont 18 000 ont été titularisés en 1944-1945 mais que de Gaulle
limoge aussi, soit pour incompétence, soit parce qu'il redoute leur noyautage. Si bien que le nombre des épurations pour cause de « vichysme »
reste fort incertain [3].

Chez les policiers, sur 200 commissaires de police, une centaine auraient
été épurés, 20 à 30 suspects révoqués de leur fonction. [4]

Au reste, en ce domaine ce qui compte c'est moins d'établir un chiffre
incontestable, ce qui se révèle à peu près impossible, que de constater
l'ampleur du phénomène, et surtout ses incidences sur la psychologie et le
fonctionnement des services publics.

Jusqu'à l'épuration le fonctionnaire se sent protégé par la loi :
« Il n'y a ni crime ni délit — précise l'article 327 du Code pénal — lorsque
les actes constituant en eux-mêmes des infractions étaient ordonnés par
la loi et commandés par l'autorité légitime. »

Si l'ordre donné est illégal, le subordonné n'est pas tenu de l'exécuter;
mais si l'illégalité de l'ordre est douteuse, le subordonné bénéficie d'une
présomption de bonne foi, dès qu'il s'est contenté d'obéir aux ordres d'un
supérieur.

Le statut du fonctionnaire, antérieur à la guerre, précise même dans son
article 11 que l'obéissance doit être entière et qu'en cas d'irrégularité de
l'ordre, le subordonné est astreint à l'exécution, s'il est maintenu malgré
ses observations [5].

L'ordonnance du 27 juin 1944 fait litière de ces protections. A partir
de cette date, tout fonctionnaire sait qu'il est vulnérable. Nul n'est plus
assuré d'être protégé par la loi. Nul ne peut plus croire que la justification :
« j'ai exécuté les ordres » lui servira de bouclier.

---

1. *Requête aux Nations Unies sur les violations des Droits de l'Homme*, p. 149.
2. Assemblée nationale, 11 juin 1949.
3. Le 28 août 1949, à une réunion tenue à la mairie du 12ᵉ arrondissement. Le Troquer
se vantera d'avoir « chassé 2 000 officiers collaborateurs ». Mais les chiffres cités en réunion
publique sont rarement exacts.
4. Ces chiffres proviennent d'un tract distribué après la Libération par « Un groupe de
polic ers patriotes ». Nous les donnons sous toutes réserves.
5. Cf. *Requête aux Nations Unies*, op. cit., pp. 128-129.

L'épuration introduit la suspicion et la peur dans le corps des serviteurs de l'État. L'effet de ces ravages n'est toujours pas dissipé.

Éliminer l'adversaire, détruire ou neutraliser des cadres hostiles est assurément un succès. Vain, toutefois, si le terrain nettoyé est investi par des concurrents. Le problème pour le parti communiste, à la Libération, est donc d'implanter ses propres cadres dans l'appareil étatique.

Le parti n'est pas en mesure de contrôler cet appareil dans son ensemble Il va donc s'efforcer d'axer son offensive sur un certain nombre de secteurs, soit que ces secteurs l'intéressent particulièrement, soit que les circonstances les rendent accessibles.

O.P.A. sur la police

L'appareil policier présente, évidemment, un énorme intérêt.

Avant-guerre, l'influence communiste au sein de la police, où beaucoup de commissaires et d'inspecteurs appartiennent à la franc-maçonnerie, est à peu près nulle. Elle se limite à quelques gardiens de la paix qui dissimulent soigneusement leur opinion.

Les activités résistantes de certains policiers ne se sont guère manifestées avant 1942. Trois groupes se constituent alors : Police et Patrie, que dirige à la Libération le brigadier Lamboley et que contrôle Libé-Nord ; Honneur de la Police, formé par les policiers du M.L.N. et dirigé par le brigadier du 14e arrondissement Fournet, et enfin le Front national de la Police, dirigé par Ayraud.

Ayraud, ancien cheminot, révoqué en 1920, est, de très longue date, un militant communiste actif. Dès le début de l'année 1942, il a réussi à s'introduire dans certains noyaux de résistance de la préfecture de police. C'est à partir de ces éléments qu'il va constituer le Front. Arrêté pour ses activités, il s'évade presque aussitôt et poursuit son action.

Rompu à la pratique communiste, c'est lui qui lance avec Rol-Tanguy la grève des policiers. Et s'il est vrai qu'il surgit un tout petit peu trop tard à la préfecture de police, où Luizet vient de le précéder, il ne tarde pas à y contrôler la situation. Il est nommé préfet adjoint de la préfecture, en même temps que Fournet et Lamboley, mais il a beaucoup plus de personnalité que ses collègues.

Si la plupart des commissaires de police et des inspecteurs demeurent fort réticents devant cette intrusion des communistes, un incontestable engouement se dessine au niveau des petits cadres et des gardiens de la paix. Sur cet effectif de 22 000 personnes, 3 000 environ adhèrent au parti communiste. Leurs collègues les considèrent d'un œil ironique et les appellent « les parachutés ». Ces adhérents de fraîche date bénéficient ou espèrent bénéficier de promotions tout comme Lamboley, Fournet, Verdavoine, Pierre (bras droit d'Ayraud), tous ex-gardiens ou brigadiers promus commissaires divisionnaires, ou comme Chastagnier, nommé secrétaire général de la Fédération des polices de France.

Les communistes envahissent les commissions d'épuration présidées par un certain Clergeot. Ils ont été soigneusement sélectionnés pour cette tâche par Ayraud. Elle est importante. Il s'agit de régler un lourd contentieux avec les B.S.

A la fin de 1944, le Parti marque un nouveau point. Honneur de la Police et Police et Patrie fusionnent avec le Front national, et constituent le Front unique des Résistants de la Préfecture de Police.

Par elle-même, l'opération est un succès. Mais elle engendre un certain malaise chez les autres policiers et ne tarde pas à entraîner quelques scissions. L'inquiétude est aussi très vive quand, après la démission du ministre de l'Intérieur Tixier, une délégation de la Fédération des polices de France, conduite par Chastagnier et par le policier communiste de Marseille Orsini, assure Defferre de ses bons sentiments. Mais le même Chastagnier, quelques jours plus tard, s'oppose publiquement à une éventuelle nomination à l'Intérieur de Le Troquer, considéré comme un des dirigeants socialistes les plus hostiles aux communistes.

Dans cet épisode, on voit fonctionner un groupe de pression.

Chastagnier est-il allé trop loin? Il ne sera pas réélu à son poste. L'expulsion des communistes du gouvernement en 1947 stoppe leur entreprise de noyautage, d'autant qu'ils ont rallié surtout des opportunistes.

L'échec est encore plus flagrant à la Sûreté nationale. La cellule communiste ne recrute guère que des inspecteurs ou des employés auxiliaires. Parmi les commissaires on ne cite guère, à l'époque, que Coutant, très lié, dit-on, avec la famille Cachin et le commissaire principal Chabot.

Le parti communiste n'en réussit pas moins à conserver pour les décennies suivantes des éléments bien placés qui ne lui marchanderont pas les renseignements.

Chez les magistrats

Avec la police, la magistrature est un corps qui intéresse particulièrement les communistes, car elle a participé elle aussi avant ou pendant la guerre à la répression de leurs menées.

Outre Midol, dont nous avons parlé déjà, Willard a profité de son bref passage à la Justice pour faire nommer au parquet de la Seine les procureurs Boissarie et Vassart [1], dont les sympathies pour le parti communiste ne se dissimulent guère. (On retrouve Boissarie au Front national.)

Au cours des années suivantes, de hauts magistrats vont prêter leur nom à des campagnes politiques animées par le P.C. C'est le cas, par exemple, d'un avocat général comme Lindon, dont les réquisitoires devant les cours de justice ont toujours été empreints de sévérité, ou du président Didier. En 1950, l'appel de Stockholm contre l'emploi de la bombe atomique dont les États-Unis détenaient alors le monopole, sera signé par le premier prési-

1. Aucun lien de parenté avec le communiste Auguste Vassart.

dent de la Cour de cassation, le procureur général Mornet qui, après avoir servi le Maréchal n'en avait pas moins requis contre lui à son procès, les quatre présidents de chambre de la Cour de cassation, trois présidents de chambre à la Cour d'appel de Paris, cinq conseillers à la Cour de cassation, etc.

Le corps de la magistrature semble ainsi avoir été sérieusement entamé. Mais, à partir de 1950, l'influence communiste paraît en recul.

L'offensive communiste est très nettement bloquée dans le secteur de la défense nationale. C'est un domaine que de Gaulle considère comme son fief. On doit tout de même y noter le passage de deux ministres : Billoux (matériel) et Tillon (aviation et armement). Cela ne va pas sans laisser de traces. En particulier, l'aviation est plus sensible que les autres corps à l'influence communiste, d'autant que celle-ci s'exerce avec une certaine continuité, puisque ce ministère a été successivement entre les mains de Pierre Cot avant la guerre, de Grenier à Alger, et enfin de Tillon.

Il va de soi que le noyautage de l'administration bourgeoise par les communistes est particulièrement sensible dans les ministères tenus par eux

Et le parti peut se targuer de deux réussites majeures et durables : l'enseignement et la Sécurité sociale.

Main basse sur l'enseignement

Sans doute, l'Éducation nationale n'a jamais eu pour ministre un communiste, mais le noyautage de ce ministère entrepris dès la Libération par le professeur Wallon, est demeuré un fait constant.

Un des premiers soins des communistes est de mettre la main sur l'enseignement technique, dont le recrutement est plus prolétarien que le secondaire. Ce département est confié à Paul Le Rolland qui truffera la direction de nombreux membres du parti.

A l'Éducation nationale, l'influence communiste s'exerce d'une façon inégale mais à peu près partout. Elle est solide dans l'enseignement primaire où, cependant, de nombreux instituteurs sont plus proches du parti socialiste. La direction des écoles normales d'instituteurs est l'objet d'une attention particulière. C'est Eugénie Cotton, dirigeante importante de l'Union des Femmes françaises et du Mouvement de la Paix, qui est la directrice de l'École normale de Sèvres. Dans d'autres écoles, on trouve Guy Besse et Mme Seclet-Riou.

Dans l'enseignement supérieur, plusieurs chaires sont occupées par des professeurs communistes. Leur influence est sensible à l'École normale supérieure, à l'École nationale d'administration, à la Fondation des Sciences politiques, à l'École de la France d'outre-mer qui forme les futurs administrateurs des colonies. Certains secteurs, tel celui des Hautes Études de la Sorbonne et de l'enseignement de la géographie, deviennent de véritables fiefs communistes. L'implantation est également solide au C.N.R.S.

En 1952, selon *L'Humanité* [1], plus des trois quarts du personnel des laboratoires de génétique évolutive, de biométrie et d'hydrobiologie du C.N.R.S. situés à Gif-sur-Yvette signent une déclaration contre l'emploi des armes biologiques. Il s'agit d'armes que les États-Unis sont censés avoir employées ou envisageraient d'employer. Parmi les signataires on trouve le nom du directeur du laboratoire d'hydrobiologie, André Pacaud.

L'emprise communiste déborde du reste les organismes officiels, pour s'exercer sur des associations ou syndicats à vocation pédagogique ou para-pédagogique. On en trouve la trace aussi bien dans des associations de travailleurs scientifiques, dans des publications pédagogiques, dans des organismes de contacts internationaux qui ont pour raison d'être l'enseignement ou l'enfance, à la Recherche scientifique, au Commissariat à l'Énergie atomique (présidé initialement par Joliot-Curie) ou simplement dans des colonies de vacances et des organisations sportives...

Là encore il faudrait une étude spécialisée pour mettre en évidence l'importance du noyautage, ses structures, ses hommes, ses méthodes, etc. On se limitera ici à quelques cas.

A la fin de 1950, les éditions Les Dossiers pédagogiques publient des fiches fort bien faites, sous l'angle respectif de l'enseignement et de la propagande. Font partie du Comité de rédaction du fichier historique : Roger Garaudy, Jean Bruhat, Pierre Angrand, Jean Dautry, et les instituteurs Roland Diquelou, Paul Delanoue, Pierre Clauzet, Jean Barberet. La moitié au moins sont membres du Parti. Les autres sont des sympathisants.

A l'Action syndicaliste universitaire, association para-communiste, on va retrouver Paul Delanoue, en compagnie d'autres communistes comme Louis Barrabé, secrétaire général du Syndicat de l'Enseignement supérieur et de la Recherche scientifique C.G.T., membre en 1945 de la Direction des recherches et exploitations des minérais d'uranium; Jean Roulon, instituteur, Ernest Kahane, Yvonne Creboun, administrateur de *L'École laïque*, publication communiste...

Au Conseil permanent de défense de l'enfance, figurent encore en 1951, parmi les cinq membres d'honneur, Eugénie Cotton et le professeur Wallon, tous deux communistes, et le professeur Georges Heuyer, membre de France-U.R.S.S. Les 28 membres sont essentiellement des sympathisants communistes qui militent dans des associations satellites.

A une conférence sur l'enfance qui se tient à Paris, les 20 et 21 octobre 1951 et qui prépare une conférence internationale de l'enfance pour l'année suivante en Autriche, sont au nombre des signataires d'un appel publié par l'Union des Femmes françaises : Charles Bettelheim, directeur d'études à l'École des Hautes Études, Claudine Chomat, membre du parti, l'inévitable Mme Cotton, le professeur Georges Bourguignon et sa femme, tous deux sympathisants, Mme Fornelli, inspectrice des assistantes sociales de la Seine et membre du bureau directeur de l'Union des Femmes françaises,

Germaine Guille, secrétaire de la C.G.T., le docteur Le Guillant, rédacteur en chef du *Médecin français*.

A la Sécurité sociale

L'emprise communiste est restée non moins durable à la Sécurité sociale et partiellement au Travail où Ambroise Croizat a été nommé ministre, le 21 novembre 1944, dans le second ministère de Gaulle.

Un de ses premiers soins consiste à s'assurer le contrôle de l'administration et tout particulièrement des nouvelles caisses d'assurances, unifiées à partir du 1er juillet 1946. Le personnel des anciennes caisses est évincé. Les nouveaux administrateurs sont désignés autoritairement. Avec le blanc-seing du communiste cégétiste Raynaud, ils sont à 80 % ou même 90 % communistes.

Ce favoritisme finit par provoquer une interpellation à l'Assemblée [1]. Au lieu d'être désignés par les syndicats communistes, les administrateurs seront désormais élus au vote secret et proportionnel. Certes, ils conservent une large influence. En avril 1947, la liste cégétiste obtient 57 % des voix (la scission F.O. n'est pas encore intervenue). Mais certains administrateurs (Hénaff, Costes) semblent avoir été médiocrement appréciés par les électeurs.

Les caisses manient des fonds considérables. Quelques scandales en résultent. En novembre 1949, on découvre qu'il manque 260 millions dans la caisse de la Sécurité sociale minière de Valenciennes. En avril 1950, nouveau scandale : cette fois il manque 500 millions à la caisse de Lens, dont le directeur Marceau Lefort est exclu du parti [2].

Certains communistes ont-ils succombé à la tentation de se remplir les poches ? C'est possible. Mais au parti communiste, la corruption individuelle est un aspect tout à fait secondaire. Il est plus intéressant de constater que le déficit de la caisse de Lens est dû à une pléthore de personnel : on y compte 150 personnes; 30 suffiraient. L'immense majorité de ces employés est constituée par des communistes. Sans débourser un liard, le parti case un certain nombre de permanents. Le système qui consiste à faire rétribuer sur les fonds de l'État, voire sur ceux du patronat, les fonctionnaires du parti, n'a au fond jamais cessé depuis la Libération.

Des scandales, on en découvre aussi dans la gestion de la Production industrielle, ministère tenu par Marcel Paul sous quatre gouvernements, à partir du 20 novembre 1945.

Dans une période de pénurie des matières premières, l'attribution de celles-ci aux entreprises dépend de la Production industrielle.

En principe, les seuls critères d'attribution doivent être l'utilité et l'efficacité du destinataire. Il ne semble pas qu'il en ait toujours été ainsi.

---

1. *J.O.* Débat du 8 août 1946.
2. *L'Humanité*, 9 mai 1950.

Plusieurs journaux se font à l'époque l'écho d'accusations bien oubliées. On se demande ainsi pourquoi la Production industrielle favorise les chaussures Pillot qui, pourtant, ont travaillé avec les Allemands et qui fabriquent après la Libération une chaussure sensiblement plus onéreuse que des modèles voisins conçus par des concurrents.

Pourquoi le service Matériel, responsable des attributions, s'est-il subitement augmenté de 315 nouveaux fonctionnaires, tous membres du parti ?

Est-il vrai que les dossiers des industriels soient classés par eux en trois catégories ?

— celles qui viennent d'industriels membres du P.C.F. ;
— celles qui sont accompagnées d'un « dessous de table » ;
— celles des non communistes qui ne pratiquent pas « l'arrosage » ?

Note confidentielle

On serait tenté de le croire quand on se réfère à la note confidentielle adressée à Marcel Paul par Louis Garcin, délégué de l'Union départementale des syndicats G.C.T. du Nord :

« Paris, le 12 mai 1946
« Réf. comp. 12/5 M. 676.
« Je viens de recevoir les renseignements du camarade Tourtier au sujet de la demande de l'usine T.I.C.E.R. Sur 180 ouvriers, 20 seulement appartiennent à la C.G.T. C'est une des maisons les plus réactionnaires de la région. En conséquence, il me semble qu'il est inutile de lui donner l'attribution qu'elle demande. Tourtier placera facilement dans une usine nos camarades.

Signé : Garcin. »

Nous ne possédons pas la réponse de Marcel Paul. Mais le comportement normal d'un ministre n'aurait-il pas dû consister à blâmer sévèrement de pareilles interventions ? Il n'apparaît pas que cette réaction se soit publiquement exprimée.

La symbiose qui peut exister entre un ministère tenu par un communiste et une organisation satellite contrôlée par son propre parti est illustrée par la situation privilégiée de l'Union des Femmes françaises (U.F.F.).

L'U.F.F. possède au sein de la Production industrielle des « envoyées » qui y disposent du droit de réquisition. Les marchandises réquisitionnées par elles sont distribuées — bonne propagande — ou mises en vente — c'est tout bénéfice — par l'U.F.F.

C'est ainsi que, le 14 septembre 1946, une « missionnaire » de l'U.F.F. se présente, munie d'un ordre écrit de la Production industrielle, chez un commerçant de Tourcoing et y réquisitionne un stock important de bols et d'assiettes. Transportés au siège de l'U.F.F. ces ustensiles ménagers y sont mis en vente au profit de cette organisation.

La Chambre syndicale de Tourcoing proteste. Pas de réponse du ministre.

Ce système assez largement appliqué facilite sans conteste les adhésions. Au reste, en témoigne cette annonce tranquillement insérée dans le journal communiste *L'Écho du Midi* :

« Distribution de tissus. Elle commence à la permanence de l'Union des Femmes françaises, le 20 mai à 10 heures.

« *D'ici là* (souligné par nous), les adhésions aux associations familiales de l'Union des Femmes françaises, seront reçues à la permanence, rue de la Paix, les mardi, vendredi et samedi à 17 heures. »

Marcel Paul finira par être mis sur la touche par son propre parti.

Le scandale de la S.N.E.C.M.A.

Le rapport Pleven et les interventions de plusieurs députés à l'Assemblée nationale forment un faisceau accablant contre la gestion des entreprises nationalisées par les communistes.

En la circonstance, c'est Tillon, ministre de l'Air qui est sur la sellette. La discussion à l'Assemblée (2ᵉ séance du 22 juin 1948) porte surtout sur la gestion désastreuse de la S.N.E.C.M.A. (Société nationale d'Étude et de Construction de Moteurs d'Avions) qui est en état de cessation de paiement.

« Les faits, s'exclame Pleven à la tribune, oh! il n'est pas besoin de longues phrases pour les relater [1]. »

Il explique qu'une entreprise privée, gérée comme la S.N.E.C.M.A., serait depuis longtemps en faillite. Les chiffres qu'il cite dans un rapport (p. 4) se passent de commentaires : au 7 juin 1948, la S.N.E.C.M.A. doit, au seul titre de l'année 1947, 167 millions de cotisations patronales pour la Sécurité sociale, 39 millions de cotisations assurance accidents du travail, 171 millions de cotisations pour les allocations familiales, 60 millions pour les retenues d'impôts cédulaires, 107 millions d'impôts sur le chiffre d'affaires [2].

La caisse de compensation est créancière de la S.N.E.C.M.A. de 100 millions de francs pour les prêts à court terme à échéance du 31 octobre 1947. Les intérêts desdits prêts représentent 2 500 000 francs [3].

A une gestion aussi catastrophique correspond une faillite dans le domaine des réalisations. La direction technique de l'Air a laissé ainsi l'entreprise nationalisée Morane fabriquer 1 000 avions Fieseler, qui sont aussitôt interdits de vol parce que dangereux [4]. Trois moteurs le 14.R., le 14 N et le 12 S ont donné lieu à divers incidents techniques et sont pratiquement inutilisables.

1. *J.O.*, 2ᵉ séance du 22 juin 1948, p. 3791.
2. *J.O.*, p. 3998.
1. *Op. cit.*, p. 3791.
2. *Op. cit.*, p. 3800.

Cependant, les entreprises nationalisées de Tillon utilisent quelque 40 000 ouvriers et employés en trop. Les licencier ? Impossible. L'inspection du travail, où s'exerce une forte pression communiste, s'y oppose. Dès lors, on utilise ce personnel en surnombre à des tâches qui n'ont rien à voir avec l'aviation. Par exemple à la fabrication de tracteurs. Mais ceux-ci coûtent beaucoup trop cher. Le prix de vente du S.I.F.T., par exemple, est de 1 250 000 francs, ce que les agriculteurs jugent inacceptable [1].

Si les entreprises nationalisées de l'aviation coûtent horriblement cher au pays pour un matériel en définitive défectueux ou inutilisable, les fonds ne sont pas nécessairement gaspillés pour le parti communiste.

Le ministère de l'Air et la S.N.E.C.M.A. permettent d'abord de caser des camarades. Le cabinet de Charles Tillon ne compte pas moins de 286 personnes, toutes membres, selon Jean Legendre, du parti communiste [2]. Le gaspillage des deniers de l'État n'empêche cependant pas des émoluments qui laissent rêveur. Alors que le déficit d'exploitation de la S.N.E.-C.M.A. s'élève à 729 millions pour 1947, son directeur général s'attribue sur des bénéfices inexistants une participation dont il a fixé lui-même le montant à 792 000 francs. Au total il a encaissé en 1947 deux millions [3]. Un jeune médecin sans aucune compétence particulière a été engagé, alors que la société était en déficit flagrant, avec un contrat équivalent, avec les primes, à un million par an [4].

Le médecin a un secrétaire dont l'activité principale consiste à être rédacteur en chef du journal *L'Envol*, qui s'intitule lui-même « Journal édité par les communistes de l'usine ».

A *L'Envol* s'ajoute le journal du comité d'entreprise, lui aussi aux mains des communistes. Le comité a décidé de verser des subventions au comité de défense de l'indutrie aéronautique [5]. Ce dernier organisme est une création de l'*Agit-Prop*. L'argent des contribuables d'une entreprise lourdement déficitaire n'est pas perdu pour le parti.

Ce n'est pas tout. Au cours du débat, fort houleux, on signale que Thorez est allé tenir meeting dans une usine nationalisée à Choisy-le-Roi, alors qu'il n'avait aucun droit d'y pénétrer. Les communistes se sont d'ailleurs arrangés pour que certaines sociétés nationalisées incorporent des usines techniquement inutiles. Mais celles-ci, situées dans les secteurs électoraux du député Jacques Gresa à Toulouse, et de Charles Tillon à La Courneuve, leur apportent leurs contingents de votes.

Les entreprises nationalisées sont encore des réserves pour les manifes-

---

1. Intervention d'André Burlot, *op. cit.*, p. 3801. La S.N.E.C.M.A. fabrique aussi des carrosseries de cars, des motos, des trolleybus, des lits, des cuvettes, des casseroles, des poussettes à bébés, etc.

2. *Op. cit.*, 2e séance du 25 juin 1948, p. 4010.

3. *Op. cit.* Rapport Pléven, p. 3795.

4. Les communistes n'ont pas pour habitude de faire des ponts d'or à ceux qu'ils emploient. Il est donc possible qu'une partie de ces sommes ait été en réalité destinée à la caisse noire du parti. Les débats à l'Assemblée n'examinent pas cet aspect de la question.

5. Rapport du ministre des Forces armées, p. 3968.

tations. Sur un ordre donné à midi dans les cantines, plusieurs milliers de ces travailleurs peuvent se retrouver deux heures plus tard devant le Palais-Bourbon, pour y clamer leur mécontentement.

Avant la guerre, le parti communiste était par principe hostile aux nationalisations « bourgeoises ». Le cas des sociétés d'aviation montre pourquoi il a renversé ses positions. Ces sociétés permettent à la fois de caser des permanents, de prélever vraisemblablement des fonds, de renforcer l'emprise électorale et de disposer d'une masse de manœuvre importante. Une grève dans une entreprise nationalisée a un impact sensiblement plus important que le même mouvement dans le secteur privé : elle atteint directement l'État.

Sans doute, les avantages politiques ou autres que le parti a pu retirer de sa gestion, ne survivront pas au tripartisme et à la résorption de la pénurie. Reste, tout de même, une notable exception : l'aménagement des œuvres sociales de l'E.D.F. qui gèrent un buget considérable et qui demeurent aujourd'hui encore un fief communiste.

Le contrôle des fonctionnaires

Moins ouvertement scandaleuse, la mainmise de François Billoux sur la Reconstruction est peut-être plus efficace. Pour tout ministère tenu par un communiste, un des premiers problèmes à résoudre est d'éliminer ou de neutraliser une certaine fraction de fonctionnaires, les plus hostiles, et d'implanter dans les services un réseau parallèle.

Pour ce premier point, l'épuration administrative au lendemain de la Libération simplifie singulièrement les choses. Pour le second, Billoux créée un corps spécial intitulé : Représentants Ouvriers à la Reconstruction (R.O.R.) [1]. Leur rôle est « d'apporter au ministère de la Reconstruction toutes remarques et suggestions utiles et l'appui constant des organisations syndicales de travailleurs adhérant à la C.G.T. ».

Ces R.O.R. fournissent un soutien cégétiste d'autant plus consistant qu'ils appartiennent eux-mêmes à la grande centrale ouvrière. Ils disposent de larges pouvoirs, tel celui d'assister à toutes les réunions des chefs de service, de connaître tous les programmes de travail, de vérifier la production et l'état des stocks. Le 8 mars 1946 [2], Billoux envisage même un accroissement de leur autorité. Ces hommes « auront pour tâche essentielle d'envoyer chaque mois au ministre un rapport confidentiel et détaillé sur l'activité de l'organisme et la moralité *(sic)* des fonctionnaires ».

Bref, les R.O.R. sont les espions du parti. Coincés entre le cabinet du ministre, c'est-à-dire le sommet de la hiérarchie, et les R.O.R. qui agissent à la base, comment dans le climat particulier de la Libération, l'ensemble des fonctionnaires ne se montrerait-il pas docile ?

1. *J.O.*, juin 1946.
2. Cf. interview dans *L'Aube*.

La technique n'est pas absolument neuve. Elle a déjà été appliquée par Grenier quand, en Algérie, il était ministre de l'Air du gouvernement provisoire. A première vue, sa tâche n'est pas facile. Tout le corps des officiers d'aviation ne veut aucun bien à ce communiste. Comment Grenier va-t-il faire pour en venir à bout ?

De Gaulle, tout d'abord, lui mâche un peu la besogne. Il fait éliminer les officiers trop attachés au Maréchal. La résistance à Grenier dans les unités éloignées d'Alger, donc difficilement contrôlables, n'en demeure pas moins tenace. Pour y mettre fin, Grenier a recours à ce système qu'il expose sans fard dans ses souvenirs : normalement les plaintes devraient lui parvenir par la voie hiérarchique. Il charge un lieutenant de les recevoir et d'en vérifier le bien-fondé.

En somme, Grenier officialise la délation dans l'armée. Le système, selon lui, est très efficace [1].

Le corps des aviateurs se trouve déjà en partie modelé quand Tillon en reçoit l'héritage à Paris. C'est le seul ministère de la Défense nationale avec celui de l'Armement où les communistes ont accès. Certes, leur emprise sur l'ensemble des cadres de l'armée demeure très limitée. L'intégration des F.F.I. dans l'armée de terre est soumise à un contrôle assez strict. Bientôt, les officiers communistes à la Rol-Tanguy seront tenus à l'écart et refoulés vers une sorte de ghetto dont Versailles est le siège.

Il n'en est pas de même, semble-t-il, dans l'Aviation. Longtemps après l'éviction des ministres communistes, des officiers membres de la section « hors cadres » ou sympathisants demeurent en place.

En définitive, quand on tente de dresser un bilan de la pénétration communiste dans l'appareil d'État, on peut estimer, au premier coup d'œil, que l'influence du parti demeure superficielle et marginale. Détournée de certains secteurs clés, la vague a bien envahi quelques cloisons étanches du navire gouvernemental, mais, somme toute, elle s'est retirée assez tôt (dès 1947). Ce tableau n'est pas entièrement exact. Partout, des agents restent en place. Dans quelques cas (Éducation nationale, Affaires culturelles, Sécurité sociale et Travail), les rouages de la machine administrative demeurent, en 1973, très largement manœuvrés par les communistes même si, ouvertement, il n'en est rien. Ainsi se perpétuent un état d'esprit, des consignes chuchotées, des conformismes, des réseaux de surveillance et de renseignement, bref une emprise larvée, silencieuse et redoutable.

Le passage des communistes au gouvernement et leur rôle patriotique dans la Résistance, leur permettent en tout cas de s'assurer de très sérieux avantages dans les secteurs les plus divers de l'opération et d'exercer un rayonnement qu'aucune autre formation politique ne peut leur disputer.

Auréolé du prestige de la Résistance, installé au pouvoir, épaulé par une puissance militaire qui s'est avancée jusqu'au cœur de l'Europe, le parti communiste surgit soudain sur la scène politique, entraînant dans son sillage des essaims d'organisations annexes.

1. *C'était ainsi*, pp. 183-186.

Une puissante machine

On lui accorde un million de membres. Chiffre très excessif. Lecœur assure qu'il n'y eut pas plus de 800 000 cartes distribuées aux fédérations et qu'elles étaient loin d'être toutes placées [1]. On peut estimer que le parti rassemble 500 000 à 600 000 adhérents. La C.G.T. avant la scission F.O. en annonce plus de cinq millions.

L'U.F.F. groupe peut-être 700 000 à 800 000 femmes. Le Mouvement de la Paix à son zénith réunit vraisemblablement plusieurs centaines de milliers de personnes. Ces chiffres, bien entendu, ne s'additionnent pas tous, mais on peut estimer que le parti communiste doit rayonner sur deux millions de gens [2].

En 1939, le parti possédait une dizaine d'organes centraux (quotidiens, hebdomadaires, revues) et 68 journaux régionaux, dont le tirage moyen était de 448 000 exemplaires. Après la Libération, grâce à la spoliation des imprimeurs et des organes de presse parus sous l'occupation — dont les communistes ne sont pas les seuls à profiter —, la puissance de feu des moyens d'expression pour les communistes s'est formidablement renforcée. Puissance impressionnante à la fois par son tirage, par la diversité des organes, par les publics multiples qu'elle atteint, par l'implantation dans les syndicats de journalistes.

Le parti dispose de toute une pléiade de journaux. Outre les quotidiens comme *L'Humanité*, *Ce soir*, à diffusion nationale, des quotidiens régionaux comme *La Marseillaise*, des organes du parti comme *France Nouvelle*, ou syndicaux, *Le Peuple*, *La Voix ouvrière*, ou visant un milieu social précis, comme *La Terre*, ou un hebdomadaire destiné aux intellectuels, *Les Lettres françaises*, ou des revues comme *La Pensée*, *La Raison*, *Démocratie nouvelle*, et plus tard, *La Nouvelle critique* (organe du jdanovisme); on trouve encore une série de périodiques qui s'adressent à un public bien déterminé.

Ainsi, rien que pour toucher les milieux de l'armée, le parti contrôle la revue *L'Armée française* (mensuelle), organe de la Fédération des officiers et sous-officiers de réserve républicains, dont le directeur est le général Petit, et dont la société éditrice, une S.A.R.L., compte parmi ses associés, Alfred Malleret, Alexis Zousmann, Maurice Gay, Maurice Rousselier, ancien colonel F.T.P., et *France d'abord*, hebdomadaire des F.T.P., où l'on trouve parmi les associés Laurent Casanova, et Roger Roucaute.

Les problèmes de politique étrangère et particulièrement ceux qui concernent les démocraties populaires sont abordés dans *Parallèle 50*, très axé sur la Tchécoslovaquie, dont le gérant est Henri Thimonier qui a pour associés en 1950 l'éditeur Prince-Roger Maria membre de la « Communauté Barbu », deux Koch qui doivent être des hommes de paille, Edgard Nahoum-Morin, et pour rédacteur en chef Artur London; et dans *La Tribune des Nations*, dont le principal associé, Joseph Dubois, détient en 1951,

---

1. *Le Partisan*, p. 280.
2. A la veille de la guerre, le P.C.F. comptait moins de 300 000 membres.

7 920 actions sur 9 900; dans *Les Cahiers internationaux*, mensuel dont le directeur, Jean Duret, est d'origine russe, ancien chef des services de documentation économique de la C.G.T.; dans *Peuples Amis*, revue de l'amitié franco-polonaise, mensuel où l'on trouve au comité de rédaction l'avocat communiste Paul Viannay, Jean Marcenac, Roger-Maria, William Grossin, journaliste signataire de l'Appel de Stockholm, Jean Noaro, qui a été au cabinet de Casanova aux Anciens Combattants; dans *France-U.R.S.S.*, etc.

A ces organes, il conviendrait d'ajouter deux publications où l'influence communiste, sans être majoritaire, se fait sentir. Le premier est *Politique étrangère* ou l'on trouve, certes, Léon Blum, Pierre Renaudin et Louis Joxe, mais aussi Henri Laugier, considéré par beaucoup comme crypto-communiste, Henri Wallon. On trouve parfois dans cette revue des articles de Bettelheim, spécialiste des questions économiques et de Pierre Grappin, qui suit de près les questions allemandes.

Le second périodique, les *Cahiers de l'économie soviétique*, fait appel à des collaborateurs, venus d'horizons divers sous la présidence d'Alfred Sauvy, alors très sensibilisé par la puissance russe. Mais on y rencontre des communistes ou des communisants comme Pierre Georges, Piattier, directeur de la section des économies étrangères de l'Éducation nationale, Baby, Bruhat et François Perroux.

On ne donne ces exemples qu'à titre d'échantillons. La puissance communiste se manifeste encore de bien d'autres façons. Par son agence d'information par exemple, l'U.F.I. (Union française d'Information), où figurent parmi les associés Jean Dorval, ex-directeur gérant de *L'Humanité*, et Henri Bordage à la S.N.E.P. où les communistes sont représentés par Jacques de Sugny; par un grand quotidien parisien comme *Libération*, ou par un hebdomadaire comme *Action*.

Il est patent aujourd'hui que *Libération*, organe progressiste auquel collaborent des personnalités non communistes comme Jean-Maurice Hermann, Marcel Fourrier, Andrée Marty-Capgras, et qui avait pour directeur Emmanuel d'Astier de la Vigerie, n'a pu se maintenir que grâce aux subsides communistes. Lorsque la manne fut suspendue en 1964, le quotidien cessa de paraître.

A *Libération* on trouvait comme directeur jusqu'en janvier 1949, le général Imbert. Médecin-général dans l'armée, Georges-Grégory Imbert était tout à fait inconnu dans le monde de la presse quand il occupa le poste de directeur de *Libération* en 1949. A cette époque, *L'Écho de la Presse* le présentait comme « sympathisant pour le moins des États-Unis. Il est, dit-on, marié à une riche Américaine [1] ».

Ce n'est pas tout à fait cela. Cet Imbert qui appartenait avant-guerre au ministère de l'Hygiène, puis au gouvernement militaire de Paris, nous l'avons déjà rencontré en compagnie de Isaac et Jacques Imbert. *Tous trois étaient en 1921 actionnaires de la Banque commerciale pour l'Europe du Nord.*

---

1. N⁰ du 20 juillet 1949.

Le général américanophile était tout bonnement un banquier des soviets.

Action est encore un hebdomadaire où s'exercent des influences très diverses parmi les souscripteurs de la société éditrice. On y relève les noms de Pascal Copeau, Yvon Morandat, gaulliste, et Étienne Bauer. Les communistes y sont tout de même nettement majoritaires avec Kriegel-Valrimont, Marcel Degliame, Pierre Hervé, Maurice Rousselier, Asher dit Ravanel. Mais ce sont des communistes frondeurs qui finiront par quitter le parti. Au reste, *Action* que dirigeait Yves Farge, se verra, avant *Libération*, couper les vivres.

Courroies de transmission

A ces entreprises de presse multiples s'ajoute un réseau de maisons d'édition : C.D.L.P. (Comité de Diffusion du Livre et de la Presse), les Éditeurs français réunis, les Éditions d'Hier et d'Aujourd'hui, les Éditions sociales, etc.

Dans cette phase où le parti accède au pouvoir, ses organisations annexes brillent d'un vif éclat, éclat qui se prolonge après que les communistes eurent été évincés du gouvernement. Des organisations comme le Mouvement de La Paix, l'U.F.F. (déjà cités), ou comme l'U.J.R.F. (Union de la Jeunesse républicaine française, au sein de laquelle s'est fondue la Jeunesse Communiste), le Front national qui perpétue le mouvement de la Résistance, France-U.R.S.S., le C.N.E. (Comité national des Écrivains) jouent pleinement leur rôle de courroies de transmission...

Les noms des personnalités qu'on voit en ce temps-là figurer dans les comités directeurs de ces mouvements, voire prêter leur signature, leur nom ou leur présence à leurs manifestations, montrent que le parti communiste a émergé du ghetto politique. Qui vient inaugurer *La Maison de la Pensée* (ex-maison de la culture dont le directeur est André David, ancien organisateur des conférences des Ambassadeurs) ? Vincent Auriol. Qui trouve-t-on aux *Combattants de la Paix* ? François Mauriac; Max Stern (qui ralliera plus tard l'U.D.R.), les R.R.P.P. Philippe, Chenu, Maydieu... A l'U.J.R.F., le président d'honneur n'est autre que le vénérable président Herriot, à France-Vietnam, aux côtés des communistes Menétrier et Depouilly (anciens du réseau Muraille) et d'Eugénie Cotton, on trouve Justin Godart, Siccard de Plauzolles, président de la Ligue des Droits de l'Homme, l'amiral Moullec, Gilbert de Chambrun, l'ancien directeur des Écoles françaises d'Extrême-Orient, Paul Lévy.

A France-U.R.S.S., où milite déjà le professeur Barberis (un de ceux qui veulent aujourd'hui réformer l'enseignement français), figurent le professeur Orcel, Peytavin, inspecteur général de l'enseignement technique, Mmes Henriette Psichari-Renan et Seclet-Riou.

Au bureau national de France-U.R.S.S. en 1952, l'étoile est Frédéric Joliot-Curie, mais il y a tout lieu de croire que Fernand Grenier, Suzanne Cage, Francis Cohen y tiennent un rôle plus important. On y rencontre encore Pierre Cot, l'abbé Boulier, Jacques Nicolle, du Collège de France, le général Tubert.

Et dans la délégation qui, en décembre 1950, décide de se rendre en Union Soviétique, on découvre Claude Mathon, attaché au C.N.R.S., et... René Turpin, un des acteurs de l'affaire des fuites.

Mais ce sont peut-être les formations plus spécialisées, celles dont le travail consiste à agir dans un milieu professionnel donné, par l'intermédiaire des membres de ce milieu, qui donnent aux communistes leur véritable impact.

Le travail a déjà commencé sous l'occupation puisque les communistes en même temps qu'un *Front national* ont animé un *Front des médecins*, un *Front des juristes*, et ont groupé les intellectuels autour des *Lettres françaises*, fondées par Jacques Decourdemanche, dit Jacques Decour.

Les contacts et les amitiés noués pendant cette période, les services rendus, se prolongent naturellement, la paix revenue.

Au *Médecin français*, fondé en 1941, on a la surprise de découvrir au comité directeur le Dr Bernard Lafay qui, certes, n'est pas communiste.

Louis Marin appartient à un comité des Médecins pour la Paix et le professeur Kastler, futur prix Nobel, est membre du Comité de diffusion d'un appel pour la Paix en 1951.

Louis de Broglie est président d'honneur des écrivains scientifiques dont le président effectif est François Le Lionnais, conseiller scientifique des musées nationaux, tandis que le vice-président Maurice Goldchild est attaché à l'Unesco.

A la Société d'édition de presse et de publicité, on rencontre Pierre Langone, ancien secrétaire général du *Courrier royal* et parmi les associés, le duc de Praslin, père d'un futur maoïste.

A partir de 1947, le C.N.E. a été fort éprouvé certes par les départs de Mauriac, Gabriel Marcel, Daniel-Rops, Jean Paulhan... A son comité directeur se coudoient encore au début des années 50 : Claude Autant-Lara, la chanteuse Jeanne Bathori, le peintre Paul Colin, le chrétien progressiste Henri Denis, directeur d'*Ouest-Matin*, Daniel Florentin, président de l'U.N.I.T.E.C. (Union des Ingénieurs et Techniciens), le critique Gandrey-Réty, le cinéaste Christian Jaque, Jeanne Lévy, professeur à la Faculté de médecine de Paris, l'écrivain Henri Malherbe, le procureur général Mornet, Armand Salacrou, Stanislas Fumet, Louis Martin-Chauffier, André Spire, et Vercors.

Davantage encore que dans le domaine des lettres (où toutes les tentatives faites pour mettre sur une liste de proscrits les écrivains accusés d'avoir collaboré se soldent par des échecs retentissants), l'emprise communiste s'affirme dans le secteur du cinéma. Avec une revue comme *L'Écran français*, avec la société Procinex qui diffuse en France des films soviétiques, avec des ciné-clubs où de nombreux communistes se sont infiltrés, ainsi qu'à la cinémathèque.

Au Comité de défense du cinéma français créé par les communistes et que préside Marcel Lherbier, participent Autant-Lara, Le Chanois, Louis

Daquin, Christian-Jaque, Carlo Rim, Pierre Laroche; les producteurs Decharme, Raoul Ploquin, Léopold Schlossberg; les acteurs Yves Montand, Pierre Blanchar, Daniel Gélin, Françoise Rosay, Simone Signoret dont le père, A. Kaminker, occupe une place importante dans le réseau cinématographique du parti.

Très nombreux, naturellement, sont les invités qui participent à la fête de *L'Humanité* sans qu'on puisse toujours faire la part entre la sympathie politique et le simple souci de toucher un très vaste public.

Tous ces efforts tendent à contrôler le vaste secteur, impressionnable, de *l'intelligentsia*; de la mobiliser moins au profit du parti qu'autour de certains thèmes (défense de la paix, défense des libertés); à défaut de la neutraliser. Il s'en faut que le succès s'impose partout. Les résultats sont très inégaux. Ainsi, le milieu universitaire est sans doute un des plus imprégnés. Les cinéastes, les artistes, les peintres, les sculpteurs subissent une influence plus profonde que les écrivains. Le parti rallie autour de ses publications spécialisées nombre de médecins progressistes souvent fort actifs. Mais il se heurte aussi, dans cette profession, à une très vive et très solide résistance. Le praticien français dans son ensemble « ne marche pas ». Même chose chez les avocats, beaucoup moins perméables que les magistrats. Effet nul, à peu de chose près, chez les notaires, les avoués, plus sensible sur les architectes, encore très modeste sur les ingénieurs, les techniciens.

A partir de 1947, la vague se retire. Les communistes ne sont plus au pouvoir. Ils rallient encore autour d'eux nombre de gens. La situation est incertaine : ils peuvent revenir. Mais les années passent : les uns après les autres, les opportunistes changent de cap. L'emprise communiste n'en subsiste pas moins dans certains secteurs. Plus de deux ans de passage au pouvoir ne se laissent pas ainsi effacer.

2.

Pour la défaite de l'armée française

Aux portes de Paris, Duclos s'était dressé dans sa voiture. A son banc de ministre, François Billoux reste assis.

La scène se déroule le 18 mars 1947. Les ministres, les députés se lèvent pour rendre hommage aux combattants d'Indochine. Billoux ne bouge pas.

Il est ministre de la Défense nationale.

Le président du Conseil, le socialiste Gouin, se penche pour lui chuchoter à l'oreille :

« Tu exagères, lève-toi! »

Billoux fait la sourde oreille.

« Je constate, s'écrie alors Pleven, que M. le ministre de la Défense nationale ne s'est pas levé. »

Billoux est toujours assis.

Un peu plus tard, Ramadier voudra tirer la morale de cet incident :

« On ne peut être, dira-t-il, à la fois ministre et antimilitariste. »

Mais un ministre de la Défense nationale communiste est, avant tout, communiste. Il sert son parti non pas avant l'État, mais contre l'État, puisque celui-ci est un État bourgeois. Même quand il feint le contraire.

Mais un ministre communiste de la Défense nationale sert avant tout son parti. Il ne sert pas l'État qui, en 1947, est un état « bourgeois ». Il se sert de lui.

L'exhibition de Billoux est-elle un acte de rupture? Pas forcément. Tandis qu'il s'offre en spectacle, le groupe communiste, en raison de la situation en Indochine, s'abstient dans le vote des crédits militaires, mais n'en accorde pas moins sa confiance au gouvernement. Attitude ambiguë. Faut-il croire que des divergences se sont exprimées au sein du parti, que Billoux traduit seulement la réaction des hommes les plus durs? A Vincent

470

Auriol, président de la République qui l'admoneste, au cours d'un Conseil des ministres tenu trois jours plus tard, Maurice Thorez jure qu'il fera tous ses efforts pour conjurer une crise [1].

Il est peut-être sincère. Le parti est aux prises avec une grave contradiction interne. Devant l'échec des négociations avec Ho Chi-minh et la reprise des hostilités au Vietnam, il serait conforme à sa doctrine qu'il appuie sans réserve la lutte anticolonialiste, menée par un agitateur du Komintern qui a longtemps milité en France. Le développement logique de cette attitude, c'est la rupture avec un gouvernement impérialiste, responsable d'une politique belliqueuse.

Mais ceux qui mènent cette politique sont des socialistes. Il faudrait donc rompre avec eux. Et surtout quitter le pouvoir. Un pouvoir que les communistes espèrent toujours contrôler dans sa totalité.

Somme toute, ils peuvent se dire qu'ils ont failli réussir cette opération, quand la démission de De Gaulle a ouvert des perspectives nouvelles.

L'après de Gaulle

Le 20 janvier 1946, las des affrontements perpétuels au sein d'un gouvernement voué au tripartisme (M.R.P., communistes, socialistes), de Gaulle réunit ses ministres :

« Je m'en vais », annonce-t-il.

Son départ est un coup de théâtre. Il sait que le désarroi du pays va en être accru. Il suppute que celui-ci, s'enfonçant dans le désordre et les divisions, exposé à une dictature communiste, le rappellera bientôt : dans un mois; dans un an... Il ne se trompe guère que d'une dizaine d'années.

Mais pour le désarroi, il n'y a pas d'erreur. Logiquement, la présidence du futur gouvernement devrait revenir à Thorez. Le P.C.F. revendique bien ce poste pour son secrétaire général, mais mollement. Il le sait, il ne serait pas suivi par les socialistes, avec qui il est essentiel de garder le contact.

Les dirigeants du M.R.P., eux, sont en proie à la panique. Que faire? Refuser de prolonger le tripartisme, c'est alerter l'opinion contre le danger d'un régime marxiste et favoriser ainsi un sursaut. Mais ce passage à l'opposition implique le risque lourd de laisser les leviers de commande entre les mains des seuls ministres socialistes et communistes. Si ces derniers occupent la présidence du Conseil, ou l'Intérieur, ou la Défense nationale, sera-t-il possible, ensuite, de les en évincer?

En définitive, les M.R.P. décident de rester au pouvoir. Dans son livre *La République des illusions*, Georgette Elgey révèle qu'une lettre du général Billotte, chef d'état-major général par intérim, à Maurice Schumann a pesé lourd dans cette décision. Le général avertit son correspondant de l'inquiétude qui règne dans les milieux militaires anglo-saxons sur l'avenir de la

---

1. Vincent Auriol, *Mon Septennat, 1947-1954*, pp. 27-28.

France. Dans ces conditions le maintien du tripartisme est encore un « moindre mal »[1].

Commentant, dix-sept ans plus tard, ce document, Billotte déclarera à Georgette Elgey :

« J'ai décidé d'agir et je me suis livré à deux interventions.

« La première auprès des socialistes : j'ai agi sur Blum et sur Le Troquer, que j'avais connus à Alger... Je leur ai dit que si Thorez était président du Conseil, il ne quitterait jamais cette place, quand bien même le Parlement le mettrait en minorité.

« Mon séjour en U.R.S.S. où j'ai eu le temps d'étudier les méthodes staliniennes donnait un certain poids à mes paroles.

« Pour le M.R.P., mon intervention a eu lieu de justesse... La France courait le risque d'une guerre civile ; certains éléments de l'armée n'accepteraient pas facilement d'obéir à un gouvernement communiste. D'autres, au contraire, inclineraient volontiers vers cette éventualité.

« En même temps, j'avais pris quelques dispositions : j'avais fait jouer sur Paris le plan de sécurité, en ramenant les troupes disponibles en métropole... [2] »

L'armée était-elle vraiment prête à marcher ? Le témoignage du général Revers qui commandait à l'époque la première région militaire semble indiquer le contraire :

« A midi — raconte-t-il à Georgette Elgey — j'ai appris le départ du général de Gaulle. Il n'y a eu dans l'armée aucun mouvement en sa faveur. Même les officiers les plus gaullistes, n'ont rien envisagé pour le retenir.

« Je crois que l'arrivée de Thorez au pouvoir aurait provoqué la démission de nombreux officiers généraux, une sorte de dislocation morale de l'armée ; en aucun cas, elle n'aurait suscité une mutinerie, la marche d'un régiment sur Paris, le soulèvement d'une division [3]... »

Témoignage limité, certes. Mais on peut constater que l'état d'esprit prêté par Revers à certains cadres, ébranlés sans doute par des épreuves récentes, se vérifiera au moment du putsch d'Alger : passivité ou démission pour mettre sa conscience en paix, plutôt qu'action. De ce point de vue les remarques de Revers conservent un intérêt actuellement, dans la perspective d'une accession légale des communistes au pouvoir.

En définitive, ce qui semble avoir joué auprès d'un certain nombre de dirigeants du M.R.P., c'est la croyance illusoire à un putsch tout proche ; « l'intox », a contribué sans doute à les maintenir au pouvoir.

Le départ du général de Gaulle n'en a pas moins créé un choc et un vide. Le jeu du P.C.F. consiste à faire fructifier sans trop de hâte cette situation. Formant bloc avec les socialistes, il veut forger l'outil institutionnel qui lui permettra d'imposer sa loi dans la légalité, savoir, une Assemblée unique et omnipotente à majorité socialo-communiste, la suppression des préfets,

1. Cf. *La République des Illusions*, p. 103.
2. *Op. cit.*, p. 104.
3. *Op. cit.*, pp. 105-106.

leur remplacement par des conseils régionaux et généraux, et un président-potiche.

C'est « non »

Ils semblent alors très près de toucher au but. Il leur suffit de faire adopter par référendum ce projet de Constitution. Qui leur barre la route? Ni de Gaulle, ni un état-major militaire, ni un parti politique. Nul autre que le peuple.

Réaction étonnante et jamais mise en évidence. Jusqu'ici, aux référendums, les électeurs ont toujours répondu *oui*. La coalition socialo-communiste table sur ce précédent. Mais, le 5 mai 1946, contre toute attente, la population rejette le projet de Constitution par 53 % des voix contre 47 %. Le slogan « Thorez au pouvoir » adopté au dernier moment par les communistes, trop sûrs d'eux, a eu un effet mobilisateur. Contre.

Pourtant « le coup de Prague » n'aura lieu qu'en 1948, et aucune campagne n'a donc pu être menée en s'inspirant de cet exemple.

Dehors !

Le vote du pays va encourager les socialistes à se détacher des communistes qui, de leur côté, deviennent plus exigeants. L'artisan de cette rupture est un homme sans éclat, mais courageux et tenace, Paul Ramadier, qui, succédant à Léon Blum, est président du Conseil. Au début de mai 1947, le groupe communiste refuse de voter la confiance. Il espère ainsi mettre le gouvernement en difficulté et le contraindre à une démission générale. La démonstration serait faite qu'on ne peut gouverner contre les communistes, et ceux-ci se montreraient plus gourmands pour la distribution des portefeuilles dans la future formation ministérielle.

Il s'en est fallu de peu que l'Histoire prenne ce cours. En effet, le comité directeur du parti socialiste décide d'abord, par 12 voix contre 9, la démission du ministère Ramadier. Le groupe socialiste, au contraire, sur l'intervention de Léon Blum, se prononce pour le maintien par 70 voix contre 9. Finalement, le comité directeur revient sur sa décision à *une* voix de majorité.

Voilà à quoi tiennent les choses. Cette voix, Ramadier l'exploite aussitôt avec décision. Invoquant la Constitution, qui précise que le président du Conseil choisit ses ministres — et peut donc se débarrasser d'eux —, Ramadier, le 4 mai, à 21 heures, au cours d'un Conseil de cabinet, expulse poliment les ministres communistes.

Stupéfaits par cette audace, ceux-ci sont sans réaction. Ils ont été en quelque sorte déboulonnés par un croc-en-jambe imprévu. Depuis cette date, ils n'ont jamais pu revenir au pouvoir.

Ramadier croit savoir que Duclos, tout comme Thorez, était d'avis de rester au pouvoir, mais que tous deux ont dû s'incliner au Bureau politique devant les « durs » : Marty, Billoux, Mauvais [1]...

Comédie à usage externe, car il peut être avantageux pour Thorez de conserver un masque de conciliateur? Ou bien divergences réelles à l'intérieur d'un parti profondément transformé par l'occupation et encore mal ressoudé?

Aujourd'hui encore, la réponse est incertaine.

Une chose au moins est sûre : après le départ du général de Gaulle, qui a quitté le pouvoir en janvier 1946 — croyant, non sans présomption, que la France ne pourrait se passer de sa personne — les communistes se trouvent placés devant un choix difficile : attendre que socialistes et M.R.P. aient définitivement fait la preuve de leur impuissance, en restant dans la voie parlementaire; ou bien engager résolument des actions révolutionnaires qui peuvent déboucher sur la guerre civile et sur l'aventure.

Le choix est rendu encore plus difficile par la complexité de la situation internationale, le rejet par Staline du plan Marshall, les débuts de la guerre froide, la reprise des combats en Indochine, l'obligation de principe pour un parti communiste de prendre position contre une guerre coloniale, et d'affirmer *concrètement* sa solidarité avec les frères vietnamiens.

Mais l'heure de cette indépendance vietnamienne a-t-elle réellement sonné? Acquise, ne sera-t-elle pas un leurre et le Vietnam libre ne risquet-il pas de tomber sous la coupe de l'impérialisme américain? La question s'est déjà posée en Algérie avec l'insurrection de Constantine en 1945. Le Parti communiste français et le Parti communiste algérien ont l'un et l'autre désavoué cette insurrection et ont participé à la répression. Une Algérie indépendante tomberait dans l'orbite américaine, pensent les dirigeants du P.C. N'est-il pas préférable, d'un point de vue stalinien, qu'elle reste dans le sein de l'Union française, si l'on considère que les communistes conservent de fortes chances de s'assurer légalement le pouvoir en métropole? Alors, l'Afrique du Nord, l'Afrique noire et l'Indochine seraient partie intégrante d'une grande République française rouge. Et, tout bien pesé, le camarade Staline n'a-t-il pas une préférence pour cette solution qui chagrinerait fort Washington?

En tout cas, si vraiment les chefs communistes sont divisés sur la tactique à suivre, ils ne vont pas le rester longtemps. Moscou va trancher pour eux.

Duclos accusé!

Du 22 au 27 septembre 1947, se tient à Szklarska Poreba, en Pologne, la réunion constitutive du Kominform, résurrection de l'Internationale communiste dissoute par Staline pendant la guerre dans le dessein de rassurer l'opinion américaine. Cette reconstitution est évidemment une des principales manifestations de la guerre froide.

1. *Op. cit.*, pp. 38-40.

La conférence se tient dans une demeure cernée de bouleaux. C'est le lieu de repos habituel des fonctionnaires de la police polonaise. Des policiers, il y en a tout autour de la villa, sans qu'on sache trop s'ils sont là pour empêcher les fâcheux d'approcher, ou pour dissuader les hôtes étrangers de sortir.

Pendant une semaine, les délégués des partis communistes d'Europe (occidentale ou orientale) vont vivre là, cloîtrés. On n'a pas invité les représentants des pays asiatiques. Peut-être Staline ne tient-il pas à voir les envoyés de Mao participer à ce colloque.

Le Parti communiste français est représenté par Duclos et Fajon. Les Italiens par Luigi Longo et Eugenio Reale [1]. Ni Thorez ni Togliatti ne sont là. Ils se doutent de ce qui les attend.

La réunion consiste essentiellement en un violent réquisitoire contre la politique d'opportunisme et de capitulation. Accusés : les dirigeants des partis communistes italien et français. Procureurs : les communistes yougoslaves Kardelj et Djilas. Véritable meneur de jeu : Jdanov, numéro deux du parti bolchevik, maître de la région de Leningrad, instigateur du dogmatisme en matière d'art, de littérature et de sciences. A ses côtés, Malenkov, son rival, va jouer un rôle très effacé.

Kardelj ouvre le feu. Il commence par un éloge dithyrambique de la politique suivie par Tito. Après la guerre, celui-ci a su conquérir le pouvoir grâce aux unités de partisans et au Front national dominé par les communistes yougoslaves. Voilà le modèle dont les communistes français et italiens auraient dû s'inspirer. Mais ceux-ci ont sombré dans l'opportunisme. « La force du parti, s'écrie-t-il, n'est pas seulement dans les millions de suffrages... Il ne faut pas avoir peur de recourir même aux moyens extrêmes [2]. »

Le Hongrois Farkas porte une autre estocade. A propos du P.C.I., il parle de « crétinisme parlementaire ». Les partis communistes français et italien sont l'un et l'autre hypnotisés par la puissance du nombre.

La critique de Djilas porte essentiellement sur le P.C.F. Si celui-ci a été chassé du pouvoir, c'est qu'il l'a voulu. Même après son exclusion, Thorez qualifiait encore à Strasbourg son parti de « parti de gouvernement ». Ce n'est pas par hasard qu'on en est venu là. A la fin de la guerre, le parti communiste a laissé le « Mikhaïlovitch français » (de Gaulle) se présenter comme un sauveur. « Il n'a pas fait l'insurrection » [3], il a permis la dissolution des milices. Pour sa défense, ce parti affirme qu'il ne pouvait rien faire avant la fin de la guerre contre les Allemands « afin de ne pas compromettre les rapports entre les Russes et les Américains ». Au contraire, dit Djilas, voyez l'exemple des communistes grecs, qui n'ont pas craint pendant le conflit de s'opposer aux Anglais. « Nous autres, Yougoslaves,

---

1. C'est grâce aux notes prises par Reale, futur dissident du P.C.I. que nous connaissons le déroulement de cette conférence. Cf. *Avec Jacques Duclos au banc des accusés.*
2. *Op. cit.,* p. 135.
3. *Op. cit.,* p. 144.

conclut-il avec orgueil, nous n'avons jamais pensé que les Anglo-Américains aient une influence déterminante. »

Vieux routier de l'appareil communiste, Duclos ne peut douter que si les camarades yougoslaves ont ouvert le feu, c'est que les Soviétiques présents dans la salle les ont autorisés à appuyer sur la détente. Le pauvre Duclos est tout rouge. Il balbutie. Jdanov l'interrompt brutalement.

Une réunion comme celle-ci n'est assurément pas faite pour le plaisir de morigéner, mais pour tracer une ligne d'action. Pour le P.C.I. et le P.C.F., en quoi consiste-t-elle ? A se placer sans équivoque dans l'opposition, à monter une grande offensive contre l'impérialisme américain et ses « valets » (en France : socialistes, M.R.P. et gaullistes).

Cette opposition violente doit-elle aller jusqu'à l'insurrection et le renversement du pouvoir ? Dans le discours final de Jdanov, cette perspective n'est pas nettement tracée. Il est clair, en tout cas, que le devoir des Français et des Italiens est de resserrer leurs liens avec l'U.R.S.S. et, dans le contexte de la guerre froide, de provoquer le maximum de difficultés sur les arrières des impérialistes.

Dans cette réunion constitutive du Kominform, certains croient voir l'affirmation d'une ligne « gauchiste » résolument offensive, dont Jdanov aurait été le chef de file ; Staline aurait momentanément perdu le contrôle du pouvoir en U.R.S.S., ou aurait du moins subi une perte d'autorité. Il aurait rétabli sa position avec l'aide de Malenkov. Jdanov ne serait pas mort à la suite d'une crise cardiaque, il aurait été liquidé. Après quoi, Malenkov aurait procédé à la « purge de Leningrad », c'est-à-dire à l'élimination impitoyable des partisans de son rival.

D'autres pensent au contraire que Staline a toujours dominé la situation en despote absolu. Se méfiant des Yougoslaves, et de leur esprit d'indépendance, il aurait, faisant preuve d'un machiavélisme retors, incité ceux-ci à se déchaîner contre les Italiens et les Français. Après quoi, Staline aurait pu compter sur l'appui de ces derniers, ruminant leur vengeance, pour chasser Tito du Kominform.

A la vérité, ces analyses reposent sur des données très incertaines et relèvent de spéculations hasardeuses tant que les dessous de l'histoire soviétique ne sont pas mieux connus.

Nous n'avons du reste qu'à examiner ici comment les résolutions adoptées en Pologne se sont traduites en France.

Vague de grèves

Thorez ne tarde pas à s'incliner.

« Nous n'avons pas souligné avec la vigueur nécessaire, déclare-t-il, que nous n'avons été écartés du gouvernement que sur l'ordre exprès de la réaction américaine [1]. »

1. Cf. Georgette Elgey, *La République des Illusions*, p. 336.

Quelques semaines plus tard, une grande vague de grèves, d'une extrême violence, déferle sur la France.

Le premier acte d'hostilité des communistes est très révélateur du sens qu'ils entendent donner à la bataille qui commence : le 30 septembre, à Verdun, le député communiste Savard fait obstruer des écluses et dresser des barrages pour empêcher le passage de deux péniches chargées de sucre en provenance des États-Unis pour l'Allemagne. La ligne de ravitaillement américaine est attaquée.

Dans une période de grèves purement revendicatives, les communistes évitent soigneusement tout acte de sabotage, voire de déprédation du matériel. Ici, c'est le contraire.

La situation va devenir très vite fort préoccupante pour le gouvernement menacé sur sa droite par un raz de marée gaulliste qui se traduit aux élections municipales par 40 % de suffrages aux partisans du général de Gaulle.

A Marseille, le 12 novembre, se déroulent des événements graves. Le palais de justice est investi par des manifestants. On y juge des accusés, membres du parti communiste. Ceux-ci sont libérés par les émeutiers.

Puis le torrent déferle vers la mairie, qui est prise d'assaut. Le cabinet du maire, un gaulliste, maître Carlini, est envahi. Celui-ci subit un véritable calvaire.

« Durant une heure, les émeutiers défilent devant maître Carlini, l'insultent et le battent à coups de matraque, de pieds de table et même de tubes de fer. A un moment, ils le portent à la fenêtre, et s'apprêtent à le jeter à la rue, soit une chute libre de sept mètres pour aboutir sur les pavés. Un commissaire de police intervient alors : " Ça n'est pas la peine, j'ai la démission de Carlini " [1]. »

Pour le pouvoir l'aspect le plus inquiétant de cette manifestation, c'est la passivité, sinon la complicité des forces de police et des C.R.S. Ils ont laissé faire.

Deux jours après l'émeute, on compte dans la ville plus de 40 000 grévistes.

Quelques jours plus tard, l'assaut général est lancé dans le nord. A partir du 17 novembre, tout travail cesse dans les mines. Le directeur général des Houillères, qui est membre du P.C., est parti sans laisser d'adresse. Le 22, tout le bassin minier français est en grève.

Dès le 19, le gouvernement Ramadier a donné sa démission. Renault et les cheminots entrent dans la lutte.

A partir de ce moment, la France entière bascule dans la violence. Dans le nord, les commandos communistes utilisent des centaines de camions des Houillères pour se porter à toute allure aux points sensibles, ceux où les « jaunes » tentent de reprendre le travail. Ceux-ci sont lynchés à Bruay, déshabillés et douchés à Liévin, brûlés au tison rouge à Ostricourt.

Le 27, la C.G.T. annonce la création d'un comité de grève générale.

1. Georgette Elgey, *La République des Illusions*, p. 341.

A Paris, les forces de police sont sur les dents. Elles ne disposent plus, en réserve, que de cent cinquante hommes. Les manifestants communistes peuvent aisément se concentrer sous les fenêtres du journal *Ce Soir*, grâce à un stratagème simple : une vingtaine de compères téléphonent simultanément à Police-Secours et, sous des prétextes divers, provoquent la dissémination des effectifs aux quatre coins de la capitale.

Fin novembre, trois millions de travailleurs sont en grève.

Les sabotages se succèdent. En quinze jours, on en dénombre quatre-vingt-dix-sept. Des rails sont déboulonnés. Des trains déraillent. L'accident le plus dramatique est celui du train express Paris-Lille, dans la nuit du 2 au 3 décembre : seize morts, trente blessés.

Cent six meneurs seront arrêtés et condamnés par la justice. Ce sont pour la plupart des militants communistes [1].

Le gouvernement Schuman, qui succède à Ramadier, affronte une situation extrêmement dangereuse.

A l'Assemblée, les séances se déroulent dans un effroyable tumulte. Sans doute pour obtenir l'absolution de Jdanov, Jacques Duclos compense son « crétinisme parlementaire », en traitant ses adversaires de « salauds » et de « chiens couchants ». Ramette accuse Herriot d'aimer les travailleurs « comme des biftecks, saignants ». Florimond Bonte traite Daladier d' « assassin ».

Dans le pays et au sein des organes gouvernementaux la panique commence : on se demande si les communistes n'ont pas l'intention de transformer leur grève en un mouvement insurrectionnel.

La vague de grèves, les troubles qui les escortent surviennent en outre à un moment où socialistes et M.R.P. se déchirent [2].

Jules Moch contre-attaque.

Un homme sauve la situation. Il s'appelle Jules Moch. A l'Intérieur il prend la suite d'un Depreux fatigué.

Pour expliquer la révolution d'octobre, Curzio Malaparte a écrit *Technique du Coup d'État*, ouvrage brillant mais faux. Depuis, beaucoup de gens ont disserté longuement sur la guerre psychologique, la subversion, la contre-révolution, etc. La plupart de ces amateurs auraient intérêt à étudier la technique anti-grèves, en 1947 et 1948, du socialiste Jules Moch.

Pour faire face à une situation difficile avec un appareil d'État ébranlé, le nouveau ministre de l'Intérieur part de quelques idées claires et simples : 1) Il faut maintenir l'ordre ou le rétablir dans des secteurs essentiels, plutôt que de vouloir le faire partout avec des forces insuffisantes. 2) Il faut définir une doctrine qui préserve le droit de grève, mais ne tolère

1. Georgette Elgey, *op. cit.*, p. 365.
2. Cf. Auriol, *op. cit.*, pp. 74-79.

pas ses débordements, telles les atteintes aux biens et les occupations d'usine [1]. 3) Il faut restaurer l'autorité de l'État, et se débarrasser d'éléments douteux. 4) Il faut le faire en subordonnant les militaires aux civils. 5) Enfin il faut gagner l'adversaire de vitesse, en prenant l'offensive, et pour atteindre cet objectif, il est essentiel d'être renseigné.

Quand les C.R.S. de Marseille font la courte échelle aux manifestants, la réussite de ce plan ne va pas toute seule, le succès tient ici à la clairvoyance et à l'énergie de quelques hommes : à Jules Moch et à ses collaborateurs directs, aux préfets Bertaux, Massenet, Villey.

En premier lieu, le ministre de l'Intérieur fait dissoudre onze compagnies de C.R.S. noyautées par les communistes.

Son plan consiste tout d'abord à tenir de grands axes : Paris-Bruxelles pour le charbon, Paris-Le Havre pour le pétrole, Paris-Lyon-Marseille pour les liaisons avec le sud et avec l'Italie, et la transversale Avignon-Toulouse-Bordeaux. Le reste sera récupéré plus tard.

On manque d'effectifs policiers. Il faut donc faire appel à la troupe. Une des difficultés qui paralysent son intervention tient aux rapports entre les préfets et les généraux qui commandent les régions militaires.

Pour chaque région on compte en moyenne une dizaine de préfets. Ceux-ci réclament tous des renforts. On ne peut en donner à tout le monde.

En pareil cas, le général commandant la région a le choix entre deux solutions. Ou bien il choisit les préfets à servir en priorité. Cela revient à dire que le pouvoir militaire prend le pas sur le pouvoir civil dans un domaine où il n'est pas nécessairement qualifié, et qui équivaut à un état de siège non proclamé. Ou bien le général s'adresse au ministre et attend les ordres. On perd du temps. Les troupes interviennent trop tard, les communistes marquent des points.

L'idée de Moch c'est de déléguer dans les secteurs chauds, des super-préfets, les igames, avec pleins pouvoirs.

Dans les derniers jours de novembre, à trois heures du matin, il téléphone à Teitgen qui est alors ministre de la Défense Nationale. Il obtient son accord pour envoyer un représentant du Gouvernement, muni des pleins pouvoirs, à Marseille.

A cette heure, au ministère, il n'y a plus de dactylos. Qu'importe! Jules Moch rédige ce mot à la main :

« M. Massenet est envoyé en mission à Marseille et a autorité sur les pouvoirs civils et militaires de la région. »

Cette anecdote montre combien la situation est tendue. Les décisions sont prises *in extremis*. Le Gouvernement livre une très difficile bataille.

Aussitôt après, Massenet part pour Marseille en voiture, car les cheminots sont en grève.

---

1. Cf. Angeli et Gillet, *La police politique*, pp. 211-212.

A l'assaut des centrales

Le tournant décisif de cette bataille se déroule à Paris avec la grève de l'E.D.F. Le Comité central de grève a décidé de frapper un grand coup : plus d'électricité pour les Parisiens, plus de métro.

Ancien de la Marine, Jules Moch fait venir à Paris 200 électriciens de ce corps, pour les substituer aux grévistes. Ils sont consignés dans des casernes de banlieue pour éviter d'attirer l'attention. Opération rendue possible grâce à l'accord de Teitgen.

Le ministre sait que la grève de l'électricité ne commencera qu'après l'heure ou *L'Humanité* aura été imprimée. Les communistes veulent que leur quotidien annonce à la population qu'elle est privée d'électricité.

Jules Moch calcule que la grève ne commencera donc pas avant 3 heures du matin.

Du côté de l'Intérieur un dispositif d'assaut rapide sur les centrales est monté selon un plan soigneusement minuté. Les pompiers sont mobilisés avec leurs échelles qui permettront aux électriciens de la marine et aux policiers en civil de pénétrer par les fenêtres de l'E.D.F. Les policiers prendront à revers les piquets de grève, le coup de main doit se dérouler en moins de trois quarts d'heure.

C'est un succès. Les grévistes sont complètement déconcertés par cette contre-attaque imprévue.

A sept heures du matin, *L'Humanité* est partout en vente, avec une énorme manchette en première page :

« Paris sans électricité et sans métro. »

Les rames fonctionnent. La lumière est partout. Les Parisiens accueillent la fausse nouvelle avec un grand éclat de rire.

Les communistes viennent de perdre la bataille de Paris. Ils sont grotesques. A partir de ce moment, toutes les autres tentatives de grève échouent.

Au sein de la C.G.T., d'ailleurs, une minorité a toujours été hostile à la grève : celle qui va donner naissance à la scission de Force ouvrière, conduite par des hommes comme Jouhaux, Bothereau, Chevalme, etc. L'existence de cette minorité qui a des liens étroits avec les socialistes ouvre une faille dans le dispositif cégétiste. Celle-ci va en s'aggravant.

Le 9 décembre, le comité central de grève donne l'ordre de reprise du travail.

Y a-t-il eu tentative pour s'emparer du pouvoir? A l'époque, beaucoup de gens le croient. Toutes sortes de rumeurs circulent sur des transferts d'armes à la frontière, sur des parachutages par des avions soviétiques, sur la constitution de dépôts clandestins. Que des stocks, individuels ou collectifs existent, c'est sûr. Les sabotages sont bien réels. Les parachutages d'armes relèvent sans doute de l'intoxication collective.

Nombre d'anciens F.T.P. sont tout heureux de déterrer leurs armes et croient venue l'heure H. Mais agissent-ils à titre individuel ou bien obéissent-ils aux ordres d'un état-major insurrectionnel ? [1]

Vincent Auriol, faisant état d'un rapport du S.D.E.C.E., croit savoir que Thorez, absent au début de la grève, est revenu avec des consignes de repli, qu'il s'est aussi opposé aux sabotages :

« Les communistes, dit-il (Thorez), perdent du terrain. Il ne faut pas donner au gouvernement l'occasion de mettre le parti hors la loi. »

Il déclare qu'il brisera ceux qui méconnaîtront ces principes et dit que l'altercation Marty-Casanova est détestable, il donne tort à Marty [2].

Curieusement, dans son livre *L'Affaire Marty*, si Marty s'étend sur les possibilités révolutionnaires qu'offrait, selon lui, la grande grève d'août 1953, il ne souffle mot des événements de 1947.

Consignes de Jdanov

En est-il de même en juillet 1948 ? Une seconde épreuve se déroule dont les objectifs demeurent obscurs.

Selon Jules Moch, la nouvelle offensive communiste résulte d'une consigne de Jdanov qui concerne les communistes d'Europe occidentale, principalement français et italiens. Nos services de renseignement à l'étranger communiquent ces directives. L'idée générale de Jdanov c'est qu'il faut profiter de l'été pour lancer un assaut violent contre le plan Marshall. Même si des arrangements diplomatiques interviennent, les communistes européens ne devront pas relâcher leur pression.

Un ministre de l'Intérieur expérimenté se doit d'être méfiant devant ce genre d'information. Mais quand son informateur auprès du B.P. lui communique des renseignements qui recoupent étroitement la première source, Jules Moch n'a plus de doutes.

L'identité de cet informateur mystérieux, dont l'activité nous a été confirmée [3], reste évidemment secrète. On sait seulement qu'il appartenait soit au B.P., soit à des milieux qui en connaissent très vite les délibérations. Car, deux ou trois heures après une réunion du B.P., il est en mesure de renseigner le ministre sur ce qui s'y est dit.

Dans l'affrontement de 1948, le renseignement va jouer un rôle essentiel. La situation a changé par rapport à l'année précédente. L'autorité du ministre de l'Intérieur est solidement établie. Beaucoup d'éléments douteux ou hésitants ont été chassés de l'appareil d'État. Les igames Bertaux, Massenet, Villey sont à leur poste, prêts à intervenir.

Du côté communiste aussi, la tactique change. Cette fois la C.G.T.,

1. Voir plus loin, p. 483.
2. *Op. cit.*, pp. 87-88. Cf. aussi : *Le Temps des Policiers*, de Jacques Lantier (pseudonyme du commissaire Antonini, aujourd'hui décédé). L'auteur affirme (pp. 146-147) que l'armée croyait à l'imminence d'un putsch suivi d'un assaut des troupes russes, tandis que les R.G. étaient persuadés que ces renseignements étaient faux.
3. Angeli et Gillet en parlent dans leur livre.

fer de lance de l'offensive, concentre son action sur le bassin houiller du Nord. Les communistes veulent en faire une sorte de base rouge, soustraite à l'autorité gouvernementale.

Avant même le déclenchement des hostilités, Moch porte à l'adversaire un coup foudroyant. Il connaît le jour où la grève va commencer. La veille, il ordonne que les camions des houillères soient concentrés dans les arsenaux, sous prétexte d'une inspection de matériel

Ce genre de vérification a lieu effectivement tous les deux ou trois ans. Les cégétistes ne se méfient pas.

Quand les camions arrivent dans les arsenaux, on les garde sur place. On donne aux chauffeurs un bon de transport, et ceux-ci reviennent par le train. Leur retour crée une certaine sensation.

Pour la grève de 1947, les camions avaient servi à transporter les piquets d'un puits à un autre et à faire régner la terreur, là où des mineurs souhaitaient reprendre le travail. Ces véhicules étaient aussi utilisés pour aller chercher du ravitaillement dans les campagnes voisines. On y achetait les denrées à des prix qui ne se discutaient guère.

Cette fois, l'état-major communiste, dès le début de la campagne, a perdu ses moyens d'intervention motorisée.

La grève n'en commence pas moins. Elle est d'une grande violence. Tout autour des bassins, le ministre de l'Intérieur a concentré la troupe. Il entend même mener une reconquête. Elle part de l'est afin de couper les bassins de la région belge voisine. Elle s'effectue en priorité dans les bassins où les appels à la reprise du travail sont les plus nombreux. Ils coïncident en général avec la présence de sections F.O.

Le soir même de la contre-offensive une séance orageuse se déroule au B.P. La discussion se prolonge jusqu'à minuit. Les « syndicalistes » sont partisans de la reprise du travail. Les politiques, appuyés par Thorez, sont contre.

Évidemment, ils l'emportent.

A deux heures du matin, Jules Moch reçoit le compte rendu détaillé de ces discussions.

Correspondant par téléphone avec le général Poydenot, installé à Lille — la conversation, par mesure de sécurité, se déroule en allemand — le ministre de l'Intérieur donne l'ordre que les puits soient réoccupés par la troupe. Cette opération de dégagement est terminée au début de novembre. Il y a eu du côté des forces de l'ordre plusieurs centaines de blessés, plus d'un millier chez les grévistes. 437 arrestations sont maintenues, dont celles de nombreux étrangers [1].

Le P.C.F. vient de perdre cette deuxième bataille qui coïncide avec l'échec du blocus de Berlin. « Jules Moch est un grand homme d'État... », conclut Auriol [2].

Dans un discours explosif, prononcé par le député communiste Louis

1. Cf. Auriol, *Journal du Septennat*, *1947-1954*, t. II, 1948, p. 511.
2. *Op. cit.*, pp. 504-505.

Prot, le 12 mai 1949 à Longueau (Somme), figure une très brève allusion à des mesures de caractère militaire prises par le parti pendant cette période : « Je vais le dire aujourd'hui, s'écrie Louis Prot, Denise Lefranc a affirmé que des groupes de trois avaient été formés pendant la grève des cheminots de novembre-décembre 1947 sur l'ordre de Marie-Jeanne Boulanger [1]. » Brève allusion. Prot ne confirme ni ne dément que des groupes de trois (les troïkas clandestines) avaient été réellement formés, comme ces propos se situent dans le cours d'une violente polémique locale, on ne peut en tirer de conclusion.

Avec le recul, la tentative de prise du pouvoir à partir d'une grève de caractère insurrectionnel semble une hypothèse douteuse. Il est plus vraisemblable que l'offensive communiste ait eu pour seul objectif de miner un pays sur le point d'entrer dans le pacte Atlantique, de démontrer aux Anglo-Saxons que la France était une alliée peu sûre, de déconsidérer un gouvernement socialiste-M.R.P. qui supporterait devant la classe ouvrière le discrédit de la répression. Mais il est possible que certains militants locaux ou régionaux aient cru, devant la montée des violences, que le moment décisif était venu.

Les événements de 1947 et 1948 conduisent d'ailleurs les observateurs à se poser une question : qu'est devenu l'appareil militaire du parti communiste ?

Noyauter l'armée

Au lendemain de la Libération, la politique militaire du parti est celle d'une intégration des F.T.P. au sein des F.F.I., qui doivent, eux-mêmes être amalgamés avec les éléments F.F.I. et l'armée d'Afrique. L'objectif est très simple dans son principe : il s'agit d'inciter le maximum de cadres F.T.P. à rester dans l'armée, et, avec leur concours, d'organiser le noyautage de celle-ci afin, après un laps de temps plus ou moins long, d'en faire une véritable armée populaire. Le noyautage de l'armée s'inscrit logiquement dans un plan général qui vise à conquérir l'appareil d'État.

Même si cet objectif ambitieux ne peut être atteint, il est toujours positif pour le parti de disposer, à l'intérieur de l'armée « impérialiste » de cadres sympathisants.

En 1945, les dirigeants de la commission militaire du Front national, Laurent Casanova, Charles Tillon, René Camphin, travaillent dans ce sens, conformément aux directives de Thorez : « Restez à tout prix dans l'armée », conseille celui-ci. « Le parti refuse toute démission individuelle ;

---

1. Cf. *Les staliniens dépeints par eux-mêmes*. Supplément au *Populaire-Dimanche*, n° 136, du 3 juin 1951 (il s'agit d'un compte rendu sténo d'un discours de Prot. Denise Lefranc est la secrétaire de l'Union des Femmes françaises avec laquelle Prot a un violent différend. Marie-Jeanne Boulanger est également une militante, en fort bons termes, elle, avec Prot.

il vous faut apprendre votre métier d'officier, afin d'être prêts le jour où nous engagerons la bataille pour le pouvoir [1]. »

Une lutte sourde et complexe va se dérouler dans cette armée entre son état-major formé d'officiers de métier et les officiers et sous-officiers sortis des rangs des F.T.P. auxquels il faut ajouter les communistes camouflés qui « sont assez nombreux, notamment dans les corps francs de la Libération, où un tiers des officiers sont des communistes et même dans les formations militaires de *Franc-Tireur* ou *Combat* en zone Sud [2] et quelques milliers de sous-officiers ».

De nombreux officiers F.T.P. seront éliminés par la sécurité militaire. En revanche, pas mal de sous-officiers de même tendance sont intégrés, au moins au début. Selon une étude de la revue communiste *La Nouvelle Critique* [3], il ne restera guère, en 1947, que 5 % d'officiers venus des F.T.P. Beaucoup de démissions interviendront d'autre part entre 1947 et 1960.

Mais il y a aussi tous les F.T.P. qui sont rendus à la vie civile. Entre eux, le parti s'efforce de maintenir certains liens, à travers une série d'organisations spéciales qui servent aussi de « couvertures » à l'appareil militaire clandestin, celui qui interviendrait pour une conquête insurrectionnelle du pouvoir ou pour riposter à une tentative de putsch fasciste.

Les principales organisations sont :

— L'Amicale des Volontaires de l'Espagne républicaine, qui groupait déjà avant-guerre cinq mille membres, et dont le président est André Marty, assisté de Rebière.

— L'Association nationale des Anciens F.F.I. et F.T.P. et de leurs Amis, dont l'organe est *France d'Abord*. Son secrétaire national est un ancien commandant F.T.P., Marcel Godefroy, commandant le 126e R.I. pendant la campagne Rhin-et-Danube. Il a pour adjoint Fournier-Bocquet, qu'on retrouve souvent dans les manifestations des anciens résistants.

France d'abord, pour sa part, a comme directeur Roger Roucaute, et la S.A.R.L. qui édite ce périodique compte parmi ses associés, Casanova, René Mudry et le journaliste Aimé Albert.

— De fortes influences communistes s'exercent enfin à la Fédération des Amicales régimentaires résistantes et F.F.I., à la Fédération des officiers de réserve républicains et à celle des sous-officiers.

Ces trois dernières associations ont pour organe la revue mensuelle *L'Armée française*, dont le directeur est un polytechnicien, le colonel Maurice Rousselier, qu'on retrouve aussi parmi les associés de l'hebdomadaire *Action* [4]. Le rédacteur en chef de *L'Armée française* est un certain François et parmi les associés de la revue éditrice figure Maurice Gay.

Le véritable chef de l'appareil militaire clandestin est Laurent Casanova, ancien secrétaire de Maurice Thorez qui est demeuré son homme de

---

1. Cf. Jacques Doyon, *Les Soldats blancs de Ho Chi-minh, op. cit.*, p. 135.
2. *Op. cit.*, p. 137.
3. Janvier 1961.
4. Rousselier a rompu avec le parti. Décédé.

confiance et qui passe aussi pour avoir l'oreille des Soviétiques. Il effectue d'ailleurs de nombreux voyages en Russie.

A ces effectifs composés pour l'essentiel de citoyens français, il faut ajouter l'appareil proprement dit de la M.O.I., qui conserve naturellement ses structures. Le milieu qui inquiète le plus les autorités est celui des Espagnols, concentrés dans la région du Sud-Ouest et plus particulièrement dans la Haute-Garonne. Nombre de ces hommes restent disponibles pour une éventuelle intervention en Espagne, mais ils pourraient tout aussi bien servir en France comme troupe de guerre civile, créer rapidement des maquis et isoler cette région.

En 1950, la police découvrira quelques dépôts d'armes, mais la plupart restent inconnus. Certains commerces alimentaires tenus par des Espagnols dans la banlieue de Toulouse sont, d'autre part, soupçonnés de servir de « boîtes aux lettres ».

La guerre d'Indochine va placer l'organisation militaire du parti devant une difficile épreuve.

Réseaux contre la « sale guerre »

Le parti s'est prononcé contre cette guerre colonialiste. Comme au temps de la guerre du Rif, il se doit donc de combattre cette « sale guerre » et d'apporter aux « frères vietnamiens » toute l'aide concrète dont ceux-ci ont besoin. Il doit encore travailler à la désagrégation du corps expéditionnaire avec le concours des communistes qui servent dans ce corps, quel que soit leur rang : officier, sous-officier, troupier.

Cette lutte serait simple dans son principe, si le parti n'était en même temps guidé par l'espoir d'arriver au pouvoir en France. Il est alors de son intérêt de ne pas démasquer trop tôt ses cadres militaires engagés dans le corps expéditionnaire.

Ce sont ces contradictions qui sont en général bien décrites dans l'ouvrage de Jacques Doyon, *Les Soldats blancs de Ho Chi-minh*, livre très violemment anti colonialiste et d'inspiration gauchiste. L'auteur révèle pas mal de faits sur lesquels le parti communiste ne souhaite pas la publicité.

D'abord, au moment même où, pour rester au gouvernement, les députés communistes votent les crédits militaires, l'appareil secret du parti, jouant double jeu, apporte son concours à Ho Chi-minh. Au milieu du mois d'août 1946, alors que l'oncle Ho se trouve en France pour y poursuivre une négociation pleine d'aléas, celui-ci et une vingtaine de ses collaborateurs ont dans une villa de Soisy-sous-Montmorency qui appartient — au moins en titre — au couple Aubrac, des entretiens de caractère *technique* avec d'anciens chefs F.T.P. Ces derniers, au nombre desquels figure Ravanel (Serge Asher) donnent des cours de guérilla urbaine aux spécialistes militaires vietnamiens.

« Cinq mois plus tard éclatent les combats de rue d'Hanoï, où les milices ouvrières vietnamiennes de la ville tiendront rues et maisons jusqu'en 1947 [1]. »

Une autre aide est fournie de façon tout aussi discrète, sous forme de fournitures d'armes. Dans le cas précédent nous avons vu intervenir l'appareil militaire du parti. Pour la livraison d'armes, les communistes ont recours à l'appareil d'État où ils sont implantés. Ils ont pris pied en effet à la Défense nationale où les gaullistes les ont cantonnés dans le secteur de l'armement. Ils ne peuvent cependant empêcher que, de ce fait, le ministre Charles Tillon et son chef de cabinet Le Queinec, un militant d'Aubervilliers, contrôlent les arsenaux et les fonderies d'État. Contrôle qui s'exerce à la fois sur le plan administratif et sur le plan syndical.

Armes et munitions sont ainsi acheminées vers les ports. Elles y sont réceptionnées par les dockers de la C.G.T. et acheminées vers l'Indochine avec le concours de trafiquants d'armes [2].

Cette aide militaire, fondamentalement identique à celle que l'Union soviétique accorde aujourd'hui à l'Égypte et à la Syrie, montre le degré de confiance qu'on peut témoigner à des hommes qui, au gouvernement, sont censés assurer la Défense nationale et votent les crédits de guerre.

La tâche des communistes, membres du corps expéditionnaire, est beaucoup plus ambiguë, particulièrement celle des officiers, bien que 30 000 anciens du maquis participent, en 1946, aux combats d'Indochine.

Ces hommes vont se trouver dans la nécessité d'affronter une armée communiste. Un certain nombre d'officiers F.T.P. répugnent à le faire. Le plus simple serait pour eux de démissionner de l'armée. C'est ce que la direction du parti — Thorez en l'occurrence — ne souhaite à aucun prix.

Les officiers et sous-officiers communistes du corps expéditionnaire sont tenus d'appliquer la règle « anti » : partir avec leur corps pour y accomplir un travail de masse : expliquer autour d'eux que cette guerre est injuste, travailler à la désagrégation de l'armée impérialiste, s'assurer des sympathies chez les civils.

En métropole, le responsable direct de ce travail est André Marty, membre du secrétariat, chargé du travail d'organisation et qui, dans ce domaine, opère en liaison avec la section des cadres. Aux opérations anticolonialistes à l'intérieur de l'armée et dans le pays, Marty souhaiterait donner un caractère plus violent, ce qu'il explique dans son livre [3]. Thorez, au contraire, freine. Quant à Tillon, une rapide allusion de sa part laisse entendre qu'il aurait été personnellement hostile au départ des officiers F.T.P. pour l'Indochine [4].

Sur le terrain, le travail « anti » se révèle très délicat. Les consignes qui ont été données aux officiers sont vagues : éviter de tomber dans les provo-

1. Doyon, *op. cit.*, p. 115.
2. *Op. cit.*, p. 116.
3. *Op. cit.*, pp. 113, et 172-173.
4. *Un « Procès de Moscou » à Paris*, p. 115.

cations, ne pas participer à la répression, se faire apprécier des Vietnamiens et attendre. Nombre d'entre eux, repérés par la sécurité militaire, se trouvent isolés en pleine brousse.

Certains prendront contact avec l'organisation civile Viet. C'est une opération difficile, menée d'un côté comme de l'autre avec beaucoup de méfiance. Une seule chose intéresse les Viets : obtenir grâce au cadre de l'armée ennemie le maximum de renseignements précis pour les futures actions militaires. Ce « travail » particulier qui, dans toutes les langues, s'appelle trahison en temps de guerre, place ceux qui le pratiquent devant la seule issue possible dès qu'ils se croient repérés : déserter et passer chez les Viets.

Dans l'ensemble, il y a eu peu de désertions d'officiers. Sept en tout, selon Doyon. Des anciens d'Indochine que nous avons interrogés sur cette question du travail communiste à l'intérieur du corps expéditionnaire considèrent que celui-ci a été relativement peu important. Ils estiment que la plupart des désertions sont intervenues pour des motifs autres qu'idéologiques. Peut-être ont-ils tendance à sous-estimer l'efficacité du travail communiste.

Si l'on en croit Doyon, on trouve en effet trace d'une activité organisée à partir de 1950 : « [...] une liaison existe, vague, floue, distendue, mais une liaison tout de même [...] entre quelques dizaines d'officiers subalternes que le parti considère comme contrôlés. Ils sont en relations épisodiques pour correspondre et par un système à eux de grille " chiffrée " au niveau des télécommunications, grâce à des complicités. Le groupe correspond de manière plus ou moins suivie, selon les possibilités, avec quelques *amis* du parti, civils ou officiers restés en France, rattachés de près ou de loin au " service des cadres ". Bien des choses sont exprimées à mots couverts [1] ».

De ce qui précède, on peut dégager la raison principale du manque d'efficacité du travail « anti » en Indochine. Les protagonistes sont trop éloignés pour avoir des bases d'appui dans la population civile. Ils ne peuvent en trouver que chez les civils Viets, ce qui est psychologiquement malaisé, et objectivement très risqué. On peut noter tout de même que, fidèles à une vieille règle bolchevique, les officiers conspirateurs ont des complicités dans les services de transmission.

Cependant le parti a expédié ses propres missionnaires dans le camp de Ho Chi-minh. Ceux-ci s'appellent Léo Figuères, dirigeant des Jeunesses communistes, Pierre Courtade, *Roland* et *André*, ces deux derniers n'étant connus que par leur pseudonyme. Leur tâche consiste à expliquer aux camarades Viets la politique du P.C.F., et certainement aussi à transmettre des renseignements.

1. *Op. cit.*, p. 294.

Déserteurs au service de Ho Chi-minh

Les déserteurs qui viennent renforcer le camp des Viets n'ont pas, nous l'avons dit, de mobiles politiques. Pour la plupart, ce sont des étrangers engagés dans la Légion étrangère ou des Nord-Africains. Les Viets tentent d'utiliser ces hommes, souvent en vain, et ils ont pour eux le plus grand mépris. Peu nombreux sont les déserteurs qui ont rallié le camp de Ho Chi-minh par antifascisme. Doyon, dans son livre s'attache longuement à dessiner leur figure et à relater leurs péripéties.

Cassius, par exemple (nom d'emprunt) est un ancien sous-officier F.T.P. qui travaille au service de renseignements du corps expéditionnaire, sans que la sécurité militaire ait réussi à détecter ses sympathies. Il transmet ses informations aux Viets par l'intermédiaire de sa maîtresse, une Indochinoise. Un jour, appréhendant d'être démasqué, il déserte. Son activité consistera désormais à interroger les prisonniers français. Puis il parle quotidiennement au micro de *La Voix du Viet Nam*. C'est le Ferdonnet de Ho Chi-minh. Il aura l'occasion de rencontrer plus tard *André*, le délégué du P.C.F. qui lui dispensera quelques conseils.

Des conseils, pendant la bataille de Dien-Bien-Phu, les officiers Viets viendront parfois en demander à un capitaine français déserteur, désigné sous le nom de *Ribéra*. Il s'agit d'un ancien officier F.T.P. de la région parisienne.

La compétence de Ribéra, c'est l'artillerie. Nous pouvons supposer que, grâce à lui, les tirs de Giap sur le camp retranché sont plus précis. Les batteries viets finiront par imposer silence aux nôtres.

Ribéra ne s'en tient pas là. « Il passe prisonniers et ralliés au gril de l'interrogatoire. Il leur demande les renseignements les plus infimes, les plus anodins. " A quelle heure se lève-t-on dans ton poste ? Et le jus, combien de temps après ? La sieste ? A quel moment exact ? Les types sont-ils aux aguets, anxieux ? Combien de gardiens sur le côté ouest, la nuit ?... " Ribéra et les Vietnamiens notent chaque réponse, les collationnent, les recoupent. Le service envoie à Giap des rapports d'une grande précision. Le *Quân Bao* analyse dans la plus intime minutie l'emploi du temps et les habitudes des soldats de *Gabrielle, Béatrice, Isabelle*... L'état-major de Giap tient le plus grand compte de ces renseignements si infimes. Une fois, alors qu'il critique des cadres du renseignement qui ont commis une erreur, Giap s'écrie par boutade : " Allez donc demander cette information à Ribéra, lui vous la donnera, au moins ! " [1]. »

Il appartiendra à *Cassius* d'interroger les officiers vaincus de Dien-Bien-Phu, au terme d'une marche épuisante. Malgré les gardes du corps armés qui le protègent, il lui arrive d'être frappé.

Après les hostilités, les Viets qui n'ont plus rien à faire des déserteurs les entassent pour la plupart dans un camp. Un Italien y fait régner la terreur, assisté d'un nègre gigantesque qui sodomise les récalcitrants.

1. *Op. cit.*, pp. 406-407.

Un beau jour, après entente avec le gouvernement français qui octroie une amnistie partielle, Ho Chi-minh nous renvoie nos compatriotes déserteurs, devenus bouches inutiles. Certains comparaîtront devant les tribunaux militaires.

La presse communiste fait le silence sur ces procès, dont la presse gouvernementale ne parle pas davantage. Le Secours populaire fait tout de même campagne pour un déserteur du nom de Vignon, et intervient auprès de Pierre Dumas, secrétaire d'État auprès du premier ministre, qui lui-même intervient auprès du ministre des Armées, Pierre Messmer. Celui-ci, cinq mois après le verdict qui a condamné Vignon à cinq ans de réclusion, suspend la peine en juin 1964. Le 14 juillet, Vignon est libre. Doyon nous apprend qu'il est devenu un militant syndicaliste actif des aciéries.

Entreprises « anti » en métropole

Le P.C.F., pour sa part, a toujours été mal à l'aise devant les problèmes des déserteurs. Un déserteur est un individualiste. Il se coupe des masses. Toute la conception antimilitariste des bolcheviks condamne avec vigueur cette démarche, l'attitude serait différente devant des actes de fraternisation, ou des désertions collectives. Une action concertée, même si elle ne touche que quelques individus, peut toujours être présentée par *l'Agit-Prop* comme le signe que quelque chose est en train de bouger au niveau des masses.

A l'instigation d'André Marty qui en fait son affaire personnelle, *l'Agit-Prop* va mener une intense campagne en faveur du second maître mécanicien Henri Martin. Membre des Jeunesses communistes, ancien F.T.P., Martin, après avoir servi en Indochine, travaille à Toulon en liaison avec la cellule communiste de l'arsenal. Il sert à l'atelier militaire de la flotte.

Le 20 février 1950, en rade de Toulon, la machinerie du *Dixmude* est l'objet d'une tentative de sabotage : de la poudre d'émeri a été introduite dans le palier arrière de l'arbre porte-hélice afin de provoquer une avarie grave. On arrête le quartier-maître Heimburger, qui appartient à la même cellule communiste qu'Henri Martin. Il avoue être l'auteur des sabotages et en avoir informé Martin. Mais, défendu par trois avocats communistes, il reviendra rapidement sur ses aveux, en particulier sur ceux qui mettent en cause son camarade. Et Martin sera déclaré non coupable de complicité de sabotage par 3 voix contre 4, bénéficiant en la circonstance de la minorité de faveur, prévue par le Code de la justice militaire.

Il n'en est pas moins condamné à cinq ans de réclusion pour diffusion de tracts avec l'aide de la cellule communiste. Sur ce point, il ne nie pas les faits et se pose en accusateur de « la sale guerre ».

Pour le parti, Martin n'a pas agi seul. Il est en quelque sorte le porte-parole d'une protestation collective. Il devient un héros, un second André Marty. Des meetings se tiennent pour exiger sa libération. Des articles, des affiches, même une pièce de théâtre évoquent son cas. Après sa libération, il sera reçu en grande pompe au Vietnam.

L'activité du P.C.F. contre « la sale guerre » ne se limite pas à exalter la figure d'Henri Martin ou celle d'une autre jeune communiste, Raymonde Dien. La campagne, très violente, ne néglige rien. Elle vise à couper psychologiquement le corps expéditionnaire de la nation.

Les communistes invitent les Français à refuser le don du sang pour les blessés d'Indochine. Ils glorifient la lutte de Ho Chi-minh. Ils tentent par diverses manifestations de transformer les permissionnaires et les rapatriés du corps expéditionnaire en pestiférés.

A Montataire, par exemple, le maire communiste vient se répandre en insultes, quand on inhume le corps du soldat Gaston Depestel tué par les hommes de Ho Chi-minh le 7 juillet 1949.

Le 19 novembre 1950, au Conseil municipal d'Anzin, les socialistes proposent l'envoi d'un colis de Noël aux soldats d'Indochine. Cette proposition se heurte à la réaction sentimentale d'une conseillère communiste, Mme Malingrau, qui s'exclame : « En fait de colis, je propose qu'on leur flanque douze balles dans la peau ! »

Au contraire, le 28 novembre de la même année, trois conseillers communistes de l'Yonne sont vigoureusement stigmatisés par Raymond Guyot dans *L'Humanité* en raison de « leur attitude honteuse ». N'ont-ils pas eu la faiblesse à la dernière session du Conseil général de l'Yonne, de voter une motion qui salue « la mémoire des Français tombés en Indochine »?

Et quand le président de l'Assemblée nationale fait observer que des Français ont été enterrés vivants par des communistes indochinois, Jeannette Vermeersch réplique : « Ramenez nos soldats en France, il n'y aura plus de massacres [1]. »

Toutes ces démonstrations relèvent de l'*Agit-Prop*. Mais le parti communiste, au fur et à mesure que la guerre se prolonge, ne saurait limiter là son action. Officiellement, il est pour la paix au Vietnam. En réalité, il est pour la victoire de Ho Chi-minh comme l'établiront sans conteste des notes de Jacques Duclos [2].

Sur le terrain, les *André*, *Cassius*, *Ribéra*, ont montré jusqu'où pouvait aller l'aide concrète. Mais la bataille contre le corps expéditionnaire se déroule aussi en métropole.

Elle consiste, selon la vieille méthode de lutte bolchevique, à attaquer les lignes de communication de l'*ennemi* (le corps expéditionnaire), à saboter son matériel, à stopper ou retarder les convois de vivres, de munitions ou de médicaments.

André Marty et Léon Feix, son adjoint, sont les chefs d'état-major qui lancent des opérations de harcèlement. On trouve la trace de ces coups de main dans *L'Humanité* et *France Nouvelle*, sous une forme qui évoque les communiqués de guerre.

1. *J.O.* du 28 janvier 1950, p. 617.
2. Cf. chap. suivant.

« Ce matériel n'ira pas en Indochine... Les gars de chez Renault vident un wagon d'appareils de radio ». (*L'Humanité*, 25 janvier 1950.)

« A La Pallice, le *Falaise* n'est toujours pas parti malgré les réquisitions et l'emploi de la troupe. » (*Idem.*, 31 janvier 1950.)

« A Béziers, la population empêche le départ d'un train de troupes pour la sale guerre. » (*Id.*, 10 février 1950.)

Les nouveaux « rabcors » de Toulon

L'aide concrète va plus loin. En Indochine, des militaires ont fourni des renseignements aux Viets. En métropole, il n'est pas moins nécessaire de procéder à la collecte des renseignements, surtout d'ordre militaire. C'est pourquoi nous allons voir réapparaître les fameux *rabcors*.

Le 30 mai 1952, au cours d'une perquisition à la Bourse du travail de Toulon, on découvre des documents qui n'ont pas grand-chose de commun avec l'activité syndicale. Ils concernent le montage d'une chaîne de chars d'assaut, l'installation d'une chaîne de fabrication de torpilles aux usines de Saint-Tropez, des notes sur l'activité de l'arsenal, avec des comptes rendus émanant de la Direction des Constructions et des Armes navales, des essais d'engins radio-guidés à l'île du Levant, le relevé des départs de troupes pour l'Indochine enregistrés à la gare de Saint-Raphaël du 1er janvier au 12 février 1950, une notice sur un détecteur de bruits sous-marins, la copie d'une circulaire du cabinet militaire du secrétaire d'État à la Marine, circulaire qui concerne les « essais spéciaux », et quelques autres documents de même espèce.

Bref, une belle manne, récoltée par des correspondants d'usine, membres du parti ou de la C.G.T., centralisée à la direction locale de la C.G.T. ou au siège fédéral du parti.

Seize personnes sont inculpées dans cette affaire. *Il y aura seize non-lieu.*

Les documents sont-ils des faux? Ou bien auraient-ils été introduits à la bourse du travail par des provocateurs pour compromettre de braves militants syndicaux? Nullement.

Mais le parti concentre son tir contre le juge militaire Roth, qui mène son enquête avec diligence. Le juge Roth finira par être dessaisi de l'affaire.

De son côté, le ministre de la Défense nationale (Kœnig) semble trouver gênante cette histoire. Il craindrait, dit-on, que son retentissement ne démontre à nos alliés américains que la France est un pays peu sûr, incapable de préserver ses secrets.

Il va donc décréter que ni les comptes rendus sur les essais d'engins à l'île du Levant, ni le montage d'une chaîne de chars, ni le relevé des départs de troupes, ni aucun des documents saisis ne constituent des secrets militaires!

Plus de secrets, donc plus de délits. Le 17 novembre 1953, le juge d'instruction près le tribunal d'instance de Toulon signe seize non-lieu. Le tribunal maritime de Toulon classe le dossier [1].

On ne parlera plus de l'affaire d'espionnage de Toulon [2].

Quand on fait le bilan de l'activité communiste contre « la sale guerre », on constate certes que le parti a dû affronter des contradictions. C'est l'incertitude de l'analyse politique qui ralentit son efficience. Mais en définitive, même avec des à-coups, nous avons vu fonctionner, sous des dehors pacifistes, une redoutable machine de guerre, bien adaptée à ses tâches, capable d'opérer tous terrains, d'agir sur le territoire national, et d'opérer à des milliers de kilomètres dans les rizières, de maintenir ses liaisons et de coordonner ses entreprises sur des fronts très espacés. Aucune autre organisation ne dispose d'une pareille puissance de feu.

Chassé du pouvoir, engagé dans cette épineuse bataille d'Indochine, le parti communiste n'en affronte pas moins des obstacles sérieux, en dépit de ressources et d'appuis considérables dont il dispose.

Il perd tout d'abord la bataille des élections en 1951. Sans doute son recul est modeste sur le plan des suffrages : de 28,6 % aux élections de 1946, à 25,6 % en 1951. Mais avec le jeu des apparentements, il ne possède plus que 99 sièges sur 627 à l'Assemblée. Les communistes se sont aussi affaiblis sur le plan syndical, puisqu'une scission est intervenue à la C.G.T. et que les dissidents groupés derrière Jouhaux et Bothereau ont fondé la C.G.T. Force ouvrière.

Rejeté dans l'opposition, engagé dans une lutte violente contre la guerre d'Indochine, proclamant en pleine guerre froide une solidarité inconditionnelle avec l'U.R.S.S. qui — Thorez *dixit* — l'engagerait en cas de conflit aux côtés de l'Armée Rouge [3]. Lâché par une fraction de ses « compagnons de route » qui, prématurément avaient cru entendre sonner « l'heure slave au cadran de l'Europe », le parti communiste traverse une passe difficile. Il n'en néglige pas pour autant d'influencer des milieux fort éloignés de ses positions, quand ils ne lui sont pas carrément hostiles.

La conférence économique de Moscou

La préparation de la conférence économique de Moscou est un bon exemple de ces tentatives faites pour amadouer les représentants du monde industriel.

Le but essentiel de cette conférence internationale qui se déroule en 1952

1. Sur cette affaire, cf. « L'Espionnage soviétique en France, de 1945 à 1955 », Supplément du *B.E.I.P.I.*

2. Dans son livre *Agonie de l'Indochine*, le général Navarre donne ces indications : « Les formes suivantes de sabotage ont été, entre autres, officiellement constatées et signalées au gouvernement : limaille de fer dans les ponts de voitures, bonbons dans les boîtes de vitesses, roulements à billes sabotés, pièces de rechange faussées, parachutes troués, emballages volontairement défectueux », p. 113.

3. « Nous ne ferons pas, nous ne ferons jamais la guerre à l'Union soviétique. »

est de démontrer que l'U.R.S.S., en dépit de la guerre froide, n'est pas isolée, mais est capable d'obtenir certains produits dont elle a besoin, et enfin d'établir avec certaines personnalités du monde des affaires un courant de sympathies.

C'est pourquoi les émissaires du parti effectuent un très gros effort de démarchage auprès des industriels français en vue d'obtenir leur participation à une rencontre qui, sur le plan politique, est, dans cette période de tension internationale, fortement compromettante. Parmi les personnes ainsi « contactées », on cite les noms d'Edwin Poilay, directeur général de la Banque de l'Afrique occidentale, d'Émile Labeyrie, ancien gouverneur de la Banque de France, de Rastoin, ancien président de la Chambre de Commerce de Marseille et rival électoral de Gaston Defferre, de Métral, président du Syndicat général des Industries mécaniques, d'Henri Ardant, ancien président de la Société Générale, d'Alfred Pose, directeur de la B.N.C. d'Alfred Sauvy, etc.

Mais si l'on se reporte à la liste des départs publiée par *L'Humanité* [1], on constate que le déchet est considérable. Parmi les noms qui méritent d'être retenus, on peut noter ceux de l'industriel en cuirs et peaux Armengaud, de Paul Bastid, membre de l'Institut, de Duret, membre du Conseil économique, au titre de la C.G.T., de Goldsmidt, importateur de céréales, de Bergameschi, vice-président de la Chambre de Commerce de Marseille, et de Bernard Robinet de Plas, président de la Fédération française de Publicité.

En outre, certains délégués sont manifestement des observateurs communistes, c'est le cas de Hilsum, directeur de la B.C.E.N., de René Picard, président de l'U.N.I.T.E.C., qui regroupe les techniciens communistes ou sympathisants.

Le 2 avril, *L'Humanité* publie d'autres noms, dont celui de Caburol, président de la Chambre syndicale de Coutellerie de Thiers, de Fisbascher, secrétaire du Comité franco-chinois.

Entre tous les participants à la conférence, le comte Bernard de Plas est celui dont la présence à Moscou suscite le plus de commentaires. Dans le secteur de la publicité, c'est un personnage considérable. Son agence gère entre autres le budget de Cinzano (400 à 500 millions de francs au début de 1950). Ambitieux, lié au P.P.F. de Jacques Doriot avant la guerre, Bernard de Plas, ami du Colonel Manhès, se tourne vers les communistes après la Libération.

Après la conférence de Moscou, on le retrouve président du Comité français pour le Commerce international, organisme fortement influencé par les staliniens.

L'entrée de Bernard de Plas dans le jeu communiste est un signe. Elle eût été inconcevable avant la guerre. Le P.C. a réussi à prendre pied et à se maintenir — en dépit de son éviction du pouvoir — dans des milieux qui lui étaient entièrement fermés.

1. 31 mars 1952.

Il est certain que d'autres personnalités du monde des affaires acceptent de coopérer avec le parti. Parmi elles, on cite parfois le nom de Nicolas Kagan, un des administrateurs de la Banque Seligman, dont nous avons déjà parlé.

La banque Seligman a été signalée par certains comme étant un établissement financier par lequel transitaient des fonds soviétiques, et faisant, de ce fait, partie d'un réseau commercial [1]. Il est vrai que la banque Seligman a accordé en 1936 un prêt de 800 millions de francs à l'Union soviétique. Après la Libération, elle intervient assurément dans beaucoup d'affaires, mais il est délicat d'affirmer qu'elle serve de relais pour d'opportuns transferts de fonds.

Le P.C. liquide sa flotte

Pour Nicolas Kagan, on le trouve en tout cas en qualité d'administrateur à France-Navigation.

Nous avons laissé France-Navigation au moment de l'occupation de Paris en 1940, alors qu'un personnage important du monde de la presse « bourgeoise » quittait la capitale, emportant dans sa serviette une partie des actions de cette société. A la fin de la guerre, elles sont toutes récupérées par Georges Gosnat.

Que sont devenus les bateaux? Confisqués pendant la guerre, la plupart d'entre eux ont été coulés. Afin de compenser cette perte, le parti communiste réclame et obtient après la Libération des indemnités considérables pour dommages de guerre. Avec les sommes ainsi obtenues de l'État français, une flotte est reconstituée.

A partir du 26 septembre 1946, Nicolas Kagan est devenu administrateur de France-Navigation, dont le président est Joseph Dubois; on trouve encore parmi les administrateurs, Charles Hilsum, président de la Banque commerciale pour l'Europe du Nord.

Il semble que Kagan ne fasse plus partie du conseil d'administration à compter du printemps 1951. Un an plus tard, des modifications importantes vont intervenir à la fois à la tête de France-Navigation et dans le rôle que joue cette société.

A partir de 1951-1952, le parti communiste semble avoir éprouvé de grosses difficultés financières. Aujourd'hui encore, les origines de cette crise sont mal éclaircies. Sans doute, depuis qu'il est rejeté dans l'opposition, le parti a perdu d'importances ressources. Pour ne citer qu'un exemple, entre 1948 et 1951 les subventions allouées à Tourisme et Travail, organisme satellite du P.C.F., sont tombées de dix-huit à deux millions.

Il y a beaucoup moins d'adhérents au parti. Il est probable aussi que

1. Cette thèse figure en particulier dans *Le Fil d'Ariane*, nº 29 du 7 septembre 1955, bulletin confidentiel.

certains bailleurs de fonds, plus ou moins forcés, *rackettables* au lendemain de l'occupation, sont beaucoup plus rétifs : ils ont beaucoup moins peur.

Enfin, le P.C. a de sérieux ennuis avec sa presse. Il possédait une énorme quantité de journaux.

Avant guerre, la presse nationale et régionale communiste comptait 68 titres d'un tirage moyen global de 448 000 exemplaires.

Au début de 1952, le parti dispose sur l'ensemble du territoire métropolitain de 16 quotidiens, 82 hedbomadaires et 28 revues et périodiques, soit au total 126 titres. Il contrôle en outre 14 maisons d'édition à Paris.

Cette presse connaît une évidente désaffection. En 1947, *L'Humanité* tirait entre 500 000 et 600 000 exemplaires. En 1952, son tirage oscille entre 188 000 et 195 000 [1]. La plupart des autres organes communistes connaissent des difficultés identiques, avouées ouvertement et qui font l'objet le 26 mars 1952, d'un Comité central. Deux jours plus tard, Jacques Duclos lance ce cri d'alarme : « Il s'agit de savoir si la presse communiste et démocratique va continuer à vivre ou si elle va disparaître [2]... »

Une presse largement déficitaire est assurément un gouffre. Sans doute, les libéralités de Moscou devraient-elles permettre de le combler. Le rôle de l'or soviétique dans le financement du parti a été dénoncé dans un discours retentissant de Jules Moch, alors ministre de l'Intérieur, le 16 novembre 1948. Celui-ci y met en cause la Banque commerciale pour l'Europe du Nord qui consent au parti des découverts considérables, et il assure que des fonds parviennent par certaines valises diplomatiques.

Quoi qu'il en soit, il ne semble pas qu'en 1952 le nécessaire soit fait par le Kremlin, en tout cas en quantité suffisante. Les raisons en sont-elles politiques ? Y a-t-il en cette année 1952 qui est — avec la lutte contre Tito, les transformations du XIXe Congrès du P.C. soviétique, le procès Slansky à Prague — une année d'épuration, la manifestation d'une défiance à l'égard du P.C.F. ?

En tout cas, le parti communiste met en vente les navires de France-Navigation. Cette opération est menée par Albert Igoin.

Igoin a fait son apparition au conseil d'administration de France-Navigation en décembre 1952. De son vrai nom, cet homme d'affaires s'appelle Haïm David Jaller. Il est né en 1915 en Roumanie bien qu'il ait prétendu être né le 3 février 1911 sur le navire *Amiral-Tréville*, contestation qui fit l'objet d'un procès où Igoin était défendu par Maurice Garçon [3]. Naturalisé en 1938, il a appartenu au cabinet de Tillon.

Au cours des années 50, on va voir apparaître Igoin dans différentes affaires : à la Société européenne pour l'Industrie et le Commerce, à la Société de Construction et d'Ouvrages préfabriqués, à la Société Parisienne

---

1. D'après le *B.E.I.P.I.*, « La souscription nationale et la presse du P.C.F. », n° 66 du 16 avril 1952.

2. *L'Humanité*, 28 mars 1952.

3. Le procès était intenté pour retrait de naturalisation. Il sera gagné par Igoin.

de Banque et à la Société Parisienne d'investissement immobilier [1]. Le Consortium du Nord, où il est secondé par Denis Fastout, et à la Banque française, établissement de crédit qui succédera, pour une très brève période, au député Rives-Henrys comme administrateur de la Garantie Foncière de Fraenkel.

La mise en vente des navires de France-Navigation suscite un vif intérêt chez les armateurs. Mais nombre d'entre eux, primitivement tentés par ce rachat d'une flottille de cargos, auraient été dissuadés par de discrètes pressions gouvernementales. Le pouvoir ne tient à pas à voir le P.C.F. régler d'un coup ses difficultés de trésorerie. Igoin est donc contraint de vendre unité par unité.

France-Navigation subsiste, mais sa flotte n'existe plus.

Que fait Igoin des sommes réalisées? Elles sont probablement investies dans des entreprises commerciales. Certains croient qu'Igoin, à cette occasion, aurait roulé les communistes. Cette version apparaît douteuse si l'on considère qu'Igoin est entré au conseil d'administration, sous la présidence de Joseph Dubois, qu'on retrouve au conseil d'administration de *Parallèle 50* (organe de propagande du communisme tchèque en France), à celui de la *Tribune des Nations*, autre périodique progressiste.

Seulement, on est bien obligé de constater que ces deux organes sentent le fagot, en particulier *Parallèle 50*, qui avait comme rédacteur en chef Artur London, un des accusés du procès Slansky.

On peut donc se demander si Dubois et Igoin n'ont pas appartenu à une branche du communisme international alors en disgrâce, à ce communisme cosmopolite durement frappé en cette année 1952 par Staline. Dans ce cas, la vente des navires aurait été effectuée pour constituer un trésor de guerre échappant au contrôle de Georges Gosnat et de Jean Jérôme, alias Feintuch.

On peut se poser la question. Les données actuelles ne permettent absolument pas de donner une réponse. Mais les petits secrets d'argent de la trésorerie communiste rejoignent d'autres affaires mystérieuses et des crises internes qu'il faut maintenant aborder.

---

1. Selon des rumeurs difficilement vérifiables, Igoin aurait obtenu le contrôle de cette société grâce à un député de droite introduit dans les milieux d'affaires, Pierre Lebon, lequel aurait été en contact avant la guerre avec Olaf Ashberg.

3.

L'affaire Marty-Tillon

« ... Depuis ma libération, j'ai connu tellement de déboires, j'ai souffert de tant de choses, que j'en ai totalement perdu le goût de communiquer avec quiconque... toute gaieté est absente de mon esprit, tout espoir s'est envolé. Dans ces conditions, on ne peut être qu'ennuyeux et insupportable. »

Ces lignes désabusées sont extraites d'une lettre adressée après la Libération par Émile Dutilleul à un de ses parents qui se plaint de ne plus avoir de ses nouvelles [1].

De quoi est-il malheureux, Émile ? De se sentir en quarantaine.

« Je suis à l'index, a-t-il confié un jour à sa sœur qui le rapporte. J'en souffre moralement. J'aurais mieux aimé être fusillé par les Boches que de supporter ce que je supporte ici [2]. »

On n'a pas occupé le poste de trésorier du parti, sans avoir été un militant chevronné, un vieil *apparatchik*. Arrêté par les B.S. sous l'occupation, qu'a-t-il donc fait Dutilleul, Émile, pour mériter d'être tenu à l'écart par ses camarades ? « Mangé la grenouille ? » Livré des militants ? Renié son parti ? Montré de la lâcheté ? Rien de tel.

Sa « faute » consiste à avoir bénéficié de l'intervention de son neveu, Pierre. Celui-ci est venu le voir en prison. Il a multiplié les démarches en sa faveur. C'est en grande partie grâce à lui si Émile, au lieu d'être déporté, s'en est tiré, en compagnie d'un certain Frommez, avec trois ans de prison.

Mais Pierre a rompu avec le parti, en 1934. Il a suivi Doriot. Il est devenu un des dirigeants du P.P.F. Devoir quoi que ce soit à un « rénégat », le parti ne saurait le pardonner à Émile.

1. Lettre du 14 février 1947.
2. Lettre d'Augustine Dutilleul, sœur d'Émile, à leur frère Léonard Dutilleul.

A la Libération, c'est Pierre qui a été arrêté à son tour. Son ami Marcel Marchal, maire de Saint-Denis, a été condamné à mort. Dans sa cellule de Fresnes, Pierre, maire adjoint de Saint-Denis, sous l'occupation, se prépare à comparaître. Il sait qu'il risque lui aussi la peine capitale.

Parce qu'il est mis à l'index par son parti, Émile n'a rien fait, n'a pas l'intention d'intervenir en faveur de son neveu « sauf, ajoute-t-il, s'il était en danger. Je ferais tout pour sauver sa tête [1] ».

Le 12 mai 1948, Pierre Dutilleul est jugé devant la Cour de justice de la Seine, composée de communistes. Verdict : la mort. Trois mois de chaîne aux pieds avant la grâce [2].

Nous ne saurons jamais si Émile serait venu témoigner ou non. Il est mort quelque temps avant l'ouverture du procès.

Un Dutilleul s'est tout de même présenté à la barre des témoins pour tenter d'arracher l'accusé au peloton d'exécution. C'est l'oncle Léonard.

Les Dutilleul sont une famille d'ouvriers verriers de « ch'Nord ». Courageux, comme on l'est dans ce pays, têtus, hospitaliers, fraternels. Une famille exemplaire de militants. Léonard, l'aîné, est un vieux socialiste pacifiste. Inscrit au carnet B. Quand la guerre de 1914 a éclaté, on est venu le cueillir à son domicile pour l'emmener en prison. Ce jour restera toujours gravé dans sa mémoire. Il a vu ses camarades de la veille se retourner contre lui, l'injurier, lui cracher au visage. Il en restera à jamais marqué.

Il n'adhérera jamais au parti communiste. Il sait par expérience tout ce qu'il peut y avoir de relatif dans l'épithète « traître », maniée par des partisans. Voilà pourquoi il vient déposer à Paris pour son neveu, avec des mots simples et malhabiles. Il n'exécute qu'une consigne : celle du cœur.

La lettre de « Mounette »

Son comportement lui vaudra une lettre atroce de « Mounette », fille d'Émile Dutilleul.

« Paris le 15 juin 1948
« Oncle Léonard,
« C'est avec une douloureuse surprise que j'ai appris votre témoignage dans le procès de Pierre Dutilleul. Je crains qu'on ait abusé de votre ignorance des faits et de votre grand âge pour vous faire servir une cause perdue puisqu'il s'agit de trahison du pays. Pierre Dutilleul, avec Doriot, a apporté son aide active à l'ennemi pendant toute l'occupation allemande et porte l'infâme responsabilité de la mort de patriotes français. L'acte d'accusation est suffisamment chargé et précis pour que plus aucun doute ne soit permis à qui que ce soit d'honnête.

1. *Op. cit.*, Lettre d'Augustine à Léonard Dutilleul.
2. Le verdict apparaît tellement lourd qu'il est cassé. Rejugé, Dutilleul est condamné à 5 ans de prison.

« Oncle Léonard, votre déposition est un reniement de votre longue vie d'ouvrier du Nord de la France où déjà, en 1914, vous avez eu à déplorer la mort de votre mère, lors de l'invasion allemande. C'est aussi une insulte à l'égard de la lutte inlassable qu'a menée votre frère Émile, mon père, dont plus que quiconque vous connaissiez la droiture et les qualités de cœur. C'est une trahison à l'égard d'un mort qui fut un grand honnête homme, un vrai Français.

« Vous savez parfaitement que si mon père avait encore été des nôtres, il serait allé à ce procès condamner publiquement Pierre Dutilleul comme tous ceux qui trahissent notre pays. Je tenais à vous le rappeler, par respect de la vérité et de ce que fut la raison de vivre et de mourir de mon père.

Mounette Dutilleul. »

Cette lettre est implacable. Elle corrode comme un lance-flammes tous les souvenirs familiaux. Émile et Pierre ont été autre chose et davantage qu'oncle et neveu. Ils étaient à peu près du même âge. Émile, orphelin de bonne heure, a partagé un moment la vie et les jeux de Pierre. Leurs rapports ont été vraiment fraternels, au point que dans le parti on parlait couramment des « frères Dutilleul ». De tout cela, la lettre de Mounette ne veut plus tenir compte. Elle abolit pareillement l'intervention de Pierre sous l'occupation [1].

Dans cette lettre, Mounette ne se contente pas de dire que son père ne serait jamais venu déposer en faveur du parent à qui il doit peut-être la vie. *Elle soutient qu'il serait venu devant le tribunal réclamer sa mort.*

Quand on lit attentivement ce texte, il est difficile d'imaginer qu'il ait été conçu par la personne qui l'a signé [2].

1. Dans une lettre de Jean Fossati, ancien dirigeant du P.P.F. alors détenu à Fresnes, lettre adressée le 25 janvier 1948 à maître Ignace, on trouve ce passage, extrait du P.-V. d'une confrontation entre le Hauptsturmführer Nosek, de l'Amt. VI (service des renseignements politiques) et Fossati, devant le juge Berry :

« ... L'inculpé Fossati déclare :

« N'est-ce pas sur ma demande, sur celle de Pierre Dutilleul et sur l'intervention du témoin (Nosek) qu'Émile Dutilleul, trésorier général du parti communiste, arrêté, n'a pas été fusillé ?

« Le témoin Nosek déclare :

« Je me rappelle effectivement que Fossati et Pierre Dutilleul ont fait une démarche auprès de moi en faveur du frère de ce dernier, Émile Dutilleul, qui avait été arrêté. J'ai fait immédiatement un rapport en faveur d'Émile Dutilleul demandant qu'il ne soit pas fusillé. »

2. On peut lui opposer le ton vraiment spontané de la réponse de Léonard Dutilleul :

« Dorignies, le 21 juin 1948. Dutilleul Léonard, 3 impasse Delfosse à Dorignies-lès-Douai à Mounette Dutilleul.

« Dans ta lettre datée du 15 juin, je ne constate que haine et ignorance, ignorance que je juge voulue de ta part, cette malheureuse affaire politique que Pierre Dutilleul subit aujourd'hui t'a gonflée de venin envers celui qui pendant la tourmente a fait tout le nécessaire pour soulager ta famille, et sauver la tête de ton père.

« Ta mère ainsi que ta sœur n'ont pas été sans te le dire et même ton père, car moi

J'incline à croire qu'elle a été dictée par les instances supérieures du parti. Entre les membres d'une famille divisée par les choix politiques, l'appareil s'interpose et dicte sa loi.

Sautons quatre ans. Le 22 novembre 1952, une femme s'adresse au président d'une République.

« ... Jusqu'au dernier moment, écrit-elle... j'espérais que s'il avait pu commettre des fautes, elles étaient réparables et que, même s'il devait en répondre devant le Parti et le tribunal, il saurait par la suite les racheter et rentrer de nouveau dans la famille communiste.

« Hélas... mon mari n'a pas été une victime, mais un traître à son parti, un traître à son pays...

« Bien que je sache que les liens entre père, frère, mari, enfants, doivent céder le pas à l'intérêt du parti et du peuple, ma peine est grande et c'est humain. Mais comme communiste, je dois me féliciter, ... et me joindre à tous les honnêtes gens du pays pour réclamer un juste châtiment des traîtres que vous jugez. »

C'est signé Lise London, née Ricol. Cette lettre est écrite avant que le procès Slansky, où son mari comparaît comme accusé, ne s'achève. Pratiquement, elle équivaut à réclamer la mort [1]. A la tribune de l'Assemblée, Raymond Guyot lira cette lettre dans une version abrégée, et approuvera lui aussi le verdict qui a frappé London (condamné à la détention à perpétuité), c'est-à-dire son beau-frère.

Quand on rapproche la lettre de Mounette et celle de Lise London, on constate que c'est le même texte, le même ton. La « famille communiste » condamne la vraie famille, celle du sang, à mort. Elle évacue toute pitié.

Ainsi l'affaire Dutilleul est-elle d'une certaine façon exemplaire. Elle se rattache directement aux divisions mortelles de l'épuration. Et en même temps, elle amorce le temps de « la chasse aux sorcières » dont quantité de chefs communistes seront les victimes.

Émile Dutilleul est mort à l'écart des élus. Et Mounette, elle-même, quel est son destin ?

Arrêtée sous une fausse identité, elle s'est laissé condamner sans mot dire. Incarcérée d'abord à Rennes, elle a été déportée. Tout la désigne pour jouer un rôle de premier plan dans le parti après la Libération.

---

je puis parler, car j'étais à ce temps-là sur les lieux et pendant 15 jours j'ai assisté aux démarches que Pierre a faites pour son oncle.
« A-t-il fait un crime de sauver la tête de son oncle ? Quelle reconnaissance qu'il reçoit de ta part. Eh bien, ma fille, nous ne sommes pas du même calibre car moi qui ai vu et écu dans ces moments douloureux, je dois ma reconnaissance et c'est pour cela que j'ai voulu porter mon témoignage à la cour de justice et c'était mon devoir de ma longue vie de labeur. Je n'ai jamais été sous la contrainte de personne et j'ai su très tôt ce que c'était la liberté. Etc. »
1. Le texte intégral de cette lettre figure dans *L'Aveu* de London.

Il n'en sera rien. Mounette entre dans l'ombre. Elle n'en sortira plus. Aujourd'hui, elle est confinée dans un emploi subalterne à *La Vie ouvrière*.

Résistants à l'écart

D'autres résistants vont être mis à l'écart. Au XIIᵉ congrès d'avril 1950, tenu à Gennevilliers, Ramette est éliminé du Bureau politique, où Jeannette Vermeersch fait son entrée en qualité de suppléante.

Du Comité central sont limogés : Martha Desrumeaux, qui, pourtant, avait organisé la fuite de Thorez; Jean Chaintron, ancien des brigades et du maquis, préfet à la Libération de Limoges — où il a maille à partir avec Guingouin; Jean Chaumeil, responsable aux cadres, et puis Airoldi, Bossus, Costes, Gourdeaux, Lamps, Marcel Prenant, Daniel Renoult; Andrée Dutilleul, femme d'Émile (familles, je vous hais!), Auguste Havez, ancien responsable technique de l'appareil illégal pour l'Ouest en 1940, Vittori, vieux routier de l'illégalité, Georges Beyer, Ballanger.

Celui-ci est le seul qui refera surface. Tous les autres resteront sur le carreau.

Ils ont tous un trait commun : tous ont joué un rôle dans la Résistance. Sans doute, l'élimination de Lamps est peut-être liée à la curieuse affaire Prot, que nous allons voir dans un instant; celle de Prenant peut se relier à son manque d'enthousiasme pour les thèses du Soviétique Lyssenko en matière de génétique. Mais il a autant contre lui d'avoir été l'adjoint de Tillon à l'état-major des F.T.P.

Linge sale à Longueau

Tous ces hommes sont en disgrâce ou en semi-disgrâce. Aucun d'eux pourtant n'a fait scandale, ne s'est livré à un éclat public, comme Louis Prot, député communiste de la Somme.

Le cas de Louis Prot est unique dans la vie du parti. Cloué au pilori, exclu, il a été réintégré avec tous ses droits. Non pas après avoir prononcé son autocritique, mais bien après un formidable esclandre qu'il a, délibérément, provoqué.

Le 12 mai 1949, à Longueau (Somme), Louis Prot prononce un discours d'une violence inouïe. Accusé par certains de ses camarades de la Fédération d'être un titiste, un renégat, et d'avoir commis des malversations, il a adressé une lettre de démission le 18 avril à Maurice Thorez, et une autre lettre au président Herriot, dans laquelle il lui annonce qu'il touchera désormais lui-même son indemnité parlementaire. Il vient, en séance publique, devant ses camarades, expliquer les motifs de sa démission, crier son écœurement, et régler leur compte à ses ennemis personnels, dont certains sont dans la salle.

Pendant deux heures, déchaîné, Prot lave le linge sale de la Fédération.

A lire son discours, dont il existe un compte rendu sténographique [1], on croit l'entendre éructer. La secrétaire de l'Union des Femmes françaises est une « aventurière et une poupée malfaisante ». René Lamps, qui le 17 juillet 1948 l'a comparé à Tito, est « un menteur »; Roguet, le secrétaire fédéral « un hypocrite, un jésuite rouge », et que Roguet ne vienne pas dire le contraire « car tu auras mon poing sur la gueule ».

Voilà le ton. Rendu furieux parce qu'on l'accuse d'avoir vendu une voiture du parti, Louis Prot riposte en accusant tel militant et sa femme d'avoir tenté d'imposer leurs mœurs spéciales à leur petite bonne. C'est Clochemerle chez les Rouges !

Mais voici qui est plus sérieux : « M. Roguet ! — s'écrie Louis Prot — pourriez-vous un peu me donner des explications sur ce qui s'est passé à la Banque de France d'Abbeville, pourriez-vous me dire où sont passés les six millions qui ont été sauvés, les Boches en ayant pris dix-neuf sur vingt-cinq ?

« Pourriez-vous me dire, M. Roguet, comment un véritable résistant a été descendu ? On a prétendu que c'étaient les Boches qui l'avaient descendu, parce qu'il ne voulait pas s'associer à cette manœuvre. Lorsque je suis rentré d'exil, j'ai entendu parler de cette affaire de la Banque de France d'Abbeville. Croyant de bonne foi que c'était pour la Résistance, j'ai dit " Bravo ! "

« Mais ce n'était pas vrai; c'est que la Résistance n'a rien eu et, si je voulais, messieurs, faites attention, le dossier se rouvrirait. On dira ceux qui sont mouillés dans cette histoire et dans d'autres. »

La menace est nette. Après cela, il semblerait que Prot doive être traité par le parti comme un infâme provocateur. Il n'en est rien.

« Eh bien, ces misérables — lit-on dans la brève conclusion du *Populaire-Dimanche*, Prot ne les a pas, finalement, cloués au pilori de l'infamie.

« Réintégré avec tous ses droits et tous ses mandats après une rude bataille, il leur serre aujourd'hui cordialement la main en les appelant " camarades ".

« Cela prouve pour le moins que sa conscience est élastique et qu'il n'a pas peur de se salir les mains.

« Mais cela prouve aussi que les documents qu'il détient sur certaines affaires de vol et d'assassinat, sont de grande valeur puisqu'ils lui ont permis de faire céder le Comité central et d'obtenir une réintégration tout à fait inhabituelle dans le parti communiste. »

Il est très vraisemblable que les dossiers de Prot ont inquiété les dirigeants du parti. Mais, selon des rumeurs qui circulent chez les dissidents du P.C.F., celui-ci aurait détenu une correspondance bien plus compromettante, concernant un secret capital : des lettres de Jean Catelas expliquant dans quelles conditions il avait accompli, *contre son gré*, des démarches auprès des autorités allemandes pour tenter d'obtenir la reparution de *L'Humanité.*

1. Publié dans un supplément du *Populaire-Dimanche*, nº 136 du 3 juin 1951.

Thorez isolé à Ufa

L'incident Prot, vite étouffé, prouve que le parti est moins monolithique qu'il n'apparaît. C'est ce parti que Maurice Thorez a récupéré, après avoir été blanchi par de Gaulle. Il y est moins à son aise qu'il ne le semble.

Version officielle : Thorez, depuis le début de la guerre, n'a pas cessé de diriger le P.C.F. dans la clandestinité, d'un lieu aujourd'hui encore non dénommé. L'*Agit-Prop* peut assurément propager ce mythe et riposter aux attaques et aux ricanements des ennemis de classe. Mais quiconque détient dans le parti un minimum de responsabilité ne peut ignorer qu'il s'agit d'une légende.

Dans ses *Souvenirs*, Ceretti décrit le sort de Thorez à Ufa, chez les Tatars, pendant la guerre. Évidemment, le secrétaire général a droit à quelques avantages.

« Nous arrivions à neuf heures, se souvient Ceretti, et il était presque en train de dîner. Dîner, c'est beaucoup dire : il grignotait. Au début, nous avions faim, Arthur (Ramette) et moi, et nous nous arrangions toujours pour arriver à l'heure de son repas. Il nous invitait régulièrement à goûter du pain beurré avec des oignons. Je laisse deviner l'haleine de Maurice, qui ne cessait de manger des oignons... C'était bon, disait-il, contre les vers... Dans les grandes occasions, il y avait du crabe sur la table. C'était alors la fête [1]. »

Pour Ceretti et Ramette, qui couchent dans un dortoir, ne mangent jamais à leur faim dans cette ville où, l'hiver, il fait moins cinquante, l'existence de Thorez est paradisiaque. Contrepartie : il est terriblement isolé. Il n'a rien à faire. Marty, qui est le représentant officiel du P.C.F. au Komintern, est beaucoup mieux placé que lui. Et il en profite.

Quand on lit Ceretti, on a l'impression que Thorez, qui au début du conflit a donné des signes d'opportunisme, est dans une semi-disgrâce. Marty ira à Alger. Lui reste confiné en U.R.S.S. Sans doute de Gaulle ne veut pas de lui, mais rien, après tout, n'empêchait Staline de laisser le numéro un français aller s'installer à Londres. Il n'en fera rien. Thorez est-il venu de temps en temps en France remplir des missions? C'est douteux. De toute façon, on ne peut en parler. Il est plus vraisemblable qu'il n'a eu d'autres rapports avec son parti que fugitivement, par radio, dans des messages échangés avec Duclos.

Bref, d'octobre 1939 à novembre 1944, soit pendant cinq années, il aura été coupé des militants, dépossédé par force du pouvoir qu'il avait sur eux.

Cette absence peut être la source de bien des malentendus et aiguiser les conflits. Nombre des dirigeants qu'il retrouve se sont fait un nom sans lui, par leurs actes sous l'occupation. Les Tillon, Rebière, Prenant, Camphin, Ouzoulias, Chaintron et tant d'autres ne lui doivent rien.

---

1. Ceretti, *op. cit.*, p. 290.

Saint Thorez

Est-ce par compensation que le culte de Thorez prend des proportions délirantes ? Une des faiblesses de l'homme, c'est la vanité. Il a toujours aimé les flatteurs. L'adulation dont il est l'objet à partir de 1947, calquée sur celle de Staline, est peut-être une opération conçue par l'entourage des courtisans pour hisser le secrétaire général sur un piédestal et imposer silence à ceux qui grognent dans le rang.

Bientôt, on ne parle plus du parti communiste, mais du parti de Maurice Thorez. Toutes ses décisions sont tenues pour géniales. Son œuvre, *Fils du Peuple,* avec ses éditions successives, « peaufinées » par des « nègres », pour en modifier les passages les plus gênants, est portée aux nues. Dans les écoles du parti, elle est substituée aux anciens manuels. Une flopée de courtisans feignent d'être béats d'admiration devant le génie du numéro un.

On sait aujourd'hui que son œuvre immortelle a été rédigée en réalité par le secrétaire de Thorez, Jean Fréville, lequel refilait une partie de ce pensum à un compère.

Tout anniversaire est prétexte à fastes. Le camarade Maurice est couvert de cadeaux. Marty signale avec humeur qu'en 1946, le secrétaire général s'est fait offrir pour meubler sa bibliothèque une *Histoire de la sculpture à travers les âges* qui vaut 15 000 francs de l'époque [1].

Ce serait une erreur de ne voir dans cette iconolâtrie que la simple manifestation d'une vanité exacerbée. Il faut y discerner aussi une tentative de récupération d'un parti dont Thorez a un long moment perdu le contrôle. Le culte musèle l'opposition. Toute critique devient blasphème et voue son auteur à l'excommunication. Qui ne partage pas ce culte, ou ne s'y montre pas assidu, est vite repéré.

« Il m'a été reproché — écrit Marty — de n'avoir cité que trois fois le nom de Maurice Thorez dans le meeting du 30ᵉ anniversaire de la création du parti, à Lyon, en décembre 1950. [2] »

Tillon témoigne dans le même sens. « La préparation de son cinquantième anniversaire, note-t-il, fut un abaissement dont le souvenir à lui seul me donne aujourd'hui le tournis [3]. » Et comme il s'étonne d'un « tournant » annoncé par le secrétaire général à une conférence de militants de la Seine, tournant dont le Bureau politique n'a même pas discuté, Monmousseau le tance :

« Tu manques de confiance envers Maurice ! »

Ainsi se trouvent muselées les velléités d'opposition. Autour du maître s'agglutinent un essaim de courtisans, prompts à montrer du doigt les grincheux. Et puis intervient celle qui, non contente d'être la compagne

---

1. *L'Affaire Marty*, p. 100.
2. Lecœur, *op. cit.*, p. 104.
3. *Un « Procès de Moscou » à Paris*, p. 57.

du chef, entend jouer les cheftaines. A Ufa, rejoignant Maurice, Jeannette Vermeesch avait eu vite fait d'éloigner ces pique-assiette de Ceretti et de Ramette, qui venaient grignoter le beurre et le fromage de son grand homme. Revenue à Paris, elle concentre vite sur elle une bonne dose de haines, d'autant, on le sait, qu'elle ne manque pas d'influence sur Thorez et qu'elle en use.

Un jour, agacé par son caquetage qui porte sur l'occupation, Tillon hargneux, lui lance :

« Qu'en sais-tu ? Tu n'étais pas en France à ce moment-là [1]. »

Le propos fait scandale. Jeannette va se plaindre à Maurice. Dans le propos acerbe de Tillon, elle voit une discrimination intolérable entre les communistes, selon le rôle joué par chacun sous l'occupation. Si on l'interpelle, on s'en prend encore à Maurice.

Le raisonnement n'est pas entièrement faux. Par la voix de Tillon passent les inévitables ressentiments des « intérieurs » qui ont pris tous les risques, contre les « extérieurs », peinards. Néanmoins, l'importance donnée à ce propos révèle un climat. Quelques mots de trop, un peu vifs, une remarque peut-être intentionnellement blessante dégénèrent en conflit politique.

La maladie de Thorez

En octobre 1950, Thorez, victime d'une hémorragie cérébrale, part pour l'Union soviétique où, seuls, paraît-il, les médecins sont capables de le soigner. Il n'en reviendra qu'en 1953. Entre-temps aura éclaté l'affaire Marty-Tillon.

La maladie de Thorez affecte profondément la marche du parti. Son éloignement donne à certains des espoirs pour leur ambition, et modifie sensiblement l'équilibre au sein du Bureau politique.

Thorez éloigné, le commandement passe à Duclos, second secrétaire. Il n'est pas à l'aise dans ce rôle. Le climat politique est à la guerre froide. Or, Duclos, par tempérament, est l'homme des manœuvres parlementaires. Il doit en même temps tenir compte du groupe Thorez qui comprend Jeannette Vermeersch (laquelle ne tardera pas à être désignée comme « la dépositaire de la pensée de Maurice Thorez »), Billoux, Lecœur, Guyot, Casanova et sans doute Fajon. Les membres de ce groupe se rendent assez souvent à Moscou pour y recueillir les avis et conseils de « Maurice ».

Marty et Tillon, pour leur part, voient certainement d'un œil critique ces va-et-vient et ce culte qu'on entretient autour du chef absent et impotent. Le premier, dans les séances du Bureau politique, observe un silence têtu, trop systématique pour ne pas être sournoisement hostile [2].

---

1. Lecœur, *L'Auto-Critique attendue*, pp. 17-18.
2. Dans le *Cahier* de Duclos, dont les notes couvrent 135 pages et concernent les séances du Bureau politique entre le 7 avril et le 26 mai 1952, Marty intervient une seule fois.

Sorti de ces réunions, il se répand en propos amers et bourrus, fulmine contre l'un et l'autre, traite Hervé de « zéro » et Guyot, qu'il déteste de longue date, de « canaille ». Ses ennemis (nombreux dans le parti) enregistrent soigneusement ces foucades. Elles vont grossir un dossier.

Avant d'en venir au déroulement de cette crise, il faut dire quelques mots de la situation politique. Pour le Parti communiste français, les questions dominantes de cette période sont la défense de la paix — c'est-à-dire la lutte contre l'impérialisme américain dans le contexte de la guerre froide — la lutte contre le réarmement de l'Allemagne et l'action contre la guerre d'Indochine.

A quel combat accorder la priorité? Voilà déjà un gros sujet de discussion. Donner le pas à la lutte contre le réarmement allemand et la C.E.D. (Communauté européenne de défense), implique qu'on recherche des alliances chez des nationalistes systématiquement antigermaniques et des chefs militaires franchement attachés à l'intégrité de l'armée française. Mais la virulence de la campagne contre la « sale guerre » ne va-t-elle pas les effaroucher?

Il y a aussi le problème des formes d'action : campagne de pétitions pacifiques ou manifestations violentes?

S'ajoute à ces choix tactiques, la lutte contre les « traîtres titistes », à l'ordre du jour depuis la rupture Moscou-Belgrade survenue en 1949. Cette lutte ne souffre pas d'atermoiements. Qui ne sera pas dans la ligne sera automatiquement accusé d'être un « renégat titiste », donc un agent stipendié de l'impérialisme. Les procès du dirigeant communiste Kostov, en Bulgarie, de Rajk en Hongrie, celui, en 1952, de Slansky et de London — ce dernier très lié au P.C.F. — vont régulièrement alourdir un climat ntérieur déjà oppressant.

Dans la lutte contre le réarmement allemand, le Mouvement de la Paix, dont le président est Yves Farge, constitue la principale courroie de transmission. Il s'y pose des problèmes internes, notamment dans les relations entre communistes et non-communistes. Ce ne serait pas encore très grave. Mais, soudain, voici que Staline décide de soutenir le réarmement de l'Allemagne de l'Est.

Cette volte-face va provoquer à l'intérieur du Mouvement de la Paix, et même dans les rangs du parti communiste, une crise très sérieuse. Yves Farge, qui cumule son titre de président du Mouvement de la Paix avec celui de directeur de l'hebdomadaire *Action*, adresse le 7 mars 1951 un télégramme au président de la République pour protester contre « le réarmement de l'Allemagne, sous quelque forme que ce soit ». Dans la tribune libre d'*Action*, certains lecteurs exposent des points de vue peu orthodoxes. Il y a, c'est sûr, dans les rangs du mouvement, une fronde anti-stalinienne.

La riposte ne se fait pas attendre très longtemps. Le 9 mai 1952, *Action* annonce sa disparition subite, en prétextant des raisons financières. Les milieux informés savent que l'hebdomadaire ne peut vivre sans les subsides du P.C. Celui-ci a fermé le robinet. Le côté piquant de cette affaire, c'est que le directeur d'*Action* est justement en voyage à Pékin. La décision de saborder le journal a été prise en son absence. Rien ne démontre mieux l'aspect purement nominal des fonctions remplies par Farge.

Peu après, il meurt, au cours d'un voyage au Caucase, victime d'un camion arrêté sans lumière au détour d'un virage. Telle est du moins la version officielle. Certains croient à un attentat. C'est l'opinion défendue par Pierre Hervé. Pour celui-ci, l'attentat machiné par le N.K.V.D. ne fait pas de doute [1].

La décision de Staline de redonner une armée à l'Allemagne de l'Est a pour conséquence de durcir le parti. En 1952, au lendemain d'une grève (12 février) à caractère manifestement politique, qui s'est soldée par un échec, Billoux s'envole pour Moscou. Il en revient le 11 avril, lesté des consignes du maître.

Billoux apporte les consignes

La « ligne » Billoux impose la subordination des opérations parlementaires (Duclos) à l'action de masse. Foin des signatures, des pétitions, des risettes aux intellectuels. L'action va descendre dans la rue.

Sur son cahier, Duclos note ce jour-là : « Continuer campagne paix... mais accentuer résolument mouvement vers l'action et l'organisation effective de cette action [2]. »

Cette action doit déboucher sur un renversement de situation [3] qui peut seulement s'effectuer par « action unie des masses » et qui « ouvre la route vers le socialisme ». Il est encore question d'instaurer un large gouvernement d'union démocratique » qui « ne peut être arraché que par masses en mouvement [4] ».

Ces notes prises à la hâte au cours de discussions du Bureau politique, ce qui fait leur prix, indiquent que la « ligne » Billoux amorce un tournant. Il n'est plus seulement question de défendre la paix, mais d'envisager la lutte pour la conquête du pouvoir, par des méthodes violentes et des voies extra-parlementaires.

Préparatifs d'une bataille

Ce tournant ne résulte pas d'une décision démocratique du Comité central prise après discussion. Il est télécommandé de Moscou où il a été adopté. Il constitue un strict alignement sur la politique de Staline. Dans cette perspective de lutte, la première (et seule) grande bataille est fixée

1. Cf. *Dieu et César sont-ils communistes?* pp. 40-41. La veuve d'Yves Farge est en total désaccord avec l'explication d'Hervé.
2. *Cahier* de Duclos, p. 9.
3. *Op. cit.*, p. 7.
4. *Op. cit.*, p. 8.

au 28 mai jour de la venue en France du général américain Ridgway. *L'Humanité* publie des éditoriaux et des appels d'une violence inouïe. Ce jour doit être un jour d'émeutes.

Au fond de lui-même, Duclos n'est sans doute pas d'accord avec ces préparatifs. Néanmoins, il s'incline.

Que peuvent Marty et Tillon, et quelles sont leurs fonctions dans le dispositif du parti et de ses annexes ?

Membre du secrétariat comme Duclos, Marty est particulièrement chargé des questions des cadres et des masses. A ce titre, il devrait logiquement avoir un rôle capital dans la préparation de la journée du 28 mai. Il dira plus tard que tout s'est fait en dehors de lui, ce qui est possible, si on se réfère à son mutisme aux réunions du B.P.

Marty est encore président de l'Amicale des Anciens de la mer Noire, à vrai dire réduite à rien, membre du Comité directeur de l'Association des Anciens Volontaires français en Espagne républicaine, du Comité national de Défense Henri Martin, et enfin du Bureau du secours populaire.

Tillon, lui, membre du Bureau politique, appartient à la Commission permanente du Mouvement de la Paix. Il y est entré à plusieurs reprises en conflit avec Casanova qui a la confiance de Thorez et celle de Moscou, lutte inégale, où il n'a pas eu le dessus. Il est président de l'Association nationale des Anciens F.T.P., c'est-à-dire de l'appareil militaire du parti.

Il suit d'un œil critique les préparatifs du 28 mai [1].

Les deux hommes ne se doutent pas que depuis plusieurs mois ils sont sous enquête.

Une enquête qui tourne mal

L'enquête a commencé à partir du moment où Georges Beyer, beau-frère de Tillon, a fait certaines confidences. Membre du Comité central après la Libération, Beyer ne joue pas un rôle très important dans les meetings et les congrès. Mais il occupe un poste clé dans les rouages de l'appareil : sous l'occupation, il a été le chef du service de renseignements du parti.

En 1945, Marty a obtenu du secrétariat qu'une enquête soit ouverte sur la liquidation du C.M.Z. (Comité militaire de zone Sud). Fin avril 1944, soit un mois et demi avant le débarquement, donc dans une phase décisive, le C.M.Z. a été arrêté en entier par les Allemands et liquidé. L'opération a été montée avec succès par le S.D. qui a réussi à infiltrer à l'intérieur du C.M.Z. un de ses agents, l'Allemand Iltis.

Pour le parti communiste, il s'agit d'un coup très dur qui, très probablement, a modifié le rapport de forces en zone Sud dans la période de la lutte armée pour le pouvoir. Il est donc normal qu'elle provoque une enquête de la direction du parti.

1. Cf. *Un « procès de Moscou » à Paris*, p. 78.

A vrai dire, peu de chose a filtré sur cette étrange affaire. Nous avons vu, antérieurement, qu'une des activités de la M.O.I. consistait à provoquer la désertion de soldats allemands et autrichiens. Cette tentative avait un revers : le risque d'introduire dans les maquis et les organisations F.T.P. des agents doubles. C'est peut-être ce qui est arrivé avec Iltis.

Pourquoi Marty a-t-il insisté pour que toute la lumière soit faite sur l'arrestation du C.M.Z. ? Peut-être parce que les responsabilités principales en zone Sud appartiennent à Raymond Guyot qu'il déteste, et qu'il traite volontiers de « canaille ». En tout cas une commission est instituée. Qui la préside ? Nul autre que Beyer. Selon Marty, la commission aurait établi « des faits scandaleux, inadmissibles : un certain nombre de sanctions ont été prises à l'égard d'anciens membres du C.M.Z. [1] ». Quels sont ces faits « inadmissibles » ? Qui sont les individus sanctionnés ? Marty ne s'explique pas à ce sujet.

Là-dessus, à une date indéterminée, intervient un renversement complet de la situation. Une autre commission d'enquête est créée. A sa tête, Mauvais, lié au groupe Thorez. Elle fait une découverte stupéfiante : Georges Beyer est le véritable responsable de l'entrée d'Iltis au C.M.Z. Si c'est vrai, celui-ci a donc fait preuve d'un manque de vigilance grave. Il a en outre tenté d'orienter l'enquête sur une fausse piste.

La « découverte » de Mauvais a une autre importance que la lumière faite sur un passé trouble. Elle constitue un tournant dans la lutte silencieuse qui oppose à la direction du parti le groupe Marty, hostile à Guyot, ce dernier vraisemblablement soutenu par Thorez. A partir de la révélation de la culpabilité de Beyer, le rapport des forces se renverse. Fautif, Beyer est retourné, exactement comme un gant, exactement comme un agent tombé entre les mains du S.R. adverse.

Activités fractionnelles

D'instrument de Marty, Beyer devient témoin à charge contre lui. Il l'accuse de lui avoir, en février-mars 1949, confié ses désaccords avec la direction du parti et de lui avoir demandé d'éditer un bulletin intérieur clandestin [2].

Ultérieurement, Beyer, sous la pression de Marty, a consenti à prêter son domicile pour une rencontre à caractère fractionnel entre l'ancien mutin de la mer Noire et Tillon [3].

Telles sont les deux pièces principales dans le dossier de Mauvais, épaulé par Servin et Auguet, tous deux membres de la commission et renforcés par Lecœur, secrétaire à l'organisation, qui participe à l'opération contre Marty.

1. Lettre d'André Marty au secrétariat du 14 août 1952, in *L'Affaire Marty*, p. 27.
2. Cf. Rapport de Mauvais cité par Marty, *op. cit.*, p. 24.
3. L'accusation d'avoir constitué une fraction opérant secrètement, en dehors des instances officielles, est particulièrement grave.

Il est vraisemblable que ni Marty ni Tillon n'ont soupçonné ce qui se tramait contre eux.

Le premier coup est porté contre Marty seul, à une réunion du secrétariat le 26 mai, soit, chose surprenante, deux jours avant la manifestation du 28 contre Ridgway. Dévoilant ses batteries, Léon Mauvais pose à Marty stupéfait deux questions principales :

« Pourquoi, en février-mars 1949, as-tu proposé à Beyer d'éditer un bulletin fractionnel ?

« Pourquoi, en juillet 1951, as-tu chez le même Beyer rencontré Charles Tillon ? »

Dans les deux cas Marty nie. Farouchement.

Cet interrogatoire devrait logiquement se poursuivre au plus tôt devant le Bureau politique et le Comité central. Il ne sera repris, pourtant, qu'en août et en septembre.

Le 28 mai, jour d'émeute

Entretemps, des événements graves ont profondément bouleversé la vie du parti et modifié l'équilibre du groupe dirigeant. Il faut en relater les aspects principaux.

Conformément à la « ligne » Billoux, la journée du 28 mai tourne à l'émeute. Les colonnes de manifestants qui tentent de converger vers la place de la République ont été amenées à bord de camions, partis de ces bases logistiques que constituent les mairies communistes.

Les communistes brandissent des pancartes métalliques ajustées sur un manche de pioche aisément détachable. L'ensemble constitue ce que la police appelle « une arme par destination ».

Marty se dira plus tard « stupéfait » de cet armement, du caractère de la manifestation [1].

Tillon écrira de son côté :

« J'ai fait connaître mon opposition aux directives que la Fédération de la Seine avait adressées aux maires communistes, en apprenant que l'atelier municipal avait reçu l'ordre de se procurer un stock de manches de pioches et d'en fabriquer pour le 28 mai, ainsi que des pancartes en tôle solidement emmanchées [2]. »

Tillon omet toutefois de signaler qu'une partie des fameuses pancartes furent fabriquées à la Régie municipale d'Aubervilliers, dont il était le maire [3].

1. Lettre de Marty au B.P. en date du 2 novembre 1952. Cf. *L'Affaire Marty*, p. 41.
2. Tillon, *op. cit.*, p. 78.
3. Cf. « Le personnel et le matériel des mairies au service du parti », supplément des *Informations politiques et sociales*, p. 4. L'auteur probable de cette brochure est Émile Bougère, qui avait accompli un travail de dépouillement considérable de la gestion des municipalités communistes.

D'autre part, sur le rôle des municipalités communistes pour le soutien aux manifesta-

Cette journée de violences qui contraint la police à faire usage de ses armes, faisant ainsi un mort et de nombreux blessés, s'achève sur un coup de théâtre : l'arrestation et l'accusation de Jacques Duclos.

Le 28 mai 1952, tandis que la manifestation s'achève, Jacques Duclos quitte le siège de *L'Humanité* pour regagner son domicile. Un peu plus tard, alors que sa voiture passe à proximité du carreau du Temple où sont parqués quatre à cinq cents émeutiers, le véhicule est intercepté par la police. Duclos, en dépit de ses protestations et de son immunité parlementaire, est interpellé et mis en état d'arrestation pour collusion avec les émeutiers.

Sur Duclos, un cahier d'écolier

Un communiqué du ministre de l'Intérieur Brune précisera, le lendemain, que dans la voiture du député communiste on a trouvé un poste de radio et deux pigeons. Le poste et les volatiles ne seraient-ils pas destinés à transmettre des messages secrets? C'est l'hypothèse formulée dans le communiqué : elle est bouffonne. Le poste est un modèle commercial et la couple de pigeons, don d'un militant, est destinée à être accommodée aux petits pois.

Duclos avait aussi avec lui un porte-documents, dont le contenu est beaucoup plus intéressant. Il est allégé de ce fardeau, tandis qu'il est conduit au commissariat de police le plus proche.

« Ma serviette! proteste-t-il.

— Ne craignez rien, Monsieur le Député, on va vous la rendre. »

On la lui restitue, en effet. Une heure plus tard. Entre-temps, on en a examiné le contenu et photographié notamment les pages d'un cahier confidentiel. C'est un simple cahier d'écolier de 135 pages, couvertes de la fine écriture de Duclos. Il s'agit de notes prises par lui pendant les séances du secrétariat et du Bureau politique entre le 7 avril et le 26 mai 1952.

Le document est d'un très haut intérêt. Car, pour la première fois, il permet d'accéder à la réalité des délibérations, au sommet du parti, réalité que les communiqués du Bureau politique résument ou déforment pour les convenances de la propagande.

On a ainsi la confirmation, de la main même de Duclos, qu'assistent régulièrement aux séances du B.P. des hommes qui officiellement n'en font pas partie : Frachon et Monmousseau représentant la C.G.T., Casanova pour le Mouvement de la Paix.

On constate aussi que les directives rapportées par Billoux de Moscou sont acceptées passivement par les membres du Bureau politique. Théoriquement, c'est le Comité central, élu par le congrès, qui devrait décider ce qui constitue un tournant. Or, celui-ci n'est même pas consulté. Tout

tions, Raymond Guyot écrivait : « Suivant Maurice Thorez, les municipalités communistes sont des points d'appui du mouvement ouvrier, des armes que les travailleurs ont le droit d'utiliser contre l'ennemi de classe. » (*L'Humanité*, 16 mars 1952).

est imposé par une décision prise, non pas même par le secrétariat ou le B.P., mais par une fraction domiciliée à Moscou.

Les consignes de la fraction Thorez-Jeannette-Billoux, qui reflètent assurément les directives soviétiques sont extrêmement graves. Il suffit de se reporter à ces notes de Duclos :

« *Nous travaillons pour la défaite certaine de cette armée* (l'armée française) *au Vietnam, en Corée, en Tunisie* [1]. »

On apprend que cette armée n'est pas une « armée du peuple [2] », ce qui signifie qu'on peut la combattre par tous les moyens. Un de ceux-ci est l'intimidation : « Mettre militaires de tous grades en garde contre déshonneur, mépris du peuple, juste châtiment qui sanctionnent actes criminels [3]. »

En outre, l'armée est amenée à jouer un rôle dans le plan d'action apporté par Billoux. Les manifestations violentes qui se préparent doivent amener une transformation politique par l'installation d'un « large gouvernement d'union démocratique ». Or, un tel gouvernement ne peut être « arraché que par masses en mouvements [4] ».

Dans ce plan, quasi insurrectionnel, les militaires de tous grades sont appelés à jouer un rôle puisqu'on précise qu'il convient de « les appeler à travailler à changement politique [5] », donc à une action conjuguée avec le mouvement de masse orienté vers la violence.

Ce *Cahier* sera restitué à Jacques Duclos après que la levée de son immunité aura été refusée par le Parlement. Entre-temps, toutefois des extraits manuscrits de ce document ont été rassemblés et commentés dans une publication de juillet 1952, intitulée *La signification politique du Cahier de Jacques Duclos*. Elle a été imprimée clandestinement par un petit artisan de la banlieue parisienne, qui travaille à cette tâche, le soir, après le départ de ses ouvriers, et qui détruira le plomb de cette impression. La brochure est ensuite expédiée aux parlementaires et à un certain nombre d'hommes politiques, sans indication d'auteur ni d'imprimeur.

Le 30 mai, la situation du parti communiste français n'est pas très brillante. Son secrétaire général, malade, est toujours en Union soviétique. Son deuxième secrétaire est en prison. Ses locaux ont été perquisitionnés, dès le 29, et on y a saisi des dossiers de la section des cadres que dirige Marcel Servin [6]. Statutairement, la direction du parti devrait revenir à Marty, le troisième secrétaire. Mais celui-ci est sous enquête.

Aussi, le 30 mai, c'est Auguste Lecœur, secrétaire à l'organisation, qui, de son propre chef, prend la direction des débats au Bureau politique. Les autres membres ne protestent pas. Marty, déboulonné, ne souffle mot.

Lecœur fait ainsi office de secrétaire général du P.C.F., promotion foudroyante pour lui. Servin, responsable aux cadres, devient du même

---

1. *Cahier*, p. 12. Ce passage analyse les consignes de Billoux.
2. *Op. cit.*, p. 12.
3. *Op. cit.*, p. 13.
4. *Op. cit.*, p. 8. Ce projet fait partie des 15 points qui constituent les consignes Billoux.
5. *Op. cit.*, p. 13.
6. Cf. Charles Tillon, *op. cit.*, p. 80.

coup, en fait, le vrai patron de l'organisation. Sur leur initiative, le P.C. lance un mot d'ordre de grève illimitée pour obtenir la libération de Duclos. Cette offensive des « masses » s'achève bientôt par une déconfiture totale.

Étrange libération de Duclos

Duclos est tout de même libéré assez vite, au début de juillet. Il ne le doit nullement à la pression de la rue, mais à l'intervention des « hors-cadres », grâce à ses avocats et aux démarches effectuées auprès de « certaines personnalités de l'appareil d'État [1] ».

Les médecins qui examinent Duclos à la Santé, c'est-à-dire les professeurs Vallery-Radot et Piédelièvre, constatent que l'état de santé du prévenu n'est pas compatible avec une détention prolongée [2]. Duclos est en effet diabétique. Il lui suffit donc de ne pas suivre son régime pour présenter les symptômes justifiant un communiqué médical alarmant.

Quelques jours après sa sortie, le grand malade, hilare et gaillard, défile à la tête des manifestants du 14 juillet.

Le président de la chambre des mises en accusation, qui doit examiner le cas Duclos, est le président Didier. Il est le rare magistrat qui, sous l'occupation, a refusé de prêter serment au Maréchal. Son attitude lui vaut à la Libération une promotion d'autant plus prompte qu'elle est encouragée également par maître Willard, communiste, qui détient d'importantes fonctions à la justice. En outre, Didier signe plusieurs manifestes communistes.

C'est lui qui rédige et signe un arrêt déclarant Duclos « ni co-auteur, ni complice » des manifestations du 28 mai.

Cette interprétation laisse perplexe. Car dans le *Cahier* de Duclos on trouve justement ces lignes, tracées de sa main : « Préparation pour mercredi (28 mai). Dispositions prises [3]. » Mais peut-être le président Didier a-t-il négligé de lire le *Cahier*, ou n'y a-t-il pas vu malice ?

C'est d'ailleurs toute la contre-attaque menée par le ministre de l'Intérieur Brune et le préfet de police Baylot qui échoue.

Le 15 octobre 1952, le ministre de la Défense nationale présente devant l'Assemblée une demande d'autorisation de poursuites contre Duclos,

1. Cf. Auguste Lecœur, *L'Autocritique attendue*, p. 39. Pierre Cot fera aussi allusion dans *Les Lettres françaises* à ces interventions, ce qui lui vaudra d'être vertement rabroué.

2. Sur ce sujet, on lit dans *L'Affaire Marty* : « Je me considèrerais comme déshonoré aux yeux des travailleurs si j'avais été libéré en juillet 1952 du régime politique de la Santé à Paris sur rapport du médecin R.P.F. Pasteur Vallery-Radot, venu pour cela à Paris sur demande du secrétariat du P.C.F., et du docteur Piedelièvre, médecin de la Préfecture de police de Paris, R.P.F. lui aussi. Je me serais considéré comme déshonoré aux yeux des travailleurs si ces deux médecins R.P.F. avaient demandé ma libération pour raison de santé. Je ne suis pas de ceux qui font écrire dans *L'Humanité* être " dans un état extrêmement grave " et huit jours après passent dans les rues de Paris en tête du cortège du 14 juillet », p. 85.

3. *Op. cit.*, p. 119.

Fajon, Billoux, Guyot et Marty pour participation au crime de « démoralisation de l'armée et de la nation » (art. 76 du Code pénal) et du délit « d'atteinte à l'intégrité du territoire français ou de territoires relevant de l'autorité de la France » (art. 80 du Code pénal). Le document 4 415 qui rassemble ces charges compte 138 pages.

Les charges elles-mêmes semblent assez bien établies à la fois par les notes du *Cahier* de Duclos et par la campagne extrêmement violente menée par *L'Humanité*.

La commission parlementaire dont le rapporteur est Duveau [1], chargée d'émettre un avis, se prononce contre la levée de l'immunité. Elle ne tient pas compte des notes du *Cahier* de Duclos, car, selon le rapporteur, il s'agit d'opinions privées. Elle ne retient pas davantage les appels de la presse communiste, sous prétexte qu'ils sont publics, et que la publicité exclut le complot.

Ce qui est secret ne compte pas, parce que privé; ce qui est public ne compte pas davantage, parce que public. Cette alchimie, approuvée par la majorité du Parlement, blanchit Duclos et ses co-inculpés.

Le parti communiste a sans doute subi un grave échec avec la journée du 28 mai. Mais la contre-attaque gouvernementale s'est à son tour enlisée dans le marécage parlementaire.

Tribunal pour Marty et Tillon

L'arrestation de Duclos, incident de parcours non prévu, a naturellement stoppé l'enquête ouverte contre Marty. Celle-ci n'est reprise qu'à la fin août.

Le 27 mai, le secrétariat avait décidé que Marty préciserait par écrit ses positions sur les questions soulevées par Mauvais. En clair, cela veut dire qu'il doit faire son autocritique. Il rédige le 24 août une lettre au Secrétariat qui sera rejetée comme étant un document « anti-parti ».

Tillon, qui est depuis longtemps en discussion avec le secrétariat au sujet des activités du Mouvement de la Paix, a passé ses vacances en compagnie de sa femme. A son retour à la mairie d'Aubervilliers, il apprend par d'anciens F.T.P. que ceux-ci ont été interrogés par la Commission des cadres et qu'on leur a posé des questions à son sujet. A l'en croire, il est loin de se douter de ce qui l'attend.

Le 1er septembre 1952, au siège du parti, carrefour de Châteaudun, se déroule une confrontation dramatique. Le Bureau politique s'y transforme en tribunal.

Tillon est le seul à avoir tardivement donné un récit global — sinon

1. Duveau est le frère d'un historien, membre du parti communiste, et le beau-frère de Lombardo, dirigeant cégétiste chez qui il était domicilié. Cet environnement familial a favorisé certains soupçons concernant le parlementaire M.R.P. La vérité oblige à dire que rien n'a pu être prouvé.

complet et parfaitement véridique — de cette terrible séance de nuit [1]. Elle débute à 20 heures, dans un immeuble vidé de son personnel bureaucratique.

La salle où siège le bureau est une pièce triangulaire, basse de plafond. A la base du triangle se dresse une sorte de comptoir, devant lequel prennent place les trois secrétaires. Duclos préside, flanqué à sa droite de Marty — qui va dans quelques instants être accusé — et à sa gauche de Lecœur.

Le long des murs, de petites tables, comme celles des écoliers, derrière lesquelles sont assis les membres du Bureau politique (une dizaine). Sur chaque table, Tillon est surpris de voir installé un micro, relié par un fil à une boîte enregistreuse, appareillage inhabituel. Depuis la maladie de Thorez, les propos tenus dans cette pièce sont enregistrés, mais plus discrètement, et les bandes magnétiques sont communiquées [2] à Thorez absent et aux services soviétiques.

Ce soir-là, Tillon et Marty sont entrés dans une nasse, dans un étouffant univers de huis clos. L'atmosphère y devient vite pesante, irrespirable. On y parle à voix basse comme dans un confessionnal. La sueur ruisselle des fronts.

Le réquisitoire de Mauvais

Mauvais se lève. C'est lui le procureur. Un Vychinski de poche, calibre français. Il reprend les griefs déjà formulés contre Marty aux séances du Secrétariat les 26 et 27 mai : divergences graves avec la direction, avec l'Union soviétique, dissimulation de ces divergences; rencontre gardée secrète au domicile de Beyer. Ce qui démontre une activité fractionnelle. Cette activité a du reste été fermement soutenue grâce à des sommes d'argent que Tillon avait accumulées au temps de l'action clandestine, et qu'il a gardées par devers lui, au lieu de les restituer à la direction.

Penché sur son pupitre, Marty griffonne sans cesse. De temps en temps, il lève la tête, fait des gestes de dénégation furieuse. L'ambiance devient de plus en plus lourde.

Le procureur insiste fortement sur les divergences entre Marty et Thorez. Elles sont réelles : elles concernent l'après-Libération et la lutte contre la guerre d'Indochine, que Marty pour sa part trouve trop molle. Mais il y a certainement autre chose. Nous avons vu, d'après Ceretti, qu'à la déclaration de guerre, Marty, envolé à Moscou, y avait pris une attitude violemment défaitiste, tandis que celle de Thorez était beaucoup plus opportuniste. Il est vraisemblable qu'il en ait profité pour évincer son rival. Vraisemblable aussi que Thorez, aidé de sa compagne, de Lecœur, Mauvais et autres lui rende la monnaie de sa pièce.

Après Marty, Mauvais s'en prend à Tillon, accusé de nationalisme

---

1. Cf. *Un « procès de Moscou » à Paris*, chap. « La Nuit de la délation », pp. 107-134.
2. Lecœur confirme l'existence de bandes magnétiques. Cf. *Le Parti communiste français et la Résistance*, p. 108.

bourgeois. Tillon n'a-t-il pas tenté d'établir une discrimination inadmissible entre résistants, en mettant en cause la cheftaine ? Il a minimisé le rôle de l'U.R.S.S. dans la libération des pays occupés. Objectivement, ses positions s'apparentent au titisme, bête noire du P.C.F. dans cette période.

Mauvais se rassied. Patelin, Duclos déclare que le parti saura se montrer généreux. Encore faut-il que les accusés procèdent à leur autocritique.

Silence. Puis Marty se lève, bouleversé par l'émotion et la fureur.

« A ma grande surprise, rapporte Tillon, il commença par nier que nous ayons eu une conversation chez Beyer ! Il ne se souvenait plus... C'était pourtant le seul fait incontestable de toute l'accusation, un fait humain dans sa simplicité [1]... » Il riposte à ses accusateurs, nie tout travail fractionnel. N'est-il pas vrai qu'il a approuvé les sanctions demandées par la direction contre Tillon ? Il est absurde de l'accuser. Il a toujours voulu servir le parti.

Tillon l'écoute, le front moite. Tout le monde transpire dans cette étuve. Lui aussi ; fébrilement, il prend des notes. Elles couvrent quatre pages. Aujourd'hui encore, on y distingue les traces laissées par la sueur. Sensible, dit-il, à l'émotion de Marty, il ne comprend pas que celui-ci s'obstine à nier l'entrevue chez Beyer. C'est le seul élément vrai du dossier. Répréhensible ? En quoi ? Quand il est revenu de Moscou, Thorez et Duclos, sortant du Conseil des ministres, sont bien venus déjeuner chez lui.

Il apparaît en tout cas que, de son propre aveu, Tillon à cette séance du Bureau politique, a contribué à « enfoncer » Marty. Il a joué contre lui au moins partiellement, le rôle de témoin à charge. Il ne souhaite peut-être pas tellement que la bande magnétique restitue cet épisode.

Dans son livre, il préfère évoquer d'autres moments qui soulignent sa situation pénible d'accusé. Et, certes, tel qu'il nous le restitue, le climat de cette séance est loin d'être fraternel.

« Chacun, écrit Tillon, amorçait l'article qu'il serait en devoir d'écrire pour justifier la fermeté de son esprit de parti [2]. »

De tous ceux qui sont là seuls, selon Tillon, Waldeck Rochet et Benoît Frachon savent garder le sens de la mesure.

Le micro passe de main en main. Tillon finit par ne plus écouter ces propos qui ressemblent à une paraphrase du rapport de Léon Mauvais.

Après une suspension d'un quart d'heure, décidée par Duclos, les membres du parti présents à cette séance de nuit prennent la parole. C'est pour accuser les « coupables ». Duclos fait alors adopter la décision suivante : Marty est exclu du secrétariat et Tillon du Bureau politique.

C'est fini. Tillon se lève, fonce hors de la pièce étouffante. Il fait ouvrir la porte par les gardiens sommeillants et se précipite dans la rue.

Il est deux heures du matin.

1. *Op. cit.*, p. 113.
2. *Op. cit.*, p. 125.

Enregistré sur bande magnétique

Tel est en substance le récit de Tillon, le seul que nous possédions sur cette séance du Bureau politique dont Marty, pour sa part, curieusement ne dit mot, et que Lecœur n'évoque que par allusions.

Narré sur le mode pathétique qui verse parfois dans le pathos, comme si le professeur Raymond Jean, ennuyeux théoricien du nouveau roman et préfacier de Tillon avait tenu la plume, il est plus émouvant que précis. Il restitue davantage un climat de suspicion et de rancunes qu'il ne nous livre les pièces d'un dossier.

Il serait pourtant aisé de savoir exactement tout ce qui s'est dit au cours de cette soirée, puisque tout a été enregistré sur bandes magnétiques. Les dirigeants soviétiques et le secrétariat du P.C.F. possèdent donc des enregistrements de cette soirée. Un autre homme les détient aussi. C'est Lecœur, puisque dans un de ses livres il évoque le micro captant les sanglots de Tillon [1].

La direction du parti, bien évidemment, ne produira jamais cette bande. Elle comporte des choses trop gênantes pour elle, outre un certain nombre de secrets.

Lecœur n'a pas communiqué davantage l'exemplaire qu'il détient.

En ce temps-là, il jouait le rôle d'accusateur auprès de Mauvais. Exclu un peu plus tard du parti, il ne tient pas à voir évoquer des souvenirs sur sa propre attitude qu'il regrette sans doute à présent.

Tillon dit, c'est probable, qu'il n'a jamais eu ce document, mais qu'il a pris des notes pendant cette nuit du 1er septembre. Il est sans doute fort émouvant de savoir que ces quatre feuillets ont été tachés par sa sueur et témoignent ainsi matériellement de son angoisse. Il serait plus intéressant pour l'historien d'avoir ces quatre feuillets sous les yeux. Il eût été simple d'en produire une photocopie. Tillon a préféré les garder pour lui.

Secrets gênants

En définitive, les bandes magnétiques restent dans les archives du parti. Marty est muet sur cette nuit du 1er septembre. Tillon ne communique pas ses notes. Tout le monde préserve des secrets. Tout le monde a quelque chose à cacher.

Le traitement dont Marty et Tillon ont été l'objet de la part du Bureau politique, traitement habilement assimilé par Tillon au procès de Prague [1], contribue à faire des deux hommes des victimes, frappées par un long appareil d'oppression. Ce qui est incontestable, mais ne doit pas pour autant limiter notre sens critique sur leur comportement.

1. *Le Parti communiste français et la Résistance*, p. 108.

Il y a d'abord des témoignages qui ne concordent pas. Tillon assure que Marty à la séance du 1er septembre nie encore la rencontre chez Beyer. Comment Marty peut-il le faire, puisqu'il l'a reconnu dans une lettre écrite le 24 août au secrétariat [2] ? Pourquoi cette rencontre ? Selon Marty, il s'agissait de demander à Tillon de s'occuper d'anciens F.T.P. Tillon donne une autre explication : il a été question de son éviction du secrétariat du Mouvement de la Paix, et de l'organisation d'un meeting électoral. Il apparaît en tout cas que, de son propre aveu, Tillon, à cette séance du Bureau politique, a contribué à « enfoncer » Marty. Il a joué contre lui, au moins partiellement, le rôle de témoin à charge. Peut-être dans l'espoir que lui, du moins, serait « blanchi » ? Il ne souhaite peut-être pas tellement que la bande magnétique restitue cet épisode.

Cette rencontre chez Beyer, l'un comme l'autre la tiennent pour négligeable. Il ne faut pas trop les croire. Certes, pour l'observateur extérieur, il peut sembler incroyable qu'un seul entretien en tête à tête entre deux dirigeants soit tenu pour une faute grave. Mais il y a des règles dans le parti. Que ces règles procèdent d'un intolérable esprit policier, ne saurait faire croire que les deux hommes puissent les ignorer.

Si leur réunion avait été aussi anodine qu'ils veulent bien le dire, ils ne l'auraient pas gardée secrète, la direction du parti en aurait été bientôt informée par des bavardages. Que l'un feigne d'avoir oublié cet épisode, que l'autre n'y voie qu'une bagatelle, ne doit pas dissimuler la vérité : Marty et Tillon se sont rencontrés en secret, parce qu'ils étaient en désaccord avec la direction. Ils n'ont peut-être pas constitué une fraction. Mais ils l'ont amorcée. Marty n'ignorait pas que Tillon était en difficulté avec Duclos.

On l'a vu, les sujets de désaccord entre les deux hommes et le groupe Thorez ne manquent pas. Il est logique qu'ils aient songé à un rapprochement.

L'argent au centre de l'affaire

Derrière ce procès, deux aspects qui conservent aujourd'hui encore leur mystère : la question d'argent, les ramifications internationales de l'affaire.

La question d'argent d'abord. Selon Mauvais [3], Tillon aurait conservé à l'insu du parti deux dépôts d'argent. Ces sommes auraient servi à constituer une « caisse noire » pour alimenter le combat contre la direction.

Mauvais ne donne aucune précision sur l'origine de cet argent. Il pour-

---

1. Assimilation complaisante. Quand l'interrogatoire de London est fini, il regagne sa cellule. Tillon rentre quand même chez lui, à Aubervilliers.
2. « Cette entrevue a été demandée par moi-même à Charles sans lui en demander le motif et [...] ». *L'Affaire Marty*, p. 28. Ou doit-on croire que cette lettre a été antidatée ?
3. *France Nouvelle*, 27 septembre 1952.

rait s'agir de sommes provenant de parachutages sous l'occupation ainsi que de prélèvements effectués par les F.T.P. dans les banques, bureaux de poste, mairies, etc.; ou encore d'un dépôt constitué avec les ristournes prélevées par Tillon, ministre de l'Air, sur certaines firmes nationalisées [1].

Tillon, dans son livre, évoque la question financière sous la forme suivante : « Et puis, restait toujours pendante cette vieille affaire des ressources du parti issues de la clandestinité qui posait pour moi des interrogations sérieuses après que des entrevues avec des responsables des affaires industrielles et commerciales du parti m'eurent permis de les entrevoir subordonnées à d'étranges opérations depuis que j'avais cessé d'être informé succinctement sur ces questions par L. Or les fonctions que j'avais assumées avant la Libération imposaient que quitus me fût donné pour que tout fût net [2]. »

Ce texte n'est pas d'une clarté foudroyante. D'où proviennent ces sommes issues de la clandestinité ? Pourquoi Tillon se pose-t-il à leur sujet des questions sérieuses ? Qui sont les responsables des affaires industrielles et commerciales ? Qui est L.?

Tillon ne s'est toujours pas expliqué sur ce sujet. Ni d'ailleurs Mauvais, ni Lecœur, ni Marty. Nous touchons là un secret essentiel du parti : la question financière. Personne n'ose en parler clairement. Il peut paraître, d'autre part, surprenant qu'en 1952 Tillon n'ait pas encore rendu de comptes sur la gestion d'un trésor de guerre constitué sous l'occupation, c'est-à-dire *au moins huit ans plus tôt.* Et après son exclusion du Bureau politique, qu'en a-t-il fait ?

Si Tillon a pu conserver aussi longtemps par devers lui un trésor personnel, c'est sans doute qu'il sait pas mal de choses de son côté. A la réunion du 1er septembre, il se livre à un chantage mystérieux, mais très net. Après avoir confirmé que le parti avait une double trésorerie, il ajoute qu'il est prêt, pour sa part, à « rendre publics tous les comptes que je garde de la clandestinité et des F.T.P. Mais pourquoi Duclos n'a-t-il jamais tenu l'engagement pris devant le premier Comité central, qui se réunit après la Libération [3] ? ».

Dès le lendemain d'ailleurs, il retourne au siège du parti, force la porte de Duclos, menace d'un éclat public sur les fautes du parti en 1940 (allusion très nette à la politique pro-allemande). Ce n'est peut-être pas un hasard si ensuite on lui fiche relativement la paix.

---

1. Cf. *L'Affaire Marty et le Mouvement ouvrier,* p. 13.
2. *Op. cit.,* p. 86.
3. *Op. cit.,* p. 121.

Ramifications internationales ?

L'arrière-plan international de l'affaire Marty-Tillon constitue le second aspect, très obscur, de ce « procès ». Dans son livre, Tillon insiste, un peu lourdement, sur la symbiose entre l'affaire et le procès Slansky, London et Cie, à Prague. Selon lui, c'est la même trame de mensonges.

Dès le procès de Rajk en Hongrie (1949), une vaste enquête aurait été entreprise par les services soviétiques sur les anciens des brigades internationales, les combattants de la M.O.I. en France, considérés en bloc comme des traîtres, surtout les Tchèques, par les services de Béria. Les F.T.P., le Mouvement de la Paix, en France, se seraient trouvés impliqués dans cet amalgame.

Tout ceci, d'après Tillon, est un tissu de mensonges grossiers, les affabulations de Paris faisant écho à celles de Prague. Mais ici encore, il convient d'être réservé.

Dans les procès Rajk à Budapest et Slansky à Prague, ce qui est faux, ce sont les accusations de trahison, d'espionnage, hier pour le compte de la Gestapo, aujourd'hui pour Allen Dulles, la collusion avec l'impérialisme américain, les aveux invraisemblables des accusés, extorqués sans aucun doute par de terribles pressions.

Il ne s'ensuit pas pour autant que certains des accusés n'aient pas constitué entre eux une sorte de réseau international, décidé à appliquer sans doute une autre politique que celle de Staline, en particulier sur deux points importants de la politique internationale : la question du réarmement allemand, celle de l'attitude à l'égard d'Israël.

Sur ces deux questions, Staline change brutalement de politique : il décide de réarmer l'Allemagne de l'Est, il prend une position violemment antisioniste, alors que l'Union soviétique a commencé par soutenir la cause d'Israël à l'O.N.U.

Nous avons vu qu'une partie du Mouvement de la Paix, à commencer par Yves Farge, restait hostile à tout réarmement de l'Allemagne. Il est vraisemblable que cette tendance ait eu des liens avec Tillon, et des ramifications internationales. La Tchécoslovaquie n'était-elle pas avec la Pologne un des pays d'Europe centrale où le sens du danger allemand restait prompt à s'éveiller ?

Le procès de Prague, d'autre part, a une résonance antisémite d'une grande violence.

C'est le colonel israélien Kagan, qui, dans son livre *Combat secret pour Israël*, signale qu'après la guerre le P.C. tchèque voyait dans la communauté juive de Palestine une force progressiste s'opposant au colonialisme des Britanniques [1].

« Il nous était difficile, écrit Kagan, d'oublier tout ce que nous devions aux Tchèques. En somme, presque tout. Les armes tchèques, les avions

1. P. 84.

tchèques nous avaient permis de libérer le sol d'Israël [1]. » Dans ce soutien à Israël, la Yougoslavie a joué aussi un rôle important, en prêtant un terrain à proximité de l'Albanie pour les avions en provenance de Tchécoslovaquie.

Staline a-t-il ignoré cette solidarité concrète des communistes tchèques et des titistes avec le sionisme ? Ou bien a-t-il fermé les yeux sur ces opérations, quitte ensuite à se retourner avec d'autant plus de violence contre ceux qui s'y prêtaient ? En tout cas, nous découvrons que la réalité est sans doute moins simple qu'on veut de part et d'autre nous le faire croire.

D'autres questions restent énigmatiques. Quelle était cette mystérieuse personnalité soviétique avec laquelle, s'il faut en croire Pierre Hervé [2], Marty était en relation, alors qu'il se défiait des services de Béria ? Pour quelles raisons London est-il allé se faire soigner dans un sanatorium suisse ? Et quelles relations y a-t-il entre son affaire et la crise du P.C. suisse qui intervient à la même époque ?

L'affaire Marty-Tillon plonge ainsi ses racines dans un contexte international qui demande à être décrypté.

Abandonnant son fief d'Aubervilliers, Tillon se réfugie dans une localité des Basses-Alpes en compagnie de sa femme qui, en dépit des pressions de la bureaucratie, refuse de l'abandonner. L'ancien chef des F.T.P. pour des années plonge dans le silence. Il n'est plus rien dans le parti. Mais il n'est pas encore hors du parti.

La fin de Marty est pitoyable. Voici que la direction, notamment par la plume de Lecœur [3], démolit la légende de la mer Noire et le culte du mutin héroïque. Il est d'une belle hypocrisie d'avoir encouragé cette légende pendant trente ans et de feindre soudain de la découvrir.

On ne s'en tient pas là. Marty est accusé d'être un « flic » depuis 1919! L'homme est certainement peu sympathique. Mais, sans aucun doute, il était sincère. Il n'a certainement jamais été un agent de la police. Cette accusation tardive lève le cœur.

Sur l'affaire Marty-Tillon, un livre a paru récemment : *Les Rejetés*. Habilement composé, il est signé d'un certain Yves Le Braz, pseudonyme qui, selon le prière d'insérer, dissimule « à la demande des siens, toujours membres du P.C.F., un ex-militant de cette organisation à laquelle il adhéra à l'âge de 16 ans, le 15 mai 1958 et dont il démissionna en mai 1968 ».

Nous ignorons qui est Yves Le Braz. Tout ce qu'on peut dire, c'est qu'il semble avoir bien connu un ancien militant communiste, Claude Lavezzi. Le seul élément vraiment neuf de cet ouvrage vient en tout cas de celui-ci.

A-t-on voulu le tuer ?

Lavezzi, qui aurait été le collaborateur de Marty à la section d'organisation et qui avait pris sa défense, reçoit le 6 novembre 1952, un appel dra-

1. *Op. cit.*, p. 199.
2. *Lettre à Sartre*, p. 33 et *Dieu et César*, p. 34.
3. Cf. article de *l'Humanité* du 10 février 1953.

matique de l'ex-mutin. Celui-ci crie au secours. Diabétique, bien qu'un médecin du parti lui fasse chaque jour une piqûre d'insuline, il s'affaiblit rapidement depuis quarante-huit heures.

Lavezzi accourt, demande à examiner les seringues, les fait analyser aussitôt (comment ?) et acquiert la conviction que celles-ci n'ont jamais contenu d'insuline, mais seulement de l'eau distillée. Conclusion : l'appareil est en train de tuer Marty.

Lavezzi, qui a communiqué aussitôt ses inquiétudes à Vuillemin, l'ancien mutin de la mer Noire, décide alors de faire appel, en dépit de la résistance de Marty, à son frère Jean, médecin, membre de la franc-maçonnerie. C'est Vuillemin, nous dit-on, qui se charge de cette démarche.

« Le soir même, écrit Le Braz, Marty respire de nouveau sans difficulté [1]. »

J'ai recueilli personnellement de la bouche de Jean-André Faucher une version quelque peu différente de cette péripétie. Ce ne fut pas Vuillemin que Lavezzi alerta, mais Henri Barbé [2]. Sur la recommandation de celui-ci, il alla, en compagnie de Faucher, trouver non pas le docteur Marty, mais un certain Monier, personnage important de la maçonnerie, ancien membre du parti communiste (qu'il quitta en même temps que Rosmer et Monatte), et ancien commissaire aux brigades internationales. Et ce fut Monier qui alerta à Aulnay-sous-Bois le docteur Jean Marty, lequel accourut au chevet de son frère.

Cette intervention de Lavezzi, dans une circonstance d'aspect dramatique, soulève aussitôt une autre question, qui semble avoir échappé à Le Braz. Car, nulle part, celui-ci ne fait référence à une brochure intitulée *Vingt-quatre lettres inédites d'André Marty* (décembre 1952-juillet 1953), publiées sans date ni indication d'éditeur, mais qu'on peut consulter à la précieuse *Bibliothèque de documentation internationale contemporaine*.

Toutes les lettres qui figurent dans cet opuscule sont manuscrites, à l'exception de la dernière, dactylographiée, datée du 25 juillet 1953 et adressées à un même correspondant, non dénommé.

Dans sa première lettre (qui est une réponse datée du 20 décembre), Marty donne du « cher monsieur » à cet inconnu et le questionne sur ses activités. Puis, celui-ci s'étant fait connaître comme un militant de la Seine-Inférieure, fils d'un ancien responsable du bâtiment à la C.G.T.U. dont Marty se souvient parfaitement, on passe au « camarade » et au tutoiement.

La correspondance qui s'ensuit tourne autour de cette question : que faire ? Il apparaît que Marty souhaite limiter l'action à des comités de redressement à l'intérieur du parti, et qu'il espère encore être réintégré dans les rangs de celui-ci. Le correspondant presse au contraire Marty de lancer un journal et de fonder un nouveau parti.

---

1. *Les Rejetés*, pp. 207-208.
2. Je n'ai pas connu à l'époque l'intervention du docteur Marty, mais je savais en effet que Barbé était en contact avec Lavezzi.

Ce courrier s'interrompt en avril. En juillet, Marty expédie une dernière lettre, fort sèche. Plus de « camarade » :

« Je ne vous ai pas autorisé à publier ces lettres, ou soi-disant lettres — écrit-il — ou quoi que ce soit à mon sujet. Je ne vous y autorise pas. »

Plusieurs lettres de Marty viennent en effet d'être publiées dans un petit journal intitulé *La Jeune Garde rouge*. Dans le dessein probable de couper court à toute tentative de rapprochement entre Marty et Thorez, qui vient de revenir en France.

Le directeur de cette *Jeune Garde* éphémère, militant de la Seine-Inférieure, exclu au début de 1953 du parti, n'est autre que Claude Lavezzi.

Or, nous l'avons vu, celui-ci a volé au secours de Marty, *dès le 6 novembre 1952*. Il était donc son familier. Pourquoi, dès lors, le 20 décembre, Marty lui écrit-il « Cher Monsieur », feignant d'avoir affaire à un inconnu ?

Nous discernons là une connivence établie entre deux hommes qui construisent un scénario dont les mobiles nous échappent. Et quand le jeune Lavezzi reçoit les lettres de Marty, nous croyons deviner derrière lui l'ombre du subtil Barbé, déchiffrant par-dessus son épaule, et soufflant le texte de la réponse à faire.

Le monde communiste n'est pas simple.

Entre-temps, d'autres événements sont venus bouleverser l'existence de Marty.

Le 7 novembre, sur le quai de la gare d'Austerlitz, Marty quitte sa compagne, Raymonde, en pleurs, pour se rendre dans les Pyrénées-Orientales. Quand il regagne son pavillon, quelques jours plus tard, la maison est vide. Cédant aux pressions de l'appareil et à la lassitude, Raymonde l'a quitté. Puis l'abandonnent, tour à tour, son chauffeur et son garde du corps. Le parti isole le pestiféré.

La presse « bourgeoise » se passionne pour l'affaire. Journalistes et photographes rôdent autour de la demeure où Marty se terre. Manifestement, il a peur. D'une provocation ? D'un attentat ?

Au début de décembre, il part s'installer à Cattlar, près de Prades, dans les Pyrénées-Orientales, où il possède une petite propriété familiale.

Taurynya

Il a toujours vécu dans la hantise des complots. A présent, il est devenu un être hagard et traqué. Prêt à suivre les conseils de qui s'offre à lui porter secours.

Le sauveur, quelques semaines plus tôt, est venu frapper à sa porte. Il s'appelle Taurynya. C'est le frère de Mathilde Péri et de la première femme de Marty, Pauline, mystérieusement disparue en Espagne. Il a été écarté du parti. On lui reproche en effet une libération, jugée suspecte, du camp d'internement de Bossuet, sous l'occupation.

Ce brave Taurynya vient offrir ses services. C'est lui qui suggère le départ dans les Pyrénées-Orientales. Travaillant sur les marchés de Toulouse, il propose à son ancien beau-frère de lui servir de « boîte aux lettres » et de lui réexpédier sa correspondance. Marty accepte.

A partir de là, Taurynya se livre à une double opération. Décachetant le courrier qui parvient à son domicile de Toulouse, il en communique la teneur au *Figaro*, peut-être par l'intermédiaire d'André Baranès [1] qui alimente, pour le compte du journaliste Michel Hamelet, la rubrique « *Le Figaro* révèle ici à ses lecteurs ce que leur cache *L'Humanité* ».

Simultanément, il adresse une seconde copie au secrétariat fédéral de la Haute-Garonne. Des extraits de ces lettres vont permettre à Fajon de titrer, le premier janvier 1953, son article : « Les liaisons policières de Marty [2]. »

Et celui-ci sera accusé de faire dans *Le Figaro* les articles signés XXX.

Marty, dont le jugement n'est pas le fort, avait commencé sa carrière révolutionnaire en se faisant trahir par le canonnier Durand. Il l'achève, « piégé » par Taurynya. Exclu du parti en décembre, abandonné par sa femme, abreuvé de calomnies et d'injures, malade, isolé, affreusement aigri, il ressemble à la fin de sa vie à un boxeur sonné dans les cordes, encaissant sous tous les angles une volée de coups.

Ainsi la mystérieuse affaire Marty-Tillon fournit-elle la trame d'un bon scénario policier.

Dès son numéro 3 (décembre 1952) le journal *Unir pour le socialisme* qui regroupe un certain nombre d'opposants communistes [3] esquisse la thèse suivante : le parti aurait été l'objet d'une « gigantesque manœuvre ennemie ». La maladie de Thorez aurait été mise à profit. Le secrétariat par intérim étant assuré par Duclos, il s'agissait alors de faire arrêter celui-ci, à la faveur d'une provocation (affaire des pigeons) et, Marty devant hériter de la succession, de le discréditer, en même temps que Tillon.

Qui est nommément visé dans cet article ? Auguste Lecœur. « Du fait même, peut-on lire, que si demain nos camarades poursuivis allaient en prison, Lecœur prendrait, *seul secrétaire* [4], la direction du parti et nommerait des " secrétaires intérimaires de remplacement ", nous avons le devoir de considérer comme suspect qu'il ne soit pas poursuivi... »

C'est évidemment un excellent scénario, que d'imaginer l'avènement à la tête du parti communiste, de l'agent numéro un, manipulé par un « cerveau ». Mais il ne faut pas céder aux emballements de l'imagination. On ne voit pas quel « cerveau » dans un régime où les polices se font la « guéguerre », aurait conçu cette provocation d'envergure. Il est vrai que Lecœur, futur exclu [5], exercera aussitôt après l'arrestation de Duclos

1. Sur Baranès, voir chap. suivant.
2. Sur le rôle de Taurynya, cf. Le Braz, *op. cit.*, pp. 208-230 et André Marty, *L'Affaire Marty*.
3. Ce journal fusionnera par la suite avec un autre groupe et s'intitulera désormais *Unir-Débat* qui paraît toujours.
4. Souligné dans le texte.
5. Exclu en 1954, pour opportunisme.

les fonctions de secrétaire général par intérim, et qu'il ne figurait pas sur la liste des dirigeants poursuivis. On ne saurait en tirer argument : ses articles ne prêtaient pas le flanc à une inculpation.

Aucune preuve sérieuse n'existe à l'appui de cette thèse, dont bientôt *Unir* cessera de parler. Et si, dans le cas de Marty, une certaine « intox » se manifeste, inspirée par la préfecture de police, c'est, nous allons le voir, à un niveau beaucoup plus modeste.

4.

Les « fuites »
ou le nouvel Orchestre rouge

L' « AFFAIRE » COMMENCE A S'ÉCLAIRCIR DANS LA NUIT DU 1er AU 2 JUIN 1954. Bien qu'il soit très tard, Martinaud-Deplat [1], alors ministre de l'Intérieur, travaille encore sur deux dossiers.

Le premier est un projet de procès-verbal établi au secrétariat du Comité supérieur de la Défense nationale. Chaque fois que ce comité se réunit, un projet de procès-verbal est établi par le secrétaire de cet organisme, un haut fonctionnaire, Jean Mons, à l'aide des notes prises par lui au cours des délibérations. Le projet est ensuite expédié pour accord aux ministres qui ont participé au comité. Muni de leur approbation, ou d'éventuelles rectifications, il est alors retourné à Mons pour rédaction définitive.

Les 14 et 15 mai précédents, sous l'autorité du président de la République René Coty, le Comité supérieur s'est réuni. On y a traité de sujets extrêmement graves. Dien-Bien-Phu est tombé le 7. Le corps expéditionnaire, sous le commandement du général Navarre, affronte une situation dramatique. De Saïgon, le général Ély, accompagné des généraux Salan et Pélissier, est venu faire son rapport. On discute de renforts à expédier. Rien de plus secret.

Nos secrets, hélas, nos secrets militaires, en pleine bataille d'Indochine, ils courent les rues. Ce n'est pas une image : au cours d'une bagarre sur la plate-forme d'un autobus, on a trouvé un exemplaire du rapport Revers, envoyé en mission en Indochine par le gouvernement, sur un Vietnamien. On découvre 38 autres exemplaires du même rapport au domicile d'un certain Van Co, qui fréquente le Tout-Paris politique et mondain. Les plans de nos état-majors s'étalent à la « une » des hebdomadaires progressistes.

1. Aujourd'hui décédé.

Six jours pour une fuite

La première « fuite » est apparue dès le 30 juillet 1953 dans un article de Roger Stéphane (publié par *L'Observateur*) intitulé : « En un combat douteux ». Il reproduit l'essentiel des délibérations tenues au Comité supérieur de la Défense nationale du 24 juillet précédent. Soit six jours, délai d'impression compris (48 heures environ), pour que nos secrets soient connus des lecteurs français et des lecteurs viets.

Auriol, alors président de la République croit à l'indiscrétion d'un des ministres présents, qu'il admoneste. On classe « l'incident ».

La deuxième « fuite » a pour co-auteurs d'Astier de la Vigerie, député progressiste, directeur de *Libération* et, de nouveau, *L'Observateur*. Il s'agit d'un télégramme adressé le 9 novembre 1953 par notre ambassadeur à Londres, Massigli, au ministre des Affaires étrangères.

Le 24 novembre, d'Astier interpelle Georges Bidault, président du Conseil, et lui pose des questions très précises. Il cite des phrases, des extraits, mot pour mot de ce télégramme « top secret ». Mieux, Maurice Schumann jure avoir vu, dans les couloirs de l'Assemblée, d'Astier brandissant le fameux télégramme ou une copie. Il en témoignera chez le juge d'instruction. « Il est myope comme une taupe [2] », réplique d'Astier avec mépris.

Le 26 novembre, *L'Observateur* publie un article de Gilles Martinet intitulé « Sous la signature de M. Massigli ». Il contient de nombreux passages du télégramme, cités entre guillemets.

Il faut savoir que la règle pour les Affaires étrangères consiste à adresser une copie des télégrammes aux ministères éventuellement concernés. Mais, en pareil cas, les copies contiennent automatiquement une phrase démarquée, de façon à pouvoir déterminer l'origine des indiscrétions.

Une copie du télégramme Massigli a donc été adressée — avec cette modification — au secrétariat du Comité supérieur de la Défense nationale. Or, dans l'interpellation de d'Astier, figure la phrase démarquée de cette copie.

C'est à partir de cet incident (novembre 1953) que le gouvernement localise la source des fuites au Comité supérieur. Mais on ne parvient pas à en identifier les auteurs.

Les mois passent. Les 14 et 15 mai 1954, le Comité supérieur de la Défense nationale se réunit, notamment pour entendre les rapports d'Ély et de Salan. Le 25, dans l'après-midi, les généraux parlent encore de la situation militaire devant un Comité interministériel, et, le 26 dans la soirée, devant le Comité supérieur.

1. Déposition de Martinand-Deplat. Audience du 15 mars 1956.
2. Déposition au procès des fuites. Audience du 18 avril 1956.

Nos secrets dans les journaux

Dans *L'Observateur* du 27, Roger Stéphane divulgue déjà, sous le titre : « Le rapport des généraux », les instructions données au commandant en chef en Indochine, telles qu'elles ont été décidées dans la séance du 15.

Pour ne pas être en reste, *L'Express* se prépare à sortir le 29 un document sensationnel : le rapport fait oralement par Ély et Salan dans la journée du 25 et la soirée du 26. On saura que, *dès le 27 mai*, la rédaction de *L'Express* a été en possession de ce rapport transmis avec une étonnante rapidité. Elle tient peut-être à des circonstances exceptionnelles, qui se situent hors du circuit habituel des « fuites ».

Ce numéro ne paraîtra pas. *L'Express* est saisi.

L'opération a été étouffée dans l'œuf. Mais en vain. Le 27 mai, dans l'après-midi, de larges extraits de l'article déjà composé qui devait paraître dans l'hebdomadaire de Servan-Schreiber sont diffusés par l'agence France-Presse (A.F.P.) vers la province et l'étranger.

Les conditions dans lesquelles cette divulgation a été effectuée donnent à réfléchir sur l'autorité de l'État. Interdite, la diffusion a été effectuée quand même. Responsables : deux chefs de service de l'A.F.P. Ils seront révoqués, mais réintégrés aussitôt, dès que Mendès-France, succédant à Bidault, arrive au pouvoir.

Voilà où l'on en est, quand Martinaud-Deplat consulte le projet de procès-verbal établi par Mons, contenant des secrets que chacun aurait pu acheter quelques jours plus tôt, au kiosque, pour deux francs.

Le ministre de l'Intérieur a terminé sa lecture, affligeante à tant d'égards. Toutes ces délibérations secrètes qui ont mis en jeu le destin du corps expéditionnaire, dont une partie a précédé le désastre de Dien-Bien-Phu, le Viet-Minh n'a pu les ignorer. On en a d'ailleurs retrouvé des extraits sur le corps d'un officier viet.

Martinaud-Deplat prend sur sa table un second document. Il s'agit d'un rapport très confidentiel, établi par un informateur de la préfecture de police qui opère au sein du parti communiste. Quotidiennement, le ministre de l'Intérieur a entre les mains les rapports de synthèse établis par la Sûreté nationale et la préfecture. Mais, en outre, chaque soir, le directeur de la Sûreté nationale ou le préfet de police remettent au ministre un rapport plus confidentiel.

Ce texte, anonyme, que le préfet de police Baylot a remis dans la soirée du 1er juin à Martinaud-Deplat, a pour auteur un journaliste, membre du parti communiste, qui renseigne le service anticommuniste dirigé par le commissaire Jean Dides. Martinaud-Deplat connaît le nom de cet homme, un certain André Baranès, qui collabore à *Libération*, après avoir travaillé à l'hebdomadaire *Action*.

Il est deux heures du matin. Monsieur le ministre est las. Monsieur le ministre somnole. Monsieur le ministre va dormir.

Soudain, une phrase...

Soudain, il sursaute. Du rapport Baranès, qui porte sur les activités communistes entre le 23 et le 31 mai, une phrase vient d'éveiller en lui un souvenir, le vif sentiment du déjà lu.

« Teitgen : Il faut essayer de passer du pire au moins mauvais... »

... Du pire au moins mauvais... du pire au moins mauvais...

Cette expression qui reflète avec mélancolie l'état de nos forces, Martinaud-Deplat l'a déjà lue. Où ? Mais dans le projet de procès-verbal du Comité supérieur, où elle est attribuée — tout comme dans le rapport de Baranès — à Teitgen !

Avec fièvre, le ministre, à présent confronte le rapport Baranès et celui de Mons. Effarant ! Dans l'un comme dans l'autre de ces textes, rédigés par des hommes qui, en principe, ne se connaissent pas, on retrouve des expressions absolument identiques.

« Et puis, dira Martinaud-Deplat au cours de sa déposition devant le tribunal militaire, sur les processus des interventions au sein du Comité de Défense nationale, sur l'ordre dans lequel les membres du Comité avaient pris la parole, sur ce qui avait été dit... le fait était manifeste que le rédacteur du document [1] avait eu entre les mains ou avait reçu le procès-verbal, le projet de procès-verbal que je viens de lire [2]. »

Il faut préciser en quoi consiste ce rapport Baranès. C'est — une fois de plus — la relation des principaux épisodes d'une réunion du Bureau politique du Parti communiste français, au cours de laquelle, à l'en croire, les délibérations du Comité supérieur de la Défense nationale ont été rapportées avec une précision rigoureuse.

Donc, en pleine bataille contre le Viet-Minh, il apparaît que non seulement les organes progressistes, mais aussi la direction du parti communiste français ont accès au cœur de notre système défensif.

Auriol : « C'est Mitterrand ! »

Il y a de quoi être bouleversé. Du moins le ministre de l'Intérieur peut-il retirer de ses lectures nocturnes une certitude. Jusqu'ici, semble-t-il, on se trompait sur l'origine des « fuites ». On pensait qu'elles étaient dues à l'indiscrétion d'un ministre. « C'est Mitterrand ! » s'était exclamé un jour Auriol [3]. Ainsi, le président de la République soupçonnait le ministre de l'Intérieur. Déposant comme témoin, Pleven, ministre de la Défense nationale, jugeait encore qu'Edgar Faure, ministre des Finances ou François Mitterrand pouvaient être soupçonnés.

A défaut d'un ministre, on pensait à un micro enregistrant les propos.

1. Baranès.
2. Déposition de Martinaud-Deplat le 15 mars 1956. Sténographie des débats.
3. Déposition de Georges Bidault, audience du 23 avril.

On avait sondé les murs, inspecté les abords du 51 avenue de la Tour-Maubourg, siège du Comité. Aucune trace de micro. Et à présent Martinaud-Deplat en était sûr : il aurait fallu une mémoire prodigieuse — et même Edgar Faure avec la sienne n'y serait pas parvenu — pour relater avec cette minutie, cette exactitude verbale, et dans leur ordre chronologique, les différentes interventions. La base de la « fuite » c'était le procès-verbal, recopié par quelqu'un.

Toutefois, on ne peut encore identifier avec certitude le ou les auteurs de la divulgation. Celle-ci peut se situer en effet soit dans les services du secrétariat où s'élabore le projet de procès-verbal, soit dans les différents ministères où il est communiqué avant de revêtir sa forme définitive.

Le jour même (2 juin 1954), Martinaud-Deplat alerte Coty, le président du Conseil Laniel, et Pleven, le ministre de la Défense nationale. A ses interlocuteurs, tout d'abord sceptiques, puis atterrés, il fait part de sa découverte.

« En théorie, expliquera-t-il, seul le ministre décachète l'enveloppe qui contient le projet de procès-verbal. Je ne suis pas certain que cette règle soit toujours observée. Donc, dans chaque ministère, plusieurs personnes du cabinet ont pu avoir accès à ce texte. Si nous faisons une enquête, elle sera longue, délicate et provoquera un tollé de protestations [1]. »

Les quatre hommes prennent donc une décision qui doit, dans leur esprit, limiter le risque des « fuites ». On ne diffusera plus le projet de procès-verbal hors du secrétariat de la Défense. Il sera en outre, désormais, synthétique au lieu d'être analytique, les notes prises par Mons au cours de la réunion du Comité conservant toutefois, par nécessité, ce caractère analytique.

Enquête au secrétariat de la Défense

Dès le lendemain matin, Pleven et Martinaud-Deplat convoquent Mons. Ils ne lui parlent pas du parti communiste. Ils lui disent seulement que des « fuites » ont pu se produire dans son service et lui demandent en conséquence de dresser la liste de son personnel.

Le 4 juin, Mons apporte cette liste au ministre de l'Intérieur qui la transmet au préfet Baylot. En tête son nom, puis ceux de trois officiers, puis différentes personnes ayant accès à ce que l'on appelle dans les termes techniques du ministère le « secret cosmique ».

Sur cette liste toutefois il a omis de faire figurer — et ce sera un des gros griefs invoqués contre lui au procès — deux noms de civils : son secrétaire Turpin et un haut fonctionnaire du Comité, Labrusse.

L'enquête n'en démarre pas moins. Elle a, semble-t-il quelque chance d'aboutir. Mais le 10 juin bouleverse sa marche. Ce jour-là, le ministère Laniel tombe. C'est Mendès France qui vient au pouvoir, pour appliquer

---

1. Compte rendu sténo, audience du 15 mars.

une politique toute différente de celle de son prédécesseur : la recherche d'un accord rapide avec le Viet-Minh.

Partisan de mettre fin promptement aux hostilités — il s'est donné un mois pour aboutir —, adversaire de la C.E.D. (Communauté européenne de Défense), Mendès-France, par son entourage, ses conceptions politiques, est très proche des milieux et des tendances de *L'Express* et de *L'Observateur*. Il suscite des haines terribles et il vient au pouvoir dans un climat de passions exacerbées.

A l'Intérieur, c'est Mitterrand qui remplace Martinaud-Deplat. Jugé par amis et adversaires comme une brillante intelligence, mais frottée de Machiavel, il suscite à l'époque encore plus d'animosité que Mendès. Autour de sa personne une rumeur terrible persiste à bourdonner : « Le traître du Comité, c'est lui! » Elle circule dans les milieux politiques, dans les salles de rédaction, dans les services de renseignements français ou étrangers, dans les ambassades. Elle alarme nos alliés. Elle a trouvé un moment crédit chez Auriol.

Voici donc le suspect numéro un. Au procès, il s'en plaindra, avec amertume, avec éclat. Et parce qu'on le soupçonne, au moment de la passation des pouvoirs, personne ne lui parlera de l'enquête en cours sur la source des « fuites » : ni son prédécesseur Martinaud-Deplat, ni le préfet de police Baylot, ni le commissaire Dides, mais aussi ni son président du Conseil Mendès France, ni le chef de cabinet de celui-ci, Pelabon.

Précisons tout de suite qu'il ne reste rien de ces rumeurs et que Mitterrand n'a joué aucun rôle dans la divulgation de nos secrets militaires.

Mais, à l'Intérieur, un de ses premiers soins est de liquider le service anti-communiste, mis sur pied par le préfet de police Baylot.

Le service Dides

Ce service — un réseau, dira Mitterrand — est placé sous l'autorité du commissaire Dides. Groupant, croit-on, une dizaine d'inspecteurs et une dizaine d'informateurs, membres ou sympathisants du parti communiste, il opère dans des conditions assez spéciales. Il possède en effet des locaux hors de la préfecture de police, où il garde jalousement ses archives et ne relève que de Baylot. Il utilise, en outre, l'ancien inspecteur des brigades spéciales, Delarue, le célèbre « La Bobine ». Condamné aux travaux forcés, Delarue s'est évadé après une révolte du camp où il était enfermé. Il n'en est pas moins récupéré par le service Dides, avec l'assentiment du président de la République, Auriol, et du président du Conseil, Queuille. On lui confectionne de faux papiers. Il ira même en mission aux États-Unis. C'est lui qui, grâce à son extraordinaire mémoire, reconstitue l'organigramme de l'appareil clandestin et alimente un fichier qui, mystérieusement, disparaîtra au moment de l'affaire des « fuites », détruit, dira-t-on.

Qu'est-ce que ce service ? Une police parallèle ? Ou bien des contractuels, dont les pouvoirs se limitent aux tâches du renseignement ? Au procès, les avocats des accusés Labrusse et Turpin affichent leur étonnement. Mais comme Labrusse intervient avec une assurance voisine du cynisme pour dire : « J'avais des amis à ce moment-là à la direction du personnel. J'ai vu le texte intégral du rapport de M. Baylot » (sur son compte), celui-ci a beau jeu de répliquer :

« Voilà pourquoi il y a un service Dides, Monsieur le président [1] ! »

En occupant ses fonctions, il a appris de son prédécesseur que lorsque les cars de police partent pour réprimer une manifestation, le numéro des véhicules, l'importance des effectifs déplacés sont notés aussitôt et aussitôt transmis. Personne n'ose réagir. D'où la décision de monter un service à part.

Ce service, Mitterrand ne veut pas en entendre parler. Au procès, avec véhémence, il accusera Dides d'être l'auteur des rumeurs qui ont circulé sur son compte à lui, Mitterrand, et d'avoir organisé une machination pour le perdre. A peine installé place Beauvau il refuse de recevoir le commissaire. Il s'empresse aussi de renvoyer Baylot — remplacé par Dubois — ainsi que Hirsch, directeur de la Sûreté nationale.

Cependant, sous le ministère Mendès, au début de juillet 1954, Baranès communique à Dides un nouveau rapport sensationnel, relatant avec la même minutie les délibérations de la séance du Comité supérieur tenu le 28 juin précédent. Ce document qui ne sera pas retrouvé, Dides en donnera une copie à son ami Fouchet, ministre des Affaires marocaines et tunisiennes dans le gouvernement Mendès.

Ce rapport se présente sous la même forme que le précédent. Il s'agit toujours de discussions au sein du Bureau politique qui évoquent avec la même stupéfiante précision la séance du Comité supérieur. Fouchet, qui a participé à ce Comité en est, lui aussi, ahuri. Il alerte aussitôt Mendès France et son chef de cabinet Pelabon. Dès le 5 juillet, une enquête est ouverte sur cette nouvelle « fuite ».

Ici intervient un changement qui va avoir de graves répercussions. L'enquête sera confiée, non pas à la préfecture de police, mais à la D.S.T. (Défense de la sécurité du territoire) que dirige Roger Wybot.

Dides n'a pas communiqué le document Baranès à Mitterrand. Il se méfie de lui et le ministre à son tour le tient pour son pire ennemi. Tel est le climat.

Les vacances arrivent. Même dans ce secteur qui intéresse la Défense nationale, elles placent l'enquête dans une certaine somnolence. De toute façon, la prochaine réunion du Comité supérieur n'est prévue que pour le 10 septembre. Ce sera là, pense-t-on, une occasion de préciser l'origine des fuites et de repérer les coupables.

1. Sténographie de l'audience du 16 mars 1956.

Baranès pris en filature

En attendant, Dides et Baranès sont pris en filature par la D.S.T.

La filature de Baranès suscitera au procès d'interminables controverses et de multiples confrontations de policiers. Elle s'effectue, il est vrai, dans d'invraisemblables conditions. D'abord, à un certain moment, les hommes de la D.S.T. et ceux de la préfecture de police se font concurrence. Il y a ainsi autour de Baranès un véritable ballet de policiers en civil, si bien qu'on peut se demander — la chose a son importance — si ce dernier n'a pas éventé cette surveillance.

Seconde surprise : il y a énormément de monde autour de Baranès, mais pour fort peu de temps et pour un résultat bien médiocre. La filature commence le 7 septembre. Elle n'est d'abord ordonnée que pour quarante-huit heures (pourquoi?). Elle cesse le 10, exactement à 17 heures, c'est-à-dire juste au moment où Baranès va avoir un « contact » capital.

Sur les méandres de cette bizarre enquête, assortie de procès-verbaux qui disparaissent puis réapparaissent pour de mystérieuses raisons, nous ne pouvons nous étendre ici. Cet aspect sort d'ailleurs de notre sujet qui porte essentiellement sur le rôle de l'appareil communiste dans les fuites.

Toujours est-il que, quelques jours plus tard, Baranès voit Dides et lui remet un compte rendu succinct des délibérations du Comité du 10 septembre. Il assure qu'il donnera plus tard une relation plus détaillée et qu'il révèlera enfin l'origine de ses informations.

Dides, confiant, va droit chez Christian Fouchet, relate l'affaire. Pendant ce bref entretien, le téléphone sonne sur la table du ministre. « Ah! dit celui-ci, la délégation est là? Dites-lui d'attendre. » Peu après, Dides prend congé.

Au bas de l'escalier, il y a bien une délégation : celle de la D.S.T. Est-ce celle dont Fouchet a voulu parler? Composée d'inspecteurs, une vraie meute, elle tombe sur l'athlétique commissaire Dides qui, adepte du judo, expédie trois ou quatre « délégués » au tapis, mais finit par succomber sous le nombre.

Interpellé, conduit en présence de Wybot, avec qui il a une explication orageuse, Dides sera relâché un peu plus tard. Baranès est interpellé à son tour, puis également remis en liberté par le juge d'instruction, après avoir déclaré qu'il faisait partie d'un réseau « patriotique » à l'intérieur du parti communiste. Son nom, son rôle sont rendus publics. Il dira au procès que, terrorisé à l'idée des représailles que les communistes peuvent exercer sur lui, il disparaît de son domicile et trouve refuge dans la Nièvre, chez un député radical, Hugues, puis dans le monastère bénédictin de la Pierre-qui-Vire, avant d'être de nouveau récupéré par la D.S.T. qui a beaucoup de questions à lui poser.

Ce que découvre Wybot

Entre-temps, les services de Wybot ont fait quelques découvertes intéressantes.

Enquêtant au secrétariat du Comité de la Défense nationale, ils finissent par obtenir de Mons la reconnaissance de certains faits. Celui-ci avait toujours affirmé que ses notes et ses procès-verbaux restaient soigneusement enfermés dans son coffre et que nul, par conséquent, ne pouvait en avoir connaissance. Il finit par admettre qu'il a pu les laisser sur sa table, mais sanglés dans un dossier. Donc, il n'est plus impossible que son secrétaire Turpin, ce Turpin dont Mons avait négligé, sur la liste du personnel, de communiquer le nom à Baylot, ait lu ces notes. Et dans les bureaux de la D.S.T., pressé de questions, Turpin finit par avouer. Oui, il a lu les procès-verbaux de Mons. Oui, il les a recopiés. Oui, il les a communiqués à Labrusse (qui ne figure pas davantage sur la liste). Et, oui, Labrusse a eu plusieurs entretiens avec Baranès.

Et celui-ci, à qui donc a-t-il communiqué les renseignements ainsi obtenus ? A Dides, nous le savons. Mais aussi, — c'est ce qu'il affirmera aux inspecteurs de la D.S.T. et plus tard au procès, — à son directeur de *Libération*, à d'Astier de la Vigerie en personne. C'est, affirme Baranès, d'Astier, agent du parti communiste, qui était le destinataire des « fuites ». Il en a eu d'abord connaissance directement par Labrusse, puis a demandé à Baranès de lui servir d'intermédiaire. Ce dernier a été mis en relation avec Labrusse par la secrétaire de d'Astier, Mlle Hertz.

Turpin de son côté, au cours d'un de ses interrogatoires, fera état d'une confidence de Labrusse, selon laquelle les informations du 24 mai avaient été transmises directement à d'Astier, celles de juin lui étant aussi destinées. Il reviendra, toutefois, à l'audience sur ces aveux, obtenus, dira-t-il, par la fatigue d'un interrogatoire qui aurait duré seize heures.

Voici donc, apparemment, la filière des « fuites » établie. Celles-ci sortent des notes de Mons, d'où leur précision. Copiées par Turpin, pendant une absence de Mons hors de son bureau, elles sont transmises par Labrusse, dans un premier temps directement à d'Astier, puis à un intermédiaire, Baranès. Et d'Astier — qui nie, bien entendu avoir reçu quoi que ce soit — à qui donc a-t-il communiqué ces informations qui valent de l'or et coûtent du sang ?

— A ses amis de *L'Observateur* et de *L'Express* ? Peut-être. On se souvient que le télégramme Massigli, dont d'Astier a lu des extraits, a fait aussi l'objet d'un article dans l'hebdomadaire progressiste.

— Directement ou par intermédiaire au Viet-Minh ? On retrouvera en tout cas l'essentiel du rapport du général Ély des 14 et 15 mai sur le corps d'un chef de bataillon viet, tué au combat. Un certain Van Chi, représentant officieux du Viet-Minh à Paris, qui possède sur son carnet 200 noms de personnalités, presque toutes progressistes, semble bien avoir bénéficié aussi de renseignements ultra-confidentiels.

— Au parti communiste? Et spécialement à Jacques Duclos? C'est la version Baranès.

Au domicile de ce dernier, dans le 18ᵉ arrondissement, les inspecteurs de la D.S.T. font une découverte importante et surprenante.

Chez Baranès, deux rapports manuscrits

Ils trouvent deux rapports manuscrits de la main de Baranès. L'un est la relation de son dernier entretien avec Labrusse, tout de suite après le 10 septembre, et reflète exactement les notes de Mons. Aucun doute n'est possible sur ce dernier point. Ces notes de Baranès *ne contiennent pas en effet les rectifications demandées par certains ministres*, qui figureront dans le projet définitif.

Le second manuscrit, toujours de la même main, est le début d'un rapport sur une réunion du Bureau politique du parti communiste. Dans ce récit, rédigé de la main de Baranès, les membres du Bureau politique, Duclos en particulier, font état de renseignements provenant du Comité supérieur de la Défense nationale.

A Baylot et à Dides, Baranès s'est toujours refusé à dévoiler la source de ses renseignements, ce qui est une pratique courante chez les informateurs. Dans les rapports qu'il fait chaque semaine et que Martinaud-Deplat a en mains, il relate très souvent les séances du Bureau politique. Ceci donne à croire à ceux qui l'emploient qu'il est en relations confidentielles avec les plus hauts dirigeants du parti et, en particulier, avec Jacques Duclos.

Or, le rapprochement entre les deux notes manuscrites saisies chez lui par la D.S.T. ébranle fortement cette opinion. Il apparaît en effet que l'informateur de la P.P. a été surpris par les inspecteurs de la D.S.T. au moment où — selon le terme utilisé au cours du procès — il était en train « d'habiller » les renseignements communiqués par Labrusse, en les insérant dans le compte rendu d'une pseudo-réunion du Bureau politique, inventée de toutes pièces. A qui cette « fabrication » interrompue était-elle destinée? Selon toute vraisemblance, au commissaire Dides. Il lui dissimulait ainsi la source exacte de ses informations (Labrusse) et leur attribuait une fausse origine (le Bureau politique).

Dans quel dessein?

Dix-sept ans environ après le procès des « fuites » il n'y a toujours pas de réponse catégorique à cette question. Il n'y a pas non plus de réponse entièrement satisfaisante à cette autre question : qui êtes-vous, André Baranès?

Au physique, c'est un petit bonhomme brun, gesticulant et volubile, le regard méfiant sous les lunettes. Dans le box des accusés où il comparaît en compagnie de Mons, de Turpin et de Labrusse — ce dernier le dévisage avec haine et mépris — il parle en levant deux mains fiévreuses à la hauteur de ses joues, comme deux petits boucliers protecteurs. Il est né en Algérie, mais est venu bientôt s'installer avec sa famille en Tunisie. Il y fait ses premières armes de militant communiste, acquérant même après la Libération une certaine notoriété comme rédacteur à *Tunis-Soir*, hebdomadaire communiste.

Il va continuer en métropole ses activités au service du parti. Il fréquente les coulisses du Parlement pour y glaner des tuyaux qu'il déverse dans la rubrique des échos d'*Action*, cet hebdomadaire dont le directeur est Yves Farge, le rédacteur en chef Pierre Hervé, et que la direction du parti tient en suspicion.

Quand *Action* coule, Baranès passe à *Libération* comme pigiste, au forfait. Il y fournit, un jour sur deux, une page d'échos sur les coulisses du Parlement et les milieux politiques. « C'était un bon échotier — dira de lui d'Astier, son directeur — connaissant bien les milieux et les gens, *peut-être un peu bluffeur* [1]... »

Ceci, c'est le premier visage de Baranès qu'il montre à tous. Il y en a un second, plus secret. A *Action* comme à *Libération* Baranès, sous les dehors de ses activités journalistiques, opère comme un agent du service de renseignements du parti communiste que dirige le général Malleret-Joinville, assisté de Fromentaud. Il est venu proposer ses services journalistiques à Hervé au début de l'année 1951, certainement pas, estime celui-ci, de sa propre initiative. « Tout en travaillant pour *Le Petit Marocain*, écrit Hervé de Baranès, il occupait les fonctions de secrétaire d'André Tollet qui était chargé des questions coloniales à la C.G.T. Or, quand on a été " cadré " [c'est ainsi que ça se dit] on ne peut venir de sa propre initiative travailler dans un journal contrôlé par le parti... Baranès était chargé d'une mission spéciale à *Action*. Nous étions en 1951 et l'enquête sur les activités de Farge et Tillon avait commencé [2]. »

A *Libération* certains le surprendront fouillant les tiroirs et même les sacs à main [3]. Tout le monde le redoute et le considère comme « l'œil du parti ».

Il y a un troisième Baranès, pendant plusieurs années le plus secret : le policier.

Baranès est entré au service de la police par l'intermédiaire d'un confrère qui l'a présenté à Bertaux, alors directeur de la Sûreté nationale. Bertaux, quand il s'en va, repasse son agent à Hirsch qui ne l'apprécie guère. Baranès est récupéré par Dides. Il devient l'informateur numéro un de son service.

Si l'on se fie aux débats du procès, en tant qu'informateur l'homme est diversement apprécié. Hirsch l'a congédié très vite : « Je ne vois pas, dit-il, pourquoi je paierais cher un informateur, alors qu'il me suffit d'acheter tous les jours *Le Figaro* pour savoir ce qu'il va raconter [4]. » Baranès à l'époque alimente en effet régulièrement la chronique : « *Le Figaro* révèle ici à ses

---

1. Compte rendu sténo de la déposition d'Astier, audience du 18 avril. Souligné par nous.
2. *Dieu et César sont-ils communistes?* p. 46 et p. 48.
3. Confidence d'Andrée Marty-Capgras, journaliste de *Libération*, à Jean-André Faucher.
4. Audience du 17 mars 1956. Déposition de Mitterand.

lecteurs ce que leur cache *L'Humanité*. » Comme on le voit, son activité journalistique est étendue et éclectique.

Francis Raoul, secrétaire général de la préfecture de police, qui pendant trois années a eu entre les mains des rapports de Baranès où il n'était jamais question de défense nationale, déclare : « C'était un pathos sur le parti communiste... Les papiers, à mon sens, n'avaient pas l'intérêt que certains leur accordaient. Puis, brusquement, ils ont contenu des éléments très intéressants [1]. »

Mitterrand est le plus sévère. Il existe au dossier du procès sept rapports de Baranès qui s'échelonnent entre mai et septembre 1954 et qui mettent en scène à la fois des dirigeants du Parti communiste français et des dirigeants du Kominform. Devenu ministre de l'Intérieur, Mitterrand les a fait tester par Max Moulin, directeur des R.G. (nommé à ce poste par Brune et Martinaud-Deplat) qui les soumet lui-même à des experts. En février 1955, « alors que je ne suis plus ministre de l'Intérieur », souligne Mitterrand, les experts remettent leur rapport. Extraits de ce verdict :

« Le mélodrame dégage un comique certain, mais l'invention est misérable, l'imitation pénible... Baranès a suivi les règles auxquelles sont assujettis les indicateurs de police démunis d'informations, il invente [2]. »

Conclusion de ces personnes : Baranès est un fabulateur. Mais pourquoi ment-il ? Mitterrand n'en sait rien. Il n'est sûr que d'une chose : la vedette du commissaire Dides a abusé de « sa naïveté, pour être gentil » et a fait montre de « filouterie, pour être encore gentil ».

On s'en doute, Baylot et Dides ont une tout autre opinion de leur employé. Ils font état des relations — confirmées par Hervé — qu'il possède à l'intérieur du Parti, du rôle important qu'il a joué au moment de la Conférence économique de Moscou en permettant de « torpiller » celle-ci, de ses prévisions sur le rôle essentiel du parti communiste dans le déclenchement de la révolution algérienne. Ils jettent toutefois un peu de lest, admettant que, parfois, Baranès affabule. Notant que leur informateur est entré au début de 1953 au service de renseignements du parti, où il est en contact avec Fromentaud, adjoint de Malleret-Joinville, Dides affirme qu'à partir de ce moment « ses informations se sont faites de plus en plus riches... Peu m'importe qu'il ait pu romancer, qu'il ait mis dans la bouche de tel ou tel membre du Bureau politique du parti communiste des affirmations [3] ». Baylot, de son côté, dit que « certains renseignements sont intéressants, d'autres parfaitement imaginaires ». Mais c'est fréquent, assure-t-il, avec les informateurs.

Tous deux, en tout cas, soulignent avec force que sans Baranès on n'aurait pas décelé l'origine des fuites. Mitterand n'est pas du tout de cet avis. Baranès, dit-il, détourne l'attention sur une autre source, en inventant

---

1. *Op. cit.*, audience du 11 mai 1956, Raoul a fortement contribué à remettre sur pied la préfecture de police après les bourrasques de la Libération.
2. *Op. cit.*, audience du 15 mars 1956.
3. *Op. cit.*, audience du 16 mars 1956.

une réunion du Bureau politique qui ne s'est pas tenue. La chaîne décrite par Baranès, à l'époque où il communique ses renseignements à Dides est, *grosso modo*, la suivante : le ministre-traître, siégeant au Comité supérieur de la Défense nationale (Mitterrand ou Faure, ce dernier plus probablement selon Baranès) qui informe directement un des chefs du parti communiste (Duclos sans doute) ou d'Astier (qui informe Duclos). De là, les renseignements filent vers le Viet Minh, ou sont acheminés vers une ambassade étrangère, et Baranès, élevé dans le sérail communiste, en a communication au passage.

Or, la chaîne véritable est, nous l'avons vu, toute différente.

« Si Wybot, commente Mitterrand, ne fait pas arrêter Baranès, on ne sait rien de tout cela et l'origine véritable des " fuites " continue à être sciemment dissimulée par l'agent du commissaire Dides! »

Tout le débat porte sur la véritable personnalité de Baranès. Dix-sept ans après le procès, celle-ci demeure énigmatique.

Peut-on faire foi à ses propos ? Ils changent en fonction des interlocuteurs et de la situation à laquelle l'homme se trouve confronté. Dans le box des accusés, il est l'agent du commissaire Dides, mû par des mobiles patriotiques. Arrêté par la D.S.T. il a tenu un autre langage. Dans la voiture où l'inspecteur qui l'a arrêté à la Pierre-qui-Vire le ramène à Paris, Baranès confie à son gardien « qu'il était un agent chargé d'intoxiquer les services officiels ». Il ne donnait de renseignements à Dides qu'avec l'accord du Parti communiste [1]. S'il lui a communiqué le contenu des fuites, c'est sur consigne du parti, de façon à démoraliser le gouvernement, affolé de voir à quel point les communistes sont au courant de nos secrets.

Mais, chez le juge, voici une autre version.

« Oui, dit en substance Baranès, le parti communiste m'a bien chargé d' " intoxiquer " Dides, mais j'ai désobéi à cette consigne et n'ai remis au commissaire que des informations exactes. »

Il assure qu'une partie des renseignements lui vient non pas de Labrusse, mais directement du parti communiste. Il changera encore de thèse sur ce point. Et il faut bien constater qu'à diverses reprises, au cours de ses interrogatoires chez le juge ou pendant le procès, il se contredit.

L'opinion de Mitterrand

Quatre jugements sont possibles sur le compte de Baranès, si l'on en croit Mitterrand :

1. C'est un homme qui renseigne la préfecture par patriotisme;

---

1. Audience du 10 mars. Résumé de l'affaire par le président. C'est au retour de la Pierre-qui-Vire que Baranès parlera pour la première fois de Labrusse, nom qu'il avait caché au cours de son premier interrogatoire par la D.S.T. et ensuite chez le juge d'instruction. Or, à ce moment-là, il ignore encore que de leur côté Labrusse et Turpin sont entrés dans la voie des aveux.

2. C'est un agent du parti communiste chargé d' « intoxiquer » le réseau Dides;

3. C'est un fabulateur;

4. C'est un gagne-petit qui tente d'abuser tantôt le parti communiste, tantôt la préfecture pour ramasser plus d'argent.

Pour Roger Wybot, c'est la seconde thèse qui est la bonne. Baranès fait de l' « intox » en alimentant le service Dides en faux renseignements et en détournant son attention des vrais problèmes. Il profite aussi de sa situation pour communiquer au parti les informations qu'il a pu glaner dans le milieu policier.

A vrai dire, les jugements relèvent ici de la subjectivité, car les preuves objectives font défaut. Prenons un exemple : le tribunal sera vivement impressionné par un ou deux rapports de Baranès annonçant, avant l'insurrection de la Toussaint 1954, que les communistes se préparent à déclencher la rébellion en Algérie. Comme le procès se déroule en plein conflit algérien, il est naturel que ce genre de rapport soit pris en considération. Mais nous savons aujourd'hui que ces affirmations ne reposent sur rien, que l'insurrection fut lancée par les nationalistes, que le parti communiste algérien commença par la désapprouver [1].

Donc, les informations de Baranès sur ce point sont erronées. Mais comment déterminer si elles ont été transmises à des fins d' « intoxication », ou pour permettre d'améliorer l'ordinaire mensuel?

Puisque Baranès appartient au service de renseignements de Malleret-Joinville — lequel a remplacé Beyer — il faut bien qu'il fournisse de ce côté sa quote-part de nouvelles : une cuillerée pour le commissaire Dides, une cuillerée pour le camarade Malleret. Seulement, nous ne connaissons pas le contenu de cette dernière, qui peut se limiter aux couloirs de *Libération* et aux coulisses du Parlement.

Ce double fonctionnement éveille tout de même quelque chose dans notre mémoire : « la boîte postale » de Taurynya obligeamment prêtée à Marty. Déjà, c'est le même système : une copie des lettres de Marty pour *Le Figaro*, une autre pour le camarade Mauvais. Simple hypothèse. Nous savons que Baranès était en liaison avec l'organe « bourgeois » du Rond-Point mais affirmer qu'il alimenta ce journal, ainsi que le parti communiste, en lettres de Marty, serait certes s'avancer.

On peut noter toutefois qu'au procès il s'est vanté publiquement d'avoir pour le compte du service Dides influé sur le déroulement des affaires Marty et Lecœur et d'avoir ainsi « intoxiqué » la direction du Parti. C'est un aspect que Mitterrand ignore (ou veut ignorer) et qui interdit de dire que le service Dides est absolument inefficace. Seulement, ni Baylot ni Dides ne peuvent aisément s'expliquer sur ce sujet qui relève des arcanes de la préfecture.

La rubrique du *Figaro* donne à l'époque de la crise Marty des renseignements confidentiels et précis sur le déroulement de l'affaire.

---

1. Cf. chap. suivant.

Peut-être Baranès est-il en perte de vitesse auprès du service Dides. Un passage de la déposition de Francis Raoul le donne à penser :

« Mon sentiment, dépose-t-il, est qu'à cette époque, il importait pour l'auteur des papiers de donner des choses sérieuses et qu'il était important pour ceux qui payaient de vérifier la réalité de certains renseignements. En effet, il était difficile de dire si le Bureau politique du parti disait ceci ou cela, tandis qu'un ministre pouvait immédiatement vérifier si ceci ou cela s'était dit au Comité de la Défense nationale [1]. »

Pour la première fois, fait remarquer Raoul, Baranès détient des renseignements de haute valeur concernant la Défense nationale, dont il n'avait jamais parlé jusque-là. Assurément, il y a là une mine. Son intérêt — s'il n'a dans la tête que son seul intérêt personnel — c'est que le filon ne s'épuise pas de sitôt. Donc qu'on découvre le plus tard possible, ou mieux, pas du tout, la vraie filière : Turpin-Labrusse.

C'est encore une hypothèse. Fragile. Le personnage n'est pas aisément déchiffrable.

Revenons donc à ce qui est sûr et essentiel. Il y a bien eu trahison, c'est-à-dire divulgation volontaire à partir du secrétariat de Mons. Au procès, Labrusse et Turpin, ergotant, chipotant, nient avoir transmis des notes, admettent avoir tenu des propos vagues et généraux, naturellement, mais les faits ne sont pas réellement discutables. Reste à savoir où commence, où finit ce réseau.

Au procès, Mitterrand et surtout Mendès France sont sévères pour la négligence de Mons. Celui-ci en outre, disent-ils, a fait des réponses inexactes qui ont égaré l'enquête. Nous l'avons déjà signalé, il avait omis de faire figurer sur la liste communiquée à Baylot les noms de Labrusse et de Turpin. Il a déclaré que ses notes étaient enfermées dans un coffre-fort; en réalité une simple armoire dont il laissait les clés parfois sur sa table, quand il s'absentait du bureau.

Cependant il lui aurait été facile de brûler ses notes. Il n'en a rien fait [2].

Wybot va beaucoup plus loin. A ses yeux Mons est le principal coupable. Il est le chef du réseau travaillant pour le compte du parti communiste. Labrusse et Turpin n'étaient que des comparses. Est-ce croyable ? Mons est un personnage considérable. Ancien instituteur, il est passé aux contributions indirectes. Avant guerre, il est un des dirigeants du syndicat C.G.T. Pendant la Résistance il joue un rôle important, figure au cabinet de Luizet. Il sera résident général à Tunis pendant trois ans, poste qu'il quitte en 1950 parce qu'il n'est pas d'accord avec la politique suivie. On le nomme alors secrétaire au Comité supérieur de la Défense nationale, fonction qu'il partage avec Ségalat.

A l'audience, Auriol, Georges Bidault, Frédéric Dupont, Baylot viennent dire qu'ils lui conservent toute leur confiance. Wybot n'en persiste pas moins dans sa thèse. Argument supplémentaire : d'Astier, assure-t-il,

1. *Op. cit.* Déposition du 11 mai 1956.
2. Audience du 22 mars. Déposition de Mendès France.

lui a confié qu'il avait placé Mons auprès de Luizet à la Libération pour le surveiller. Appellé à la barre, d'Astier nie. Oui, il a connu Mons, mais n'avait aucun lien avec ce dernier.

Le tribunal militaire ne suivra pas le patron de la D.S.T. Le président ne lui fait grief que de sa négligence. Mons est finalement acquitté.

Baranès sera également acquitté pour avoir permis de démasquer le réseau. C'est un second désaveu de Wybot. Turpin et Labrusse, eux, sont condamnés.

Les hommes du réseau

Turpin, secrétaire personnel de Mons, l'a suivi partout pendant dix ans. Il est socialiste, de tendance progressiste. Un de ses collègues, le colonel de Caumont, le définira comme un incapable et un sectaire. Au procès, il apparaît comme un personnage assez terne.

Labrusse a plus de classe. Acerbe, voire provocant, il se rebiffe devant les accusations de Baranès, les questions du président ou de l'avocat général, contre les assauts redoutables de Tixier-Vignancour à qui il reproche son passé vichyssois. Il a servi dans l'administration en Algérie, après le débarquement. En métropole il est connu comme un laïque farouche, animateur d'une fédération de parents d'élèves. C'est à ce titre, dira-t-il, que Baranès l'a « contacté » et, à cette occasion, il a reçu de lui quelques confidences sur l'état de nos forces dans les rizières.

Mais Labrusse est aussi, ce qui se sait moins, un des dirigeants de l'Union progressiste, à la tête de laquelle on trouve, outre d'Astier, Mme Ségolène Malleret-Joinville. Il y milite sous le pseudonyme de Liorac et participe à la rédaction de son bulletin. Il fréquente aussi *Libération* et connaît bien son directeur.

C'est à lui, tout d'abord, qu'il fera directement parvenir les secrets de la Défense nationale.

A quelles fins ?

Au procès, Tixier-Vignancour relève cette déposition de Turpin à la D.S.T. du 30 septembre 1954, cote 37-38-2 B :

« J'ai pu consulter les notes de M. Mons et en faire un résumé succinct que j'ai passé encore cette fois [il s'agit de la réunion du 26 mai] à Labrusse. Il était question de la guerre d'Indochine. Je suis persuadé que ces renseignements n'ont pu être communiqués à Baranès, mais à certains membres de l'opposition... Je dois préciser que Labrusse m'avait fait savoir que ces renseignements avaient été communiqués à M. d'Astier de la Vigerie qui, lui-même, les avait fait parvenir à M. Mendès France [1]. »

A l'audience, Turpin revient sur cette déclaration, la mettant sur le compte de la fatigue. Mais Labrusse a, *chez le juge d'instruction*, reconnu de son côté avoir eu un entretien avec d'Astier lors de la séance du 26 mai.

1. Audience du 19 avril 1956.

Cette conversation, d'Astier l'a oubliée. Sans doute, il a connu Labrusse en Algérie. Sans doute, il a eu des contacts avec lui au sein de l'Union progressiste en 1953, mais c'étaient des contacts politiques, non d'intimité.

Naturellement, dit-il, il n'a jamais eu avec Labrusse d'entretiens portant sur la Défense nationale, ni chargé Baranès de le remplacer pour cette tâche.

Et le fameux télégramme de Massigli? Eh bien! il n'a jamais eu en main ce télégramme. Mais il en a bien cité des phrases entières, au cours de son interpellation à l'Assemblée? Cela, d'Astier ne peut le nier. Mais il assure que ses sources, qu'il ne veut citer, ne se situent pas au secrétariat de la Défense nationale [1].

Elles ne peuvent, de toute façon, être situées que dans un des services où le télégramme démarqué a été communiqué. La vraisemblance semble indiquer que cette source est au Comité secret, où deux hommes avouent avoir transmis des informations à un troisième lié à d'Astier.

Il n'est pas contesté au procès que c'est Mlle Hertz, secrétaire de d'Astier, qui a téléphoné de son bureau pour recommander Baranès à Labrusse. Secrétaire administrative de l'Union progressiste, elle est membre, comme une autre secrétaire de d'Astier, Mlle Mayer, d'une cellule communiste.

Entre d'Astier et Baranès la confrontation est violente.

« Vous êtes un indic, crie d'Astier à Baranès. Vous m'avez été envoyé par Baylot pour tenter de me faire tomber dans une provocation policière et déconsidérer l'opposition.

— C'est vous qui êtes un indic, riposte Baranès exaspéré. Vous êtes appointé par le parti communiste. Vous touchez tous les mois six millions de Dorval, administrateur de *l'Humanité*, pour couvrir le déficit de *Libération* [2]. »

En définitive, quand on débarrasse cette confrontation de ses aspects passionnels, il apparaît probable que d'Astier a bien reçu du secrétariat le texte du télégramme. Il n'a pu l'avoir dans ce cas que par la chaîne Labrusse-Turpin. Il apparaît clairement aussi qu'avec son consentement, Baranès a été mis, à un certain moment, en contact avec Labrusse.

---

1. Audience du 18 avril 1956. Déposition d'Astier. A ce témoignage on peut opposer la déposition de M. de Saint-Hélier, fonctionnaire des A.E., faite à la D.S.T. le 26 octobre 1954 et lue à l'audience du 18 avril 1956 :

« Des renseignements que j'avais pu obtenir il ressortait :

« 1. Aucun des exemplaires (du télégramme) diffusé à l'intérieur du ministère des Affaires étrangères n'a disparu.

« 2. Un exemplaire avait été communiqué régulièrement au secrétariat général permanent de la Défense nationale.

« 3. Ce télégramme avait fait l'objet de démarquage et avait été diffusé à un certain nombre de destinataires *portés* (?) sur le télégramme démarqué.

« J'ai confronté le texte du télégramme démarqué avec celui paru dans *L'Observateur*. Ce dernier a été lu par M. d'Astier. »

2. Baylot, ayant fait condamner d'Astier pour diffamation, recevra de celui-ci un chèque sur la Banque commerciale pour l'Europe du Nord.

Mais, justement, pourquoi d'Astier a-t-il éprouvé le besoin d'introduire Baranès dans le réseau Labrusse ?

Dans ce débat, il est malheureusement impossible de faire toute la lumière. Non seulement à cause de la complexité de l'affaire, qui mêle espionnage, intrigues policières et politiques, et où le mensonge affleure à tout moment, mais en raison d'obstacles juridiques. Concernant un des principaux acteurs de cette affaire, d'Astier de la Vigerie, la levée de l'immunité parlementaire a été refusée par la majorité de l'Assemblée. Les poursuites engagées contre lui se sont soldées par un non-lieu, dont a bénéficié aussi le journaliste Roger Stéphane.

Il devient donc impossible à l'historien de soumettre les activités de ces personnes à la critique, sans courir le risque de poursuites.

Une enquête complète sur l'affaire des fuites se trouve ainsi stoppée. Nous sommes en présence d'une chaîne dont nous connaissons avec certitude le point de départ (le secrétariat de la D.N.) et les points d'aboutissements : les Viets et certains organes de presse. De cette chaîne, trois maillons ont été identifiés avec certitude : ils se nomment Turpin, Labrusse et Baranès. A partir de là, la piste est interrompue. Passe-t-elle par d'Astier ? Par Duclos ? Par l'un et l'autre ? Ou emprunte-t-elle encore une autre voie ? La loi nous interdit de chercher à le savoir.

On peut toutefois, à propos de cette affaire, se livrer à un certain nombre de réflexions. Elles mettent en évidence à la fois l'extraordinaire porosité de nos secrets et l'ataxie de l'État, incapable de réagir contre la trahison.

L'État paralysé

L'affaire des fuites révèle d'abord la carence de nos services de renseignements. Comment l'appartenance de Labrusse à l'Union progressiste, ses fréquentations à *Libération*, ses contacts suspects, l'inscription de Turpin à France-U.R.S.S. ont-ils pu échapper à la sécurité militaire ? Puis aux R.G. ? Toutes ces activités relevaient d'une enquête de routine. A-t-elle été négligée ? Pourquoi ? A-t-elle été faite, mais sans avoir de suites ? Ce qui supposerait alors que des mécanismes occultes ont joué pour maintenir en place des protégés.

Et quand l'origine des fuites est localisée, l'enquête est alors freinée à la fois par la rivalité des polices, l'antagonisme Baylot-Wybot et la succession des ministères qui implique un bouleversement de politique.

Non moins surprenantes, certaines légèretés. Il est tout de même singulier que les P.V. du secrétariat de la D.N. traînent sur les tables, au lieu d'être mis soigneusement sous clé. Il ne l'est pas moins qu'on découvre en perquisitionnant à *L'Express* la lettre d'un ministre du cabinet Laniel. Concernant l'Indochine, il y critique la politique dont il est officiellement solidaire au Conseil des ministres. Après cette découverte, il est contraint de démissionner. Épisode qui, curieusement, ne sera pas évoqué au procès des fuites et qui est complètement oublié aujourd'hui. Il est symptomatique de la décomposition d'un État.

Celui-ci, quand la trahison est établie, est comme saisi de paralysie. Le conflit d'Indochine provoque trois grandes fuites *connues* : celle, dite des généraux ; celle de l'arsenal de Toulon ; celle du secrétariat à la Défense. Dans le premier cas (diffusion du rapport Revers trouvé sur un Vietnamien à Paris), le plus gros détenteur de secrets, le trouble Peyré, s'enfuit sans peine, muni des papiers nécessaires, au Brésil. Son silence est acquis. Dans l'affaire de l'arsenal de Toulon, c'est le propre ministre de la Défense nationale, le général Kœnig, qui renonce à poursuivre. Dans l'affaire des fuites, le mécanisme des poursuites s'enraye dès qu'on touche à des personnages importants.

Pendant la seconde guerre mondiale, Rœssler, un des ténors du réseau soviétique, installé en Suisse, avait accès au cœur même de la Wehrmacht, grâce à une source jamais identifiée qui avait reçu le nom de code de *Werther*.

Il est vraisemblable que toutes les sources de l'*Orchestre rouge* français, fonctionnant pendant la guerre d'Indochine, n'ont pu être détectées.

On a parfois affirmé — peut-être en exagérant quelque peu — que les renseignements transmis par *Rote Kapelle* avaient permis à l'Union soviétique de détruire 200 000 hommes. En tout cas nul ne conteste que ces réseaux aient apporté une aide considérable aux dirigeants et aux chefs militaires soviétiques. Contradictoirement, ceux qui exaltent la puissance de la *Rote Kapelle*, contestent que les renseignements transmis à Giap en pleine bataille aient eu le moindre effet sur les opérations.

Rote Kapelle fut férocement combattue par l'État hitlérien. L'*Orchestre rouge* français a été mollement combattu par l'État français. Une des principales leçons de l'affaire des fuites est de montrer à quel point l'entreprise communiste et progressiste bénéficie d'appuis dans les moyens d'expression, et de complicités dans les rouages de l'appareil d'État.

Avec la libération de Duclos, avec l'absence ou la faiblesse de sanctions dans les affaires que nous venons d'évoquer, la contre-offensive de l'État s'achève sur un échec.

D'autres fuites — qui du reste n'auront pas les communistes pour auteurs — vont survenir avec la guerre d'Algérie cette fois et sans faire le moindre scandale.

En définitive à la fin du procès des fuites, après les non-lieu intervenus, et les libérations rapides de Labrusse et de Turpin, un seul résultat reste acquis. On pouvait critiquer le service Dides. Tel quel, il avait le mérite d'exister en tant qu'organe spécialisé dans la défense contre les entreprises communistes. Avec l'arrivée de Mitterrand au pouvoir, cet outil est brisé. Il ne sera jamais reconstitué.

5.

Mauvaises cartes en Algérie

Méfiance! Abstention!

CES DEUX MOTS RÉSUMENT L'ATTITUDE CIRCONSPECTE DU PARTI COMMU-
niste algérien, à l'orée de la rébellion des Aurès.

Les coups de feu de la Toussaint 1954 ont pris au dépourvu la direction de ce parti. Elle fait d'abord preuve d'une réserve sourcilleuse dont on trouve le reflet dans le communiqué de son Comité central, le 9 janvier 1955 :

« Conscient de ses responsabilités à l'égard de la classe ouvrière et de notre peuple — peut-on lire —, le P.C. algérien a toujours combattu l'attentisme et l'inaction. Il s'est, d'autre part, toujours gardé des actes individuels, des mots d'ordre inconsidérés qui ne correspondent pas à la volonté et aux possibilités réelles des larges couches de la population, qui seraient un élément de division parmi les travailleurs algériens et qui risqueraient de faire le jeu du colonialisme. »

Il est bien clair qu'à ce moment la direction du P.C. algérien juge que les opérations montées par les fellagha dans les Aurès n'ont pas d'avenir devant elles et qu'il s'agit d'une politique d'aventure. Le P.C. algérien et ses organisations annexes bénéficient toujours des avantages de la légalité. Va-t-il les compromettre sur un coup de dés? N'est-il pas plus opportun d'attendre l'échec de la péripétie nationaliste et d'apparaître alors comme la formation sage qui défend les vrais intérêts du peuple algérien?

Un mois plus tard, le parti renverse la vapeur. Le compte rendu qui résume dans *Liberté*, organe du P.C.A., la session du Comité central des 5 et 6 février 1955 révèle une tout autre analyse.

Témoin ce passage :

« ... Lénine souligne que " le marxisme ne répudie d'une façon absolue

545

aucune forme de lutte ". Il montre que dans ce domaine le marxisme s'instruit, si l'on peut dire, à l'école politique des masses. Il est loin de prétendre faire la leçon aux masses en leur proposant des formes de lutte inventées par les " fabricants de systèmes " dans leur cabinet de travail.

« Par ailleurs, Lénine enseigne également que les marxistes — qui admettent toutes les formes de lutte — doivent envisager la question des formes de lutte sous son aspect historique, c'est-à-dire en étudiant les conditions générales du moment, l'état des masses, les rapports de force, etc.

« C'est de cette façon qu'il faut comprendre le sens du passage suivant de notre déclaration du 9 janvier [1]. »

Suit une brève analyse sur les mouvements du 1er novembre qui se sont produits « sur un fond général d'attentisme [2] ».

Encore réservés sur l'avenir du mouvement nationaliste, les dirigeants du P.C.A. ne désavouent plus aussi catégoriquement les entreprises des fedayins. Celles-ci ne sont plus qualifiées d'*actes individuels*. Un tournant aussi brusque ne peut s'expliquer que par des consignes venues de haut ou par une grave crise interne.

Un parti mixte

Le Parti communiste algérien a commencé par être une simple antenne du P.C.F., avant de devenir théoriquement majeur, avant la guerre. Il n'en demeure pas moins toujours sous le contrôle de son grand aîné. L'homme qui surveille ce parti, carrefour Châteaudun, s'appelle alors Léon Feix, spécialiste des questions coloniales. Ni lui ni Thorez n'ont en novembre 1954 une idée précise de l'action à mener en Algérie. L'événement les a pris au dépourvu. Il est douteux qu'au Kremlin on ait, à cette époque, arrêté une position. Il est donc logique de penser que si le P.C. algérien prend un « tournant », c'est sous la pression de remous internes.

Et en effet, la rébellion vient de mettre en évidence la contradiction principale du P.C.A. : celle d'être un parti mixte, composé à la fois de musulmans et d'Européens.

Parmi les premiers, beaucoup subissent l'attrait des fedayins, rongent leur frein, et redoutent d'être « dépassés »; chez les Européens, au contraire chez les petits Blancs de Bab-el-Oued — ce quartier populaire d'Alger — chez les petits commerçants, ou chez les petits fonctionnaires du gouver-, nement général, la vague des attentats provoque un instinctif réflexe de repli.

On en aura la preuve le 1er mai 1955. Ce jour-là l'immense majorité des manifestants qui défilent derrière les banderoles de l'U.G.S.A. [3] d'Alger

1. Voir plus haut.
2. *Liberté*, 17 février 1955.
3. Union générale des syndicats algériens, formation syndicale du P.C. algérien.

est composée de musulmans. Une cinquantaine d'Européens seulement se sont mêlés au cortège. Il faut, certes, faire la part de la peur. Mais celle-ci n'incite pas aux opérations illégales.

Le P.C. algérien a raté le train en marche de la rébellion. Il ne se remettra jamais de ce mauvais départ.

Au fait, que représente cette organisation?

A la veille de la Toussaint sanglante, c'est un parti de moyenne importance qui rassemble peut-être dix à douze mille adhérents. Il compte six élus dont les députés Pierre Fayet (Alger) et Alice Sportisse (Oran). A son secrétariat, on trouve cinq permanents : le premier secrétaire Paul Caballero, André Moine, Bachir Hadj Ali, Larbi Bouhali et Ahmed Akkache. Au Bureau politique, les personnalités marquantes sont le docteur Hadjères, conseiller général de Maison-Carrée, le docteur Camille Larribère, conseiller général d'Oran — que nous avons déjà vu opérer — et René Justrabo, délégué de Sidi-bel-Abbès à l'Assemblée.

C'est au congrès de Villeurbanne [1] que la Fédération algérienne du Parti communiste français a obtenu son autonomie, dont nous avons dit qu'elle était toute formelle. Le P.C. algérien épouse en effet strictement les tournants brutaux imposés par le P.C. français. A l'époque du Front populaire, au moment du projet Viollette sur le droit de citoyenneté pour tous les Algériens, communistes français et algériens se rallient à une certaine forme d'assimilation. Il s'agit là, sans doute, de ce que les marxistes appelleraient une étape « dialectique ». Mais l'Algérie future, telle que l'esquissent les communistes, ne ressemble guère à celle des nationalistes qui veulent une nation musulmane, au sein de laquelle les Européens seront tout juste tolérés. Pour Thorez il n'y a pas eu dans le passé de nation algérienne. Elle est à créer. Elle sera une sorte de *melting pot* qui surgira peu à peu du creuset de vingt ethnies différentes : Arabes, Berbères, Français, Espagnols, Italiens, Maltais, Juifs, etc. Grâce à sa « mixité » qui lui confère son cachet, le P.C. algérien espère devenir l'élément fédérateur de cette Algérie en gestation.

Comme la direction du P.C. français, il a condamné l'insurrection algérienne de Sétif et de Constantine en mai 1945. Amar Ouzegane, un des dirigeants du P.C. algérien à cette époque, écrit alors :

« A qui fera-t-on croire que les communistes ont pactisé avec les faux nationalistes du P.P.A. que nous avons dénoncés impitoyablement comme des mouchards du gouvernement général et des criminels au service du fascisme [2]? »

Quelques jours plus tôt, le P.C. algérien a publié un communiqué de style « très colonialiste » contre les responsables des émeutes :

« Les émeutiers et les assassins doivent être châtiés conformément aux lois en vigueur [3]. »

1. VIIIe congrès du P.C.F., 22 janvier 1935.
2. *Liberté*, 24 mai 1945. Le P.P.A. (Parti populaire algérien) est la formation nationaliste que dirige alors Messali Hadj.
3. *Op. cit.*, 18 mai 1945.

Certains membres du P.C. algérien ont participé à la répression. « Le nom du sous-préfet Achiary [1] est exécré — écrit Charles-Henri Favrod — et plus encore celui de l'ingénieur en chef des ponts et chaussées Durieu; celui de Schneider, contrôleur des P.T.T.; celui de Palomba, ouvrier linotypiste chez Pompiani, tous les trois membres du parti communiste algérien, qui organisèrent les milices. La répulsion des nationalistes pour le P.C. algérien date de cette époque. Le journal du parti, *Liberté*, dénonçait nommément des patriotes. Et Charles Tillon était ministre de l'Air, Maurice Thorez vice-président du Conseil [2]. »

Le cheval borgne et le cheval aveugle

Un mois plus tard, Paul Caballero, secrétaire général du P.C. algérien, proclame que le peuple algérien ne veut pas se séparer de la France. Les émeutiers sont, à ses yeux, des agents de l'impérialisme.

« Ceux qui réclament l'indépendance de l'Algérie, — s'écrie-t-il — sont des agents conscients ou inconscients d'un autre impérialisme. Nous ne voulons pas changer notre cheval borgne pour un aveugle! Au contraire, le P.C. algérien lutte pour le renforcement de l'union du peuple algérien avec le peuple de France [3]. »

Le discours de Caballero révèle la préoccupation majeure de Thorez et de Staline : en 1945, une Algérie indépendante risquerait de passer sous le contrôle de l'impérialisme américain. Les communistes français espèrent toujours s'emparer de la totalité d'un pouvoir dont ils sont co-participants. Alors, c'est la totalité de la France d'outre-mer qui tomberait sous leur domination, donc sous celle de Staline.

A partir de ces événements de Sétif et de Constantine, un fossé de sang se creuse entre dirigeants nationalistes et dirigeants communistes. Les mots d'ordre que le P.C. algérien diffuse au cours des années suivantes, mots d'ordre qui subordonnent la lutte pour l'indépendance au combat pour la paix ou contre la C.E.D. (Communauté européenne de Défense) ne font qu'entretenir la méfiance.

A la veille de l'insurrection de la Toussaint, Benoît Frachon et Marcel Dufriche, ce dernier spécialiste de l'agitation anticoloniale à la C.G.T., se trouvent en déplacement en Algérie. Circonstance qui fera croire à certains observateurs que les deux hommes sont venus allumer la flamme. Aucune donnée ne confirme cette thèse, que les prises de position citées au début de ce chapitre infirment.

Les hésitations et l'attentisme du P.C. algérien n'ont pas empêché toutefois les contacts d'éléments communistes isolés avec les rebelles, soit que ces derniers aient agi de leur propre chef, soit qu'ils aient été chargés

1. Ancien commissaire de police, Achiary n'a évidemment jamais été communiste. Seules les trois autres personnes citées par Favrod furent membres du parti.
2. *La Révolution algérienne*, p. 76.
3. *L'Humanité*, 30 juin 1945.

confidentiellement et sans engager l'organisation, de sonder les fedayins.

Dans les Aurès, le P.C. algérien a placé depuis plusieurs années deux personnalités, importantes du point de vue de l'apparcil : le bâtonnier Lamrani, de Batna et l'instituteur français Laban, ancien membre des brigades internationales.

Lamrani est en contact étroit avec Mohammed Guerroudj, membre du Comité central, responsable de l'*Agit-Prop* dans cette zone. Dès le 4 novembre à Touza, Guerrouf préconise un accueil cordial aux rebelles. Le 12, il propose à Paul Caballero une entrevue avec un chef rebelle.

Ce premier contact n'est pas encourageant. Les hommes du F.L.N. refusent toute unité d'action. Si les communistes veulent participer à la lutte armée, on les accueillera volontiers. A condition qu'ils s'engagent à titre individuel et acceptent les mots d'ordre et la discipline du *Front*.

La direction du P.C. algérien n'en est pas encore à accepter ce *diktat*, prononcé par des hommes qui, après tout, ne dirigent guère que des bandes. Sa participation va donc se limiter à peu de chose : peut-être à des enrôlements individuels (il est utile d'avoir quelques observateurs chez le concurrent) ; sûrement à un soutien matériel.

Ici entrent en action les organisations satellites. En tant que parti, le P.C. algérien est une formation politique très modeste. Il n'en regroupe pas moins autour de lui quelques organisations parallèles : outre l'U.G.S.A., le Secours populaire algérien (secrétaire : Boudiaf), les Femmes d'Algérie, une section de France-U.R.S.S. dont le secrétaire, Coussaud, un instituteur, passe pour convoyer des fonds ; *Tourisme et Travail*, dirigé par la mère de Blanche Moine, Mlle Masson, les Combattants de la Paix, les Amis d'*Alger républicain*, dirigés par Henri Alleg, etc.

Secours aux rebelles

De toutes ces formations, c'est le Secours populaire qui, initialement, va jouer le rôle principal dans l'aide aux rebelles. Les communistes exploitent ici un événement dramatique : le tremblement de terre d'Orléansville qui suscite un vaste mouvement de solidarité. Ils ont formé un Comité d'aide aux sinistrés, alimenté par le Secours populaire, en argent, médicaments et couvertures. Une partie de ces secours sera détournée vers la région des Aurès et du Constantinois. Au cours de perquisitions, on retrouvera plus tard des stocks de couvertures provenant de l'armée soviétique et théoriquement destinés aux sinistrés [1].

Cette aide ira en s'amplifiant. A partir de février 1955, il ne se passera guère de semaines sans que viennent de France des délégués de la C.G.T., du P.C.F., du Secours populaire, ou de l'Union des Femmes françaises.

C'est l'intendance communiste qui débarque. En agissant par le biais des organisations annexes ou de délégués venus de métropole, le P.C.

---

1. Documentation personnelle de l'auteur.

algérien évite de se compromettre et conserve sa façade légaliste. Et, par la suite, il pourra soutenir qu'il a dès le début apporté une « aide puissante » à l'insurrection.

En même temps la propagande, non sans précautions, incite les dockers algériens à refuser de décharger le matériel de guerre. Des tentatives de grèves s'amorcent. Des comités de défense des insurgés se constituent. Des avocats sont mobilisés pour assurer leur défense. Le P.C. algérien, toujours légal, occupe ainsi une zone d'agitation et de manœuvres politiques dont les *frontistes* sont assurément exclus.

Dissous !

Le 12 septembre 1955 est un mauvais jour pour le P.C. algérien. Soustelle, gouverneur général de l'Algérie, prend la décision de le dissoudre, en même temps que la plupart de ses filiales. *Liberté*, organe du parti est également interdit. Il va reparaître dans la clandestinité. Sur le plan légal, le relais est immédiatement assuré par *Le Travailleur algérien*, organe de la centrale régionale, l'U.G.S.A. qui n'a pas été touchée par le décret de dissolution. Celle-ci devient ainsi le refuge de tous ceux qui veulent garder le contact.

Le P.C. algérien a bénéficié de dix mois de répit. Laps de temps qui lui a permis de mettre en place son dispositif illégal. Un mois à peine après la dissolution paraît en octobre 1955 le numéro un de *Liberté* clandestin, numéro composé à la main et tiré sur deux pages de format 21 × 27. La technique se perfectionne rapidement. Dès le numéro 8, c'est un journal de six pages qui paraît tous les mois, composé partie à la main, partie à la lino, dans au moins cinq imprimeries. Il est tiré à un millier d'exemplaires.

Le P.C. algérien n'a plus rien à perdre. Il peut aborder toutes les phases de la lutte clandestine (au lieu de se cantonner dans le rôle de Croix-Rouge des rebelles), y compris la participation à la lutte armée qui seule peut redorer son blason.

Mais il a perdu du temps. Un peu partout les maquis nationalistes ont essaimé. Si le P.C.A. veut avoir ses propres groupes de combat, il faut qu'il choisisse une zone où il ne sera pas comme le poisson hors de l'eau, où il n'empiétera pas non plus sur le territoire des ombrageux chefs fedayins.

Pour implanter un maquis, la direction du P.C.A. choisit la région d'Orléansville — elle a été visitée par les missions « charitables » du Secours populaire qui a collecté 67 millions. L'Oranie a toujours été un fief communiste. Les dockers, conduits par leur secrétaire Boualem, y sont puissamment organisés. Enfin, le P.C.A. y possède un excellent agitateur dans la personne du docteur Massebœuf.

Alger également, dans le plan communiste, doit devenir une zone active. On abandonne en revanche le Constantinois aux nationalistes.

A leurs premiers groupes de combat, les communistes donnent le nom ambitieux de « Combattants de la Liberté ».

L'aspirant Maillot déserte

Et, presque aussitôt, brève, mortelle, et en fin de compte catastrophique pour le P.C.A., se déroule l'équipée de l'aspirant Maillot.

Dans les premiers jours d'avril 1956, l'aspirant Henri-François Maillot quitte sa caserne de Miliano à bord d'un camion conduit par un chauffeur du contingent. Le camion transporte tout un lot d'armes, en particulier un chargement de 135 mitraillettes.

Fils d'un militant communiste d'Alger, Maillot est un beau gars solide, aux traits harmonieux. *Il est engagé volontaire.* Peut-être, dès l'instant où il contracte cet engagement, avec l'intention de déserter. Certainement, en tout cas, avec celle de poursuivre à l'intérieur de l'armée le travail de désagrégation communiste.

Le chargement est destiné à l'arsenal. Le camion roule sans incident. Le chauffeur est sans méfiance. Peu avant de pénétrer dans la ville, Maillot l'interpelle :

« J'ai des parents à voir. Avant d'entrer en ville, on va faire un petit détour. Prends donc cette route... »

La route conduit à la forêt de Baïnem. Pourquoi le chauffeur refuserait-il ce service, puisque c'est l'aspirant qui le demande ? Va pour Baïnem.

En pleine forêt, soudain, Maillot sort son pistolet, le braque sur la tempe du chauffeur ébahi :

« Allez! stoppe! »

Le camion s'arrête. Le chauffeur descend, toujours sous la menace de l'arme. Voici des hommes qui sortent du couvert. Avec eux le problème du conducteur est vite réglé. On lui passe sur la bouche un bâillon, imbibé d'éther, et on le ligote.

Une voiture arrive, suivie d'une camionnette. Maillot monte dans la première. La camionnette, qui appartient à Antoine Raynaud, inspecteur des P.T.T. à Alger, vient se ranger à l'arrière du camion. Le transbordement des pistolets et des mitraillettes est effectué par Mohammed Guerroudj, assisté de deux syndicalistes. Les pistolets sont destinés à Alger. Les mitraillettes, cachées dans des fûts, iront à Blida.

Dans cette opération, Maillot est l'exécutant, Guerroudj le « cerveau ». Celui-ci est le véritable chef militaire des « Combattants de la Liberté ».

Quelques jours plus tôt, le 7 avril, le sous-lieutenant Guerrab a déjà déserté. La disparition de ces deux officiers communistes, le détournement du camion d'armes au profit de la rébellion, frappent l'opinion, tant en métropole qu'en Algérie. Un peu partout, on évoque la désertion de Thorez.

A tort. La disparition de Thorez en 1939 est une mise à l'abri du numéro un. Le cas de Maillot et de Guerrab ne saurait lui être assimilé. Le parti communiste va-t-il donc modifier sa technique de la lutte « anti » et préconiser la désertion individuelle ? Seules les apparences peuvent le faire croire un moment.

C'est Ramette qui, en pleine Assemblée nationale, donne la clef du comportement de l'officier communiste.

« Maillot, explique-t-il, est un patriote algérien » qui a rejoint l'armée de ses frères [1].

Ces propos défaitistes déclenchent le tumulte et sont l'objet de la censure. Ils embarrassent d'ailleurs le parti communiste français. Mais ils sont très « signifiants » : ils définissent une ligne de partage entre soldats métropolitains et soldats natifs d'Algérie.

Les premiers sont, certes, tenus de mener la lutte, au sein du contingent, contre une guerre injuste de type colonialiste. Ils pourront être amenés ainsi à fraterniser avec les rebelles. Mais les seconds, eux, doivent obéir à des notions différentes. Ils doivent se considérer comme des *citoyens algériens*, mobilisés de force dans une armée *étrangère*, et rejoindre les rangs de leur armée nationale [2].

L'opération Maillot poursuit ainsi un double but : son premier objet est d'apporter un soutien matériel à la rébellion. Mais elle est aussi un acte de propagande qui a valeur d'exemple.

Si elle s'est déroulée sans anicroche, elle va s'achever, rapidement, en déroute.

Le maquis d'Orléansville auquel Maillot s'agrège compte une trentaine de « Combattants de la Liberté ». Comment ce maquis va-t-il coexister avec ceux du F.L.N. ?

Conversations avec le F.L.N.

Cette question délicate est débattue au même moment à Alger. Un jour d'avril, en effet, le docteur Hadjérès, jeune médecin communiste de vingt-huit ans, attend au rez-de-chaussée d'un immeuble de la rue Horace Vernet l'arrivée d'un interlocuteur F.L.N., « Monsieur Joseph », qui n'est autre que Ben Khedda, un des chefs du F.L.N.

L'immeuble appartient à Henri Gallice, membre du conseil municipal présidé par Jacques Chevallier, catholique progressiste, en liaison avec le professeur Mandouze, Chaulet et d'autres libéraux chrétiens. Gallice a abandonné le rez-de-chaussée à un jeune couple catholique qui partage ses idées, les Gautron. Ils seront, plus tard, impliqués dans l'aide aux rebelles. C'est dans l'appartement des Gautron que Ben Khedda rencontre le toubib. Le chef F.L.N. n'a eu qu'à descendre quelques étages : il loge au sixième.

Ainsi les chrétiens progressistes font-ils la liaison entre nationalistes et communistes. Rencontre symbolique.

La position du F.L.N. n'a pas varié : Ben Khedda l'expose sans détours : adhésions individuelles, rien d'autre.

La discussion dure longtemps. Ben Khedda est intraitable. Il exige en outre la livraison des armes volées par Maillot. Finalement, Hadjérès, qui est mandaté par le parti, capitule.

1. *J. O.* Séance du 8 novembre 1956. Cf. aussi J. Vermeersch, séance du 17 octobre 1956, J. O. p. 4187.
2. La réalité est évidemment différente. Maillot *s'est engagé*. Il est donc entré dans cette armée pour la saboter.

Liquidation des « Combattants de la Liberté »

Selon le témoignage d'Ouamrane [1], un commando est immédiatement expédié à Rovigo et à Ténès pour inviter les communistes à rallier le *Front*. La demande de ralliement est très pressante : à Rovigo, le commando abat un homme. Les autres ne se rallient pas, mais ils se dispersent. A Ténès, un autre groupe, dirigé par Boudiaf, d'*Alger républicain*, est désarmé et envoyé au Maroc.

Reste le maquis d'Orléansville, celui de Maillot et de Laban.

Maillot s'est d'abord « planqué » jusqu'en mai chez Hélyette Loup, fille de riches colons communistes de la Mitidja. C'est seulement le 15 mai qu'il rejoint le groupe déjà rallié par Laban. Ici les versions diffèrent.

Selon Bromberger [2], les maquisards communistes, qui n'ont récupéré qu'une faible partie des mitraillettes volées à l'armée, indisposent rapidement les populations musulmanes par quelques exactions. Repérés, ils sont pris en chasse par la troupe.

Courrière, lui, enregistrant le témoignage d'Ouamrane, laisse entendre que celui-ci a organisé l'isolement du maquis rouge et que le groupe a été signalé aux harkis par un épicier de village agissant sans doute à l'instigation du F.L.N.

Nous retrouvons là le climat de certains maquis sous l'occupation. Si la version de Courrière est vraie, le F.L.N. n'a pas hésité à faire liquider un concurrent par les « colonialistes ». C'est-à-dire que, pour une fois, les communistes seraient tombés sur aussi cyniques qu'eux.

Quoi qu'il en soit, la colonne des « Combattants de la Liberté » explose en trois tronçons. Celui de Laban et de Maillot est bientôt encerclé. Les deux déserteurs n'en réchappent pas. Ils sont tués au cours de l'accrochage.

Il n'y a, semble-t-il, que deux survivants : Guerrab et Boualem. Ils parviennent à s'échapper et vont trouver à Orléansville le docteur communiste Martini. Celui-ci les cache pendant douze jours au domicile de deux infirmières. Après quoi, la femme du docteur les conduit dans sa voiture à Relizane.

Il n'y a plus, il n'y aura plus jamais de maquis communistes. Ceux qui veulent combattre n'ont d'autre solution que d'adhérer individuellement aux formations militaires F.L.N. On s'empresse de leur confier des missions dangereuses. La plupart n'en reviendront pas.

Dans les campagnes, le F.L.N., sans trop de peine et avec une conception très froide de ses intérêts, a liquidé le parti communiste.

Le réseau « bombes »

En même temps qu'il s'efforce d'implanter ses maquis, le P.C.A. ouvre un autre front à Alger même : celui du terrorisme urbain.

1. Cf. Yves Courrière, *La Guerre d'Algérie. Le temps des léopards*, p. 298.
2. *Les Rebelles algériens*, pp. 101-103.

Pour cette entreprise, il semble mieux armé. Plus aisément que le F.L.N., il est à même de recruter des techniciens et de s'assurer des complicités pour se procurer les ingrédients nécessaires à la fabrication des engins, grâce à des complicités européennes. Dans les villes, son réseau de soutien est beaucoup plus solide que dans les campagnes. Dans l'Oranie même, le réseau de soutien du maquis comprenait essentiellement des citadins capables de procurer fonds, matériel, et d'assurer les liaisons. Organisé par Gabrielle Gimenez à partir d'octobre 1955, il bénéficie de l'appui d'employés de l'E.G.A. d'Oran. de complicités dans les hôpitaux : des femmes, telle Aline Larribère, nièce du docteur, y jouent un grand rôle, comme ce fut le cas en métropole, sous l'occupation.

A Alger, le responsable politique est Lucien Guerroudj, assisté d'Acampora, responsable militaire, et d'André Castel, responsable technique. C'est Guerroudj qui assure la liaison avec le comité directeur du P.C. algérien et qui, vraisemblablement, est en contact avec Jacques Salort et Henri Alleg, d'*Alger républicain*.

On retrouve ici le docteur Hadjérès. Son assistance est indispensable car il a des relations avec le milieu étudiant et médical, éventuel réservoir de techniciens pour le laboratoire qui fabrique des bombes.

Les hommes de base de ce laboratoire sont un étudiant de cinquième année en médecine, Daniel Timsit, ex-interne de l'hôpital civil de Mustapha, membre du P.C.A. qui a brusquement disparu, le 6 mai 1956, à la suite de l'explosion accidentelle d'un des engins fabriqués par lui, et un Italien, né à Sfax (Tunisie), Arbib Giorgio, licencié ès sciences, ancien ingénieur.

Si Timsit et Giorgio ont la compétence requise et disposent des ingrédients nécessaires, il leur manque un local sûr où ils puissent travailler. Pour régler cette question, Hadjérès est contraint d'en passer par le F.L.N. Ben Khedda met alors à la disposition du groupe une villa dont le propriétaire est un militant nationaliste, à Birkodja, près d'Alger. Deux autres étudiants communistes, Georges Smadja et Oussedik Boualem, y rejoignent le tandem des « chimistes ». A eux quatre, ils fabriquent du fulminate de mercure et se livrent à des essais, d'ailleurs décevants, pour composer de la nitroglycérine.

Le réseau « bombes » est-il encore communiste ? A partir du moment où il travaille dans une villa appartenant au F.L.N., n'est-il pas plutôt intégré à l'appareil nationaliste ? Situation ambiguë. De toute façon, la liquidation rapide du réseau « bombes » d'Alger va mettre un point final aux ambitions du P.C.A.

Du point de vue opérationnel, les « Combattants de la Liberté » en milieu urbain exécutent quelques coups de main : attaque du poste de police et du foyer des P.T.T. de Birmandreis, meurtre du propriétaire d'un cinéma à El-Biar, tentative contre le général Massu, à laquelle prend part le communiste Castel, sabotage de quelques câbles téléphoniques, etc.[1].

---

1. *Rébellion et communisme*, pp. 95-104.

Yveton

L'épisode le plus marquant et le plus dramatique, c'est l'affaire Yveton.

Tourneur sur métaux à l'usine à gaz d'Alger, Fernand Yveton accepte de participer aux attentats terroristes, en déposant une bombe dans son entreprise.

Le terrorisme est alors la hantise d'Alger. Déjà les bombes de la *Cafeteria* et du *Milk Bar* ont fait de nombreuses victimes. Elles proviennent du laboratoire communiste. Timsit a été arrêté. Les autorités ont appris que des communistes participaient à ces attentats. Par conséquent, les Européens, surtout ceux qu'on soupçonne de sympathies communistes, cessent d'échapper, *a priori*, à tout contrôle.

Yveton n'en a pas moins accepté d'agir. Il est entendu qu'il introduira la bombe dans son entreprise, en la dissimulant dans un sac de plage. Afin de ne pas attirer l'attention, il vient depuis quinze jours à l'usine avec ce sac qui contient un bleu de travail.

Le 19 novembre 1956 Jacqueline Guerroudj, au volant de sa 2 CV, apporte deux bombes à Yveton qui doit les placer dans la machinerie de l'usine. Yveton n'en accepte qu'une, « Betty », ainsi baptisée par l'étudiant Taleb, car son sac est trop petit pour contenir l'autre engin.

« Betty » est réglée pour 19 h 30. A 19 heures, les communistes Briki et Guerroudj doivent passer prendre en voiture le poseur de bombes et le diriger sur un maquis.

Les choses tournent autrement. Yveton a laissé le sac contenant « Betty » au vestiaire. Vers 16 heures, passe un ouvrier. Le tic-tac de l'engin attire son attention. Il sait qu'Yveton militait au P.C. algérien. Il bondit au téléphone, obtient au bout du fil le commissaire du 12ᵉ arrondissement.

« Ici l'E.G.A. Je crois bien que le communiste Yveton a déposé une bombe au vestiaire. »

« Entre 19 h 23 et 19 h 30... »

« A 17 heures, raconte Yves Courrière, la bombe était désamorcée, Yveton arrêté et fouillé. Dans sa poche, le commissaire Hug trouve deux papiers. Le premier portait ces mots, écrits au crayon : " entre 19 h 25 et 19 h 30 ". Et au verso, à l'encre rouge : " Avance du déclic : 5 minutes. " Sur le second papier, on pouvait lire : " Entre 19 h 23 et 19 h 30. " Et au verso : " Avance du déclic, 7 minutes " [1]. »

Dans Alger, quelque part, on est sûr à présent qu'une deuxième bombe est réglée pour l'explosion. Pour la trouver, il reste un peu plus de deux heures.

Conduites par une double angoisse, deux rondes parallèles tournent dans les rues d'Alger : celle de la police pour découvrir l'engin, celle de Jacque-

---

1. Cf. Courrière, *op. cit.*, t. II, p. 416.

line Guerroudj qui, à bord de sa voiture, doit, à tout prix, se débarrasser de la seconde bombe avant qu'elle n'explose.

On questionne Yveton. Sans doute, rudement. Il donne le signalement de Jacqueline :

« C'est une femme blonde, assure-t-il.

— C'est faux ! Jacqueline est brune. »

Dans les rues d'Alger, des barrages arrêtent toutes les voitures pilotées par des jeunes femmes blondes. Les policiers, les soldats procèdent à des fouilles énervées. En vain. Sur les cadrans des montres les aiguilles tournent. La tension devient insupportable.

Jacqueline, de son côté, est follement inquiète. Elle ne voit que barrages et fouilles incessantes. Pour ne pas attirer l'attention, elle a dissimulé la bombe sous un sac et a installé dessus son fils, un tout jeune enfant. Elle sillonne les rues à la recherche d'un endroit où elle pourrait s'en débarrasser sans qu'on la remarque et sans que l'explosion de l'engin fasse des victimes.

En fin de compte, elle réussira à déposer son dangereux fardeau à l'arrière d'une camionnette de C.R.S. vide, arrêtée rampe de Chasseriau.

Il ne reste plus que quelques minutes. 19 h 20... Toutes les voitures de police s'arrêtent. Dans trois minutes ce sera l'explosion. Marquée de combien de victimes ? 19 h 23 — 19 h 24 — 19 h 25... Rien !

On finira par retrouver la bombe. Elle n'a pas éclaté.

Déroute du P.C. algérien

Le réseau « bombes » succombe dans la lutte menée par les paras de Massu contre le terrorisme et qu'on a appelée « la bataille d'Alger ».

A cette bataille participe Danielle Mine, fille d'un premier mariage de Jacqueline Guerroudj. C'est elle qui a déposé la bombe du *Milk Bar*.

Avec la victoire des paras s'effondre la deuxième chance du P.C. algérien, déjà bien compromise, car les terroristes communistes sont proprement annexés par l'appareil de Yacef Saadi. D'autres sont en prison. La plupart des fils qui reliaient entre eux les membres du réseau sont brisés.

Le P.C. algérien n'a plus aucune carte à jouer. Son entreprise s'achève en déroute.

Après l'indépendance de l'Algérie, les rescapés n'en espèrent pas moins tenir encore leur place dans la nouvelle nation. Des hommes comme Henri Alleg, qui, d'origine polonaise, né en Angleterre, est un Algérien de circonstance et essentiellement un agitateur du Komintern, misent sur une entente avec Ben Bella. Cette troisième carte, diplomatique, sera perdue elle aussi.

Arrêté, Ben Bella disparaît comme dans une trappe. Et son successeur, Boumediène n'est pas décidé à favoriser « l'ouverture » vers les communistes.

Pourquoi le P.C.A. a-t-il perdu la partie ? A l'origine, il y a un manque de discernement sur les chances de la rébellion. Les dirigeants du P.C.A. n'en sont sans doute pas seuls responsables. Tenus en tutelle par Paris et Moscou, ils sont invités à ne pas faire de fausse note dans le concert du communisme international. Rassemblant de faibles effectifs, ils pèsent très peu. Ce sont des mineurs.

Leur analyse politique est fausse. Ils ont cru que la « mixité » leur serait un atout. Elle se révèle un handicap! Elle les freine dans l'action. Elle est bientôt anachronique. La future Algérie indépendante sera musulmane. Les quelques Européens à qui sera concédée la citoyenneté seront des Algériens entièrement à part. Dans la bataille, comme après la victoire, des comparses.

Enfin, le P.C.A. a eu affaire à un concurrent qui applique sans sourciller la recette que les communistes réservent souvent à leurs alliés : procéder à leur liquidation.

Avec le recul, il apparaît que ses meilleures forces se situaient dans certains secteurs clés : l'E.G.A., les A.I.A., les hôpitaux, certaines administrations, le réseau des organisations satellites. Le P.C. algérien a su trouver des concours dans le milieu européen de la petite ou de la moyenne bourgeoisie, en dépit de l'hostilité fondamentale et à peu près unanime des Pieds-Noirs. Cette implantation lui permettait de collecter fonds, médicaments, matériel, voire ingrédients pour les bombes, sources auxquelles le F.L.N. musulman n'avait guère accès.

L'aide apportée sur ce plan par le P.C.A. (André et Blanche Moine, Aline Larribère, Locussol, etc.) était toutefois nettement insuffisante pour lui permettre de revendiquer un rôle pilote dans la rébellion, la priorité appartenant à la lutte armée. En outre les libéraux chrétiens, les Gautron, Gallice, Denise Walbert, Chaulet, les abbés Barthez et Scotto, n'ont pas tardé à procurer aux fellagha un concours au moins aussi efficace [1].

Le rôle des communistes algériens s'est limité bientôt à publier des brochures qui renient, sans l'avouer, les conceptions de Thorez sur l'Algérie future, et à faire, comme Larbi Bouhali, des tournées de propagande dans les démocraties populaires.

Un lieutenant de Marty : Léon Feix

Pendant ce temps, que fait le Parti communiste français?

Carrefour Châteaudun, un homme veille depuis la Libération sur les destinées du communisme en Afrique du Nord. C'est un ancien instituteur : Léon Feix, qui a pour compagne Viviane Halimi, née à Constantine. Il est, pratiquement, le second de Marty (jusqu'à l'éviction de celui-ci) à la comcommission coloniale du parti. Au congrès de Gennevilliers, en avril 1950, il a été nommé titulaire du Comité central, et il est conseiller de

---

1. Toutefois, c'est Coussaud, instituteur communiste et homme de confiance du P.C. français, chargé du transfert des fonds de métropole vers l'Algérie, qui assurait la rédaction, l'impression et la diffusion de *Libéraux d'Algérie*, bulletin mensuel ronéotypé, organe de la Fédération des Libéraux d'Algérie.

l'Union française. Il est également rédacteur en chef de *L'Algérien en France*, feuille mensuelle que le P.C. français diffuse chez les travailleurs algériens en métropole.

Avant la rébellion, Feix a effectué de très nombreux voyages en Afrique du Nord, et aussi derrière le rideau de fer. Quelques mois avant l'insurrection de la Toussaint, en 1954, il gravit un nouvel échelon : le voici membre suppléant du Bureau politique. Récompense probable de sa « bonne conduite » dans l'affaire Marty, ce qui signifie qu'il a accablé son patron.

Feix a été également parmi les dirigeants communistes comme Duclos, Fajon, André Stil qui ont été poursuivis pour atteinte à la sécurité extérieure de l'État. Mais, imitant les autres assemblées, celle de l'Union française a refusé [1] de lever son immunité.

Est-ce le souvenir des risques encourus qui pèse encore sur les dirigeants communistes, et, en premier, sur le spécialiste de l'action anticoloniale ? En tout cas, après la Toussaint 1954, le P.C. français commence par observer la même prudence que le P.C.A. ou, plus exactement, on peut dire que le second a calqué sur le premier sa ligne de conduite.

En outre, il s'avère que la conjoncture intérieure en France n'est guère favorable à une grande offensive anticoloniale comparable à celle du Rif. En effet, en 1956, dans le cadre de la campagne électorale, les dirigeants communistes recherchent une entente avec ceux de la S.F.I.O., dans l'espoir d'aboutir peut-être à un changement de régime, à tout le moins de sortir du ghetto politique où leur isolement les a réduits.

Mais les dirigeants socialistes de l'époque, les Guy Mollet, Pierre Commin, Pierre Métayer, etc. sont résolument anti-défaitistes. Ils entendent alors conserver l'Algérie. Ils condamnent la rébellion, stigmatisent le terrorisme. C'est un socialiste, Robert Lacoste, qui va devenir gouverneur général.

Et puis l'opinion publique qui se désintéressait de l'Indochine semble, cette fois, fortement sensibilisée au destin de ces départements français, y compris la classe ouvrière.

Pour toutes ces raisons, le groupe communiste à l'Assemblée vote les pouvoirs spéciaux. Ce vote aura pour conséquence l'envoi du contingent en Algérie.

Contre l'envoi du contingent

Le départ du contingent ordonné par Edgar Faure, alors président du Conseil, en 1955, ne s'est pas déroulé sans heurts. Il donne lieu en octobre 1955 à de violentes manifestations à l'intérieur des casernes et autour de celles-ci, dans les convois de rappelés, dans certaines municipalités communistes. Les incidents les plus violents éclatent au moment du départ de conscrits à la gare de Lyon, à celles de Tulle, Bordeaux, Toulouse. A Rouen, on assiste à un commencement de mutinerie. Dans les rues, une manifestation

1. 26 mars 1954.

tourne à l'émeute et le maire communiste de Petit-Quevilly prononce une harangue virulente.

Pendant quelques jours la presse communiste reflète ces violences. On voit même apparaître quelques consignes techniques qui s'apparentent au sabotage. Dans *Le Patriote du Sud-Ouest*, par exemple, on découvre cette phrase :

« Un autre moyen de faire stopper un train, c'est de couper les conduites en caoutchouc du frein à air comprimé [1]... »

Les membres de l'U.J.R.F. ont été naturellement jetés dans cette bataille et ont, par leur propagande chuchotée, préparé la démoralisation de certains éléments du contingent. De leur côté, les municipalités communistes ont joué, conformément aux statuts de l'Internationale communiste, leur rôle de bases révolutionnaires, comme pour la manifestation contre le général américain Ridgway. Elles servent à la fois de P.C. opérationnel et de lieu de repli.

Dans ces journées d'octobre 1955, on voit en divers points du territoire fonctionner le vieil appareil « anti » appliquant des recettes connues.

C'est une offensive inquiétante, mais sans lendemain. Elle cesse brusquement. Sans doute pour les raisons que nous avons indiquées plus haut, autrement dit parce que les communistes font passer leur aide à l'Algérie après leur éventuelle alliance avec les socialistes, celle-ci constituant un objectif prioritaire.

Mais il y a peut-être une autre raison : la crainte d'être débordés et entraînés trop loin, par un courant extrémiste qu'on n'appelait pas encore « gauchiste » et que les communistes qualifiaient uniformément de « trotskiste ». On trouve l'expression de cette inquiétude dans un article de Roland Leroy qui dans *France Nouvelle* stigmatise « les provocations policières auxquelles se livrèrent des groupuscules d'individus entraînés et excités par des policiers [2] ».

Effectivement, au cours de ces journées de 1955, apparaissent les premiers symptômes de la grande fièvre de 1968.

Un antimilitarisme mitigé

Dans ses fameux *Cahiers*, Jacques Duclos, on s'en souvient, avait donné la consigne « de travailler à la défaite de l'armée française partout où elle se bat ».

Dans les mois qui suivent le départ du contingent, le parti ne renonce pas formellement à cette ligne, mais il l'applique mollement.

Le P.C. français est gêné non seulement par le souci d'améliorer ses relations avec les socialistes, mais encore par le voyage officiel que Guy Mollet et Christian Pineau, alors ministre des Affaires étrangères, accomplissent en U.R.S.S. où ils ont d'importants entretiens avec Khrouchtchev.

1. 5 octobre 1955.
2. 29 octobre 1955.

Dans la classe ouvrière, le climat n'est pas très favorable. Le terrorisme y est désapprouvé. Les relations entre travailleurs français et algériens sont souvent tendues. Les dockers cégétistes de Marseille et de Bordeaux redoutent que l'indépendance ne raréfie les échanges avec l'Afrique du Nord.

Les incidents dans l'armée ont cessé. En Algérie, on ne signale aucune fraternisation avec les rebelles. Bref, le terrain n'est pas favorable.

Cela ne signifie point que l'appareil militaire du parti ne possède pas ses antennes secrètes au sein des unités. Mais les soldats communistes ont ordre de ne pas se démasquer prématurément. La situation n'est pas mûre.

La prudence du parti est telle que la presse communiste qui stigmatisait avec violence la « sale guerre » d'Indochine, n'ose pas faire l'apologie d'Yveton, après son arrestation. Aucun avocat communiste ne se déplace pour assurer sa défense. Il meurt, guillotiné, dans une solitude totale, abandonné de tous.

Campagnes contre les tortures

De 1956 à 1958, le principal front du parti communiste passe par les tentatives de mobiliser *l'intelligentsia* contre l'arbitraire, la torture, les exactions, puis contre la guerre elle-même. D'où les campagnes de presse et les manifestations, notamment celle de la Sorbonne — à laquelle participe François Mauriac — en faveur du jeune savant d'Alger, Maurice Audin [1], membre du parti communiste. Arrêté par les autorités militaires, Audin n'a pas reparu. Son corps ne sera jamais retrouvé. Les communistes soutiennent à l'époque, et continuent à affirmer, ainsi que de nombreuses personnalités non communistes, que Maurice Audin a succombé aux sévices subis.

Une campagne identique est menée ensuite après l'arrestation d'Alleg, toujours sur le thème des tortures, avec la publication d'un livre, *La Question*, que celui-ci, dit-on, a rédigé en prison et dans lequel il décrit ses interrogatoires [2].

Dans cette campagne humanitaire, le P.C. français n'est pas seul. On peut même dire qu'il a été précédé dans cette voie par les chrétiens progressistes. C'est *Témoignage chrétien* qui a publié les premiers reportages sur les tortures. Le P.S.U., *Le Nouvel Observateur*, *L'Express*, le chrétien Robert Barrat, mènent sur ces thèmes une offensive au moins aussi vigoureuse que celle du P.C. français. Dans un sens c'est positif pour lui, car ces organisations ou ces hommes touchent des milieux sur lesquels il n'a guère prise. Mais le parti n'aime pas beaucoup être égalé, voire dépassé sur son propre terrain.

Un rival : le réseau Jeanson

Et voici justement qu'un concurrent redoutable apparaît. Redoutable non seulement parce qu'il agit, mais parce qu'il a recours à une technique

1. Disparu depuis le 11 juin 1957.
2. Ouvrage publié en février 1958.

de lutte que l'orthodoxie communiste condamne. Le réseau Jeanson entre en scène. L'aide *concrète* au F.L.N. devient le fait de métropolitains non communistes.

Professeur, ami de Jean-Paul Sartre, Jeanson a eu déjà, par l'intermédiaire de libéraux d'Algérie, des contacts avec les dirigeants nationalistes dont il capte la confiance. En 1955, il publie *L'Algérie hors la loi*. Il ne saurait se contenter de la solidarité verbale ou écrite. Il accepte bientôt, pour le compte du F.L.N., des missions de liaison, des transports de fonds. Il y engage des amis. Le réseau recrute chez des chrétiens, parmi des professeurs, des ntellectuels, des artistes de théâtre, de cinéma, des musiciens, et même chez des industriels. Il grossit rapidement. En 1957, il ne comptait guère qu'une soixantaine de personnes. Il aurait fini par en englober 3000 en 1960, quand il est enfin démantelé [1].

Le réseau Jeanson déploie une activité considérable en métropole. Il effectue toutes sortes de tâches que les militants F.L.N. ne peuvent se permettre. Il fournit quantité de « planques ». Il convoie des sommes d'argent qui atteignent *des milliards*. C'est le réseau Jeanson qui va permettre en fait au F.L.N. d'assurer son emprise sur les travailleurs algériens en France, astreints à des cotisations qui atteignent 3 000 francs par homme et par mois.

Des prêtres de la Mission de France participent à ces entreprises. L'abbé Davezies, pour sa part, convoie les mitraillettes qui serviront à un attentat contre Soustelle.

Cartes d'état-major dérobées

Dans sa complicité avec le F.L.N. le réseau Jeanson ne recule devant rien. Grâce à des personnes travaillant au ministère de la Défense nationale, Jeanson parvient à se procurer des cartes d'état-major du territoire algérien. Il les fait photocopier dans le délai d'une nuit, puis remettre en place. Les photocopies sont aussitôt transmises à l'état-major du F.L.N. Elles facilitent énormément les opérations des fedayins qui ne pouvaient s'appuyer jusquelà sur des données précises. Il en résulte que leur usage entraîne dans les rangs des troupes françaises des pertes supplémentaires, puisque la capacité de feu et de manœuvre de l'ennemi s'en trouve accrue. Jeanson et ses lieutenants en sont directement responsables [2].

C'est là un cas flagrant de fraternisation avec l'ennemi, aussi grave que les sabotages exécutés par les communistes français pendant la « drôle de guerre ».

1. Les chiffres fournis par Jeanson sont sans doute exagérés. Néanmoins, il demeure difficilement explicable qu'une organisation clandestine, même limitée à quelques centaines de personnes, n'ait pas été découverte et annihilée, *pendant trois ans*. Ceci pose la question de savoir si, à partir de l'arrivée du général de Gaulle au pouvoir en 1958, les enquêtes n'ont pas été contrariées pour des raisons politiques.
2. Il n'apparaît pas qu'aucune enquête ait été menée sur l'origine de ces nouvelles « fuites » au ministère de la Défense nationale.

Il n'existe pas de preuve que le P.C. français avec son appareil spécialisé ait accompli quelque chose d'équivalent pendant la guerre d'Algérie [1].

Il cherche toujours l'entente avec les socialistes. Le 2 avril 1958 Maurice Thorez écrit encore à Guy Mollet pour lui proposer l'unité d'action. C'est la dix-huitième tentative communiste en ce sens, depuis la guerre d'Algérie [2].

Attentisme communiste

Dans les rangs du parti et des organisations annexes, comme le Mouvement de la Paix, des critiques ont déjà commencé contre la passivité de la direction communiste. Ce sont surtout les membres des Jeunesses communistes et les étudiants communistes qui montrent de l'impatience. Rendant compte du IIe congrès de l'Union des Étudiants communistes, un de ses anciens dirigeants, Gonet affirme dans *France-Observateur* [3], qu'une forte minorité, formée essentiellement de Parisiens, s'est battue avec acharnement pour l'unification de la lutte contre la guerre d'Algérie.

Le parti reste intraitable. L'arrivée au pouvoir en 1958 du général de Gaulle l'incitera, au début du moins, à une prudence accrue devant les « provocations » possibles.

Pourtant, la doctrine « anti » du P.C. français n'a pas varié : le soldat communiste part à la guerre impérialiste afin de ne pas perdre le contact avec les masses. Il attend et prépare le moment favorable pour transformer cette guerre en guerre civile.

La direction du P.C. français qui connaît bien, elle, si la police l'ignore, l'activité du réseau Jeanson — avec lequel Casanova aura quelques entrevues — ne peut approuver cette action contraire aux principes. Dans *L'Humanité*, dans *France Nouvelle*, Maurice Thorez rappelle que la désertion, l'objection de conscience, les actes individuels ont toujours été condamnés par les bolcheviks [4]. Ces actes ne peuvent être que le fait de très petites minorités. Ils débouchent sur un échec inévitable. Plus que jamais, il faut coller aux masses et les masses, c'est le contingent.

Ce n'est pas parce que l'appareil « anti » au sein du contingent ne se manifeste pas, qu'il est inexistant. Un parti qui a derrière lui les expériences de la Ruhr, du Rif, la campagne contre les G.D.V., les entreprises de la « drôle de guerre », l'implantation de certains F.T.P. dans l'armée après la Libération, dans le corps expéditionnaire en Indochine, a accumulé une vaste expérience. En bénéficient ces soldats communistes qui en Algérie sont deuxième classe, sous-officiers, officiers et qui, extérieurement du moins, font leur devoir. Conformément aux consignes, ils ne se démasquent pas. Ils entendent, tant que la situation n'est pas mûre, ne pas se faire repérer.

1. Sur l'activité du réseau Jeanson, cf. les déclarations de celui-ci à Yves Courrière.
2. Cf. *Est et Ouest*, nº 194 (1-15 mai), p. 24.
3. Numéro du 6 mars 1958.
4. Cf. sur ce sujet Jacob Moneta : *Le P.C.F. et la gestion coloniale*.

L'appareil « anti » contre le putsch

Leur intervention, brève, difficile à cerner, mais à notre sens, certaine, ne se produit qu'en 1961, au moment du putsch d'avril à Alger.

Elle surprend les officiers partisans de l'Algérie française. Ils ont pu observer en Indochine et en Afrique du Nord les effets de la guerre subversive et en dégager un certain nombre de leçons. Mais leur étude, souvent précieuse, a porté essentiellement sur les appareils des Vietcongs et du F.L.N. et surtout sur l'encadrement des populations civiles dans ce qu'ils appellent les « hiérarchies parallèles ». A l'intérieur même du corps expéditionnaire en Indochine, les cas de fraternisation avec l'ennemi, et de désertion, ont été, nous l'avons vu, assez peu nombreux. En Algérie, il n'y a guère de « bavures ». Le contingent obéit.

Les officiers sont donc portés à sous-estimer le travail de noyautage des communistes dans les unités.

Leur surprise devant les réactions du contingent est extrême. Challe en personne en fera plus tard l'aveu.

« Il y a une deuxième raison à cet échec [celui du putsch], explique-t-il, et ce fut ma deuxième surprise; depuis pas mal de temps — semble-t-il — les cellules communistes s'étaient développées et organisées dans les corps de troupe. Il semble que ce soient elles surtout qui aient affolé le contingent; elles lui ont fait croire que le retour en métropole était exclu, alors qu'au contraire cela faisait partie de nos projets. Je crois savoir d'ailleurs que la surprise à ce sujet n'a pas été que pour nous [1]. »

Pour expliquer la révolte du contingent on évoque surtout la « spontanéité », l'effet du discours du général de Gaulle répercuté par les transistors. On ne peut négliger ces causes. Et ce fut aussi une lourde faute tactique de la part des généraux d'Alger de n'avoir pas proclamé aussitôt leur intention de renvoyer le contingent en métropole. Quand ils le firent, c'était trop tard.

Mais, d'une part, les agitations et les refus se dessinent dans la troupe avant le discours du général de Gaulle (le dimanche soir 23 avril), d'autre part, la réaction spontanée est fort douteuse sans quelques « meneurs » et quelques moyens techniques.

On possède fort peu de témoignages sur un sujet qui n'a guère été exploré et qui mériterait une enquête spéciale.

Henri Azeau, dans son livre, très hostile au putsch, a recueilli le témoignage d'un « meneur » anonyme, 2e classe assure-t-il, n'appartenant à aucune formation politique, tout comme les cinq camarades qui, selon le témoin, participaient avec lui à la « résistance ».

Ces troupiers qui n'auraient aucune formation politique n'en témoignent pas moins d'un sens de l'agitation surprenant. Le « meneur » improvisé, qui travaille au bureau de l'état-major de son corps, procède méthodiquement. Tout d'abord on branche un transistor en permanence sur chaque

---

1. Cité par Henri Azeau, *Révolte militaire*, p. 169.

poste, et on communique par téléphone les nouvelles à notre homme, au fur et à mesure qu'elles sont captées. Dans l'immédiat, il donne comme consigne de continuer le travail, de prendre ses distances avec les officiers, mais non de leur désobéir, ceci pour détecter leur attitude. Pour le reste, on verra.

D'autres responsables ont déjà été désignés dans d'autres corps. Six hommes dont deux caporaux forment rapidement un encadrement parallèle du régiment. Ils vont agir désormais d'une façon concertée.

Les agissements d'un soviet

Henri Azeau ne donne aucune dénomination à ce petit groupe : apprenons-lui qu'il s'agit d'un *soviet* de régiment.

Ceci, c'est la phase expectative. La deuxième consiste à consolider et élargir le *soviet*. Contact est pris avec deux officiers sortis du rang. Ceux-ci disent qu'ils ne marcheront pas avec les putschistes. Accord est conclu. Les services nécessaires au maintien de l'ordre et à la lutte contre le F.L.N. (lequel se garde de bouger) seront maintenus. Mais tout lien est rompu avec les officiers qui ne se sont pas encore prononcés. Sur le plan opérationnel, ajoute le témoin, on obéira aux deux officiers ralliés, « mais pour l'instant, c'est nous qui fournirons les directives générales à la troupe [1] ».

Donc les officiers « locaux » sont placés sous le contrôle des *six*, lesquels travaillent en même temps à isoler les officiers putschistes.

A présent une petite démonstration de force serait la bienvenue. Le bruit court qu'il y a très peu de réserves de vivres. Le contingent s'en inquiète et redoute d'être affamé par les officiers activistes. A l'heure prévue pour le repas, aucun ravitaillement. D'où chahut, tumulte, protestations véhémentes. Les six tiennent alors un meeting : « Nous avons voulu vous prouver que c'est nous et non les activistes qui sommes les maîtres du ravitaillement et que vous ne risquez pas de mourir de faim. » Après ce petit discours, la soupe est servie. Soulagement du troupier. Et petite victoire psychologique du *soviet* (apolitique!) qui marque un point, en évitant tout affrontement armé prématuré.

Le lendemain est un dimanche. Il se passe en préparatifs d'insubordination. On a décidé d'arrêter le général, le colonel et le colonel-adjoint, s'ils s'affirment " challistes " et de les enfermer dans une cellule.

Le discours du général de Gaulle, le soir, tombe dans cette effervescence et la légitime.

Le lundi, il apparaît que le ralliement du régiment à de Gaulle a entraîné celui des autres unités du secteur : aviation, génie, intendance. Le général est sommé de se rallier. A onze heures, il se présente devant la troupe et déclare qu'il reste fidèle à la République.

Lénine aurait pu citer en exemple cette série d'opérations. Si les *six* « apolitiques » ont improvisé, alors il ont du génie!

1. *Op. cit.*, p. 188.

Il est tout de même plus simple de croire qu'ils avaient (ou du moins celui qui les manipulait) une bonne technique.

L'aviation fut un des principaux bastions de résistance au putsch. Elle contribua fortement à l'échec final des conjurés. Là encore, faut-il croire à la merveilleuse spontanéité, ou à l'action de noyaux?

A Blida, une des principales bases d'aviation, le drapeau rouge fut arboré. Le commandant Kubaziak qui y dirigeait la résistance fut abattu par des activistes.

Il faut se souvenir ici que l'aviation a été contrôlée avant la guerre par Pierre Cot et des progressistes comme Jean Moulin et le colonel Manhès, puis par Grenier à Alger, enfin par Tillon. Tout ceci laisse des traces. L'aviation est certainement le corps le plus infiltré par les communistes. Il n'y a pas de preuve formelle que Kubaziak ait appartenu au parti. Mais, au procès de ses meurtriers, la partie civile avait confié ses intérêts à l'avocat communiste Joë Nordmann. Spontanément.

Il convient cependant de souligner que les noyaux communistes ne furent pas seuls à agir pendant les quatre jours du putsch. Les chrétiens progressistes, séminaristes en tête, prirent eux aussi des initiatives.

L'activité à l'intérieur du contingent pendant ces jours incertains est ainsi un bon exemple de travail « anti ». On avait fini par oublier complètement que les communistes étaient incrustés dans la machine militaire. Cette négligence coûte cher aux généraux du putsch. Bénéficiant de circonstances favorables, arborant le masque de la légalité républicaine ou du gaullisme orthodoxe, un petit nombre d'hommes, installés pour la plupart à des rouages essentiels (état-majors, transmissions) ont détraqué la mécanique militaire. Un bon service de renseignement, des arrestations préventives auraient suffi à neutraliser cet appareil. Il serait resté dans la plupart des unités du mécontentement, de l'inquiétude, voire de l'agressivité mais, sans têtes, une affectivité massive ne saurait déboucher [1].

1. Au XVIe congrès (congrès de Saint-Denis) tenu en mai 1961, des soldats communistes ayant appartenu au contingent, vinrent expliquer comment en Algérie, ils avaient organisé la lutte contre le putsch. On peut en retenir deux témoignages, l'un d'un soldat du Constantinois (*France Nouvelle*, no du 3 mai 1961), l'autre d'un soldat de la caserne d'Orléans à Alger. (*Idem*, 17 mai 1961.) Ces récits recoupent exactement les méthodes rapportées par Azeau.

6.

Salut, les chrétiens!

LE 26 MAI 1952, IL S'EST PRODUIT QUELQUE CHOSE DE PLUS ÉTONNANT que l'arrestation de Jacques Duclos et que la découverte dans sa voiture d'un couple de pigeons, nullement litigieux.

Ce jour-là, parmi les émeutiers conduits dans les commissariats ou au centre Beaujon, la police identifie deux hommes qu'on n'a pas l'habitude de rencontrer dans ce genre de manifestations : deux prêtres. Très exactement deux prêtres-ouvriers.

L'un est armé d'un manche de pioche.

L'événement ne nous surprend plus guère. Nous avons pris l'habitude de voir des ecclésiastiques participer à des manifestations politiques, même violentes. A l'époque, cette présence stupéfie.

Les abbés Bouyer et Cagne font partie de cette cohorte de prêtres-ouvriers créée par Mgr Verdier dans l'intention de rechristianiser la classe ouvrière, en partageant ses conditions de vie. Prolongée par le cardinal Suhard, encouragée par Mgr Liénart, l'expérience n'a pas atteint son objectif. Au début des années 50, on peut même se demander si le corps des prêtres-ouvriers, loin de christianiser le prolétariat, n'est pas en train d'être marxisé.

Rencontre avec les communistes

Jetés dans les entreprises, les prêtres-ouvriers y ont rencontré les militants communistes et se sont trouvés confrontés à eux. Ceux-ci se sont gardés de témoigner aux nouveaux venus cet anticléricalisme agressif qui marquait les partis de gauche avant la guerre. Ils ont tendu la main à leurs frères chrétiens, mais en même temps ils ont cherché à démontrer que leur engagement était factice. Pouvait-on être vraiment de la classe ouvrière sans revendiquer? Revendiquer sans grève? Si l'on allait jusqu'à la grève, pouvait-on sans illogisme refuser d'entrer dans l'organisation de combat spécifique de la classe ouvrière, le syndicat? Et pourquoi, dès lors, refuser d'y prendre des responsabilités? Et pourquoi se cacher que le combat des ouvriers n'était pas seulement syndical, mais politique? Et dès lors ne fallait-il pas s'engager dans ce combat, nécessairement politique, aux côtés du parti du prolétariat, le parti communiste?

Au bout de cette escalade on trouve deux hommes de main qui brandissent des pancartes, clament les slogans de François Billoux, et au lieu de proclamer « Aimez-vous les uns les autres », gueulent : « Ridgway, assassin! »

Personne n'avait formé les prêtres-ouvriers aux stratagèmes de la dialectique marxiste. Il en résulta que le corps de bataille de l'Église, parachuté dans la classe ouvrière, fut proprement encerclé et noyauté par les fraternisations.

Il faut que deux prêtres se mêlent à la violence physique qui se situe dans le droit fil de la lutte de classes, pour que Rome découvre l'étendue des ravages. Le 28 mai 1952, les deux prêtres font le saut, de la violence purement dialectique à la violence concrète : ils cognent. En retour, ils se font « cogner » par les policiers, ce dont, d'une façon parfaitement illogique mais épidémique à gauche, ils se plaindront.

En 1954 après enquête, Rome met fin à l'expérience des prêtres-ouvriers. Ceux-ci sont invités à quitter les lieux de travail. L'épiscopat français s'incline, mais ne transmet la consigne qu'en rechignant. Les prêtres-ouvriers sont alors environ 150. On ne communique pas le chiffre des rebelles. On finira tout de même par savoir que quelque 70 d'entre eux ont refusé d'obéir. Ils désertent leur ordre. Parmi eux, les deux prêtres de la manifestation du 28 mai. Ceux-ci rejoignent les rangs du parti communiste, où, du reste, ils cesseront de faire parler d'eux.

Ce que la section *Agit-Prop* du parti communiste vient de réaliser, c'est l'équivalent d'une mutinerie dans une unité armée. L'avant-garde de l'Église sur le théâtre d'opérations de la classe ouvrière vient de subir une défaite écrasante : une moitié se replie sur ses bases de départ, l'autre se débande ou, pire, passe à l'ennemi, au parti dont l'athéisme est la loi. C'est Dien-Bien-Phu « chez les curés ».

Il faudrait sans doute un livre pour raconter l'histoire des rapports entre l'Église et le parti communiste depuis la fondation de celui-ci. Contentons-nous d'en esquisser ici les phases principales, non sans admettre que ce chapitre comportera bien des lacunes.

On estime, en général, que le communisme témoigne à l'égard de l'Église une hostilité foncière jusqu'au geste historique de Maurice Thorez, tendant en 1936 la main aux catholiques. Et, certes, il ne manque pas de textes de Lénine pour fonder cette hostilité.

Mais Lénine, déjà, admettait la possibilité pratique de faire avec les croyants un bout de chemin pour un objectif donné.

Quand Lénine tendait la main à Gapone

Dès 1905, après le fameux Dimanche rouge, Lénine, qui se trouvait alors en Suisse, cherchait à s'entendre avec l'animateur de cette manifestation historique, le pope Gapone.

Il n'avait, certes, que mépris pour les croyances du prêtre russe qu'il tenait pour billevesées. Mais Lénine avait conscience de deux choses : 1. le parti social-démocrate n'était encore qu'une poignée d'intellectuels, la plupart dans l'émigration; 2. le pope Gapone au contraire, en dépit de son idéologie « obscurantiste », avait l'audience de centaines de milliers de travailleurs à Saint-Pétersbourg. Le calcul de Lénine était donc d'utiliser le pope pour trouver le chemin des masses [1].

Cette tentative avorta bientôt. Les bolcheviks ne cessèrent pas pour autant, en dépit de leur athéisme fondamental, d'avoir des rencontres, en général épisodiques, avec des hommes imprégnés d'esprit religieux. A Vienne, avant la guerre, Trotski (qui est alors menchevik) est en contact avec un pasteur [2]. Un des premiers officiers français ralliés aux bolcheviks à Moscou appartient comme Sadoul à la mission militaire : il s'appelle Pierre Pascal et c'est un fervent catholique.

« L'œil de Moscou », Humbert-Droz, a commencé par être pasteur. C'était, il est vrai, comme il l'avoue dans ses Souvenirs, un drôle de croyant. Étudiant en théologie protestante, il n'admet déjà ni la divinité du Christ, ni les miracles, ni la résurrection, ni la vie éternelle. De l'Évangile, il retient seulement le message révolutionnaire. En Jésus, il admire l'agitateur. De même qu'il passe du pacifisme utopique au défaitisme révolutionnaire, de même il glissera d'un christianisme humanitaire à un « révolutionnarisme » qui lui semble plus efficace : le bolchevisme.

Mutation qui préfigure d'une façon étonnante l'évolution actuelle de certains croyants qui, d'un christianisme politique, vidé de sa foi, délesté du surnaturel, passent sans broncher à la révolution marxiste [3].

En France même, dans les années 20, un groupuscule dirigé par Honnert prêche — à vrai dire dans le désert — l'alliance du communisme et de la foi.

Au temps du Front populaire, Thorez ne remportera pas grand succès avec son offensive de charme [4]. Pourtant, il ne ménage pas sa peine. Ses offres d'unité d'action aux catholiques se doublent de discrètes tentatives d'approche auprès de l'épiscopat. En 1937 une démarche est effectuée auprès du cardinal, archevêque de Paris. L'envoyé spécial de Maurice Thorez est un des hommes de son clan, un brillant journaliste de L'Humanité qui, après avoir rompu avec le parti, fera carrière comme directeur d'un

1. Sur cet épisode, cf. Bertram Wolfe, op. cit.
2. Cf. Isaac Deutscher, Trotski.
3. Cf. Humbert-Droz, Du Tolstoïsme au Communisme, op. cit.
4. Cf. déclaration à Radio-Paris, 17 avril 1936.

grand quotidien de province [1]. Il a eu, croyons-nous, deux entretiens avec le cardinal Verdier. Tous deux négatifs. Ces tentatives sont sans lendemain.

La conduite de l'Église, à cette époque, est régie par un refus de toute collaboration avec le communisme. Peu avant la guerre paraît sur le sujet un petit ouvrage de Marc Scherer. L'auteur est un démocrate-chrétien. Presque tous les arguments qu'il utilise pour repousser toute unité d'action avec le parti communiste pourraient être repris aujourd'hui par les traditionalistes, et le feraient ranger par *Témoignage chrétien* au nombre des réactionnaires systématiques.

Pie XI dans son encyclique *Divini Redemptoris* [2] a défini le communisme « comme intrinsèquement pervers ». L'évêque de Grenoble, Mgr Matagrin, au cours d'une réunion houleuse à la Mutualité en 1973, estimera « peu honnête » *(sic)*, de maintenir quarante ans plus tard ce jugement dépourvu d'ambiguïté. A l'époque, personne dans l'Église catholique n'ose le contester. Toute coopération avec les communistes, dans n'importe quel domaine, sous quelque forme que ce soit, est exclue.

Les liens de la Résistance

Les choses commencent à changer sous l'occupation. La Résistance est un lieu de rencontre. Les relations qui se nouent dans le secret préfigurent le processus des prêtres-ouvriers. On commence par cacher des communistes dans des couvents, par leur procurer de faux papiers. Quoi de plus naturel ? L'Église est, par vocation, lieu d'asile. La lutte contre l'occupant justifie tout. Bientôt, d'une assistance occasionnelle, certains chrétiens vont passer à des activités de propagande sinon communes à celles du P.C.F., du moins parallèles, puis à des entreprises armées.

Les *Cahiers de Témoignage chrétien* constituent une des expressions de la résistance catholique, fortement axée sur la gauche. Au *Front national*, on trouve, outre le laïc Mauriac, le R. P. Chaillet et, en zone sud, Mgr Chevrot. Dans la coulisse, l'abbé Glasberg joue un rôle important, aujourd'hui encore mal défini.

Ces contacts, pour la plupart, n'engagent pas l'Église. Dans son ensemble, elle est pétainiste. Elle s'est même fort engagée dans ce sens. La Libération semble démontrer que ce n'est pas celui de l'Histoire et que les temps ont changé. La hiérarchie, prise en bloc, change aussi. Mais, à l'égard du communisme, elle conserve encore ses distances. Théoriquement, celui-ci demeure intrinsèquement pervers.

Il n'en va plus de même dans les milieux les plus avancés de l'Église. Avant guerre, on avait déjà vu des dominicains prendre fait et cause pour les républicains espagnols. Après la Libération, des personnalités catholiques, qu'il s'agisse de clercs ou de laïcs, n'hésitent plus à signer les mêmes mani-

1. L'intéressé nous a confirmé la réalité de cette démarche. Il tient à conserver l'anonymat.
2. 19 mars 1937.

festes que les communistes, ou à les retrouver à la tribune d'un meeting.

L'abbé Boulier de l'Institut catholique (il sera bientôt interdit) est une des vedettes du Mouvement de la Paix. Dans ses prises de position, il exhibe un accord systématique avec le parti communiste. Un catholique, Moiroud, dirige l'Union des Chrétiens progressistes, mouvement fantôme, qui ne doit de subsister qu'aux secours du P.C. A *Témoignage chrétien*, des hommes comme Montaron et le R.P. Biot rejoignent par leur langage révolutionnaire, leur anti-américanisme virulent, leurs campagnes pour la paix, contre la bombe atomique — l'américaine, pas la russe —, contre la guerre d'Indochine, etc., les positions adoptées par le parti communiste.

Dans le domaine des idées, le R.P. Montuclard va fort loin. Avec son ouvrage *Jeunesse de l'Église*, il tente de concilier marxisme et christianisme.

Issus du scoutisme vichyssois, quelques jeunes hommes, pilotés par André Cruiziat, fondent *Vie nouvelle*, entreprise fort ambiguë qui prétend donner à ses membres un style de vie chrétien, mais qui témoigne surtout son attirance pour le collectivisme et les régimes de l'Est.

Un brulôt : La Quinzaine

Le groupe le plus intéressant est toutefois celui qui, à partir de 1949 publie *La Quinzaine*, petit périodique bi-mensuel. En un certain sens, *La Quinzaine* prolonge *Sept*, cette revue des dominicains publiée avant guerre, mais avec plus d'audace, plus « d'engagement ». La plupart de ses collaborateurs sont des inconnus. Ils offrent, à vrai dire, beaucoup moins d'intérêt que les hommes qui, en coulisse, veillent sur cet esquif : le R. P. Boisselot, des Éditions du Cerf, Max Stern, qu'on retrouvera plus tard dans un cabinet gaulliste, Georges Hourdin, grand patron de *La Vie catholique illustrée*, Mme Ella Sauvageot et le R. P. Chenu.

Thomiste célèbre, celui-ci est l'homme clé de *La Quinzaine* et l'apôtre tenace du rapprochement avec le communisme. Il signe d'un pseudonyme l'article de dernière page de *La Quinzaine*, et de son vrai nom les manifestes du parti contre la bombe atomique ou contre le licenciement de travailleurs chez Renault. Des années plus tard, il confiera à Georges Suffert [1], en exhibant une vraie jubilation, qu'il fut l'inspirateur et le rédacteur principal d'un manifeste contre la guerre d'Indochine, largement diffusé par les communistes.

Il y a donc dans l'Église une aile marchante qui n'hésite plus à accepter ouvertement la main toujours tendue par Maurice Thorez. Sur un grand nombre de points (lutte pour la paix, contre la C.E.D., contre le plan Marshall, contre la guerre d'Indochine, contre l'impérialisme américain, pour les revendications des travailleurs, telles que la C.G.T. les élabore, etc.), elle pratique l'unité d'action. Sans doute, les tenants de cette politique se défendent d'être des marxistes. Quand on les presse, ils soutiennent qu'ils

1. Cf. *L'Express*, n° 618 du 18 avril 1963.

ont, certes, avec le P.C.F. plus d'un sujet de 'désaccord. Mais la plupart du temps, ils évitent avec soin de les exposer... A partir de 1950 on voit apparaître dans *La Quinzaine* une série de reportages sur l'U.R.S.S., la Pologne ou la Hongrie, conçus, nous dit-on, dans un esprit « objectif ». L'objectivité consiste surtout à minimiser les difficultés de ces régimes, et à estomper les conflits fondamentaux entre des États persécuteurs et la religion [1]. Tout se passe comme si ces articles étaient fortement inspirés.

Ce courant n'épouse pas toujours l'action des prêtres-ouvriers. Mais il connaît un essor parallèle.

Le développement de ces tendances est évidemment un facteur appréciable pour le parti communiste. Le progressisme chrétien crée une faille à l'intérieur du monde catholique, jusqu'alors bloc hostile, dans sa quasi-totalité. De ce point de vue, ce sont surtout les prêtres-ouvriers qui intéressent les stratèges du parti, du moins tant qu'ils opèrent à l'intérieur de l'Église. Les prêtres rebelles au contraire perdent à leurs yeux toute valeur. Ce ne sont plus que des individus, sans importance sociale.

Thorez déjà avait été fort mécontent en apprenant que le père Montuclard avait l'intention d'épouser sa secrétaire.

« Un prêtre marié, disait-il, les catholiques n'accepteront jamais cela. »

Il se méfiait des prêtres-ouvriers. La présence de ceux-ci en civil à une manifestation avait à ses yeux beaucoup moins de valeur que celle d'un prêtre en soutane, révélant à tous, au premier coup d'œil, sa qualité d'ecclésiastique.

Les prêtres-ouvriers ont presque tous des problèmes de conscience. Voilà qui est de nature à créer au parti des difficultés. Les communistes ne souhaitent nullement engager de longues controverses sur l'existence de Dieu, sur le rôle du Christ dans l'histoire, sur la pauvreté, etc. Quand ils le font, c'est qu'ils cherchent à appâter une clientèle. Mais leur objectif reste de mener avec les catholiques une action commune, pour une fin précise et limitée.

Pour ce type d'action des catholiques de gauche, pas trop extrémistes, des M.R.P. un peu avancés, par exemple, sont bien préférables aux prophètes excités. Un Jacques Madaule est le prototype du compagnon de route idéal. Il ne prétend pas à tout moment réformer l'Église, voire détruire cette institution. Il ne pousse pas de cris. Il a des idées moyennes, c'est-à-dire raisonnables. Il n'est absolument pas scandaleux.

Cela acquis, on le voit souvent dans les meetings communistes, il signe avec constance les pétitions qu'on lui soumet. On ne lui en demande pas davantage. Pour le parti, il a les qualités que les maîtresses de maison exigent des bons serviteurs : comme eux, il sait toujours rester à sa place.

Le général Petit est un autre de ces catholiques tels qu'on les aime carrefour Châteaudun. Comme pour de Gaulle, on est mal renseigné sur la nature de sa foi. Mais il est toujours présent aux offices. Sa pratique religieuse est constante, extérieurement irréprochable. Il est précieux que ce catholique

---

1. Cf. *La Quinzaine*, notamment les nos des 15 mai, 1er et 15 juin, 15 juillet et 15 août 1951.

modèle soit instantanément mobilisable pour l'U.R.S.S. Pour la paix, contre l'ogre américain, contre le réarmement allemand, contre l'agression en Corée...

La presse catholique

A vrai dire, ces engagements n'ont guère d'influence sur la grande masse des fidèles, toujours réticente à l'égard du communisme. Il est donc utile que cette masse soit en partie neutralisée.

Les entreprises de presse, les *mass media* jouent ici un rôle capital. La presse catholique d'avant-guerre était modérément peut-être, mais massivement, anticommuniste. Après la Libération, une mutation importante intervient. La Bonne Presse, les éditions de Fleurus, ne sauraient être accusées d'être ralliées au bolchevisme, mais elles propagent une sorte de non-résistance devant ce phénomène, voire même d'étranges complaisances. *La Vie catholique illustrée*, *Télérama*, plus tard *Les Informations catholiques internationales*, qui constituent le trust Georges Hourdin, ont un impact d'autant plus fort qu'ils bénéficient d'un réseau de distribution particulier, celui des paroisses où ils sont mis en vente. Ce système leur épargne de verser de lourdes redevances au réseau des Messageries Hachette. Une partie des bénéfices ainsi réalisés va dans les caisses de la hiérarchie. Entre elle et le trust Hourdin se constitue une communauté d'intérêts.

Les organes catholiques dits de droite ou intégristes, tels *La France catholique* ou *L'Homme nouveau* sont loin d'atteindre aux mêmes tirages.

A *La Vie catholique illustrée*, outre Georges Hourdin, on trouve le R.P. Boisselot, Dubois-Dumée, José de Brouckère, et hier encore la mystérieuse Mme Ella Sauvageot, née Thuillier. On ne sait trop comment cette divorcée était entrée en relations avant la guerre avec les dominicains. Toujours est-il qu'elle leur a donné rapidement la démonstration de ses talents d'administratrice. Elle leur dut de prendre dans la presse catholique une place prééminente.

Dans les rangs des catholiques traditionnalistes, certains murmurèrent que madame Sauvageot était un agent soviétique, une « crypto », une « hors cadres ». La démonstration reste à faire.

Les déjeuners du Petit Riche

Mais c'est Jean Madiran, le directeur de la revue traditionaliste *Itinéraires*, qui fait un jour cette découverte : dans un petit salon discret d'un restaurant proche des Grands Boulevards, *Le Petit Riche*, déjeunent ensemble, chaque semaine, Mme Sauvageot, Georges Hourdin, le père Boisselot, et le directeur du *Monde*, Hubert Beuve-Mery. De ces rencontres, il serait abusif, certes, de déduire qu'on se trouve devant une réunion de comploteurs. Madiran se borne à estimer que ces gens, assez régulièrement, se concertent, pour que chacun dans sa sphère mène des opérations parallèles. Ce qui semble assez vraisemblable [1].

A tout le moins, ces personnes qui disposent d'instruments d'information considérables, échangent des renseignements, des idées, mettent au point peut-être des campagnes, élaborent des projets communs.

On constate alors qu'il y a un *continuum* de la matière grise chrétienne qui va du carrefour Châteaudun au boulevard des Italiens, siège du *Monde*. Et sans doute, entre Beuve-Méry, Georges Hourdin, le père Chenu ou le père Congar, Jacques Madaule, le père Roqueplo, Moiroud, Mandouze, Montaron, et l'active Mme Sauvageot, ont dû exister au cours des années 50 plus d'un sujet de divergence mais, apparemment, aucun motif de querelle. Tous ces gens trempent dans les mêmes eaux.

Considérer que le parti communiste tire les ficelles de ces personnages, serait une vue sommaire. Dans ce milieu, le parti doit bien avoir quelque intelligence. Mme Sauvageot était peut-être l'une d'elles. Il serait naïf de croire qu'il manœuvre tout ce monde comme autant de pions sur un échiquier. A certains moments, ces chrétiens progressistes, s'ils servent ses desseins, peuvent devenir gênants, tout comme Mendès France, allié objectif contre la guerre d'Indochine, l'est devenu quand il incarna le pouvoir. Mais que toute cette frange progressiste se montre réceptive à ses thèmes, qu'elle envisage favorablement l'avènement d'une société collectiviste, qu'elle noue avec les communistes le fameux dialogue, qu'elle escorte le parti dans certaines de ses démarches, c'est déjà un très beau résultat. Qui ne verrait les changements intervenus depuis 1937, depuis ce temps où personne, ou presque, n'acceptait de prendre la main largement ouverte de Maurice Thorez ?

Tout n'est pas simple assurément pour le parti. Les catholiques qui prennent position contre la guerre d'Indochine ne sont pas très nombreux. Cette faible escouade se borne à appuyer les campagnes communistes. Un peu plus tard, avec la guerre d'Algérie, ce contingent est sensiblement plus étoffé. Mais, du même coup, le rapport de force entre chrétiens et communistes se trouve modifié. Ce sont des chrétiens qui prennent l'initiative des campagnes contre les tortures. En Algérie, ils constituent des réseaux de soutien [2]. Mieux, ils en viennent à élaborer une technique d'aide aux fellagha qui contrecarre les méthodes des communistes. Certainement, la direction du parti apprécie peu cette autonomie dans l'action. C'est la rançon du succès. Les communistes souhaitent entraîner dans la lutte des masses nouvelles, à condition d'être sûrs de les contrôler. Mais plus ces effectifs sont importants, plus ils tendent à constituer une force autonome, donc rivale du parti. On retrouve là, en partie, le problème que posent aux dirigeants communistes les socialistes. On souhaite les avoir avec soi. Encore faut-il qu'ils soient faibles.

---

1. *Ils ne savent pas ce qu'ils font.*
2. Cf. chap. précédent.

Un aveu

Les communistes peuvent en tout cas se féliciter que la hiérarchie en France soit si tolérante à leur égard. Elle freine en effet les consignes du Saint-Office qui interdisent toute coopération avec le parti communiste.

C'est ce que reconnaîtra en octobre 1963 Félix Lacambre, secrétaire général de l'Action catholique ouvrière (A.C.O.) :

« En France, écrit-il, nous avons la chance inouïe de travailler habituellement avec les évêques. Et c'est un peu grâce à cela que, lorsqu'en 1949 un décret du Saint-Office interdit de collaborer avec les communistes, le texte fut interprété dans son sens le plus restrictif, c'est-à-dire la seule appartenance au parti [1]. »

L'interprétation des évêques, si elle ne tolère pas l'adhésion formelle au parti, laisse donc toute latitude aux catholiques de militer dans les diverses organisations annexes : C.G.T., Mouvement de la Paix, France-U.R.S.S., U.J.R.F., etc. et de participer aux manifestations organisées par ces mouvements.

En définitive, cette ligne de conduite équivaut à une politique de non-résistance au communisme et à un compagnonnage assez poussé.

Il est logique de penser que l'entreprise du parti communiste en direction des chrétiens se double d'opérations souterraines. Cette tactique est conforme à toute son action. Nous l'avons vu s'efforçant de pénétrer dans tous les organes du système impérialiste : administration, armée, police, magistrature, enseignement, *mass media*, milieux industriels, etc.

Dans la doctrine communiste, les Églises, et plus spécialement l'Église catholique, sont des expressions du système impérialiste, des produits de la société capitaliste.

L'Église étant un ennemi redoutable, cette puissance doit être combattue par les armes de la propagande, utilisées avec une intensité diverse, selon les phases historiques. Mais elle doit aussi être investie de l'intérieur par des agents, c'est-à-dire par des « hors cadres ».

Comment s'effectue cette entreprise de noyautage ?

Le rôle de Pax

En tout premier lieu, on doit signaler l'action d'un groupe étranger, spécialisé dans ce genre de travail : le groupe polonais Pax.

Officiellement, Pax est une association de catholiques polonais progressistes, dirigée par Boleslav Piasecki. Pax se donne pour mission de bâtir un pont entre les catholiques de Pologne (l'immense majorité de la population) et le régime, et de convaincre les fidèles de collaborer à l'édification de la société socialiste.

Toute une littérature a déjà paru sur ce mouvement (constitué après

---

1. Cité par *Itinéraires*, juillet-août 1965.

l'occupation de la Pologne par les troupes soviétiques) et sur son chef [1].

Non sans émettre quelques réserves sur son action, les publications catholiques progressistes en France ont présenté cette organisation comme un mouvement d'opinion et son chef comme l'adepte utopique peut-être, mais sincère, de l'intégration des catholiques dans la société socialiste voulue par l'histoire.

Tableau idyllique que la biographie de Piasecki, à elle seule, réfute. Dirigeant avant guerre d'un mouvement de droite, fasciste et très anti-sémite, la Falanga, combattant sous l'occupation à la fois les Allemands et les maquis juifs, Piasecki est fait prisonnier avant la fin de la guerre par les Soviétiques, emmené en avion à Moscou, jugé et condamné à mort.

Mesure rapportée, après des entretiens secrets entre Piasecki et le général Serov, un des principaux dirigeants du N.K.V.D. à cette époque. La police soviétique comprend que ce prisonnier peut servir efficacement ses desseins dans un pays catholique à 95 % et très antisémite.

Il en résulte un pacte dont les conditions ne sont pas connues mais dont le sens est clair : si le condamné à mort Piasecki est remis en liberté et placé aussitôt à la tête d'une organisation, Pax, qui dispose de puissants moyens — locaux, permaments, maison d'édition, journaux, etc. —, il ne le doit qu'à la bienveillance du N.K.V.D. D'elle seule, il tire son impor-tance.

Piasecki n'est ni un apôtre, ni un illuminé. C'est un agent. Pax n'est pas un mouvement. C'est une antenne. Non pas des dirigeants communistes polonais, mais de la police soviétique. A ce titre, elle cumule missions de renseignements et opérations politiques.

On a pu le vérifier en 1956, au moment de l'Octobre polonais, c'est-à-dire de cette tentative de libéralisation, bientôt enrayée qui succède à l'insurrection de Budapest. Alors que l'intelligentsia polonaise dans son ensemble rejette le stalinisme et réclame davantage de libertés, Piasecki, dans ses articles, défend deux choses :

1. le socialisme, qui dans sa pensée se confond avec le stalinisme;

2. l'alliance avec l'U.R.S.S. qu'il faut, selon lui, préserver à tout prix.

Dans les moments de grande crise, les hommes montrent leur vrai visage. Celui de Piasecki est édifiant.

Les activités de Pax et de son chef en Pologne ne nous intéressent pas ici et nous ne les citons que pour les éclairer brièvement. Mais il importe de savoir que les entreprises de Pax sont loin de se limiter au territoire polonais. Pax et Piasecki ont des responsabilités à l'échelle internationale. C'est la constatation évidente qui se dégage de certains textes de l'organi-sation, et des déplacements de ses animateurs.

1. Cf. en particulier : Pierre Lenert, *L'Église catholique en Pologne* ; Claude Norois, *Dieu contre Dieu* ; les articles de Du Fabrègues, in *La France catholique* du 9 novembre 1956; la note de la secrétairerie d'État du Vatican sur Pax adressée au secrétariat de l'épiscopat français le 6 juin 1963; « L'affaire Pax en France », supplément du n° 88 de la revue *Itiné-raires*. Dans un sens plutôt favorable à Pax on peut citer les articles des *Informations catho-liques internationales* du 1er mai 1961 au 1er novembre 1961.

Aide théorique...

A l'assemblée générale tenue pour le quinzième anniversaire de Pax, c'est Piasecki en personne qui affirme :

« Notre mouvement a certainement le devoir de venir en aide, aussi bien en théorie qu'en pratique, aux mouvements sociaux progressistes, particulièrement aux mouvements chrétiens en Europe occidentale et dans le monde [1]. »

C'est bien là la tâche d'un appareil qui fonctionne au niveau international. Une aide *théorique* accordée aux mouvements chrétiens d'Europe occidentale et du monde peut prendre bien des formes : démarches, conseils amicaux, matériaux destinés à nourrir des articles ou des études favorables à Pax, voyages facilités à certaines délégations en Pologne...

Cette aide théorique en trouvons-nous la trace ? Incontestablement, oui. Piasecki a eu deux entretiens personnels avec José de Brouckère, rédacteur en chef des *Informations catholiques internationales* (c'est de Brouckère lui-même qui les signale). Il est venu à Paris, la première fois sans doute en 1954, et il y a rencontré, parmi d'autres, Jean de Fabrègues, alors directeur de *La France catholique*, à qui de mystérieux intermédiaires l'avaient présenté.

« Il y a deux ans, révèle de Fabrègues, on nous avait amené à Paris M. Piasecki et ses semblables. Et l'on nous avait dit : il faut les entendre, il faut les comprendre [2]. »

On verra aussi à plusieurs reprises Piasecki, à Rome — où il est accueilli dans la villa d'un aristocrate polonais — en particulier pendant le déroulement du concile [3].

Les lieutenants de Piasecki ne sont pas moins actifs. L'un d'eux, Ketrynski, est en France à demeure, puisqu'il est conseiller, à l'ambassade polonaise, et représente son pays à l'Unesco. Un autre, Jerzy Hagmajer a eu — selon Madiran — des contacts suivis avec un vice-président de la section française de Pax Christi [4].

Nous ne sommes pas renseignés sur la nature de ces entretiens, enveloppés de mystère [5].

C'est encore un envoyé de Pax avec qui le cardinal Tisserant — qu'on ne saurait certes soupçonner de crypto-communisme — a eu un entretien dans un couvent de l'Est de la France. Nous saisissons là un des aspects

---

1. Déclaration reproduite dans *La Croix*, 14 avril 1961.
2. Cf. *La France catholique*, 9 novembre 1956.
3. Carlo Falconi, *Dans les coulisses du concile*, p. 326.
4. Cf. nº spécial d'*Itinéraires*, *op. cit.*, p. 114.
5. Madiran donne cette information sous cette forme curieuse : « Maurice Vaussard (historien catholique) pourrait utilement rechercher par exemple avec quel vice-président de la section française de Pax Christi ce Jerzy Hagmajer entreprit des contacts suivis et comment, et pourquoi, et jusqu'où », *op. cit.*, p. 114.

Madiran affirme par ailleurs que Vaussard en sait très long sur le rôle de Pax en France. Vaussard qui se trouve être vice-président de Pax Christi n'a, à notre connaissance, ni démenti, ni confirmé.

des activités extérieures de Pax qui consistent en missions officieuses auprès de certains prélats.

Pax a naturellement suivi de près les activités des mouvements catholiques progressistes en France. Dans *La Lettre* — petit bulletin progressiste dont le rôle sera analysé plus loin — on trouvait ainsi ce passage qui concernait aussi la bonne Mme Sauvageot :

« Nous ne serions pas nous-mêmes, et peut-être n'existerions-nous pas du tout, après les difficultés que vous savez, rencontrées par les centres progressistes, après les aventures de *La Quinzaine* et du *Bulletin, si nous n'avions pas eu parmi nous Ella Sauvageot. La Lettre lui doit son existence.* Si j'évoque son nom, ce n'est pas seulement parce que nous étions très liés, mais parce que sa personne était une affirmation. Pour accueillir, elle ne s'est jamais reniée, pour accueillir, elle s'affirma [1]. »

Dans ce même numéro qui rend compte d'un Congrès de *La Lettre*, on relate l'intervention du Polonais A. Krasinski, heureux de revoir « ses amis de longue date », et celle d'un envoyé de Pax.

Voilà, certes, un aspect assez curieux de l'aide théorique. Furtivement, à l'occasion d'une confidence ou d'un aveu tardif, nous en discernons quelques aspects. Il y en a certainement d'autres.

Au cours de ces dernières années des rencontres, des colloques, des retraites passablement orientées se sont tenus, de façon fort secrètes en différents monastères de France, en particulier à l'Arbresles, ce monastère des dominicains. Ces rencontres, qui durent en général plusieurs jours, réunissent des théologiens, des prêtres « avancés » comme les pères Roqueplo, Liégé, Lintanf. Il serait surprenant que les missionnaires de Pax aient été écartés de ces « séminaires ».

... et pratique

Reste maintenant à examiner en quoi a bien pu consister l'aide *pratique*.

On peut être assuré que les envoyés de Pax n'ont pas apporté aux mouvements catholiques progressistes des dons tels que couvertures, médicaments ou vivres (il n'y a pas de bonnes couvertures en Pologne; les médicaments et les vivres y sont rationnés; au surplus ni Jacques Madaule, ni le général Petit, ni Mandouze, ni Moiroud, ni Georges Hourdin ou le R.P. Chenu n'avaient grand besoin de ce genre de secours). Il est douteux aussi qu'ils aient exporté des motos luxueuses pour permettre à l'abbé Barreau de circuler dans Paris. Dès lors, de quoi s'agit-il?

Un document du cardinal Wyzcinski, archevêque de Pologne, document avalisé par le secrétaire d'État au Vatican, et mis sous le boisseau par l'épiscopat français, permet d'éclairer un peu cette question, délicate, dirait Prévert, puisque c'est une question d'argent.

« A l'ouverture du concile — peut-on lire dans ce texte — M. Piasecki

---

1. N°s 107-108. Passage souligné par nous.

s'est vu investi d'un nouveau crédit (100 millions de zlotys annuellement, au lieu de 50). »

Dans la même lettre, le cardinal notait que « La France, notamment, a été confiée d'une façon tout à fait particulière aux services de Pax, discrètement soutenus par les milieux diplomatiques polonais. »

On peut en conclure que le zloty converti en francs — ou en marks ou en dollars — est la forme la plus marquante et la plus convaincante de l'aide *pratique*. A ce jour, la destination des zlotys demeure toutefois inconnue.

Ce financement, on peut seulement présumer qu'il a pu concerner des mouvements ou des organes de presse, ou des maisons d'édition, ou encore des individus bien placés. Dans ce dernier cas, les personnes qui sont *pratiquement aidées* ne sont pas automatiquement des personnes *achetées*. Quand on discute avec un interlocuteur *compréhensif* qui suggère (aide théorique) d'entreprendre telle ou telle action, il n'est que trop naturel de répondre : « Hélas! Nous n'en avons pas les moyens! » Il est non moins naturel que l'interlocuteur propose alors l'aide pratique, modeste ou importante. Avoir les moyens financiers d'entreprendre ce qui correspond à vos convictions est une grande tentation. Il suffit de succomber une fois. Le reste devient routine — routine et piège — que connaissent bien les services de renseignement.

Il va de soi qu'un agent expérimenté ne demandera pas aux assistés des actes qui seraient en contradiction violente avec leur conscience, ou qui les démasqueraient maladroitement.

Les activités de Pax constituent des tentatives d'influencer et d'orienter des catholiques, clercs ou laïcs. A côté de cette entreprise, le parti communiste — ou les services soviétiques — n'ont-ils pas tenté d'introduire des agents au sein même de l'appareil ecclésiastique ?

« Hors cadres » dans l'Église ?

Cette supposition peut apparaître à première vue fantaisiste. Elle est cependant conforme à toute la pratique du communisme puisque cette Église en tant qu'institution — et son armée de clercs constitue un des principaux centres de résistance au communisme — doit être infiltrée, au même titre que l'administration, la police ou l'armée.

La tentative pose, certes, des problèmes particulièrement difficiles à résoudre : il faut convaincre de jeunes communistes d'entrer dans un séminaire, d'y suivre des études difficiles, de se plier à un mode de vie rigoureux dont une des règles est le célibat, de feindre à tout moment une vocation qu'on n'éprouve pas, de déjouer la vigilance de supérieurs ou de confrères ecclésiastiques.

Cette tâche infiniment délicate, seul un petit nombre de sujets, soigneusement triés, est à même de l'entreprendre. A bien y réfléchir, elle ne constitue pas un exploit plus étonnant que celui de l'espion britannique Philb, travaillant pour le compte des Soviets depuis sa jeunesse, et devenu, avant d'être démasqué, un des chefs du M.I.5., c'est-à-dire du contre-espionnage de l'Intelligence Service.

Théoriquement possible, ce type d'opération a-t-il eu lieu? On peut répondre oui, sans risque d'erreur, en ce qui concerne l'Union soviétique et les pays de démocratie populaire. Après l'installation du régime bolchevik en Russie, des communistes sont entrés dans l'Église orthodoxe avec mission de la noyauter. Le plus connu est le métropolite Nicodème, chargé jusqu'à ces dernières années des relations extérieures de l'Église orthodoxe. Dans d'autres circonstances, des prêtres se sont ralliés secrètement au nouveau régime. Leur cas est, psychologiquement, différent toutefois de celui du jeune communiste qui, par discipline de parti, accepte d'entrer dans les ordres. Ce sont des apostats non avoués.

Des expériences identiques ont eu lieu dans les démocraties populaires, en Hongrie et en Tchécoslovaquie notamment.

Mais peut-on croire que cette pratique se soit étendue à notre pays?

A cette question, une réponse affirmative a été fournie dans un article du *Figaro* [1], inséré dans une rubrique intitulée : « *Le Figaro* révèle ici ce que *l'Humanité* cache à ses lecteurs. » L'article en question était seulement signé du sigle XXX. Nous pouvons révéler que son auteur était Henri Barbé qui, à cette époque, alimentait régulièrement cette rubrique.

Le cas de l'abbé Barrault

Barbé examinait là le cas d'un prêtre-ouvrier, l'abbé Henri Barrault [2]. Celui-ci, affirmait-il, appartenait avant guerre aux Jeunesses communistes d'Ivry. Il les avait quittées pour entrer au séminaire mais, selon Barbé, sur consigne, afin d'y servir en communiste « hors cadres ». Dans cette même période d'avant-guerre, d'autres jeunes communistes, poursuivant les mêmes desseins, seraient entrés dans les ordres.

Membre actif des prêtres-ouvriers, Barrault avait entraîné une partie d'entre eux à militer dans les rangs de la C.G.T. On le voit intervenir publiquement à un congrès de cette centrale : « Les chrétiens se sentent tout à fait à l'aise à la C.G.T. [3] », affirme-t-il alors. Il est déjà secrétaire de l'Union des travailleurs de la métallurgie de la Seine, poste de confiance. A ce titre, il publie dans *Le Peuple*, organe de la C.G.T., un appel à la lutte revendicative qui n'emprunte rien à l'onction ecclésiastique : « En avant donc, métallurgistes, pour nos 15 %, pour l'échelle mobile, pour la santé et le bonheur de la classe ouvrière, dans l'unité, etc. [4] ». C'est peut-être le Saint-Esprit qui parle par cette bouche, mais avec l'accent faubourien d'Étienne Fajon.

---

1. Nº du 30 octobre 1958.
2. Ne pas confondre avec l'abbé Jean-Claude Barreau.
3. Cf. *Le Monde*, 30 mai 1951.
4. Cité par *le Monde*, 12 février 1952.

De ces données, faut-il conclure que l'abbé Barrault était un agent ? L'argumentation de Barbé était la suivante : le parti, après l'intervention de Rome, avait cessé de s'intéresser aux prêtres-ouvriers rebelles. Détachés de l'Église, ils n'étaient plus utilisables. Barrault, au contraire, qui avait joué un rôle important dans cette scission, était maintenu à son poste cégétiste. On devait même lui confier plus tard une tâche que seuls peuvent remplir des militants sélectionnés : professeur à l'école des cadres C.G.T. de Gif-sur-Yvette.

L'argumentation de Barbé nous semble tout à fait solide.

D'autres cas sont troublants : celui, par exemple, d'un ancien communiste de Lituanie : le père Ignace Lepp. Bolchevik itinérant que l'on voit apparaître dans les congrès d'intellectuels en France, qui opère ensuite en Allemagne où il est arrêté par la Gestapo, s'évade, sans expliquer comment dans ses *Souvenirs* [1], se convertit à la veille de la guerre, entre dans la Résistance à Lyon, poursuit son vagabondage au Maroc où il dirige un journal anti-colonialiste, *Maroc-Monde*, puis à Saint-Germain-des-Prés, avant de mourir, après avoir publié plusieurs livres assaisonnés de marxisme, de christianisme, de freudisme, et d'existentialisme ; personnage vraiment énigmatique qui surgit chaque fois là où un problème brûlant se pose, comme un sous-marin qui fait surface en vue de l'objectif. On pourrait aussi citer ce père Jacques qui, sous l'occupation, préfigure déjà les prêtres rouges et qu'Albert Ouzoulias va visiter au nom du parti communiste [2] ; ou encore ce franciscain de la revue *Frères du Monde*, le frère Raymond qui, dans *L'Idiot International* [3], fait de curieuses confidences sur le thème : « Comment la vocation vient aux anciens F.T.P. »

Dans ce domaine, il est pratiquement impossible d'apporter une preuve irréfutable. On dispose tout de même de quelques indices qui justifient au moins que ces hommes soient considérés comme des suspects.

Il est certain en tout cas que si une action subversive s'exerce à l'intérieur même de l'Église, elle ne peut être le fait que d'un très petit nombre, car on ne fabrique pas à la chaîne les Philby et les Georges Pâques en soutane.

C'est pourquoi il faut se garder de prendre pour des « hors cadres » les prêtres qui se livrent à des déclarations révolutionnaires, ou qui prennent des positions outrageusement avancées, tels les prêtres d'*Échanges et Dialogues*. Ceux-ci peuvent être des ralliés. Il est difficile de croire qu'ils soient des agents, sauf exceptions.

Gauchistes fâcheux

Les manifestations de ces prêtres qui se sont multipliées au cours de ces dernières années, particulièrement depuis 1968, s'apparentent davan-

1. *Itinéraire de Karl Marx à Jésus-Christ.*
2. *Op. cit.*, pp. 364-365. De son vrai nom Lucien Bunel, le père Jacques, arrêté en janvier 1944, mourra en déportation.
3. Mai 1970.

tage à celles des gauchistes, avec lesquels ces ecclésiastiques turbulents nouent parfois d'épisodiques contacts.

La direction du parti se méfie d'initiatives comme celles de *Frères du Monde*, franciscains convertis au marxisme, ou des prêtres rassemblés à *Échanges et Dialogues*. Certes, parmi ceux-ci, il peut y avoir quelques « hors cadres » ou d'anciens communistes. Quand on entend l'abbé Jean-Marie Trillard, principal meneur de cette association, haranguer les foules au symposium de Coire ou sur la place Saint-Pierre à Rome, pendant le synode, on se dit que sa technique oratoire procède davantage de l'*Agit-Prop* que de la *Drac*. Quand on lit les divers ouvrages du sombre abbé Davezies *(Le Front, les Angolais)*, on y découvre plutôt les leçons du marxisme militant que le message évangélique.

Il est néanmoins douteux que l'un comme l'autre restent attachés par un lien quelconque au P.C. français. Davezies, qui est devenu un des principaux animateurs du Secours rouge, constitué par des gauchistes pour faire pièce au Secours populaire, a été marqué, semble-t-il, par le maoïsme. Il s'est en effet, rendu en Chine il y a quelques années, — le fait est peu connu — et il est revenu... converti.

Quant à Trillard, il tient un langage trop provocant pour que le parti communiste gouverne son attitude.

Cependant, *Échanges et Dialogues*, en réclamant l'abolition du célibat, en luttant contre l'Église en tant qu'institution, contribue à semer le trouble à l'intérieur du clergé, et à ébranler les cadres de l'Église.

Or ces cadres demeurent l'ennemi numéro un du parti communiste, sur le plan de la lutte antireligieuse. Affaiblir leur moral, contribuer à leur désagrégation, provoquer leur défection est une phase importante de la bataille, au même titre que le serait la démoralisation du corps des officiers dans la lutte « anti ». De ce point de vue *Échanges et Dialogues*, gênant par ses excès, remplit aussi une tâche positive. Encore que le mouvement ait paru disposer de moyens modestes, il n'est pas impossible que les émissaires de Pax se soient intéressés à lui. On doit, en tout cas, noter que le *Petit livre rouge* distribué par *Échanges et Dialogues* au symposium de Coire avait été imprimé en Allemagne de l'Est.

La situation de *Vie nouvelle* est assez différente. Organisme de laïcs, créé après la Libération sous le nom des *Amitiés scoutes*, ce mouvement, dirigé par André Cruiziat et reconnu par la hiérarchie, occupe une position curieuse sur l'échiquier politico-religieux. Il recrute ses membres chez les anciens scouts, ou parmi de jeunes cadres, tente de leur faire pratiquer un nouveau style de vie et de les contrôler à l'intérieur de l'entreprise ou de la cité. Politiquement, *Vie nouvelle* s'est ralliée à un socialisme assez flou, et a pris très tôt position contre la guerre d'Indochine et d'Algérie. Cruiziat est même venu témoigner au procès du réseau Jeanson.

Ceux des adhérents de *Vie nouvelle* qui ne sont pas inscrits à un parti politique se retrouvent souvent au P.S.U., en moins grand nombre au parti socialiste, rarement au parti communiste. Il n'est pas possible de démontrer que celui-ci contrôle le mouvement mais il ne peut manquer d'y avoir dépêché quelques observateurs. L'originalité de *Vie nouvelle* tient en effet à ses ramifications. Jusqu'en 1964, Cruiziat est resté un des piliers du scoutisme et il a fortement accéléré l'évolution des scouts de France dans un sens progressiste. *Vie nouvelle* a encore des contacts avec *Échanges et Dialogues*, avec la revue *Échanges* que dirigeait la sœur Van der Meersch, sœur auxiliatrice du Purgatoire, avec l'abbaye de Boquen de dom Besret. Et c'est de *Vie nouvelle* que sortent aussi des hommes comme Delors, inspirateur de la politique sociale de Chaban-Delmas, Dumazedier qui travaille au Plan, Bruno Cacérès, animateur de *Peuple et Culture*, tous gens bien placés, ou Philippe Warnier, fort apprécié de la hiérarchie.

La Lettre, *centre de contact*

Mais c'est plutôt du côté de *la Lettre* qu'il convient de chercher le groupe, numériquement faible à vrai dire, dont les activités correspondent le plus exactement aux souhaits de la direction du parti. *La Lettre*, modeste bulletin ronéotypé, fait peu parler d'elle. Animée par Chatagner, ancien membre du comité directeur de *La Quinzaine*, depuis vingt ans fidèle compagnon de route du P.C. français, elle n'en est pas moins un centre discret de contact. C'est dans *La Lettre* qu'on trouve parfois les traces de certaines rencontres. Participent à ce délicat travail d'approche des religieux comme le père Roqueplo — qui était déjà à *La Quinzaine* — les pères Dubarle, Jolif et Lintanf (ces deux derniers ayant invité à voter pour Jacques Duclos, candidat au siège présidentiel en 1971) et Liégé.

Mais, officiellement bien sûr, il n'existe pas de liens entre le petit groupe de *La Lettre* et le parti communiste.

Pour tout ce qui touche à l'Église et à la religion celui-ci opère d'ailleurs avec une prudence extrême. D'autant qu'il a connu quelques déboires. Les deux spécialistes des questions religieuses Gilbert Mury et Roger Garaudy ont, l'un et l'autre, fait défection. Mury, ancien professeur sous l'occupation au collège Stanislas, chargé des contacts avec les catholiques, est passé au maoïsme. On connaît les démêlés célèbres de Garaudy avec son parti à propos de l'affaire tchèque. Mais sur les problèmes religieux, il était déjà virtuellement en dissidence, imaginant une sorte de convergence entre la foi et le marxisme, ce qui était doublement hérétique et du point de vue religieux et du point de vue marxiste.

Ces risques ne semblent pas exister avec les nouveaux responsables des activités religieuses au sein du parti : André Moine et Antoine Casanova. Moine, vieux militant du P.C. algérien, passé par les écoles de Moscou, est un parfait *apparatchik*. Tout semble indiquer que Casanova, sensiblement plus jeune, est du même bois bureaucratique. Le souci de ces parfaits fonctionnaires est de rassurer, de maintenir qu'il ne saurait y avoir de conciliation entre la religion et le marxisme, mais de montrer aussi qu'au-delà des controverses idéologiques, l'unité d'action entre travailleurs chrétiens et communistes est éminemment souhaitable et tout à fait possible.

Actions communes

Les objectifs limités de cette action commune peuvent être la participation à une grève, à la lutte contre la guerre du Vietnam, à une pétition ou une manifestation sur un thème donné. Lorsque le parti communiste lance une manifestation il n'y trouve pas toujours le parti socialiste à ses côtés [1]. Mais désormais, d'une façon à peu près régulière, l'A.C.O., la J.O.C., la J.E.C., tous mouvements mandatés par la hiérarchie, prennent part, avec les communistes, à ces manifestations.

Plus ambitieusement, ces bouts de chemin parcourus ensemble peuvent déboucher sur une union politique autour du programme commun et sur la prise du pouvoir.

Pour atteindre ces objectifs, la direction du parti s'efforce de nouer des liens avec des représentants de la hiérarchie comme Mgr Pézeril, Mgr Matagrin, Mgr Maziers, Mgr Huyghe, ou avec des organismes apparemment aussi éloignés du marxisme que *L'Action catholique indépendante*, ou *Le Mouvement des cadres chrétiens*. Ce sont pour lui des interlocuteurs beaucoup plus valables que certains curés ou vicaires fort agités.

Marchais et La Croix

Dans ce sens, le P.C. français a obtenu son succès principal avec l'interview de Georges Marchais dans *La Croix*. La chose n'aurait pas été concevable seulement dix années plus tôt. Cette interview préparait manifestement un rapprochement politique pré-électoral. Elle n'a pas atteint les résultats attendus. Dans son ensemble, la hiérarchie ne s'est pas engagée. Au cours de la campagne des dernières élections législatives, quelques réunions ont été tenues en commun, notamment à Versailles, avec la participation de Casanova, mais il s'agissait tout de même de cas très limités. L'opération la plus importante, une conférence de Jacques Duclos, qui devait exposer les vertus du programme commun dans l'enceinte de l'Institut catholique, a été brisée par un certain nombre d'étudiants catholiques. Ceux-ci trouvaient intolérable que l'apôtre de la nationalisation de l'enseignement fût le premier orateur d'un institut d'enseignement libre.

Duclos a dû renoncer à prendre la parole. Et la tentative n'a pas été renouvelée.

Mais en 1974, au début de la campagne pour l'élection présidentielle, deux prélats, Mgr Ancel, ex-auxiliaire de Lyon, et Mgr Fouchet, évêque de Troyes, accordent une interview à *L'Humanité* qui publie une grande enquête sur le thème « catholiques et communistes ». Différentes personnalités catholiques, clercs ou laïcs, appellent à voter pour Mitterrand. Dans l'ensemble la plupart des évêques observent une neutralité prudente. Cette réserve est beaucoup moins nette dans nombre de paroisses, où tantôt des curés,

1. Remarque évidemment antérieure à l'adoption du Programme commun.

tantôt des vicaires, se prononcent pour la gauche. Si l'ensemble de l'électorat catholique résiste assez bien à ces appels, on note toutefois des glissements à l'ouest et à l'est.

Le parti est patient. Il tire la leçon de ses échecs. Il avance pas à pas. Il observe de près et probablement tente d'accélérer à son profit les contradictions internes de l'Église. Il mise sur trois atouts : le temps, son savoir-faire et l'énorme naïveté des chrétiens qui rêvent d'une entente fraternelle avec les bolcheviks athées.

7.

Gaullistes, gauchistes, socialistes

EN 1961, UNE NOUVELLE CRISE ÉCLATE AU SEIN DU PARTI COMMUNISTE. Elle a des aspects curieux. Les deux principaux rebelles, Marcel Servin et Laurent Casanova, sont tous deux des *apparatchiki* (hommes d'appareils). Sanctionnés, ils s'effacent, entrent dans une ombre dont ils ne sortiront plus jusqu'à leur mort. Du coup, l'affaire elle-même se résorbe sans trop de peine.

Ancien cheminot, travailleur acharné qui a réussi à passer son baccalauréat en 1940, Marcel Servin est en 1961 secrétaire à l'organisation, où il a remplacé Auguste Lecœur. C'est un des espoirs du parti et on le donne parfois comme le dauphin de Thorez vieillissant, dont il fut le chef de cabinet quand celui-ci était ministre d'État.

Laurent Casanova, lui aussi, était un homme de confiance de Thorez, puisqu'il a été son secrétaire avant la guerre. Ce Corse, poli mais froid, peu doué pour l'éloquence, a pendant des années appliqué avec rigueur les consignes, soit auprès des intellectuels, au temps des directives Jdanov, soit au Mouvement de la Paix contre Tillon. Il est probable, en outre, qu'il a été après la Libération le responsable de l'appareil militaire clandestin.

Pourtant à la suite du Comité central tenu à Ivry du 13 au 15 janvier 1961, *L'Humanité* [1] publie un communiqué du Bureau politique condamnant « les divergences qui ont opposé à la politique du Parti les camarades Marcel Servin et Laurent Casanova » et les accuse d'opportunisme.

Un peu plus tard, on apprend que Thorez en personne fulmine contre les coupables. « Les divergences — assure-t-il dans son discours au C.C. — sont sérieuses et systématiques, elles vont toutes dans la même direction, qui aboutit à une déviation de droite caractérisée [2]. »

1. 25 janvier 1961.
2. *France Nouvelle*, 1ᵉʳ février 1961.

Déviation gaulliste

La déviation de droite, en l'espèce, est une déviation pro-gaulliste. Au fond de l'affaire qui concerne Casanova, Servin et quelques autres dirigeants, on trouve le problème des rapports entre le parti communiste, principale force de l'opposition et le gaullisme au pouvoir.

Au moment des journées de mai 1958, le parti communiste a pris nettement position contre les factieux d'Alger et contre le retour de De Gaulle. Le parti dénonce ensuite avec violence les atteintes à la Constitution, les menaces qui planent sur les libertés, le pouvoir personnel et le bonapartisme du général. Il est certain que ses dirigeants redoutent alors la dissolution.

Ils ont invité à voter *Non* au référendum de septembre 1958. Cette prise de position les isole et provoque une chute très nette de leurs suffrages [1]. Au référendum du 8 janvier 1961 sur l'autodétermination en Algérie, ils ont encore invité à voter *non*, ce qui représente 4 995 912 voix, mais ce chiffre englobe les suffrages d'une partie des électeurs qui souhaitent conserver l'Algérie française [2].

Pour la direction du parti, à cette époque le pouvoir du général de Gaulle est réactionnaire et semi-fasciste. La violence des attaques dans la presse et dans les brochures communistes évoque celle des premiers temps de l'occupation allemande.

Servin et Casanova, au contraire, défendent une autre thèse. Ils estiment que le capitalisme français, dont de Gaulle, selon l'analyse marxiste, n'est que l'expression, se distingue du capitalisme américain, avec lequel il est entré en conflit. Dans un article, Servin a, du reste, considéré que la crise provoquée par le départ de Pinay, alors ministre des Finances, est le signe que la politique gaulliste n'est plus spécifiquement celle du capital yankee. Cet article — assure Thorez dans son discours [3] — « constituait un commencement de révision de l'appréciation du XVe congrès sur la nature du pouvoir gaulliste ».

Casanova, pour sa part, a guidé le Mouvement de la Paix dans la voie de l'opportunisme. Il a laissé croire — dit Thorez — « qu'il importait peu de voter *oui* ou *non* » au référendum de 1961.

Cette critique pose le problème des rapports entre la maison-mère (le parti communiste) et une de ses succursales (le Mouvement de la Paix). « Les choses sont claires, explique Thorez, il ne peut être question d'imposer ou même de suggérer aux organisations de masses une position en tout point identique à celle du parti. [...] Mais on ne peut admettre de leur part (Casanova et Servin) des positions notoirement contraires à celles du parti et, en définitive, à l'intérêt du Mouvement lui-même. La même attitude s'impose à l'égard de toute autre organisation de masse [4]. »

1. Les *non* totalisent 4 624 511 voix, soit 17,3 % des inscrits, alors que le P.C.F. aux législatives de 1956 avait obtenu 5 532 611 voix et rallié 20 % des inscrits.
2. Certains partisans de l'Algérie française s'abstiennent ou votent blanc.
3. *Op. cit.*
4. *Op. cit.*

Cette déclaration provoque une réaction au Mouvement de la Paix. En présence de Casanova, six des huit membres de la direction collective signent un communiqué le 29 janvier par lequel ils précisent que « le Mouvement a toujours revendiqué son autonomie à l'égard des partis politiques [1] ». C'est le début d'une fronde.

Les deux dirigeants déviationnistes ne sont pas les seuls à être cloués au pilori. Jean Pronteau, directeur de la revue *Économie et Politique*, fait partie de la même charrette. Il a cherché à établir « une distinction arbitraire entre le capitalisme international et un prétendu capitalisme nationaliste, représenté par de Gaulle, or la politique gaulliste n'est pas une politique nationale; c'est celle des monopoles avec toutes ses contradictions [2]... »

Dans le sillage de ces hérétiques, on trouve encore Kriegel-Valrimont, Jean-Pierre Vigier et Robrieux, un des responsables de l'Union des Étudiants communistes.

Dans ce conflit, Casanova et Servin font figure de semi-rebelles. Tous deux finissent par se soumettre. Ils sont bien entendu relevés de leurs fonctions, Servin au secrétariat et au Bureau politique, Casanova au Bureau politique.

Au congrès suivant (XVIe Congrès) qui se déroule du 11 au 14 mai 1961 à Saint-Denis, l'épuration se poursuit. Servin, Casanova, Claudine Chomat [3], Kriegel-Valrimont, J.-P. Vigier, sont éliminés du Comité central, ainsi que Pronteau qui, pourtant, a prononcé son *mea culpa* [4].

Jusqu'à leur décès, Servin et Casanova éviteront des polémiques avec la direction ou même de faire des confidences. Kriegel-Valrimont a le même comportement. Pronteau et Robrieux rallieront le groupe oppositionnel *Unir-Débat*, tandis que Vigier en 1968 s'engagera aux côtés des gauchistes.

Waldeck Rochet, secrétaire général

A ce congrès, Waldeck Rochet qui vient d'être nommé secrétaire général, tandis que Maurice Thorez fait une semi-retraite dans la présidence du parti, affirme que l'objectif principal demeure la lutte contre le pouvoir personnel, pour la restauration et la rénovation de la démocratie. L'anti-gaullisme systématique est donc solennellement réaffirmé.

Un des aspects les plus bizarres de cette crise c'est la biographie même des rebelles dont Thorez assure que depuis plusieurs années, ils avaient de graves divergences « de façon systématique, toujours ensemble [5]... » Ce sont de parfaits bureaucrates. Pendant des années ils sont apparus comme des hommes liges de Thorez. Ils avaient aussi la confiance du Kremlin. En sa

1. Les signataires sont Emmanuel d'Astier, Marc Jacquier, Jacques Chatagner, Jacques Madaule, Gustave Monod et Mme Yves Farges. Pierre Cot était absent.
2. Thorez, *op. cit.*
3. Seconde épouse de Casanova.
4. Cf. *L'Humanité* du 21 avril 1961.
5. *Op. cit.*

qualité de secrétaire de l'Organisation, Servin a fait de multiples voyages à Moscou, notamment dans la période du procès Slansky [1]. Casanova n'y était pas moins assidu. Pourquoi diable ont-ils contracté le virus gaulliste?

La clé de cette affaire, il faut aller la chercher dans Ceretti. Non que celui-ci ouvre toutes les portes, mais il permet de faire un peu de lumière.

Après la Libération, Ceretti qui est retourné en Italie, sert parfois d'intermédiaire entre Togliatti et Thorez. Les deux principaux chefs du communisme occidental ne sont plus en très bons termes. Les révélations de Khrouchtchev au XXe Congrès (1956) sur les crimes de Staline, ont contribué à aviver leur antagonisme. Thorez étant resté beaucoup plus stalinien que son homologue de la péninsule.

Dans le courant de l'hiver 1961, Ceretti décide d'aller tirer au clair cette affaire Casanova-Servin, qui doit chiffonner les camarades italiens, car, à la différence de Thorez, ils suivent avec une certaine sympathie, l'expérience gaulliste et Casanova, du reste, est venu en bavarder avec eux. Au cours d'un repas dans la villa de Biot où Thorez passe l'hiver, le nom des deux rebelles est lancé dans la conversation à dessein et le secrétaire général du P.C.F. s'anime aussitôt.

« Comme si une mouche l'avait piqué, écrit Ceretti, Thorez nous raconta toute l'affaire et il ne manqua pas de reprocher à certains camarades italiens leur manque de lucidité : ils n'avaient pas vu que l'opération Casanova avec son prolongement, l'opération d'Astier de la Vigerie, un ami de De Gaulle et un de nos compagnons de route, n'avaient d'autre but que de diviser le parti et le disloquer. La manœuvre avait échoué grâce à la vigilance des camarades qui avaient flairé le danger et découvert qu'on voulait isoler Thorez sous prétexte qu'il était désormais invalide, pour préparer la succession. Casanova s'était prêté à ce jeu au risque de briser le parti communiste. Si la réponse avait été dure, c'est que la menace était grave. Peut-on imaginer un de Gaulle " homme social " [2]? »

On voit donc d'après Ceretti les origines du complot. Casanova avait à Rome des soutiens chez les dirigeants du parti frère, mais il intriguait aussi avec les compagnons de route comme d'Astier, et sans doute avec certains gaullistes. Le moment de l'intrigue est important : le gouvernement est au plus fort de la crise algérienne et en pleine bataille contre les partisans de l'Algérie française.

Thorez désapprouve Khrouchtchev

Mais on peut se demander si le « complot » n'a pas des ramifications plus lointaines. Servin et Casanova se seraient-ils lancés dans cette entreprise sans avoir quelques assurances du côté de Moscou? D'Astier de la Vigerie, qui offre cette particularité d'avoir été à la fois compagnon du général,

1. Cf. Tillon, *Un « procès de Moscou » à Paris*, pp. 95-96.
2. Ceretti, *op. cit.*, pp. 352-353.

compagnon de route des communistes, et ami des dirigeants soviétiques [1], ne pensait-il pas aussi que du côté du Kremlin, un changement à la tête du parti français ne serait pas si mal vu? Khrouchtchev n'a-t-il pas approuvé la politique d'autodétermination en Algérie et ne suit-il pas d'un œil satisfait le désengagement de la France par rapport à l'O.T.A.N.?

De Khrouchtchev, Thorez a la plus mauvaise opinion.

En 1956, peu après le fameux « Rapport secret de M.K. », il est venu à Rome, où il retrouve Ceretti qu'il n'a pas vu depuis 1950.

« A peine était-il dans mon salon, écrit celui-ci, qu'il se laissa tomber dans un fauteuil, épuisé. Et soudain, il parla.

« — Pierre! Que de boue ce Khrouchtchev a fait retomber sur nous tous! Il a sali un passé éclatant, lumineux, héroïque. Quelle honte! Staline avait commis des erreurs, violé la légalité, sévi contre de bons camarades. Qu'on le critique, même très durement s'il le faut, mais de là à le couvrir de boue [2]... »

Sans vouloir en tirer de conclusions qui seraient abusives, il faut tout de même signaler que l'élimination de Servin et de Casanova se produit alors que Khrouchtchev, après l'annulation de la conférence au sommet à Paris en mai 1960, après le gros incident de l'*U2*, semble entrer dans une phase de déclin [3].

Du côté du général de Gaulle, Thorez avait d'autant plus de raisons de se méfier du général qu'il connaissait son sens de la manœuvre. Revenu en France grâce à de Gaulle, après une négociation directe de celui-ci avec Staline, il pouvait bien redouter d'être un jour limogé grâce à lui.

L'intérêt de De Gaulle dans cette opération n'était pas seulement d'obtenir un certain ralliement du P.C. à sa politique, mais un nouveau visage du communisme. En U.R.S.S., Staline mort et dépouillé de sa gloire, on pouvait s'entendre jusqu'à l'Oural avec ce brave Khrouchtchev qui prônait la coexistence pacifique. L'ex-déserteur renvoyé à ses foyers, tout un passé gênant pour de Gaulle s'effaçait. A sa place apparaissaient, deux

---

1. En 1964, le conflit entre d'Astier et le P.C.F. éclatera à propos de l'interprétation du « Manifeste du 10 juillet ». Quelques mois plus tard, comme nous l'avons dit, le P.C. coupera les vivres de *Libération*. Dans un bulletin publié par des membres de l'opposition à l'intérieur du parti, *L'Étincelle* (n° 2, janvier 1957), on trouve un passage qui révèle déjà ce que Ceretti racontera bien plus tard : « Nos dirigeants ont accueilli avec colère les dénonciations et les révélations du XXe Congrès. Les plus hautes autorités de notre parti ne craignaient pas, en plein Comité central (il faut que nos camarades le sachent) de traiter de « nains » et de « reptiles » ceux qui avaient osé s'attaquer à Staline « le géant ». Dans le n° 4 du même bulletin (avril 1957) qui annonce sa fusion avec une autre feuille *La Tribune de Discussion*, figure aussi une analyse du comportement de Casanova. Il y est dit que celui-ci essaie de se faire passer, à l'intérieur du parti, comme le grand « réformateur », comme l'homme qui au fond de lui-même avait déjà rompu avec le stalinisme avant le rapport Khrouchtchev. On affirme de même que Casanova s'efforce de dissoudre l'esprit de classe, et la spécificité du parti, dans un mouvement de masse comme le Mouvement de la Paix.

2. *Op. cit.*, pp. 343-344.

3. Sur ce sujet, cf. Michel Tatu, *Le pouvoir en U.R.S.S.*

jeunes, anciens résistants, tout à fait présentables, soucieux de l'intérêt de la France à la mode gaullienne.

Thorez anéantit tous ses calculs.

Frondes chez les intellectuels

C'était sans doute l'opposition la plus dangereuse, car elle venait de deux *apparatchiki* rompus aux subtilités de l'organisation, et à l'art de la dissimulation. Les intellectuels sont plus naïfs : ils ont davantage d'état d'âme que d'ambition. Et puis ils entrent en contestation avec mauvaise conscience : on leur fait reproche, justement, d'être des intellectuels.

Cependant, dans ce secteur, le rapport Khrouchtchev sur le culte de la personnalité a déclenché quelque chose.

En 1956, l'intervention des chars soviétiques à Budapest a déjà provoqué des révoltes ouvertes ou larvées. Certains rompent avec le parti, tels Jacques-Francis Rolland, Roger Vailland, Claude Roy, Claude Morgan. Ils se trouvent tout de suite en difficultés : tel Rolland, à qui on reproche d'avoir exprimé sa révolte dans un journal « bourgeois », *L'Express*.

C'était déjà ce qu'Annie Kriegel (alors Annie Besse et membre du parti) avait reproché à Edgar Morin, coupable d'avoir écrit dans *L'Observateur*, « journal de l'Intelligence Service [1] ». L'attitude de Rolland lui vaut, entre autres, la lettre d'un intellectuel (anonyme) demeuré dans le parti. Ce dernier y critique vivement les « samouraïs qui s'offrent à l'exclusion avec un grand bruit de publicité autour de leur hara-kiri politique [2] ».

Si l'on expose son point de vue hors des instances du parti, on est accusé de servir, objectivement ou subjectivement, les desseins de l'ennemi de classe. D'autres choisissent donc une autre voie. Rassemblés à dix autour d'une déclaration commune, ils se plaisent à souligner, comme pour se démarquer des mauvais sujets qui sont allés jouer dehors, qu'eux sont « résolus à (s')exprimer à l'intérieur du parti » et s'adressent au Comité central (Hélène Parmelin, Picasso, Pignon, Paul Tillard, Henri Wallon, etc.).

En fin de compte, ces entreprises échouent. Rolland, Hervé, exclus, s'éloignent de plus en plus du parti. D'autres, comme Henri Lefebvre, Dominique et Jean Desanti, Jean Baby, etc. sont exclus ou s'excluent d'eux-mêmes. Les tentatives faites par des inconnus, à l'intérieur des cellules, pour refaire le parti, le démocratiser, le déstaliniser, entreprises menées par le biais de modestes bulletins comme *L'Étincelle*, ou *La Tribune de Discussion* (qui fusionneront en 1957) finiront par s'enrayer ou par s'enliser.

Cependant, bien que la bureaucratie dirigeante soutienne avec aplomb que le P.C.F. n'a jamais connu le phénomène du culte de la personnalité,

---

1. Cf. Edgar Morin, *Autocritique*.
2. Lettre à *L'Express*. Document dactylographié.

et que les erreurs du stalinisme ne concernent que la seule Union soviétique, il devient indispensable de donner l'impression que le parti change. Ce ravalement de la façade à usage externe s'avère nécessaire pour que le parti sorte enfin de son ghetto, pour qu'un rapprochement avec le parti socialiste devienne enfin possible.

Dans les années 60, ce rapprochement va devenir un des grands objectifs des communistes. Cet espoir les a incités à voter les pouvoirs spéciaux du gouvernement Guy Mollet pour l'Algérie. Cette politique est ensuite poursuivie par la recherche de l'unité d'action dans la rue, au moment du 13 mai. Tentatives qui tournent très vite court, mais n'en sont pas moins prolongées, après 1960, au cours de la lutte que le P.C.F. mène contre le pouvoir gaulliste.

Le parti socialiste oppose longtemps une grande méfiance à l'égard d'un parti qui ne lui semble pas sincèrement *déstalinisé*. Il suit d'un œil sympathique tous les signes qui indiquent que des opposants sont à l'œuvre à l'intérieur du parti « frère ». Paradoxalement, c'est le rapprochement entre le P.C.F. et la S.F.I.O. qui va réduire à bien peu de chose l'efficacité de ces opposants. Il se produit avec eux le même phénomène qu'avec Doriot en 1934. Celui-ci, après quelques contacts encourageants avec les socialistes de l'époque, se trouve bientôt délaissé par eux, bien que sa politique de rapprochement avec la social-démocratie triomphe. Comme Doriot en 1934, Garaudy en 1970 [1] et Pierre Daix en 1973 apparaissent comme des gêneurs. Néanmoins, dans le cours de ces années 60, le parti procède à une certaine mutation. Elle ne concerne guère les méthodes. Elle touche essentiellement au renouvellement de ses cadres.

Renouvellement du parti

C'est dans cette phase des années 60 que le P.C.F. procède à sa mutation et change de peau.

Bien que Thorez freine le plus possible la déstalinisation dans son propre parti, il y a tout de même un renouvellement des cadres. Au reste, il n'a plus les moyens physiques pour tout contrôler. La maladie a amenuisé sa capacité de travail. Il a dû apprendre à écrire de la main gauche. Il marche difficilement, à petits pas, en s'aidant d'une canne. L'hiver, il le passe à Cannes dans une belle villa, « L'Oliveraie », mise à sa disposition par le parti, ou à Biot, dans une maison de campagne qui appartient à la veuve du peintre Léger. Même quand il réside dans la région parisienne, à Bazainville, au « Loup ravissant », il ne fait guère que passer au siège de son organisation. Les membres du Bureau politique viennent plus souvent conférer à son domicile [2].

1. En 1956 et dans les années suivantes, Garaudy appliquait farouchement la « ligne », avec le même sectarisme que Kanapa.
2. Cf. Ceretti, *op. cit.*

Avec cet emploi du temps allégé, il est inévitable que certains leviers de de commande, peu à peu, lui échappent. L'aboutissement logique de cet état de choses, c'est l'honorariat.

Au XVIIᵉ Congrès à Paris (14-17 mai 1964) Maurice Thorez abandonne le secrétariat général à Waldeck Rochet. Il devient président du parti, dénomination inusitée jusqu'alors. Deux mois plus tard, il meurt.

Ce XVIIᵉ Congrès sonne le déclin de la vieille garde. On élimine, avec l'accord de Thorez, des hommes trop marqués.

Du Bureau politique de 1961 disparaissent Léon Feix et Léon Mauvais, l'un trop marqué peut-être par la période anti-colonialiste, l'autre par les épurations successives à l'intérieur du parti.

Du Comité central de 1945 (70 personnes), il ne subsiste que 14 rescapés, dont cinq seulement constituent ce qu'on pourrait appeler la promotion de la Résistance (Villon, Ballanger, Figuères, Garaudy et Marie-Claude Vaillant-Couturier [1].

Sont écartés aussi du Comité central de 1964, entre autres, Fernand Grenier, Eugène Hénaff, Marcel Paul, Roger Roucaute, Marcel Dufriche (qui joue un rôle important à la section coloniale de la C.G.T.), Jean Breteau et Victor Michaud.

Jeannette Vermeersch ne se maintiendra que quelques années après la mort de Thorez.

Une génération ainsi s'efface. La fraction résistante que Thorez après son retour avait commencé à épurer, est pratiquement anéantie.

Simultanément, les jeunes loups montent à l'assaut des places, Paul Laurent et Georges Séguy font leur entrée au Bureau politique. Les suppléants se nomment Leroy, Piquet, Plissonnier et Krasucki, un des principaux dirigeants de la C.G.T.

Georges Marchais, le futur secrétaire général, a déjà fait une percée importante. En 1961, en effet, c'est lui qui a remplacé Marcel Servin au poste capital et difficile de secrétaire à l'organisation.

Un des phénomènes les plus importants de ce congrès, c'est la transformation du secrétariat, c'est-à-dire du poste de commande!

1961	1964
Thorez secrétaire général	Rochet secrétaire général
Rochet secrétaire général adjoint	
Duclos	Marchais
Marchais	Leroy
Plissonnier	Piquet
Figuères	Plissonnier
Leroy	

---

1. Il ne reste plus aujourd'hui que Ballanger.

Montée des jeunes

Au secrétariat, au-dessous de Waldeck Rochet, il y a désormais quatre jeunes qui dix ans plus tard appartiendront encore à cet organisme.

D'autres changements sont intervenus. C'est à partir du décès de Thorez que commence le déclin de Garaudy. On fait en général dater sa déviation de ses prises de position sur les questions religieuses, de ses analyses qui tendent à substituer la notion de « bloc historique » à celle de classe et enfin, de sa solidarité affirmée nettement avec Dubček en Tchécoslovaquie. Mais en vérité, c'est à partir de la mort de Thorez dont il était un protégé qu'il a été écarté du Bureau politique.

Dans le parti, outre les luttes de personnes, il y a des clans, des *famiglia* qui détiennent la puissance. La *famiglia* Guyot ne se relève pas de l'affaire London dont Guyot est le beau-frère. La *famiglia* Thorez ne survit pas longtemps à la mort de son chef. Garaudy est rapidement évincé. Jeannette Vermeersch est éliminée au moment de l'affaire tchécoslovaque. Elle laisse peu de regrets. Elle s'est fait beaucoup d'ennemis. Mais Marchais, coopté par le clan Thorez, renforce sa position personnelle.

Waldeck Rochet, lui, fait figure d'homme de transition. C'est un parfait bureaucrate, un personnage terne, produit typique de l'école léniniste. Il a réussi à traverser toutes les crises et les conflits du parti, sans y être vraiment mêlé. C'est à cela sans doute qu'il doit d'être choisi. Son ascension coïncide avec la place de plus en plus grande que prend la télévision. Il n'y fait pas brillante figure. Il a tout de l'employé. Le seul trait pittoresque de sa personne c'est son accent rocailleux.

Gaullistes et communistes

Entre-temps, les rapports entre le Parti communiste français et le gaullisme ont été des rapports complexes et ambigus. Ouvertement, officiellement, le parti pratique une opposition sans nuances.

En deux grandes circonstances toutefois, il est apparu que cette opposition ouverte dissimulait certaines collusions.

Au moment du putsch des généraux, nous avons déjà examiné le comportement des cellules communistes à l'intérieur du contingent. Dans la phase de lutte contre l'O.A.S., les agissements du P.C.F. sont plus complexes. Il critique âprement le pouvoir gaulliste, auquel il reproche — Casanova et Servin souhaiteraient sans doute des prises de position différentes — sa collusion ou ses faiblesses à l'égard des « factieux ». Mais en même temps, il ne refuse pas de lui prêter main-forte ou de l'aider, objectivement, effectivement, et parfois « parallèlement », contre les entreprises des « activistes ».

De plus, la grève qui s'était déroulée pendant le lundi du putsch et qui avait rassemblé des millions de travailleurs pendant une heure, avait été patronnée par la C.G.T. et la C.F.D.T., mais aussi autorisée par le gouvernement et largement tolérée par le patronat.

L'action la plus importante est celle qui reste secrète. Il est sûr que dans la période du putsch, comme dans celle des attentats O.A.S., le P.C. a alerté son appareil militaire et son service de renseignements. A Paris, comme en province, les militants communistes ont repéré et fiché des partisans de l'Algérie française. Ils ont toute facilité pour communiquer leurs informations sous une forme anonyme aux services de police. Dans ce domaine, il est à peu près impossible d'apporter des preuves.

Il en existe en tout cas une dans un secteur bien défini, celui du F.U.A. (Front universitaire antifasciste). Le F.U.A. regroupe des forces de gauche, trotskistes, adhérents de l'U.N.E.F., membres du P.S.U. *et du parti communiste*, mais ces derniers étaient peut-être déjà sur la voie de la dissidence trotskiste. Or, dans une brochure de *La Ligue communiste* (trotskiste), intitulée « Les bandes armées du pouvoir », on tombe sur ce passage : « Les derniers rescapés de cette époque garderont un souvenir des plus cuisants de l'efficacité du S.O. du F.U.A., Plusieurs plastiqueurs de l'O.A.S. sont, comme ceux du *Figaro*, arrêtés par des militants antifascistes qui les remettent aux flics [1]. » Ce qui prouve que la répulsion qu'affectent les gens de gauche pour la police est parfois toute relative.

Dans cette phase, la ligne suivie par la direction du P.C. est tout à fait conforme à celle de Lénine soutenant Kerensky contre Kornilov, de Gaulle dans ce schéma prenant la place du premier et Salan celle du général russe.

Au reste, tout au long du règne gaulliste, les points de convergence entre le parti communiste et le gaullisme n'ont pas manqué. Tant que la situation révolutionnaire n'est pas jugée mûre en Europe, il est positif pour le parti de voir à la tête de la France un homme viscéralement anti-américain, qui a disloqué l'O.T.A.N., accordé l'indépendance à l'Algérie, écarté les Britanniques de l'Europe; qui est l'adversaire têtu de l'unité européenne, tiède à l'égard du Marché commun, hostile à Israël, ami des Arabes, ouvert à la coexistence pacifique, et qui ne se déplace pas au Québec ou en Amérique du Sud sans déposer sur place un peu de plastic verbal.

Certes, la politique intérieure du général n'offre pas les mêmes sujets de satisfaction. Mais, à bien y réfléchir, y a-t-il lieu d'en être si affligé? Sur ce terrain, les communistes ont prétexte à des critiques sans ménagements. Ils peuvent conserver ainsi les allures de l'opposition, tout en feignant de croire que dans nos relations étrangères, les choses pourraient aller encore mieux et plus vite.

Sous les apparences trompeuses de l'antagonisme, il y a donc entre les uns et les autres une connivence de fait. Cet état de choses facilite des osmoses peu visibles.

D'abord, entre communistes et gaullistes, il y a eu sous l'occupation à partir de juin 1941, concurrence âpre, mais aussi rencontres et concertation.

---

1. P. 33. Au congrès des officiers et sous-officiers de réserve républicains, organisation annexe que préside Pierre Villon, on lira aussi une lettre du colonel Debrosse, qui a joué un rôle important au moment des barricades d'Alger.

Des liens, une certaine familiarité, se sont établis entre les hommes. Le parti communiste est habile à les exploiter. Les commémorations de la Résistance offrent un prétexte à des retrouvailles. Des organisations peuvent devenir des lieux de rencontre, France-U.R.S.S. par exemple ; à son comité directeur on trouve des hommes comme Schmilttlein, Léo Hamon, Louis Joxe ou Maurice Dejean, ancien ambassadeur à Moscou, où il eut, dit-on, quelques mésaventures.

Depuis la Libération et même au temps du R.P.F. le contact n'a jamais été entièrement perdu entre les communistes et certains émissaires du général de Gaulle ou des gens qui sont proches de lui. Même au temps de la guerre d'Indochine, Sainteny était envoyé en mission auprès de Ho Chi-minh. Plus tard, le groupe gaulliste à l'Assemblée a mené une guerre sans merci contre la C.E.D. et a uni plusieurs fois ses votes à ceux des communistes pour provoquer la chute des gouvernements de la IVe.

Des hommes comme Manuel Bridier, Yvon Morandat qui collabora à *Action*, Roger Stéphane, d'Astier de la Vigerie (que nous avons déjà nommé), Gilbert Grandval et, le plus brillant de tous, Edgar Faure, ont pu se trouver en désaccord avec le parti communiste, mais ils étaient là aussi continuellement pour communiquer et renseigner, opérer des sondages, jouer les bons offices et intervenir en cas d'alerte pour limiter les dégâts.

Collusions

Le parti communiste est encore gagnant dans l'attitude que le gouvernement adopte en face de lui. Sauf dans les périodes de compétition électorale, où il s'agit de rafler les paquets de suffrages émis par la peur, le pouvoir renonce à organiser une contre-propagande systématique. Au reste, cette contre-propagande est malaisée, dans la mesure où au même moment on présente Khrouchtchev comme un interlocuteur valable, Giap comme un génie militaire « Ah ! nous avons eu bien de la chance d'être vaincus par lui ! », et le « Che » comme un martyr. Car le secteur où le gouvernement contrôle les moyens d'expression, celui de la T.V. et de la radio, est aussi celui qui par ses informations politiques, ses reportages, ses dramatiques, ses feuilletons télévisés, ses productions culturelles, ou scientifiques, diffuse un grand nombre de thèmes qui vont dans le sens de l'anti-américanisme, de la contestation et de la révolution.

En outre, le régime fait objectivement le jeu du communisme, en sapant les forces qui lui sont opposées. Les cadres de l'armée ont été très durement atteints par la crise algérienne. Nombre d'entre eux en sont sortis démoralisés. Une partie des anticommunistes, après la bataille de l'O.A.S. se retrouve en prison. Les autres sont dépeints comme des attardés ou des excités qui rêvent de revenir aux pires moments de la « guerre froide ».

L'ouverture que l'on pratique en direction de l'est jusqu'à l'Oural interdit de même d'exploiter les difficultés et les contradictions de l'empire soviétique. Si les ouvriers polonais se soulèvent à Stettin, on en parlera bien à l'O.R.T.F., mais pas longtemps. Quand les troupes soviétiques interviendront à Prague, Michel Debré ne tardera pas à classer cette affaire dans la catégorie des « accidents de parcours ».

Ce *désarmement idéologique* sert les desseins du parti communiste. Électoralement, à chaque consultation, il est battu. Quotidiennement il est accepté. Il en profite pour s'incruster un peu plus dans les structures de la société capitaliste.

Cette situation est neuve. Depuis 1947, depuis que Ramadier a mis les communistes à la porte, tous les gouvernements — exception faite de celui de Mendès-France — ont combattu le communisme sur le plan intérieur, l'U.R.S.S. et ses satellites en politique étrangère. Ils l'ont fait avec plus ou moins de fermeté, de constance et de bonheur. Mais dans l'ensemble, ils sont restés fidèles à cette double ligne, non sans des carences que le procès des « fuites » a cruellement révélées. Seul le gaullisme a procédé à une dissociation entre des Soviétiques très acceptables et des communistes français qui d'ailleurs évoluent, mais qui, par moments, sont encore un peu dangereux.

De Gaulle, pour sa part, n'a plus jamais qualifié le P.C.F. de « séparatiste », comme il l'avait fait au temps du R.P.F.

Au bout du compte, en dépit d'un certain reflux électoral, le parti s'en est trouvé consolidé.

Mai 1968

Qu'il s'accommode assez bien du général de Gaulle, il va le montrer au moment de la grande crise de mai 1968. Celle-ci fait surgir le problème de la concurrence gauchiste.

Le parti a toujours redouté d'être débordé par les trotskistes. Craintes qui s'exprimaient déjà pendant les grandes grèves de 1936. En 1947, une percée « trotskiste » chez Renault a sans doute été un des facteurs qui ont incité les communistes à déclencher un grand mouvement revendicatif. En 1956 au contraire, toujours par crainte du débordement, la direction a donné un coup de frein brutal aux manifestations d'appelés.

Mai 1968, c'est le spectre du trotskisme qui se fait chair. Les communistes suivent cette effervescence étudiante, ces cortèges hurlants, ces assemblées dominées par la « dynamique de groupe », ces barricades, avec ironie, avec agacement, avec inquiétude. Dans le livre de Séguy *Le Mai de la C.G.T.*, vibre encore, des années plus tard, la colère d'avoir dû discuter d'égal à égal avec cet affreux petit rouquin de Cohn-Bendit, que Marchais traitait d' « anarchiste allemand ».

Carrefour Kossuth, on croit d'abord à un feu de paille, circonscrit à Nanterre et au Quartier latin. La C.G.T. expédie ses agitateurs chevronnés sur le boulevard Saint-Michel ou dans la chaudière de l'Odéon. Les prises de parlote succèdent aux prises de parlote. Les gauchistes s'y montrent sans égards pour ces militants qui se targuent de leurs années de syndicalisme et de leurs combats d'anciens.

C'est ennuyeux. C'est irritant. Ce n'est pas grave. Cela se tassera.

Le 13 mai, le P.C. participe à une grande manifestation pour protester contre la répression des émeutes étudiantes. Or, ni ce jour-là, ni le lendemain, la C.G.T. et lui ne lancent de mots d'ordre pour un vaste mouvement de grèves. Celui-ci débute par une occupation d'usine le 15, en Loire-Atlantique, qui ne doit rien à la C.G.T.

C'est la traînée de poudre. Les grèves se multiplient. La jonction se fait entre la mince avant-garde des étudiants gauchistes et les masses ouvrières.

L'état-major de la C.G.T. a été complètement débordé par ce mouvement dont il n'a pas eu l'initiative. Il entre alors en action avec toutes ses forces. Pour, profitant du désarroi gouvernemental, transformer la vague de grèves en mouvement révolutionnaire? Non pas. Pour mettre un terme aux revendications par les accords de Grenelle des 25 et 26 mai auxquels participent Pompidou, les représentants du patronat et, du côté de la C.G.T., Frachon, Séguy, Krasucki.

Il est possible que certaines divergences se soient manifestées à cette occasion entre la direction du parti et Séguy, celui-ci partisan de renvendications modérées [1]. Mais les divergences ne portent pas sur l'opportunité de prendre le pouvoir, qui est hors de question pour les dirigeants communistes.

Le 27, les conditions obtenues par la C.G.T. sont, chez Renault, rejetées par la base. Séguy y est hué. La C.G.T., où André Barjonet, un de ses dirigeants, démissionne, est contrainte de s'aligner.

Elle doit d'autant plus le faire qu'elle voit un état-major politique concurrent, dont les têtes de files sont Mitterrand et Mendès France, revendiquer le pouvoir. Cet état-major dispose de l'appui pratique de l'O.R.T.F., des postes privés, de certains organes de presse, d'une large partie de l'intelligentsia et de l'administration prêtes à se rallier.

En face, la débandade commence. Au gouvernement, à l'Élysée.

Refuge à Baden-Baden

Revenu de Roumanie, de Gaulle semble au bout du rouleau. Le 28, il confie à un interlocuteur : « C'est foutu! » Le mercredi 29, il croise dans l'escalier de l'Élysée son aide de camp, le colonel Desgrée du Lou. Il lui dit seulement :

« A demain! »

Il a téléphoné à Pompidou pour lui demander de reporter le Conseil des ministres de 24 heures. Il assure qu'il va méditer à Colombey et qu'il sera là le lendemain.

---

1. C'est l'interprétation d'*Est et Ouest,* 1er-15 juin 1968.

En réalité, en grand secret, il quitte le territoire français en hélicoptère et va chercher refuge à Baden-Baden auprès du général Massu [1].

Deux interprétations existent au sujet de ce départ brusqué. Pour les uns, il s'agit d'un stratagème génial qui permet à de Gaulle de faire mesurer au pays la gravité de la crise et qui assurera le succès de son message radio-diffusé à son retour et l'énorme manifestation des Champs-Élysées.

Pour d'autres, au contraire, il cède à la panique. Descendant de l'hélicoptère, il montre un visage décomposé. Il est parti avec femme, enfants (Philippe de Gaulle et sa famille, à qui il a donné l'ordre de venir le rejoindre outre-Rhin), et bijoux [2].

Une chose est probable : de Gaulle a cru que les communistes allaient prendre le pouvoir. Une chose est certaine : l'Élysée est resté vide. Jamais occasion plus favorable d'occuper la place.

Le 29, en réplique à la manifestation de Charléty, où parlèrent, le 27, Mitterrand et Mendès France, le P.C.F. et la C.G.T., comme ils l'ont annoncé, font défiler leurs troupes sur les Grands Boulevards. C'est une manifestation numériquement impressionnante. On y crie, mais sur un ton bonhomme : « Charlot! Démission! » Il est déjà parti, et les dirigeants le savent bien. Se trouve mêlé au cortège Monate, un des dirigeants du plus puissant syndicat de policiers. L'Élysée est à prendre. Il est sûr qu'aucune force policière ne s'y opposera.

Mais la décision du parti est arrêtée. La veille, Sauvageot, au nom de l'U.N.E.F., a refusé de participer à la manifestation, parce que les communistes ne veulent pas d'une marche sur l'Élysée [3].

Et en effet le défilé s'achève paisiblement à Saint-Lazare dans les vinasses d'honneur. Au lieu de prendre le pouvoir, Séguy prend l'apéritif. Les cars des municipalités emmènent tout le monde au bercail.

Raisons d'une dérobade

La dérobade est flagrante. Qu'est-ce qui l'explique?

Plusieurs interprétations, faute de documents et de témoignages sûrs qui seront sans doute plus tard produits, sont naturellement possibles. On peut soutenir que ce parti bureaucratisé a laissé passer l'occasion. C'est là en général la version gauchiste. Mais il est difficile de croire que le service de renseignements du P.C., toujours très efficace, ait mal fonctionné.

Les dirigeants communistes ont pensé qu'ils s'empareraient aisément du pouvoir, mais qu'ils ne s'y maintiendraient pas. Encouragée de l'extérieur par de Gaulle, l'armée lancerait une contre-attaque victorieuse.

A vrai dire, nul ne peut dire dans quelle mesure une armée, ébranlée

---

1. Cf. Philippe Alexandre, *Le duel de Gaulle-Pompidou*, pp. 235-238.
2. Sur l'attitude du général de Gaulle, voir les jugements contradictoires rapportés par Tournoux in *Le Tourment et la Fatalité*, pp. 250-255.
3. Cf. Georges Séguy, *Le Mai de la C.G.T.*, p. 131.

par le drame algérien, aurait suivi de Gaulle, même si Massu l'y incitait.

Deux grands motifs nous semblent plus déterminants.

Le premier est lié à la politique internationale. On ignore quels contacts ont pu avoir lieu, en ces journées difficiles de mai, entre les diplomates soviétiques d'une part, les dirigeants du parti communiste et de Gaulle de l'autre. Mais il est très douteux que Moscou ait donné au P.C.F. le feu vert pour une prise du pouvoir insurrectionnelle. Un pouvoir qui, en faisant nécessairement — au moins au début — une large place au gauchisme, à Mitterrand, et à Mendès France, aurait apporté un singulier renfort au printemps de Prague. Un pouvoir qui aurait aggravé les relations avec les États-Unis, et privé Brejnev de son interlocuteur favori : Charles de Gaulle.

Georges Séguy rapporte que, dans un entretien particulier avec lui-même, Frachon et Bertelot, Pompidou, alors premier ministre, a tenu ces propos : « L'orientation de la politique extérieure du général de Gaulle a beaucoup d'ennemis à l'extérieur et à l'intérieur, y compris parmi ceux que vous souhaitez avoir comme alliés contre nous. [...] (Ils espèrent) [...] rétablir le cours de la politique atlantiste de la IVe République. C'est l'essentiel de la situation présente, et j'ai la conviction que vous n'y êtes pas insensibles [1]. »

Séguy assure naturellement que les propos de son interlocuteur, même s'ils contiennent une part de vérité, ne sauraient modérer les revendications des travailleurs.

N'empêche qu'en 1969, en s'abstenant au second tour, le P.C.F. assurera l'élection du gaulliste Pompidou, contre l'opposant atlantiste Poher. C'était le triomphe de la politique préconisée par Casanova et Servin.

La seconde raison tient à la politique intérieure. On n'a pas assez souligné que dans cette période orageuse de mai, la S.F.I.O. a montré une grande réserve. Guy Mollet s'est muré dans le silence. Max Lejeune a comparé Mitterrand à Mussolini! L'union de la gauche passant avant tout par le parti socialiste, comme le préconisait avec constance Waldeck Rochet, n'était pas faite. Les communistes ont souvent insisté sur ce point et ils sont probablement sincères. Mai 68 montre qu'ils ont renoncé à une approche ouvertement insurrectionnelle du pouvoir — du moins sans disposer du prétexte de la riposte à un complot « fasciste » — et qu'ils veulent y accéder *avec au moins les apparences de la légalité*.

L'irruption de la violence dérange les plans réformistes qui prévoient un renforcement de l'alliance avec les socialistes et l'accès au pouvoir par la voie parlementaire.

Le P.C.F. ne veut pas démordre de ce plan. Quand de Gaulle, revenu de Baden-Baden, parle de nouvelles élections, le P.C. pourrait riposter en invitant les travailleurs à poursuivre leurs grèves. Il s'empresse de suivre docilement le général sur la grande avenue de la consultation démocratique, au bout de laquelle l'attend la déconfiture électorale.

---

1. Séguy, *op. cit.*, pp. 99-100.

Pourtant son état-major ne peut douter qu'il détient une grande puissance. Séguy rappelle à dessein que la Fédération du Livre a décidé après discussion de ne pas se mettre en grève. Pourquoi? Parce qu'elle peut exercer une pression sur les directeurs de journaux. Ainsi, les typos du *Parisien libéré* refusent d'imprimer ce quotidien, parce que celui-ci annonce un jour que la reprise du travail est en train de s'amorcer.

Une interdiction identique sera faite à *Combat*. La Fédération du Livre, tandis que L'Intersyndicale est en grève à l'O.R.T.F., exerce ainsi, avec ses moyens, cette censure que toute l'opposition feint d'abhorrer.

La C.G.T. contrôle aussi le ravitaillement de la population. Tous les produits et les stocks sont placés sous l'autorité des comités. Le ravitaillement des collectivités (hôpitaux, maternités, asiles et prisons) est ainsi assuré en priorité, tout comme le ravitaillement des grévistes et de leurs familles. La délivrance de la farine est soumise à ce contrôle.

Dans des localités de la banlieue parisienne, à Villejuif par exemple, on n'obtient de l'essence qu'avec la carte du Parti ou de la C.G.T. [1].

Téléphone sous contrôle

L'incident le plus significatif est celui du contrôle téléphonique. Il est volontairement laissé par Séguy dans une semi-incertitude :

« On raconte — écrit-il — qu'au moment où le général de Boissieu voulut joindre Massu au téléphone pour fixer le lieu de rendez-vous du 29 mai avec le général de Gaulle, la standardiste lui répondit : « Il me faut une autorisation du Comité de grève pour la communication avec l'étranger. » « C'est, dit-on, ce petit obstacle imprévisible qui contraignit le président de la République à pousser jusqu'à Baden-Baden pour discuter avec Massu [2]. »

A vrai dire, un mot dans ce bref récit, à l'ironie sous-jacente, est mal choisi, peut-être sciemment : *imprévisible*. Le petit obstacle pouvait être aisément prévu et surmonté. Il décèle la grande faiblesse d'un pouvoir qui n'a pas été économe de rodomontades.

Et pourtant ce 29 mai le parti communiste rate, volontairement, le rendez-vous historique avec la révolution.

Mais les chefs de l'armée communiste savent faire le bilan d'une situation, dresser la liste des points faibles et des points forts, se préparer à la bataille dans la perspective d'un nouveau mai à leur façon, où, sous leur contrôle, « démocratiquement », « légalement », ils ouvriraient la voie à un gouvernement populaire.

1. A Nantes, une sorte de Commune ouvrière détient un moment le pouvoir. Mais ici, la situation est contrôlée par des syndicalistes gauchistes animés par Hébert, de Force ouvrière.

2. *Op. cit.*, p. 194.

La longue marche vers les socialistes

Bridés dans leur opposition au gaullisme par la politique étrangère de Moscou, les communistes n'ont pas pour autant cessé leurs efforts pour se rapprocher des socialistes.

Coupées d'interruptions, les négociations entre les deux grands partis de gauche auront duré un peu plus de dix ans avant d'aboutir à l'adoption d'un programme, puis à la désignation d'un candidat commun.

En novembre 1962, aux législatives, les communistes aident par leurs suffrages, les candidats socialistes à franchir la barre du second tour.

En 1964, s'engage un dialogue « sur les questions fondamentales entre le P.C. et la S.F.I.O. », dont le vrai patron reste Guy Mollet.

Et, dès mai 1964, au XVIIe Congrès du P.C.F., Thorez réclame un programme commun.

Le 20 décembre 1966, les dirigeants socialistes et communistes, et Mitterrand comme président de la F.G.D.S., signent un accord électoral en prévision des législatives de 1967.

Cependant les progrès dans le sens de l'unité d'action sont insensibles. Les caciques de la S.F.I.O., Guy Mollet, Savary, possèdent une vieille expérience des rapports avec les « camarades » communistes. Dans leurs conversations, ils ont soin de placer comme préalable la détermination des points de convergence et de divergence idéologiques. Avant qu'on ait réussi à régler ces derniers, de l'eau aura coulé. Dans l'esprit des dirigeants de la cité Malesherbes, cette tactique, doit, d'autre part, inciter leurs éventuels partenaires à se réformer dans leur comportement interne, condition pour que les assurances prodiguées à leurs alliés paraissent sincères.

Comme le P.C.F. ne se réforme pas vite, on n'avance pas beaucoup.

Le tournant décisif va se produire en 1971, après le congrès S.F.I.O. d'Épinay, quand Mitterrand prend le pouvoir chez les socialistes, balaie la vieille direction, et impose sa personnalité à une majorité composite.

Comment ne pas parler ici de la personnalité de Mitterrand et de son passé. Quand on évoque celui-ci, on rappelle souvent qu'il a participé à des gouvernements qui ont combattu les communistes. En 1947, il appartenait au ministère Ramadier. Mais on le trouve aussi à l'Intérieur, en 1954, sous Mendès France. Il s'y débarrasse promptement de Baylot, le préfet de plus efficacement anticommuniste que la France ait eu après Chiappe. En contrepartie, il pourrait faire valoir qu'il a interdit un rassemblement communiste pour le 14 juillet.

Après 1958, entré aussitôt dans l'opposition à de Gaulle, il fait à l'Assemblée des interventions percutantes. Il n'en apparaît pas moins fort éloigné du P.C.F. Il écrit ainsi :

« J'ai toujours combattu le communisme. Je puis affirmer sous le contrôle des Nivernais que je l'ai fait reculer dans ce département. Je lutterai sans faiblesse pour épargner à la France les horreurs d'une dictature collectiviste » (*Le Courrier de la Nièvre*, 7 juin 1958).

Le 13 octobre 1959, à un déjeuner de la presse étrangère à Paris, il fait un très léger pas en avant.

« Nous ne voulons pas installer les communistes au pouvoir — assure-t-il — comme l'ont fait jadis de Gaulle, Mollet et Bidault, mais nous pensons qu'on ne peut négliger les cinq millions de voix communistes. »

Il les accepte, puisqu'il est le candidat de la gauche à l'élection présidentielle de 1965. Il ne considère encore le soutien communiste que comme circonstanciel. A une réunion le 7 novembre 1965, il déclare :

« En ce qui concerne les communistes, je tiens à souligner qu'ils sont seulement nos alliés pour le 5 décembre dans le combat contre le gaullisme. Mais vous devez comprendre qu'après cette date, les problèmes seront différents, car nos idéologies sont fondamentalement divergentes. »

Sous cet angle, Mitterrand, qui n'est pas encore socialiste, rejoint Guy Mollet dans ses appréhensions. Et pourtant, il bénéficie alors de la part des communistes d'une surprenante faveur.

En 1964, la doctrine du P.C.F. en matière d'élection présidentielle est : pas de soutien à un candidat qui n'aurait pas contresigné un programme commun [1]. Cette condition impérative est abandonnée sur l'initiative personnelle de Waldeck Rochet. Après un voyage à Moscou, où celui-ci a eu, croit-on, un entretien difficile avec Brejnev, le 21 août 1965, il incite, en septembre, le Bureau politique à accorder, sans contrepartie, son soutien à François Mitterrand.

Cette déviation « droitière » est obtenue contre la mauvaise volonté des Soviétiques, en dépit de résistances au Bureau politique, et au prix d'une petite crise des étudiants communistes de Sorbonne-lettres, lesquels prennent violemment à partie le candidat de la F.G.D.S. [2]. Elle demeure assez énigmatique. Il est curieux qu'elle soit le fait de Waldeck Rochet en faveur de François Mitterrand.

Il faut ici faire une brève incursion dans le passé de François Mitterrand, très exactement au début de 1944.

Après avoir quitté Vichy, puis gagné Londres, le jeune Mitterrand qui est alors âgé de vingt-cinq ans est arrivé à Alger. Il y a des entretiens avec Henri Frenay, directeur du mouvement *Combat*, pour la fusion du mouvement Prisonniers et Déportés. Deux mouvements se font en effet concurrence : l'un dirigé par Michel Caillau, le second par Mitterrand lui-même.

Accord conclu, Mitterrand revient clandestinement en France, muni des recommandations de Frenay. Mais laissons la parole à celui-ci.

1. « En vue de la future élection présidentielle, le parti communiste affirme qu'il ne s'agit pas seulement de remplacer un homme par un autre homme, mais d'opposer au candidat du pouvoir personnel un candidat désigné en commun [...] Sans un accord précis sur un programme commun [...] le parti communiste français ne saurait envisager de se prononcer dès le premier tour pour un candidat non communiste [...] » (Résolution politique XVIIᵉ Congrès du P.C.F. 14-17 mai 1964. In *Les Cahiers du Communisme*, juin-juillet 1964, p. 521.)
2. Cf. sur ce sujet cf. *Le Monde*, 24 septembre 1965.

« Non sans mal, nous parviendrons à un accord et la fusion en France sera réalisée au mois de mars 1944. Malheureusement, et à mon insu, elle ne se fera pas dans les conditions que nous avions arrêtées. François Mitterrand affirmera, à son retour en France, qu'il avait reçu d'Alger les instructions pour faire entrer dans le mouvement fusionné un groupe très réduit dont j'ignorais jusqu'à l'existence et qui n'était autre qu'une émanation du parti communiste français. Devant cette exigence présentée comme venant du C.F.L.N., ses camarades s'inclineront. Le comité directeur du mouvement Prisonniers unifié comprendra cinq membres dont deux communistes, le secrétaire général et Bugeaud, membre actif du P.C. que j'apprendrai à connaître, après la Libération de Paris, comme l'un de mes adversaires les plus déterminés.

« Cette initiative que j'ignorerai jusqu'après la guerre, permettra le noyautage des prisonniers et déportés. Elle aura, nous le verrons, de sérieuses conséquences.

« Pourquoi et comment François Mitterrand a-t-il ainsi tourné et dénaturé l'accord que nous avions conclu? J'en suis réduit à des hypothèses. Il était resté absent de France, trois mois et demi, surtout passés à Londres. A Alger, il avait rencontré les députés communistes de l'Assemblée et, en Angleterre, Waldeck Rochet [1]. »

Frenay se demande si celui qu'il dépeint comme un homme secret et comme un jeune ambitieux, a subi l'influence des communistes, ou délibérément fait leur jeu. Aucune réponse sûre ne peut être formulée à cette question qui relève de la psychologie. Le plus probable, c'est que, par calcul personnel, le jeune Mitterrand joua un coup avec les communistes quitte, plus tard, à se retourner contre eux.

Cette plasticité a dû être notée sur les fiches communistes. Vingt ans après, Waldeck Rochet savait sans doute ce qu'il faisait, en préconisant le soutien inconditionnel à l'ancien animateur du mouvement Prisonniers [2].

Après son arrivée à la tête du parti socialiste, en qualité de premier secrétaire, les conversations prennent un cours plus rapide. Le 22 mars 1972 les deux partis décident de « constituer un groupe de travail chargé d'élaborer des propositions en vue d'un accord politique comportant un programme commun de gouvernement ».

En raison du référendum sur l'élargissement de la Communauté économique européenne, la première réunion de ce groupe de travail n'a lieu que le 27 avril. Mais il ne faut que deux mois, très exactement, pour que le 27 juin, le Programme commun soit signé.

Deux mois qui liquident dix années d'atermoiements, dix années de prudence.

Les analyses de Blum au Congrès de Tours, son jugement après la guerre

1. *La Nuit finira, op. cit.*, pp. 399-400.

2. Après la Libération, vingt à vingt-cinq mille communistes défilent sous les fenêtres de Frenay aux cris de « Frenay au poteau »! Celui-ci sera surpris de reconnaître, marchant à leur tête, François Mitterrand.

sur le caractère fondamentalement étranger du parti communiste, la formule de Guy Mollet : « Le parti communiste n'est ni à droite ni à gauche, il est à l'Est », tout cela est oublié.

Électoralement ce rapprochement s'est révélé payant. Il s'en est fallu d'un déplacement de 170 000 voix environ pour que Mitterrand l'emporte à l'élection présidentielle de 1974. L'avenir dira si les raisons qu'ont les socialistes de redouter cette alliance sont définitivement oubliées, et si l'accord réalisé sur la base du Programme commun reste viable.

8.

Doumeng et compagnie

AU PETIT MATIN, SES EMPLOYÉS, SES CAMARADES, ONT SORTI DE SON HANGAR l'hélicoptère et l'ont poussé jusqu'à la plate-forme de départ, située à l'intérieur même de sa vaste propriété.

Déjà, les rotors de l'appareil, un Jet Reager américain, qui peut emmener cinq personnes brassent l'air encore froid.

Lui, il s'est levé à cinq heures. Il a commencé par une heure de footing. Il est prêt. Il s'avance vers le Jet, monte à bord, calant, derrière son pilote Janson qu'il a fait venir d'Amérique du Sud, sa puissante carcasse.

L'hélicoptère décolle. Autour du village de Noé endormi, il dessine un demi-cercle, met le cap sur l'aéroport de Toulouse-Blagnac, siège de la compagnie Uni-Air, créée en 1969.

« Vous êtes un homme d'affaires pressé, peut-on lire dans un dépliant publicitaire de cette compagnie, et vous considérez à juste raison que votre temps est cher, ainsi que le temps de vos collaborateurs. Le Lear Jet est fait pour vous. Plus rapide et plus confortable qu'une Caravelle... Cet avion peut transporter huit personnes à 900 kilomètres-heure [1]. »

C'est le Lear Jet qu'il a choisi entre la dizaine d'appareils prêts à voler pour Uni-Air 24 heures sur 24. Il a besoin de se déplacer très vite, très loin, avec son équipe : Belgrade, Rome, Alger, Beyrouth, Varsovie, Prague, Moscou, New York, etc., voilà son champ d'action.

L'hélicoptère le dépose à Blagnac. Le Lear Jet est sur la piste, paré pour l'envol et les mécaniciens s'affairent autour de lui. D'un pas lourd, il avance vers l'appareil, la blague aux lèvres. Il aime exhiber une bonhomie bourrue, serrer des mains... Il n'a pas à craindre d'être mal servi. Il est non seulement le client le plus assidu d'Uni-Air, mais aussi l'homme qui a renfloué cette

1. *Information Uni-Air* (dépliant).

compagnie. Elle desservait la ligne Paris-Toulouse et les affaires allaient mal. Il est arrivé juste à temps pour permettre aux dirigeants d'Uni-Air : Pellegrin, un architecte de Toulouse et Clerc, de surnager. Il a pris 25 % des actions. Officiellement, mais à Toulouse, on murmure que Jean-Baptiste Doumeng contrôle désormais toute l'affaire.

Le nabab rouge

Jean-Baptiste Doumeng, ce nom évoque une réussite foudroyante, celle d'un garçon de rien devenu un puissant milliardaire, un manager d'une envergure internationale. Avec cette singularité que ce nabab a toujours en poche sa carte du parti communiste, acquise avant la guerre, et qu'il renouvelle régulièrement chaque année.

Il n'a jamais caché ses idées. Il est le maire communiste de Noé (Haute-Garonne) où il possède une très belle propriété de 250 hectares. Il est encore, toujours au nom du même parti, vice-président du conseil général et secré-taire général du M.O.D.E.F., mouvement paysan contrôlé par le parti communiste. Sa femme, fille d'un maire socialiste, était, il n'y a pas très longtemps, secrétaire de la cellule communiste de Noé, quelque chose comme une dame patronnesse marxiste.

Ce Floirat rouge, ce Mattei français, a connu une extraordinaire ascen-sion. Dans le Lear Jet qui l'emporte, il arrive peut-être à cet homme massif, à la fois rugueux comme un pilier de rugby et patelin comme un maqui-gnon, de fermer ses yeux pétillants et de rêver au temps où il était berger, à ce petit garçon intelligent à qui le curé avait appris à lire, mais qui était trop pauvre pour poursuivre des études; à sa mère, une nourrice, morte faute d'argent, faute de soins.

Aujourd'hui, le petit berger occupe 22 lignes dans le *Who's Who*, accumule chez lui œuvres d'art et ouvrages richement reliés, et, dans son entreprise agricole, recense avec orgueil son cheptel : 20 000 moutons à l'engrais, 15 000 porcs, 5 000 bœufs, 2 000 veaux, 800 tonnes de volaille, le tout géré par six employés. Chiffre d'affaires annuel de ce seul élevage qui représente environ le dixième du chiffre d'affaires global : deux milliards d'anciens francs [1].

B.O.F.

Ce n'est qu'une fraction de l'immense empire Doumeng qui s'alimente à trois sources essentielles : les céréales et les produits laitiers, le vin, la viande.

Tantôt comme P.-D.G., tantôt comme associé, on trouve Jean-Baptiste

---

1. Chiffres donnés en janvier 1972 au cours d'une conférence de Doumeng à l'école d'agriculture supérieure de Purpan, tenue par des jésuites.

dans une flopée de S.I.C.A. et de coopératives agricoles ou vinicoles, enra-
cinées pour la plupart dans ce Sud-Ouest dont il est originaire. Sans prétendre en donner une liste exhaustive, citons :

— L'Union des Coopératives agricoles du Sud-Ouest (U.C.A.S.O.),
siège social, 3, rue de Turbigo à Paris, dépôt à Rungis, S.C.P. qui groupe
quelque 300 coopératives ;

— La Société coopérative Négocoop, siège social rue Alexandre Fourtanier (Toulouse), qui procure à ses adhérents du matériel agricole ;

— Les Silos du Sud-Ouest, qui stockent des céréales, S.A. au capital
de 200 000 F, dont le siège est à Narbonne ;

— La Société des Fermiers garonnais (F.E.R.G.A.G.E.L.) siège social à
Rieumes, dépôt à Toulouse, bureau rue Bertin Poirée à Paris, S.A. au capital
de 400 000 F. Chiffre d'affaires 6 millions de francs, dont le P.-D.G. est
Audoubert, beau-frère de Doumeng (abattage de volailles, produits sur-
gelés) ;

— La Société pour le développement des échanges coopératifs (S.O.D.E.-
C.O.O.P.), dont le siège social est rue de Turbigo à Paris, chiffre d'affaires
de 40 millions de francs, qui assure le négoce de tous produits agricoles ;

— Le Comptoir agricole français (C.A.F.), 29, avenue Mac-Mahon à
Paris, entrepôt à Rungis, S.A. au capital de 6 500 000 F. Chiffre d'affaires
600 millions de francs, qui procède aux ventes de légumes, fruits et céréales.

— La Société d'Aliment du Bétail de Lorraine (S.I.C.A.L.O.R.),
29, avenue Mac-Mahon, société d'intérêt collectif à capital variable.

Il faut ajouter à cette liste, dans le secteur vinicole, Gitravin, groupement
qui possède le monopole pratique des vins d'Algérie et qui a été créé par le
Comptoir agricole français, Sapvin, et Margnat frères à Marseille ; et encore
la Société d'intérêt collectif et agricole des vins de la région Midi-Pyrénées,
qui stocke des vins à Toulouse.

La viande est un autre domaine en pleine extension. La Société centrale
de Viande, énorme entreprise groupant 700 personnes, chiffre d'affaires
tournant autour de 100 millions lourds, abattoirs à Dillingen, Metz, Nancy,
Nîmes, Marseille, Toulon, Hyères, Montpellier, Sète, Langogne, Paris,
dépôt à Boulogne-Billancourt, succursale (Viandest), 103, rue du Faubourg-
Saint-Honoré, a bien pour P.-D.G. un certain Arsène Estrade, de Carcas-
sonne. On s'accorde pourtant, dans les milieux de la viande, à estimer que
le véritable *boss* de cette machine à viande est son vice-président Jean-
Baptiste, qui écoule ses produits dans les pays de l'Est, ceux du Marché
commun, et ceux du tiers-monde.

On prête actuellement à Doumeng de grandes ambitions. Certains
pensent qu'il veut prendre tout le contrôle du marché de la viande, dominé
par les chevillards, à l'exception d'une quinzaine de sociétés dont le chiffre
d'affaires ne dépasse guère 50 millions.

Appuyé par des hommes comme Marcel Bruel, président des syndicats
d'exploitants agricoles Midi-Pyrénées, par l'avocat socialiste Nègre, par
Espagno et Grandin, personnalités locales du Sud-Ouest, Doumeng n'a
abordé le marché de la viande sous l'angle de l'import-export que vers

1967. Il fait alors de nombreuses affaires avec la société G.U.P. Salomon à Dillingen (Allemagne), dont le chiffre d'affaires est approximativement de 150 millions.

A cette époque, Doumeng est davantage axé sur l'import-export de la viande, ce qui est logique étant donné le réseau de ses relations dans les pays de l'Est et ceux du tiers-monde.

« O.P.A. » sur la viande

Certains observateurs pensent qu'il veut désormais dominer le marché de la viande national, en partant de cette constatation que ce marché est inadapté à l'essor de la distribution des grandes surfaces et de la restauration collective.

Pour mener à bien cette opération, Doumeng possède déjà une base solide. Il est devenu en effet, en 1972, l'animateur réel de la Société centrale SOCOPA, première société industrielle de viande en France. La Maine-Viandes S.O.C.O.P.A. d'Évron (Mayenne) est implantée au centre de la région de production la plus importante de France. L'essentiel de son activité s'exerce sur le territoire français et 50 % de ses ventes alimentent les chaînes des grands magasins (viandes préparées, pré-emballées).

En mai 1972, Doumeng regroupe la Société centrale de Viande avec la Société Maine-Viandes S.O.C.O.P.A. Cette fusion donne naissance à la Société centrale S.O.C.O.P.A. qui devient ainsi le groupe le plus important en Europe (1 milliard et demi de chiffre d'affaires).

La S.O.C.O.P.A. l'emporte désormais sur deux ou trois firmes étrangères, dont la puissance contrariait les affaires des firmes françaises, en particulier la société allemande Haug qui bénéficiait de conditions préférentielles dans les pays de l'Est.

La Société centrale S.O.C.O.P.A., siège 103 rue du Faubourg-Saint-Honoré, au capital de 20 millions de francs, a pour président Marcel Bruel et compte dans son directoire Raymond Nègre, administrateur d'Interagra. Tous deux sont de vieux compagnons de route de Doumeng, ainsi qu'André Cariven, commissaire aux comptes de la S.O.C.O.P.A. qui occupe les mêmes fonctions à la Banque commerciale de l'Europe du Nord.

Le bastion de l'empire Doumeng, sa plate-forme de départ, reste toutefois Interagra (Société d'équipement agricole et de vente Interagra), 16 rue Auber (Paris), succursale à Toulouse, 14 rue Alexandre Fourtanier, S.A. au capital initial de 25 000 F divisé en 2 500 actions de 10 000 francs chacune, constituée à Toulouse le 15 juillet 1955 [1], et la Compagnie Interagra, capital 5 millions de francs qui négocie tous produits agricoles et

1. Cf. statuts d'Interagra provenant du registre du commerce de Toulouse. Les informations précédentes que nous avons données sur les sociétés contrôlées par Doumeng proviennent, soit de registres du commerce, soit de sources personnelles.

alimentaires avec les pays de l'Est. Elle bénéficie d'un quasi-monopole tant en U.R.S.S. que dans les démocraties populaires, en y effectuant toutes les exportations de produits agricoles (blé, produits laitiers, bétail, etc.).

Sur le plan commercial Interagra est — ou a été — en relation avec une série de firmes étrangères : Moninpex et Modex à Budapest, Prodinterg à Moscou, Exportkhleb (blé) à Moscou, D.I.A. Nährung, (Allemagne de l'Est), China National Import Export Corporation, China National Product Export Corporation, China Animal Products Corporation, toutes domiciliées à Pékin, Franstecem à Athènes, la Coopérative maraîchère de Tunisie (filiale de l'U.C.A.S.O.). Il est évident qu'en ce qui concerne les sociétés chinoises, le marché s'est singulièrement ralenti, s'il n'a pas complètement cessé.

A ce trust Doumeng s'ajoutent encore quelques activités annexes : Actif auto, par exemple, siège social à Dammarie-les-Lys, succursales à Montauban, magasin à Achères, S.A. au capital de 3 500 000 F, chiffre d'affaires 25 millions de francs, qui importe d'U.R.S.S. du matériel agricole ; le couturier Jacques Esterel, S.A. au capital de 22 600 F, dont le P.-D.G. est Charles-Henri Martin, et où Interagra détient désormais 50 % du capital ; la Société des bas et tricotages de Noé, S.A.R.L. fondée en 1966, (ce qui incite certains à se demander si Jean-Baptiste, non content d'être Doumeng, ne veut pas devenir aussi Boussac) ; Euragri où le militant communiste se trouve associé pour moitié aux Rothschild qu'il appelle, assure-t-il, chacun par son prénom [1].

Essor d'un seigneur

Comment devient-on seigneur ? Le côté fascinant de l'ascension sociale du jovial Doumeng, c'est que nous ne sommes pas exactement en présence d'un parvenu, cas banal dans la société capitaliste. L'homme n'est pas en effet un *self made man*, rallié au communisme par intérêt, par peur de l'avenir, ou par snobisme. C'est un communiste de toujours, devenu capitaliste. Par aptitude certainement. Peut-être aussi sur ordre.

Comment ?

Cette carrière comporte quelques étapes un peu énigmatiques. Lui-même, par exemple, raconte qu'au moment de la guerre de 1940, il a suivi les cours du peloton d'élèves officiers :

« Mais vous n'aviez pas votre baccalauréat, lui fait-on remarquer.

— J'en avais fabriqué un faux », assure-t-il.

Faconde méridionale ? Noé n'est pas tellement loin de Tarascon. Mais si l'anecdote est vraie, on peut alors se demander pourquoi ce jeune communiste tenait tellement à être gradé dans une armée impérialiste, à l'heure où son parti la combattait.

Sous l'occupation, on retrouve l'ex-petit berger, secrétaire administratif

1. Cf. La Commère in *France-Soir*, 31 mai 1972.

de la poudrerie de Sorgues. Puis il entre au maquis, devient F.T.P. A la Libération, de quoi est-il riche ? D'une mitraillette.

Mais ce grand garçon costaud, privé de diplômes, a quelques dons remarquables : un rude bon sens, un « pif » extraordinaire — il flaire les affaires et les hommes — une roublardise qui filtre de son petit œil malin, un langage simple et tranchant, un parler rocailleux lié aux hommes de sa terre, et cette qualité dominante : l'art de convaincre et d'inspirer confiance.

Il est communiste. Sans renier son appartenance, il va faire carrière hors du parti. Pour assurer cette réussite, il faut bien un petit coup de pouce initial. Qui, dans le parti, a su détecter l'avenir du jeune Jean-Baptiste Doumeng et l'a aidé à se mettre en selle ? Nous l'ignorons. Lui-même, sur ce sujet, s'est gardé de faire des confidences.

Nous le voyons toutefois gravir les premières marches, très modestes, de son escalade vers la puissance et la fortune.

La base de son essor, après la Libération, c'est, semble-t-il, la coopérative agricole et vinicole de Langogne dont il devient le président. En 1946, il est déjà administrateur du Comptoir national d'escompte de Paris, et secrétaire général de la Fédération de la Haute-Garonne de la C.G.A. (Confédération générale des Agriculteurs) à l'intérieur de laquelle la minorité communiste détient alors des positions.

Un an plus tard, on trouve aussi Doumeng au conseil général de *Tourisme et Travail*, ce qui montre un certain éclectisme.

En 1952, nouveau bond en avant : Doumeng est délégué à la conférence économique de Moscou, organisée par les Soviétiques pour tenter de séduire certains milieux industriels.

Sur la liste des délégués à la conférence que publie *L'Humanité* [1] figure aussi le nom d'un certain Goldschmidt.

Ce Goldschmidt opère alors dans le secteur qui va faire la fortune de Doumeng, l'import-export de céréales. Il est aussi trésorier d'un comité pour les relations économiques franco-chinoises, contrôlé naturellement par le parti communiste. Officiellement, ce comité est domicilié, 5, avenue de l'Opéra, au siège du Cercle républicain. Mais ses bureaux sont effectivement situés 63, rue La Boétie sous la direction d'un certain Fischbacher, conseiller technique du comité franco-chinois.

Il se passe à ce bureau loué au nom d'une certaine Mademoiselle D., des choses assez curieuses. Beaucoup de lettres en provenance de Prague sont aussitôt réexpédiées en Italie, à Milan [2]. D'autres partent pour le Brésil, d'où elles sont aussi réexpédiées sous des enveloppes préparées à l'avance.

Le comité économique franco-chinois servirait-il uniquement de couverture à d'autres opérations ? On ne peut l'affirmer. Il est certain, par exemple, que Goldschmidt s'occupe bien d'import-export dans d'autres bureaux

1. 31 mars 1952.
2. Documentation personnelle de l'auteur.

situés rue Jean-Jacques-Rousseau. Ce sont ces établissements qui ont été à l'origine de la constitution de la première société Interagra en 1949, créée en même temps que la société Interimez (de Casablanca) et que l'U.C.A.S.O de Doumeng.

On n'accède pas à la direction du parti communiste sans luttes intérieures sévères. On ne devient pas non plus le P.-D.G. de la principale firme de son réseau commercial sans une âpre sélection. Quelques indices permettent de supposer que Doumeng s'est affronté à Goldschmidt, d'abord mieux placé, qu'il a conquis dans cette lutte la faveur de Moscou et relégué son rival au rang d'utilité.

Fidèle au parti

Pourquoi ? On ne peut que formuler des hypothèses. Observons d'abord que la véritable percée économique de Doumeng est postérieure à la conférence économique de Moscou. Elle ne s'est peut-être pas faite uniquement en fonction de critères économiques, mais politiques. Cette année 1952 est celle du procès antisioniste de Slansky à Prague, de la préparation du « complot » des *blouses blanches* à Moscou, et en France de la liquidation du groupe Marty-Tillon. Est-ce un hasard si, à Toulouse, Jean-Baptiste Doumeng prend violemment fait et cause contre Marty, qu'en septembre 1952, à la session du comité fédéral du parti en Haute-Garonne, il accuse d'être un « policier [1] » ?

Il est possible que, dans cette phase, Doumeng fleurant bon son terroir, donnant publiquement des gages de fidélité à la « ligne », en reprenant contre le Catalan André Marty les accusations lancées par le Bureau politique, ait été finalement préféré au « cosmopolite » Goldschmidt.

A partir de là, l'ex-petit berger va devenir le formidable brasseur d'affaires que nous connaissons, sans autre accroc qu'une brève perquisition policière ordonnée en 1952 au siège de l'U.C.A.S.O. Il gère des marchés de plus en plus considérables qui se chiffrent par milliards.

Sans l'appui qu'on lui accorde au-delà du rideau de fer, Doumeng perdrait tout intérêt aux yeux du gouvernement français, aux yeux de nombreux hommes d'affaires, aux yeux aussi de la direction communiste.

Il ne serait guère qu'un secrétaire fédéral du parti, maire de Noé, président d'une coopérative du Sud-Ouest, bref une personnalité régionale, ou encore, en sa qualité de secrétaire général du M.O.D.E.F., mouvement de masse paysan, une sorte de sous-Séguy de l'agriculture.

Il n'aurait pas cette envergure internationale qui lui confère ses traits essentiels.

Du vivant de Khrouchtchev, Doumeng était reçu par lui, sur sa demande, à sa descente d'avion. Ni Waldeck Rochet, ni Marchais, ni même Thorez n'auraient pu en espérer autant. Sous Brejnev, sa cote n'a pas bougé :

1. Sur cet incident, cf. *L'Affaire Marty, op. cit.*, p. 68.

ce jovial paysan est devenu indispensable. Quand, en 1962, la S.I.B.E.V. se retrouve avec un stock de quartiers de viande de devant, dont le consommateur français ne veut pas, c'est Doumeng qui intervient pour placer sur le marché soviétique plusieurs milliers de tonnes de bœuf à très bas prix.

En bien des occasions, Doumeng se révèle ainsi un précieux dépanneur pour producteurs français encombrés. Un de ceux-ci n'a-t-il pu écouler un stock de lait en poudre un peu défraîchi qui ne trouve plus preneur en Europe occidentale? Doumeng va se charger de placer ce surplus auprès de consommateurs moins exigeants, en U.R.S.S., en Hongrie, ou même au Mali ou à Cuba. Outre les producteurs, les ministres de l'Agriculture et des Finances ne peuvent que s'en féliciter.

Ceux-ci se frottent encore les mains lorsque Doumeng, à l'opposé, jette sur le marché français des stocks d'un produit agricole pour « casser » les prix. Cette fois, les producteurs français qui font les frais de cette intervention sont furieux contre Doumeng. Il lui appartiendra de trouver quelque moyen d'apaiser leur courroux.

Voyons-le à l'œuvre dans trois opérations récentes qui ont amené l'opinion à s'intéresser à lui.

Colère chez les viticulteurs

Au début de 1972, une nouvelle sème l'émoi chez les viticulteurs : Doumeng, par l'intermédiaire d'Interagra, importe un million d'hectolitres de vin algérien.

La réaction est très vive. Avec l'ouverture du Marché commun, le vin italien est déjà pour nos viticulteurs un concurrent sérieux. Un certain nombre de producteurs expriment la crainte que la nouvelle importation effectuée par Doumeng ne serve à des coupages clandestins. On murmure aussi que Doumeng, avec la complicité du gouvernement français, tente de réaliser une opération triangulaire : tandis qu'Interagra importe du vin d'Algérie, la même société écoulerait des produits laitiers dans une démocratie populaire, sans doute la R.D.A., et celle-ci, à son tour, livrerait des machines à Boumediène.

Doumeng dément avec vigueur, et tractations triangulaires et coupages. Le ministre de l'Agriculture assure à son tour qu'il n'est pas question que le vin d'Algérie serve à des coupages et qu'il y veillera.

Il y a tout de même chez les viticulteurs des sceptiques qui ne sont pas convaincus par ces démentis :

« Au prix où il est proposé, assurent-ils, le vin algérien n'est pas compétitif chez nous. Or, Doumeng, en affaires, est le contraire d'un sot. Lui-même, d'ailleurs, interpellé au cours d'un meeting, par un contradicteur qui lui reproche d'être un " malin " réplique en mettant les rieurs de son côté : " Si je vous disais le contraire, vous ne me croiriez pas. " Aurait-il oublié sa malice? Nous n'y croyons pas. Nous ne croyons pas davantage au contrôle : il n'y a pas assez de contrôleurs. Dans leurs caves, les négociants, amis de Doumeng, peuvent faire selon leur bon plaisir. »

Après quelques semaines, cependant, l'affaire se tasse. On ne parle plus du vin de Boumediène ni de Doumeng.

On ne sait trop ce qu'il est advenu du million d'hectolitres. Mais il est intéressant, à l'occasion de cette affaire, de jeter un coup d'œil, encore qu'on n'en connaisse que les aspects extérieurs, sur le réseau « pinardier » de Doumeng. C'est par l'intermédiaire de la société Boropa, 5, rue de l'Échelle, que le milliardaire rouge achète en grande quantité le vin d'Algérie. Il opère en général en liaison avec un Algérien nommé Graïne qui procède pour lui aux achats en Algérie et en Italie.

D'autres opérations, cette fois en direction des pays d'Europe centrale, sont menées par l'intermédiaire d'une maison Schenk à Rolle (Suisse). Les Schenk sont, à l'heure actuelle, à l'échelle européenne, les plus gros « pinardiers ». C'est à Schenk, par exemple, que Doumeng vend le vin qu'il achète en Roumanie. Ici, il se trouve souvent associé à un certain docteur Feigher.

Il y a quelques années aussi, Doumeng possédait — sans doute pour les besoins du commerce vinicole — une boîte aux lettres à Francfort, chez un certain Duga, ancien petit négociant à Cognac.

Entre Schenk, Boropa, Interagra, ou telle autre filiale du trust Doumeng, des sommes considérables circulent sans cesse. Certains croient que l'essentiel de la fortune de Doumeng est déposé en Suisse.

Rumeurs invérifiables. Tout ce qu'on peut dire c'est que les transactions ont généralement lieu par le canal de la célèbre Banque commerciale pour l'Europe du Nord.

Milliards pour Interagra

C'est par la même banque que se font les affaires de grain. Au cours de de l'été 1972, le gouvernement français vend à l'Union soviétique, dont la récolte a été désastreuse, un million de tonnes de blé et d'orge. Quelques mois plus tôt, à cette école d'agriculture de Purpan, tenue par les jésuites, Doumeng avait claironné que l'agriculture soviétique, autrefois trop négligée, progressait aujourd'hui à pas de géant.

Apparemment, il est mal informé, et il s'inflige à lui-même un cinglant démenti, en s'empressant de ravitailler l'U.R.S.S., affamée en dépit des progrès gigantesques des kolkhoses. Car c'est, bien entendu, Interagra que Moscou impose comme fournisseur. Bonne affaire. Dans les milieux compétents, on estime que la commission du courtier sera de 0,5 % à 1 % et qu'elle représentera environ 60 millions de dollars [1].

---

1. Cf. *France-Soir*, 29 août 1970.

Neuf mois plus tard, c'est un contrat encore plus mirifique que décroche l'astucieux patron d'Interagra. Une fois de plus, c'est la crise de l'agriculture soviétique dont il profite. L'U.R.S.S. demande au gouvernement français 200 000 tonnes de beurre, achetées à un prix très bas, 1,60 F le kilo, alors que le prix d'intervention dans la Communauté européenne est de 10,33 F! Mais ce beurre est chez nous en excédent. Comment s'en débarrasser? Les Soviétiques deviennent des clients possibles.

Une fois de plus, Doumeng est là avec Interagra. En un sens son destin est cruel. Ce patron communiste prospère par la famine des Russes. Associé à Fromençais, société d'exportation dirigée par un ancien dirigeant du F.O.R.M.A. (Fonds d'orientation et de régularisation des marchés agricoles), Van Ruymbeck qui est, dit-on, progressiste, et à la Francexpa où figurent des fidèles du général de Gaulle comme Beaujolin et Barberot, Interagra se fait fort de procurer 120 000 tonnes de beurre [1].

Sur ce marché estimé à un milliard de francs lourds (100 milliards d'anciens francs), on a assuré que Doumeng toucherait une ristourne particulièrement importante de l'ordre de 3 %, soit trente millions de francs lourds (3 milliards d'anciens francs) qui viennent grossir son trésor.

Deux cents millions de dollars

Au fait, à combien s'élève sa fortune? Elle est bien difficile à évaluer. Interviewé par *Le Figaro* [2], le Crésus de Noé admettait qu'il dirigeait une quantité de sociétés « dont une trentaine ont un chiffre d'affaires variant de 50 à 500 millions de francs ». Et quand on lui demande son chiffre d'affaires total, il répond « deux cent millions de dollars ». Mais il faut se méfier des réponses d'un homme habitué aux pirouettes et aux boutades.

Une partie de ce pactole sert peut-être à éponger les dettes de ses S.I.C.A., la plupart déficitaires. On ne doit pas oublier toutefois que le déficit est déjà partiellement comblé par les subventions que le ministère de l'Agriculture accorde aux S.I.C.A. qui, dans leur ensemble, font de très mauvaises affaires. Si le camarade Doumeng, quand il fait ses comptes, recense quelques déboires, il peut du moins compter pour en recevoir réconfort, sur cet État bourgeois qu'il combat âprement au M.O.D.E.F. Tout porte à croire qu'au bout de l'année il lui reste encore de beaux bénéfices.

Avec un homme qui possède pareille puissance financière, les rapports ne vont pas sans poser quelques problèmes aux dirigeants du P.C. français. Il est impossible de traiter comme un vulgaire secrétaire fédéral quelqu'un

1. L'opération ne peut évidemment être menée à bien qu'avec la coopération du ministère de l'Agriculture. De tout temps, Doumeng semble y avoir bénéficié de concours favorables. Selon une source que nous n'avons pu vérifier, il aurait été en contact dès la fin des années 40 avec un haut fonctionnaire de ce ministère — ce qui lui aurait permis de réaliser déjà de substantiels bénéfices en Sarre à l'époque où Gilbert Grandval y était haut commissaire.

2. 28 février 1972.

qui entretient avec les dirigeants soviétiques des rapports plus étroits et plus constants que le secrétaire général en personne.

Nous abordons ici le problème des relations complexes et secrètes, au moins partiellement, du camarade-capitaliste Doumeng avec son parti. Ce qui ne peut aller sans quelques frictions.

Pour que ses affaires prospèrent, le P.D.G. Doumeng est bien obligé de les gérer en capitaliste. Évoluant dans une société que son journal *L'Humanité* décrit comme un monde de requins on voit mal comment il pourrait éviter d'être un peu squale. Ceci dans ses rapports avec ses concurrents, où les lois du marché l'obligent, puisqu'il est un « gros », à manger les « petits ». Mais aussi dans ses rapports de patron avec son personnel.

Si une de ses entreprises devient déficitaire peut-il, par exemple, y conserver tous les salariés qu'il souhaite, maintenir la plénitude de l'emploi comme le réclame le personnel de Lip, chaudement approuvé par le parti communiste?

Il semble que tel n'ait pas été le cas au dépôt Viandest à Boulogne-Billancourt, une de ses succursales de la Société centrale de Viande. En novembre 1971, elle licencie quelques employés. D'où grève, appuyée par le syndicat C.G.T. local qui diffuse un tract le 6 décembre.

Quelques jours plus tard, *L'Humanité* annonce dans un bref entrefilet que le patronat de Viandest a dû reculer et que tous les employés licenciés ont été réembauchés. Elle omet — hasard? — de signaler que le camarade Doumeng est un membre éminent de ce patronat.

Peu après l'information de *L'Humanité* Doumeng annonce, tout à trac, au cours de cette conférence à l'école de Purpan dont nous avons parlé qu'il lance un nouveau mouvement paysan, le M.A.R.F. Mais que devient alors le M.O.D.E.F.? Et pourquoi *L'Humanité* passe-t-elle sous silence l'étrange initiative du camarade Doumeng?

Tout se passe comme si Doumeng, agacé d'avoir dû mettre les pouces dans l'affaire de Viandest, avait voulu, en représailles, narguer les camarades de Paris. Dans les milieux toulousains, on colporte d'ailleurs que le bouillant Jean-Baptiste, après la création du M.A.R.F. a eu une sévère explication avec deux dirigeants du M.O.D.E.F., l'avocat socialiste Nègre, et Mineau, un communiste des Charentes, tout à fait dans « la ligne ».

Et puis, on ne parle plus de cette histoire. Le M.A.R.F. se fait oublier. En coulisse, on a dû aboutir à un compromis. A quel prix?

Puisqu'on parle de prix, il faut bien envisager l'aspect essentiel des liens entre le camarade Doumeng et son parti, c'est-à-dire l'aspect *financier*. Où vont les bénéfices considérables du P.D.G. Doumeng? Beaucoup soupçonnent qu'ils tombent dans la « caisse noire » du parti.

La preuve comptable de cet apport n'est pas faite, et semble impossible à faire, sauf sans doute au niveau du ministère des Finances. Ici, on ne semble pas pressé de l'éclaircir. Il est bien arrivé à M. Giscard d'Estaing, quand il était ministre des Finances, d'expédier ses polyvalents chez un boucher, une mercière, un quincaillier, on n'a pas connaissance qu'il ait jamais dépêché un seul fonctionnaire pour vérifier la comptabilité place du Colonel-Fabien.

Quand on interroge Doumeng sur ce chapitre, il répond (vite) qu'il paie sa cotisation, et qu'il fait don au parti chaque année d'environ 300 000 francs *anciens* [1].

Jean-Baptiste ou le communiste manager

Pour un homme qui jongle avec les milliards, c'est évidemment une contribution dérisoire. Si Doumeng disait vrai, on devrait alors admettre qu'il a le comportement exact du Tartuffe capitaliste, dépeint par la presse de gauche, qui s'imagine se mettre en règle avec le ciel parce qu'il donne une piécette aux pauvres à la sortie de la messe. Pour tenter de justifier sa double face de P.-D.G. et de militant, Doumeng explique qu'il est bien obligé de vivre dans la société telle qu'elle est, mais qu'il en espère une autre. Soit. Mais comme le devoir d'un bon communiste est de travailler efficacement à l'avènement de la société nouvelle, il est difficile de croire que Jean-Baptiste limite son zèle à une aumône, et qu'il ne se comporte pas en militant exemplaire, en mettant la plus large part de ses bénéfices à la disposition du parti. Toute attitude contraire aurait les allures d'une provocation, et l'on doute que le secrétariat tolérerait longtemps la galéjade de 300 000 picaillons.

Nous nous sommes longuement étendu sur le cas Doumeng. C'est qu'il est l'élément le plus exemplaire d'un type d'homme nouveau, surgi surtout dans les années qui ont suivi la Libération. Le communiste manager, la vedette de l'appareil financier, qui pompe la société capitaliste, pour arroser son parti.

Import-export pour le parti

Dans le domaine de l'import-export, Doumeng n'est toutefois pas seul. D'autres communistes se sont spécialisés dans ce négoce avec, vraisemblablement, les mêmes objectifs.

Detœuf, Malcouronne, Picard, font assurément beaucoup moins parler d'eux que le truculent Doumeng. Tous trois n'en ont pas moins avec lui ceci de commun de diriger des entreprises d'import-export qui travaillent avec les puissances de l'Est et d'appartenir au parti communiste.

Pierre Detœuf est le P.-D.G. du B.U.R.I.E.X., (Bureau universel de recherches d'importations et d'exportations), S.A.R.L. constituée le 17 avril 1951, transformée en S.A. le 5 novembre 1959, capital 60 000 F, siège social 61 rue des Petits-Champs, entreprise plus particulièrement spécialisée dans

1. Interview de Carmen Tessier, *France-Soir*, 31 mai 1972.

l'import-export de produits chimiques et pharmaceutiques en direction de la Pologne.

Detœuf est le fils du célèbre Auguste Detœuf. Ce brillant polytechnicien, ingénieur des Ponts-et-Chaussées, n'en a pas moins rallié, tout jeune, le parti communiste qui utilise à la fois ses compétences et son très riche réseau dans les milieux capitalistes. Avant B.U.R.I.E.X., il avait dirigé à Francfort la filiale de la S.O.R.I.C.E. (Société de représentation industrielle et de commerce pour l'Europe), 50, rue Croix-des-Petits-Champs, qui jouait un rôle similaire à celui du B.U.R.I.E.X.

Detœuf est aussi P.-D.G. de la C.I.F.A.L., 20, avenue de l'Opéra, S.A. au capital social de 402 160 F, habilitée à la fois à l'import-export et à la vente de terrains, et qui a changé plusieurs fois de dénomination depuis sa constitution, le 1er juin 1945, sous le nom de Frex-Sud. La C.I.F.A.L. effectue des échanges commerciaux avec l'U.R.S.S., la Tchécoslovaquie et la R.D.A..

Selon une interview de Pierre Detœuf, la C.I.F.A.L. a construit depuis une douzaine d'années plus de 30 usines alimentaires. On y apprend que, d'après Detœuf, la C.I.F.A.L. est classée, selon les années, entre le 50e et le 200e rang des exportateurs français [1].

André Malcouronne, lui, est à la fois gérant de la B.E.R.M.A.L. (Comptoir européen d'exportation et d'importation), actionnaire du B.U.R.I.E.X. que nous venons de voir, et le P.-D.G. du C.E.E.I. Vieux militant, ancien chargé de mission auprès de François Billoux au ministère de la Construction, ancien conseiller municipal de Joinville, André Malcouronne, qui a élu domicile dans les beaux quartiers, appartient aujourd'hui au comité de section « Trocadéro » du XVIe arrondissement.

Au 20, avenue de l'Opéra, la S.A.R.L. Bermal, constituée le 25 mars 1949, réinscrite le 1er juin 1960 au capital de 20 000 F, occupe des bureaux communs avec le C.E.E.I., S.A. au capital social de 261 000 F, dont la première est une filiale. Toutes deux ont à peu près le même objet, savoir l'import-export de tous produits, et le C.E.E.I. sert volontiers de commissionnaire pour des tiers grâce à ses relations dans les pays de l'Est.

Ces sociétés travaillent avec l'U.R.S.S. et avec différentes démocraties populaires, plus particulièrement avec la Pologne. Les attachés commerciaux des démocraties populaires dans notre pays conseillent, dit-on, aux négociants désireux d'exporter derrière le rideau de fer, de passer par l'intermédiaire du C.E.E.I. qui réaliserait chaque année plusieurs dizaines de millions lourds de chiffre d'affaires.

Polytechnicien, lui aussi, René Picard a eu, sous l'occupation, un destin aventureux. Il a combattu, en effet, dans les rangs des partisans slovaques, en compagnie d'une poignée de Français, au nombre desquels on relève le nom du général de Lannurien, alors capitaine. Picard a commencé par jouer un rôle important dans le journal *Paris-Prague*, créé à la Libération,

1. Cf. *Les Dossiers de l'Actualité*, no 1, 26 octobre 1971.

et dont la mission essentielle était de faire de la propagande pour la nouvelle Tchécoslovaquie. C'est cet organe qui, à partir de 1945, s'est appelé *Parallèle 50* et dont Artur London était alors le rédacteur en chef [1].

Aujourd'hui, Picard appartient à l'appareil commercial du P.C. français. On le retrouve au B.E.R.I.M. (Bureau d'Études et de Recherches pour l'Industrie moderne) et à sa filiale la S.O.R.I.C.E. (Société de représentation industrielle et de commerce pour l'Europe). Ces deux sociétés ont pour objet l'import-export avec l'Est et l'étude de tous travaux. On y trouvait aussi Raymond Aubrac et Jean Jérôme, de son vrai nom Feintuch.

Un réseau de sociétés

Au nombre des entreprises et des établissements de crédit qui sont intégrés dans cet important réseau commercial, il faut encore citer la banque polonaise Polska Kasa Opieki, 23, rue Taibout.

La maison-mère de cette banque est à Varsovie. Sa succursale parisienne est dirigée par Léon Berent, alias Berenbaum.

Sur le plan financier, elle joue à peu près le même rôle que la B.C.E.N. et on la retrouve le plus souvent dans les affaires menées par le Berim, Buriex ou la Sorice. On trouve encore le même établissement financier derrière les opérations de B.O.T.R.A.N.S. (Transports internationaux maritimes et terrestres), dont le trafic s'effectue essentiellement avec la Pologne et la Chine populaire, B.O.T.R.A.N.S. a pour P.-D.G. Roger Codou, qui fut chargé de mission à l'Air du temps de Tillon.

La rumeur accuse ces sociétés d'import-export, contrôlées par le parti communiste, d'alimenter sa « caisse noire ». C'est en effet probable. Les dirigeants communistes ne nient plus aujourd'hui être à la tête d'entreprises commerciales. Pourquoi accorderaient-ils quelque attention à ce genre d'entreprises, s'ils ne pensaient pas retirer de leurs opérations quelques bénéfices ?

Mais, ceci acquis, les divergences commencent, tant sur l'importance que sur le mécanisme de ce financement extraprolétarien.

Doumeng, nous l'avons vu, admettait participer à la quête du parti, en versant sa cotisation, et en faisant un don. Interrogés, Detœuf ou Malcouronne tiendraient sans doute le même langage. Il est tout de même difficile de croire qu'on se soit donné tant de mal pour créer ce réseau d'affaires avec l'U.R.S.S. et les démocraties populaires engageant des marchés souvent considérables, avec le seul espoir de recueillir, de temps en temps, au gré du donateur, un petit versement dans les escarcelles.

C'est donc à juste titre que l'on soupçonne qu'une large part du finance-

---

1. Au nombre des collaborateurs de *Parallèle 50*, on relève aussi le nom de François Le Lionnais, titulaire il est vrai de la rubrique d'échecs, qui occupe aujourd'hui un poste important au conseil supérieur scientifique de l'O.R.T.F.

ment occulte du parti passe par ce canal. Mais pour le reste, on en est réduit aux hypothèses.

D'abord, ces sociétés d'import-export serviraient, en quelque sorte, d'éclaireurs aux entreprises capitalistes qui souhaitent commercer avec l'Est. En contrepartie des marchés qu'elles obtiendraient, grâce aux démarches de ces intermédiaires bien placés, les entreprises en question consentiraient à verser des commissions sous la table. Ces commissions proviendraient d'un prix majoré par les sociétés intéressées, par rapport au prix véritable. La différence serait alors versée aux sociétés d'import-export du parti qui, à leur tour, rétrocéderaient cette somme à la « caisse noire ».

On peut certes objecter qu'une telle opération est désavantageuse pour Moscou, Prague ou Varsovie. Mais de toute façon, une subvention directe, comme celle des chèques Zalewski, au temps du financement héroïque, est nécessairement un débours. L'avantage du mécanisme ci-dessus tient moins à un allégement du fardeau financier qu'à son aspect invisible.

Les débats du procès Slansky à Prague en 1952 évoquent sous une forme voilée ce genre de transactions. L'ancien vice-ministre du Commerce extérieur Loebl avoue ainsi qu'il a volontairement saboté l'économie nationale par des ventes déficitaires aux pays occidentaux. Des aveux d'un autre accusé, Frank, il ressort qu'un certain nombre d'agents du réseau commercial tchécoslovaque à l'étranger plaçaient dans des comptes ouverts dans ces pays, et principalement en Suisse, des sommes provenant de ces marchés déficitaires.

Dans la mythologie des aveux, ces détournements sont présentés comme des actes de sabotage destinés à ruiner l'économie tchèque. Il est plus vraisemblable d'y voir un moyen de mettre des subventions à la disposition de partis communistes étrangers [1].

L'import-export, de toute façon, est loin d'être la seule mamelle du parti. Une autre source nourricière se situe dans le secteur très vaste des affaires conclues par les municipalités communistes.

Affaires avec les municipalités

Ici encore on découvre tout un essaim de sociétés, chacune d'entre elles étant habilitée à une tâche bien définie.

Le principal bastion de ce réseau est installé dans le XIIIᵉ arrondissement, 82, rue du Dessous-des-Berges. Là, sur la porte d'un petit hôtel particulier, une plaque métallique rassemble une demi-douzaine de sociétés aux sigles intrigants : S.O.C.O.P.A.P., S.I.C.O.P.A.R., E.U.R.O.D.I.C.O., E.U.R.O.B.L.O.C., C.I.A.V.I.T., S.O.P.A.R.E.C.O....

---

1. Sur cet aspect du procès Slansky, cf. le livre de Paul Barton : *Prague à l'heure de Moscou*, pp. 249-254. Il n'est pas impossible toutefois que certains accusés aient procédé à une certaine forme de sabotage, en profitant de ces dépôts pour financer des activités peu conformes à la ligne stalinienne.

La S.O.C.O.P.A.P. (Société commerciale de papeterie), S.A. au capital social de 10 000 F est destinée à fournir des équipements aux bâtiments scolaires, sportifs, centres de vacances, etc. Elle a pour P.-.D.G. un certain Lafargue, membre du parti. La S.O.P.A.R.E.C.O. (Société parisienne d'équipement des collectivités) a pour gérant Roger Patron, conseiller municipal d'Ivry de 1953 à 1965.

La S.I.C.O.P.A.R. (Société industrielle et commerciale de pièces détachées) fabrique de l'outillage de remplacement pour les gros matériels des municipalités (autocars, camions, bennes à ordures...). Elle a pour P.-D.G. Auguste Jary.

La C.I.A.V.I.T. a pour mission de rechercher des terrains pour colonies de vacances, classes de neige, centres aérés.

Sans être domiciliées rue du Dessous-des-Berges, une bonne dizaine d'autres sociétés contrôlées par les communistes travaillent encore avec les municipalités.

Aucun marché important ne peut être réalisé par une commune quelconque, sans que le projet — c'est la loi — ne soit examiné par un bureau d'études. L'un de ces bureaux est l'O.R.G.E.C.O. (Organisation d'études économiques et de gestion nationalisée), 39, rue du Faubourg Poissonnière, S.A.R.L. fondée le 15 mars 1961, au capital de 80 000 F; elle a pour gérant Henri Viala, ancien fonctionnaire du ministère de la Construction, et parmi les porteurs de parts (250), on relève le nom de Maurice Bouvier-Ajam, ancien directeur sous l'occupation de l'Institut des Hautes Études corporatives.

Un autre organisme similaire, le B.E.R.U. (Bureau d'études et de réalisations urbaines), coopérative ouvrière de production à capital variable de 356 000 F, 1, avenue du Parc-des-Expositions, avait pour P.-D.G. Max Stern, catholique progressiste, qu'on retrouvera au cabinet de Chalandon.

L'O.T.A.R. (Omnium technique pour l'aménagement régional), S.A.R.L fondée le 1er juillet 1965 au capital de 20 000 F, a pour gérant René Benhamou, conseiller municipal communiste de Saint-Denis depuis 1953 et secrétaire, en 1966, de la Fédération Seine-Nord-Est du parti.

La Coopérative d'Études foncières, coopérative à capital variable de 2 800 F, 5, cité Champagne, dont le P.-D.G. est l'architecte Jacques Allegret, membre du parti, procède à l'étude technique, administrative et financière de terrains à bâtir.

On retrouve Allegret avec le même titre à la tête de l'Atelier d'Urbanisme et d'Architecture, dont la dénomination définit assez bien les tâches immobilières.

Il faut citer enfin la S.O.F.I.S.C.O., S.A.R.L. au capital de 12 000 F, fondée le 26 mai 1953, 51, rue Vivienne. Elle a pour objet, toutes études fiscales, rédaction d'actes, copies, circulaires, conseils juridiques, etc., et pour gérant, Guy Périlhou, conseiller fiscal et juridique du parti, et commissaire aux comptes de nombreuses sociétés contrôlées par lui.

A cette liste de sociétés qui travaillent essentiellement avec les collectivités publiques, on peut ajouter le C.D.L.P. (Comité de diffusion du livre et de la presse). Cette grosse machine a dans ses activités principales de fournir des livres aux municipalités communistes, pour leurs bibliothèques, ou leurs distributions de prix, et d'alimenter aussi en volumes les comités d'entreprises gérés par la C.G.T. Il s'agit, naturellement, d'un marché fort vaste, dont le ressort est l'accointance politique. L'intérêt n'est pas seulement commercial. Il est aussi politique et psychologique. Largement diffusés, ces livres, orientés pour la plupart, vont influencer des masses de lecteurs. Et, par là, les éditeurs communistes sont à même d'offrir aux auteurs des débouchés intéressants.

Il semble toutefois que le C.D.L.P. ait souvent une trésorerie difficile, nombre de municipalités ou de comités d'entreprises tardant à régler leurs factures.

Si les rapports respectifs entre sociétés commerciales d'import-export, puissances de l'Est, et parti communiste demeurent hermétiques, le mécanisme municipalités-sociétés commerciales-parti est, en principe, tout aussi secret. Certains « accrocs » permettent toutefois d'en entrevoir le fonctionnement.

Une lettre confidentielle

Posons le problème suivant : étant donné que le parti a besoin d'un local pour y installer le siège d'une de ses fédérations, étant donné aussi qu'il n'a pas l'intention de débourser un sol à cet effet, comment va-t-il s'y prendre ?

Nous irons chercher la réponse à Nanterre, dont le maire était à l'époque le député communiste Raymond Barbet.

Dans une entreprise immobilière qui consiste à construire une série d'H.L.M., dans un lieu dit « Champ-aux-Melles », la direction fédérale, en accord avec la municipalité, a tenté d'installer le siège de la fédération des Hauts-de-Seine, sans que l'opération lui coûte un centime.

On trouve trace de ce projet dans une lettre confidentielle que le directeur du bureau de la C.E.T.A.C., l'architecte Sarger, maître d'œuvre des constructions du Champ-aux-Melles, a adressée à un des adjoints de Barbet, Bougas. On y lit ceci :

Paris, le 5 avril 1968

Confidentiel
Bureaux Champ-aux-Melles

Monsieur Bougas
Maire-Adjoint
Mairie de Nanterre (92)

Mon cher camarade,

Tu trouveras ci-joint un rapport confidentiel concernant les bureaux du

Champ-aux-Melles prévus normalement, partie pour le C.E.T.A.C., partie pour la Fédération.

Tu verras qu'une solution est à prendre d'urgence, pour ne pas payer de grosses redevances.

Comme c'est un problème non seulement office, mais aussi municipal et parti, j'envoie les mêmes documents à notre ami Baillet.

J'aimerais avoir un rendez-vous d'urgence à ce sujet.

Bien confraternellement.

René Sarger.

Sarger, comme on le voit, est membre du parti. C'est, dit-on, un ancien colonel de l'Armée Rouge. D'une lettre postérieure, datée du 23 juin 1969, il résulte que Sarger s'est engagé à fournir 600 mètres carrés gratuitement pour le siège de la Fédération. Mais celle-ci est gourmande, elle en veut mille, ce qui représenterait un cadeau d'environ 1 500 000 F lourds.

Comment Sarger peut-il se permettre ses libéralités ? Voilà qui n'est pas extrêmement clair.

D'importants dépassements de prix dans les travaux et certaines irrégularités du directeur de l'office d'H.L.M. de Nanterre, Bougas, provoqueront même une enquête de l'Équipement et du préfet Boitel.

En définitive, l'opération éventée, le parti renonce à obtenir ce local. Et Bougas sert de bouc émissaire. Il ne se représente pas aux élections municipales [1].

L'argent de la Mutuelle

Autre affaire : celle de la Mutuelle générale du commerce, de l'industrie et de l'artisanat.

La mutuelle en question n'est pas du tout un organisme contrôlé par le parti communiste. Ses dirigeants, en particulier son ex-directeur général, apparaissent au contraire comme des adversaires politiques qu'on situerait plutôt à droite. N'empêche que cette mutuelle, au cours de l'exercice 1967, a avancé à une quinzaine de municipalités, dont une bonne dizaine sont communistes (notamment Montreuil, Ivry, Bobigny, Drancy), dix-huit millions de francs lourds.

Ce prêt mirifique a été consenti, semble-t-il, sur la seule décision de l'ex-directeur général [2], en infraction avec le Code de la Mutualité. Et il semble aussi qu'à l'exception de Montreuil, ces débours effectués sans le consentement du conseil d'administration, n'apparaissent pas dans les mouvements de fonds de la M.G.C.I.A.

Ces prêts illégaux, qui provoquent une enquête du ministère des Affaires sociales, ont été effectués dans d'étranges conditions. Selon les déclarations

1. Pour plus de détails sur cette affaire, dont le mécanisme financier est assez compliqué, cf. *Minute* du 13 décembre 1972.

2. Aujourd'hui décédé après un accident d'avion. C'est pourquoi nous ne donnons pas son nom.

faites par l'ex-directeur au cours d'une conférence de presse colorée le 4 janvier 1972, celui-ci aurait un jour reçu la visite d'un haut fonctionnaire qui lui aurait tenu ce langage :

« — Monsieur... vous n'êtes pas sectaire au moins ?

— Vous pensez !

— Vous savez que les municipalités ont beaucoup de mal à emprunter. Seriez-vous vraiment gênés de prêter de l'argent à des municipalités communistes ? »

Double chance, ni le directeur, ni les maires communistes ne montrent une once de sectarisme. Ceux-ci acceptent stoïquement les 18 millions procurés par un homme qui fut un ex-poujadiste, lié politiquement à une certaine période à Tixier-Vignancour.

Le mécanisme de l'opération n'est pas moins étonnant. En 1967, les mairies souscrivent des emprunts obligataires à la Mutuelle. Son directeur ne les inscrit pas en comptabilité et les fait racheter aussitôt à leur valeur nominale, moyennant pour lui-même une petite commission de 0,50 %, par la petite banque Steindecker, fondée en 1946, par un ancien courtier, Félix-Robert Steindecker.

Dans un rapport daté de juin 1971, les experts de la Sécurité sociale qui ont examiné cette affaire estiment que tout se passe, en réalité, comme si c'était la Banque Steindecker qui avait prêté de l'argent. La Mutuelle aurait servi seulement de prête-nom. Les experts, perplexes, avouent dans leur rapport ne pas comprendre très bien le mécanisme de cette opération.

Nous tenterons d'en donner plus loin une explication.

La troisième histoire concerne la Coopérative des bois de l'Est. Cette entreprise, sise dans la région de Troyes, travaillait généralement avec des collectivités communistes pour l'édification de bâtiments scolaires et de centres de vacances. Or, deux de ses dirigeants, Deloix, bien connu à Troyes, et Pérone sont inculpés en mai 1973 par le juge d'instruction. Dans leur comptabilité, on a découvert un « trou » de dix millions lourds.

Au reste, avant toute inculpation, qui semble avoir tardé jusqu'au lendemain des élections, la situation de la Coopérative des bois de l'Est avait provoqué la colère d'un certain nombre d'artisans qui avaient travaillé à l'édification d'un centre de vacances à Saint-Hilaire-de-Riec (Vendée) sans voir leurs efforts rétribués.

Aussi, le jour même où la colonie de vacances édifiée à l'initiative de la mairie communiste de Béziers doit être inaugurée, les entrepreneurs en colère en bloquent-ils l'accès avec leurs bulldozers. A ces sous-traitants, le maire de Béziers fait savoir qu'ayant réglé la Coopérative des bois de l'Est, il ne se sent nullement responsable si celle-ci n'est pas en mesure de les payer.

Cette affaire se limiterait à une faillite banale si, à travers le cas de la Coopérative des bois de l'Est et celui de la M.G.C.I.A., on ne pouvait déceler la technique des sociétés commerciales opérant à l'avantage des communes gérées par le parti.

L'art d'utiliser les bureaux d'études

Il faut se souvenir que la loi exige le dépôt d'un rapport effectué par un bureau d'études, lequel perçoit automatiquement sur le marché obtenu, une commission de 5 %.

A partir de là quelques combinaisons, simples dans leur principe, deviennent possibles. L'étude, obligatoire, n'est pas toujours réellement effectuée. C'était le cas, paraît-il, à la Coopérative des bois de l'Est qui travaillant pour des bâtiments scolaires typifiés avait recours à des matériels *standard*.

Le bureau d'études a encore la ressource de faire appel à telle ou telle entreprise. Condition : que celle-ci fasse effectuer à ses frais, par ses propres services, l'étude exigée. Sinon, point de marché.

En principe, ces marchés ne peuvent être attribués que sur adjudications — ce qui doit limiter, voire exclure les combines, en particulier la pratique du « dessous de table ».

Dans la réalité, il en va parfois autrement, grâce à une utilisation astucieuse de l'article 312 du Code régissant les marchés des collectivités publiques. Dans cet article, il est stipulé ceci :

« Il peut être passé, sans limitation de montant, des marchés de gré à gré :

« 1. Pour les fournitures dont la fabrication est exclusivement réservée, pour des propriétaires de brevets d'invention à eux-mêmes, ou à leurs licenciés ou pour des prestations qui ne peuvent être obtenues que d'un entrepreneur ou un fournisseur unique.

« 2. Pour les travaux, fournitures ou services dont l'exécution ne peut, en raison des nécessités techniques ou d'investissements importants préalables, être confiée qu'à un entrepreneur ou fournisseur déterminé...

« 3. Pour les ouvrages et objets d'art et de précision dont l'exécution ne peut être confiée qu'à des artistes ou des industriels éprouvés, etc. »

L'éventail des dérogations à la règle des adjudications est, on le voit, assez large. Il suffit de faire appel à un entrepreneur travaillant sous licence. L'opinion d'un bureau d'études « ami », estimant que tel fabricant est indispensable pour telle partie du programme envisagé, permet aussi de faire passer bien des choses.

Il ne reste plus au porte-parole de la municipalité qu'à se montrer persuasif et à faire comprendre à l'heureux élu qu'il ne doit pas se comporter en ingrat.

La pratique du « dessous de table » n'est pas, il faut le dire, un monopole des communes communistes.

D'autre part, dans la loi du 28 décembre 1966 relative à l'usure, il est précisé que « constitue un prêt usuraire tout prêt conventionnel consenti à un taux effectif global qui excède au moment où il est converti de plus d'un quart le taux effectif moyen pratiqué au cours du trimestre précédent par les banques ».

A partir de ce texte, on peut mieux comprendre les dessous de l'opération Mutuelle (M.G.C.I.A.) - municipalités communistes. Ces dernières, comme toutes les municipalités du reste, éprouvent de graves difficultés à contracter des emprunts dont le taux d'intérêt ne dépasse pas — selon les stipulations des Finances — 6 % à 7 %. A ce tarif, on ne trouve pas prêteur.

Pourtant, nombre de sociétés, en particulier des compagnies d'assurance et des mutuelles, disposent de crédits qui ne demandent qu'à être investis, pourvu que la rétribution de l'argent soit intéressante.

Comment permettre à cet argent de couler vers les collectivités publiques, en dépit des restrictions de la loi? Tout simplement en proposant aux sociétés des « dessous de table » qui leur permettent d'effectuer un prêt réellement avantageux et qui offrent aux intermédiaires des commissions intéressantes. Mais le *bakchich* doit bien figurer quelque part, puisque officiellement le prêt n'est consenti qu'au taux dérisoire permis par l'État? Eh bien! augmentons sensiblement la facture des travaux à exécuter.

Qui paie la différence? Évidemment les administrés.

Les comptes de Gosnat

Si l'on se fie aux déclarations du trésorier officiel du parti, Georges Gosnat, « le total des rentrées du parti, atteint 4 milliards 500 millions d'A.F. et correspond au total de toutes les dépenses du parti ». Cette affirmation est extraite du rapport présenté au Comité central des 16, 17, 18 mai 1972 et concerne l'année précédente [1].

D'où viennent les recettes? Selon la même source, les souscriptions fournissent 2 milliards, les cotisations 1 milliard 800 millions, les ristournes des élus, 700 millions.

Les dépenses à leur tour seraient ventilées de la façon suivante :

> *Permanents* : 1 300 millions d'A.F.
> *Frais de gestion* : 1 100 millions d'A.F.
> *Propagande* : 2 milliards d'A.F.

Ces chiffres ne résistent guère à l'examen.

Selon Marchais [2], le parti emploie 550 permanents qui formeraient tout l'effectif rétribué du parti et coûteraient donc à sa caisse 1 300 millions. Mais dans cette comptabilité, Marchais se garde de faire entrer les dépenses nécessitées par la rétribution des permanents des mouvements annexes, comme le Mouvement de la Paix, l'Union des Femmes françaises, les Jeunesses communistes, France-U.R.S.S., France-Hongrie, etc. et quantité d'autres organismes non rentables qui doivent de prolonger leur existence aux seuls subsides que leur verse discrètement le parti.

Le total réel des permanents est impossible à évaluer avec précision.

---

1. Cf. *L'Humanité*, 23 mai 1972.
2. Face à face à la T.V. avec Chirac, septembre 1971.

Sartre, il y a une vingtaine d'années, avança, une fois, le chiffre de 10 000 permanents, sans donner ses sources. Paul Derrien dans *Unir-Débat*[1] les évalue actuellement à 14 000.

Bon nombre de ces gens, toutefois, ne coûtent pas un liard à Gosnat. Ils sont employés dans les municipalités communistes, ou dans les œuvres sociales des grands comités d'entreprise, voire au C.N.R.S. ou dans certaines administrations. Payés sur d'autres budgets, ils peuvent consacrer au moins une fraction de leur temps au parti.

En définitive, nous savons que le parti est contraint de rétribuer plus de 550 permanents avoués. Mais il est impossible de savoir combien. Tout ce qu'on peut dire, c'est que le chiffre de 1 300 millions est, à coup sûr, très largement dépassé.

Passons à la propagande. Gosnat indique que « ces organisations éditent chaque année un très grand nombre de journaux de cellules : 10 millions d'exemplaires ». Ceci ne nous renseigne pas sur le coût de cette production. Nous savons seulement qu'en 1966 Gosnat affirmait qu'il fallait en moyenne 200 000 francs par an pour faire fonctionner correctement une cellule.

En 1969, selon Marchais, le parti comptait environ 20 000 cellules. Chiffre théorique, car certaines existent seulement sur le papier. Admettons que 15 000 d'entre elles aient une activité véritable. Si l'on retient le chiffre des dépenses donné par Gosnat en 1966 — et celui-ci n'a pu qu'augmenter sensiblement — le fonctionnement de 15 000 cellules coûtait déjà en 1966, 3 milliards d'anciens francs. Chiffre qui couvre une partie des frais de propagande et une partie des frais de gestion (cellules et journaux de cellules).

Aux dépenses des journaux de cellules s'ajoutent celles des réunions, fêtes et des grands meetings.

Un exemple cité par *Unir* : François Hilsum indique que pour une assemblée-débat à Poissy, 16 000 affiches et 15 000 tracts ont été diffusés pour cette ville et ses environs, soit une dépense de plus d'un million d'anciens francs.

Or, il est certain que les frais d'une assemblée-débat pour une grande ville comme Paris, Nice, Marseille, Bordeaux, Le Havre, etc. sont bien supérieurs. Et que pour une seule année, il y a des centaines d'assemblées-débats.

Il faut encore ajouter aux dépenses le déficit chronique de *L'Humanité*. Celui-ci a été longtemps compensé par les bénéfices de *L'Humanité Dimanche*. Ce n'est plus le cas.

La diffusion de *L'Humanité* ne doit pas dépasser 150 000 exemplaires et sa vente 120 000 exemplaires.

Tous les techniciens de la presse savent que sur la base de ces chiffres, même en tenant compte des rentrées publicitaires, un quotidien national n'est pas rentable. *Paris-Jour* qui tirait autour de 240 000 exemplaires n'a pu résister.

1. N° du 10 juin 1972.

Selon certaines estimations, le déficit atteindrait 600 millions anciens [1]. A vrai dire, on n'en sait rien. D'autres publications communistes, quotidiens de province, hebdomadaires, revues, bulletins, sont eux aussi très vraisemblablement déficitaires, sans qu'on puisse là encore fournir de chiffres.

Les frais de gestion d'une pareille machine ne peuvent être minces. Dans ce budget prennent place les frais engagés pour la construction du nouveau siège du P.C. place du Colonel-Fabien. Une fois de plus, les données sont incomplètes. Mais *Unir-Débat* dans le numéro déjà cité, donnait les précisions ci-après : le P.C. a obtenu un prêt de 1 milliard 400 millions d'une société française de crédit (non identifiée), il a perçu le produit de la vente d'un de ses anciens immeubles, soit 300 millions, et 150 millions de souscriptions, auxquels s'ajoute une deuxième souscription dont on attendait environ 400 millions.

Si on fait le total on constate que le crédit obtenu, plus le bénéfice de la vente d'un ancien immeuble, plus une première souscription, représentent 1 milliard 850 millions et que cette somme ne suffisait pas à couvrir les dépenses alors que les travaux n'étaient pas achevés.

Les écoles de cadres du parti, les sièges de fédérations, d'autres locaux coûtent assurément cher, même si dans certains cas, comme à Nanterre, ces installations sont fournies gratuitement, grâce à d'astucieuses combines.

En définitive, il est absolument impossible de fournir des chiffres. On peut simplement, des exemples que nous avons cités, induire que le budget réel du parti est très largement supérieur à son budget avoué, soit aux 4 milliards 500 millions. Que représentent les vraies dépenses ? Le double, le triple de ce chiffre, ou davantage ? Nous sommes hors d'état de l'évaluer.

Qui peut le faire ? Georges Gosnat, le trésorier officiel. Plus sûrement sans doute Jean Jérôme, hier encore manipulateur occulte des deniers du parti.

Ce Jérôme, alias Michel Feintuch, nous l'avons déjà entrevu sous l'occupation, alors qu'il était pris dans un coup de filet policier dirigé contre la M.O.I. [2]. Il se tire bien de cette mauvaise passe puisqu'il échappe à la déportation, et qu'il est finalement libéré des Tourelles. A la Libération, il obtient sans difficultés sa naturalisation.

Ce personnage tout gris, qui s'en soucierait ? Il est quelque chose comme employé au C.D.L.P. (Comité de Diffusion du Livre et de la Presse). Un jour son nom est apparu au bas d'un bref article, de caractère purement technique, dans *France Nouvelle*. Sa femme, sous le nom de Paulette Blanc membre du Comité directeur de France-Hongrie, dirige une petite maison d'édition pour la jeunesse, La Farandole.

Des permanents comme tant d'autres. Une fois cependant le projecteur a été violemment braqué sur Jean Jérôme. Par André Marty. Devant la

---

1. *Est et Ouest,* « Les finances du Parti communiste français », 13-15 janvier 1974.
2. Cf. IIe partie, chap. v.

commission présidée par Léon Mauvais, Marty avait vu surgir parmi les témoins à charge Jean Jérôme.

« Jean Jérôme, déclarait-il, appartenait à la section d'aide qui organisait et supervisait ces envois criminels à l'égard du peuple et du gouvernement de la République espagnole [1]. »

Marty accuse en effet Jérôme d'avoir envoyé en Espagne du matériel souvent inutilisable. Que ce soit vrai ou faux, on constate que déjà avant la guerre, il est en quelque sorte intendant aux fournitures.

L'étendue de son rôle ne sera toutefois révélée que très tard par Roger Garaudy. Le 20 mai 1970, dans *Le Monde*, Garaudy le désignait comme un des membres du groupe Marchais, et le qualifiait d' « éminence grise du parti ».

C'était surtout une éminence financière. Assistant aux séances du Comité central et aux réunions du Bureau politique, Jérôme s'occupait de la « caisse noire », des affaires d'édition, du négoce avec l'Est, de l'argent transmis par Moscou, de certaines opérations immobilières. Accessoirement, il pouvait lui arriver de financer un film comme *Parti sans laisser d'adresse*.

Depuis les révélations de Garaudy, l'attention a été beaucoup trop attirée sur le camarade Jérôme. Démasqué, il est à peu près certain que celui-ci a été confiné dans les tâches beaucoup plus modestes, qui ne prêtent pas, en tout cas, le flanc à la suspicion.

Ce qui suppose que quelqu'un, dans le vital secteur financier, a pris la place du camarade Jérôme.

1. *L'affaire Marty, op. cit.*, p. 150.

9.

La résistible ascension de Georges Marchais

AU CŒUR DE L'AFFAIRE MARCHAIS, ON RETROUVE LA « BIO », CETTE biographie qui joua un rôle capital dans le " procès " de Celor.

Il y a plusieurs biographies de Marchais : d'abord celle que le parti diffuse officiellement; ensuite celles — les vraies — qu'il a rédigées un jour pour la section des cadres.

Parlons d'abord de la première. Elle nous apprend que cet homme brun aux durs yeux bleus, vêtu avec une certaine élégance comme un cadre moyen, est né le 7 juin 1920 à La Hoguette (Calvados). Après des études primaires, il vient travailler au début de l'occupation en qualité d'ouvrier métallurgiste spécialisé dans la banlieue parisienne. La biographie à usage extérieur glisse sur cette période et on nous dit que Marchais, après la Libération, travaille dans une filiale de la S.N.E.C.M.A.

En 1947, il adhère au parti communiste, où il va faire une carrière rapide. Entreprenant, énergique, il devient vite secrétaire du syndicat des Métaux, puis secrétaire de la Fédération Seine-Sud du parti.

En 1956, il fait son entrée au Comité central, en qualité de suppléant. C'est l'année du fameux rapport Khrouchtchev sur le culte de la personnalité; celle aussi de l'insurrection hongroise et de sa répression. Les militants qui s'imposent cette année-là sont ceux qui acceptent sans broncher l'écrasement de la Commune de Budapest.

L'ascension continue. Titulaire au Comité central, Marchais, membre du Bureau politique dès 1959, remplace en 1961 Marcel Servin au poste de secrétaire à l'organisation. Il occupe ainsi une position très avantageuse pour la course au pouvoir. Il seconde Waldeck Rochet, secrétaire général, qui a succédé à Thorez, après la mort de celui-ci en 1964, au poste de secrétaire général. La maladie de Waldeck Rochet fait de Marchais le patron, sans le titre, du parti communiste. En 1970, il est désigné comme secrétaire général adjoint. Promotion flatteuse mais qui ne désarme pas, à l'intérieur du parti, certaines résistances. En décembre 1972, lors du xxe Congrès de Saint-Ouen enfin, il est nommé secrétaire général. En fait et en droit c'est lui désormais qui est le *Big Boss* du Parti communiste français.

Telle est, succinctement résumée, la carrière de Georges Marchais. Voyons à présent *son cas*. Il est lié à la rédaction de la fameuse « bio ».

Ce sont deux dissidents communistes, Roger Garaudy et surtout Charles Tillon, qui soulèvent cette question et donnent à l'affaire Marchais, une dimension publique.

Le 17 juillet 1970, à l'émission télévisée « Panorama », Charles Tillon accuse Georges Marchais d'avoir après son adhésion au parti communiste en 1947, truqué sa « bio » afin de dissimuler que le 17 décembre 1942, en pleine occupation, il serait parti travailler *comme volontaire* dans une usine du Reich. Cette qualité de volontaire ne peut être mise en doute, affirme Tillon, puisque le S.T.O. (Service du travail obligatoire) n'a été institué par Vichy qu'en février 1943 [1].

Si Tillon dit vrai, tout militant communiste ne peut manquer d'être surpris qu'un ancien volontaire du travail en Allemagne ait accédé au poste suprême. Ceux-ci savent qu'un responsable comme lui a nécessairement rempli plusieurs biographies. Étaient-elles fausses comme l'affirme Tillon ? Dans ce cas, il a menti, il a dissimulé quelque chose de grave au parti, il a trahi sa confiance; lourde faute contre la discipline. Et pourquoi, ce mensonge une fois découvert, a-t-il pu poursuivre son ascension, au lieu d'être sanctionné et rétrogradé ?

Cent questions

Pour mieux comprendre la situation de Marchais, telle qu'elle se pose dans cet univers clos du parti communiste, il faut savoir ce qu'est le formulaire de la « bio » après la Libération.

C'est un crible qui ne veut rien laisser dans l'ombre. La « bio » comprend alors plus de *cent questions*, dont un grand nombre ont trait à cette période trouble et difficile de l'occupation.

En remplissant ce formulaire, Marchais a nécessairement répondu aux questions suivantes :

« Où étiez-vous à la Libération ? Quel rôle avez-vous joué pendant l'insurrection nationale ? »

« Avez-vous travaillé en Allemagne ? *Volontairement ou par contrainte ?* Étiez-vous organisé là-bas [2] ? Dans ce cas, faire un rapport spécial. Avez-

1. Outre Roger Garaudy, qui a évoqué cette affaire, le cas Marchais a été aussi soulevé par *La Nation socialiste* d'Auguste Lecœur (octobre 1971) et par *Minute* no du 27 octobre 1971.
2. « Organisé » signifie ici : étiez-vous membre d'une cellule communiste ou d'un réseau de résistants ?

vous été obligé de quitter votre domicile régulier ? Pourquoi ? Étiez-vous légal ou illégal ? »

« A quelle date avez-vous été libéré ? Par quelle armée ? En quel lieu ? Date de rentrée à votre foyer [1]. »

Le préambule de ce questionnaire minutieux comporte cet avertissement :

« Camarade,

« Avant de remplir cette biographie lire attentivement ce qui suit : remplir sa biographie est un devoir important. S'expliquer clairement, sans phrase inutile, *sans omettre le moindre détail* [2] qui puisse éclairer le parti auquel on ne doit rien cacher... »

Selon Tillon, Marchais aurait répondu qu'il était resté en France. Mensonge initial, qui en fonction des questions énumérées ci-dessus, en entraîne une série d'autres.

A cette époque, il serait très facile à Marchais de se disculper. Il lui suffirait après tout de publier dans les colonnes de *L'Humanité* sa biographie ou du moins les réponses aux questions posées par Tillon.

Il n'en fait rien. Il est pourtant très gênant pour lui d'être cloué au pilori sur ce thème du travail volontaire en Allemagne, par l'ancien chef d'état-major des F.T.P. Il préfère rester dans le vague en parlant d'odieuses calomnies. C'est finalement un de ses adjoints, André Vieuguet, membre du secrétariat, qui va répondre à sa place :

« Georges Marchais, écrit-il, n'était pas communiste quand, en décembre 1942, jeune métallo, il est victime de la déportation du travail avec plusieurs dizaines de travailleurs de son usine... Après une première tentative qui échoue en février 1943, il réussit à regagner la France, en mai de la même année. Il trouvera plus tard le chemin du parti communiste français [3]. »

Cette réponse très succincte comporte tout de même quelques points précis : si nous ignorons toujours à quelle usine le métallo Marchais travaillait, où il est allé en Allemagne, nous savons du moins qu'il est parti en décembre 1942, sous la contrainte, nous dit-on. Nous apprenons également la date de son retour en France, après une première tentative d'évasion infructueuse.

Vieuguet ne nous dit pas, en revanche, ce que le jeune évadé a pu faire, après son retour.

Or, cette version est démolie quelques jours plus tard par Marchais lui-même. Une journaliste de *L'Express*, Michèle Cotta, qui a quelques entrées au parti communiste, questionne Georges Marchais. Et celui-ci fait la réponse suivante :

1. Plus courte, la « bio » actuelle comporte toujours ces deux questions : opinions des membres de la famille et « avez-vous des parents policiers ou membres de partis adverses ? »
2. Souligné par nous.
3. *L'Humanité*, 21 juillet 1970.

« Requis en 1942 ; je me suis évadé *en janvier 1943* [1]. J'en possède les preuves et je les produirai, si j'y suis contraint [2]. »

Pourquoi Marchais éprouve-t-il le besoin de contredire Vieuguet ? Car la contradiction des deux hommes est évidente, sauf dans l'hypothèse où Michèle Cotta aurait mal interprété les propos du secrétaire général adjoint. Mais alors pourquoi celui-ci n'a-t-il pas adressé aussitôt une rectification à *L'Express*? Et pourquoi ne pas étaler les preuves qu'il assure détenir, plutôt que d'attendre d'y être contraint ?

Clostermann renonce

Bref, l'attitude de Marchais laisse une impression de gêne et de malaise. Cependant une autre accusation s'est dessinée contre lui. Dès le 27 octobre 1971, *Minute* a affirmé qu'une preuve du volontariat de Marchais subsiste, sous la forme d'un contrat d'embauche signé de sa main à destination des usines Messerschmitt qui fabriquent les redoutables chasseurs de la Luftwaffe, près de Neu-Ulm.

Marchais se tait. On ne reparlera pas de cette pièce avant la campagne électorale de 1973.

Au moment où cette campagne s'engage, une rumeur circule dans les milieux politiques et les salles de rédaction : le contrat d'embauche va être publié.

Qui va lancer cette bombe? Le célèbre aviateur Clostermann, as de la chasse pendant la guerre. Il sera candidat U.D.R. à Villejuif, dans le secteur où Marchais va se présenter pour succéder à Marie-Claude Vaillant-Couturier. Au même moment, *Paris-Match* prête à Messmer des propos martiaux : « Ce Marchais je vais me le farcir... » A Raymond Tournoux qui l'interroge pour le même magazine [3], Marchais réplique avec assurance : « En tout cas, s'ils le veulent, je leur réserve une surprise. »

Bref, il va y avoir du sport. Beaucoup d'électeurs attendent avec impatience le moment où le pilote qui descendait les Messerschmitt va « allumer » le mécano qui les construisait.

Mais le combat du siècle n'aura pas lieu et on ignore toujours quelle surprise le secrétaire général du parti communiste gardait dans sa manche. Étrangement, Clostermann s'efface comme suppléant d'une candidate U.D.R. locale parfaitement inconnue du grand public. Plus question du fameux combat, alors que, disait-on, les affiches étaient déjà prêtes.

Lecœur publie deux documents

Et puis, soudain, quelques jours avant le second tour, petit coup de théâtre : dans son modeste bulletin mensuel : *La Nation socialiste* [4], Auguste Lecœur publie la photocopie de deux documents :

1. Souligné par nous.
2. *L'Express*, 27 juillet 1970.
3. 10 février 1973.
4. N° de mars 1973.

1. Le fameux contrat d'embauche signé par Marchais le 12 décembre 1942 à l'office de placement allemand de Versailles.

2. Une autre pièce qui l'autorise à toucher une prime d'équipement de mille francs.

L'écho de ces révélations faites *in extremis* est faible. Ces documents, pourtant communiqués aussitôt à l'A.F.P. sont complètement passés sous silence par les quotidiens et l'O.R.T.F. Seuls, quelques jours plus tard, *Minute* et *Rivarol* les reproduisent. Et dans les quartiers ouvriers le numéro de *Minute* est vite épuisé [1].

Cette fois, la contre-attaque de Marchais ne se fait guère attendre. En son nom, le 9 mars 1973 ses avocats maîtres Bosker et Weil portent plainte contre Lecœur, directeur de *La Nation socialiste*, contre Jean Boizeau, directeur de *Minute*, et contre *Rivarol* [2], pour falsification d'actes administratifs et usage de faux. Ces falsifications, soutiennent les avocats communistes, ont été faites dans le seul dessein d'abuser l'opinion, en lui faisant croire que le numéro un du parti communiste est parti travailler volontairement en Allemagne.

Marchais : « Des faux... »

En quoi donc consistent ces falsifications ? Elles sont, selon la thèse communiste, au nombre de trois :

1. Sur le contrat d'embauche de Marchais, on a supprimé la dernière ligne, précisant la date de son départ le 17 décembre 1942. Ceci pour tenter de faire croire qu'il était parti plus tôt.

2. Sur le second document figure en marge cette mention manuscrite en lettres capitales : *prime d'équipement*. Or, elle n'est pas de la main de Marchais [3].

3. En tête de cette même pièce, figure la mention imprimée « Préfecture de la Seine, 50, rue de Turbigo ». Mais au-dessous de celle-ci on a rendu invisible cette autre mention, également imprimée : « Direction des affaires de réquisition... »

« Et pour cause ! — dit-on du côté de Marchais. Par cette falsification ses adversaires supprimaient la preuve qu'il avait bien été requis. »

On voit sur quoi porte la contre-attaque de Marchais. Pour tenter de démontrer qu'il était volontaire, ses adversaires sont contraints de recourir à des faux. Quelle meilleure preuve de son innocence !

Examinons cette réplique, point par point :

1. La date du 17 décembre 1942 figure bien sur le contrat d'embauche au bas du document original. Sa suppression a été vraisemblablement décidée pour de simples questions de mise en page. Sur *La Nation socialiste* n'est pas mise la date de la signature du contrat : 12 décembre 1942. Cinq jours

1. Du 7 mars 1973.
2. L'article de *Rivarol* était seulement signé d'initiales.
3. Voir pièces en annexe.

d'écart n'ont aucune signification, pour trancher la question du volontariat. En outre, *Minute*, pour sa part, avait dans un numéro antérieur déjà donné la date du 17 décembre 1942 [1].

2. Il est probable que la mention manuscrite « prime d'équipement » a été ajoutée sans doute à titre d'explication pour le lecteur. En tout cas cette adjonction, sans doute maladroite, ne change rien à la signification de ce document : il s'agit bien d'une prime d'équipement, et elle a bien été attribuée à Marchais.

3. En revanche, la troisième altération semble plus troublante. En dépit du secret de l'instruction qui couvre cette affaire, nous croyons savoir que sur la pièce originale figurait en effet la mention « Service des réquisitions ». Au lieu de quoi on voit apparaître, sur la photocopie utilisée par Lecœur, une autre inscription manuscrite, cachant la mention originale, et sur laquelle on lit difficilement : « A.G.O. — Bièvres » (il s'agit de l'usine où Marchais était employé).

Ici, on peut assurément se demander si on n'est pas en présence d'une manipulation de document, faite sciemment pour cacher le mot *réquisition*.

Lecœur, *inculpé sur sa demande*, afin d'avoir accès au dossier s'expliquera sans doute sur ce sujet [2].

Mais on peut dès maintenant estimer que cette altération d'un document administratif ne démontre pas ce que Marchais voudrait lui faire dire, savoir qu'il avait été requis, puisqu'il devait s'adresser à un service des réquisitions. Il suffit en effet de se reporter à la presse de l'époque pour constater que le versement de la prime d'équipement ne pouvait avoir lieu, *pour les travailleurs domiciliés à Paris*, que dans les services du 50, rue de Turbigo.

On lit en effet dans *La France socialiste* [3], quotidien paraissant sous l'occupation :

« Pour les ouvriers résidant à Paris, le paiement a lieu à l'annexe de la Préfecture de la Seine, 50, rue de Turbigo (caisse d'avances aux services des travailleurs partant en Allemagne). »

Il en est de même pour l'allocation temporaire versée à la femme du travailleur volontaire : « Cette allocation est payée par les receveurs municipaux, sauf à Paris où elle est payée par la Préfecture de la Seine, 50, rue de Turbigo, contre la présentation de l'exemplaire n° 4 du certificat d'embauchage [4]. »

L'ouvrier métallurgiste Georges Marchais habitait alors 60, rue Hallé (14e).

La pièce en question ne démontre donc ni qu'il ait été volontaire, ni

1. N° 498 du 27 octobre 1971.
2. A la date où nous écrivons ces lignes, l'affaire n'est toujours pas venue devant le tribunal.
3. N° du 23 juillet 1942.
4. *La France socialiste*, 14 octobre 1942. L'allocation a été perçue par la femme de Marchais.

qu'il ait été requis. Elle prouve seulement qu'il était domicilié à Paris et qu'il devait nécessairement s'adresser au 50, rue de Turbigo.

On voit bien cependant l'objectif visé par la défense de Marchais : il s'agit d'amener le tribunal à se prononcer uniquement sur la question des altérations de documents. Si ce tribunal limitait les débats à la reconnaissance du faux et à la condamnation de ceux qui en ont fait usage, Marchais, tout en esquivant le débat sur le fond, aurait remporté une grande victoire psychologique. Car il pourrait affirmer avec toute la puissance de l'*Agit-Prop* que ses adversaires sont des faussaires.

C'est le fond de ce débat qu'il faut maintenant examiner.

Volontaire ou non ?

La position de Tillon et celle de Lecœur sont simples : comme Marchais a signé son contrat en décembre 1942 et que la loi sur le S.T.O. date de février 1943, Marchais ne pouvait donc être que volontaire. Réaction assez explicable : l'expression de S.T.O. est en effet restée fixée dans les mémoires et quand on cherche sa date, on constate qu'elle se situe en février 1943.

C'est oublier que la législation sur le travail à cette époque a été plus complexe.

Quand vient le moment de la deuxième grande offensive allemande en Russie, en été 1942, les Allemands qui jettent toutes leurs forces dans la bataille ont un urgent besoin de main-d'œuvre étrangère. Ils constatent alors que le volontariat ne suffit pas aux besoins de la machine de production. Aussi, au début de l'été, le Gauleiter Sauckel est-il prêt à procéder à de vastes réquisitions de travailleurs, comme cela s'est fait dans les pays de l'Est.

Très alarmé par cette brutale intervention, le gouvernement français négocie. S'il ne peut éviter certains départs, il veut tenter d'en conserver le contrôle. Les discussions avec l'occupant aboutissent au principe suivant : on libérera un prisonnier contre trois travailleurs volontaires (en réalité contre cinq).

Malgré une intense propagande, le nombre des volontaires reste faible, c'est alors que le 4 septembre 1942 Vichy adopte une législation qui précède le S.T.O. Les décrets du 4 septembre organisent « le service civil national du travail ».

Ces décrets stipulent que la main-d'œuvre est mobilisée sur place. Nul travailleur ne peut quitter son emploi sans y être autorisé par l'inspecteur du travail. En contrepartie aucun employeur ne peut, sans la même autorisation, débaucher ses salariés. Il est décidé également qu'on procédera au recensement de tous les oisifs, c'est-à-dire des personnes de dix-huit à cinquante ans qui travaillent moins de trente heures par semaine.

Un article de ce décret précise que le gouvernement pourra affecter tout travailleur au poste qu'il jugera utile dans l'intérêt national, *y compris hors des frontières.*

C'est là, bien évidemment, l'article essentiel, celui qui va permettre au gouvernement d'organiser le départ d'un certain nombre de travailleurs outre-Rhin, contre la libération d'un certain nombre de prisonniers.

Tout un système est rapidement mis en place. Des modèles de contrats circulent dans les entreprises. Et des critères sont établis en vue d'opérer une sélection parmi les travailleurs.

Il y a toujours des gens qui partent volontairement en raison des avantages offerts (salaires plus élevés qu'en France, primes, etc.). Mais les directions des entreprises commencent à recevoir du ministère du Travail des notes spécifiant qu'elles doivent fournir un contingent de X salariés. Si ce contingent n'est pas atteint, grâce aux départs volontaires — c'est le cas le plus fréquent — alors une certaine mise en condition est organisée auprès des ouvriers de l'entreprise, et une liste est dressée des départs prioritaires, en fonction de critères préétablis.

Critères de sélection

Ces critères ont été très précisément définis par les autorités françaises :
« Dans chacune des catégories spécifiées ci-dessus les ouvriers et ouvrières seront classés de la façon suivante et dans l'ordre ci-après :
« *Hommes de plus de vingt et un ans :*
— Célibataires.
— Veufs sans enfants.
— Divorcés sans enfants.
— Mariés depuis moins de deux ans, sans enfants.
— Mariés avec un enfant à charge.
— Mariés avec deux enfants à charge.
— Jeunes de plus de dix-huit ans et de moins de vingt et un ans.
— Femmes [1]. »

Que se passe-t-il si certains travailleurs figurant sur une liste de départ, en fonction du tableau ci-dessus, refusent de se conformer à ces prescriptions ? La menace de sanctions existe, certes, mais elle reste encore assez floue. Évoquant ce sujet délicat, le ministre de la Production industrielle, Bichelonne, déclare :

« S'il [le travailleur] n'obéit pas, son nom sera transmis au gouvernement qui ne manquera pas de statuer sur ce manquement à un devoir [2]... »

Enfin, il existe un certain nombre d'entreprises privilégiées dont la production intéresse les Allemands en France. Elles forment un secteur

---

1. État nominatif du personnel répondant aux conditions fixées par la loi précitée (du 4 septembre 1942) employé dans l'entreprise à la date du 15 septembre 1942.
2. *La France socialiste*, 20 octobre 1942.

protégé : le secteur *S. Betrieb*. Ceux qui travaillent dans ce secteur ne seront pas touchés par la relève.

On a maintenant une idée du système, mi-volontariat/mi-contrainte, mis en place dans chaque entreprise. A cet ensemble de mesures qui ne peuvent toucher que la classe ouvrière, Vichy substituera quelques mois plus tard le S.T.O. fondé sur la notion égalitaire de la mobilisation d'une classe d'âge, et qui possède un caractère incontestablement obligatoire.

Le problème maintenant est d'examiner de quelle façon s'insère l'ouvrier métallurgiste Marchais dans cette mécanique de la relève établie par la législation de septembre 1942.

Marchais est un spécialiste. Sa qualification le fait donc rechercher. Mais il est loin d'arriver en tête dans la catégorie de travailleurs appelés à partir. Il est en effet marié avec un enfant. Dans l'ordre de départ que nous avons cité, il n'arrive qu'en cinquième position. Il travaille en outre dans un département de l'entreprise Voisin, l'A.G.O. de Bièvres spécialisée dans la réparation des avions de chasse Focke-Wulf. Selon Lecœur, le personnel qui était employé là était déjà sélectionné pour éviter les risques de sabotage. Il est probable que cette usine était *S. Betrieb*. Il est douteux de toute façon qu'un personnel dont on avait besoin sur place ait été soumis à la contrainte de la relève.

Marchais a signé

Marchais signe son certificat d'embauche dans un bureau de placement allemand à Versailles. Les bureaux allemands étaient-ils réservés aux volontaires ? C'est possible. Mais le fait n'est pas, à notre sens, démontré.

Il y a plus gênant pour Marchais. Tout en se résignant au départ, nombre de travailleurs ont tenu à signifier que c'était *malgré eux*, encouragés en cela par des inspecteurs du travail qui, de bouche à oreille diffusaient la consigne: « Ne signez pas. » Ce qu'ils firent. Au bas du certificat d'embauche qui leur était soumis, ils ont refusé d'apposer leur signature [1], perdant ainsi le bénéfice de la prime d'équipement fixée à 1 000 francs.

Marchais, au contraire, a signé et son contrat d'embauche et sa prime d'équipement.

Il y a une autre façon de considérer le cas Marchais. Un certain nombre de travailleurs ont tenu à leur retour en France à faire établir qu'ils avaient été contraints et, du même coup, à faire reconnaître leur qualité de déportés du travail.

Une législation a été adoptée à cet effet [2].

Une loi nº 51-538 du 14 mai 1951 relative au statut des « personnes contraintes au travail en pays ennemi », a créé le titre correspondant.

Une autre loi nº 50-1027 du 22 août 1950, concernant les « réfractaires », a créé le titre correspondant.

1. Cf. annexes.
2. Cf. J. O. du 16 mai 1951, p. 5019, et du 24 août 1950, p. 9046.

Questions à Marchais

Dès lors, deux questions peuvent être posées à Georges Marchais :

1. A-t-il déposé auprès du Service départemental des anciens combattants et victimes de guerre, un dossier afin d'obtenir le titre de « personne contrainte au travail en pays ennemi », et à quelle date ?

2. Puisqu'il affirme s'être évadé — action qui devrait lui valoir le titre de réfractaire — a-t-il dans les mêmes conditions déposé un dossier auprès du même service ? Et quand ?

A ces demandes — à supposer qu'elles aient été faites — comment a-t-il été répondu ?

Au cas, enfin, où il aurait été débouté, pourrait-il expliquer les motifs qui lui ont été opposés ?

Il convient à ce propos d'observer le curieux comportement de Marchais. Si Vieuguet et lui-même affirment qu'il s'est évadé — ce qui suppose qu'il s'est caché en France (où ? avec quels appuis ?), ni l'un ni l'autre à aucun moment n'ont utilisé le terme de *réfractaire* qui conviendrait pourtant tout à fait à ce cas.

C'est là un des aspects étranges de cette affaire.

D'autres énigmes

Hors de l'épisode allemand, il y a d'autres mystères dans sa biographie, moins spectaculaires peut-être, mais très intrigants.

Premier mystère : s'il est exact que Marchais a truqué sa « bio » comment a-t-il pu, en dépit de cette faute grave contre la discipline, accéder malgré tout au poste de secrétaire général du Parti communiste français ?

La réponse généralement donnée est que le Kremlin n'était pas mécontent de disposer d'un homme sur le compte de qui on détenait un dossier et qui, en conséquence, était « tenu ».

J'avoue que cette explication ne me convainc nullement. Une des lois du chantage — politique ou autre — c'est que le dossier dont on dispose sur quelqu'un, pour être efficace, ne soit pas rendu public. Dans le cas Marchais, il y avait un très gros risque que l'épisode allemand fût connu de « l'ennemi de classe ». Ce qui advint. Qu'il en résultât un certain scandale, préjudiciable au parti. Ce qui advint, au moins partiellement.

Mais il existait aussi un risque beaucoup plus grave : savoir que « l'ennemi de classe » possédant ce dossier, le gardant secret, tentât à son tour de faire pression sur Marchais.

Il est impossible que les services soviétiques n'aient pas envisagé ces éventualités. Il y a donc là une certaine énigme pour laquelle je ne connais pas de réponse vraiment satisfaisante.

Le second mystère concerne l'ascension foudroyante du petit métallo de Voisin et de Messerchmitt. La percée de Marchais s'effectue en effet *en cinq années décisives*.

En 1956, il n'est encore que le secrétaire de la Fédération Seine-Sud de son parti. Dès 1961 il accède au poste capital de secrétaire à l'organisation.

Poste périlleux : Celor, Lecœur, Servin en ont fait l'expérience. Mais c'est aussi le tremplin (cf. Thorez) vers la responsabilité suprême.

En moins de cinq ans, donc, Marchais a franchi les étapes : suppléant, puis titulaire au Comité central, puis membre du Bureau politique, puis membre du Secrétariat au poste décisif.

Cette carrière exceptionnelle est d'autant plus étonnante qu'elle ne se produit pas dans le parti jeune des années 20, le parti qui se cherche, qui cherche ses hommes, mais dans une organisation ossifiée, où les positions sont difficiles à conquérir, où les clans sont solides.

Dans la course au titre, Marchais supplante non seulement des hommes comme Duclos et Fajon, qui sont peut-être trop vieux, qui ont trop servi pour mériter le secrétariat général, non seulement des *apparatchiki* plus jeunes, mais chevronnés tels Mauvais et Léo Figuères, mais aussi bien des jeunes loups comme Plissonnier et Leroy qui, au départ, paraissaient mieux placés que lui.

Sans doute, Marchais est-il coopté. Il est un des protégés de la *famiglia* Thorez, et dit-on, particulièrement de Jeannette Vermeersch qui aurait encouragé sa carrière. Est-ce que cela suffit à expliquer qu'on lui confie la succession de Servin ? Ou bien faut-il croire que le poulain du couple Thorez ait été imposé par Moscou, et par qui, dans une année (1961) où Khrouchtchev connaît des difficultés sérieuses ?

Ce côté des choses n'est pas non plus éclairci. Nous pouvons seulement supposer que, dans les différentes étapes de sa montée vers le pouvoir à l'intérieur du Parti communiste français, les conseillers de Moscou ont dû surveiller et guider ses pas. Il n'est pas très vraisemblable de croire qu'il ait pu devenir secrétaire général sans que, dans l'entourage de Brejnev, on y ait consenti.

Son pouvoir est-il aujourd'hui menacé ? La récente entrée au secrétariat de Paul Laurent pourrait le laisser supposer. Mais il est encore trop tôt pour porter un jugement sur l'avenir d'une probable rivalité. Appuyé sur Vieuguet et Plissonnier, la position du secrétaire général semble rester solide.

Dans ses attaques contre lui, Garaudy et Tillon ont employé l'expression de « groupe Marchais ». Il y a vraisemblablement un groupe, mais c'est un groupe soviétisé. Garaudy avait particulièrement souligné l'influence de Jean Jérôme, trésorier occulte du parti.

Mais nous voyons autour de Marchais deux autres *apparatchiki* très typiques. Le premier s'appelle Jacques Denis, de son vrai nom Spiewak. Membre du Comité central, né à Metz, d'origine polonaise, Denis a commencé par être secrétaire général de la Fédération mondiale de la Jeunesse démocratique, dont le siège est à Prague. C'est un poste qu'a occupé aussi Guy de Boisson avant de devenir le directeur de la B.C.E.N. Poste de toute confiance qu'on n'obtient pas sans avoir donné des gages aux Soviétiques.

Le second conseiller de Marchais s'appelle Jean Kanapa. D'origine russe, né en France, cet agrégé de philosophie que Sartre dans un moment d'agacement traita de « crétin », a été le majordome de la « jdanovisation » à la *Nouvelle Critique*, dans la période 1948-1953. Nul n'était alors plus féru que lui en matière de dogmatisme. Le règne idéologique de Kanapa coïncida avec l'apologie du « lyssenkisme », l'éloge éperdu de Staline, la thèse délirante des deux sciences (science bourgeoise et science prolétarienne), la lutte contre les déviations et autres monstruosités. Puis Staline passa. Khrouchtchev arriva, passa à son tour. Puis Brejnev émergea et se consolida. Et Kanapa surnagea.

Il n'y a pas aujourd'hui de négociation avec les Soviétiques, sans que Kanapa soit présent. Successeur de Guyot [1] pour les relations avec les partis frères, il est en somme le ministre des Affaires étrangères du Parti communiste, à moins qu'il ne soit l'ambassadeur officieux de Brejnev auprès de Marchais.

Thorez régna, flanqué des années durant de Fried et de Ceretti. Encadré par ses deux tuteurs, Spiewak et Kanapa, Marchais n'est-il pas dans une situation similaire ? Les « nouveaux communistes » dont on nous parle tant aujourd'hui ont tout de même un air de déjà vu.

1. Que les Soviétiques dans les derniers temps ne voulaient plus voir, car il était le beau-frère de London.

Conclusions

A TROIS REPRISES, LE PARTI COMMUNISTE A EU L'OCCASION DE S'EMPARER du pouvoir.

La première fois, en juin 1940, il a été gagné de vitesse par l'Histoire qui avançait à l'allure des Panzer.

La seconde opportunité s'est offerte à la Libération. Le parti, appuyé sur les F.T.P. avait les moyens militaires de s'imposer. La conjoncture internationale et sa propre situation interne lui ont interdit de s'en servir.

La troisième fois — mai 1968 — le pouvoir est vacant pour quelques heures. Mitterrand le réclame. Il suffit de s'en emparer. Le parti, sur directive de Moscou, ou simplement parce qu'il sait que Moscou désapprouvera, refuse de s'en saisir.

C'est sans doute aussi que sa tactique d'approche du pouvoir a déjà changé.

S'agit-il là d'échecs? Pas à proprement parler. A aucun moment, on ne peut affirmer de façon catégorique que le parti a voulu, encore moins tenté, une opération de type insurrectionnel. On peut soutenir en revanche que son état-major a manqué de décision et, à trois reprises, raté son rendez-vous avec l'Histoire. C'est en ce sens que s'exercerait la critique gauchiste : le parti s'est embourgeoisé, il a démontré son inaptitude révolutionnaire.

Mais il est probablement plus juste d'admettre qu'une organisation qui se perpétue depuis plus de cinquante ans et qui, à trois reprises, aurait pu bouleverser avec violence le destin du pays, détient une puissance redoutable.

Considérons-la après cinquante années d'exercice.

Elle a pour elle le nombre (environ cinq millions d'électeurs); une emprise relative mais solide sur une partie de la classe ouvrière, grâce à la C.G.T.; un rayonnement mêlé de terreur dans les milieux intellectuels;

une représentation au Parlement qui s'est améliorée après des vicissitudes ; plus importante et plus suivie dans les conseils municipaux ; le militantisme de ses partisans, véritable armée, encadrée par des permanents expérimentés, dont le nombre excède de loin ce que tout autre parti peut aligner ; une presse, en difficulté, amoindrie sensiblement par rapport aux années fastes de la Libération ; une foule d'organisations annexes (quelque 250)...

Ceci, c'est la face visible du parti communiste. Elle ne s'explique que par l'autre face, occulte. Elle seule donne au P.C.F. ses traits typiques, lui confère son originalité profonde, lui a permis de triompher d'épreuves redoutables, et fait de lui une formation de combat inégalée.

A quoi cela tient-il ? Au fanatisme certes de ses militants. C'est le parti d'un extrême courage et d'une extrême lâcheté. Courage devant l'ennemi de classe ; lâcheté devant les instances supérieures quand elles se transforment en tribunaux.

Ce type d'homme ne s'est évidemment pas improvisé. Il est le fruit de 75 années d'expériences, commencées avec Lénine, transmises d'un parti à d'autres, et à travers des générations. Il a été sélectionné et fabriqué dans des écoles qui conservent un caractère secret, le bolchevisme dans son ensemble étant la plus remarquable école de guerre du XXᵉ siècle.

Parmi les hommes que nous avons vus agir dans cette histoire, il convient sans doute de distinguer ceux qui apparemment tiennent les grands premiers rôles, et ceux qu'on pourrait appeler les « deuxièmes couteaux ». Les premiers ne sont peut-être pas les plus remarquables.

Au niveau des dirigeants, le Kremlin a manifesté une méfiance tenace pour les fortes personnalités. Il a tenu à l'écart ou cantonné dans des postes honorifiques des hommes de talent comme Cachin, Gabriel Péri, Vaillant-Couturier (ce dernier a toutefois rempli des missions secrètes), comme Pierre Hervé ou Renaud Jean qui avait son franc-parler. Le tempérament puissant de Doriot le vouait à une exclusion, un jour ou l'autre inévitable.

Les hommes qui tiennent ou qui ont tenu les leviers de commande sont des demi-intellectuels. Ce qu'ils ont appris ils l'ont découvert la plupart du temps dans les moules du parti. Cela leur donne des certitudes tranchantes. Les intellectuels sont presque toujours refoulés à des postes subalternes ou décoratifs.

Dans ce parti, les « seconds plans » jouent un rôle important. Ceux-ci sont des hommes d'*appareil* et de mystère. Le représentant le plus typique de cette catégorie est probablement Maurice Tréand. Dès que la clandestinité commence, il devient un homme clé, c'est lui qui est chargé du premier contact avec les Allemands en juin 1940. Quand le cours de l'Histoire se renverse, il est mis sur la touche. Il entre en silence, comme on entre dans les ordres : il en souffre, il n'en sortira plus jusqu'à sa mort. Voilà un *apparatchik* !

Pierre Provost, Arthur Dallidet, Francine Fromont (cette jeune communiste d'Ivry expédiée elle aussi dans une école à Moscou). Georges Gosnat (le trésorier officiel), Jean Jérôme (le trésorier occulte) Pierre Georges, Danielle Casanova, Ceretti, Ouzoulias, Rebière, Pauriol sont des hommes et des femmes de cette trempe. Et aussi ceux des réseaux commerciaux.

Il est arrivé aussi que certains membres de la direction aient participé à ces activités occultes. Duclos était de ceux-là. Si, sous l'occupation, il devient le chef du parti clandestin, ce n'est pas un hasard, c'est que dans la période d'avant-guerre, il a acquis une certaine technique.

Cette technique est importée de l'étranger. L'intrusion de l'étranger ne se manifeste pas seulement par une adhésion à des objectifs communs, mais par une rencontre et une coopération permanentes au sein de l'*underground*.

Il y a d'abord les liens que crée l'argent. Cette dépendance, nous l'avons retrouvée tout au long de cette histoire comme un fil d'or continu. Il serait assurément absurde de vouloir expliquer la réussite du parti uniquement par l'argent. En cinquante-quatre ans, toutefois, le parti a certes connu des difficultés financières, mais jamais de catastrophes. Ce qui est assez extraordinaire pour une si vaste entreprise, exposée à tant d'aléas. Qui croira que le P.C.F. dissous pendant près de cinq ans, traqué, ait pu survivre grâce aux seuls dons des militants dispersés, souvent désemparés, privés en tout cas de contacts avec les quêteurs ? Et pourquoi jamais un mot pour nous éclairer sur la façon dont l'argent venait au parti entre 1939 et 1945 ? Pourquoi Tillon, quand il est sanctionné, c'est-à-dire en 1952, n'a-t-il pas encore rendu de comptes sur sa gestion financière, soit *au bout de huit ans* ? Et pourquoi, puisque le P.C.F. a été tellement suspecté sur ce chapitre, tellement attaqué, conserve-t-il toujours, ainsi que la C.G.T. un compte ouvert à la B.C.E.N., à la banque des Soviets ? Alors qu'il lui serait si facile de domicilier son argent ailleurs que dans un établissement étranger.

Les hommes de Moscou ont au moins une importance aussi grande que son or. Humbert-Droz, Manouilski, Williams, Mikhaïlov, Harry, Dridzo, Losovski, et le spécialiste de l'espionnage Muraille, le premier vrai patron d'un Orchestre rouge en France, autant d'anges gardiens qui ont veillé sur l'essor du parti. On pouvait penser qu'ils avaient pour seul objet de faciliter un enfantement, de communiquer un certain nombre de conseils et de recettes. Mais c'est justement quand le parti, selon la théorie officielle, devient adulte, quand il a terminé sa maladie infantile, sectaire et gauchiste, quand il a viré sa cuti, en plein Front populaire, que Fried est là, installé à demeure.

Et, aujourd'hui encore, flanquant Georges Marchais, nous trouvons ces deux managers dont la nationalité reste ambiguë, sinon par l'état civil, du moins quant aux intentions : Kanapa et Spiewak. Hier il y avait Ceretti.

L'étranger pénètre le P.C.F. Il est intégré à ses structures. Qui contrôlait hier encore ses finances ? Jean Jérôme. Et pendant l'occupation, le parti clandestin aurait-il pu tenir sans le concours de la M.O.I. ? *Apparatchiki* français, *apparatchiki* étrangers forment ainsi comme un tissu dont les fibres s'entrecroisent.

Le vrai parti, son noyau irréductible, sa garde, les voilà.

Nous avons vu apparaître des hommes qui n'ont d'équivalent dans aucune autre organisation, qui ne l'ont jamais eu, même au temps du nazisme, ou du fascisme.

C'est grâce à ces noyaux que le parti a pu assurer une continuité dont il tire dans une très large mesure sa force. Une organisation comme le P.C.F. a pu expérimenter tour à tour la tactique classe contre classe, puis celle du front unique et du Front national, de la main tendue aux catholiques, emprunter les masques du patriotisme et du défaitisme, s'adapter aux exigences de la clandestinité, et se montrer en apparence respectueuse de la légalité bourgeoise, opérer des tournants brusques et surmonter les crises qu'ils engendrent. Quel autre parti en France aurait pu *avaler* tout cela ?

Si l'on considère le rendement de cette machine, on constate qu'elle a absorbé un carburant humain considérable. Des centaines de milliers d'hommes sont passés dans ses rangs et en sont sortis, exclus ou démissionnaires. Cependant la solidité de l'encadrement a permis de remédier à ces pertes de substance. Les dissidences n'ont pas mordu réellement. La plus redoutable en définitive, a été celle de Doriot en 1934.

Mais seul le courant troskiste a réussi, vaille que vaille et au travers d'interminables disputes, à maintenir une organisation révolutionnaire parallèle, à vrai dire très marginale.

En dépit de ses tournants brusques et de ses volte-face, le parti a tenu. Il le doit assurément à la cohésion de ses appareils. Ils enferment les militants les mieux éduqués, dans un monde entièrement à part, dans ce qu'on a appelé parfois une contre-communauté.

Au cours des cinquante-quatre ans d'histoire du P.C.F., ces appareils eux-mêmes ont parfois évolué : l'*Agit-Prop* a été amené à renouveler ses thèmes. L'appareil « anti », on peut se demander ce qu'il signifie en 1974. Sa dernière manifestation *visible* remonte au putsch d'Alger. On peut croire que le parti entretient toujours des noyaux dans l'armée. Mais son agitation est devenue bien discrète. Elle est relayée ici par les groupes trotskistes de Krivine qui mènent une campagne antimilitariste, comparable, par sa virulence, à celle des années 20. On peut observer à ce propos que les communistes savent très bien faire la part du feu au gauchisme. Dans l'enseignement, dans l'armée, le gauchisme révolutionnaire sape les institutions, le moral, accumule les décombres. Sur ces ruines, le communisme s'avance, comme un nouvel ordre. Ses propagandistes tentent une O.P.A. sur les cadres de l'armée. Ils s'efforcent de les convaincre que leur situation matérielle sera préservée dans la future société socialiste et aussi que face aux enragés, le parti est un facteur de discipline.

L'appareil militaire clandestin apparaissait redoutable en 1945. Pour la première fois, le P.C.F. avait à sa disposition une véritable armée. Que vaut-elle aujourd'hui ? Nombre d'anciens F.T.P. déçus par la passivité du parti, se sont écartés. Des autres, on peut penser qu'ils ont vieilli.

Cependant, il est logique de penser que le P.C.F. a maintenu un système d'auto-défense.

Le temps de l'espionnage appartient-il à la période infantile du parti ?

Après la guerre, on a trouvé des militants communistes compromis dans des affaires de renseignements (affaire Teulery, affaire de Toulon, affaire des fuites...) Il est juste toutefois de dire que depuis une vingtaine d'années, les militants impliqués dans une affaire d'espionnage sont fort rares. Tenant à présenter la façade de la respectabilité, le parti veille à ne pas compromettre ses hommes dans des opérations dangereuses. Aussi, les gens qui sont pris dans des activités relevant du S.R. d'U.R.S.S. ou des démocraties populaires, sont-ils ou bien des mercenaires, ou des personnes sur qui on a pu exercer un chantage, ou des « Hors Cadres », comme Pâques.

Cette évolution est très typique d'une conversion vers des objectifs différents de ceux de l'avant-guerre.

Le parti va se préoccuper de s'infiltrer dans des milieux où avant guerre, il n'avait pour ainsi dire pas accès : les mass média, les associations de parents d'élèves, les administrations, les hauts fonctionnaires, les magistrats, les policiers, l'armée, l'Église, les cadres, même les milieux financiers ou industriels. Ce ne sont pas toujours des tentatives couronnées de succès, mais, patiemment, les communistes s'efforcent de nouer des contacts, d'établir un dialogue, de constituer une tête de pont, si faible soit-elle. Ces essais d'« entrisme » systématique, ces approches, ce souci de se faire admettre là où l'on aurait été autrefois honni, constituent les plus sûrs acquis des communistes français dans la phase post-Libération. Presque partout, ils ont réussi à trouver des concours. Et parfois, nous l'avons vu, vrais parasites, ils vivent des subventions de l'État qu'ils combattent.

Ainsi vont-ils rendre singulièrement délicate toute contre-attaque sérieuse, menée contre leurs entreprises.

Le parti a-t-il, pour autant, changé, au sens où il faudrait entendre qu'il a dépouillé le vieil homme stalinien ? Périodiquement, on nous l'assure.

Ces changements qui intéressent l'opinion française (et les autres formations politiques) touchent à deux domaines : la démocratisation et le caractère national.

Pour le premier point, le parti a pu faire subir à ses statuts quelques retouches, et donner à ses instances une physionomie un peu plus libérale, il n'en est pas moins demeuré, fondamentalement, le même : régi par le centralisme démocratique, c'est-à-dire par un système où le centre est tout et la démocratie rien.

Sur ce point, les choses sont claires et dites (sans équivoque — pour qui veut se donner la peine de lire — et par Marchais en personne, récemment). Constatant que la vie du parti nécessitait la participation active et consciente du plus grand nombre, le secrétaire général s'empressait d'ajouter :

« Cela ne signifie pas qu'il faille, comme certains nous y invitent, organiser la vie du parti, comme nous préconisons d'organiser la vie dans une France socialiste. » (*L'Humanité*, 22 mars 1974).

Ce qui signifie que la démocratie est un article d'exportation.

Rien d'essentiel n'a changé non plus dans la nature des liens avec l'U.R.S.S. Jusqu'au second tour de l'élection présidentielle, le seul signe d'un désaccord officiel a été une déclaration du Bureau politique en 1968, exprimant sa *réprobation* de l'intervention soviétique en Tchécoslovaquie.

Elle n'a pas eu de suite. Et concernant le chapitre de l'*antisoviétisme*, des articles de Serge Leyrac et de Kanapa ont montré que le parti entendait rester vigilant dans ce domaine, particulièrement au moment de l'exil de Soljénitsyne.

On peut certes invoquer la protestation du Bureau politique à la suite de la visite de l'ambassadeur Tchervonenko chez Giscard, en pleine campagne présidentielle, au début du second tour. Il est trop tôt pour se prononcer à ce sujet, ainsi que sur les circonstances de cette démarche, qu'aurait organisé un habile et discret personnage, déjà spécialisé dans ce genre de contacts, sous Laval, puis sous Pinay. De toute façon, l'opération est payante. En jouant Giscard, le Kremlin a bien joué, puisqu'il a choisi le vainqueur. Et en même temps, la protestation du Bureau politique permet de dédouaner le P.C.F. aux yeux de l'opinion.

Sans doute les rapports entre les dirigeants du P.C. soviétique et du P.C.F. ne sont-ils plus tout à fait les mêmes qu'à l'époque du Komintern, puis du Kominform. Mais à croire que la pression soviétique dans les affaires de sa section française a diminué, on est conduit à oublier que l'intervention soviétique dans les affaires françaises s'est accrue.

La volonté évidente de Moscou de ne pas envenimer les choses en mai 1968, la préférence manifeste pour Pompidou contre Poher, le choix de Chaban, puis de Giscard, préférés à Mitterrand, montrent que le Kremlin est devenu un facteur de régulation discrète de la politique intérieure française. Si le gouvernement en vient à trop marquer ses préférences pour une politique nettement européenne, s'il est soupçonné de vouloir ressusciter l' « atlantisme », alors, il peut craindre que Brejnev n'encourage Marchais et Séguy à susciter grèves et désordres. Inversement, moyennant certaines concessions dans le domaine diplomatique, il peut espérer obtenir une pause dans l'agitation sociale et politique.

En attendant d'accéder au pouvoir — il vient de manquer de peu un nouveau rendez-vous — le Parti communiste français, joue le rôle d'un groupe de pression téléguidé de l'étranger. Il a beaucoup moins changé qu'on ne voudrait nous le faire croire. Et il reste en France le seul exemple d'un parti qui, en un demi-siècle, a su consolider sa redoutable puissance.

L'auteur tient à exprimer ses vifs remerciements à tous ceux qui, par leurs témoignages et les documents qu'ils lui ont transmis, ont contribué à l'élaboration de ce livre.

ANNEXES

Annexe n° I. MARTY-BADINA

1. Trois notes de Marty

Copie de 3 notes appartenant ou présumées appartenir à M. Marty.

Note I : 1, Grande loge de France, 8 rue Puteaux XVII°.
  Président ou un des secrétaires généraux
  2) C. G. T.
  3) Ligue des droits de l'homme et du citoyen.

Note II : Bébert — 1 tous les jours jusqu'à épuisement des volontaires si nombre insuffisant (110°), forte action sur les hésitants; leur parleras moi-même. L'action est commandée par Paris : insister dessus.

                                        Jules

Note III : Bébert. Il y a à bord des casques p. les avions. Tâche de savoir combien ils sont. — Renseigne-toi sur l'emplacement des munitions pour fusils, revolvers et mitrailleuses. Sur les armes que peuvent avoir les seconds et l'équipage. — Je dis à Charles de tâter [1] D. sinon nous combinerons la force [1] Il doit tâter [1] Bre et Toulon. Je lui demande d'étudier Mori et Aujoua. Le Goff et le T. S. F. castor se faisaient ce matin des confidences, je pense à mon sujet.

                                        Jules

[1] mots douteux.

                Pour copie conforme :
              L'officier de police judiciaire
                  Signé : Derrien.

Note de l'officier de police judiciaire
M. Marty reconnait avoir écrit le 1er billet.
Pour le 2e et le 3e il reconnait son écriture mais il nie avoir écrit ces billets

                          Signé : Derrien.

Annexe n° 1 (suite).

2. Lettre de Badina à Maître Maurice Paz.
(Badina a, par erreur, daté sa lettre
du 8 janvier 1920. En réalité, elle est du 8 janvier 1921.)

PRISON MARITIME Toulon, le 8 Janvier 1920

EXTRAIT DU RÈGLEMENT

Les détenus ne peuvent écrire que tous les 8 jours.

Ils ne peuvent correspondre qu'avec les autorités, leurs proches parents ou tuteurs.

Ils ne doivent s'entretenir que de leurs affaires de famille et s'abstenir de tout ce qui est étranger à leur position.

La correspondance est lue à l'arrivée et au départ.

Les condamnés ne peuvent être visités qu'une fois par semaine, le dimanche de 13 h. 15 à 13 h. 45

Ils ne reçoivent ni vivres, ni effets, ni cartes postales illustrées.

Les prévenus sont visités les dimanches et jeudis de 14 h. 15 à 14 h. 45.

Les visiteurs ne peuvent apporter des vivres.

Il est interdit d'introduire plus d'un timbre-poste dans chaque lettre adressée aux détenus. Ceux-ci ne peuvent recevoir des fonds que par mandat-poste.

Maître Maurice Paz
Avocat à la Cour
19. Rue d'Aumale. 19
Paris

Maître.

J'ai reçu votre lettre du 8 courant et vous fais savoir de ne pas faire de démarches. Maître Berthy est venu me voir deux fois à la Prison Maritime; on lui a communiqué le contenu et si la situation est claire à mon sujet, elle n'est malheureusement pas la même pour cet idiot de Marty.

Marty cet homme qui n'a obéi qu'à son ambition s'est comporté en homme jusqu'au moment de son arrestation mais dès cet instant je ne sais à quel sentiment il a pu obéir — il est un fait capital, c'est qu'il est devenu le traître de la Mer Noire.

Annexe nº 1 (suite).

Ce n'est plus un homme, ce n'est même pas un lézard, ni un serpent, c'est un monstre.

Tous les marins seront non pas comme témoins à charges mais donneront textuellement ce que je leur ai dit comme ils l'ont fait en contumace.

Marty a vu ces galons disparaître dès mon arrestation et il s'est dit : "Je coule mais mon ennemi qui en ... coule coulera avec" – Pourquoi n'a-t-il pas fait rappel ? Welélé et Marty sont franchis qu'ont-ils fait ? des points obscurs sautent aux yeux du Commissaire Rapporteur.

Mon régime de détention s'améliore.

Toutes ces embrouilles loin de m'écraser, malgré les dires de Marty, m'enlèvent une grande quantité d'épines, le seul tord que j'ai eu, c'est de ne pas avoir fait plus tôt ce que j'ai dit à Moliné : "le balancer à la baille" –

Je termine, dans l'espoir que ma lettre vous trouve rétabli et en vous assurant ... D. Darbus

Annexe n° 2.   QUAND L'HUMANITÉ PUBLIAIT SES COMPTES

Extraits du Rapport des Délégués du Parti
au conseil d'administration et de Direction de l'Humanité
au Congrès national de Paris.

— 5 —

HUMANITÉ

Compte d'exploitation du 1ᵉʳ Janvier au 30 Juin 1922

RECETTES

Hachette et Cⁱᵉ...................	1.371.688 75	
Coopérative des porteurs..........	805.048 25	
Dépositaires	257.984 36	
Vente guichet....................	2.345 49	
Abonnements	360.772 05	
Publicité	288.306 20	
Vente bouillons	46.833 16	3.132.978 26

DEPENSES

Papier	1.050.013 41	
Imprimerie	437.847 25	
Photogravure	34.963 95	
Frais généraux..................	73.402 10	
Service abonnement..............	31.762 13	
Rédaction et frais..............	319.929 50	
Administration et frais.........	93.278 53	
Départ	133.062 62	
Inspection Paris................	16.043 30	
Inspection Province.............	11.513 62	
Frais de développement..........	23.151 85	2.224.968 26

Résultat d'exploitation....   908.010 »

TIRAGE

	Annee 1921	Annee 1922
Janvier	5.347.473	5.118.770
Février	4.833.140	4.541.970
Mars	5.986.532	4.988.010
Avril	5.413.370	4.838.350
Mai	5.949.310	5.066.030
Juin	5.628.510	4.817.350
Juillet	5.537.960	5.079.270

Annexe nº 2 (suite).

— 6 —

MOYENNES DE VENTE JOURNALIÈRE EN 1921

Paris :

	Janvier	Février	Mars	Avril	Mai	Juin
Dépôts	44.752	43.815	43.917	38.992	43.440	38.263
Métro-Gares	6.672	5.512	6.753	5.892	6.289	5.634
Banlieue	22.735	21.892	23.587	22.000	26.700	23.300
Gares Province..................			Pas de statistique.			
Dépôts : Province et Etranger	52.572	51.231	51.536	52.017	54.355	51.046
Abonnements	15.935	15.846	15.470	14.942	14.170	14.251

COMPTE D'EXPLOITATION DES 6 PREMIERS MOIS 1922
MOYENNES DE VENTE JOURNALIÈRE

Paris :

	Oct.	Nov.	Déc.	Janv.	Fév.	Mars	Avril	Mai	Juin
Dépôts	36.826	33.381	32.105	33.087	30.735	31.784	34.193	33.506	30.396
Métro-Gares	5.345	5.702	5.270	5.750	5.330	6.078	5.303	5.261	5.132
Banlieue	21.126	21.207	19.427	19.508	19.807	19.665	20.608	21.251	20.831
Gares Province	4.827	4.651	4.832	4.384	3.972	3.963	4.306	4.129	4.164
Dépôts : Province et Etranger	45.638	46.340	46.461	54.571	44.491	42.180	42.704	44.087	43.905

ABONNEMENTS

	Paris, Seine et S.-et-Oise	Départ.	Etrang.	Totaux
Janvier	2.512	9.429	506	12.447
Février	2.523	9.365	438	12.326
Mars	2.444	8.891	449	11.784
Avril	2.325	8.995	431	11.751
Mai	2.269	8.896	404	11.569
Juin	2.253	8.789	400	11.442

Il ne s'agit là, bien entendu, que d'un compte provisoire, car un compte d'exploitation ne peut être établi véritablement que pour la durée complète de l'exercice. Il s'agit bien, d'autre part, de « compte d'exploitation », et non de « bilan », permettant d'établir le bénéfice réel. La balance du compte d'exploitation ne nous fournit que des résultats bruts qui devront subir, pour permettre de dégager le bénéfice net. une série de réductions pour : amortissement mobilier, matériel, comptes débiteurs : réserve légale ; réserves commerciale ou spéciale : service éventuel des intérêts au capital-actions, etc...

La Congrès nous pardonnera ces précisions, mais il est indispensable de prévenir les illusions qui paraissent avoir joué un certain rôle au Congrès de Marseille.

Les décisions du Congrès de Marseille ont été prises, en grande partie, sous l'impres-

Annexe nº 3. CIRCULAIRE DU RAYON DE VALENCIENNES CONTRE LA CANDI-
DATURE DE MAURICE THOREZ AUX ÉLECTIONS LÉGISLATIVES
DE 1928

CONTRE-PROPOSITIONS DU RAYON DE VALENCIENNES
SUR LES CANDIDATURES AUX ÉLECTIONS LÉGISLATIVES

Examen de la situation electorale

Nos-buts.-

La période électorale doit nous permettre de faire
une profonde campagne d'agitation et c'est le but primordial que nous
devons envisager, par incidence cette campagne nous donnera un deuxième lancement de l'"ENCHAINE", d'autre part, s'il ne parait pas
probable: qu'un de nos candidats puisse être élu, c'est cependant
une éventualité qui ne doit pas être rejetée, et nous devons composer notre liste en conséquence.

Dans une région aussi organisée et éclairée que
la nôtre, l'expérience du Bloc des Gauches et de la collusion
des chefs socialistes avec la bourgeoisie a eu une grosse répercussion
sur les masses prolétariennes.
Nombreux sont les ouvriers socialistes qui commencent
à comprendre jusqu'à quel point était fausse la route qu'on leur
a fait suivre et le Parti S.F.I.O. a subi une légère diminution du
fait que des éléments de gauche désabusés, ont quitté les rangs du
Parti. Nous pouvons croire que nous avons gagné en influence ce que
les chefs socialistes ont perdu, et il n'est pas trop osé d'espérer
que malgré les abstentions certaines, non seulement nous conserverons
nos positions, mais encore nous les améliorerons sensiblement.
Le Parti S.F.I.O. a désigné ses candidats, et le
fait même que DELCOURT et SALENGRO ont été indiqués avec quelque 3
mille voix de moins qu'INGHELS prouve que les éléments ouvriers du
Parti se sont prononcés pour ce dernier de préférence aux deux autres.
Nous devons donc considérer INGHELS comme notre
adversaire principal et il est essentiel de lui opposer un de nos
camarades choisi parmi ceux qui sont le plus connu et le plus estimé
de la classe travailleuse.

- PROPOSITIONS -

Nous pensons que SADOUL, révolutionnaire de fait,
en but à toutes les attaques de la bourgeoisie pourra réunir sur
son nom les voix de tous les sympathisants et aussi celles de
nombreux socialistes qui, par réflexe de défense, se grouperont
autour du candidat ouvrier le plus attaqué. Et il est certain
que l'exaspération des classes bourgeoises sera si grande qu'elles
en oublieront d'attaquer les S.F.I.O. et porteront tous leurs efforts
contre SADOUL.
Nous estimons d'autre part que la candidature de
notre camarade DUPONT emprisonné sur la dénonciation d'un maire
socialiste peut permettre une campagne efficace contre les
gouvernements de répression et contre les socialistes qui se font
leurs alliés
Enfin, et pour contrebalancer l'influence qu'INGHELS
aurait pu garder sur les anciens ouvriers du P.O.F., nous proposons
la candidature d'un vieux camarade ayant participé aux luttes des
temps héroïques du Parti ouvrier Français, à titre d'indication nous
avançons le nom de BAUVOIS de FRESNES, vieux militant de toujours,
parfaitement à même de soutenir n'importe quelle controverse et
qui d'ailleurs a déjà été proposé comme candidat par les ouvriers
de la région en 1924.
Sans dénier en aucune façon, les mérites des candidats proposés par la région, nous estimons que le Parti pourrait
présenter autre chose que trois fonctionnaires du Parti ou des syndicats.

Annexe nº 3 (suite).

- 2 -

Nous disons que:

I° - THOREZ a perdu une grosse partie de sa popularité dans le Nord par suite de son départ à PARIS et qu'il est indispensable à la Direction du Parti.

2° - Que F. BONTE doit rester rédacteur en chef de l'"ENCHAINE" puisqu'il a le courant de ce travail, et que s'il était élu il ne pourrait assurer le cumul des fonctions de député et rédacteur en chef de l'"ENCHAINE, ce qui nécessiterait la mise au courant d'un autre camarade, ce qui nuirait au bonnfonctionnement du journal qui n'est déjà pas parfait actuellement.

3° - Que GILBERT DECLERCQ, prisonnier politique libéré, doit être remplacé par un prisonnier politique encore sous les verrous.

Nous invitons fraternellement toutes les cellules à examiner conjointement aux propositions de la Région, les suggestions que nous venons d'exposer et nous déclarons, à l'avance, que nous nous inclinons, comme il se doit devant les décisions de la majorité.

Cellules wagons-lits MARLY. - Maroc MARLY. - Locale MARLY. - Chantier des mines ANZIN. - P.T.T. VALENCIENNES. - Fosse Bleuse-Borne ANZIN. - Fosse Dutemple LA SENTINELLE. - Escaut et Meuse ANZIN - Trois Faubourgs VALENCIENNES - VALENCIENNES Centre-BARBIER ONNAING etc..,etc...

Annexe n° 4.   UNE « BIO »

Réponse à un questionnaire biographique
modèle d'avant-guerre. Certains noms qui figurent
sur ce questionnaire ont été modifiés.

AUTOBIOGRAPHIE

Mérinas René, 49, avenue de La Motte-Picquet, Paris-7ᵉ.
Né le 7 novembre 1901 à Paris.
Comptable, employé Crédit Commercial de France (Service Bourse).
Actuellement contrôleur cinéma.
Précédemment Agent Commercial (spiritueux vins) durant 5 ans.
Co-Directeur cinéma de l'U.R.S.S. à l'Exposition de 1937.
Actuellement Théâtre des Ambassadeurs — Salaire 250 F par semaine.
Salaires antérieurs de 1 000 F à 2 000 F.
J'ai commencé à travailler fin 1917.
Mon père est retraité transports en commun et ma mère S.P.
Ils vivent de leur retraite, mon père travaillant de temps à autre sur les hippo-dromes comme contrôleur.
Aucune liaison, ils vivent seuls. Leurs opinions : sympathisants du Parti.
Lisaient *Le Populaire* jusqu'à ces dernières années, maintenant prennent *L'Huma*.
Ma femme, née Marthe Marceau, employée de bureau, actuellement chô-meuse. Elle n'est pas du Parti (santé délicate) mais elle travaille pour nous :
« vente de l'Huma », travaux de dactylo pour la 7ᵉ Section de Paris-Ville, etc.
Elle est résolument communiste et a suivi des cours élémentaires et, par autori-sation spéciale, la dernière école de cadres de la 7ᵉ section.
Son frère est actuellement combattant en Espagne.
Née de famille ouvrière. Père égouttier, Gabriel Marceau, sympathisant du Parti, bien connu dans le 15ᵉ arrondissement. Mère décédée. Adresse du Père :
55, rue de la Fédération; nous n'avons plus de contact depuis 9 ans.
Aucun enfant.
A ma connaissance, dans ma famille, aucun membre de Parti ennemi.
Un cousin à moi est agent de police; aucune relation suivie avec nous. Je l'ai vu deux fois en quatre ans, chez mes Parents à l'occasion de Fêtes.
Nous vivons seuls et mes relations se bornent aux camarades de la section.
Exception faite pour la sœur de ma femme dont je parlerai plus loin.
Dans l'armée, simple soldat, ayant fait mon service dans la musique, mobili-sable dans l'aviation.
Situation dans le Parti. Je n'ai jamais appartenu à aucun Parti avant d'entrer au P.C., ni à la Franc-Maçonnerie. Par contre, j'étais adhérent au Secours rouge.
Je suis entré au Parti en janvier 1936 sans aucune recommandation. J'appar-tiens à la cellule 703, section du 7ᵉ arrondissement de la Région Paris-Ville, carte Nᵒ 6924.
Étant donné les professions successives que j'ai occupées (plus une période de chômage) j'ai toujours milité sur la base locale, et cela sans interruption de 1936 à aujourd'hui. Aux conférences de Section de fin 1936, 37 et 38. J'ai été élu Membre du Comité, et les mêmes années, Membre du bureau de la Section.

Délégué aux Conférences régionales Paris-Ville 1936 et 1937, Membre de la Commission Politique de cette dernière Assemblée.

Actuellement chargé du recrutement par la Direction de la Section (réunions de sympathisants) contrôle et vie des cellules; organisation des descentes et création de cellules d'entreprises; je n'ai fait partie d'aucune opposition.

Pour Souvarine-Barbier-Celor et Cie... je n'étais pas au Parti. Je n'ai ni fait partie d'un groupe, ni eu aucune liaison avec les trotskystes; aucun ami chez eux.

Ce que je pense des Trotskystes? A l'origine plate-forme politique fausse. J'approuve pleinement les décisions du XVᵉ Congrès du P.C. de l'U.R.S.S. Il était forcé dès ce moment, qu'ils se liquident en tant que mouvement politique et fassent une politique d'expédients.

L'application de leur tactique, c'est la mort du Front Populaire, l'isolement du prolétariat. Il est clair que cette tactique fait trop bien la joie du capital, pour que les chefs ne soient pas des corrompus (expérience d'Espagne entre autres). Je reviens maintenant sur le cas de ma belle-sœur dont j'ai parlé plus haut.

Fabienne Marceau, 31 ans, propriétaire. Beaucoup de relations, doit se marier avec un M. B..., sympathisant « fasciste »; elle-même sympathisante du Parti, mais confusionniste et instable. Elle suit toutes nos fêtes et donne beaucoup au Parti. On avait songé à utiliser son adresse dans certains cas, mais j'ai fait annuler par le Parti. Elle reçoit *La Révolution prolétarienne*, probablement parce qu'elle a assisté à une réunion trotskyste, mais aucune liaison.

Aucune liaison avec Ferrat, que faire ou éléments similaires.

Je n'ai pas été exclu du Parti, ni d'aucune organisation révolutionnaire et n'ai encouru aucune sanction depuis mon entrée au P.C. J'ai été plusieurs mois (et suis encore) responsable du recrutement sur la base de la 7ᵉ section. Nombre de réunions de sympathisants, une quarantaine environ, qui ont apporté entre 85 et 95 membres.

Recrutement individuel — 5 adhésions.

J'ai été trésorier du S.R.I. dans le 7ᵉ en 1935; je n'ai jamais eu aucune histoire d'argent; j'ai participé aux deux grèves de la Banque en 1919 et 1925; la deuxième valut mon renvoi; j'ai été délégué pour un service, 140 femmes que j'avais entraînées à faire la grève. Mon rôle était pratiquement nul, agent de liaison, aucune expérience syndicale.

Par contre, en juin 1936, j'ai été délégué avec François le Maconnais, secrétaire de la 7ᵉ Section pour aider effectivement les entreprises en grèves dans notre arrondissement (j'étais chômeur à ce moment).

Les entrepreneurs du B.M. (rue du Bac) ont tenu, grâce à nous, deux mois et ont pu obtenir deux mois d'indemnité. Alors que la C.G.T. s'était à peu près désintéressée de la question parce que la grève avait été lancée inoportunément par Marceau Pivert lui-même.

Instruction et développement intellectuel.

J'ai fait mes études successivement : rue Vulpian, reçu 1ᵉʳ au certificat d'études du 13ᵉ arrondissement; un an d'école complémentaire rue Moulin-des-Prés, deux ans École Supérieure Arago. Je n'ai pu terminer les Hautes Études Commerciales à cause de la guerre et j'ai commencé à travailler. Je n'ai naturellement reçu aucune éducation politique à l'école. Ma famille et mes relations comportaient une majorité d'ouvriers ou de « gars de gauche », pour le reste je me suis instruit moi-même (matérialisme, mouvement ouvrier, etc. à l'Université

Ouvrière). En dehors, des lectures usuelles (classiques) lu de préférence sciences politiques, questions sociales.

Marx : *Le Capital* adapté par Gabriel Deville.

Engels : *Prix, salaires et profits.*
Travail salarié et capital.
Critique du programme de Gotha.
Lettres philosophiques.
Manifeste — Luttes de classes en France.

Lénine : *Contre le courant.*
Impérialisme, stade suprême du capitalisme.
Maladie infantile.
État et la Révolution.
Œuvres choisies.

Staline : *Questions du léninisme.*

Certains de ces ouvrages sont parfaitement assimilés (questions du léninisme, l'impérialisme, la maladie infantile, les luttes de classes...) pour les ouvrages théoriques; il faudrait naturellement une révision sérieuse et soutenue, mais il y a aussi le travail pratique qui prend beaucoup de temps.

J'ai quelque expérience du travail de propagande (commerciale), mais je n'ai publié aucun travail. Je parle, écris et lis l'anglais, sinon parfaitement du moins au-dessus de la moyenne. J'ai suivi une école de cadres dans ma section lors de mon adhésion.

J'ai lu jusqu'à ces derniers mois par intermittence, les trois publications du Parti, mais depuis mi-37 je les lis régulièrement.

Je lis *Le Populaire* assez régulièrement, le 7e *socialiste* régulièrement, ainsi que *Syndicats.*

Actuellement syndiqué C.G.T. fédération du spectacle.

J'ai été membre de la Fédération Française des Échecs (membre du Comité en 1936) j'ai démissionné fin 36.

Membre pendant plusieurs années du Crédit Commercial de France, moniteur sportif.

Toutes ces fonctions étaient bénévoles, sauf la trésorerie de la F.F.E. qui m'allouait 50 F par mois pour couvrir mes frais de dactylo.

Je n'ai pas travaillé à l'usine, mais j'ai fait un travail concret de masses en créant dans le 7e réseau de Comités Populaires d'Entreprises (Hôpital Laennec, Entreprise Chouard, Dépôts et Consignations, Assurances Sociales, Louvre, etc.) au total 1 300 membres environ, avec le concours de Paix et Liberté (1936). Nous reprenons ce travail en ce moment sur la base locale; j'ai participé aux deux grèves de la Banque en 1919 et 1925 (renvoi).

Je n'ai pas participé au travail communal et je n'ai jamais été élu.

En 1927, à la suite d'un procès-verbal d'un garde du Bois (surpris avec une femme en plein jour) j'ai été condamné à un mois de prison avec sursis. Je n'ai eu aucun contact avec la police, et n'ai pas été détenu. Je n'étais pas au Parti à ce moment-là.

Tous les points de la présente auto-biographie sont parfaitement vérifiables.

En ce qui concerne le travail fait par moi dans le parti :

voir François le Maconnais, ancien secrétaire 7e; Pierre Jubeau, actuel secrétaire; aussi Charles Carlipas, secrétaire 6e; Marcel Prinner, Commissaire Brigade au front de Madrid; Eugène Peltier, Ancien Membre Comité Régional.

A Paris, le 30 janvier 1938,
signé : R. Mérinas.

Annexe nº 5.   LETTRE DU COMMISSAIRE MARITIME EN CHEF DU PORT D'OSTENDE
A L'AUTEUR

MINISTERIE VAN VERKEERSWEZEN
EN VAN POSTERIJEN, TELEGRAFIE
EN TELEFONIE

OOSTENDE, 16.8.1973.
TEL. 719.41 - 767.68

**Bestuur van het Zeewezen
en van de Binnenvaart**

ZEEVAARTPOLITIE
___

Monsieur Roalnd GAUCHER
4█, rue de la Muette
▇▇▇ ▇▇▇▇▇▇▇▇
F R A N C E .

UW BRIEF VAN	UW REFERTEN	ONZE REFERTEN	BIJLAGEN
.	.	KVS/1443/W.H.	

BETREFT

Monsieur,

Votre lettre du 8 crt m'a été transmise par le capitaine du
Port d'Ostende.

D'après les archives en ma possession aucun navire soviétique
n'a fait escale dans le port d'Ostende, entre janvier et juillet 1940.

Veuillez agréer Monsieur l'expression de mes sentiments distingués.

Le Commissaire Maritime en Chef,

S. HUYS.

Annexe nº 6. EXTRAIT DE L'INTERROGATOIRE DE DENISE GINOLLIN

Photographie de l'interrogatoire de Denise Ginollin, dans lequel elle reconnaît s'être adressée à la Kommandantur pour faire reparaître l'*Humanité*. Cette pièce qui a été lue à la tribune de l'Assemblée Nationale le 9 décembre 1947, est signée par Denise Ginollin (en bas et à gauche).

Annexe nº 7. NOTE MANUSCRITE INÉDITE D'OTTO ABETZ SUR SES ENTRETIENS AVEC LES DIRIGEANTS COMMUNISTES

Exposé sur les démarches du parti communiste français auprès des autorités allemandes après l'Armistice

Le parti communiste français était désireux d'entrer en contact avec les autorités d'occupation en vue de:

1) - obtenir la libération des partisans communistes arrêtés par les précédents gouvernements français.

2) - obtenir l'autorisation de faire reparaître „L'Humanité".

Sur le premier point, de nombreuses lettres parvinrent à l'Ambassade signées par des membres de la famille des communistes internés, sollicitant l'intervention des autorités d'occupation auprès du gouvernement français. D'autre part, vers le début de juillet 1940, une nombreuse délégation de femmes communistes pénétra dans la cour de l'Ambassade, scandant en chœur ses revendications. Pour finir, une pétition revêtue de nombreuses signatures, fut remise à un fonctionnaire de l'Ambassade. L'Ambassade fit répondre que la question était du ressort du Commandement Militaire, à qui elle transmettrait la pétition, ce qui fut fait.

Sur le second point, un avocat communiste, conseiller juridique de la Section économique de l'Ambassade des Soviets en France, Monsieur Foissin, se rendit à plusieurs reprises à l'Ambassade du Reich, insistant pour que l'autorisation de reparution fut accordée au quotidien

Annexe nº 7 (suite)

communiste. Je le reçus moi-même. A l'une de ses visites, il était accompagné du député communiste Tréant dont il me donna à entendre qu'il dirigeait l'activité du parti communiste français qui subsistait dans la clandestinité. Monsieur Tréant joignit ses insistances à celles de Monsieur Foissin. Selon ces Messieurs, le parti communiste français était loin de nourrir des sentiments hostiles à l'Allemagne. Je leur répondis que la question était de la compétence de la Propagandastaffel du Commandant Militaire à qui ils devraient s'adresser.

Les pourparlers avec les autorités militaires furent par la suite menés par Monsieur Foissin et Monsieur Marcel Cachin. Un grand nombre d'internés communistes fut libéré, mais „a "Humanité" ne fut pas autorisée à reparaître. Marcel Cachin dit qu'il comprenait les raisons qui s'opposaient à une reconnaissance officielle du parti communiste en France, mais donna cependant aux militants du parti l'ordre de faire une propagande dans la ligne de l'accord germano-russe en vigueur à l'époque. En exécution de ces ordres, jusqu'au printemps 1943, des militants communistes distribuèrent des tracts favorables aux intérêts allemands dans le Métro et écrivirent des inscriptions analogues dans les trains.

Paris, le 29 octobre 1950

Otto Abetz

Annexe n° 7 (suite).

Rapport de l'expert, le professeur Jacques Mathyer,
Directeur de l'Institut de police scientifique et de criminologie
de l'Université de Lausanne, sur la note d'Otto Abetz.

JACQUES MATHYER

Dr ès Sciences
Professeur ordinaire à la Faculté de Droit, Directeur de l'Institut de police scientifique et de criminologie
de l'Université de Lausanne
Membre actif de la Chambre Suisse des Experts judiciaires techniques et scientifiques

Priv. : Rue Voltaire 14   Institut : Place du Château 3
1006 LAUSANNE   1005 LAUSANNE
Tél. 021 - 26 87 96   Tél. 021 - 21 64 10
C.C.P. 10 - 163 25

Lausanne, le 6 août 1974.
JM/jm

P R E A V I S   D ' E X P E R T
****

Conserne :   Identification de l'écriture d'un document manuscrit intitulé :
"Exposé sur les démarches du parti communiste français auprès des
autorités allemandes après l'Armistice", daté "Paris, le 29 octobre 1950" avec une signature "Otto Abetz".

Commettant : Monsieur Roland GAUCHER, 42, Rue de la Muette, 78600 Maisons –
Laffitte.- France.

Pièces :   - Deux photocopies du format 20,8 x 21,6 cm. des deux pages d'un
document manuscrit intitulé (page 1) : "Exposé sur les démarches
du parti communiste français auprès des autorités allemandes après
l'Armistice". La seconde de ces photocopies (page 2) porte, en bas,
la date "Paris, le 29 octobre 1950" et une signature "Otto Abetz"

La photocopie de la page 1 montre que le document original devait mesurer 18 x 23,5 cm. et que son bord droit, partie inférieure,
semble avoir été déchiré (arraché d'un cahier ?).

La photocopie de la page 2 montre que le document original devait
également mesurer 18 x 23,5 et que son bord droit, partie inférieure,
semble aussi avoir été déchiré (arraché d'un cahier ?)

Ces photocopies doivent donc logiquement représenter deux feuilles
distinctes et non une seule feuille reproduite recto - verso.

- Photocopie du format 21 x 18 cm. reproduisant deux parties de deux
documents distincts; d'une part le bas d'un texte écrit à la machine,
en allemand, avec une signature "Otto Abetz" et, d'autre part, des
notes manuscrites, en allemand, sur un feuillet de bloc-notes ou d'a-
genda, sans indication de lieu ni de date. Au bas de cette reproduction figure une note manuscrite ("Note autographe d'Abetz sur
négociations du 3/5 mai 1941").

N.B. Il a été précisé à l'expert soussigné qu'il n'y a aucun doute

Annexe n° 7 (suite).

2/

sur l'authenticité de la deuxième photocopie décrite ci-dessus qui porte l'écriture et la signature d'Otto Abetz. Ces originaux doivent remonter à 1941 - 1942.

Mission : L'écriture sur les deux photocopies dont la seconde porte la date du 29 octobre 1950 et une signature "Otto Abetz" est-elle ou non de la même main que la signature "Otto Abetz" et l'écriture de la deuxième photocopie décrite plus haut ?

Premièrement l'expert soussigné, conformément aux règles de la technique en matière de comparaison d'écritures manuscrites, a étudié soigneusement chacun des textes des photocopies en cause.

La photocopie du document de deux pages, daté du 29 octobre 1950 avec signature "Otto Abetz" ne fait rien voir d'anormal, ni de suspect; il ne semble pas y avoir - sur l'original - de corrections, ni de retouches pouvant constituer des indices de faux. L'écriture paraît être ferme, régulière; elle est bien lisible et semble constante dans ses particularités générales et de détail. La mise en page (marges gauches et droites, position des lignes, alinéas, etc.) est comparable sur les deux pages.- La signature "Otto Abetz" ne présente rien non plus d'anormal ni de suspect; on n'y voit ni retouche, ni correction.- Il n'est pas possible de déterminer, sur ces photocopies, la genre de l'instrument utilisé pour écrire et signer; il semble s'agir d'une plume à réservoir.

La photocopie des documents attribués à Otto Abetz (signature et écriture de 1941 - 1942) ne fait rien non plus voir d'anormal ni de suspect et il me semble ne pas y avoir de retouches ou corrections. L'écriture est courante, petite, un peu hâtive et assez régulière, sans éléments anormaux. Cette écriture correspond au graphisme de la signature et on observe la présence de particularités graphiques générales et de détail qui, logiquement, devraient permettre une identification.- Là non plus, il n'est pas possible de déterminer le genre du ou des instruments utilisés pour signer et pour écrire; il pourrait vraisemblablement s'agir aussi de plumes à réservoir.

La comparaison systématique des deux textes et des signatures en cause ne se

Annexe n° 7 (suite).

3/

présente pas dans des conditions favorables : d'une part, il s'agit de documents de genres différents (notes un peu hâtives dans un cas, - texte écrit
posément dans l'autre), d'autre part, il s'agit de documents établis à plusieurs
années de distance, l'un en allemand, l'autre en français sur des papiers de
genres et de formats différents. Enfin et surtout le soussigné n'a pu étudier
que des photocopies et non des originaux; de ce fait des particularités intimes peuvent rester inaperçues, indécelables.

La mise en page, le style et l'orthographe des documents étudiés ne sont pas
comparables par suite des différences de format et de langues.- Dans son
aspect général, l'écriture semble pareille dans les deux cas : écriture
régulière, plutôt petite, filiforme, légèrement inclinée vers la droite,
peu césurée; toutefois, l'écriture en langue allemande est plus petite et un
peu moins régulière que l'autre. Cette divergence paraît ici plutôt découler
de la différence de genre des pièces comparées que d'une réelle différence d'écrivain; elle pourrait aussi être attribuée à la différence des dates des pièces
étudiées.- Dans les deux cas, on observe parfois un reserrement des lettres
dans les mots placés en bout de lignes; il y a aussi tendance à descendre vers
la droite. Le titre sur la photocopie de la p. 1 n'est pas suivi d'un point et
il n'y a de point non plus après les rubriques I à VI en langue allemande.
La comparaison des formes et formations graphiques fait apparaître de nombreuses
analogies et concordances pour presque toutes les lettres; il y a aussi de réelles identités graphiques dans le détail desquelles il serait fastidieux d'entrer.
Il n'a pas été remarqué de différence qui puisse être considérée comme fondamentale. Il est intéressant de relever notamment les concordances de formation
des ovales des lettres a ou o qui présentent des variantes pareilles. On
observe aussi que les r sont de type typographique et non cursif et quil
existe des t allemands et latins dans les deux cas. Aussi bien dans le texte
en langue allemande de 1941 - 1942 que dans celui, en français, de 1950, on
remarque la présence de plusieurs liaisons entre les points des lettres i et
les lettres suivantes. A noter aussi l'emploi, dans les deux cas, de lettres
H majuscules typographiques et de U majuscules tracés comme des minuscules
agrandies, sans liaison avec la lettre suivante; les f se caractérisent par
une partie inférieure plus longue et mieux bouclée que la supérieure, les h
sont pratiquement démunis de boucle supérieure, etc.

Annexe n⁰ 7 (suite).

4/

De l'avis de l'expert soussigné et sous réserve de ce que ferait apparaître
l'examen des documents originaux, l'hypothèse d'une imitation d'écriture doit
être écartée et une identité de main entre l'écriture de ces textes en français
du 29 octobre 1950 et en allemand de 1941 - 1942 apparaît comme plus que probable.- Pour les raisons exposées ci-dessus, cette identité d'écrivain ne
peut pas être certifiée catégoriquement.

———————

En ce qui concerne les signatures, le comparaison ne se présente pas non plus
dans des conditions favorables pour les raisons exposées précédemment et par
le fait que seules deux signatures sont à disposition (une contestée ou contestable et une de référence). Dans un cas, comme dans l'autre, il s'agit d'un
prénom et d'un nom en écriture cursive plutôt que de réelles "signatures".-
Il n'a pas été observé d'indice suspect, ni d'élément classique de faux; bien
au contraire, ces signatures présentent l'apparence de l'authenticité et on observe de très bonnes concordances et identités tant générales que de détail
(proportions, formes, formations, particularités intimes). De l'avis de l'expert
soussigné et sous réserve de ce que ferait apparaître l'examen des signatures
originales, l'hypothèse d'une imitation doit être écartée et il faut admettre
comme pratiquement certain que ces deux signatures "Otto Abetz" sont de la
même main.

L'expert :

Professeur J. Mathyer.

Annexes: Documents en retour.

Annexe n° 7 (suite).

Un témoignage capital
(analyse critique de la note d'Otto Abetz).

La note manuscrite d'Otto Abetz provient, indirectement, des archives personnelles d'Henri Barbé. Elle ne m'a été communiquée qu'en juin 1974. A ce moment, mon livre était en cours de composition. C'est pourquoi, compte tenu des délais nécessaires pour l'expertise graphologique, ce commentaire n'a pu figurer dans le chapitre *Voie allemande vers le pouvoir* où il aurait eu logiquement sa place.

J'ignore absolument dans quelles conditions Barbé est entré en possession de ce document qui apporte des révélations essentielles sur les rapports entre le parti communiste français clandestin et les autorités d'occupation.

La possibilité d'un faux était très douteuse pour des raisons que je ne puis exposer ici. Mais elle ne devait pas être écartée *a priori*. C'est pourquoi il était indispensable de soumettre ce texte manuscrit à l'expertise d'une autorité hautement compétente en matière de graphologie. Je me suis adressé au professeur J. Mathyer, Directeur de l'Institut de Police scientifique et de Criminologie de Lausanne, dont on a vu ci-dessus le rapport.

La réponse du professeur Mathyer est très largement positive, exception faite de quelques réserves dictées par un souci de prudence scientifique qui tient uniquement à la nature du document soumis : une photocopie et non l'original, que je ne détiens malheureusement pas [1].

L'analyse critique de cette note manuscrite d'Abetz confirme l'authenticité de ce document. Il répète, mais enrichi d'importantes précisions — dont une capitale — le bref passage qu'Abetz dans ses *Mémoires* avait consacré à ce sujet. Il vérifie ce que nous savions déjà. On y relève, il est vrai, deux légères erreurs : le nom de Tréand y est orthographié avec un *t*, et Abetz prête à celui-ci le titre de député qu'il ne possédait pas. Mais Abetz n'était pas un spécialiste des milieux communistes français, et ces deux indications erronées sont aisément explicables.

Voyons ce que ce témoignage posthume nous apporte :

Il confirme tout d'abord que les communistes, au début de l'occupation, avaient deux préoccupations essentielles : obtenir la libération de leurs militants arrêtés, et la publication de *L'Humanité*.

Il était déjà connu que les Allemands avaient fait libérer un certain nombre de détenus communistes. Mais il est intéressant de noter, grâce à Abetz, que les démarches entreprises dans ce dessein furent promptes et répétées, la plus spectaculaire étant l'irruption d'un groupe de femmes dans la cour de l'ambassade.

Nous connaissions déjà les démarches effectuées par Me Foissin, Tréand et Catelas auprès du conseiller Turner, et auprès des autorités militaires allemandes. Abetz révèle que les entretiens se sont déroulés à un niveau supérieur, puisqu'il a reçu personnellement les deux premiers.

Il est intéressant d'observer qu'Abetz renvoie ses interlocuteurs aux autorités militaires comme étant seules compétentes. Est-ce par souci d'éviter avec elles

---

1. Du point de vue graphologique, la comparaison a été faite avec des notes autographes d'Abetz que je dois à l'obligeance de M. Benoist-Méchin.

un conflit de compétence ? Est-ce dans le dessein de diriger ses visiteurs sur une « voie de garage », Abetz ne tenant pas à perturber par un incident ses relations naissantes avec le gouvernement de Vichy ? Il est difficile de se prononcer. Et, de toute façon, il s'agit d'un autre problème que nous n'avons pas à analyser ici.

Mais tous les points que nous venons d'énumérer sont très secondaires par rapport à la révélation capitale d'Abetz : la participation de Marcel Cachin — dont le nom n'avait jamais été prononcé jusqu'ici — à ces conversations.

A bien y réfléchir, il était en effet indispensable que des démarches auprès de l'occupant, démarches sollicitant une grave décision politique (la reparution de *L'Humanité*) fussent cautionnées, du côté des communistes français, par une personnalité de premier plan. En recevant Me Foissin, les Allemands avaient la certitude qu'il était le porte-parole confidentiel des Soviétiques. Mais, du côté du P.C.F., Tréand et Catelas — hommes importants de l'appareil pour les seuls initiés — ne faisaient sans doute pas le poids.

Jacques Duclos, Benoît Frachon, Marcel Cachin étaient alors les seuls en France à offrir une caution suffisante à leurs interlocuteurs germaniques.

Nous ne savons pas pourquoi ce fut Cachin qui, à partir de juillet 1940, participa aux démarches. Mais on ne saurait douter que son intervention n'ait résulté d'une décision prise par la direction clandestine.

Sa présence chez Abetz donne aux initiatives communistes leur vraie dimension historique.

La thèse communiste a consisté tout d'abord à nier de la manière la plus formelle, assortie des injures les plus grossières à destination des contradicteurs, tout contact avec l'occupant (Cf. IIe partie, chap. 2, pp. 311-313).

Beaucoup plus tard (après 1960), les communistes ont présenté une autre version. Ils admettent à présent que *des camarades* ont cru bien faire en cherchant à faire reparaître *L'Humanité*. Ces militants bien intentionnés, modestes et anonymes, ont été désavoués par la *direction* et ils ont reconnu leurs erreurs (Cf. Duclos, *Mémoires*, t. III, 1re partie, p. 55).

Avec la révélation de la présence de Marcel Cachin, d'abord chez Abetz, puis à la *Propagandastaffel*, cette nouvelle thèse — qu'on pourrait nommer celle du repli élastique — s'effondre. *Toute la direction était complice.*

Cachin et Foissin se rendant ensemble auprès des autorités allemandes, c'est la double démarche, concertée, à la fois d'un représentant officieux de l'ambassade soviétique, donc de Staline, et d'un membre important, et célèbre dans le monde entier, de la direction du parti.

La participation du directeur de *L'Humanité* à ces conversations réfute absolument la thèse actuelle du faux-pas commis par quelques militants obscurs [1].

Dans le dossier que possédait Louis Prot (cf. p. 502), le nom de Cachin figurait peut-être. Ce serait vraisemblable, s'il est vrai que Prot avait hérité des notes prises par Catelas.

On comprend mieux à présent pourquoi Marcel Cachin accepta de signer une déclaration dans laquelle il désavouait les attentats contre les soldats allemands. Étant le plus engagé dans les démarches auprès des Allemands — mais engagé sur ordre avec la caution de l'ambassade soviétique et de l'*apparatchik* Tréand, avec l'accord infiniment probable de Duclos et de Frachon — si ce

---

1. Que n'étaient ni Tréand ni Catelas.

n'est à leur instigation — il fut surpris par le brutal tournant du terrorisme, comme d'autres l'avaient été avant lui par le non moins brusque tournant du pacte germano-soviétique.

Les dirigeants communistes qui n'acceptèrent pas ce pacte furent traités en renégats et férocement combattus. Cachin, au contraire, fut récupéré. Nous avons écrit (p. 357) qu'il devait sans doute cette récupération à sa qualité de fondateur du parti. La note manuscrite d'Abetz incite à modifier cet éclairage. Sans doute, il était très gênant de chasser du parti le « monument historique » (Doriot *dixit*). Mais il l'était bien davantage d'expulser un homme détenteur d'un pareil *secret* et qui avait dû ou pu prendre, sous forme de notes, la précaution de se justifier.

Annexe nº 8. LE TÉMOIGNAGE DE CAMILLE FÉGY SUR LES CIRCONSTANCES DE LA MORT DE GABRIEL PÉRI

Camille FÉGY

1333
--
IIOS 3
-:-

Note juridique autorisée par
Monsieur le Directeur le 25/3/48

C'est en Octobre - Novembre 1941 que j'ai connu cette affaire. Je quittais le Ministère de la Production Industrielle, en compagnie de Monsieur Pierre HAVARD , alors chef de presse du ministre (M. Lehideux). J'allais monter dans la voiture de Monsieur Havard, lorsque M. CHASSAGNE, chargé de mission au cabinet du Ministre de l'Intérieur (M. Pucheu) m'interpella en ces termes:"Tu sais qu'on va fusiller Gabriel"? Je réagis assez violemment et tandis que la voiture démarrait, Pierre Havard me dit :"Ils sont plusieurs à pousser à cette exécution. C'est une sottise et je la combats. Après tout j'aurais pu signer ses articles en 39".

J'étais violemment ému et je prononçai quelques paroles sur les tragédies de l'histoire qui amènent périodiquement les révolutionnaires à se fusiller les uns les autres.

- Il faut faire quelque chose, dis-je.

- Je vous y engage vivement, répondit Pierre Havard.

J'eus alors l'idée de grouper quelques-uns de nos camarades d'autrefois pour intervenir. Je m'en ouvris à Maurice LAPORTE et à Pierre FOURTIER qui avaient été tous deux des intimes de Gabriel.Ils furent d'accord. Mais seul, Laporte devait jouer un rôle actif. Il me répliqua tout de suite que nous nous heurterions à une fin de non recevoir si notre intervention n'était pas appuyée par une déclaration de Gabriel, répudiant ses opinions, et, prenant l'affaire en mains, il me téléphona le lendemain pour m'indiquer le nom de l'avocat de notre ami: Maître Maurice GARÇON, Comment l'avait-il obtenu si vite? Quels allemands le lui avaient fourni? Quel intérêt prenaient-ils à cette affaire? Je n'ai jamais pu le savoir. En tout cas, j'hésitai longtemps avant de saisir GARÇON. Finalement le sentiment que je ne pouvais garder pour moi un tel secret et une telle condition l'emporta et j'appelai l'avocat que je connaissais assez bien. Il me donna rendez-vous pour le surlendemain. Je le trouvais quittant son cabinet pour se rendre au Palais. Il était déjà dans son antichambre et j'eus l'impression de quelque chose d'insolite. Je savais Maître GARÇON très scrupuleux sur les règles de l'Ordre et il me sembla qu'il ne voulait pas m'avoir reçu chez lui. Ce qu'il me dit sur le chemin du Palais, me stupéfia: "Gabriel nous remerciait, mais il ne courait aucun danger. Il avait cessé toute activité depuis 1939. Il encourait tout au plus trois ans de prison".

- Vous vous trompez, dis-je. Il va mourir. J'ai le sentiment que, du côté français, certains qui poursuivent malheureusement contre lui des haines personnelles, veulent sa mort. Je partage sa répugnance pour ce qu'on lui offre. Dites-lui que j'estime que nous sommes restés les mêmes qu'en 1919, qu'aujourd'hui les cartes sont faussées et qu'il est impossible qu'il sacrifie sa vie pour une question de forme". Maître Garçon, persistant contre toute raison, dans l'assurance que son client ne courait aucun danger, je le quittai en disant : "Faites-lui savoir que je suis prêt à intervenir pour sa vie, au nom de notre ancienne amitié. Mais je crains que ma parole ne soit insuffisante". Très ému, les larmes aux yeux, je quittai Maître Garçon, quai de Gesvres.

Je ne me trompais point en soupçonnant un malaise. Sollicité par mon avocat, Maître NAUD, je témoignai sur ces faits à mon procès. Maître Garçon a accepté, mais pour le cas seulement où ma conduite serait critiquée par l'accusation. Il ajouta très honnêtement :

- Je dirai que Fégy voulait sincèrement sauver son camarade. Il savait qu'il allait mourir et qu'il n'y avait pas d'autre moyen de le sauver. Mais moi, je n'ai pas prévenu Gabriel."

../....

----
1) M.CHASSAGNE est actuellement détenu à Fresnes.

Annexe nº 8 (suite).

- 2 -

Le récit de ces évènements a été fait à mon procès, mais l'accusation l'ayant admis, Maître Garçon présent au procès, n'est pas intervenu. Il reste que quelques jours après ma visite, il abandonnait la défense de son client en passant le dossier à son confrère Maître Python, aujourd'hui décédé. Si Maître Garçon voulait déclarer pourquoi il renonça à défendre Gabriel, il n'y aurait plus de mystère.

J'ai eu dès ce moment là l'impression que Gabriel n'avait pas été prévenu et je sollicitai une audience du Ministre de l'Intérieur. Pucheu me reçut presque aussitôt. Ses collaborateurs m'avaient demandé avec avidité si j'apportais quelque chose quant à une déclaration possible de Gabriel. "Non, répondis-je, je viens demander à Pucheu de s'en passer et d'agir tout de suite." Le ministre me parut ne pas vouloir la mort de Gabriel mais il me fit aussi l'impression d'être très gêné. (1) Il semblait dépassé. Il me dit qu'il ne pouvait rien faire sans une déclaration. Je lui rapportai les paroles de Garçon. Il demeura silencieux. "Procure moi une autorisation de visite, proposais-je - Je ne peux pas." Cela semblait extraordinaire. "Un avocat pourrait-il? - Sans doute. - Alors.... Berthon." J'ajoutais "Mais, avec ou sans déclaration fais l'impossible. Ce serait une lourde faute politique. Je te demande aussi de comprendre mon émotion. Gabriel est un ancien camarade et je pourrais, aujourd'hui, me trouver à sa place."

On sait aujourd'hui que Berthon s'est chargé de cette mission et l'a remplie en accord avec son confrère, Maître Python a lui a délivré, avant de mourir, une attestation établissant la régularité de sa démarche. A l'époque de la fusillade on a assuré que les conversations entre Berthon et Gabriel avaient bien commencé. Mais Berthon, inculpé, a déclaré devant le juge d'instruction, n'avoir sollicité aucune déclaration. Je tiens ce renseignement du juge lui-même (2) qui m'a entendu en qualité de témoin. Ce magistrat d'ailleurs, ne paraissait pas désireux d'en savoir davantage.

J'étais convoqué, à la suite d'un article de l'écrivain A... publié dans CARREFOUR et qui m'accusait d'avoir visité Gabriel dans sa cellule. A... m'avait précédé dans le cabinet du juge et s'était rétracté. Le juge ne cachait pas son mépris pour cet individu. En vérité, A... s'est rétracté par ordre. Ses chefs l'ont blâmé dès la publication de l'article de CARREFOUR. Il semble bien qu'on ait obéi au désir de ne pas mettre en cause ma démarche auprès de Maître Maurice Garçon. Car il y avait le terrible : "Je n'ai pas prévenu Gabriel. "Et le "Pourquoi" qui aurait suivi. Dans les mêmes conditions et sans doute pour des raisons analogues, Berthon a bénéficié d'un non-lieu.

J'eus encore l'occasion de suivre cette affaire, pour ainsi dire par raccroc. Une semaine peut-être après ma visite à Pucheu je rencontrai M. Marcel FOURRIER (aujourd'hui éditorialiste de Franc-Tireur) et je le mis au courant. "C'est maintenant Python qui défend Péri, je vais lui en parler me dit-il." Le lendemain soir Fourrier me téléphonait : "J'ai vu Python. Ce que je lui ai rapporté de tes démarches l'intéresse fort. Il te demande de lui téléphoner. Garçon ne lui avait rien communiqué." J'appelai Python le lendemain matin. Il fut très courtois, m'annonça que d'autres démarches, venant d'anciens camarades comme moi, étaient en cours et qu'on avait le ferme espoir d'aboutir. Il ne me parut pas désireux de me demander quoi que ce soit ni de me voir prendre contact avec ceux qui agissaient en liaison avec lui. J'ai su plus tard que CAPRON était intervenu. Malheureusement Python est mort et l'on ne saura sans doute jamais si, en acceptant ces contacts il agit d'accord avec son client et les amis de son client.

1) On fait état dans "Temps Modernes" N°4, janv.46, p.703, d'une démarche de Pucheu auprès de Stuelpnagel. Les termes rapportés par l'interprète sont manifestement mensongers, pour ne pas dire puérils. Il reste que la démarche est plausible, d'où la gêne de Pucheu.

2) J'ai oublié son nom. Son cabinet était contigü à celui du juge Raoult, porte gauche.

Annexe n° 8 (suite).

- 3 -

Je n'avais plus eu de nouvelle de Laporte depuis le jour où je lui avais communiqué le soit-disant refus de Gabriel transmis par Maître Maurice Garçon. Vers le 15 décembre 1941 il m'appela et m'annonça que Gabriel venait d'être transféré au Cherche Midi et que son nom figurait sur la prochaine liste des otages à exécuter? Il voulait que je renouvelle les offres précédentes.. Je m'emportai et lui dit qu'il ferait mieux de représenter aux allemands qu'ils se préparaient à"commettre une saloperie et à faire une connerie".

Pendant deux jours, Laporte m'assura que l'exécution était réservée. Mais il insistait toujours pour obtenir la déclaration. Je téléphonai deux fois encore à Python. La première, il me dit, très troublé, que Gabriel était morteet me parla du testament politique qu'il avait laissé. Je rappelai Laporte qui me répondit avec netteté "Il n'est pas mort". Python, quand il connut cette assurance, remit en relation avec Maître Odette MOREAU (première avocate de Gabriel). Celle-ci fut formelle : "On a rendu les affaires à la famille." Laporte retourna voir les allemands. Il m'a raconté ainsi la scène: Comme il interrogeait un des officiers S.S., celui-ci appela un collègue et lui dit : "Confirmez à Monsieur Laporte que Gabriel n'est pas et ne sera pas exécuté."Et l'interpellé confirma.

C'est alors que j'écrivis dans le numéro de Noël de "La Gerbe" l'article qui m'est aujourd'hui reproché. C'était un article de protestation.

J'ai su depuis que ni l'ambassade ni les S.S. ne désiraient l'exécution et que celle-ci a été commandée par l'O.K.W. Cela est bien conforme à la sottise des militaires allemands.

Gabriel a été arrêté à la fin de 1940 par la brigade du commissaire Lainé, aujourd'hui révoqué mais libre.

Il semble que tout soit double dans cette affaire. L'attitude du Ministère de l'Intérieur qui a poussé à l'exécution, puis semble-t'il, sincèrement freiné. L'attitude des allemands, partagés en deux camps. L'attitude des amis de Gabriel enfin qui ont d'abord refusé les pourparlers puisqui semblent s'y être plus ou moins prêtés

On ne peut reprocher à Gabriel d'avoir un instant songé à sauver sa vie. On a dit, mais je n'ai jamais pu obtenir de certitudes à cet égard, qu'il était enctré en contact, avant même la menace qui pesait sur lui, avec le groupe G.V.C. En tout cas je n'ai été mêlé en rien à ces tractations, que beaucoup aujourd'hui encore affirment avoir été poussées près de leur conclusion.

-:-:-:-:-:-:-:-

Annexe n° 9.

Paris 21 octobre 1941.

Marcel Cachin

EXTRAIT MANUSCRIT DE L'INTERROGATOIRE DE MARCEL CACHIN

Annexe n° 10. FRAGMENT D'UN INTERROGATOIRE DES BRIGADES SPÉCIALES

Un des personnages, Robert Beck, appartenait à l'Orchestre Rouge,
cf. à ce sujet Alain Guérin La Résistance, *tome III.*

30 Juin 1942

ASSOCIATION DE
MALFAITEURS

INCENDIES
VOLONTAIRES

MENEES TERRORISTES

AFFAIRE
C./

Fe LYPSZIC, Szyfra
alias Dupont Jeanne

B A C O T

B E C K

Fe OGGE

e B A C O T, Lucie

Fe CASABIANCA née
BLANCHARD

G R O S M A N Naftule

BERTON

Fe LIAND

Fe MOMANI née
DEL-VAL Marie

ZAJDMAN

HELLER Isaac

Fe BEKER

Fe FRISZBERG
alias Le Moal Hélène

Relatons qu'a la suite de l'arrestation à
Pithiviers, de deux incendiaires de récoltes :

perquisitions chez le nommé BECK ;

une somme de cent mille francs – quatre vingts
livre-sterling or – une centaine d'engins incendiaires
semblables à ceux saisis sur la femme LYPSIC – un lot
de produits chimiques tels que : acide sulfurique –
Chlorate de potassium – un lot de balles de fusil de
guerret de revolver calibre 6,35 dont les pointes ont
été sciées ou limées pour les rendre plus meurtrières,
des détonateurs chargés – ... fusil de guerre – un pistolet automatique calibre 6,35 e des documents relatif
à l'emploi des ga"s, ainsi qu'aux réceptions de T.S.F. e
un important lot de tracts et brochures communistes.

au cours de son interrogatoire, BECK a déclaré :

Je connais un nommé BETINES. C'est un représentent de commerce en vins, avec lequel j'ai été en
relations d'affaire il y a très longtemps; il n'appartient pas au Parti Communiste, à ma connaissance.
Il y a six semaines environ, il m'a exposé
qu'il avait eu "des ennuis" avec les Allemands à la
ligne de démarcation, qu'il voulait franchir de nouveau.
Pour ne pas être en possession de ses pièces d'identité
déjà connues des services allemands, il me les a laissées
entre les mains en me priant de les conserver jusqu'a son
retour. J'ignore où il s'est rendu et avec quelles pièces
il a pu franchir la ligne.

Annexe nº II.   UN EXTRAIT DU CAHIER DE JACQUES DUCLOS

Politique d'indépendance nationale peut être
d'autant plus audacieuse que nous restons
fermes sur frontières d'survenir

Reconquête indépendance nationale peut
permettre existence véritable armée nationale

Armée française qui soit autant surgesine
française et qui est une dispositif
stratégie camp impérialiste n'a pas
une armée du peuple

Cette armée fait guerre au Vietnam
— — en Corée
assassine en Tunisie
lutte contre travailleurs en face
Elle est intégrée - armée européenne.
Je ne peut être question se défendre une
armée qui sert desseins impérialistes

Nous travaillons pour défaite certaine de cette
armée au Vietnam, en Corée en Tunisie
et nous luttons contre préparatifs 3e guerre
mondiale

Annexe n° 12. L'AFFAIRE MARCHAIS

1. Les documents contestés :

a) Certificat d'embauchage n° 4.

Certificat d'embauchage N° 4

(à remettre aux ayants droit de l'ouvrier embauché pour servir de pièce justificative auprès de l'Autorité française chargée du paiement des allocations.) (Mairie).

Nom : MARCHAIS

Prénoms : Georges

Né le : 7.6.1920

Lieu de naissance : L'HOGUETTE

Nationalité : Française

Situation de famille : Verh. Religion Kath.

Prénoms de la femme : Paulette

Nom de jeune fille : HOTTINGER

Nombre total des parents à charge : 2.

Nombre d'enfants appartenant au foyer et âgés

de moins de 21 ans 1. de plus de 21 ans

Adresse exacte en France : 60 Rue Hallé PARIS 14°

Bénéficiaire de la délégation de salaire : Madame Paulett MARCHAIS.30 Rue Mollière,MONTROUGE (Seine)

Arbeitsamt régional compétent : Bayern

Arbeitsamt local compétent : Neu-Ulm

Embauché en qualité de Facharbeiter(Mécanicien)

Employeur : Messerschmitt A.G.

Lieu de travail : Leipheim

Durée du contrat : 12 monate

Gare de destination : Leipheim

Feldkommandantur : ST Cloud N°758

Département

Signature de l'Ouvrier embauché :

Sur présentation de cette fiche signée par l'Office de Placement Allemand, les personnes à la charge de l'ouvrier susnommé auront droit, à partir du jour de son départ pour l'Allemagne et conformément aux arrêtés du 25 avril 19 du Ministère des Finances, à une allocation qui sera ver par la Mairie. Le taux de cette allocation est indiqué verso.

Lieu Versailles le

Office de Placement Allemand

Annexe nº 12 (suite).

b) Reçu de la prime d'équipement.

Annexe n° 12 (suite).

2. *Certificat d'embauchage d'un ouvrier qui a refusé de signer*

N° d'ordre _____ — Demande N° 6/43/1

Certificat d'embauchage N° 4

(à remettre aux ayants droit de l'ouvrier embauché pour servir
de pièce justificative auprès de _____ du
_____ iement des allo_____

Nom : I

Prénoms :

Né le :

Lieu de naissance : _____ (Nord)

Nationalité : fra_____

Situation de famille : _____ Religion : aryen

Prénoms de la femme :

Nom de jeune fille : _____

Nombre total des parents à charge : Parents et belle-mère

Nombre d'enfants appartenant au foyer et âgés
de moins de 21 ans   I   de plus de 21 ans

Adresse exacte en France : _____ Paris

Bénéficiaire de la délégation de salaire : ma femme

Arbeitsamt régional compétent :

Arbeitsamt local compétent :

Embauché en qualité de : fraiseur

Employeur :

Lieu de travail : Niedersachen

Durée du contrat : I an

Gare de destination :

Feldkommandantur : Hanovre
    Département

Signature de l'Ouvrier embauché :

Sur présentation de cette fiche signée par l'Office de Placement Allemand, les personnes à la charge de l'ouvrier susnommé auront droit, à partir du jour de son départ pour l'Allemagne et conformément aux arrêtés du 25 avril 1941 du Ministère des Finances, à une allocation qui sera versée par la Mairie. Le taux de cette allocation est indiqué au verso.

Lieu PARIS _____ le   Janvier 1943

    Office de Placement Allemand

    (Signature)

Date de départ :   Janvier 1943

N° d'ordre _____ — Demande N° 6/43/1

Cont

Cette fiche doit être remis

Nom :

Prénoms

Né le :   a

Nationalité : française

Adresse exacte en France :

Prénoms de la femme :

Nom de jeune fille :

Nombre d'enfants   I   Prénoms et dates de naissance
_____ betrieb sofort in Deutschland
_____ Platz beantragen.

Arbeitsamt régional :

Employeur :

Lieu de travail : NIEDERSACHEN

Durée du contrat :   I an

Embauché en qualité de : fraiseur
    aux conditions suivantes fixées par l'employeur :

Durée de travail :   heures par semaine.

Salaire :   RM par heure — semaine — journée.

Prime de rendement :

Primes diverses :

Prime de séparation pour mariés :   RM par jour
    célibataires

Indemnité de logement :   RM par nuit

Frais pour logement chez des particuliers — en baraquements
    — dans des foyers de célibataires :   RM.
    par semaine, avec/sans petit déjeuner.

Nourriture :

Frais de nourriture :   RM par jour

Congés et licenciement conformes aux prescriptions légales et aux tarifs en vigueur dans le Reich.
Le voyage d'aller et la nourriture pendant ce voyage sont gratuits.
Je déclare avoir pris connaissance des « Instructions » et accepter les conditions de travail indiquées ci-dessus.
Si, plus tard, des raisons de production importantes le nécessitent, je consens à accepter un autre emploi qui me sera procuré par l'Office de Placement compétent, m'assurant autant que possible les mêmes conditions de travail et de salaire.
Je m'engage, en outre, à faire parvenir aux membres de ma famille désignés ci-dessus une part de mon salaire suffisant à assurer leur entretien.

    PARIS _____ le   Janvier 1943

Signature de l'ouvrier embauché

    Signature du délégué à l'embauchage

Annexe n° 12 (suite).

3. *Extrait d'un état nominatif du personnel*
répondant aux conditions de la loi du 4 septembre 1942

Application des dispositions de la loi du 4 septembre 1942
et des instructions y faisant suite.

RAISON SOCIALE :

ADRESSE DE L'ÉTABLISSEMENT :

N° DE TÉLÉPHONE :

ÉTAT NOMINATIF

DU PERSONNEL RÉPONDANT AUX CONDITIONS FIXÉES

PAR LA LOI PRÉCITÉE,

EMPLOYÉ DANS L'ENTREPRISE À LA DATE DU 15 SEPTEMBRE 1942.

Note très importante.

La loi du 4 septembre 1942 (J. O. du 13 septembre) vise les hommes de 18 ans au moins, et de moins de 50 ans, ainsi que les femmes célibataires âgées de 21 ans au moins, et de moins de 35 ans.

Il convient, dès maintenant, de procéder à un recensement constituant un classement méthodique des personnes visées par la loi, en vue de permettre l'affectation ultérieure et éventuelle des intéressés à des travaux que le Gouvernement jugera utiles dans l'intérêt supérieur de la Nation.

Ce recensement doit aboutir à l'établissement d'états nominatifs du modèle ci-contre et d'états numériques du modèle ci-joint. Il sera immédiatement effectué par les soins des Inspecteurs du Travail, dans toutes les entreprises industrielles et commerciales, dans les conditions suivantes :

A. *Sont comprises dans le recensement, les catégories* [1] *ci-dessous :*
Personnel de Direction.
Ingénieurs, maîtrise et employés.
Professionnels qualifiés :

    a) dans le travail des métaux;
    b) dans tous les autres métiers.

Manœuvres spécialisés :

    a) dans le travail des métaux;
    b) dans tous les autres métiers.

Manœuvres ordinaires.

(Voir p. ...)

J. 37022-42.

Annexe n° 12 (suite).

On entendra par ouvriers du travail des métaux, tout ouvrier apte à mettre en œuvre un métal quelconque, sous quelque forme qu'affecte cette mise en œuvre, et qu'elle soit obtenue manuellement ou au moyen d'une machine.

Dans chacune des catégories spécifiées ci-dessus, les ouvriers et ouvrières seront classés de la façon suivante et dans l'ordre ci-après :

Hommes de plus de 21 ans :

    Célibataires, veufs sans enfants, divorcés sans enfants;
    Mariés depuis plus de deux ans sans enfants;
    Mariés depuis moins de deux ans sans enfants;
    Mariés avec un enfant à charge;
    Mariés avec deux enfants à charge.

(Il faut entendre l'expression « enfant à charge » dans le sens fiscal.)

Jeunes hommes de plus de 18 ans et de moins de 21 ans.

Femmes.

Dans chacune de ces nouvelles sous-catégories, les intéressés seront classés par âge fictif croissant. En vue de ce classement, l'âge réel sera majoré d'une durée égale à quatre fois le temps pendant lequel ils ont été soit aux armées durant les guerres 1914-1918 et 1939-1940, soit en opérations sur les T. O. E., entre ces deux guerres, ou après la signature de l'armistice. C'est l'âge fictif ainsi obtenu qui sera retenu pour l'exclusion éventuelle du recensement (hommes de plus de 50 ans).

B. — *Ne figurent pas dans le recensement :*
Les jeunes gens de moins de 18 ans;
les jeunes filles de moins de 21 ans;
les femmes (célibataires) de plus de 35 ans;
les hommes de plus de 50 ans;
les femmes mariées (quel que soit leur âge);
les hommes ou femmes isolés ayant au moins un enfant à leur charge;
les pères de famille ayant trois enfants à charge au moins;
les anciens prisonniers des guerres 1914-1918 et 1939-1940.

L'état nominatif ci-contre sera établi en trois exemplaires destinés :

    Un, à l'entreprise.
    Deux, à l'Office départemental du Travail.

Il doit parvenir avec la plus grande célérité à l'Office départemental du Travail, et, au plus tard, dans les dix jours après réception du présent imprimé.

Bibliographie

I. — MANUSCRITS, DOCUMENTS ET PIÈCES INÉDITS

ABETZ Otto. — Exposé sur les démarches du parti communiste français auprès des autorités allemandes après l'Armistice (1920-1941). Note manuscrite.

BADINA Louis. — Quatorze lettres à Me Maurice Paz et Me Berthon.

BARBÉ Henri. — Souvenirs de militant et de dirigeant (manuscrit dactylographié, 269 p.).
— Note manuscrite « sur le livre de Gérard Walter : *Histoire du parti communiste français.* »
— Note dactylographiée inachevée sur l'affaire du " groupe. "

BIGOT Marthe. — Neuf lettres manuscrites datées de 1925.

BOUGÈRE Émile. — « Espionnage soviétique », manuscrit dactylographié comprenant trois parties. Au total 151 pages rédigées vraisemblablement en 1963-64.

BOUGÈRE Émile et FAUCHER Jean-André. — « Le parti frappe à l'aube » (roman inédit).

CELOR Louisette. — Lettre sur le manuscrit de Barbé (septembre 1966) et note bibliographique sur Pierre Celor.

Commissaire maritime du port d'Ostende. — Lettre à l'auteur (16 août 1973).

DUNOIS Amédée. — Lettre du 29 juillet 1924 adressée à A. Richard.

DUTILLEUL. — Lettres manuscrites d'Émile, Léonard, Pierre et Mounette Dutilleul.

FEGY Camille. — Note juridique pour M. le directeur le 25-3-1948. 1833 I.N.O.S. 3 (trois pages dactylographiées).

FOSSATI Jean. — Lettre manuscrite.

GEMELLI (Me), avocat de Badina. — Trois lettres (1920 et 1921).

GOURGET. — Lettre du 18 juillet 1925.

JERRAM Guy. — Lettre du 5 décembre 1925 au « camarade Williams ».
— Dossier dactylographié et manuscrit sur son exclusion de l'A.R.A.C., comprenant notamment une lettre de Jean Duclos.

MARTY André. — Dossier d'instruction comprenant notamment les interrogatoires de Marty, les dépositions des marins du *Protet*, du capitaine de corvette Welfelé, de l'enseigne Derrien, un rapport du Cdt. Le Roch, le rapport des experts médicaux, une analyse médicale, un rapport dactylographié de Marty, la copie d'une note manuscrite, etc.

ROCHET Jean, *préfet, directeur de la D.S.T.* — Déclaration au procès Trepper, le 2 novembre 1972.

SADOUL Jacques. — Six copies dactylographiées de lettres écrites entre le 18 septembre 1939 et le 18 novembre 1939 (dont une à Léon Blum, une à Alvarez del Vayo et une à Me Campinchi).

SOUVARINE Boris. — Lettre datée du 6 juillet 1926 adressée à A. Richard.
— Lettre du 14 janvier (ou juin ?) 1926 à A. Richard.
— Lettre du 22 mars à Richard.
— Lettre dactylographiée signée B.S. (Paris, décembre 27).
TEULADE Jules. — Mémoires inédits (manuscrit dactylographié).
TREINT Albert. — Lettre dactylographiée du 17 novembre 1922 à A. Richard.

TEXTES COLLECTIFS OU ANONYMES

Texte dactylographié du 5 octobre 1924 adressé au Comité directeur par Monatte, Rosmer, Delagarde.
Texte manuscrit intitulé « Les variations du Parti », dû sans doute à A. Richard.
Lettre signée A.R. (A. Richard) adressée en date du 16 août à « un camarade à Moscou ».
Texte manuscrit de décembre 1924 (sans doute de Richard).
« A tous les membres du Parti communiste », texte dactylographié signé de Loriot, Dunois, Paz, Marthe Bigot, etc., le 30 juillet 1925.
« Manifeste de l'extrême gauche du Parti communiste au IIe congrès national » (texte imprimé).
Parti socialiste S.F.I.O., Fédération du Nord, rapport dactylographié sur le front unique.
Contre-proposition du rayon de Valenciennes sur les candidats aux élections législatives, s.d. (1928) (concerne notamment Thorez).
Rapport de l'activité du rayon de Dax jusqu'au 1er janvier 1925. Texte manuscrit.
Note manuscrite sur la mort de Sedoff.
Lettre à en-tête du « Comité exécutif de l'Internationale communiste » adressée de Moscou le 1er septembre 1924 à A. Richard par « l'un des secrétaires du Komintern ».
Copie de trois lettres manuscrites (26 novembre, 8 décembre 1924) adressées de Moscou par X..., la lettre du 18 décembre à Monatte, les deux autres vraisemblablement au même destinataire.
Biographie remplie par Mérinas (nom inventé).
Questionnaire biographique en vigueur dans le P.C.F. après la Libération.
Questionnaire actuel.
Divers documents imprimés sur la main-d'œuvre envoyée en Allemagne après le 4 septembre 1942.
L'organisation du Parti communiste avant la guerre. Texte de vingt-huit pages dactylographiées daté du 5 mars 1945.
Procès des fuites (1956). Sténographie (incomplète) des audiences.
Note dactylographiée sur S.O.C.O.P.A. (Doumeng).
Statuts d'Interagra.
Le XVIe congrès du Parti communiste français, et crise dans le Parti communiste français (deux textes dactylographiés rédigés par des opposants, déposés à l'Institut d'histoire sociale et de soviétologie).
Rapports de police sur « Stone » (juin 1935, 29 avril 1939 et 31 août 1945).
Fiches de police sur Smirensky, Tchistoganoff, Nathalie Sedoff, compagne de Trotski, et sur la disparition de Rudolf Klement.
Note dactylographiée : « Considérations sur la B.S. 1. »
Fragment d'un interrogatoire des B.S. concernant Robert Beck, membre important de l'Orchestre rouge.
Analyse de l'organisation du P.C. pendant la guerre et l'occupation établie par un ancien membre des B.S.
Réponse d'un ancien membre des B.S. à un questionnaire.
S.D.E.C.E., rapport secret sur le groupe « Pax », daté de 1968.
Note sur l'épuration administrative.

II. — SOURCES COMMUNISTES

A. — MÉMOIRES, SOUVENIRS, AUTOBIOGRAPHIES OU RÉCITS.

BILLOUX François. — *Quand nous étions ministres* (1972.)
BONTE Florimond. — *Le Chemin de l'honneur* (1949).
CERETTI Giulio. — *A l'ombre des deux T* (1973).
CHOURY Maurice. — *Tous bandits d'honneur*, préface d'Arthur Giovoni (1958).
COPIN Augustin. — *L'aurore se lève au pays noir* (1966).
DUCLOS Jacques. — *Mémoires*, tomes I, II, III (première et deuxième parties), IV, V.
EHRENBOURG Ilya. — *La Chute de Paris* (1944).
FIGUÈRES Léo. — *Jeunesse militante* (1971).
FRÉVILLE Jean. — *La nuit finit à Tours* (1970).
GRENIER Fernand. — *C'était ainsi* (1949).
LE HYARIC Roger. — *Les Patriotes de Bretagne* (1966).
LISSNER Abraham. — *Un franc-tireur juif raconte*, préface d'Henri Rol-Tanguy (1972).
MARTY André. — *La Révolte de la mer Noire* (première et seconde parties, s.d., ex. dédicacé à la Santé par Marty à P. Dutilleul).
RADO Sandor. — *Sous le pseudonyme « Dora »* (Dora Jelenti) (1972).
THOREZ Maurice. — *Fils du peuple* (édit. de 1937, 1949 et 1960).
TOLLET André. — *La Classe ouvrière dans la Résistance* (1970).

B. — OUVRAGES D'ENSEMBLE SUR LE P.C.F.

FERRAT André. — *Histoire du Parti communiste français* (1931).
Histoire du Parti communiste français, manuel (1964).
THOREZ Maurice. — *Œuvres* (vingt-trois tomes).

C. — AUTRES OUVRAGES.

1. *Sur la période précédant la fondation du P.C.F.*

FRÉVILLE Jean. — *Lénine à Paris* (1968).
KROUPSKAÏA Nadedja. — *Lettres du front et de la geôle (1916-1918)* (1924).
LÉNINE.— *La Maladie infantile du communisme* (1920).
LÉNINE et ZINOVIEV. — *Contre le courant* (1927).
LÉNINE. — *Œuvres*, tomes V et X.
SADOUL Jacques (capitaine). — *Notes sur la Révolution bolchevique (octobre 1917 — janvier 1919)* (1919).
SERGE Victor. — *Lénine 1917* (1924).
SOUVARINE Boris. — *Staline* (1940).
Statuts et résolutions de l'Internationale communiste.

2. *De la fondation du Parti à septembre 1939.*

DIMITROV G. — *La Lutte pour le front unique.*
DORIOT Jacques. — *Les Colonies et le Communisme* (1929).
LOSOVSKY S. — *Le Mouvement syndical international avant, pendant et après la guerre* (1926).
NEUBERG. — *L'Insurrection armée* (s.d.).
SÉMARD Pierre. — *La Guerre du Rif* (1926).
SERGE Victor. — *Les Coulisses d'une sûreté générale* (1925).
TROTSKI Léon. — *Le Communisme en France et l'Internationale* (1922).
WILLARD Claude. — *Quelques aspects du fascisme en France avant la guerre* (1961).
La défense accuse.

3. *La guerre, l'occupation, la Résistance.*

ARAGON Louis. — *L'Homme communiste* (1946).

BLOCH J.-R. — *De la France trahie à la France en armes* (1949).

FONTEYNE Jean. — *Le Procès des quarante-quatre.*

DIAMANT David. — *Les juifs dans la Résistance française*, préface d'André Ouzoulias, postface de Charles Lederman (1971).

GUÉRIN Alain. — *La Résistance*, chronique illustrée (1930-1950, tomes I, II et III) (1972-73).

LAROCHE Gaston (Boris Matline). — *On les nommait des étrangers, les immigrés dans la Résistance* (1965).

OUZOULIAS Albert (colonel André). — *Les Bataillons de la jeunesse* (1969).
  — *La Vie héroïque du colonel Fabien*, préface de Charles Tillon (1945).
  — *Le Parti communiste français dans la Résistance*, préface de Jacques Duclos (1967) (ouvrage collectif).

RIFFAUD Madeleine. — *Les Carnets de Charles Debarge.*

TILLON Charles. — *Les F.T.P.* (1962).

WILLARD Germaine. — *La Drôle de Guerre et la Trahison de Vichy*, préface de F. Billoux (1960).

4. *Après la Libération.*

ANDRIEU René. — *Les Communistes et la Révolution* (1968).

COGNIOT Georges. — *Qu'est-ce que le communisme?* (1964).

COURTADE Pierre. — *La Place Rouge* (1961).

EGRETAUD Marcel. — *Réalité de la nation algérienne* (1957).

MARCHAIS Georges. — *Le Défi démocratique* (1973).

SÉGUY Georges. — *Le Mai de la C.G.T.* (1972).

D. — BROCHURES, LIBELLES, TRACTS, CIRCULAIRES.

BERRY François. — « Le fascisme en France » (1926).

BODIN Louise. — « Le drame politique du congrès de Paris » (1922).

CACHIN Marcel. — « Le complot devant la Chambre » (1923).
  — « La rencontre internationale d'Annemasse » (1937).

et VAILLANT-COUTURIER. — « Guerre, sabotage, assassinat, trahison. Le procès du centre de réserve trotskiste » (1937).

et NELKEN Margarita, PÉRI Gabriel, MARTY André. — « Avec l'Espagne républicaine ! » (1939).

CHAVAROCHE (pseudonyme de Minev). — « L'économie et la lutte politique en France ». Introduction d'Henri Barbé (s.d., sans doute 1929).

DARNAR Paul-Laurent. — « Chiappe, un chef de bandits » (s.d.) (1936?).

DORIOT Jacques. — « Le Code du travail et la défense des jeunes ouvriers » (s.d.).
  — « La Jeunesse communiste » (s.d.).

DUCLOS Jacques. — « Les communistes dans la bataille pour la libération de la France » (rapport au C. C. 31 août 1944).

GITTON Marcel. — « La grande famille communiste » (s.d., 1938).

GRENIER Fernand. — « Rompre avec l'U.R.S.S. serait trahir la France » (1939).

GUYOT Raymond. — « Les problèmes de la défense nationale et l'armée » (1951).

MARTY André. — « Le procès de Mayence ».
  — « La force du Front populaire. Ce qui s'est passé en Espagne » (1939).
  — « Une solution humaine et française. Comment en finir avec les camps des républicains espagnols » (1939).

MOTYLOVA T. — « Les jeunes dans la guerre mondiale » (1934).

SADOUL Jacques (capitaine). — « Vive la République des soviets! » (s.d.) (1918).

TROTSKI Léon. — Vingt lettres (1917).
— « La crise du Parti communiste français » (1922).
THOREZ Maurice. — « Tout faire pour servir le peuple de France » (V^e conférence régio-
nale Paris-Ouest, 1937).
— « La sécurité française et l'Espagne » (1939).
— « Pour la paix! Pour le Progrès! Pour la république! Français, unissez vous! »
(1939).
ZETKIN Clara. — « Les batailles révolutionnaires de l'Allemagne » (1920).
ZINOVIEV G. — Rapport sur les travaux du Comité exécutif de l'Internationale commu-
niste (19-6-1924) (Moscou 1924).
VICTORINE M. — « Comment doit travailler la cellule communiste. » (1926).

TEXTES COLLECTFS OU ANONYMES.

« Brochette d'agents provocateurs » (1931).
« Comment se défendre » (s.d., sous l'occupation).
« Ce que chaque militant doit connaître » (s.d.).
« Contre les projets militaires de Paul-Boncour et de l'État-major » (s.d.).
« La discussion dans le parti. »
Discours de Celor, Thorez et Barbé au Comité central du 17 juillet 1930, suivis de la réso-
lution (1930).
Directions et conseils aux régions, rayons et cellules (élections municipales de mai 1935).
« La destruction de Guernica », préface de Jacques Madaule (1937).
Engagements à signer par tous les membres du Parti communiste. Les 21 conditions (s.d.).
Lettres aux abonnés de *La Vie ouvrière*. III. L'expulsion de Trotski (décembre 1916).
« Marins et dockers! En Allemagne sévit la terreur fasciste » (s.d.).
Mémento de l'agitateur communiste publié à l'occasion des élections de 1928.
Organisation du Parti communiste à Paris (Le P.C. à cœur ouvert avec la presse) (1974).
Rapport des délégués du Parti au conseil d'administration et de direction de *l'Humanité*
(congrès national de Paris, 1922).
La résolution d'adhésion à la IIIe Internationale.
Comité de la IIIe Internationale.
Seconde conférence socialiste de Zimmerwald tenue à Kienthal, Suisse (du 24 au 30 avril
1916).
Tracts : Quatre dialogues édités par la Fédération nationale des jeunesses communistes,
1922.
   • tract « Ne partez pas! » (1921);
   • tracts contre la guerre de Syrie et du Maroc;
   • tracts et journaux allemands antimilitaristes diffusés pendant l'occupation de la
Ruhr. (Ces documents antimilitaristes figurent à la Bibliothèque de documentation
internationale contemporaine.)
Note : pour la période concernant la drôle de guerre et l'occupation, les citations extraites
de journaux clandestins, tracts, brochures et circulaires communistes ont été généralement empruntées aux ouvrages de Rossi, dont la documentation est inattaquable.

E. — PÉRIODIQUES (COMMUNISTES ET PROGRESSISTES).

Quotidiens : *l'Humanité, Libération, Ce Soir.*
Hebdomadaires : *Action, L'Avant-Garde, Le Bulletin communiste, La Caserne, France d'abord,
France nouvelle, l'Humanité-Dimanche, Liberté* (organe du P.C.A.), *Parallèle 50, Regards, La
Tribune des nations, La Vie ouvrière.*
Mensuels : *Les Cahiers du bolchevisme* (devenus ensuite *Les Cahiers du communisme*), *les Cahiers
de l'institut Maurice Thorez,* les *Carnets du militant,* la *Correspondance internationale, La Défense*
(organe du Secours populaire), *L'Information municipale, L'Internationale communiste, Le*

Militant rouge (une douzaine de numéros), *La Nouvelle Critique*, *Recherches internationales à la lumière du marxisme*, *La Vie du Parti* (sous l'occupation).

III. — OUVRAGES D'ANCIENS COMMUNISTES, D'OPPOSANTS OU DE SPÉCIALISTES

A. — MÉMOIRES, SOUVENIRS, AUTOBIOGRAPHIES, RÉCITS

ABEL Jean-Pierre (pseudonyme de René Château). — *L'Age de Caïn* (1948).
ABETZ Otto. — Mémoires (1953).
CAMPESINO El (général). — *La Vie et la Mort en U.R.S.S. (1939-1949)*, transcription de Julian Gorkin (1950).
DELGADO Castro. — *J'ai perdu la foi à Moscou*.
FROSSARD L.-O. — *De Jaurès à Lénine* (1930).
GUILBEAUX Henri. — *Du Kremlin au Cherche-Midi* (1933).
HERNANDEZ Jésus. — *La Grande Trahison* (1953).
HUMBERT-DROZ Jules. — *Mon évolution du tolstoïsme au communisme* (1969).
— *L' « œil de Moscou »* à Paris (1964).
KOESTLER Artur. — *La Corde raide* (1953).
Hiéroglyphes (1953).
LECŒUR Auguste. — *Le Partisan* (1963).
LONDON Artur. — *L'Aveu* (1968).
MORIN Edgar. — *Autocritique* (1959).
PORETSKI Elisabeth K. — *Les Nôtres. Vie et Mort d'un agent soviétique* (Ignace Reiss) (1969).
REALE Eugénio. — *Avec Jacques Duclos au banc des accusés* (1958).
SERGE Victor. — *Mémoires d'un révolutionnaire* (1951).
THIRION André. — *Révolutionnaires sans révolution* (1972).
TILLON Charles. — *La révolte vient de loin* (1969).
— *Un « Procès de Moscou » à Paris* (1971).
VALENTINOV Nicolas. — *Mes rencontres avec Lénine* (1964).
VALTIN Jean. — *Sans patrie ni frontières* (1948).
VERCORS. — *Pour prendre congé* (1957).

B. — OUVRAGES D'ENSEMBLE SUR LE P.C.F.

BRAYANCE Alain (pseudo. d'Alain Griotteray). — *Anatomie du Parti communiste français* (1952).
Cahiers de la Fondation nationale des sciences politiques. — « *Le Communisme en France* » (1969).
Crapouillot (Le). — *Histoire du Parti communiste,*, par Roger Hagnauer, P. Darrigrand, J. Galtier-Boissière, Pierre Hervé (n° 55, janvier 1962).
— « *Les Communistes* » (*n° de mai-juin 1970*).
FAUVET Jacques, en collaboration avec Alain DUHAMEL. — *Histoire du parti communiste français*, tomes I (1964) et II (1966).
FERLÉ T. — *Le Communisme en France, organisation ;* avant-propos de G. Gautherot (1937).
DRACHCOVITCH Milorad et LAZITCH Branko. — *The Comintern* (1966).
GAUTHEROT Gustave. — *Le Monde communiste* (1927).
— Histoire du Parti communiste, tomes I, II et III, par l'équipe d'*Unir*.
KRIEGEL Annie. — *Les Communistes*.
MONNEROT Jules. — *Sociologie de la révolution* (1969).
PROSTOÏ Michel (pseudo. d'un policier). — *Tempête d'Asie* (1948).
TIERSKI Ronald. — *Le Mouvement communiste en France (1920-1972)* (1973).
WALTER Gérard. — *Histoire du Parti communiste français* (1948).

Fiches de documentation sur le communisme, 1951 et 1956, réalisées par le Centre d'archives et de documentation.

C. — AUTRES OUVRAGES.

1° *Sur la période précédant la formation du P.C.F.*

Archives secrètes de l'empereur Nicolas II (1928).
BONNIN Georges. — « Les Bolcheviks et l'argent allemand », in *La Revue historique* (janv.-mars 1955).
« Les Bolcheviks et la révolution d'Octobre », P.V. du C.C. du parti bolcheviste (avril 1917-février 1918) (1964).
Contributions à l'histoire du Komintern. Récits recueillis par Jacques Freymond (1965).
CHESSIN DE Serge. — *Au pays de la démence rouge.*
FISCHER Ruth. — *Stalin and German Communism* (London, 1948).
FUTRELL Michael. — *Northern Underground* (1963).
German. — *Bolchevik conspiracy (The)* (Les documents Sisson, 1918).
HAAS Léonard. — *Carl Vital Moor* (1970).
KATKOV Georges, in *Internationale Affaires* (vol. 32, n° 2, 1956).
KRIEGEL Annie. — *Aux origines du communisme français, 1914-1920*, tomes I et II (1964).
MAXE Jean. — *Anthologie des défaitistes* (1925).
MOOREHEAD. — *Naissance de la révolution russe* (1958).
NIKITINE (colonel). — *The Fatal Years*, London (1938).
POSSONY Stephan. — *Lenin the compulsive revolutionnary* (1964).
ROBIEN DE Louis. — *Journal d'un diplomate en Russie (1917-1918)* (1967).
ROSMER Alfred. — *Le Mouvement ouvrier pendant la guerre* (1936).
SCHAPIRO Leonard. — *De Lénine à Staline. Histoire du Parti communiste de l'Union soviétique* (1967).
SCHARLAU Winnefried et ZEMAN. — *The Merchant of Revolution. The life of Alexander Israël Helphand.*
SCHUB David. — *Lénine.*
SENN. — « Les révolutionnaires et l'asile politique en Suisse », in *Cahiers du monde russe et soviétique* (juillet-décembre 1968).
STEINBERG. — *Souvenirs d'un commissaire du peuple* (1930).
TROTSKI Léon. — *Histoire de la Révolution russe* (1962).
— *La Seule Voie* (1932).
WOLFE Bertram. — *Lénine et Trotski, et Lénine, Trotski, Staline* (1951).
ZEMAN. — *German and the Revolution in Russia (1915-1918).*
Parti socialiste, XVIIe congrès national tenu à Strasbourg (25-29 février 1920) (c.r. sténo, s. d.).
Parti socialiste, XVIIIe congrès national tenu à Tours (25-30 déc. 1920) (1921).

2° *De la fondation du parti à 1939.*

BLUM Léon. — *L'œuvre de...* (1934-1937) (1964).
BOURCART J.-R.-D. — *L'Espionnage soviétique* (1962).
Brigades internationales (Les) : Madrid (1948).
BRUNET Jean-Paul. — *L'Enfance du Parti communiste (1920-1938)* (1972).
DELPERRIE DE Bayac. — *Histoire du Front populaire* (1972).
Histoire des brigades internationales (1968).
DEUTSCHER Isaac. — *Trotski*, tomes I, II et III (1962, 1964, 1965).
DORIOT Jacques. — *La France ne sera pas un pays d'esclaves.*
— *La France avec nous* (1937).
— *C'est Moscou qui paie. Toutes les preuves.*
GRANDMOUGIN Jean. — *Histoire vivante du Front populaire* (1966).

JEDERMANN. — *La Bolchevisation du P.C.F. (1923-1928)* (1971).

KRIVITSKI. — *J'étais un agent de Staline* (1940).

LAPORTE Maurice. — *Les Mystères du Kremlin* (1929).
   Espions rouges (1931).

LAZITCH Branko. — *Les Écoles de cadres du Komintern* (1965).

LEFRANC Georges. — *Histoire du Front Populaire.*

LOUSTAUNAU-LACAU (cdt.). — *Mémoires d'un Français rebelle.*

➤ MENNEVÉE Roger. — *L'Espionnage en temps de Paix,* tomes I et II.

MONETA Jacob. — *Le P.C.F. et la question coloniale (1920-1965)* (1971).

ORWELL Georges. — *La Catalogne libre* (1955).

ROSMER Alfred. — *Moscou sous Lénine* (1953).

TROTSKI Léon. — *Où va la France?* (1936).
   — *Journal d'exil, 1935.*

WOLF Dieter. — *Doriot* (1969).

YPSILON. — *Stalintern* (1948).

3º *La guerre, l'occupation, la Résistance.*

➤ ANGELI Claude et GILLET Paul. — *Debout! Partisans* (1970).

ARSENOVIC Drago. — *Genève appelle Moscou* (1969).

➤ FLICKE *(Rote Kapelle).* — *L'Espionnage en France* (1969).

➤ FRENAY Henri. — *La Nuit tombe* (1973).

JONCHAY (colonel du). — *La Résistance et les Communistes.*

➤ KRIEGEL-VALRIMONT. — *La Libération. Les Archives du Comac* (1964).

LATOUR Anny — *La Résistance juive en France* (1969).

LEVY Claude. — *Les Parias de la Résistance* (1970).

MONZIE (DE.) — *La Saison des juges* (1943).
   — *Ci-devant.*

NOGUÈRES Henri, DEGLIAME — FOUCHÉ Marcel et VIGIER J.-C. — *Histoire de la Résistance en France,* tomes I et II (1967, 1969). Noguères et Degliame, tome III (1972).

PERRAULT Gilles. — *L'Orchestre rouge* (1967).

ROSSI Amilcare (pseudo. de Tasca). — *Les Communistes français pendant la drôle de guerre* (1951). Réédité en 1972 aux Éd. Albatros.
   — *Physiologie du parti communiste* (1948).
   — *La Guerre des papillons.*
   — *Les Cahiers du bolchevisme pendant la campagne 1939-1940.* Avant-propos (1951).

SAINT-PAULIEN. — *Histoire de la collaboration.*

SCHRAM VON WILHELM. — *Les espions ont-ils gagné la guerre?* (1969).

VIRET Paul. — *Les 75 000 fusillés.*

4º *De la Libération à 1974.*

ANGELI Claude et GILLET Paul. — *La Police dans la politique.*

ARON Robert. — *Histoire de la libération de la France* (1964).

BARANÈS André. — *Jacques Duclos m'a dit* (1956).

BARJONET André. — *Le Parti communiste français* (1970).

BARTON Paul. — *Prague à l'heure de Moscou* (1954).

COOKRIDGE — *Philby.*

DOYON Jacques. — *Les Soldats blancs d'Ho Chi-minh* (1973).

FAUCHER Jean et FEBVRE Jean-Louis. — *L'Affaire des fuites.*

GOIRAN André. — *Le Dossier G.U.S.* (1973).

GUINGOUIN Georges. — *Nouvelles de prison* (s. d.).

HOSS Jean-Pierre. — *Communes en banlieue. Argenteuil et Bezons* (1969).

HERVÉ Pierre. — *Dieu et César sont-ils communistes?* (1956).

LAZITCH Branko. — *Les Partis communistes d'Europe* (1956).

Le Braz. — *Les Rejetés* (1974).
Lecœur Auguste. — *L'Autocritique attendue* (1955).
— *Le P.C.F. et la Résistance* (1968).
— *Croix de guerre pour une grève* (1971).
Madiran Jean. — *Ils ne savent pas ce qu'ils font.* (1955).
— *Ils ne savent pas ce qu'ils disent* (1969).
Marty André. — *L'Affaire Marty.*
Maze Jean. — *Le Système (1943-1951)* (1951).
Tatu Michel. — *Le Pouvoir en U.R.S.S.* (1967).
Teruel-Mania J. — *De Lénine au panzer-communisme* (1971).
Vinatrel Guy. — *Communisme et franc-maçonnerie* (1961).
Villemarest (Pierre Faillant de). — *L'Espionnage soviétique en France.*

D. — BROCHURES, LIBELLES, TRACTS, C. R. DE CONGRÈS...

Daladier Édouard. — « Réponse aux chefs communistes » (1946).
Lacipierras (capitaine). — « Au carrefour de la trahison. »
Ollivier Marcel. — « Les Journées sanglantes de Barcelone » (1937).
Prieto Indelacio. — « Como y porque sali del Ministrerio de Défensa nacional. Intrigas de los Rusos en España ».
Comment et pourquoi je suis parti du ministère de la Défense nationale. Les intrigues des Russes en Espagne (1939).
Rous Jean. — « Espagne 1936. Espagne 1939 » (s. d.).
Salençon Charles. — « Le procès du communisme est ouvert », préface de Paul Faure (1956).
Sedoff Léon. — « Le Livre rouge sur le procès de Moscou » (1936).
Serge Victor. — « Seize fusillés » (1936).
Rosmer A. et Wullens M. — « L'assassinat d'Ignace Reiss » (1938).
Souvarine Boris. — « Aveux à Moscou ».
Topalovitch (Dr. Zivco). — « Tito et le Komintern yougoslave, 1941-1949 » (s. d.).
Thorez Maurice. — « Léon Blum tel qu'il est. Un odieux document. » Introduction de Charles Pot (1956).
Wullens Maurice. — « Huit jours à Barcelone » (1937).

OUVRAGES ANONYMES OU COLLECTIFS

« L'Affaire Marty et le Mouvement ouvrier » (1953).
Amicale des anciens fonctionnaires de la préfecture de police et de leurs amis (tracts).
Anniversaire de la naissance de Joseph Staline (1961).
« Les Bandes armées du pouvoir » (le *Document rouge* 23-24, publié par la Ligue communiste) (s. d.).
Brochures éditées pour les élections municipales (recueil de brochures dont l'auteur présumé est Émile Bougère) (1953).
« Le cas Henri Martin » (1952).
« Le complot communiste-socialiste. L'insurrection armée. » Préface du colonel de La Rocque.
« Les Communistes et les Colonies » (1957).
« Communisme et rébellion » (s. d.) (1957?).
« Doriot et le Parti populaire français veulent refaire la France (s.d.)
« L'espionnage soviétique dévoilé » (1952).
« L'espionnage soviétique en France de 1945 à 1955 » (supplément du *B.E.I.P.I.* (1955).
« Espions soviétiques à l'ombre des Nations Unies » (s. d.) (éd. en Belgique).
« L'impossible Front national ».
« La lettre de Schangaï », précédée d'une introduction d'Albert Treint (1927).

« Les Mutineries de la mer Noire (supplément au nº 13 des *Cahiers de mai*).
« La presse et les organisations communistes ou apparentées » (suppl. à *Défendre la vérité*, s. d.).
« Requête aux Nations Unies sur les droits de l'Homme (1951).
« La signification politique des Cahiers de Duclos » (s. d. ni indication d'éditeur).
« Les Staliniens dépeints par eux-mêmes » (supplément au *Populaire-Dimanche* nº 126, 3 juin 1951, contenant les sténographies du discours prononcé à Longueau (Somme) par Louis Prot, député communiste, le 12 mai 1949, devant 1 500 personnes).
« L'U.R.S.S. lance un S.O.S. » (la conférence économique de Moscou, 1952).
Vingt-quatre lettres inédites d'André Marty (déc. 1952-juillet 1953) (s. d. ni indication d'éditeur).
« La vérité sur la désertion de Maurice Thorez » (auteur présumé Vassart) (s. d., postérieure à 1945).

E. — PÉRIODIQUES

Organes spécialisés

Barrage, devenu ensuite *L'Ordre national*, organe de la Spirale, animée par Loustaunau-Lacau; *Le Contrat social* ; *Contre-point* ; « *Mes Dossiers* », lettre confidentielle de Jacques De Launay; *L'Étincelle* ; *L'Emancipation nationale* ; *Est et Ouest* (publié d'abord sous le titre *B.E.I.P.I.*), organe de l'Association d'étude et d'information politique internationale; *Le Fil d'Ariane* (quelques numéros); *Les Informations politiques et sociales* ; *Les Informations politiques et sociales* ; *Les Informations ouvrières et syndicales*, (organe clandestin 1943-1945); « *La Lettre à mon cousin* » de Jean-André Foucher; *La Nation socialiste* ; *La République Socialiste* (d'abord intitulée *Le Socialiste)* ; *La Révolution prolétarienne* ; *Rouge; La Tribune de discussion; Unir-Débat* (précédé avant 1966 par *Unis pour le socialisme* et *Le Débat communiste*, qui ont fusionné).
Revue de la presse communiste (Vichy 1943-1944).
Relevé hebdomadaire d'écoutes relatives aux communistes (Vichy, ministère de l'Information, nov. 1943-1944).
Les Informations ouvrières et syndicales.

IV. — AUTRES OUVRAGES

L'Année politique. (1945-1974)
ALEXANDRE Philippe. — *Le Duel de Gaulle-Pompidou* (1970.)
AMOUROUX Henri. — *La vie des Français sous l'occupation* (1961).
AURIOL Vincent. — *Mon septennat* (1970).
  Journal du septennat (1947-1954) : tomes I (1947), II (1948), III (1954) (publiés en 1970, 1971 et 1974).
AZEAU Henri. — *Révolte militaire; Alger 22 avril 1961*
BARUCH (pseudo. du père Raymondon). — *Mon péché* (1970).
BACKMAN René et ANGELI. — *Les Polices de la nouvelle société* (1971).
BERGIER Jacques. — *L'Espionnage politique* (1973).
BIDAULT Georges. — *D'une Résistance à l'autre.*
BONNET Georges. — *Dans la tourmente (1938-1948)* (1970).
BROMBERGER Serge. — *Les Rebelles algériens* (1958).
CHAMPEAUX Georges. — *La Croisade des démocraties* (tomes I et II) (1941).
CHAPSAL J. — *La Vie politique en France* (1940).
COURRIÈRE Yves. — *La Guerre d'Algérie* (tomes I, II, III et IV) (1972).
DANSETTE Adrien. — *Histoire de la libération de Paris* (1946).
DENIS Henri. — *Le Comité parisien de la Libération* (1963).

Elgey Georgette. — *La République des illusions* (1965).
Fabre-Luce Robert. — *Journal de la France* (1941 et 1947).
— *Journal de l'Europe* (1947).
— *La Dernière Nuit du Dr Ward* (1963).
Fauvet Jacques et Planchais Jean. — *La Fronde des généraux* (1961).
Falcone Carlo. — *Vu et entendu au concile* (1965).
Favrod Charles-Henri. — *La Révolution algérienne* (1959).
Gaulle (Charles de). — *Mémoires de guerre.*
Hostache René. — *Le Conseil national de la Résistance* (1958).
Jaffré (Me Yves-Frédéric). — *Les Tribunaux d'exception* (1963).
Kagan (Colonel). — *Combats secrets pour Israël.*
Kleist Peter. — *Entre Hitler et Staline* (1953).
Kerillis (Henri de). — *De Gaulle dictateur.*
Langeron. — *Paris, juin 1940.*
Lantier Jacques. — *Le Temps des policiers.*
Le Boterf. — *La Bretagne dans la guerre.*
Lepp Ignace. — *Itinéraire de Karl Marx à Jésus-Christ.*
Massiet R. — *La Préparation de l'insurrection et la Bataille de Paris* (1945).
Monnerot Jules. — *La Guerre en question.*
Navarre (général). — *Agonie de l'Indochine.*
Norois Claude. — *Dieu contre Dieu.*
Paillat Claude. — *Dossier secret de l'Algérie.*
Taittinger Pierre. — *Et Paris ne fut pas détruit* (1956).
Tirard Paul. — *La France sur le Rhin.*
Thiraud de Vosjoli. — *Lamia.*
Tournoux J. — *Secrets d'État* (1960).
Le Tourment et la Fatalité (1974).
Vidalenc Jean. — *L'Exode de mai-juin 1940* (1957).

AUTRES PÉRIODIQUES

1. QUOTIDIENS

Avant la guerre :
L'Action française, La Liberté, Le Matin.
Sous l'occupation :
La France socialiste, La France au travail, Le Matin, L'Œuvre.
Après la Libération :
La Croix, Le Figaro, France-Soir, Journal officiel, Ce Matin-Le Pays, Le Monde, Le Parisien libéré, Le Populaire.

2. HEBDOMADAIRES ET BIMENSUELS

Avant guerre :
Candide, Choc, Détective, L'Émancipation nationale, Gringoire, Les Hommes du jour, Vendredi.
Sous l'occupation :
L'Atelier, La Gerbe, la Révolution nationale.
Après la Libération :
L'Arche, Le Canard enchaîné, Carrefour, C'est-à-dire, Dissidence 40, Europe-Amérique, Elle, L'Express, La France catholique, France-Dimanche, L'Observateur (devenu ensuite *France-Observateur* puis *Le Nouvel Observateur*), *Minute, Rivarol, Tel Quel, Valeurs actuelles.*

3. REVUES ET MENSUELS

Avant la guerre :
La Revue mondiale.
Après la guerre :
Dossiers-Actualité, Écrits de Paris, Itinéraires, La Lettre, L'Ordre français, Permanences, Preuves, Le Spectacle du monde, Les Temps modernes.

Index des principaux noms

La composition, l'impression et le brochage de ce livre ont été effectués par Firmin-Didot S.A. pour les Éditions Albin Michel

AM

Achevé d'imprimer le 20 novembre 1974 N° d'édition 5331 N° d'impression 6193 Dépôt légal : 4e trimestre 1974